HISTORIA DE LA LITERATURA ESPAÑOLA

José García López

Catedrático

HISTORIA DE LA LITERATURA ESPAÑOLA

editorial **vicens-vives**

Dirección de edición: Albert Vicens

Decimonovena edición, 1977
Primera reedición, 1978
Segunda reedición, 1980
Tercera reedición, 1981
Cuarta reedición, 1982
Quinta reedición, 1983

Depósito Legal: B. 12.886-1983
ISBN: 84-316-0597-9
N.º de Orden V.V.: C-665

IMPRESO EN ESPAÑA
PRINTED IN SPAIN

Editado por Ediciones VICENS-VIVES, S.A. Avda. de Sarriá, 130. Barcelona-17.
Impreso por Gráficas INSTAR, S.A. Metalúrgia, s/n. Esquina Indústria. Hospitalet (Barcelona)

índice general

**EDAD
MEDIA**

SIGLO XVI

SIGLO XVII

SIGLO XVIII

SIGLO XIX

SIGLO XX

EDAD MEDIA

circunstancias histórico-culturales de la edad media

Evolución del concepto sobre la Edad Media

El renacimiento europeo, con su incondicional admiración por la antigüedad greco-latina, supuso para la Edad Media una actitud de incomprensión o desdén que se mantuvo inalterada hasta el Romanticismo. No obstante, los románticos vieron a menudo el mundo medieval desde un ámbito exclusivamente novelesco; para ellos, los siglos medios habrían constituido sólo una brillante época de hazañas caballerescas y líricas actitudes idealistas.

Semejante concepción vino a ser paulatinamente substituida por una visión más de acuerdo con la realidad. La Edad Media —sobre todo en sus últimos siglos— se nos

El recuerdo de un pasado heroico constituyó, a pesar de los cambios impuestos por el devenir histórico, una de las notas permanentes de la literatura de Castilla.

ofrece hoy, no como un paréntesis de barbarie en la cultura europea ni como una época legendaria de fantasía y ensueño, sino como un período histórico dotado de rica personalidad e intensa capacidad creadora en el terreno del arte y de las formas de vida.

Las clases sociales y la cultura medieval

La Iglesia. – El hecho de que la Iglesia no se limite en la Edad Media a la difusión y defensa de los valores religiosos, sino que tome a su cargo *la conservación de las tradiciones culturales,* tiene una importancia decisiva. Clerecía y cultura serán durante mucho tiempo conceptos casi sinónimos, de la misma manera que la palabra "clérigo" vendrá a designar por igual al hombre de profesión religiosa y al culto.

En un principio, la labor de la Iglesia se reduce a asegurar la continuidad de la cultura antigua. Es el momento en que la escuela o el *scriptorium monacal* –donde se lleva a cabo una paciente copia de viejos manuscritos– constituyen el único oasis de civilización. Pero, más tarde, cuando cambian las condiciones de la vida social y comienzan a resurgir las ciudades, la Iglesia sigue influyendo en la cultura a través de las *Universidades.*

De acuerdo con las doctrinas eclesiásticas, tal como cristalizan en el movimiento escolástico del siglo XIII, el hombre medieval, guiado por una visión teocéntrica del universo, contempla el mundo como un todo armónico regido por la Providencia divina y sometido a una jerarquía inmutable; siente que el orden social, político y religioso debe ser respetado como obra de Dios y sabe que el pueblo ha sido creado para trabajar, la nobleza para ser modelo de rectitud y valor, y la clerecía para propagar la fe cristiana. La obediencia a unos principios dictados por una autoridad indiscutible y *el respeto al orden jerárquico establecido* se convierten así en la norma capital de la sociedad de la época.

Junto a este sentido de disciplina, la cultura medieval ofrece una notable *uniformidad,* ya que la universal aceptación del latín como lengua escrita y la sumisión de todos a las verdades del cristianismo, favorecen la adhesión general a idénticas formas de civilización. El arte románico, la arquitectura gótica, la música polifónica o determinadas leyendas marianas, al darse simultáneamente en los más apartados países, constituyen la mejor prueba de la homogeneidad cultural de los siglos medios.

Claro está que donde mejor se observa el influjo decisivo de la Iglesia es en el campo del *sentimiento religioso.* Gracias al profundo arraigo de éste, la mayor parte de la producción literaria culta revela un sentido trascendente de la vida que lleva consigo un concepto peyorativo del mundo presente; sus advertencias serán siempre las mismas: todo lo humano es caduco, el tiempo acaba con los bienes terrenos, nada de este mundo tiene un valor permanente... Pero la Religión, además de marcar su impronta en las altas tareas del espíritu y de constituir el tema principal de todas las artes, llega a convertirse en uno de los más importantes resortes de las grandes empresas internacionales: las Cruzadas, la Reconquista...

Cultura, sentido del orden y de la jerarquía, universalidad, espíritu religioso: he aquí, pues, lo que la acción de la Iglesia significa para la Edad Media.

La Nobleza. — La Iglesia y la Nobleza son las dos clases rectoras de la sociedad medieval. La segunda recibe de la primera impulsos, acicates, normas de vida, ideas —así ocurre con la del orden jerárquico del universo—, pero origina, a su vez, formas de civilización que se reflejan en el ambiente y en la literatura de la época.

La nobleza europea de la primera época feudal aparece dotada de un espíritu rural y particularista, opuesto al sentido universal de la Iglesia. Trátase de una *aristocracia ruda e inculta* cuyos afanes belicosos encuentran a veces un estímulo en la idea del ataque al enemigo de la fe —raíz de una más o menos vaga noción de colectividad—, pero que, por lo general, limita su heroísmo guerrero a la defensa o ampliación del terruño.

Con el tiempo, los señores abandonan su bárbaro aislamiento, y al aumentar la cultura como resultado de la convivencia social, surge un ideal de *nobleza caballeresca.* A diferencia del antiguo héroe, el caballero deberá aceptar las leyes que le imponga el código de la caballería y con ellas un programa de vida en el que junto a elementos ético-religiosos —la lucha contra el infiel, la protección de los débiles, el ejercicio de las virtudes ascéticas...— se observan otros de tipo profano —la fidelidad amorosa, el gusto por la aventura...— que representan una superación de la antigua rudeza.

En los últimos siglos de la Edad Media —en el XV sobre todo—, el ideal de la caballería pierde gran parte de su eficacia para convertirse en un *simple juego elegante.* La nobleza, agrupada definitivamente en torno al monarca, a consecuencia del progresivo fortalecimiento del poder real, adquiere un carácter *cortesano;* su vida se hace cada vez

Clérigos y campesinos, según unas miniaturas de las Cantigas, correspondientes a una época en la que comienza a alterarse la primitiva estructura social de la Edad Media.

más refinada y lujosa y las virtudes caballerescas degeneran para conservar tan sólo su brillantez externa. Además, la noción de la lucha por un ideal colectivo tiende a desaparecer bajo la presión de un nuevo espíritu individualista que sitúa el eje de la conducta en el afán amoroso y en el logro del éxito o de la gloria personal. De esta forma, el rudo batallar de otros tiempos queda reducido a meros torneos cortesanos y frívolos esparcimientos de salón en los que el ingenio poético y el amor desempeñan un importante papel.

El Pueblo. — En un principio, el pueblo vive pobremente al amparo del castillo o en torno al monasterio. Sus ocupaciones primordiales son las labores agrícolas y su cultura es prácticamente nula. Pero, poco a poco, a medida que va siendo posible el comercio y la industria, se agrupa en grandes núcleos urbanos que dan origen a una nueva clase social: *la burguesía.*

En los habitantes de las nuevas ciudades, los ideales caballerescos y el ascetismo religioso apenas provocan entusiasmo alguno. Sonríen ante el romanticismo amoroso de los caballeros o la áspera renuncia del religioso, y viven de acuerdo con una *moral utilitaria* en la que la astucia no es considerada como un defecto, sino una cualidad necesaria para la lucha por la vida. De ahí que en ocasiones reaccionen con una nota de *humor malicioso* frente a actitudes que no comparten. La sátira es por ello un género eminentemente burgués; lo cual no supone un ataque contra el orden establecido por las clases dirigentes o un consciente deseo de reforma. Ello vendrá más tarde, cuando, caducadas las instituciones medievales, se alce un grito de protesta contra las viejas tradiciones.

La Alta y la Baja Edad Media

La Alta Edad Media. — Durante los siglos X, XI y XII, las dos instituciones capitales de la sociedad son el *Castillo* y el *Monasterio.* El primero alberga a una aristocracia inculta, atenta solamente a las vicisitudes de la guerra; el Monasterio, a unos monjes que, con su esfuerzo, mantienen las tradiciones culturales. El pueblo vive, como ya dijimos, en torno a unos y otros, dedicado exclusivamente a la agricultura. *La vida social casi no existe.* El estilo románico, con sus formas macizas y su rígido hieratismo, se extiende ahora por toda Europa.

La Baja Edad Media. — En el siglo XIII, nuevas corrientes inician una evolución de la sociedad en todos sus aspectos. La vida comienza a florecer en las ciudades; la Iglesia, gracias a la labor desplegada por dos grandes órdenes religiosas populares —franciscanos y dominicos—, ofrece a la Cristiandad un gran sistema filosófico: la Escolástica; la nobleza se orienta hacia los ideales caballerescos, y un estilo gótico de líneas simples y severo aspecto va substituyendo al románico de la época anterior.

Los siglos XIV y XV representan el fin del proceso iniciado en el XIII. Una refinada *nobleza caballeresca* permanece ahora en la corte alrededor del rey; junto a los

Guerreros y artesanos, según unas miniaturas de las Cantigas. El ideal heroico y los afanes de la burguesía representan, respectivamente, el fin de una época y el comienzo de una nueva mentalidad.

viejos monasterios hallamos una serie de *Universidades* en las que el elemento eclesiástico mantiene su influencia, y la ciudad adquiere también un desarrollo considerable gracias al esfuerzo de una poderosa *clase burguesa,* convirtiéndose en el centro de una cultura en la que confluyen los más diversos factores. El estilo gótico, con sus líneas gráciles y su espíritu idealista matizado de realismo, se enriquece ahora con una ornamentación cada vez más lujosa y se aplica a la construcción de Palacios, Catedrales y Lonjas, edificios con los que puede simbolizarse el sentido de la nueva época.

Tendencias estético-literarias

Casi todo el *arte culto* de la Edad Media ofrece *una clara orientación pedagógica.* Merced a esta concepción utilitaria, el contenido ideológico-moral de las obras presenta, para el autor, un interés mucho más elevado que la expresión poética, ya que sólo se ve en ésta un mero artificio destinado a hacer más asequibles las verdades que encierra. *La belleza no interesa por sí misma,* o al menos así suele declararse.

Santillana define la poesía como un "fingimiento de cosas útiles, cubiertas o veladas con muy fermosa cobertura", y un gran número de poetas aconsejan insistentemente a sus lectores que desentrañen el sentido oculto de sus obras, prescindiendo de su bella apariencia. "Miremos al seso e non al vocablo", es decir, al significado, no a la simple forma verbal, nos dice Juan de Mena. Ello nos explica, en parte, la extraordinaria frecuencia con que es utilizado el procedimiento alegórico, ya que en la Edad Media se considera tal recurso como una bella ficción que encubre ideas morales. El primordial intento de Berceo al describirnos un prado apacible, como imagen de la Virgen, no es otro que el de inculcar en sus oyentes una verdad religiosa, valiéndose de una grata imagen plástica.

Este concepto práctico de la poesía había de llevar a un *desdén absoluto por la originalidad,* desde el momento en que el escritor atiende exclusivamente a la eficacia de sus enseñanzas, haciendo caso omiso de la novedad de las formas de expresión que utiliza o de las ideas morales que expone —reducibles por ello a unos cuantos *tópicos:* menosprecio del mundo, caducidad de lo terreno, miseria del hombre...—.

Ahora bien, aunque tal dirección se mantiene hasta fines de la Edad Media, *la lírica provenzal difunde desde el siglo XII una nueva concepción del arte literario* al eliminar de éste toda finalidad docente. La poesía trovadoresca del Mediodía de Francia no carece de temas didácticos, pero por lo general sólo trata de conseguir un *objetivo estético;* por más que incluso en esta poesía —casi toda de tipo amoroso— puede observarse la misma tendencia al lugar común que en la producción moralizadora.

En términos generales, el arte de la Edad Media ofrece una enorme riqueza de matices, que van desde lo grotesco hasta las formas más idealizadas, desde lo más rudo hasta lo más exquisito y delicado. *Fuertemente expresivo,* se orienta, más que a la consecución de una belleza plácida y equilibrada, al logro de un intenso choque emocional, y sus manifestaciones, agitadas por un impaciente dinamismo, son el polo opuesto de la serena perfección de las literaturas clásicas. Así se observa sobre todo en el arte de los últimos siglos de la Edad Media, en el que coexisten la estilización espiritual y el realismo más crudo, y en el que las formas más dramáticas no excluyen las notas de humor.

Las clases sociales y los géneros literarios

Los géneros literarios aparecen en la Edad Media tan vinculados con las clases sociales, que, en términos generales, es posible establecer una clasificación basada en la especial estructura de la sociedad.

La existencia de una *aristocracia guerrera* da lugar desde muy antiguo a una poesía oral en lengua vulgar y de carácter heroico —*cantares de gesta*—, cuyas formas elementales responden a la rudeza del público a quien va dirigida. Nobles y siervos, ajenos por igual a todo refinamiento cultural, constituyen el auditorio de estas epopeyas guerreras, fuertemente impregnadas de un espíritu localista.

La *clerecía* produce, por su parte, toda la literatura de carácter *religioso, moral y científico.* En un principio, el latín es el medio de expresión utilizado para todos estos géneros; más tarde, desde el siglo XIII, se inicia el uso de la lengua vulgar. A partir de esta época, comienza también un proceso de secularización de la producción didáctica, a medida que la cultura deja de ser patrimonio exclusivo de la Iglesia.

Al renacer la vida en las ciudades, la *burguesía* exige unas formas artísticas que respondan a su peculiar visión del mundo. *El cuento y la poesía de fondo satírico* son los géneros más característicos de esta nueva clase social, ajena a todo afán universalista y para la que sólo existe el reducido mundo de las cosas familiares. Frente a las figuras del héroe o del santo, exaltadas por juglares y por clérigos, la literatura

El estilo románico, con sus líneas robustas, que contrastan con la grácil esbeltez del gótico posterior, corresponde a las primeras épocas medievales, cuando Europa empezaba a revivir después del calamitoso período de las invasiones. La Colegiata de Toro es uno de los monumentos más representativos del arte románico en la región del río Duero.

burguesa representa la apología del hombre práctico y avisado, cuyo malicioso sentido crítico le hace triunfar en los más difíciles trances de la vida cotidiana.

La aparición de una *nobleza caballeresca y cortesana,* solicitada por dos estímulos capitales, la aventura y el amor, da a su vez origen a numerosas *novelas,* donde se relatan fantásticas proezas de esforzados paladines, y a toda una *lírica amorosa* de tono idealista y refinadas formas.

Todo lo dicho no significa que los géneros se hallen separados por barreras infranqueables. Muy al contrario, obsérvanse frecuentes interferencias entre ellos, y no es raro encontrar elementos épicos o caballerescos en la producción de los clérigos, o cortesanos y religiosos en la de los burgueses.

Téngase, además, en cuenta otro fenómeno típico de la época: la existencia de toda una *literatura popular* —o *tradicional*—, entendiendo por tal la que, creada por un individuo de cualquier clase social, perpetúa oralmente la colectividad —introduciendo a menudo variantes y llegando a olvidar el nombre del autor—, por hallarse la obra plenamente de acuerdo con el espíritu y los gustos del país.

Notas fundamentales de la literatura castellana medieval

Cuanto acabamos de decir podría aplicarse, en general, a toda la Europa occidental de la Edad Media, y, por lo tanto, a Castilla. No obstante, cabe señalar en ésta ciertos rasgos diferenciales que le prestan una especial fisonomía.

Si atendemos a las *clases sociales,* observamos la misma división que en los demás países: una *Clerecía,* mantenedora de las verdades de la fe y de las tradiciones culturales, una *Nobleza* guerrera empeñada en afanes belicosos, y una amplia *masa popular* regida en lo político por la aristocracia, y en lo espiritual por la Iglesia. Ahora bien, si esta última, dado el tono de universalidad de sus principios religiosos y de su misma organización, presenta en Castilla rasgos hasta cierto punto análogos a los que ofrece en toda la Cristiandad, *la nobleza se mantiene alejada de la estructura feudal* debido a una compleja serie de circunstancias que se oponen al desarrollo de la rígida concepción jerárquica de la sociedad típica de la Europa del momento. En cuanto al pueblo, la nota diferencial castellana radica en *la casi total ausencia de una burguesía* orgullosa de su potencia económica y de su visión práctica y utilitaria de la vida; al relegar a moros y judíos el desempeño de las tareas mercantiles y artesanas, Castilla queda así constituida por *una compacta y homogénea colectividad,* escasamente diferenciada en lo que respecta a funciones o ideales de clase, y entregada a un mismo empeño fundamental: el cultivo del campo y la lucha contra el infiel.

La *evolución histórica* sigue, asimismo, una trayectoria semejante a la de la sociedad europea: tránsito de la vida rural a la urbana, del Castillo solitario a la Corte real, del recoleto Scriptorium monacal a la bulliciosa Universidad, de las rudas maneras a la refinada galantería caballeresca..., en una palabra, de la Alta a la Baja Edad Media. Mas si la evolución es la misma, *el ritmo será más lento.*

En efecto, España se halla en uno de los confines de Europa y las novedades extranjeras han llegado siempre aquí con cierto retraso; pero esto hubiera sido lo de menos si la presencia de los árabes en la Península no hubiese obligado a los castellanos a adoptar una actitud defensiva. El recurso más eficaz para resistir al peligro musulmán era evitar toda contaminación en el terreno de las concepciones culturales; Castilla lo entendió así y para conseguirlo se aferró tenazmente a sus peculiares formas de vida, creando con ello un hábito que había de convertirse con el tiempo en uno de los rasgos más característicos del temperamento español: *la postura refractaria hacia cualquier género de innovación y la defensa a ultranza de todo lo vernáculo y tradicional.* No obstante, cuando el brillo de la media luna empezó a extinguirse en España, Castilla, segura ya de sí misma, comenzó a dejar paso libre a las influencias musulmanas, las cuales unidas a otras de origen europeo, acabaron dando una especial fisonomía a su cultura durante los siglos XIV y XV.

Todo ello y la prolongada tensión de una lucha secular al servicio de unos mismos ideales colectivos —políticos y religiosos— bastaría para explicar el especial carácter de la literatura castellana medieval. Por su parte, Menéndez Pidal [1] ha visto en las condiciones desfavorables que presiden el nacimiento de Castilla y en la esforzada intervención de todo el pueblo en la gran empresa de la Reconquista, la causa no sólo de la firmeza con que aquélla mantuvo sus peculiares formas de vida, desligándose de la anterior tradición visigótica (muy vinculada con la herencia de Roma), representada por León, sino de las notas esenciales que definen su arte literario, entre las que

---

1. "Los españoles en la historia y en la literatura",

El gótico es el arte representativo de la Baja Edad Media. Un buen ejemplo del mismo, la catedral de Burgos, cuyas airosas torres nos hablan del espíritu de la época.

destaca el *predominio del elemento popular,* con todas las consecuencias que el hecho lleva consigo.

En primer término, como arte que es de mayorías, la tendencia hacia una *expresión sobria y espontánea,* libre de todo artificio; lo que motiva la preferencia por las formas métricas más simples e irregulares, tales como la asonancia, al mismo tiempo que una considerable libertad en el aspecto sintáctico.

Un innegable desdén por lo maravilloso, junto a un *intenso realismo,* es otro extremo característico del popularismo de nuestra literatura medieval, en la que aparece captada con exactitud insuperable no sólo la realidad física, sino la fisonomía espiritual de los personajes; lo cual no quiere decir que el artista español se contente con la pura materialidad de las cosas ya que, en sus creaciones literarias, la realidad aparece a menudo envuelta en un halo de poesía o de elevada trascendencia.

Junto a ello, habría que notar la predilección por un tipo de *arte colectivo y anónimo,* en el que la personalidad del autor se halla plenamente identificada con el sentir general —más inclinado en la Castilla primitiva a los valores objetivos de lo épico que al subjetivismo lírico—. Gracias a la fervorosa adhesión del pueblo a la obra del poeta y al respeto de éste por las formas y motivos literarios preferidos por la comunidad, vemos perdurar a través de los siglos una serie de temas que ofrecen en sus sucesivas refundiciones una infinita gama de variantes.

Por eso, el *apego a la tradición local y a los ideales nacionales,* religiosos y guerreros, expresados según los recursos propios del arte popular, es quizás el rasgo más notable de la literatura castellana medieval. Baste como ejemplo la leyenda del Cid, cuyos episodios fundamentales perduran a lo largo de crónicas y romances, hasta incorporarse a nuestro teatro del siglo XVII. Consignemos, por último, la tendencia a no ver la belleza literaria como un fin en sí, y a subordinarla, con resuelta *intención práctica,* a objetivos —políticos, éticos, religiosos...— considerados más altos. En relación con lo cual se hallaría también la *austeridad moral* de nuestras letras, tan distintas, en esto, de un buen sector del arte europeo.

No obstante, es necesario recordar que al lado de esta amplia producción de tipo colectivo e íntimamente ligada a lo tradicional, existe toda una serie de *realizaciones literarias de carácter culto,* que, sin dejar de ser plenamente españolas, se hallan orientadas hacia la consecución de fines estéticos que rebasan el área de lo nacional y popular. Frente al juglar, que ofrece despreocupadamente al pueblo sus cantares para que éste los recree o refunda, la figura de don Juan Manuel, celoso defensor de la paternidad de sus obras y cuidadoso artífice del estilo, representa una actitud diametralmente opuesta.

Afán de perfección formal, evasión idealista de la realidad cotidiana, aristocrática exaltación de la personalidad del autor, ansia de universalidad y de belleza: he aquí las directrices capitales de esta modalidad de nuestro arte medieval, cuya existencia había pasado, en cierto modo, inadvertida hasta el presente. En nuestros días ha sido valorada justamente,[1] al establecerse como ley fundamental de la literatura española el *constante dualismo de lo popular* —con sus notas de realismo y localismo—, *junto a lo aristocrático* —idealista y universal—.

Hay que reconocer, sin embargo, que en Castilla *es más copioso y representativo el caudal de la corriente popular,* cuya influencia alcanza a los autores más caracterizados por su orientación culta.

El contacto con otras culturas

Como acabamos de indicar, en la literatura castellana de la Edad Media el factor local alcanza una importancia decisiva, sobre todo en el campo de la épica y de la lírica popular. No obstante, la Castilla medieval no permaneció aislada de las principales corrientes culturales de la época, y sus producción literaria refleja varias influencias que es necesario tener en cuenta.

El *elemento germánico* —aportado por los visigodos— apenas actuó sobre la cultura española, debido a la intensa romanización de los invasores. Sin embargo, puede advertirse su huella en los cantares de gesta.

---

1. Por Dámaso Alonso, en "Escila y Caribdis de la Literatura española" (Ensayos sobre poesía española).

Mucho mayor es el volumen del *influjo oriental,* debido al contacto permanente entre españoles, judíos y musulmanes y a la superior cultura de éstos. Desde el establecimiento de la escuela de traductores de Toledo en el siglo XII, y sobre todo a partir del XIII —momento en el que el Islam, al batirse en retirada, dejó de constituir un auténtico peligro para los principios básicos de la civilización occidental—, la ciencia árabe, basada en gran parte en la griega, se convierte en la principal fuente informativa para todos los estudiosos europeos, mientras una nutrida serie de cuentos y apólogos árabes de origen indio se introduce en las literaturas del mundo cristiano. He aquí por qué la prosa castellana de tipo didáctico-narrativo de los siglos XIII y XIV revela una fuerte influencia *arábiga,* unida frecuentemente a otra de tipo *hebreo.* [1]

Junto al influjo oriental, *Francia* se halla presente en nuestra cultura desde el siglo XI, momento en que Castilla comienza a relacionarse con Europa, gracias a las peregrinaciones a Santiago, a la venida de los monjes cluniacenses y a la intervención francesa en la Reconquista. En el aspecto literario, la influencia francesa se deja sentir sobre la épica, y sobre la poesía y la prosa narrativa de asunto caballeresco.

Provenza, en cambio, representa el modelo más importante de la lírica culta. La poesía trovadoresca provenzal, cuyo radio se extiende a casi toda Europa, alcanza también a Castilla y da lugar a un artificioso lirismo cortesano.

La mayor parte de estos contactos con otras literaturas fueron perdiendo fuerza para ser substituidos en el siglo XV por una influencia *italiana* impregnada de elementos clásicos. Dante, Boccaccio y Petrarca privan ahora en los ambientes cultos y su entusiasmo clasicista provoca a su vez en España un humanismo incipiente.

Aunque la *cultura clásica* no fue olvidada totalmente durante los siglos anteriores al Renacimiento —como lo demuestran la historia, la prosa didáctica y en general la literatura de los clérigos, inspirada frecuentemente en los autores latinos—, es un hecho que la visión medieval de la antigüedad tuvo mucho de superficial y anacrónica. Por eso, el fervor humanístico del siglo XV constituye una importante novedad, ya que, gracias a él, la literatura y el arte clásicos comenzaron a interesar desde el punto de vista estético y no como simple objeto de conocimiento erudito.

Resumiendo lo dicho, tendríamos tres influencias básicas en la producción de los siglos XIII y XIV: la oriental —para la prosa científica y el cuento—, la francesa —para la literatura épica y caballeresca— y la provenzal —para la lírica cortesana—; y en el siglo XV, un claro predominio del influjo italiano y clasicista sobre casi todos los géneros.

---

1. No ha mucho, Américo Castro ("La realidad histórica de España") ha atribuido un valor decisivo al influjo judío y musulmán, no sólo sobre la literatura —espíritu de sensualidad, intimismo lírico... sobre todo desde el siglo XIV—, sino sobre las formas de vida del español medieval. Ello ha dado lugar a un amplio debate con C. Sánchez Albornoz ("España, un enigma histórico").

La Edad Media y la literatura española

El estudio del Medioevo tiene enorme trascendencia para llegar al conocimiento de la literatura española, pues en pocos países como en el nuestro arraigan con tanto vigor las tendencias características de aquella época. Si la mayor parte de las culturas europeas vuelven la espalda a su tradición medieval al alborear el Renacimiento, España se mantiene tan aferrada a sus primitivas tendencias que es imposible comprender su Siglo de Oro sin tener en cuenta este ingrediente tradicional. El gusto por los temas épicos, el realismo, la dinámica espontaneidad de la expresión, el espíritu religioso y el apego a cuanto ofrezca un sabor típicamente nacional son otros tantos elementos que perduran tenazmente a través de la época renacentista. El teatro de Lope de Vega, la mística, el romancero, los libros de caballerías y un sinnúmero de producciones cumbres de nuestra literatura tienen su origen en una raíz medieval.

BIBLIOGRAFIA

HISTORIAS DE LA LITERATURA CASTELLANA MEDIEVAL

J. Amador de los Ríos: *Historia de la Literatura española,* 1861-65.
Historia de las Literaturas hispánicas. Vol. I y II, 1949 y 1951.
A. Millares Carlo: *Literatura española hasta fines del siglo XV.* México, 1950.
Juan L. Alborg: *Historia de la literatura española.* I. Madrid, Gredos, 1962.
A. D. Deyermond: *La Edad Media.* En "Historia de la literatura española". Barcelona, Ariel, 1973.

ESTUDIOS DE CARACTER GENERAL

R. Menéndez Pidal: *Los españoles en la historia y en la literatura,* 1951.
R. Menéndez Pidal: *Castilla. La tradición. El idioma.* Col. Austral, 1945.
C. Vossler: *Algunos caracteres de la cultura española.* Col. Austral, 1941.
C. Vossler: *Formas literarias en los pueblos románicos.* Col. Austral, 1944.
A. Farinelli: *Consideraciones sobre los caracteres fundamentales de la literatura española.* En "Divagaciones hispánicas". Vol. I, 1936.
P. Henríquez Ureña: *Cultura española en la Edad Media.* En "Plenitud de España", 1945.
F. López Estrada: *Introducción a la Literatura medieval española.* Ed. Gredos, 1952.
E. Robert Curtius: *Literatura europea y Edad Media latina,* 1955.
Américo Castro: *La realidad histórica de España.* Edición renovada, 1962.
Américo Castro: *Origen, ser y existir de los españoles,* 1959.
Dámaso Alonso: *De los siglos oscuros al de Oro,* 1958. (Contiene estudios sobre las Jarchas, el Poema del Cid, Berceo, Juan Ruiz, el Arcipreste de Talavera, Montesino, etc.)
Otis H. Green: *España y la tradición occidental. El espíritu castellano en la Literatura desde "El Cid" hasta Calderón.* 4 vols. Madrid, Gredos, 1969-1972.

ESTUDIOS SOBRE POESIA

M. Menéndez y Pelayo: *Historia de la poesía castellana de la Edad Media,* 1911-1916. (Contiene los estudios que preceden a los varios volúmenes de la *Antología de poetas líricos castellanos.*)

R. Menéndez Pidal: *La epopeya castellana a través de la literatura española.* 1.ª ed. en francés, 1910. Ed. en castellano, 1945.

R. Menéndez Pidal: *Poesía juglaresca y orígenes de las literaturas románicas,* 1957. (Es ampliación de *Poesía juglaresca y juglares.* Col. Austral, 1942.)

ESTUDIOS SOBRE NOVELA

M. Menéndez y Pelayo: *Orígenes de la novela,* 1905-1910.

ESTUDIOS SOBRE HISTORIA

B. Sánchez Alonso: *Historia de la historiografía española.* Vol. I, 1941.

ESTUDIOS SOBRE LA EVOLUCION DEL PENSAMIENTO RELIGIOSO, FILOSOFICO, ESTETICO, ETC.

M. Menéndez y Pelayo: *Historia de los heterodoxos españoles.* Ed. de la B. A. C. Vol. I, 1956.

M. Menéndez y Pelayo: *Historia de las ideas estéticas en España.* Ed. de 1928. Vol. II.

C. Vossler: *La ilustración medieval en España y su trascendencia.* En "Estampas del mundo románico". Col. Austral, 1946.

ESTUDIOS SOBRE VERSIFICACION

P. Henríquez Ureña: *La versificación irregular en la poesía castellana,* 1933.

Tomás Navarro: *Métrica española,* 1956.

ANTOLOGIAS

Dámaso Alonso: *Poesía de la Edad Media y poesía tradicional,* 1942.

Dámaso Alonso y J. M. Blecua: *Antología de la poesía española (Poesía de tipo tradicional),* 1956.

Eugène Kohler: *Antología de la literatura española de la Edad Media,* 1957.

R. Menéndez Pidal: *Crestomatía del español medieval.* Ed. Gredos, 1965-1966.

BIBLIOGRAFIAS

J. Simón Díaz: *Bibliografía de la literatura hispánica.* Varios volúmenes, desde 1950.

Contienen amplia información bibliográfica las siguientes obras:

Agustín Millares Carlo: *Literatura española hasta fines del siglo XV,* 1950.

F. López Estrada: *Introducción a la literatura medieval española,* 1952.

orígenes del español   2

Panorama lingüístico de España hasta la Reconquista

Epoca romana. – Las distintas *lenguas prerromanas,* habladas por los primitivos pobladores de España (iberos, ligures, celtas, tartesios...), empezaron a ser abandonadas a partir del siglo III antes de J. C., época en que Roma inició la colonización de España. Desde este momento todas las regiones –a excepción del país vasco– fueron incorporándose al uso del latín.

Dialectos hispánicos en el siglo X.

GALLEGO PORTUGUÉS · LEONÉS · VASCUENCE · NAVARRO-ARAGONÉS · LANGUEDOC · CATALÁN · CASTELLANO · DIALECTOS MOZÁRABES · Coimbra · Salamanca · Segovia · Ávila · Soria · Huesca · Barcelona

■ ■ Límite de la Reconquista en el siglo X

La *lengua latina* ofrecía dos modalidades bien definidas: el "sermo urbanus", o latín clásico, hablado y escrito por los más cultos, y el "sermo rusticus", o latín vulgar, que servía únicamente de expresión oral a la clase media y popular. Fue esta segunda forma idiomática la que vino a substituir a las antiguas lenguas aborígenes y las que aprendieron los españoles de boca de los legionarios romanos.

Epoca visigótica. – Merced al uso general de la lengua latina, España gozó durante la dominación romana de una uniformidad lingüística que no consiguió quebrantar la invasión de los pueblos del Norte. No obstante, con la división del Imperio en reinos independientes y el subsiguiente aislamiento cultural de éstos desde el siglo V, el latín vulgar inició un proceso evolutivo que vino a desarrollar las pequeñas divergencias existentes en cada país desde hacía tiempo. Y así, mientras el latín escrito mantuvo sus formas con cierta persistencia, el latín hablado comenzó a diferir notablemente en las diversas regiones del extinguido Imperio.

Durante la *época visigótica,* la lengua latina continúa siendo el medio de expresión más general en la Península, al abandonar los invasores su propio idioma, adoptando el de los vecinos, muy superiores a ellos en número y cultura; la clase letrada utiliza el "bajo latín", forma degenerada del latín clásico y, por su parte, el latín vulgar, acrecentado ya con un cierto número de vocablos germanos o concretamente visigóticos, evoluciona tan rápidamente que hacia el siglo VII ofrece ya la forma de un romance rudimentario.

Los dialectos hispánicos en la Edad Media

Los seis dialectos. – Si la fragmentación del Imperio romano había motivado la desaparición de la unidad lingüística creada por el latín, la conquista de la Península Ibérica por los árabes y la inmediata destrucción de la monarquía visigótica, originan el nacimiento de una serie de dialectos que vienen a substituir el prerromance hablado en toda España en el siglo VII. Cada uno de los reinos cristianos que ahora se constituyen empieza a ofrecer formas idiomáticas que van diferenciándose progresivamente. En el siglo X, época en que por primera vez aparecen algunas de éstas fijadas por escrito, se hablan ya en España seis dialectos de origen latino: *gallego, leonés, castellano, navarro-aragonés, catalán y mozárabe.* De todos ellos, es el mozárabe —utilizado por los cristianos sometidos a los árabes— el que con mayor ahínco mantiene las formas propias de la época visigótica. En cambio, el castellano presenta ya desde sus comienzos un decidido carácter innovador, diferenciándose por esto de los restantes dialectos, mucho más arcaizantes.

El castellano. – Castilla conquista su independencia en el siglo X, movida por un espíritu revolucionario que le impulsa a desligarse de la muy romanizada tradición visigótica, de la que el reino de León se considera heredero. Este sentido progresivo de los castellanos se revela en sus preferencias lingüísticas: la pérdida de la *f* y *g* inicial (filium > hijo; genestam > hiniesta), la conversión del grupo *ct* en *ch* (noctem > noche), de *li* en *j* (foliam > hoja), la diptongación de la *e* y *o* breves (terram > tierra; bonam > buena) y otros muchos fenómenos que diferencian notablemente el castellano de los restantes dialectos hispánicos (gallego: fillo, xesta, noite, folla, terra, boa; catalán: fill, ginesta, nit, fulla, terra, bona...).

A mediados del siglo XI, Castilla, constituida ya en reino, inicia una serie de luchas que poco después le darán la hegemonía frente a León y Navarra. Coincidiendo con ello, el castellano comienza a introducir una cuña hacia el Sur —que desplazará a los ya decadentes dialectos mozárabes, gracias a la conquista de Toledo por Alfonso VI —y a proyectar sobre los otros dialectos vecinos un influjo que al aumentar en los siglos siguientes acabará por procurarle el predominio absoluto.

Su cultivo literario. – Las primeras voces romances que conservamos por escrito aparecen en las Glosas Silenses y Emilianenses, redactadas hacia el siglo X, y en las que para aclarar el texto latino se intercalan algunas palabras en dialecto navarro-aragonés *(trastorné, nuestro, vergoina, terzero, cusina...)*. Las más antiguas muestras de expresión lírica en una lengua neolatina conocidas hasta el presente son varias "jarchas" en dialecto mozárabe (véase pág. 41), correspondientes, a su vez, al siglo XI. No obstante, *la primera obra* de gran extensión que ha llegado hasta nosotros en la que la lengua vulgar se utiliza con fines literarios —el *Cantar de Mio Cid*— está compuesta en castellano. Sus formas lingüísticas se remontan al siglo XII, época en que también empiezan a desarrollarse las restantes literaturas románicas.

El cultivo definitivo del castellano como lengua escrita se inicia en el siglo XIII, durante el reinado de Fernando III, que "oficializó el castellano para la Cancillería en vez del latín".[1] En esta centuria se desarrolla también el cultivo de la prosa, merced a la ingente obra del Rey Sabio. El siglo XIV cuenta ya con grandes estilistas —el Arcipreste de Hita y don Juan Manuel—, hasta que en el XV alcanza un grado de madurez que anuncia la definitiva perfección del período clásico.

La etapa medieval puede considerarse terminada con la publicación de la primera gramática castellana, escrita por Nebrija en 1492.

Influencias lingüísticas sobre el castellano medieval

El castellano de la Edad Media ofrece ya numerosas particularidades léxicas y fonéticas cuyo origen hay que buscar fuera del latín vulgar.

·La pérdida de la *f* inicial y una serie de vocablos, como *izquierdo, pizarra, perro, braga, barro,* se deben a la influencia de lenguas prerromanas.

---

1. A. Alonso ("Castellano, español, idioma nacional").

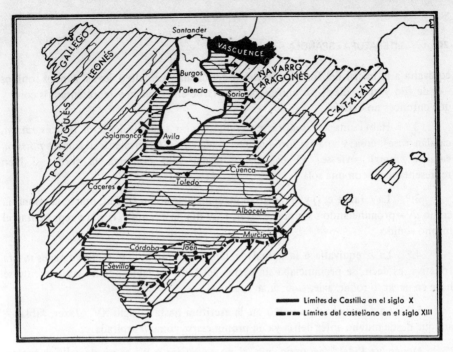

Límites y expansión del castellano a fines del siglo XIII. — Obsérvese su avance hacia el Sur y el progresivo retroceso del leonés y del aragonés.

Un cierto número de nombres propios (como *Alfonso, Elvira...*) y comunes *(falta, rico, guerra, blanco...)* son de origen germánico y entran en nuestro idioma bien a través del latín vulgar, en la época del Imperio romano, bien directamente, a consecuencia de la invasión de los visigodos.

Mucha mayor importancia tiene el influjo del árabe, como lo demuestran infinidad de nombres de lugar *(Alcántara, Alcoy, Guadalquivir...)* y de vocablos de la más diversa índole *(alcalde, albaricoque, maravedí, laúd,* etc.).

En el siglo XI, Castilla se vuelve hacia Europa y recibe de Francia nuevas orientaciones. Algunos *galicismos,* hoy plenamente incorporados a nuestra lengua *(fraile, homenaje, jaula),* tienen un claro origen medieval.

En el siglo XV, el castellano se acrecienta con un buen número de *neologismos de origen latino,* fruto de la admiración que el mundo clásico comienza a suscitar. Algunos de ellos —como *locuela, geno, ultriz*— han sido abandonados posteriormente, pero otros —*subsidio, ígneo, disolver*— se incorporan definitivamente al idioma.

Particularidades fonéticas del castellano de la Edad Media

Las principales diferencias entre el castellano medieval y el actual se reducen a las siguientes:

1.º La *j, g,* o bien la *i,* servían para representar un sonido parecido al del inglés *gentleman,* al del francés *jour* y al del catalán *jove: fijo, muger, reia;* la *x* equivalía a la inicial del francés *chaque* o del catalán *xai:* dixo, lexos. Ambos sonidos —el de fi*j*o y el de di*x*o— se unificaron más tarde en el que hoy representamos con *j* y que entonces no existía.

2.º Había una ese sonora representada con *s* (equivalente al francés *raison,* catalán *rosa*): cosa; y una ese sorda representada con *ss* (equivalente al francés *poisson,* catalán *passar*): oviesse. El castellano actual sólo conserva la sorda, si bien representándola con una sola *s.*

3.º La *c* (ante e, i) y la *ç* debían pronunciarse como *ts*: Cid, braço; la *z* sonaría como *ds* —pronunciando *s* sonora—: fazer. Hoy día, la *c* (ante e, i) y la *z* representan el mismo sonido.

4.º La *b* equivalía a la actual de tam*b*ién, tum*b*a; la *v,* escrita a veces *u,* era fricativa, es decir, se pronunciaba sin cerrar del todo los labios, como actualmente se hace en ne*v*ar, o ro*b*ar: a*v*ié, a*u*ié; ama*v*a, ama*u*a.

5.º La *f* inicial se conservó en la escritura hasta el siglo XV —*f*azer, *f*ablar—, aunque desde mucho antes debía ya de pronunciarse como *h* aspirada.

Menéndez Pidal [1] aconseja que, si no se quiere o no se puede reflejar exactamente la fonética medieval, se pronuncie "la *ss* y la *s* como la *s* moderna; la *ç* y la *z* como la *z* moderna; la *x* y la *j* como la *j* moderna; la *v* y la *b* como la *b* moderna". Habría que añadir que en ningún caso deben pronunciarse las grafías medievales *ç* y *x* como *s* y *ks* respectivamente (interpretando *çapato* y *dixo* como *sapato* y *dikso*) ya que nunca representaron dichos sonidos.

BIBLIOGRAFIA

F. Hanssen: *Gramática histórica de la lengua castellana,* 1913.
W. J. Entwistle: *The spanish language,* 1936.
R. Lapesa: *Historia de la lengua española,* 3.ª ed. 1955.
V. García de Diego: *Manual de dialectología española,* 2.ª ed. 1959.
R. Menéndez Pidal: *Orígenes del español,* 3.ª ed. 1950.
R. Menéndez Pidal: *Gramática histórica española,* 10.ª ed. 1958.
A. Zamora Vicente: *Dialectología española,* 1960.
A. Alonso: *De la pronunciación medieval a la moderna en español;* 1967.

1. "Antología de prosistas españoles".

la épica castellana   3

El Mester de Juglaría

En un viejo poema español —el Libro de Apolonio— se nos describe bellamente una curiosa escena de la vida medieval. Una doncella, forzada por la necesidad, decide presentarse en un mercado público con el fin de ganar unas monedas luciendo sus habilidades musicales. Los dulces sones de su vihuela y la gracia de su canto atraen la atención de las gentes y, a los pocos instantes, una gran muchedumbre se agolpa para oírla.

> Finchiénse de homnes apriesa los portales
> no les cabié en las plaças, subiénse a los poyales.

Terminada la canción, la joven recita en verso la historia de sus desventuras. La escena, frecuente en aquella época, ilustra bellamente un aspecto de la vida literaria de la Edad Media.

Desde muy antiguo, las calles de las ciudades y las salas de los castillos, veíanse a

La actividad bélica de los héroes nacionales fue uno de los motivos que con mayor frecuencia inspiraron a los juglares castellanos. Caballeros y peones —con loriga, adarga, lanza o espada— según la ingenua ilustración de un Beato de la época.

menudo animadas por la presencia de unos hombres que, pintorescamente ataviados, sabían distraer a su auditorio con bailes, canciones o largas narraciones heroicas. El pueblo les escuchaba complacido y premiaba su destreza con donativos en dinero o en especie.

Estos artistas callejeros, llamados *"juglares"*, llevaban, generalmente, una vida ambulante y difundían por todo el país relatos guerreros o composiciones líricas que cantaban acompañándose con varios instrumentos musicales: el salterio, el laúd, la vihuela, el rabé... —de cuerda—, el albogón, la flauta... —de viento—, el atambor, el panderete... —de percusión—, etc. El tipo de juglar ofrecía gran cantidad de variantes y no faltaban las "juglaresas".

Conviene no confundir el nombre de "juglar" con el de "trovador", ya que éste se reserva para aquellos poetas líricos, a menudo de condición social elevada, que no utilizaban sus facultades artísticas como medio de vida. Por lo demás, la poesía trovadoresca, refinada y frecuentemente cortesana, se diferenciaba grandemente de la juglaresca, de carácter más espontáneo y popular, lo que no impedía que los juglares utilizasen a veces, para sus recitales líricos, composiciones escritas por un trovador.

El oficio o arte de los juglares —*"Mester de juglaría"*— tiene el interés histórico de ofrecernos las primeras producciones en lengua vulgar. Mucho antes de que los clérigos se decidiesen a utilizarla con propósitos literarios, los juglares se servían de ella para sus cantos, ya que el pueblo no entendía el latín que escribían los cultos.

Los cantares de gesta y su origen

Aunque, como hemos visto, las composiciones líricas entraban en el repertorio de los juglares, los temas épicos tuvieron una mayor difusión en Castilla —debido quizá, como ya indicamos, al primitivo temperamento castellano, bastante reacio al intimismo lírico—. Es casi seguro que hubo, desde el siglo X, poemas de carácter heroico, a los que se denomina *"cantares de gesta"*. Consistían éstos en extensas narraciones en las que se cantaban las "gestas" o hazañas de los héroes tradicionales.

El origen de la épica castellana ha sido muy discutido. Menéndez Pidal defendió su origen tradicional juglaresco, no erudito, y su *procedencia germánica*. Castilla, único reino cristiano de España que contó con una amplia producción épica, no habría hecho más que perpetuar en lengua romance la tradición heroica de los visigodos, ampliándola con nuevos temas y adaptándola al carácter nacional. El espíritu de venganza privada que anima a menudo a los protagonistas de los poemas castellanos y germánicos —y que continúa una costumbre nórdica, opuesta al sistema judicial del Derecho romano— probaría, por ejemplo, la relación que debía de existir entre ambos.

A este primitivo fondo germánico vino a añadirse, desde mediados del siglo XI —época de Alfonso VI—, una *influencia francesa*. Las bodas de princesas castellanas con nobles borgoñones, la venida de los monjes cluniacenses y las peregrinaciones a Santiago de Compostela favorecieron las relaciones entre Francia y Castilla y, junto

Escena guerrera, según un relieve del siglo XI, cuya técnica expresiva habrá de caracterizar también a nuestra épica.

con el arte románico, la letra carolingia y el rito romano, entraron en España una serie de influencias literarias que con el tiempo dieron lugar, en la poesía épica, a una mayor extensión de los cantares de gesta y a la adopción de determinados asuntos —por ejemplo, el tema de Roncesvalles— o de ciertas fórmulas expresivas, como "llorar de los ojos" (francés: "plorer des oilz").

En la actualidad, las teorías de Menéndez Pidal son discutidas por quienes atribuyen la composición de los poemas épicos conservados a poetas cultos y señalan en aquélla la existencia de motivaciones de tipo eclesiástico. Por su parte, Américo Castro ha considerado que obedecería a un influjo musulmán "la articulación de lo solemne con lo vulgar", es decir, esa fusión de realismo e idealismo que puede observarse en el Poema del Cid.

Caracteres generales de la épica castellana

Como toda la épica primitiva, la castellana tuvo un carácter predominantemente oral, lo que explica en parte su casi absoluta desaparición. Si algún poema se fijó por escrito —así el de Mio Cid—, fue para uso exclusivo del juglar y no para destinarlo a la lectura general.

El olvido en que han caído los nombres de los juglares obedece al hecho de que éstos se consideraban como intérpretes del sentir general, no interesándoles destacar su propia personalidad. Toda la épica española tiene, pues, un carácter anónimo y colectivo. Tratemos de resumir sus rasgos esenciales, ateniéndonos a las teorías de Menéndez Pidal.

1.º **Los Temas.** – Son todos ellos de tipo heroico. El juglar evoca el recuerdo de personajes gratos a su auditorio castellano; por ello, la mayor parte de los asuntos –sean de alcance colectivo o privado– pertenecen a *la tradición o a la leyenda de Castilla.*

2.º **La Métrica.** – Los juglares utilizan una métrica irregular que contrasta fuertemente con la regularidad de la épica francesa. Los versos tienen un número fluctuante de sílabas, aunque predominan los de catorce, divididos en dos hemistiquios. Hállanse agrupados en "coplas" monorrimas y asonantadas, de extensión indefinida. Es característico el uso de la *e* paragógica, añadida frecuentemente a la última palabra del verso, con el objeto de dar un mayor arcaísmo a la expresión:

> burgeses e burgesas – por las finiestras son*e*
> plorando de los ojos – tanto avién el dolor*e*...

En época tardía se regularizan a base del verso de dieciséis sílabas, el cual, a su vez, dará origen a los romances del siglo XV.

3.º **El Lenguaje.** – Los juglares, aunque recitan a menudo en las plazas públicas, destinan preferentemente sus cantares de gesta a la nobleza guerrera. De ahí el espíritu eminentemente aristocrático de su poesía, por más que la expresión sea popular. El lenguaje es *sobrio, sencillo y al mismo tiempo fuertemente expresivo,* de acuerdo con las preferencias y el carácter del pueblo castellano. La épica francesa presenta, en cambio, una forma más retórica y más rica en elementos decorativos. Como sucede en la primitiva epopeya de todos los países, es frecuente la repetición de determinados epítetos tradicionales: al Cid se alude a menudo con las expresiones: "el que en buena hora nasco", "el que en buen hora cinxo espada"; Martín Antolínez es el "burgalés de pro"...

4.º **Realismo.** – Los poemas épicos castellanos ofrecen, por lo general, una *exactitud histórica* de que están desprovistos los franceses. Ello obedece no sólo a un decidido despego hacia lo fantástico y maravilloso, sino al hecho de que surjan poco después de ocurrir los sucesos que relatan, lo que obliga al juglar a no falsear unos acontecimientos cuyo recuerdo está todavía fresco en la memoria de su auditorio. Si la Chanson de Roland refiere sucesos ocurridos tres siglos antes, entre la muerte del Cid y la redacción del Cantar median tal vez solamente unos cuarenta años.

Este realismo no alcanza únicamente a la verdad histórica, sino a la localización geográfica de los acontecimientos. La descripción de lugares, costumbres y personas es a menudo de una sorprendente exactitud. La fantástica exageración de las gestas francesas y sus alardes imaginativos se hallan sustituidos en la epopeya castellana por un enérgico realismo que suele evitar cuidadosamente la intromisión de elementos fabulosos o sobrenaturales.

5.º Persistencia en el tiempo. — Contrariamente a lo sucedido en otros países, *la tradición épica castellana perdura a través de toda la literatura española;* por ello, cuando Francia, al llegar el Renacimiento, olvida a sus héroes nacionales, España continúa fiel a su pasado. Más adelante veremos cómo los principales temas de nuestra epopeya desembocan, primero en las Crónicas, hacia el siglo XV en el Romancero y más tarde en el teatro, hasta llegar a la literatura contemporánea.

Fases de la producción épica

Menéndez Pidal [1] ha señalado cuatro etapas en la producción de los cantares de gesta.

1.º Epoca primitiva: hasta mediados del siglo XII. A este período corresponde una serie de poemas breves (500 versos, aproximadamente), anteriores a la influencia francesa, entre los que se encuentran el de *don Rodrigo* el de *Fernán González* el de los *Infantes de Lara*, el de la *Condesa traidora*, el del *Infante García* y el del *Cerco de Zamora*.

2.º Epoca de apogeo: segunda mitad del siglo XII y primera del XIII. Los cantares de gesta aumentan en extensión al imitar a los franceses, y alcanzan una mayor difusión. Es el momento del *Cantar del Cid* (unos 4000 versos), el de *Roncesvalles* y el de *Bernardo del Carpio*.

3.º Epoca de Refundiciones y prosificaciones: segunda mitad del siglo XIII y primera del XIV. Siguen cultivándose los mismos temas con una amplitud cada vez mayor (el *Cantar del Cid* alcanza 8000 versos), y son prosificados en las Crónicas oficiales.

4.º Epoca de Decadencia: segunda mitad del XIV y, principios del XV. Los cantares de gesta admiten cada vez con mayor profusión elementos fabulosos: cantar de las *Mocedades de Rodrigo* —último poema épico que se conserva—, primeros romances.

Cantares de gesta desaparecidos

Toda nuestra primitiva épica ha desaparecido, a excepción del *Cantar de Mio Cid*, un fragmento del *Cantar de Roncesvalles* y parte del de las *Mocedades de Rodrigo*. No obstante, tenemos noticia de varios poemas perdidos, por los romances a que dieron origen y por hallarse prosificados en diversas crónicas.

La leyenda de Don Rodrigo, según aparece en los romances, constaba de tres partes: 1.ª la violación, por el rey, de unas misteriosas arcas de Toledo; 2.ª sus relaciones ilícitas con la hija del conde don Julián; 3.ª la venganza de éste y la penitencia de don Rodrigo, que, después de la derrota de Guadalete, se deja devorar por una serpiente, siguiendo el consejo de un ermitaño.

---

1. "Poesía juglaresca y juglares".

El Cantar de Bernardo del Carpio giraba en torno a la leyenda de este fabuloso héroe leonés, creado por la fantasía nacional para enfrentarlo a Roldán, figura cumbre de la épica francesa. Según una tradición, Bernardo del Carpio derrota en Roncesvalles al sobrino de Carlomagno. Otra versión hace referencia al padre del protagonista, a quien el rey Alfonso II ha encarcelado; cuando Bernardo logra su libertad y sale a su encuentro, le halla ya muerto.

El cantar de Fernán González, eco de la primitiva rivalidad castellano-leonesa, se refería a las luchas del conde castellano con los reyes de Navarra y León y a la independencia de Castilla, concedida por el último al no poder pagar la deuda contraída con Fernán González por la venta de un azor y un caballo.

El Cantar del Conde Garci Fernández y La Condesa Traidora relataba la huida de doña Argentina con un noble francés y la muerte de ambos a manos del esposo de aquélla, el conde Garci Fernández, ayudado por doña Sancha, hija del francés, con la que luego se casa. Sancha le traicionará e intentará matar a su hijastro Sancho Garcés, pero morirá al beber el veneno que destinaba a éste.

La Leyenda de los Infantes de Lara nos cuenta cómo Ruy Velázquez, para vengar una afrenta inferida a su mujer, doña Lambra, en ocasión de sus bodas, envía a Gonzalo Gustioz, padre de aquéllos, a la corte de Almanzor, rogándole en secreto que le decapite, y cómo más tarde abandona en campo de moros a los infantes, sobrinos suyos, dejando que los maten. Sus cabezas son llevadas a presencia de Almanzor, quien las muestra a su padre. Años después, Mudarra, hijo de Gonzalo Gustioz y de la mora que Almanzor había puesto a su servicio, vengará a sus hermanastros, matando a Ruy Velázquez y quemando viva a doña Lambra.

La escultura románica nos da a menudo una minuciosa referencia plástica de la indumentaria guerrera de la época. Relieve de Santo Domingo de Silos.

Es éste uno de los temas épicos que han tenido más amplias derivaciones: Juan de la Cueva ("Tragedia de los siete infantes de Lara") y Lope de Vega ("El bastardo Mudarra") lo llevan, entre otros, al teatro, y en el siglo XIX, el duque de Rivas compone sobre el asunto su poema "El moro expósito".

He aquí un fragmento del poema, tal como aparece prosificado en la *Refundición de la tercera Crónica general*, y su reconstrucción, en verso, por Dámaso Alonso: [1]

> La cabeça de Martin Gonçales en braços la tomava. "Fijo Martin Gonçales, vos aviades presona honrrada, ¿quyen podria asmar que en vos avia tan buena maña? tal jugador de tablas no lo avie en toda España. Que biba o que muera, de my ya no se me jncala; mas he muy fiero duelo de vuestra madre doña Sancha; sin fijos e sin marido como quedara tan desconortada". La cabeça de Martyn Gonçales luego la dexava e la de Suer Gonçales en braços la tomava.

> La cabeça de Martín Gonçales — en braços la tomava.
> —"Fijo Martín Gonçales, — vos aviades presona honrada,
> ¿quién podría asmar — que en vos avía tan buena maña?
> Tal jugador de tablas — no lo avié en toda España.
> Que biba o que muera — de mí ya no me incala;
> mas he muy fiero duelo — de vuestra madre doña Sancha;
> sin fijos e sin marido — ¡cómo quedará tan desconortada! "
> La cabeça de Martín Gonçales — luego la dexava
> e la de Suer Gonçales — en braços la tomava.

El Romanz del Infant García tiene como tema la muerte del conde de Castilla, Garci Sánchez, asesinado por los hijos del conde don Vela, cuando iba a casarse con doña Sancha, y la terrible venganza de ésta.

El Cantar de Sancho II y Cerco de Zamora se refiere a las luchas entre Sancho y sus hermanos, al no aceptar aquél el testamento de su padre Fernando I. Alfonso huye a Toledo y Sancho ataca a Zamora, donde reside doña Urraca, pero es muerto por Bellido Dolfos. Los castellanos acusan a los zamoranos de traición, y se celebra un sangriento torneo, cuya suerte queda indecisa, recurso inventado por el juglar para no ofender la susceptibilidad de castellanos o leoneses, superando antiguos rencores.

El cantar debía de terminar narrando cómo al volver Alfonso de Toledo, el Cid, antiguo caballero de don Sancho, le hizo jurar, con gran enojo del nuevo rey, que no había intervenido en la muerte de su hermano. Según ciertas versiones, don Alfonso destierra más tarde al Cid para vengarse de él, pero este episodio ya no corresponde al Cantar de Sancho II.

La literatura posterior ha perpetuado su asunto con mayor ahínco que en los demás casos, como puede verse en las obras que sobre el tema escribieron Juan de la Cueva, Lope de Vega, Guillén de Castro, Zorrilla y muchos otros.

---

1. "Poesía de la Edad Media y poesía de tipo tradicional".

BIBLIOGRAFIA

ESTUDIOS DE CARACTER GENERAL Y EDICIONES ANTOLOGICAS

Menéndez y Pelayo: *La primitiva poesía heroica.* "Estudios y discursos de crítica histórica y literaria". Ed. de 1942. Vol. I.

R. Menéndez Pidal: *La epopeya castellana a través de la literatura española,* 1951.

R. Menéndez Pidal: *Poesía juglaresca y juglares.* Col. Austral, 1942.

R. Menéndez Pidal: *Reliquias de la poesía épica española,* 1951.

R. Menéndez Pidal: *La forma épica en España y Francia y Alfonso X y las leyendas heroicas.* En "De primitiva lírica y antigua épica". Col. Austral, 1951.

R. Menéndez Pidal: *Los godos y la epopeya española.* Col. Austral, 1956.

Martín de Riquer: *Los cantares de gesta franceses (Sus problemas y sus relaciones con España),* 1952.

E. von Richtofen: *Estudios épicos medievales,* 1954.

Américo Castro: *La peculiaridad de la épica castellana.* En "España en su historia", 1948.

B. G. de Escandón y M. Molho: *Cantares de gesta.* Introducción, selección y vocabulario, 1947.

R. Castillo: *Leyendas épicas españolas.* Versión moderna. Ed. Castalia, 1956.

ESTUDIOS Y EDICIONES DE CANTARES DESAPARECIDOS

J. Puyol: Ed. y estudio del *Cantar de Sancho II.*

C. Reig: *El Cantar de Sancho II y cerco de Zamora,* 1947.

R. Menéndez Pidal: *La leyenda de los Infantes de Lara,* 1934.

R. Menéndez Pidal: *Leyenda de la condesa traidora y El Romanz del Infant Garcia.* En "Idea imperial de Carlos V". Col. Austral, 1940.

R. Menéndez Pidal: *El Abad don Juan de Montemayor.* En "Poesía árabe y poesía europea". Colección Austral, 1941.

el cantar de mio cid 4

Fecha y autor del poema

La elaboración del *Cantar de Mio Cid* debió terminar, según Menéndez Pidal, *hacia 1140*, o sea cuarenta años después de la muerte del Cid. Aunque en la actualidad hay quien retrasa tal fecha alrededor de medio siglo, el Poema sigue siendo el resto más antiguo que conservamos de nuestra literatura épica medieval. Sin embargo, la destreza estilística que revela su autor nos hace suponer la existencia de una vieja tradición

Guerreros castellanos de la época del Cid, tal como aparecen en una miniatura de los Comentarios al Apocalipsis de Beato.

literaria anterior a él. Tal es su perfección, que puede situársele, sin temor a que desmerezca, junto al Libro de Buen Amor y La Celestina, considerándolo como una de las tres cumbres de nuestro arte literario anterior al siglo XVI.

Como ocurre con toda la épica medieval europea, *ignórase el nombre del autor* del único cantar de gesta que ha llegado íntegro hasta nosotros. En un comienzo Menéndez Pidal atribuyó el Poema a un anónimo juglar que debió de vivir en Medinaceli —emplazado en el momento de la redacción del poema en plena frontera cristiano-árabe—, basándose en la extraordinaria exactitud con que se describen los parajes que rodean a esta localidad, en el hecho de que se sitúe artificiosamente en ellos algunos de los episodios culminantes y en los aragonesismos que ofrece el lenguaje. En sus últimos años, M. Pidal defendió la tesis de dos juglares: uno, de San Esteban de Gormaz, que habría compuesto el poema hacia 1110, y otro, el de Medinaceli, que hacia 1140 lo habría reelaborado, añadiendo elementos imaginarios. En la actualidad hay quien habla de un solo autor culto, vinculado a la ciudad de Burgos. El manuscrito que contiene el cantar data del siglo XIV (1307) y aparece firmado por *Per Abbat*, a quien hay que considerar como un simple copista.

Algunos de los versos correspondientes a las hojas que faltan al principio han podido reconstruirse gracias a la Crónica de Veinte Reyes. Consta de cerca de cuatro mil versos y fue publicado por primera vez en el siglo XVIII por Tomás Antonio Sánchez, sin que la crítica le fuera totalmente favorable.

Asunto del poema

La obra se halla dividida en tres cantares. *El Cantar del Destierro,* con que aquélla se inicia, nos cuenta cómo el Cid, acusado por un noble de haberse quedado con unos tributos cobrados al rey de Sevilla, es desterrado por Alfonso VI. Despídese de Vivar y después de pasar por Burgos, donde se aprovecha de la avaricia de unos judíos, deja a su esposa, doña Jimena, y a sus hijas en el monasterio de Cardeña. Más tarde, ayudado por los caballeros que se le han ido uniendo, vence a los moros en varias ocasiones.

He aquí la descripción de una batalla:

> Embraçan los escudos — delant los coraçones,
> abaxan las lanças — abueltas [1] de los pendones,
> enclinaron las caras — de suso [2] de los arzones,
> ívanlos ferir — de fuertes coraçones.
> A grandes voces llama — el que en buen ora nació:
> " ¡Feridlos, cavalleros, — por amor del Criador!
> ¡Yo so Roy Díaz, el Cid — de Bivar Campeador! "
> Todos fieren en el az [3] — do está Per Vermudoz.
> Trezientas lanças son, — todas tienen pendones;
> seños [4] moros mataron, — todos de seños colpes;
> a la tornada que fazen — otros tantos muertos son.

1. Al mismo tiempo que. — 2. Encima. — 3. Fila de guerreros. — 4. Sendos.

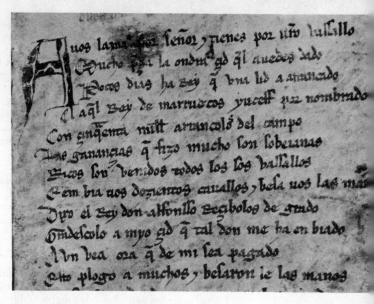

      Veriedes tantas lanças — premer [1] e alçar,
    tanta adáraga [2] — foradar e passar,
    tanta loriga [3] — falssar [4] e desmanchar [5]
    tantos pendones blancos — salir vermejos en sangre,
    tantos buenos cavallos — sin sos dueños andar.
    Los moros llaman Mafómat — e los cristianos santi Yague.
    Cadién por el campo — en un poco de logar
    moros muertos — mill e trezientos ya.

El Cid envía un presente al rey y, siguiendo sus correrías, derrota y prende al conde de Barcelona, al que luego liberta.

El Cantar de las Bodas nos refiere la conquista de Valencia. El Cid vence al rey de Sevilla y envía un nuevo presente a Alfonso VI, que permite a su familia ir a reunírsele a Valencia.

El constante engrandecimiento del héroe y el rico botín que ofrece al rey castellano, después de derrotar al de Marruecos, excitan la codicia de los infantes de Carrión, y les deciden a pedir al rey la mano de las hijas del Cid, doña Elvira y doña Sol. El monarca accede a ello, y se celebran las bodas, aunque el Cid recela de las intenciones de sus yernos.

Cantar de la afrenta de Corpes. Los infantes de Carrión quedan en ridículo ante los cortesanos del Cid por su cobardía en el campo de batalla y a causa del pánico que demuestran a la vista de un león. Deciden entonces vengar las burlas de que han sido objeto; para ello parten de Valencia con sus mujeres y, al llegar al robledo de Corpes, las abandonan, después de azotarlas bárbaramente.

---

1. Bajar. – 2. Escudo de cuero. – 3. Armadura de cuero con escamas o anillos de metal cosidos encima. – 4. Romperse. – 5. Deshacerse las mallas de la loriga.

Entrados son los ifantes — al robredo de Corpes,
los montes son altos, — las ramas pujan [1] con las nuoves
e las bestias fieras — que andan aderredor.
Fallaron un vergel — con una limpia fuont;
mandan fincar [2] la tienda — ifantes de Carrión,
con cuantos que ellos traen — í [3] yazen essa noch,
con sus mugieres en braços — demuéstranles amor;
¡mal gelo cumplieron — cuando salíe el sol! ...
Todos eran idos, — ellos cuatro sólo son,
¡tanto mal comidieron [4] — ifantes de Carrión! :
—"Bien lo creades — don Elvira e doña Sol,
aquí seredes escarnidas — en estos fieros montes.
Oy nos partiremos, — e dexadas seredes de nos;
non abredes part — en tierras de Carrión.
Irán aquestos mandados [5] — al Cid Campeador;
nos vengaremos aquésta — por la del león".
Allí les tuellen [6] — los mantos e los pelliçones, [7]
páranlas en cuerpos [8] — y en camisas y en ciclatones. [9]
Espuelas tienen calçadas — los malos traidores,
en mano prenden las cinchas — fuertes e duradores...
Essora [10] les compieçan [11] a dar — ifantes de Carrión;
con las cinchas corredizas — májanlas [12] tan sin sabor;
con las espuelas agudas — don' ellas [13] han mal sabor,
rompién las camisas e las carnes — a ellas amas a dos:
limpia salíe la sangre — sobre los ciclatones.
Ya lo sienten ellas — en los sos coraçones.
¡Cuál ventura serié ésta — si ploguiese al Criador
que assomasse essora — el Cid Campeador!
Tanto las majaron — que sin cosimente [14] son;
sangrientas en las camisas — e todos los ciclatones.
Cansados son de ferir — ellos amos a dos,
ensayándos' amos [15] — cuál dará mejores colpes.
Ya no pueden fablar — don Elvira e doña Sol,
por muertas las dexaron — en el robredo de Corpes.

El Cid pide justicia al rey. Convocadas las Cortes de Toledo, los guerreros del Campeador desafían y vencen a los infantes, que son declarados traidores. El poema termina con las nuevas bodas de doña Elvira y doña Sol, a quienes han solicitado como esposas los infantes de Navarra y Aragón.

---

1. Suben. — 2. Plantar. — 3. Allí. — 4. Pensaron. — 5. Noticias. — 6. Quitan. — 7. Prenda de piel que se ponía bajo el manto. — 8. Déjanlas a cuerpo. — 9. Especie de túnica. — 10. Entonces. — 11. Empiezan. — 12. Azótanlas. — 13. Por lo que ellas. — 14. Fuerza. — 15. Esforzándose ambos.

Su realismo

El rasgo más acusado que presenta el poema es su vigoroso realismo. Prescindiendo de elementos fantásticos y sin desorbitar los hechos, su autor consigue ofrecernos un cuadro de la época dotado de una sobria grandeza y al mismo tiempo de una sorprendente exactitud. Las más heroicas hazañas, como los más ínfimos detalles de la vida cotidiana aparecen descritos con tan extraordinaria fidelidad, que, gracias al poema, podemos conocer la España del Cid con mayor seguridad que la que nos proporcionaría una crónica.

El realismo del cantar se manifiesta en primer término en la *caracterización de los personajes*. Heroico en la batalla, delicado y afectuoso en su vida privada, fiel al monarca, sin perder su dignidad personal, el Cid ejerce sobre nosotros una vivísima simpatía. El juglar nos lo presenta como un hombre cordial, generoso y optimista, que sabe sonreír y derramar lágrimas. Triste en la despedida de Cardeña,

> "llorando de los ojos, que non sabe qué se far",

alegre después de la victoria,

> "el Campeador fermoso sonrisava",

respetuoso con el rey,

> "Mio Cid la mano besó al rey e en pie se levantó",

lleno de sentimiento religioso en los momentos difíciles,

> "vuestra virtud me vala, Gloriosa, en mi exida",

impetuoso en la batalla,

> " ¡feridlos, cavalleros, por amor del Criador!
> ¡Yo so Roy Díaz, el Cid de Bivar Campeador! "

el héroe castellano aparece en el poema con la más variada gama de sentimientos. Si el protagonista de la Chanson de Roland provoca el estupor con sus hiperbólicas virtudes guerreras, la figura del Cid, escasamente idealizada, nos conmueve por la profunda verdad humana que encierra.

Los restantes personajes son dibujados con rápidos y certeros trazos; así, el ingenioso Martín Antolínez, el nervioso e impulsivo Pedro Bermúdez, el sensato y valiente Alvar Fáñez, brazo derecho del Cid...

El poema tiene además, un gran *valor histórico,* pues si bien algún episodio secundario —como el de los judíos y las arcas o el del león— o, incluso, como algunos creen, el de los Infantes de Carrión y las hijas del Cid, puede ser ficticio, en sus líneas generales apenas se aparta de la verdad. Menéndez Pidal ha comprobado la autenticidad histórica de la mayoría de los personajes que aparecen en el cantar.

Parco en sus descripciones de paisajes y ciudades, el autor del poema demuestra también una gran *exactitud en sus alusiones geográficas.*

Atienza, "una peña muy fuert", sigue dando prueba, a través de los siglos, del maravilloso realismo descriptivo del poema del Mio Cid.

Atienza es "una peña muy fuert"; la capital valenciana es citada con un certero adjetivo: "Valencia la clara"; en el robledo de Corpes, hoy totalmente yermo, "los montes son altos, las ramas pujan con las nuoves".

Consignemos, por último, la cuidadosa fidelidad con que nos habla de las costumbres, trajes, armas y clases sociales de la época. Con todo ello, el juglar anónimo inicia lo que había de ser una de las tendencias más genuinas de nuestra literatura.

Otras características del estilo

Frente a la exuberancia ornamental, al lujo descriptivo y la perfecta regularidad métrica de la Chanson de Roland, el Poema del Cid presenta una *técnica* más *espontánea* y más sobria. Vivo, rápido e intensamente dramático, el arte del cantar castellano se nos muestra pródigo en elementos afectivos. Como si el juglar quisiera mantener tensa la atención de su auditorio, pulsando sucesivamente todas las cuerdas de su sensibilidad, no se cansa de variar el tono de la narración utilizando los más diversos recursos.

Dentro de la sencillez de sus medios expresivos, el estilo posee en este sentido una *infinita gama de matices* que van desde lo más delicado hasta lo más robusto, desde lo finamente irónico hasta lo gravemente dramático. Agil, intenso y emotivo, el lenguaje del poema es un magnífico anticipo de lo que nuestro idioma había de ser más tarde en manos de los grandes escritores del Siglo de Oro.

Obsérvese con qué rápida concisión se describe el paisaje:

"Ixíe el sol, ¡Dios, qué fermoso apuntava! "

Una simple imagen basta para expresar una situación sentimental:

"assís parten unos d'otros commo la uña de la carne".

Y una sola pincelada alcanza, a veces, vigorosa fuerza plástica:

"vermejo viene, ca era almorzado..."

El conmovedor episodio de la niña de Burgos, la escena de los judíos –verdadero entremés cómico–, la sangrienta batalla de Alcocer, la luminosa descripción de la huerta valenciana, el dramático suceso del robledo de Corpes, la tumultuosa sesión de las Cortes en Toledo son otros tantos momentos culminantes del viejo poema, llenos de insuperable belleza.

Realismo, sobriedad, viveza expresiva, emoción humana, he ahí los rasgos esenciales de su estilo.

Valor representativo

Al margen de su interés literario, el Cantar de Mio Cid tiene un alto valor representativo.

El enaltecimiento del Campeador frente a las arbitrariedades del poder real –objeto primordial del poema– responde al sentir político de la Castilla medieval, coincidente con la primitiva tradición germánica y opuesto al espíritu del derecho romano conservado por León. La exclamación del juglar:

"Dios, qué buen vassallo, si oviesse buen señore! ",

refleja bien a las claras la simpatía que inspira la figura del héroe, atropellado injustamente, pero que sabe adoptar una actitud digna sin dejar de ser fiel al rey. El basar las relaciones entre señor y vasallo en un mutuo respeto, el individualismo y la *defensa del honor* son elementos básicos del poema, que habrán de perdurar a través de toda la literatura española.

En último término, los móviles que dirigen su actuación –lucha contra el infiel y afán de engrandecimiento personal y familiar– ofrecen esa inconfundible *unión de realismo práctico y noble idealismo* que caracteriza a todo un sector de nuestras letras.

BIBLIOGRAFIA

EDICIONES DEL POEMA

R. Menéndez Pidal: Edición del *Poema de Mio Cid,* con prólogo y notas. Clásicos Cast., 1913. — Otra en tres vols. (Texto, gramat. y vocabul.), 1944-1946.

P. Salinas: Versión moderna en verso del *Poema de Mio Cid.* Rev. de Occ., 1926.

F. López Estrada: Versión moderna en verso del *Poema del Cid* y estudio preliminar, 1955.

ESTUDIOS

R. Menéndez Pidal: *La epopeya castellana a través de la literatura española,* 1945.

R. Menéndez Pidal: *Poesía juglaresca y juglares.* Col. Austral, 1942.

R. Menéndez Pidal: *La crítica cidiana y la historia medieval* y *Mio Cid el de Valencia.* En "Castilla, La tradición, El idioma", 1945.

R. Menéndez Pidal: *El Cid Campeador.* Biografía. Col. Austral, 1950.

R. Menéndez Pidal: *Poesía e historia en el Mio Cid.* En "De primitiva lírica y antigua épica". Col. Austral, 1951.

Dámaso Alonso: *Estilo y creación en el Poema del Cid.* En "Ensayos sobre poesía española", 1944.

Américo Castro: *La Chanson de Roland y el Cantar de Mio Cid* y *Estas son las nuevas de Mio Cid.* En "España en su historia", 1948.

Américo Castro: *Poesía y realidad en el Poema del Cid.* En "Hacia Cervantes", 1957.

P. Salinas: *El Cantar de Mio Cid (poema de honra)* y *La vuelta al esposo.* En "Ensayos de literatura hispánica", 1958.

Stephen Gilman: *Tiempo y formas temporales en el "Poema del Cid".* Ed. Gredos, 1961.

J. Casalduero: *El Cid echado de tierra.* En "Estudios de literatura española". Ed. Gredos, 1962.

R. Menéndez Pidal: *En torno al Poema del Cid,* 1963.

J. Horrent: *Historia y poesía en torno al "Cantar del Cid".* Barcelona, 1973.

la lírica castellana primitiva   5

Aparición de los géneros literarios

El siglo XIII presencia el pleno desarrollo de la literatura castellana. Junto a la *épica,* sobria y vigorosa, que exalta los ideales colectivos, tenemos las primeras muestras de la inspiración *lírica* individual, que, aunque tan antigua como aquélla, no nos deja huella alguna hasta este momento. Además, los juglares ya no son los únicos en atraer la atención del pueblo iletrado; un nuevo arte, seguro de su maestría técnica —el *Mester de clerecía*—, les disputa el terreno. El *teatro* presenta desde ahora unos rasgos que habrán de mantenerse a través de toda la Edad Media, y una *prosa* teñida de orientalismo pone la base de una amplia literatura de carácter didáctico y novelesco.

La épica juglaresca: el "Cantar de Roncesvalles" y las prosificaciones

A pesar de la espléndida floración que la épica juglaresca debió de tener hasta bien entrado el siglo XIII, el azar nos ha conservado únicamente unos cien versos del con seguridad extensísimo *Cantar de Roncesvalles.* Este breve fragmento nos relata en su mayor parte el llanto de Carlomagno ante los cadáveres del arzobispo Turpín, Oliveros y Roldán, después del desastre de Roncesvalles.

En la segunda mitad del siglo, los poemas se alargan considerablemente por influencia francesa y son admitidos en las Crónicas, que los prosifican utilizándolos como material histórico.

La lírica juglaresca en lengua gallega

Aunque, como decíamos, los juglares líricos debieron de ser tan antiguos como los que difundían los cantares épicos, no nos queda ninguna poesía lírica en castellano anterior al siglo XIII. Y si incluso de esta época es poco lo que se conserva, ello se debe a que hasta un siglo más tarde, muchos de los juglares de Castilla, imitando a los de Galicia, prefirieron la lengua gallega como medio de expresión.

Estos juglares que en el siglo XIII utilizaban el gallego *difundieron a menudo un tipo de poesía cortesana o trovadoresca,* a causa del ambiente palaciego en el que tenían que actuar; pero supieron también hacerse eco de otras formas populares existentes en Galicia y quizás en Castilla desde hacía largo tiempo. En uno y otro caso, la melodía cantada y el acompañamiento instrumental desempeñaron un importante papel.

La lírica provenzal. — Los primeros juglares líricos que obtienen éxito decisivo en España son de origen provenzal. Ellos nos traen un tipo de poesía refinada y artificiosa donde se exaltan los valores de la feminidad, y que, cultivada en el siglo XII en las cortes del mediodía de Francia, había de hallar un eco inmediato en toda Europa.

Sin embargo, la extraordinaria complicación de su métrica, la oscuridad de la expresión y la considerable distancia que separa al castellano del provenzal, impidieron que fuese imitada en Castilla. Tanto es así que, a principios del siglo XIII, los juglares provenzales o catalanes que difunden la poesía de los trovadores del sur de Francia se ven substituidos paulatinamente en Castilla por los que vienen de Galicia.

La lírica provenzal creó como géneros más importantes la *cansó,* de tema amoroso; el *sirventés,* de carácter lírico; la *tensó* o discusión poética sobre variados temas...; éstas y otras formas llegaron a la poesía castellana, pero no directamente, sino casi siempre a través de Galicia, a consecuencia del tono más familiar que ésta infundió a la lírica trovadoresca.

La juglaría galaico-portuguesa. — La poesía provenzal, que apenas dejó huella en Castilla, favoreció notablemente la creación de una importante escuela lírica en Galicia, gracias, sobre todo, a las peregrinaciones a la tumba del apóstol Santiago.

Muchos de los géneros gallegos derivan de los que señalábamos en Provenza, aunque ofrecen una forma más sencilla: la *cantiga d'amor* presenta grandes analogías con la "cansó": la *tençao,* con la "tensó"...

No obstante, hubo en Galicia otros géneros que debieron de nacer y desarrollarse al margen de la influencia provenzal, y cuyo carácter autóctono y popular los aleja considerablemente de aquellas otras formas, más cultas y amaneradas. El más característico de todos ellos (aparte la *cantiga d'escarnho o de maldizer,* relacionable con el "sirventés", por su fondo satírico) es el de las *cantigas d'amigo,* en las que una melancólica nostalgia —"saudade"— por la ausencia del amado, va unida a un vivo y delicado sentimiento de la naturaleza. Suelen ponerse en boca de una doncella que lamenta su soledad, preguntando por su "amigo" a las flores, a las aves, o a las olas del mar. Por lo general adoptan la forma de estrofas paralelísticas, seguidas de un estribillo, como en estos fragmentos:

Estando na ermida, ant'o altar,
cercaron-m'i as ondas grandes do mar,
   eu atendend'o meu amigo
   eu atendend'o meu amigo!

E cercaron-m'i as ondas que grandes son,
non e'í barqueiro, nen remador:
   eu atendend'o meu amigo
   eu atendend'o meu amigo! ...

Non e'í barqueiro, nen sei remar,
morrerei fremosa no alto mar,
   eu atendend'o meu amigo
   eu atendend'o meu amigo!

       *   *   *

Ai flores, ai flores do verde pino!
se sabedes novas do meu amigo?
   Ai Deus! E u é?

Ai flores, ai flores do verde ramo,
se sabedes novas do meu amado?
   Ai Deus! E u é?

Mucho más sinceras y llenas de emoción que las "cantigas de amor", las de "amigo" tienen un valor poético muy superior al de aquéllas, por lo común más frías y convencionales.

Ambas escuelas —la cortesana, de influencia provenzal, y la popular, de espíritu propiamente gallego— fueron difundidas en Castilla desde principios del siglo XIII, y alcanzaron tal éxito que los poetas castellanos adoptaron sus formas y su lengua como vehículo de expresión lírica.

De este modo, junto a los celebrados juglares épicos que emplean el castellano, nos encontramos en el siglo XIII y XIV, con una juglaría lírica que utiliza el gallego y cuyas composiciones se hallan recogidas en los tres cancioneros de Ajuda, de la Vaticana y de Colocci Brancuti.

Las jarchas y la lírica castellana desaparecida

La casi total ausencia de una lírica en castellano entre los siglos XI al XIII, ha sido interpretada recientemente por A. Castro como "una creación defensiva contra la sensualidad musulmana". El espíritu castellano habría evitado también hasta el siglo XIV la efusión de la intimidad —típica de la literatura árabe—, cultivando preferentemente una poesía de carácter épico y colectivo.

Efectivamente, es probable que el temperamento castellano sintiese en un comienzo cierto reparo hacia la expresión de lo íntimo, prefiriendo la objetividad de la épica; no obstante, está plenamente demostrada por Menéndez Pidal la existencia de una lírica popular indígena. Esta primitiva lírica castellana —independiente de la gallega– estaría constituida por *serranillas, canciones de mayo, cantos fúnebres, triunfales, de velador, cantos de amor, de bodas, de romería, de trabajos agrícolas* (como los de *siega*), etc., semejantes a los cantarcillos conservados en los cancioneros de los siglos XV y XVI.

Una de las formas métricas más frecuentes de estas poesías sería con seguridad, la del *zéjel* (de origen arábigo-andaluz), constituido por una cancioncilla inicial (generalmente un pareado que servía de "estribillo") y un trístico monorrimo ("mudanza") seguido de otro verso ("vuelta") que rimaba con el estribillo anunciando su repetición *(aa-bbba-aa)*. Esta estrofa, así como el *villancico*,[1] derivación suya, tuvo en nuestra literatura una larga vida, ya que su uso se prolongó hasta el siglo XVII.

He aquí un gracioso zéjel de Gil Vicente:

> *Dicen que me case yo:*
> *no quiero marido, no.*
>
> *Más quiero vivir segura,*
> *n'esta sierra a mi soltura,*
> *que no estar en aventura*
> *si casaré bien o no.*
>
> *Dicen que me case yo:*
> *no quiero marido, no.*

El origen de esta lírica castellana desaparecida ha sido aclarado con los recientes estudios de unas cincuenta y tantas estrofillas en romance mozárabe *(jarchas)* colocadas al final de otras tantas *muwaschahas*[2] árabes y hebreas de los siglos XI, XII y XIII. Se supone con fundamento que estas breves estrofas, descubiertas no ha mucho y probablemente inspiradas en una anónima producción lírica de Al-Andalus, continúan una antiquísima tradición romance que podría ser el punto de arranque de la vieja lírica castellana y de la gallega, ya que la mayor parte ofrece la forma de los villancicos castellanos y el contenido de las cantigas de amigo:

> *¿Qué fareyo* [haré] *o qué serád de mibi* [mí]*?*
> *¡Habibi* [amigo]*,*
> *non te tuelgas* [apartes] *de mibi!*

La poesía peninsular habría continuado esta remota tradición romance de la

---

1. Según Navarro Tomás, en los "villancicos" posteriores, "el estribillo suele tener de dos a cuatro versos, la mudanza es generalmente una redondilla, y la vuelta va precedida de uno o más versos de enlace con la mudanza. De ordinario sólo se repite la última parte del estribillo". Por ejemplo: *abb-cddc-cbb*. El término "villancico" se emplea hoy también para designar el cantar inicial, o estribillo, glosado por las mudanzas.

2. La *muwaschaha* tenía la misma estructura estrófica que el *zéjel* (que no era sino una variante popular suya), pero aquélla terminaba con una cancioncilla mozárabe (llamada "jarcha") a menudo preexistente; fenómeno semejante al que se observa en muchas composiciones de los siglos XV al XVIII, en las que el autor aprovecha como estribillo un cantarcillo legado por la tradición.

Juglares cortesanos del siglo XIII, tañendo instrumentos de viento, según una de las miniaturas de las Cantigas de Santa María, de Alfonso X el Sabio.

cancioncilla lírica, desarrollándola con glosas zejelescas —Al-Andalus y Castilla— o parelelísticas —Galicia y Portugal—.

Como resume Menéndez Pidal [1] "las canciones andalusíes primitivas [atestiguadas por las jarchas mozárabes que aprovechan musulmanes y hebreos bilingües], las cantigas de amigo y los villancicos castellanos aparecen claramente como tres ramas de un mismo tronco enraizado en el suelo de la Península hispánica. Las tres variedades tienen aire de familia inconfundible, y sobre todo, las tres tienen su mayor parte, y la mejor, con un doble carácter diferencial común: el ser canciones puestas en boca de una doncella enamorada, y el acogerse la doncella, confidencialmente, a su madre... La forma andalusí se asocia más íntimamente con el villancico castellano que con la cantiga galaico-portuguesa".

Primeras muestras conservadas de la lírica juglaresca en castellano

El éxito de la poesía gallega, generalmente trovadoresca, difundida por los juglares en las cortes, no debió de impedir la existencia de una juglaría lírica en castellano, que actuaría en ambientes menos elevados y cuyo repertorio, en su mayor parte perdido, consistiría en cancioncillas basadas en estribillos tradicionales o en poesías imitadas del arte de los trovadores, pero muy ajuglaradas. A este último tipo corresponden los dos únicos poemas conservados: la "Razón d'Amor" y la "Disputa de Elena y María", ambos de carácter lírico-narrativo.

---

1. "Cantos románicos andalusíes" (en "España, eslabón entre la Cristiandad y el Islam").

La *Razón d'Amor* nos relata en forma deliciosamente ingenua el encuentro de dos enamorados en un jardín donde crecen "las rosas, el lirio e las violas". El "escolar" que "la rimó" ve acercarse a una dama que lamenta la ausencia del "amigo". Su descripción es el primer retrato femenino de nuestra literatura:

> Blanca era e bermeja,
> cabelos cortos sobr'ell oreja,
> fruente blanca e loçana,
> cara fresca como maçana;
> nariz egual e dreita,
> nunca viestes tan bien feita,
> ojos negros e ridientes,
> boca a razón e blancos dientes;
> labros vermejos, non muy delgados,
> por verdat, bien mesurados;
> por la cintura delgada,
> bien estant e mesurada...

Después de reconocerse mutuamente, confirman un amor nacido a distancia y se separan con protestas de fidelidad. Delicado y gracioso, el poema tiene toda la fina elegancia de una miniatura medieval.

Una segunda parte, de carácter satírico-burlesco, expone los *Denuestos del agua y del vino*. Ambos se echan en cara sus respectivos defectos, siguiendo la técnica de los "debates" castellanos, tan semejantes a las "tensones" provenzales.

La *Disputa de Elena y María* tiene, asimismo, un origen franco-provenzal. Es otro debate o discusión entre Elena, que defiende el amor del caballero, y María, que prefiere el del clérigo. La vida de uno y otro queda descrita de forma irónica y el interés del poema reside en la divertida sátira social que encierra.

La juglaría religiosa. — En el repertorio de los juglares entraban también los temas religiosos, como nos lo demuestran dos poemas narrativos del siglo XIII, de origen franco-provenzal, en los que esporádicamente se observa algún rasgo lírico: la "Vida de Santa María Egipciaca" y el "Libre dels tres Reys d'Orient". Ambos presentan una métrica irregular que delata su carácter juglaresco.

La *Vida de Santa María Egipciaca* nos refiere graciosamente, en unos mil quinientos versos, su juventud escandalosa y su penitencia en el desierto después de la conversión.

El *Libre dels tres Reys d'Orient*, mucho más breve y menos interesante, relata la adoración de los Magos, la huida de la Sagrada Familia a Egipto y su encuentro con los ladrones, cuyos hijos, Dimas y Gestas, serán crucificados más tarde junto a Jesús.

BIBLIOGRAFIA

EDICIONES

El *Roncesvalles*, la *Razón d'amor* con la *Disputa del agua y el vino*, el *Debate de Elena y María* y el *Libre dels tres Reys d'Orient* en "Poema de Mio Cid y otros monumentos de la primitiva poesía española". Ed. Saturnino Calleja. La *Vida de Santa María egipciaca* en B. A. E., t. LVII y M. S. de Andrés Castellanos (Anejo Bol. de la R. Acad. Esp., 1964).

ESTUDIOS DE CARACTER GENERAL

M. Menéndez y Pelayo: *Historia de la poesía castellana en la Edad Media*. Vol. I, 1911.

R. Menéndez Pidal: *Poesía juglaresca y juglares*. Col. Austral, 1942.

R. Menéndez Pidal: *La primitiva poesía lírica española*. En "Estudios literarios".

ESTUDIOS SOBRE LA POESIA GALAICO-PORTUGUESA

M. Rodrigues Lapa: *Liçoes de literatura portuguesa. Epoca medieval*, 1942.

Filgueira Valverde: *Lírica medieval gallega y portuguesa*. En "Historia de las literaturas hispánicas". Vol. I, 1949.

E. Asensio: *Poética y realidad en el Cancionero peninsular de la Edad Media*, 1970.

ESTUDIOS SOBRE EL INFLUJO ARABE Y SOBRE LAS JARCHAS

R. Menéndez Pidal: *Poesía árabe y poesía europea*. Col. Austral, 1941.

Dámaso Alonso: *Cancioncillas "de amigo" mozárabes*. En Rev. de Fil. Esp., 1949.

L. Spitzer: *La lírica mozárabe y las teorías de Theodor Frings* en "Lingüística e historia literaria", 1955.

R. Menéndez Pidal: *La canción andaluza entre los mozárabes de hace un milenio y Cantos románicos andalusíes*. En "España, eslabón entre la Cristiandad y el Islam". Col. Austral, 1956.

E. García Gómez: *La lírica hispano-árabe y la aparición de la lírica románica*. En "Al-Andalus", 1956.

R. Menéndez Pidal: *La primitiva lírica europea. Estado actual del problema*. En Rev. de Fil. Esp. Tomo XLIII, 1960.

E. García Gómez: *Las jarchas romances de la serie árabe en su marco*. Sociedad de estudios y publicaciones. Madrid, 1965.

ESTUDIO SOBRE POEMAS JUGLARESCOS

R. Menéndez Pidal: "Tres poetas primitivos". Col. Austral, 1948. Contiene estudios sobre *Elena y María* y *Roncesvalles*.

L. Spitzer: *Razón de amor*. En Rev. Romania, 1950.

el mester de clerecía. 6
berceo

Clérigos y juglares

El siglo XIII ve surgir, junto al espontáneo y popular arte juglaresco, un nuevo estilo de más cuidada perfección: el *Mester de Clerecía.*

Los clérigos se incorporan a la literatura en romance y siguiendo las huellas de los juglares, que desde hacía siglos venían dirigiéndose al pueblo en lengua vulgar, inician una amplia producción encaminada a difundir entre los iletrados una cultura

Un escritorio monástico del siglo XII. Situado bajo la torre campanario del cenobio, que aparece a la izquierda del grabado, era una sala donde los escribas se dedicaban a copiar los venerables códices antiguos. Gracias a la labor de los clérigos, la cultura clásica no desapareció por completo. De los comentarios del Apocalipsis, de Beato.

que hasta este momento había permanecido encerrada en las silenciosas bibliotecas monacales.

Movidos, pues, por un afán pedagógico, limítanse a transcribir en verso castellano los relatos contenidos en unos códices latinos que el vulgo no comprende, prescindiendo, en absoluto, de todo intento de originalidad o de inventiva. Por ello los veremos citar a cada paso el texto que les sirve de fuente informativa, deseosos de dar una mayor autoridad y prestigio a sus palabras. El respeto a la tradición escrita es quizás su característica fundamental. Por otra parte, la conciencia de su superioridad cultural les impide expresarse utilizando las formas descuidadas de los juglares. De ahí que su métrica ofrezca una regularidad desconocida hasta el momento en la literatura castellana.

La Métrica. — El metro —de origen francés— utilizado invariablemente por los clérigos es el *cuarteto* (o *tetrástrofo*) *monorrimo*, llamado también *cuaderna vía*, estrofa de cuatro versos alejandrinos, de catorce sílabas, con una sola rima consonante. Mucho más regular que la métrica juglaresca, ofrece una cierta monotonía que contrasta con la agilidad de los versos populares. Sin embargo, el clérigo proclama con orgullo la perfección de su arte:

> Mester trago fermoso, non es de joglaría;
> mester es sen pecado, ca es de clerezía;
> fablar curso rimado por la cuaderna vía
> a síllavas cuntadas, ca es grant maestría.

El Lenguaje. — Contrariamente a lo que pudiera esperarse, presenta a veces un tono más *familiar* que el de la épica popular o el de la lírica cortesana; cosa, por otra parte, fácilmente explicable si tenemos en cuenta que, así como el juglar de temas heroicos utiliza una expresión más elevada con el fin de dignificar el asunto que narra, los clérigos, en su intento de hacer llegar al pueblo leyendas e historias que éste desconoce, habrán de preferir un tipo de lenguaje que facilite la tarea divulgadora. He ahí la razón de un sinnúmero de *expresiones pintorescas* tomadas de la vida cotidiana.

"Mas pora fer tal pasta, menguábalis farina", exclama Berceo, para dar a entender la falta de recursos de unos ángeles que quieren lograr el alma de un pecador.

Sin embargo, el hecho de que estos poetas eruditos se sirvan casi siempre de una fuente latina da lugar a la aparición de numerosos latinismos.

Los Temas. — Tienen por lo común un carácter religioso o cultural —vidas de santos, leyendas devotas, relatos de origen clásico—, aunque en algún momento, los clérigos, deseosos de emular a los juglares épicos, desarrollen también asuntos heroicos. En general se substituyen los motivos nacionales por otros pertenecientes a la tradición erudita europea.

Las leyendas marianas fueron uno de los temas predilectos de la literatura religiosa del siglo XIII. Los **Miraclos de Nuestra Señora**, de Berceo, son el más bello ejemplo de ello en la poesía castellana de la época. Imagen románica de "La Gloriosa".

Su propósito. — Lejos de hallarse destinados a la lectura de una minoría de doctos, los poemas del mester de clerecía aspiran a popularizar la cultura y son recitados por juglares ante el pueblo iletrado. Su público no se halla en las bibliotecas de los conventos, sino en las plazas de la ciudad, lo mismo que ocurre con la producción juglaresca. Por eso no ha de extrañarnos que los clérigos, aun cuando traten de crear un estilo narrativo más perfecto, se valgan de expresiones propias de la juglaría, ducha ya desde hacía siglos en el arte de mantener la atención de un auditorio popular. Como ha dicho Menéndez Pidal,[1] el mester de clerecía nació como una leve modificación de la poesía juglaresca.

Berceo se llama a sí mismo "juglar del Criador", y como tal, pide al fin de su poema "un vaso de bon vino". Por lo demás, las invocaciones son semejantes a las de los poetas populares: "Señores, si quisiéredes atender un poquiello..."

.*No hay, pues, una separación absoluta entre el arte juglaresco y el clerical*, pero la fidelidad a un texto erudito —"ca al non escrevimos sinon lo que leemos"—, el fin educativo del relato y la regularidad del metro —"a síllavas cuntadas"— del mester de clerecía, le diferencian suficientemente del arte popular.

Poemas conservados. — El mester de clerecía del siglo XIII agrupa, además de las obras de Berceo, tres extensos poemas: el *Libro de Apolonio*, el *Libro de Alexandre* y el *Poema de Fernán González*.

1. "Poesía juglaresca y juglares".

Gonzalo de Berceo

Pocas noticias tenemos sobre la vida de Berceo, el primer poeta castellano de nombre conocido. Debió de morir ya viejo, hacia mediados del siglo XIII, después de haber permanecido adscrito largos años como clérigo secular al monasterio de San Millán, en la Rioja.

Obras. – Toda la producción de Berceo tiene carácter religioso. Además de su obra capital –los *Miraclos de Nuestra Señora*–, escribió tres vidas de santos: la de *San Millán, Santa Oria* y *Santo Domingo de Silos;* dos poemas dedicados a la Virgen: los *"Loores de Nuestra Señora"* y *"El planto que fizo la Virgen el día de la Pasión de su Fijo";* tres composiciones religiosas de asunto vario: *"El martirio de Sant Laurencio", "El sacrificio de la Misa", "Los signos que aparescerán ante el Juicio",* y tradujo tres himnos litúrgicos.

La mayor parte de estas obras, si exceptuamos "Los Miraclos" y la "Vida de Santa Oria" –en la que encontramos delicadas visiones religiosas–, no ofrecen siempre gran interés. Tan sólo la pintoresca narración de algún milagro de Santo Domingo o de San Millán (como la divertida escena de los diablos que tratan de quemar a éste mientras duerme), el canto de los judíos en "El planto que fizo la Virgen" (cuyo estribillo "eya velar" parece proceder de alguna cantiga de velador) y alguna graciosa expresión –como la de los muertos acudiendo "al juicio, quisque con su maleta"– salvan el conjunto de su cansina monotonía.

Junto al fervor hacia la Virgen, propio de toda Europa, Berceo manifestó un repetido interés por los temas hagiográficos emparentados con la tradición local. Así lo demuestra su **Vida de San Millán de la Cogolla**, donde con ingenuo realismo, pleno de sabor popular y local, nos narra sus milagros. He aquí dos escenas de su muerte, según un relieve del arca que guarda las reliquias del santo.

Los "Miraclos de Nuestra Señora". — Es la obra más sugestiva de Berceo. Consta de veinticinco narraciones. En una introducción alegórica, el poeta se nos presenta como un romero descansando en un delicioso prado.

Después de describirnos "la verdura del prado", "la olor de las flores", y "los sonos de las aves, dulces e modulados", Berceo expone el significado de estos símbolos: la romería es el camino de la vida; el prado, la Virgen, cuya bondad sirve de alivio al dolor de sus devotos; las fuentes, los evangelios; las flores, los nombres de Santa María; los cantos, las voces de los bienaventurados...

Prescindiendo de su sentido alegórico, el paisaje imaginado por el poeta constituye, por su fina estilización, una de las más delicadas muestras de la literatura descriptiva medieval.

> Yo, maestro Gonçalvo de Berceo nomnado,
> yendo en romería caecí en un prado
> verde e bien sencido,[1] de flores bien poblado,
> logar cobdiciadero para omne cansado...
> Daban olor sobejo las flores bien olientes,
> refrescavan en omne las caras e las mientes,
> manavan cada canto fuentes claras, corrientes,
> en verano bien frías, en ivierno calientes...

Los veinticinco relatos que siguen a continuación narran, por lo general, milagros realizados por la Virgen en favor de sus devotos, bien para salvar su alma, bien para ayudarles en algún trance apurado.

He aquí algunos de ellos. Teófilo, movido por la ambición, vende su alma al diablo, pero se arrepiente, y la Virgen recupera la escritura de venta. Un ladrón es condenado a la horca; la Virgen le sostiene en el aire y le salva. Por intercesión de "la Gloriosa", el alma de un monje, que se disputan ángeles y diablos, puede volver al cuerpo. Unos ladrones intentan robar una imagen de la Virgen, pero ésta los hace enloquecer y son descubiertos...

La casi totalidad de estos milagros pertenece a la tradición mariana europea. Hace años fue descubierto en Copenhague un manuscrito latino en el que aparecen —incluso por el mismo orden— los veinticuatro primeros. Pero comparando la seca narración del texto latino con los sabrosos y animados relatos de Berceo, queda de manifiesto la originalidad estilística de nuestro poeta.

La técnica de Berceo. — Las obras de Berceo —en las que, por cierto, aún no se da el uso de la sinalefa— nos demuestran que su autor poseía una *extensa cultura religiosa,* y aunque en alguna ocasión se declarase incapaz de escribir un poema en latín —"ca non so tan letrado por fer otro latino"—, es indudable que conocía suficientemente esta lengua para traducirla con soltura: por otra parte, la fidelidad a una fuente escrita de la que nunca se aparta, le sitúan de lleno dentro de la poesía culta

---

1. No hollado.

de su tiempo. El respeto al texto en que se basa es en él una preocupación constante, hasta el punto de interrumpir el relato cuando el modelo aparece incompleto.

> De cual guisa salió, dezir non lo sabría,
> ca fallesció el libro en que lo aprendía;
> perdióse un cuaderno, mas non por culpa mía;
> escribir aventura sería gran follía...

Sin embargo, *su inspiración y su estilo se hallan muy cerca del arte popular.* Su primordial intento era precisamente hacer llegar al pueblo las leyendas religiosas, valiéndose de los procedimientos expresivos a que éste estaba habituado.

Casi todos los elementos de su estilo se explican por este deseo de popularizar las tradiciones religiosas. En primer término, sus fórmulas de tipo juglaresco, pues tanto al solicitar la atención de su público —"si vos me escuchássedes por vuestro consiment"—, como al demandar un don por su relato —"un vaso de bon vino"—, nuestro poeta imita los recursos característicos de los juglares.

Su vivo *realismo* es otra consecuencia de ello. No sólo los lugares en que se desenvuelve la acción de sus historias —San Millán, Silos...— sino el mismo lenguaje, lleno de expresiones tomadas del habla cotidiana, pertenecen al ambiente que vivía su público. El lenguaje de Berceo abunda en giros que debían de hallar la grata resonancia de las cosas familiares en los oídos de sus feligreses.

En cierta ocasión, la Virgen se burla de las ambiciones de un devoto suyo y exclama: "Non valdrás más por eso cuanto vale un figo". El ataque de unos diablos contra un alma se describe de la siguiente forma:

> Prissiéronlo por tienllas [1] los guerreros antigos,
> los que siempre nos fueron mortales enemigos,
> dávanli por pitanza non manzanas nin figos,
> mas fumo e vinagre, feridas e pelcigos. [2]

El pintoresco realismo de estas expresiones obedece a menudo a una consciente *intención humorística.* Berceo sabía que la comicidad era un recurso eficacísimo para atraer la atención de su sencillo auditorio, y en este sentido, para provocar la hilaridad del público, utilizaba frecuentemente a los diablos, que por lo común suelen quedar en ridículo.

Véase el siguiente episodio de la "Vida de San Millán", en la que una refriega de demonios hace sonreír al santo:

> Firíense los rostros a grandes tizonadas,
> trayén las sobrecejas sangrientas e quemadas,
> las fruentes mal bastidas, las barbas socarradas
> nunca vidiestes bebdas tan mal descapelladas. [3]

---

1. Con sogas. — 2. Pellizcos. — 3. Viudas tan desgreñadas.

Desent, cuando ovieron echados los tizones,
prissiéronse a pelos e a los cabezones,
dándose espoladas a fuertes aguijones;
por fer toda nemiga, metién los corazones.
El confessor precioso, siervo del Criador
vio esta revuelta, entendió el fervor,
por poco se non riso, tanto ovo gran sabor.

En este realismo ingenuo, pleno de sabor popular y local y en este sano y candoroso humorismo —que no excluye la presencia de pasajes de gran fuerza dramática, como el del arrepentimiento de Teófilo—, es donde hay que buscar la gran originalidad de Berceo. Si a estas cualidades añadimos la simpática humildad de su espíritu y la claridad de sus versos, inspirados por una *fervorosa y sencilla religiosidad,* comprenderemos el entusiasmo que han sentido por él poetas de nuestra época.

El Libro de Apolonio

Su fuente inmediata fue, probablemente, alguna redacción latina, en prosa, de la historia bizantina de Apolonio, rey de Tiro, tema que alcanzó una enorme difusión en la Edad Media.

La obra —de autor desconocido— nos cuenta cómo Apolonio recobra, al cabo de muchos años, a su esposa Luciana, a quien creía muerta, y a su hija Tarsiana, convertida en juglaresa. La complicada narración de sus aventuras está constituida por el relato de innumerables peripecias, según la técnica de las novelas bizantinas. Naufragios, raptos, encuentros inesperados llevan al lector de sorpresa en sorpresa a través de este intrincado laberinto de episodios.

Contrastando con el espíritu religioso de la producción de Berceo, el *Libro de Apolonio* refleja, más bien, *el mundo caballeresco de la época.* El mismo protagonista, "de letras profundado", diestro en el arte musical y en todo género de "cortesía", es un símbolo del refinado ideal social de aquellas cortes del siglo XIII, en las que el arte musical y poético, el amor y la aventura colmaban las máximas aspiraciones. Téngase en cuenta, sin embargo, que el ambiente descrito en el poema aparece referido a la antigüedad clásica, anacronismo muy frecuente, como veremos, en la literatura medieval.

El principal interés del libro reside en el *estilo vivo y animado de la narración.* Lleno de aciertos poéticos, de matices sentimentales y de curiosos episodios novelescos, el Libro de Apolonio es una de las muestras más interesantes del Mester de Clerecía.

Obsérvese, por ejemplo, la graciosa delicadeza de la siguiente escena, en la que Apolonio comienza a enamorar a Luciana, valiéndose de su destreza musical:

Alçó contra la dueña un poquiello el cejo
fue ella de vergüenza presa un poquillejo;
fue trayendo el arco egual e muy parejo
abés [1] cabié la dueña de gozo en su pellejo.
Fue levantando unos tan dulces sones,
doblas e debayladas, temblantes semitones;
a todos alegrava la boz los corazones;
fue la dueña tocada de malos aguijones.

La simpática figura de la jovencita Tarsiana, que ha hecho pensar en la Gitanilla de Cervantes, en la Marina del "Pericles" shakespeariano y en la Esmeralda de la novela de Víctor Hugo, constituye una nota sobresaliente.

El Libro de Alexandre

Atribuido al clérigo *Juan Lorenzo de Astorga,* [2] el "Libro de Alexandre" constituye el poema más extenso del Mester de Clerecía, ya que consta de más de diez mil versos.

Su autor debió de basarse en una serie de historias y tradiciones clásicas y medievales sobre el héroe macedón, utilizando preferentemente el poema latino "Alexandreis", del francés Gauthier de Châtillon.

La obra narra la vida de Alejandro Magno, desde su infancia hasta el momento de morir asesinado, si bien su autor aprovecha diversas ocasiones para intercalar episodios secundarios, por ejemplo, el relato de la guerra de Troya, con motivo del paso del héroe por esta ciudad, o la descripción de una asamblea en el Infierno, donde se prepara su muerte.

Los viajes de Alejandro por Oriente dan lugar a que el poeta despliegue su *fantástica erudición* y nos describa las más estupendas maravillas con todo lujo de detalles: las portentosas piedras preciosas de Babilonia, los vehículos —submarino y aéreo— de Alejandro, los palacios del rey Poro, los hombres "acéfalos", el ave fénix, los árboles que adivinan el porvenir...

Uno de los rasgos más notables de la obra es su *carácter erudito*. El poeta, movido por una insaciable curiosidad, se complace en acumular tal cantidad de noticias fantásticas, que el elemento histórico desaparece envuelto en un sinfín de invenciones maravillosas.

Otro curioso aspecto del poema está en su constante *visión anacrónica de la antigüedad clásica*. El autor no acierta a ver ésta sino a través de la época medieval: Alejandro es ordenado caballero el día de San Antero, don Júpiter aparece rodeado de "capellanes", Aquiles se oculta entre "monjas"...

En *el color y la animación de las descripciones* es donde reside el valor primordial de este libro, tan poco original —como el resto de los del Mester de Clerecía— en cuanto a los temas.

1. Apenas. — 2. Hoy Alarcos Llorach se inclina a dar la obra como anónima.

Véase la fina ironía y la agilidad de su evocación de la primavera:

> El mes era de Mayo, un tiempo glorioso,
> cuando fazen las aves un solaz deleitoso,
> son vestidos los prados de vestido fremoso,
> da sospiros la dueña, la que non ha esposo...
> Caen en el serano las bonas rociadas,
> entran en flor las mieses, ca son ya espigadas,
> fazen las dueñas triscas en camisas delgadas:
> ¡enton' casan algunos que pués messan las barvas!
> Andan viejas e moças cobiertas en amores,
> van coger por la siesta a los prados las flores,
> dizen unas a otras: ¡Bonos son los amores!
> E aquellos plus tiernos tiénense por mejores.
> Los días son grandes, los campos reverdidos,
> son los passariellos del mal pelo exidos,
> los távanos que muerden non son aún venidos,
> luchan los monagones en bragas, sen vestidos.

Son también notables las descripciones de las pinturas de la tienda de Alejandro, alusivas a los doce meses del año, la de los vehículos aéreo y submarino inventados por el rey, o la de la reina Calectrix, cuya belleza era tan maravillosa que cuando abría los ojos, "a cristiano perfecho toldrié [*quitaría*] toda pereza".

Cantar de Fernán González

Es el menos interesante, desde el punto de vista literario. Su autor debió de ser un monje del Monasterio de San Pedro de Arlanza (fundado, según la tradición, por el héroe castellano). La fuente del poema, en el que no faltan influencias eruditas, quizás haya que buscarla en algún cantar de gesta perdido; así se explicaría esa "ligera brisa épica que lo anima todo", al decir de un crítico de nuestros días.[1]

Por primera vez en nuestra literatura vemos aplicado un *metro erudito* —la cuaderna vía— a un *tema épico tradicional*. Todo el poema está impregnado de un gran ardor bélico y patriótico, como se revela en la narración de las hazañas del protagonista:

> Andava por las azes commo león fambriento,
> de vencer o morir tenía fuerte taliento,
> dexava por do iva tod el campo sangriento
> dava í muchas ánimas al bestión mascariento.[2]

Comienza la obra refiriéndose a los reyes godos, continúa con la invasión de los árabes —bárbaras gentes que "cocían e asavan los homnes para comer"— y prosigue la historia de la Reconquista hasta la época de Fernán González, núcleo de la narración.

Tras vencer a Almanzor, el conde castellano es apresado por el rey de Navarra, pero le libra doña Sancha, a condición de casarse con ella. Encarcelado más tarde por

---

1. Zamora Vicente. — 2. Al diablo.

el rey de León, es libertado de nuevo por su esposa, y al fin logra la independencia de su condado, al no poder pagar el rey el azor y el caballo que aquél le vendió en otro tiempo.

El espíritu castellano del autor se manifiesta repetidas veces, como en el entusiasta elogio de España, en el que presenta a Castilla como la región principal: "pero de todo España, Castilla es lo mejor..."

A pesar de su escaso mérito literario, el poema fue muy conocido y se prosificó en la "Crónica General" de Alfonso X el Sabio.

Variedad de los poemas del Mester de Clerecía

Los poemas del Mester de Clerecía ofrecen a menudo en su lenguaje rasgos dialectales: Berceo, riojanos, el "Libro de Apolonio", aragoneses, y el "Libro de Alexandre", leoneses y aragoneses, según se trate de uno u otro de los dos códices que de él se conservan.

Obsérvese la variedad de asunto y de estilo:

Berceo, religioso; nota estilística fundamental: popularismo realista.

Apolonio, tema novelesco clásico; agilidad narrativa.

Alexandre, tema clásico con propósito erudito; brillantez descriptiva.

Fernán González, motivos heroicos tradicionales; sequedad literaria.

BIBLIOGRAFIA

ESTUDIOS DE CARACTER GENERAL

Menéndez y Pelayo: *Historia de la poesía castellana en la Edad Media.* Vol. I, 1911.

R. Menéndez Pidal: *Poesía juglaresca y juglares.* Col. Austral, 1942.

G. Cirot: *Inventaire estimatif du "Mester de Clerecía".* Bull. Hisp., 1946.

Berceo: Edic. B. A. E. — *Milagros.* Ed. Solalinde, con prólogos y notas, Clas. Cast., 1913. — *Milagros.* Ed. modernizada con estudio preliminar, por Daniel Devoto, 1957. — A. del Campo: *La técnica alegórica en la Introducción a los Milagros.* En Rev. de Fil. Española, 1944. — Dámaso Alonso: *Berceo y los "topoi".* En "De los siglos oscuros al de oro", 1958. — J. Guillén: *Lenguaje poético: Berceo.* En "Lenguaje y poesía", 1962. — J. Artiles: *Los recursos literarios de Berceo.* Ed. Gredos, 1964. — C. Gariano: *Análisis estilístico de los "Milagros de Nuestra Señora" de Berceo.* Ed. Gredos, 1965.

Alexandre: Ed. B. A. E. — Ed. de Morel-Fatio, 1906. — E. Alarcos Llorach: *Investigaciones sobre el L. de Alexandre,* 1948.

Apolonio: Ed. B. A. E. — Ed. de Carroll Marden, 1917. — Ed. modernizada y prólogo por P. Cabañas, 1955.

Fernán González: Ed. B. A. E. — Ed. con prólogo de A. Zamora Vicente. Clas. Cast., 1946. — Versión modernizada con un prólogo de E. Alarcos Llorach, 1955.

los comienzos de la prosa. alfonso x el sabio 7

Los comienzos de la prosa

La poesía puede difundirse sin necesidad de consignarla por escrito, como nos demuestra la existencia de una amplia producción épica de carácter oral. No así la prosa, cuyo cultivo exige necesariamente el conocimiento de la lectura. Ahora bien, si tenemos en cuenta que eran los clérigos los únicos capaces de expresarse por escrito, y recordamos su resistencia a utilizar la lengua romance, podremos explicarnos el fenómeno de la tardía aparición de la prosa castellana respecto de la poesía juglaresca.

Las primeras manifestaciones de la prosa en lengua vulgar corresponden al siglo XIII. Ello coincide con otros fenómenos de capital importancia: la emigración en masa de sabios árabes y judíos hacia Castilla —considerada desde ahora por éstos como

Alfonso X el Sabio, eje de la actividad cultural del siglo XIII.

una gran potencia–, y la irrupción de elementos seglares en el terreno de la cultura. Tanto es así que, en cierto modo, podría afirmarse que son estos dos factores los que más eficazmente contribuyen a semejante revolución lingüística en la literatura.

Las producciones más antiguas se remontan al reinado de Fernando III el Santo, o sea a la primera mitad del siglo. Originadas por un propósito didáctico-moral ajeno a toda intención estética, apenas ofrecen otro interés que el de iniciar el cultivo de la prosa.

A esta época pertenecen varias colecciones de máximas morales –las *Flores de Filosofía,* el *Bonium* y el *Poridat de poridades*–, un debate de carácter religioso –la *Disputa del cristiano y el judío*– y la traducción del *Fuero Juzgo.*

La prosa en la segunda mitad del siglo

La prosa adquiere, durante los reinados de Alfonso X y Sancho IV, una mayor difusión y soltura, gracias, sobre todo, a la enorme labor desplegada por el primero de estos reyes.

En general conserva el carácter didáctico de la época de San Fernando –como sucede con la vasta producción científica del Rey Sabio–, aunque a veces el elemento moral va unido a *formas novelescas:* éste es el caso del "Calila e Dimna" y del "Sendebar". En cuanto a las influencias que sobre ella se ejercen, son dos esencialmente: la *latina* y la *árabe.*

Alfonso X el Sabio

Su actuación como gobernante. – Alfonso X el Sabio (1221-1284) llegó al trono de Castilla a la muerte de su padre, Fernando III el Santo. Su reinado, que abarca casi toda la segunda mitad del siglo XIII, se caracteriza por un predominio de acontecimientos luctuosos. Si bien es cierto que en su juventud ocupó Murcia y más tarde importantes localidades, la mayor parte de las empresas políticas de su edad madura, v.gr., su pretensión de ser nombrado emperador del Sacro Imperio Romano, se vieron condenadas al fracaso.

Su actividad cultural. – Los errores de su desacertada política imperialista contrastan vivamente con el éxito de sus empresas culturales. Pocas figuras de la Edad Media consiguieron dar cima a una labor tan ingente como la que él dirigió. Su elevada jerarquía le permitió reunir en su corte a un importante grupo de hombres doctos, que continuando con acierto la obra de traducción y compilación iniciada un siglo antes en la Escuela de traductores de Toledo, lograron realizar una amplia tarea de divulgación científica. Movido por un puro afán cultural, supo prescindir de diferencias de religión o de raza y, gracias a ello, judíos, musulmanes, castellanos e italianos pudieron colaborar libremente y dar al conjunto de su producción un tono de elevada universalidad.

Es cierto que la mayor parte de los conceptos vertidos en sus obras pueden hallarse en otros textos anteriores y que *la intervención del rey limitóse a la corrección y dirección de los trabajos de sus colaboradores*. Como dice Solalinde,[1] "frase por frase, hasta palabra por palabra, puede encontrarse todo en escritos anteriores; mas la originalidad no es una virtud medieval. Y el Rey Sabio tiene otra originalidad: la del esfuerzo".

Hombre de su siglo, *quiso reunir en un todo armónico cuantos aspectos ofrecía la cultura de la época* y su obra tiene, en efecto, el valor de una inmensa enciclopedia. Historia, jurisprudencia, astronomía, poesía, música y pintura son las principales direcciones de la producción alfonsina. He aquí sus obras capitales, enumeradas en aproximado orden cronológico.

La gran compilación jurídica de "Las Partidas". — Es el código legislativo más importante de los siglos medios. Redactado bajo la dirección del rey Alfonso, e inspirado en el Derecho Romano, no pudo entrar en vigor hasta época más tardía, a causa de la resistencia de los nobles, que veían lesionadas en él sus prerrogativas.

La obra aspira a reglamentar los diversos aspectos de la sociedad de la época hasta en sus más mínimos detalles. De ahí el interés que ofrece para nosotros al revelarnos muchas curiosas facetas de la vida medieval.

Véanse las normas de urbanidad dedicadas a los "fijos de los reyes".

> Non les deven consentir que tomen el bocado con todos los cinco dedos de la mano, porque non los fagan grandes..., et dévenles fazer lavar las manos antes de comer... et alimpiarlas deven a las tobajas e non a otra cosa... ca non las deven alimpiar en los vestidos... Otrosí, dixeron [los sabios] que non los dexassen mucho baxar sobre la escudilla mientre que comiessen, lo uno porque es grant desapostura, lo ál porque semejaríe que lo queríe todo para sí el que lo fiziesse, et que otro non oviesse parte en ello .

Las *Siete Partidas* se refieren a los siguientes temas: 1.ª la vida religiosa y eclesiástica; 2.ª deberes y derechos de los gobernantes; 3.ª la administración de la justicia; 4.ª el matrimonio; 5.ª los contratos; 6.ª los testamentos; 7.ª los delitos y sus penas.

Tratados científicos. — En el terreno de la ciencia, fue la Astronomía lo que más atrajo la atención de Alfonso X. Sus *Libros del Saber de Astronomía*, basados en el sistema ptolemaico, están integrados por traducciones del árabe y algún tratado original. El rey se limitó, como siempre, a dirigir los trabajos y a proporcionar a sus

---

1. "Antología de Alfonso X el Sabio".

Miniaturas ilustrativas
de los libros del
acedrex e dados e tablas.

colaboradores los medios necesarios para sus investigaciones, por ejemplo, mandando instalar en Toledo un observatorio astronómico.

A pesar del carácter estrictamente científico de estas obras —estudios matemáticos sobre los movimientos de los astros—, son frecuentes las disquisiciones morales y religiosas, de acuerdo con el espíritu de la época, pronto a hallar en todas las cosas ejemplos de la sabiduría divina.

Las "Tablas alfonsíes", relativas a los eclipses, son un complemento de los Libros de Astronomía y lograron una gran difusión, llegando a ser traducidas a otros idiomas.

El *Lapidario* —algo posterior a la iniciación de las obras históricas— es un notable ejemplo de la mezcla de ciencia y superstición característica de la Edad Media. En él se estudian supuestas cualidades de las piedras preciosas, en relación con el signo astronómico del Zodíaco bajo el cual se hallan.

Obras históricas. — La *Crónica General* consta de dos partes: la primera abarca desde los primeros pobladores de España hasta la invasión de los árabes; la segunda, redactada en tiempo de Sancho IV, es una historia de la Reconquista hasta el reinado de Fernando III, y en ella aparecen prosificados numerosos cantares de gesta, cuya forma primitiva se ha perdido.

Las fuentes utilizadas fueron las crónicas latinas del Tudense y del Toledano (época de San Fernando), completadas con Suetonio, Ovidio y Lucano —en lo referente al período romano— y con los cantares de gesta —en la parte dedicada a la Reconquista—.

La "Crónica General" —donde se presenta a los diversos reinos de España como un todo informado por una unidad superior— posee un indudable mérito literario. No sólo sabe darnos un animado cuadro de la vida española –superando la sequedad de las anteriores crónicas en latín–, sino que en ciertos momentos consigue expresiones de un gran valor estilístico, como en su entusiasta "Loor de España" o en esta patética descripción de los invasores musulmanes, llena de color y de brío:

> Los moros de la hueste, todos vestidos de sirgo [seda] e de los paños de color que ganaran; las riendas de sus cavallos tales eran como de fuego, las sus caras dellos negras como la pez, el más fermoso dellos era negro como la olla, así luzían sus ojos como candelas; el su cavallo dellos ligero como leopardo, e el su cavallero mucho más cruel et más dañoso que es el lobo en la grey de las ovejas en la noche.

La segunda crónica del Rey Sabio lleva el título de *General e Grand Estoria*. Comienza con la creación del mundo; pero, a pesar de su enorme extensión, sólo llega al Nuevo Testamento; no obstante, constituye uno de los esfuerzos historiográficos medievales de mayor volumen. Las fuentes esenciales son la Biblia y una larga serie de autores latinos y medievales, tanto árabes como cristianos.

Aparte los hechos historiados, la obra se extiende en largas disquisiciones sobre los más diversos temas, siguiendo el afán enciclopédico de la época; así vemos aparecer, junto a la historia del rey Alejandro, una exposición de "los dichos de Plato" (Platón), o un capítulo sobre "las naturas e los entendimientos de los cavallos", o "sobre los canes que se crían con los homnes..."

Es curiosa la visión anacrónica de las figuras de la Mitología griega, a las que se considera como antiguos héroes históricos elevados más tarde a la categoría de dioses.

> En esta cibdad de Atenas, nasció el rey Júpiter e allí estudió, et aprendió í tanto que sopo muy bien todo el trivio et tod el cuadrivio que son las siete artes a que llaman liberales..., la primera, gramática; la segunda dialéctica; la terzera, rectórica; la cuarta arismética; la quinta, música; la sesena, geometría; la setena, astroñomía.

Libros de Juegos. – Los *Libros de acedrex e dados e tablas* son la obra más notable que sobre dicho tema se escribió en la Edad Media. El rey mandó traducir estos libros para los que no podían ocuparse en otros juegos físicos, como las mujeres, "que non cabalgan e están encerradas..."

La lengua y el estilo de la prosa alfonsina. – Como ya dijimos, la prosa avanza un paso de gigante durante la segunda mitad del siglo, merced a su intenso cultivo durante el reinado de Alfonso X el Sabio. Ruda y desmañada en la época de San Fernando, *va adquiriendo mayor agilidad y una progresiva eficacia para la exposición de asuntos didácticos.* La sintaxis alcanza una flexibilidad hasta entonces desconocida, aunque conserva usos del reinado anterior, v.gr., la monótona repetición de la conjunción *et* ("*e* cada uno dellos tiene entre sí *et* ell otro grandes montañas *e* tierras, *e* los valles *e* los llanos son grandes *et* anchos, *et* por la bondad de la tierra *et* humor de los ríos..."); el léxico se acrecienta con una serie de neologismos indispensables para expresar nuevos conceptos en romance –"teatro", "septentrión", "húmido"...–, y *la ortografía*

Las **Cantigas de Santa María** aparecen ilustradas con miniaturas como la que reproduce el grabado.

queda estabilizada hasta el siglo XVI, después de haberse pasado por una época de verdadera anarquía en la representación de los sonidos.

El rey desempeñó en el aspecto lingüístico y literario un importante papel, ya que reservó para sí la corrección estilística de las obras que dirigía. En una de ellas nos declara taxativamente que "cuanto en el lenguaje endreçólo él por sise", es decir, por sí mismo. Este cuidado personal dio a toda su producción una cierta unidad dentro de la variedad de tonos motivada por la diversidad de las fuentes escogidas, ya que pueden observarse expresiones latinizantes, formas calcadas del árabe y modismos populares, según el original utilizado sea latino u oriental, o bien se trate de un cantar de gesta...

A pesar del indudable progreso que la lengua alfonsina representa, su valor estético es todavía muy relativo, ya que, como observa M. Pidal, se buscaba en las traducciones más la estricta fidelidad al texto que los efectos artísticos.

Téngase en cuenta, sin embargo, la inexistencia, en la Europa del siglo XIII, de una producción didáctica de tanta amplitud y escrita en lengua vulgar —pues lo corriente era el uso del latín para estos asuntos— y se comprenderá la trascendencia histórico-cultural de la actividad de Alfonso el Sabio.

La obra poética del Rey Sabio: "Las Cantigas". — Las 430 composiciones de las *Cantigas de Santa María* parecen ser en su mayor parte obra personal de Alfonso X. Escritas en gallego —aunque el rey prefería la poesía provenzal a la gallega—, derivan en su mayor parte de la tradición mariana europea, si bien algunas se refieren a milagros que dice haber presenciado. Sin embargo, no todas las Cantigas son de tipo narrativo; una décima parte de ellas ofrece una forma exclusivamente lírica y equivale a una versión, "a lo divino", de la cantiga de amor.

Comparadas con los "Milagros" de Berceo, las "Cantigas" son inferiores en gracia y vivacidad narrativa, pero, en cambio, los superan en musicalidad y variedad métrica.

Los asuntos tratados son de la más diversa índole. He aquí algunos de ellos. Un religioso ignorante compone un poema en honor de la Virgen, y al morir le florece un rosal en la boca. Una monja huye de un convento con un galán; vuelve arrepentida al cabo de los años, y advierte que nadie ha notado su ausencia; la Virgen, a quien ella había confiado las llaves del convento, la ha substituido mientras se hallaba fuera (asunto tratado más tarde por Lope de Vega, Vélez de Guevara, el autor del Quijote apócrifo, Zorrilla, etc.). Una dama casada acepta que un galán enamorado le regale unos zapatos, pero al querer probárselos, nota que no se puede quitar los que lleva puestos, quedando así hasta que llega su marido de un largo viaje; ambos dan las gracias a la Virgen, que ha impedido merced a ello la infidelidad de la esposa.

> O cavaleiro dise: —Dona, d'esto me praz,
> e sobr'esto nunca avremos senon paz;
> ca sei que Santa María, en que todo ben iaz,
> vos guardou.— Et a çapata lle foi en tirar.
> Quem mui ben quiser o que ama guardar
> a Santa María o dev'a encomendar.

La estrofa precedente es una muestra de los zéjeles que abundan en las Cantigas y que —de ser cierto su origen arábigo— darían testimonio de la importancia del influjo oriental en la corte del rey Alfonso. Influjo que no sólo se manifiesta en la métrica, sino en las variadísimas *melodías* que acompañan a las composiciones, constituyendo uno de los mayores atractivos de la obra.

Citemos, en último extremo, las deliciosas *miniaturas* que ilustran el texto, proporcionándonos un maravilloso documento gráfico de la época.

Contrastando con el tono religioso de las "Cantigas", se conservan también unas treinta composiciones del Rey Sabio, escritas igualmente en gallego y de carácter amoroso y satírico, en las que abundan las procacidades.

Las primeras colecciones de cuentos

La prosa novelesca se inicia, en forma de colecciones de cuentos o apólogos, durante el reinado de Alfonso X. Deriva por lo general de fuentes orientales —indias, persas, árabes— y ofrece, como características primordiales, la intención didáctica y el engarce de unos cuentos con otros, según la técnica de sus modelos.

El *Libro de Calila e Dimna,* mandado traducir, según algunos, por Alfonso X, está integrado por cuentos morales de origen sánscrito —la primera parte del Panchatantra—, que fueron vertidos al persa, más tarde al árabe y de éste al castellano.

El lobo Dimna, hermano de Calila, calumnia ante el rey —el león— a su ministro, el buey Senceba; éste muere, pero al descubrirse el engaño, Dimna es también condenado a muerte.

Ilustración de un cuento del **Calila e Dimna**. Miniatura árabe del siglo XIII.

La mayor parte del libro la ocupan los apólogos que relatan los citados personajes para apoyar sus opiniones. La moral que de ellos se desprende suele estar basada en la prudencia o la astucia.

Sobresalen, entre otros, el cuento "del religioso que vertió miel et la manteca" (precedente de la fábula "La lechera"), el del piojo y la pulga, el de los "mures" —ratones— que comían hierro, etc.

El *Sendebar* o *Libro de los engaños e los asayamientos de las mujeres* es otra colección de cuentos de origen oriental. Está constituido por los apólogos narrados por unos sabios, para defender a un príncipe contra las acusaciones de su madrastra, que, lo mismo que su hijastro, se justifica también a base de relatos didáctico-novelescos.

La obra interesa desde el punto de vista histórico-literario, por ser una de las primeras muestras castellanas del género misógino —o de ataque a la mujer—, que tantos cultivadores habría de encontrar en la Edad Media.

La prosa didáctico-novelesca siguió cultivándose en el reinado de Sancho IV. A este período corresponden los *Castigos e documentos*, atribuidos hasta ahora al mismo rey don Sancho, y en el que se incluyen multitud de narraciones religiosas junto a relatos profanos de origen clásico, árabe o nacional.

Las narraciones caballerescas

Como el Libro de Alexandre, la *Historia Troyana* (de hacia 1270) representa la introducción en España de los relatos franceses en verso conocidos con el nombre de "romans". El asunto es, desde luego, clásico, pero como en el original francés que traduce —el "Roman de Troie", de Benoît de Sainte-Maure—, la narración aparece adornada con elementos maravillosos y sentimentales que la convierten en una visión medieval y caballeresca de la guerra de Troya. Escrita en su mayor parte en prosa, contiene algunos fragmentos originales en verso y de gran valor.

BIBLIOGRAFIA

EDICIONES

Partidas, Acad. Hist., 1807.
Libros del saber de Astronomía, Rico y Sinobas, 1863.
Crónica General, Menéndez Pidal, N. B. A. E., 1906.
General Estoria, Solalinde. I, 1930. II, 1957-1961.
Libros de acedrex, dados e tablas, Steiger, 1941.
Cantigas, R. Acad., 1889. W. Mettmann. Coimbra, 1959-1964.
Calila e Dimma, B. A. E. — Solalinde. Ed. Calleja, 1917. — J. E. Keller y R. W. Linker. Madrid, 1967.
El libro de los engaños. J. Esten Keller. Ed. Castalia, 1959.
Crónica troyana. R. Menéndez Pidal y V. Varon. Anejo de la Rev. de Fil. Española, 1934.

ESTUDIOS

M. Menéndez y Pelayo: *Orígenes de la novela*. Vol. I, 1905.
M. Menéndez y Pelayo: *Las Cantigas del Rey Sabio*. En "Estudios y discursos de crítica histórica y literaria". Vol. I. Ed. de 1942.
J. B. Trend: *Alfonso X the Sage, and other essays*, 1926.
A. G. Solalinde: Prólogo a su *Antología de Alfonso X el Sabio*. Col. Austral, 1941.
R. Menéndez Pidal: *La Crónica general de España que mandó componer Alfonso el Sabio*. En "Estudios literarios". Col. Austral, 1943.
R. Menéndez Pidal: *Alfonso X y las leyendas heroicas*. En "De primitiva lírica española y antigua épica". Col. Austral, 1951.
R. Menéndez Pidal: *España y la introducción de la ciencia árabe en Occidente*. En "España, eslabón entre la Cristiandad y el Islam". Col. Austral, 1956.
R. Menéndez Pidal: *Historia troyana polimétrica*. En "Tres poetas primitivos". Col. Austral, 1948.
F. Rico: *Alfonso el Sabio y la "General Estoria"*. Barcelona, 1972.

orígenes del teatro medieval. el auto de los reyes magos

El teatro religioso

Parece estar hoy fuera de toda duda que los orígenes del teatro medieval se hallan en las solemnidades religiosas.

El punto de partida debieron de constituirlo los "tropos" —cantos alternados añadidos al ritual religioso— que tanto éxito alcanzaron en la Edad Media. Estos cantos dialogados, intercalados en el texto litúrgico, fueron poco a poco adquiriendo vida independiente, hasta convertirse en verdaderos dramas religiosos, agrupados en torno a

Al trasladarse fuera de la Iglesia, fue necesario montar una escenografía apropiada para las primitivas representaciones teatrales. Se conservan pocos testimonios gráficos de ella. He aquí el escenario de Valenciennes para la Pasión de Nuestro Señor Jesucristo.

los dos momentos fundamentales de la vida de Cristo: el Nacimiento y la Pasión y Resurrección. Representados por sacerdotes, dentro de las iglesias, en los claustros o en los atrios, perdieron su primitivo carácter al abandonar el uso del latín, sustituyéndolo por la lengua vulgar, hacia el siglo XII.

Ello transformó el drama litúrgico del tipo eclesiástico en espectáculo religioso destinado a un ambiente popular, lo cual dio lugar a que se infiltrasen en él elementos profanos que motivaron su traslado de la iglesia a la plaza pública.

Es así como en toda Europa surge una serie de representaciones religiosas que en España recibieron el nombre de "Autos", y en Francia los de "Milagros", "Misterios" y "Moralidades".

Los *Milagros* se referían a los realizados por la Virgen o algún santo. Los *Misterios* eran escenificaciones de la vida de Cristo y se agrupaban en torno a dos ciclos de asuntos referentes a *Navidad* —la adoración de los pastores, el viaje de los Reyes Magos— y a la *Pasión* y *Resurrección* —la muerte de Jesús, el encuentro de las tres Marías y el ángel...—. Las *Moralidades* tenían, a su vez, carácter alegórico (los personajes representaban la Virtud, el Vicio, la Muerte, la Fe, la Esperanza...) y a menudo ofrecían un tono satírico. Como indica su nombre, no eran específicamente religiosas.

De todo el primitivo teatro castellano, sólo ha llegado a nosotros el "Auto de los Reyes Magos", circunstancia que ha llevado a algún historiador a poner en duda la existencia de una amplia producción dramática en Castilla antes del siglo XV.

Sin embargo, hay quien ha afirmado la existencia en España de un género análogo a las Moralidades francesas, teniendo en cuenta diversas razones, entre otras, la presencia de unas piezas alegóricas y religiosas de los siglos XVI y XVII —Farsas y Autos sacramentales— que parecen derivar de aquéllas.

Su escenografía. — Como hemos dicho, las primitivas representaciones europeas se llevaban a cabo dentro del ámbito de los templos. La escenografía sería entonces *muy rudimentaria* o inexistente.

Pero al trasladarse fuera de la iglesia, fue necesario crear un escenario adecuado. Este solía colocarse sobre *un tablado montado al aire libre* en la plaza pública, y aparecía dividido en varios compartimientos, superpuestos o situados uno al lado del otro, que los personajes iban recorriendo sucesivamente, como en el escenario de Valenciennes, donde se veía el Paraíso, el Limbo, el Infierno, Jerusalén, Nazareth, la "casa de los obispos"...

Los gremios y corporaciones protegían estas representaciones, contribuyendo a su esplendor escénico y tomando parte activa en las mismas.

El "Auto de los Reyes Magos"

Es la única obra que poseemos del teatro religioso medieval anterior al siglo XV. La

Gaspar, Melchor y Baltasar, según un frontal románico del siglo XIII.

lengua del manuscrito corresponde a fines del siglo XII. Sólo se conserva un fragmento de 147 versos.

Su esquema es como sigue. Pasan sucesivamente por la escena, Gaspar, Melchor y Baltasar y cada uno declara haber visto la estrella milagrosa. Reúnense y deciden seguirla hasta hallar al Dios niño. En su camino encuentran a Herodes y le declaran el objeto de su viaje. Este queda confuso al saberlo, y llama a los sabios judíos para que le aconsejen. El fragmento termina con la discusión de dos rabinos.

Es curioso el intento de caracterización de los personajes: el escepticismo de los Magos, la astucia y el terror de Herodes, las mentiras de los judíos...

Los Magos dudan por separado de la estrella milagrosa, pero acaban reconociendo la verdad del aviso.

CASPAR

¡Dios criador, quál maravila,
no sé quál es achesta estrela...
¿Nacido es el criador
que es de las gentes senior?
Non es verdad, non sé qué digo,
todo esto non vale uno figo...
Nacido es Dios, por ver, de fembra
in achest mes de december...

BALTASAR

Esta estrela non sé dond vinet,
quin la trae o quin la tine...
Por tres noches me lo veré
y más de vero lo sabré...
Iré, lo aoraré
i pregaré i rogaré.

MELCHIOR

—¿Es? ¿non es?
cudo que vertad es.
Veer lo é otra vegada,
si es vertad o si es nada...
Bine lo veo que es la verdad,
iré alá, por caridad.

Herodes aparece como un hipócrita que, después de asegurar a los Magos su visita al Niño, "io alá iré i adoróle é", se lamenta amargamente:

¿Rei otro sobre mí?
Numquas atal non vi.
El seglo va a çaga,
ia non sé qué me faga...

Los rabinos judíos son personajes odiosos y embusteros:

¿Por qué non dezimos vertad? ...
Porque no la avemos usada
ni en nostras vocas es alada.

Las escenas están dispuestas con una cierta habilidad que presta a la pieza un movimiento dramático perfectamente logrado dentro del tosco primitivismo de su técnica.

Los versos constituyen con su polimetría, un anticipo lejano de lo que iba a ser nuestro teatro del Siglo de Oro.

Orígenes del teatro profano

Al lado del teatro religioso, debió de existir un teatro profano. Aunque nada conservamos de él, tenemos noticias de su existencia por diversas alusiones de autores medievales. Así, Alfonso X el Sabio prohíbe a los clérigos, en "Las Partidas", actuar como "fazedores de juegos descarnios", por las "muchas villanías e desaposturas" que en ellos se cometen.

Estos *juegos de escarnio* debían de ser piezas de carácter burlesco, propias para un ambiente popular. Aunque se ha visto en ellas una derivación de la baja comedia latina, es indudable su relación con el teatro litúrgico, ya que algunas revestían el carácter de parodias religiosas y llegaban a representarse en la misma iglesia, como nos demuestra la prohibición del Rey Sabio: los clérigos no deben intervenir en ellas "nin deven estas cosas fazer en las iglesias".

Quizás haya que considerar estas piezas profanas como una ampliación e independización de los elementos cómicos nacidos en los mismos dramas litúrgicos como una concesión al auditorio popular. Los "pasos" y "entremeses" que tanto éxito lograron en el siglo XVI, proceden seguramente, a su vez, de aquel primitivo teatro de los "juegos de escarnio".

Además de estas representaciones profanas de carácter popular, que por lo general se hallaban a cargo de los juglares, existió con seguridad en España un *teatro escolar* en el que tomarían parte los·alumnos de los colegios o universidades. La lengua utilizada en estos casos sería el latín, pero es probable que se adoptase la lengua vulgar en piezas de ambiente burlesco estudiantil.

Algunas formas teatrales del siglo XV que han llegado hasta nosotros —el "Auto del Repelón", de Juan del Encina, por ejemplo— derivan indudablemente de aquel primitivo teatro profano y constituyen un testimonio indirecto del carácter rudimentario e ingenuo que debía de revestir.

BIBLIOGRAFIA

ESTUDIOS GENERALES SOBRE EL TEATRO MEDIEVAL

A. Bonilla San Martín: *Las Bacantes o del origen del teatro*, 1921.

J. P. Wickersham Crawford: *Spanish drama before Lope de Vega*, 1937.

G. Cirot: *Pour combler les lacunes de l'histoire du drame religieux en Espagne avant Gómez Manrique*. Bull. Hisp., 1943.

M. López Morales: *Traducción y creación en los originales del teatro castellano*. Madrid, 1968.

EL AUTO DE LOS REYES MAGOS

Ed. de R. Menéndez Pidal en Rev. B. A. y M., 1900. — Otra edición en "Poema de Mio Cid y otros monumentos de la primitiva poesía española". Ed. Calleja. — Ed. modernizada en "Teatro medieval", con amplio estudio preliminar de F. Lázaro Carreter, 1958.

W. Sturdevent: *The "Misterio de los Reyes Magos"*, 1927.

B. W. Wardropper: *The dramatic texture of the Auto de los Reyes Magos*. En "Modern Language Notes", 1955.

G. Díaz-Plaja: *El auto de los R. M.* En "Estudios escénicos", núm. 4, 1959.

el arcipreste de hita. 9
el mester de clerecía y el
de juglaría en el siglo xiv

El siglo XIV y el desarrollo de la burguesía

En el siglo XIV, superados los momentos difíciles de la Reconquista, España penetra en el mundo de las formas que definen la Baja Edad Media. La nota fundamental de esta crítica fase histórica la da *una nueva clase burguesa,* cuya presencia se advierte ya claramente junto al sector caballeresco y eclesiástico.

La literatura burguesa, con su tono realista y satírico, es el más claro reflejo de esta clase social para la que la astucia y el dinero están por encima de la virtud y del

Escena de "loco amor". Los diablos desempeñan el papel de juglares que animan la fiesta.

esfuerzo heroico, y según la cual, el goce sensual y alegre de la vida constituye el objeto primordial de la existencia humana.

En todo ello, España coincide con el resto de Europa; no obstante, conviene señalar que *la burguesía castellana no alcanza el grado de refinamiento y de lujo que las de los otros países del continente.* Piénsese tan sólo que la artesanía y el comercio se hallaban en gran parte desempeñados por árabes y judíos.

La literatura didáctica. – En manos de los burgueses, la producción didáctica cambia a veces ligeramente de signo. Ya no se trata de observaciones encaminadas a procurar el perfeccionamiento moral, de acuerdo con el tradicional criterio ascético, sino de reflexiones de tipo práctico concebidas maliciosamente como una defensa contra los peligros mundanos y contra las asechanzas del prójimo. Sin embargo, la literatura didáctico-moral, inspirada en un concepto severo de la vida, alcanza también ahora un abundante cultivo.

El siglo XIV, sobretodo en su segunda mitad, es una época de graves trastornos –guerra de los Cien Años, Cisma de Occidente, depresión económica, peste negra...– y España malgasta sus energías en estériles luchas nobiliarias, mientras se extiende por todas partes un profundo malestar que afecta a la moral establecida. Pues bien, frente a este espectáculo de caótico desorden, se adoptan dos posiciones fundamentales: la de aquellos que lo toman como motivo de regocijo y de humor –tal el Arcipreste de Hita– y la de quienes reaccionan con el gesto de agria repulsa del Canciller Ayala.

Otros fenómenos culturales. – Al mismo tiempo que una época de confusión, el siglo XIV es un siglo intensamente renovador.

Señalemos como fenómenos típicos de este período, la *decadencia de la literatura científica* a la manera enciclopédica de Alfonso X, la *descomposición de ciertos géneros* (como la "cuaderna vía" y los cantares de gesta), *el comienzo de la influencia humanística italiana* (a fines de la centuria) y *la presencia de fuertes individualidades* –Hita, don Juan Manuel y Ayala– que logran, por primera vez en nuestra literatura, la creación de estilos dotados de un sello personal.

El Mester de Clerecía. – En el siglo XIV, la escuela poética de la "cuaderna vía" sufre una profunda evolución. En cuanto a la forma, vemos aparecer, junto al tetrástrofo monorrimo, nuevas combinaciones métricas. En cuanto al fondo, se abandona el tema épico y adquiere un acentuado predominio la inspiración didáctico-satírica. Al finalizar el siglo, la "cuaderna vía" deja de cultivarse por completo.

Juan Ruiz, Arcipreste de Hita

Datos biográficos. – Poco se sabe de él. Nació quizás en Alcalá de Henares y su vida transcurrió hasta mediados del siglo. Desempeñó el cargo de Arcipreste de Hita, en la actual provincia de Guadalajara, y, si no es errónea la interpretación tradicional de ciertos versos suyos, habría estado trece años preso por orden del arzobispo de Toledo.

No obstante, todo lo que no nos dicen los documentos históricos, lo suple con creces su propia obra. El pintoresco relato autobiográfico que ésta nos ofrece y hasta la genial caricatura de su personalidad no son, según opinan algunos críticos actuales, más que simples tópicos muy frecuentes en la literatura de la época y en los que no habría que buscar una absoluta coincidencia con la vida o el aspecto físico del Arcipreste. Pero a pesar de todo, el tono general de los versos nos permite deducir su cultura, su ambiente y hasta los rasgos peculiares de su temperamento.

Por lo que se colige de ellos, Juan Ruiz debió de llevar una existencia bastante movida y desordenada, frecuentando, en un medio popular, la compañía de "judías e moras" y de "escolares nocherniegos".

Sea o no auténtico el autorretrato en el que el Arcipreste se nos presenta a sí mismo como *hombre jovial, de vitalidad exuberante* y amigo de actividades poco en consonancia con su condición eclesiástica, su aspecto pudo muy bien ser el que aquél nos indica:

> El cuerpo ha bien largo, miembros grandes, trefudo,[1]
> la cabeça non chica, velloso, pescoçudo,
> el cuello non muy luengo, cabel' prieto,[2] orejudo;
> las cejas, apartadas, prietas como carbón;
> el su andar, enfiesto, bien como de pavón;
> el paso, sosegado e de buena razón;
> la su nariz es luenga: esto le descompón;
> las encivas, bermejas, e la fabla, tumbal;[3]
> la boca, non pequeña, labros al comunal,
> más gordos que delgados, bermejos como coral;
> las espaldas, bien grandes, las muñecas atal.
> Los ojos ha pequeños, es un poquillo baço;[4]
> los pechos, delanteros; bien trefudo el braço;
> bien complidas las piernas; del pie, chico pedaço...;
> es ligero, valiente, bien mancebo de días,
> sabe los instrumentos e todas juglarías;
> doñeador[5] alegre. Para las çapatas mías,
> tal omne como éste non es en todas erías.[6]

El "Libro de buen amor". — Es el título que —recogiendo unas palabras del propio Juan Ruiz: "Buen amor dixe al libro"— damos hoy al poema de más de 1700 estrofas que de él se conserva. La obra se halla constituida por un desordenado conjunto de elementos heterogéneos, en el fondo de los cuales late casi siempre una intención doctrinal, y que pueden agruparse de la siguiente forma:

---

1. Corpulento. – 2. Negro. – 3. Retumbante. – 4. Moreno. – 5. Galanteador. – 6. Tierras.

a) Episodios narrativos.

1.º Una larga serie de aventuras, expuestas en forma autobiográfica, donde el autor nos cuenta con notable desenfado sus supuestas andanzas amorosas. Esta especie de novela —no sabemos hasta qué punto digna de crédito, pues "es insensato ver en cada peripecia la versión textual de una aventura acontecida".[1] — se interrumpe a menudo para dejar paso a cuanto se enumera a continuación:

2.º Varios "enxiemplos", fábulas o apólogos: el de la disputa de griegos y romanos, el de las ranas pidiendo rey, el del "mur" de Monferrado y el "mur" de Guadalajara...

3.º La graciosa historia de don Melón (o del Arcipreste) y doña Endrina, ayudados en sus amores por la vieja Trotaconventos —paráfrasis de la comedia latina del siglo XII, *Pamphilus*—.

4.º Varios fragmentos alegóricos, entre los que destaca la pintoresca descripción de la batalla de don Carnal y doña Cuaresma, respaldados por sus respectivos ejércitos.

b) Digresiones didácticas de tipo moral o satírico.

1.º Morales: las censuras contra los pecados capitales, los terribles dicterios contra la Muerte o las reflexiones moralizadoras, que acompañan a cada episodio narrativo.

2.º Satíricas, como el irónico elogio de "las dueñas chicas", o el de las propiedades del dinero.

c) Composiciones líricas en diversos metros.

1.º De carácter religioso: fervorosas y delicadas "cánticas" a la Virgen.

2.º De carácter profano: cantares para ciegos y escolares y "cánticas de serrana".

Espíritu de la obra. — Casi todo el "Libro de buen amor" responde, como decíamos, a un *propósito doctrinal*. Pero hay que advertir que esta intención didáctica se halla al servicio, tanto de la moral eclesiástica, como de un anhelo de placeres terrenos. El Arcipreste acata la moral establecida y fustiga acremente lo que ésta condena; no obstante, tras cada grave amonestación, olvida sus severas intenciones y se sitúa, con inesperada pirueta, en el campo de la desenfadada mentalidad burguesa.

Más aún, lo religioso es utilizado a veces con fines profanos, mientras el relato más desenvuelto sirve en ocasiones como ejemplo para deducir una conclusión moralizadora. En este sentido, la constante *yuxtaposición o interferencia de elementos*

---

1. M. R. Lida. ("Libro de buen amor. Selección".)

ascéticos y mundanos ha de considerarse como una de las notas más sobresalientes del libro.

A veces, la transición es tan brusca, que produce un efecto desconcertante. Tal sucede en el prólogo de la obra, donde tras asegurarnos que su intento es apartar al hombre de las "maestrías e sotilezas engañosas del loco amor del mundo", añade: "Empero, porque es umanal cosa el pecar, si algunos (lo que non los consejo) quisieren usar del loco amor, aquí fallarán algunas maneras para ello".

Todo lo dicho no excluye tampoco en el Arcipreste una auténtica *fe religiosa,* y en efecto, sus cánticas a Santa María denotan un verdadero fervor, no entibiado por las circunstancias de su vida. Ciertamente que entre la candorosa devoción de Berceo y la turbulenta sensualidad de Hita media un abismo, pero no podemos negar crédito a la sinceridad con que el último dirige sus emocionadas súplicas a la Virgen en momentos de tribulación.

Despreocupadamente mundano y desenvuelto en la mayor parte de los casos, y fervoroso creyente en los trances dolorosos, el Arcipreste de Hita resume en su vigorosa personalidad los dos principales resortes que movían, sin dar lugar a una trágica contradicción, al hombre medieval: la tradicional adhesión a los principios religiosos y el goce impetuoso de la vida presente.

Hace unos años, Américo Castro [1] aventuró la idea de que el "Libro de buen amor", "fruto ambiguo de la alegría vital y de los frenos moralizantes", responde a una fuerte influencia musulmana. El arte del Arcipreste habría consistido en "armonizar (castellana y cristianamente) las dos tendencias fundamentales de la literatura árabe de los siglos previos: sensualidad y ejemplarismo moral".

El estilo del Arcipreste de Hita. — Sin duda alguna, *el lenguaje de Juan Ruiz es el más rico y pintoresco de toda la literatura medieval.* Lleno de color y de vida, denota una extraordinaria facilidad en el empleo de los términos más expresivos, pero lejos de basarse en una cuidadosa selección de los vocablos, halla su rasgo más característico en su prodigiosa abundancia. La presencia de numerosos refranes y modismos populares contribuye, por su parte, a producir una impresión de habla familiar:

> Quien no tiene miel en la orça, téngala en la boca.
> Engaña a quien te engaña e a quien te fay, fayle.
> El can que mucho lame, sin dubda sangre saca...

Por su agilidad y rapidez, así como por la exuberancia de su léxico, el lenguaje del Arcipreste de Hita supone un formidable avance respecto del utilizado por los poetas del siglo XIII, más limitado y mucho menos vivaz y espontáneo. Frente a la producción de estos últimos, el "Libro de buen amor" se nos ofrece como un abigarrado y multicolor conjunto de expresiones jugosas y animados giros que se suceden tumultuosamente en un verdadero derroche de palabras.

---

1. "La realidad histórica de España".

Grabado alusivo al conocido episodio de las "ranas pidiendo rey", tema de una de las fábulas del Arcipreste.

El sentido del humor. El Arcipreste de Hita es uno de los más notables humoristas de la literatura española. Pero sus certeras y agudas observaciones no proceden de un malévolo deseo de herir con dureza o de reprobar ceñudamente lo que le rodea, sino de un mero propósito de poner de relieve la gracia pintoresca de una situación o de subrayar alegremente su lado cómico. Lo cual no quiere decir que sus rasgos de humor pequen de ingenuidad. Nada más lejos de las candorosas bromas de Berceo que el desenfadado y malicioso arte del Arcipreste.

En ocasiones disfraza su actitud irónica adoptando un tono de severa moralización, pero una inesperada cabriola humorística o una brusca y desconcertante salida de tono, pone de manifiesto sus verdaderas intenciones.

Véase cómo termina, por ejemplo, su elogio de las "dueñas chicas":

> Chica es la calandria e chico el ruiseñor,
> pero más dulce cantan que otra ave mayor;
> la mujer, por ser chica, por eso non es pior;
> con doñeo [1] es más dulce que açucar nin flor...
>   Siempre quis' mujer chica, más que grande nin mayor,
> non es desaguisado del grand mal ser foidor;
> del mal tomar lo menos, dízelo el sabidor:
> por ende, de las mujeres la mejor es la menor.

El humor del Arcipreste, con su *tono jovial y divertido, que elude todo pesimismo* e invita a la risa franca, *responde con exactitud al espíritu burlón de la sociedad burguesa* de la época. La audacia de algunas expresiones, rayanas en lo plebeyo, así como la continuada tendencia a la parodia caricaturesca del mundo caballeresco (combate de don Carnal y doña Cuaresma) y eclesiástico (recibimiento de don Amor por los clérigos), lo confirman plenamente.

1. Galanteo.

La visión de la realidad.   Humor y realismo son las dos notas capitales del estilo de Juan Ruiz. Su facultad para captar la realidad plástica y psicológica es verdaderamente sorprendente. Nadie en la Edad Media ha sabido observar y describir tan animadamente y con tan vigorosa exactitud el espectáculo de la vida cotidiana.

Sus trazos son certeros y llenos de energía, aunque no por eso ignora el arte de pintar con delicados toques.

Obsérvese con qué gracia exquisita se describe la emoción amorosa de doña Endrina:

> Los labros de la boca tiémblanle un poquillo,
> el color se le muda bermejo e amarillo,
> el coraçón le salta ansí a menudillo,
> apriétame mis dedos en sus manos quedillo...

Pero, por lo general, prefiere la *expresión rápida y vivaz de escenas animadas.* El color, la luz, el movimiento, he aquí lo que él consigue plasmar con mano maestra.

Los cuatro versos donde se nos habla de la llegada de doña Endrina, valen todo un poema:

> ¡Ay Dios, cuán fermosa viene doña Endrina por la plaça!
> ¡qué talle, qué donaire, qué alto cuello de garça!
> ¡qué cabellos, qué boquilla, qué color, qué buenandança!
> Con saetas d'amor fiere cuando los sus ojos alça...

Véase también esta pintoresca y tumultuosa escena de la batalla de don Carnal y doña Cuaresma:

> El pulpo a los pavones non les dava vagar...
> a cabritos e a gamos queríalos afogar,
> como tiene muchas manos, con muchos puede lidiar.
>   Allí lidian las ostyas [1] con todos los conejos,
> con la liebre justaban los ásperos cangrejos...
> de escamas e de sangre van llenos los vallejos.

Muy poco amigo de estilizaciones idealistas, *el Arcipreste se mueve siempre en el terreno de lo concreto,* y en este sentido constituye uno de los hitos fundamentales de la literatura realista, tan brillantemente iniciada con el poema del Cid.

El tono juglaresco.   Aunque utilice una considerable cultura literaria, el Arcipreste de Hita revela también una fuerte inclinación al arte popular. Recuérdese en este sentido el tono rural que caracteriza a la burguesía castellana de la época. Gran parte de su obra deriva de fuentes conocidas (la historia de don Melón y doña Endrina, de una comedia medieval; sus fábulas, de autores latinos; los apólogos, de textos árabes: la batalla de don Carnal y doña Cuaresma, de un poema francés...); sin embargo, su obra no ofrece nunca un carácter exclusivamente erudito; tanto es así, que por ello ha

---

1. Pelean las ostras.

podido afirmarse que "gran parte o todo lo que nos queda del incompleto Libro de buen amor es arte juglaresco".[1]

En el Arcipreste, el juglar y el clérigo llegan a fundirse por completo. La orientación popular del Libro de buen amor —aparte otros muchos rasgos ya indicados al hablar de su lenguaje, su sentido del humor, su concepto de la moral, y el ambiente en que vivió— puede observarse en su misma métrica, llena de irregularidades, y, más aún, en la intención con que fue escrito.

Juan Ruiz considera su tarea literaria como una colaboración con el pueblo; por ello le hace entrega de su obra para que éste lo altere según sus gustos y preferencias:

> Cualquier homne que lo oya, si bien trobar sopiere,
> puede más añadir e emendar si quissiere.

Y como cualquier juglar, solicita un don al fin de su relato, aunque en este caso recuerda su condición de clérigo y se limita a pedir "un paternoster", a guisa de recompensa.

Pero donde el sentido juglaresco del libro se evidencia con mayor claridad es en sus fragmentos líricos.

El elemento lírico.   Tan importante es éste, que, basándonos solamente en los fragmentos conservados, podemos afirmar que con el Arcipreste llega a su cumbre la juglaría lírica en castellano, después de vencer definitivamente a la que, utilizando el gallego, mantuvo su predominio en el siglo anterior y que ahora iba perdiendo terreno incluso en los ambientes cortesanos.

"El Arcipreste —dice Menéndez Pidal [2]— tuvo el osado arranque de aplicar su fuerte genio poético a la producción juglaresca de las calles y plazas, desentendiéndose de la moda de los palacios", donde todavía empleaban la lengua y los temas gallegos. De acuerdo con ello, concibió su obra como un libro de cantares para ser repetido por el pueblo.

El elemento juglaresco, esencialmente lírico, del Libro de buen amor, está integrado por varias composiciones en loor de la Virgen, cuatro cánticas de serrana y algún otro cantar para ciegos, escolares pobres, etc.

El metro empleado en los fragmentos líricos difiere de la "cuaderna vía" y ofrece una gran variedad; pero el más utilizado es el "zéjel", del que ya hablamos como característico de la juglaría castellana.

Las *cánticas de serrana* de Juan Ruiz son muy distintas de las de origen provenzal. En éstas, un caballero dialoga cortésmente con una pastora en medio de un paisaje bellamente estilizado. Las de Hita, por el contrario —continuando tal vez un tipo de origen peninsular—, nos describen el encuentro del Arcipreste con una ruda serrana en una agreste naturaleza. Trátase de mujeres hombrunas que a veces le llevan a

---

1 y 2.   Menéndez Pidal, "Poesía juglaresca y juglares".

cuestas a través de la nevada sierra. Véanse la caricaturesca descripción de una de ellas:

> Avía la cabeça mucho grande sin guisa...
> mayor es que de osa su pisada do pisa...
> las orejas tamañas como d'añal borrico:
> el su pescueço negro, ancho, velloso, chico...

Cada uno de estos episodios va seguido de una cántica en versos cortos donde, sin abandonar el tono realista, se evita lo grotesco. Así, la que nos relata su encuentro con una serrana "fermosa, loçana, e bien colorada".

Las *composiciones dedicadas a la Virgen* tienen un gran valor poético, alcanzando, a veces, delicadas expresiones que revelan una auténtica emoción religiosa. Así su cántica de loores de Santa María:

> Quiero seguir a ti, flor de las flores
> siempre dezir, cantar de tus loores,
> non me partir de te servir,
> mejor de las mejores...
> Sufro grand mal, sin merescer, a tuerto,
> esquibo tal porque pienso ser muerto,
> ¡mas tú me val, que non veo ál
> que me saque a puerto!

Trascendencia del Libro de buen amor. — El Arcipreste de Hita es sin disputa *el más alto poeta de nuestra literatura medieval y el primero en quien se da plenamente un estilo personal.* Su espíritu zumbón y malicioso se refleja vivamente en sus versos y todos los elementos de su obra —*lenguaje expresivo, agudo sentido del humor, realismo vigoroso, inspiración juglaresca*— alcanzan tal grado de originalidad que hacen que cualquiera de sus páginas ofrezca un sello inconfundible.

Tetrástrofo del **Poema de Yúsuf.** Se halla escrito en caracteres arábigos, lo que le incluye en la literatura aljamiada medieval.

Otros poemas del Mester de Clerecía

El "Poema de Yúsuf". – Pertenece a la literatura aljamiada, pues se halla redactado en caracteres arábigos. Narra la historia bíblica de José, según la versión coránica. Aunque no está exento de algunos detalles felices, es uno de los poemas menos interesantes del Mester de Clerecía. Al siglo XIV corresponden también unas *Coplas de Yocef*, sobre el mismo tema, escritas en caracteres hebreos.

El "Libro de Miseria de Omne". – Representa por su metro –versos de dieciséis sílabas– la última evolución del género en un momento de decadencia. Se basa en la obra del papa Inocencio III, "De Contemptu mundi", y tiene un carácter didáctico-moral y satírico.

El poema, destinado en su mayor parte a poner de relieve las miserias de la vida humana, adopta un tono de negro y desagradable pesimismo.

> Cuando es bivo, el omne, cría mota sin mesura,
> de piojos e lombrices, ca tal es su natura;
> muerto, cría los gusanos con su mala podredura...
> que lo roen e lo comen dentro en su sepultura...
> Cuando viene a vejez, el coraçón ha cansado,
> la cabeza le tremece, el colodrillo messado...
> e fielde el aneldo,[1] el viso ha menguado,
> ave podridos los dientes, el rostro embabado...

Tétrico y amargo, el "Libro de Miseria de Omne" es la antítesis más absoluta del gozoso y vital arte del Arcipreste.

Más adelante hablaremos del *Rimado de Palacio*, otro gran poema del Mester de Clerecía, debido al Canciller Ayala. La *Vida de San Ildefonso*, de la misma época y escuela, ofrece escaso interés.

Poesía didáctico-moral: el rabí don Sem Tob

Lo más interesante de la poesía didáctico-moral en metro distinto a la "cuaderna vía", lo constituyen los *Proverbios morales*, del Rabí don Sem Tob ben Ishaq Ardutiel –Santob de Carrión–, autor de algunas poesías religiosas en hebreo y de otras obras científicas. Escritos en cuartetas de heptasílabos, representan la introducción en Castilla de la poesía sentenciosa, tan característica de la literatura hebrea.

Su estilo es conciso y se halla animado de vez en cuando por bellas imágenes poéticas. Su fondo moral, lleno de dignidad, muestra a menudo un matiz de tristeza ocasionada por la consideración de la fugacidad de todo lo terreno.

> Non puede cosa alguna
> sin fin siempre crecer,
> desque finche la luna
> torna a decrescer.

> Non hay sin noche día,
> nin segar sin sembrar,
> nin sin caliente fría,
> nin reir sin llorar.

1. Aliento.

La juglaría lírica

A principios del siglo XIV, *la juglaría lírica gallega comienza a languidecer, mientras cobran importancia los juglares castellanos.* Es cierto que no se ha conservado casi nada de lo que éstos debían de cantar, pero el libro del Arcipreste suple él solo, con creces, la laguna existente y nos permite afirmar el franco predominio, en esta centuria, de la lírica popular en lengua vernácula.

A fines del siglo XIV, la juglaría castellana inicia a su vez la decadencia mientras en los ambientes palaciegos se desarrolla una poesía de carácter cortesano. Esta evolución se halla atestiguada en un cancionero —el de Baena— que estudiaremos más adelante.

La juglaría épica

En el siglo XIV se dan las *últimas formas, ya degeneradas, de los cantares de gesta.* Los juglares, con el intento de atraer la atención de su público, comienzan a introducir en sus poemas una gran profusión de *elementos fabulosos,* aprovechando la lejanía de los sucesos relatados. Por lo general, los episodios añadidos *suelen referirse a la juventud de los héroes,* a la que no hacían referencia los viejos cantares, mucho más respetuosos con la verdad histórica. El pueblo, ávido de nuevas noticias, aceptaba con suma complacencia tales invenciones.

El único cantar de gesta, de este tipo, que conservamos, es el de las **Mocedades de Rodrigo**. Todo él es pura fábula.

Rodrigo mata al conde don Gómez de Gormaz, padre de Jimena y el rey le obliga a casarse con ella. El héroe jura no verla a solas hasta haber vencido en cinco batallas. Va en peregrinación a Compostela y por el camino protege a un leproso que resulta ser San Lázaro. Defiende a Calahorra contra las pretensions del rey aragonés; lucha con el rey de Francia, el de Alemania y el Papa, y vence al conde de Saboya. Por último obliga a los Doce Pares a pedir la paz en París.

La figura del protagonista es sumamente distinta de la que nos ofrece el viejo poema del siglo XII. Ahora es un héroe fanfarrón y brutal que se complace en adoptar actitudes insolentes:

> Allegó don Diego Laynez al rey bessarle la mano.
> Cuando esto vio Rodrigo non le quisso bessar la mano.
> Rodrigo fincó los inojos, por le bessar la mano:
> el espada traía luenga: el rey fue mal espantado.
> A grandes bozes dixo· "Tiratme allá esse pecado".[1]
> Dixo estonce don Rodrigo: "Querría más un clavo
> que vos seades mi señor, nin yo vuestro vassallo.
> Porque la bessó mi padre, yo soy mal amancellado".

A pesar de que las "Mocedades de Rodrigo" no tienen, ni remotamente, el valor humano y artístico del Poema del Mio Cid, son el punto de partida de toda la literatura

---

1. Diablo.

Juglar y juglaresa medievales (cerámica).

cidiana hasta el siglo XIX. De él derivan, directa o indirectamente, cuantas obras se han escrito sobre el tema de los amores de Rodrigo y Jimena: multitud de romances, las Mocedades del Cid, de Guillén de Castro, Le Cid, de Corneille, etc.

La versión que conservamos de este poema de decadencia es de fines del XIV o del XV y se halla compuesto en versos irregulares con predominio de los de dieciséis sílabas, metro que, como sabemos, dio origen, poco más tarde, a los romances.

Otra producción épica de mediados del siglo XIV, el **Poema de Alfonso XI**, había sido considerada hasta ahora como la última manifestación del mester de juglaría. Menéndez Pidal, basándose en la regularidad del metro —la cuarteta octosilábica, tan distinta del verso épico—, lo cree *obra de un poeta culto*. Viene atribuyéndose a Rodrigo Yáñez, cuyo nombre aparece al final del poema.

Narra los sucesos del reinado de Alfonso XI y la batalla del Salado y termina con el sitio de Algeciras. Su interés literario es, casi siempre, bastante escaso.

Al siglo XIV corresponde también un cantar de gesta sobre el **Abad Juan de Montemayor**, perdido y prosificado más tarde. En él se narraba cómo el abad, tras degollar a los ancianos, mujeres y niños de Montemayor —para evitar su cautiverio—, asediado por los moros, derrota y mata al "rey" Almanzor y al renegado Zulema, y al volver a la ciudad encuentra que los que había inmolado han recobrado la vida. El monasterio portugués de Alcobaza se habría fundado, según el poema, para conmemorar esta victoria fabulosa.

BIBLIOGRAFIA

EDICIONES

Libro de buen amor. Cejador. Clas. Cast., 1913. — M. R. Lida: Selección, con estudio y notas, 1941. — María Brey Mariño: Versión moderna y prólogo, 1954. — Juan Corominas. Ed. Gredos, 1967.

Poema de Yúsuf. B. A. E. — Menéndez Pidal. Rev. Arch., 1902.

Coplas de Yocef. I. G. Llubera. Cambridge, 1935.

Miseria de Omne. Artigas. Bol. Bibl. M. Pelayo, 1919, I y II, 1920.

Sem Tob. B. A. E. — González Llubera. Cambridge, 1947.

Cantar de Rodrigo. B. A. E. — Bourland. Rev. Hisp., 1911. — "Poema del Cid y otros monumentos de la primitiva poesía española". Edit. Calleja.

Poema de Alfonso XI. B. A. E. — Yo Ten Cate: edición, estudio y vocabulario, 1942.

ESTUDIOS DE CARACTER GENERAL

M. Menéndez y Pelayo: *Historia de la poesía castellana en la Edad Media.* Vol. I, 1911.

R. Menéndez Pidal: *Poesía juglaresca y juglares.* Col. Austral, 1942.

ESTUDIOS SOBRE EL ARCIPRESTE DE HITA

F. Lecoy: *Recherches sur le "L. de b. a.",* París, 1938.

M. R. Lida: *Notas para la interpretación, influencia, fuentes y texto del "Libro de b. a".* Rev. Fil. Hisp., 1940.

Menéndez Pidal: *Notas al libro del Arc. de H.* en "Poesía árabe y poesía europea". Col. Austral, 1941.

P. Henríquez Ureña: *El Arc. de Hita.* En "Plenitud de España", 1945.

Alfonso Reyes: *El Arcipreste de Hita.* En "Cuatro Ingenios". Col. Austral, 1950.

Américo Castro: *El libro de buen amor.* En "España en su historia", 1948.

L. Spitzer: *En torno al Arcipreste de Hita,* en "Lingüística e historia literaria", 1955.

Dámaso Alonso: Tres estudios sobre el *Arcipreste.* En "De los siglos oscuros al de oro", 1958.

M. Criado del Val: *La Castilla de Juan Ruiz.* En "Teoría de Castilla la Nueva", 1960.

M.ª R. Lida: *Dos obras maestras españolas: El Libro de buen amor y La Celestina.* Eudeba, 1968.

R. Menéndez Pidal: *La leyenda del abad don Juan de Montemayor,* en "Poesía árabe y poesía europea". Col. Austral, 1941.

el cuento.
don juan manuel.
las primeras novelas
de caballerías

10

Vida política de don Juan Manuel

Sobrino de Alfonso X, nieto de San Fernando, y abuelo, a su vez, de Juan I, don Juan Manuel intervino activamente en las luchas nobiliarias durante los reinados de Fernando IV y Alfonso XI. A pesar de que su actuación política no siempre fue correcta, peleó dignamente junto al rey en la batalla del Salado y en la toma de Algeciras.

Vivió durante la primera mitad del siglo (1282-1348) y murió, ya viejo, rodeado del gran prestigio que le proporcionaron su ilustre origen, su intervención en los asuntos de Estado y su copiosa producción literaria.

Significación de su obra

Don Juan Manuel perpetúa la tradición didáctica, tan brillantemente representada en el siglo anterior por su tío, el Rey Sabio. Sin embargo, su producción no tiene la vasta amplitud enciclopédica de la de Alfonso X, ni mucho menos su valor científico, ya que en él el elemento doctrinal ofrece una *orientación predominante didáctico-moral*.

Pero si en el siglo XIV mengua el afán investigador y erudito del XIII, en el terreno de lo puramente estético tiene lugar un acontecimiento de primer orden: la aparición del género novelístico con propósito de arte. En este sentido Don Juan Manuel representa la creación del arte de la prosa narrativa.

Su conciencia de escritor. – Don Juan Manuel no es ya únicamente el hombre docto empeñado en la tarea de adoctrinar a sus lectores; y *su conciencia de escritor y de artista le lleva a cuidar escrupulosamente los efectos estéticos de su prosa:* selecciona el vocabulario, realiza diversas probaturas estilísticas y evita toda expresión que no sea producto de una reflexión atenta. Por ello proclama orgullosamente que en sus obras, "todas las razones son dichas por muy buenas palabras et por los más fermosos latines", es decir, con las más bellas locuciones.

Su espíritu aristocrático de gran señor le sitúa en una posición diametralmente opuesta a la del Arcipreste de Hita. Si en éste veíamos una concepción popular del arte y un entender la producción literaria como colaboración anónima de todo el pueblo con el autor, *don Juan Manuel se siente responsable de su obra ante la posteridad* y defiende celosamente su estilo propio frente a toda ingerencia ajena y frente a cualquier error en la transmisión de los textos. Por eso advierte a sus lectores que si observan en éstos alguna falta, "non pongan la culpa a él, fasta que vean el libro mismo que don Johan fizo, que es emendado en muchos logares de su letra". Los códices corregidos fueron depositados por el autor en el monasterio de Peñafiel.

El elemento didáctico. — En el conjunto de la producción de don Juan Manuel predomina, como decíamos, el elemento didáctico-moral, y las doctrinas en ella expuestas inspíranse, por lo común, *en la moral cristiana y en los conceptos tradicionales* de la Edad Media, v.gr., en el respeto a la jerarquía y al orden establecidos. En este sentido, las orientaciones de la burguesía y la nueva manera de concebir la vida apenas hallan resonancia en su obra, a la que, según cierto crítico, [1] sirve de eje la idea de la salvación del alma.

Amplitud de su producción

Además de sus tres obras fundamentales —el Libro del Caballero e del Escudero, el Libro de los estados y el Conde Lucanor—, escribió otras de carácter didáctico: el *Libro Infinido,* el *De la caza,* la *Crónica abreviada* (extracto de la Crónica general), el *Libro de las armas y el Tractado de la Asunción de la Virgen.* No se conservan otras seis: el *Libro de los cantares,* unas *Reglas de Trovar,* el *Libro de los sabios...* La mayor parte de su producción corresponde a la edad madura. El prólogo del Libro de Patronio, por ejemplo, fue escrito probablemente en 1340, cuando don Juan Manuel contaba cincuenta y ocho años.

El "Libro del Cavallero e del Escudero". — Basado en el "Llibre del Orde de Cavalleria" de Ramón Llull, se halla constituido por los consejos que un anciano caballero da a un joven aspirante a la Caballería, sobre esta institución. La segunda parte es una extensa compilación de conocimientos religiosos y científicos. El elemento narrativo es aquí insignificante.

El Libro de los estados. — En él, la parte novelesca que sirve de engarce a los elementos doctrinales presenta una mayor amplitud.

El príncipe Johas, hijo del rey pagano Morován, presencia un día, por primera vez, el paso de un entierro. La vista del "cuerpo del home finado" produce en él una conmoción espiritual y acosa a preguntas a su ayo Turín, quien, no hallando respuestas adecuadas, acude al español Julio, que logra convertirlos al cristianismo.

1. J. Tamayo Rubio.

La conversión del príncipe Johas da lugar a diversos juicios sobre las religiones de la España de la época —tema muy frecuente en la Edad Media—, y la parte esencial del libro viene a ser un vasto cuadro de las ideas y de la organización social del siglo XIV, siguiendo las doctrinas tradicionales.

El tema narrativo procede del "Barlaam y Josafat", libro medieval que cristianizó la leyenda de Buda.

El "Libro de Patronio" o "Conde Lucanor"

Consta de cinco partes. La primera es la más importante y se halla formada por cincuenta y un cuentos, de los que se extrae una consecuencia moral, resumida al final de cada narración en un simple dístico.

Un sencillo recurso engarza todos los relatos: el Conde Lucanor pide consejo en varias ocasiones a su servidor Patronio y éste ilustra sus respuestas con narraciones de diverso carácter, entre las que pueden citarse la de *Don Illán,* el gran mágico de Toledo —que inspiró más tarde una comedia de Ruiz de Alarcón—, la del *mancebo que casó con una mujer muy fuerte et muy brava* —que había de servir de tema a una obra de Shakespeare—, la de *Doña Truhana* —precedente de la célebre fábula de La lechera—, o la de *los burladores que fizieron el paño* —asunto que sirvió de base al "Retablo de las maravillas", de Cervantes—. He aquí algunos párrafos de la última.

Señor conde, dixo Patronio, tres omnes burladores vinieron a un Rey e dixiéronle... que fazían un paño que todo omne que fuesse [fijo] daquel padre que todos dizían, que vería el paño; mas el que non fuesse fijo daquel padre que él tenía [1] et que las gentes dizían, que non podría ver el paño. Al Rey plogo desto mucho... Et desque ovieron tomado para fazer el paño mucho oro, e plata, e seda, e muy gran aver, para que lo fiziessen, entraron en aquel palacio e cerráronlos í.[2] Et ellos pusieron sus telares e daban a entender que todo el día texían en el paño...

E a cabo de algunos días fue el uno dellos dezir al Rey que el paño era començado e que era la más fermosa cosa del mundo... Et el Rey, queriendo probar aquello ante en otro, envió un su mensajero que lo viesse... Et desque el camarero vio los maestros e lo que dizían, non se

1. Creía. — 2. Allí.

atrevió a dezir que non lo viera. Et desque todos los que el Rey envió le dixieron que vieran el paño, fue el Rey a lo veer...

Cuando el Rey vio que ellos no texían e dizían de qué manera era el paño, a él que non lo veía e que lo avían visto los otros, tóvose por muerto, ca tovo [1] que porque non era fijo del rey que él tenía por su padre, que por eso non podía ver el paño, et receló que si dixiesse que lo non veía, que perdería el regno. Et por ende començó de loar mucho el paño... Desta guisa e por este recelo fueron engañados el Rey e cuantos fueron en su tierra, ca ninguno non osava dezir que non veía el paño.

Et assí passó este pleito fasta que vino una gran fiesta. E dixieron todos al Rey que vistiesse aquellos paños para la fiesta... Cuando vino el día de la fiesta, vinieron los maestros al Rey con sus paños... Et desque fue vestido commo avedes oído, cabalgó para andar por la villa, mas de tanto le avino bien que era verano. Et desque las gentes lo vieron assí venir e sabían que el que non veía el paño que non era fijo daquel padre que cuidaba,[2] cuidaba cada uno que los otros lo veían et él non lo veía, que si lo dixiese sería perdido et desonrado... Fasta que un negro... que non avía que pudiesse perder, llegó al Rey e dixol:

—Señor, a mí non me empece que me tengades por fijo de aquel padre que yo digo, nin de otro, et por ende dígovos que yo so ciego, o vos desnuyo[3] ides...

Desque el negro esto dixo, otro que lo oyó dixo esso mismo, et assí lo fueron diziendo fasta que el rey e todos los otros perdieron el recelo de conoscer la verdat e entendieron el engaño que los burladores avían fecho. Et cuando los fueron buscar non los fallaron, ca se fueran con lo que avían levado del Rey, por el engaño que avedes oído.

Et vos, señor conde Lucanor, pues aquel omne vos dize que non sepa ninguno de los que en vos fiades nada de lo que él vos dize, cierto seed que vos cuida engañar...

Quien te aconseja encobrir de tus amigos,
sabe que más te quiere engañar que dos figos..

La influencia oriental —por ejemplo, la de Calila e Dimna— se manifiesta en alguna de estas narraciones. Otras proceden de fuentes cristianas o se inspiran en sucesos contemporáneos. Por ello *su valor no está en la originalidad del tema, sino en el estilo.*

El estilo

Uno de sus rasgos característicos es la concisión. Llevado por su admiración hacia la obra de Alfonso X, Juan Manuel mostró un decidido empeño en conseguir un tipo de *prosa sobria y sencilla,* sirviéndose "de las menos palabras que pudiere". Quizá también contribuyó a ello el hecho de que destinaba su obra —como Berceo, Hita y otros muchos escritores cultos de la Edad Media— a un público iletrado. El mismo declara que sus obras "las fizo para los legos e de non muy grand saber como lo él es"; y al

1. Pues pensó. − 2. Pensaba. − 3. Desnudo.

frente de uno de sus libros afirma que se expresó "en la manera que entendí más ligero de entender", para que "non dejassen de se aprovechar dél los que non fueren muy letrados".[1]

No obstante esta tendencia popularizadora —tan característica de la mayor parte de la literatura española—, don Juan Manuel es, como ya dijimos, un escritor de *espíritu aristocrático:* se preocupa constantemente de su estilo, selecciona cuidadosamente el vocabulario y elude todo cuanto pueda resultar grosero o inadecuado. Esta limpieza espiritual y estilística es precisamente una de sus más notables cualidades.

Finas y elegantes son también las *notas irónicas* que a veces afloran en la narración. Si en el Arcipreste de Hita es frecuente la risa franca y despreocupada, los rasgos de humor de don Juan Manuel no pasan los límites de una comedida, aunque maliciosa e intencionada sonrisa; los versos del primero responden a un ambiente burgués; la prosa del segundo es producto de un refinado espíritu cortesano.

Como habrá podido observarse en los párrafos citados más arriba, la expresión aún resulta, en algunos aspectos, algo tosca e inhábil (véase, por ejemplo, la repetida insistencia con que se utiliza la conjunción *et);* [2] sin embargo, es indudable que *el lenguaje de don Juan Manuel representa un considerable avance respecto del de Alfonso X, por su mayor naturalidad y soltura.*

Por todo ello, se le puede considerar con justicia como *el primer prosista castellano con un estilo personal.*

La técnica novelística

En el prólogo del Libro de Patronio, su autor declara —siguiendo el utilitario concepto medieval del arte— que añadió los relatos a la parte didáctica "según la manera que fazen los físicos,[3] que cuando quieren hacer alguna melecina que aproveche al fígado... mezclan... azúcar o miel o alguna cosa dulce; et por el pagamiento que el fígado ha de la cosa dulce, en tirándole para sí, lleva con ella la melecina quel ha de aprovechar". No obstante, hemos de ver en estas palabras, un pretexto para justificar la importancia dada al elemento narrativo, que debía de ejercer sobre él una evidente sugestión. Tanto empeño y tanto arte puso en sus cuentos, que consiguió crear en España —anticipándose con ello al "Decamerón" de Boccaccio— la técnica de la prosa novelesca.

A diferencia del Calila e Dimna, donde lo didáctico se interfiere a menudo en la narración, *los relatos del Conde Lucanor eliminan toda digresión moral* que entorpezca o retrase la exposición de unos acontecimientos que don Juan Manuel sabe presentar con una viveza y animación desconocidas de los prosistas anteriores. Hasta él, el cuento

---

1. Sin embargo, y siguiendo el consejo de un amigo intentó expresarse, en una de las partes del Conde Lucanor, en un estilo entrevesado y oscuro; lo cual no tiene otra significación que la de un capricho pasajero. – 2. *Et* —escrito así por influjo de la conjunción latina —se pronunció *e* durante la Edad Media. – 3. Médicos.

Miniatura de un códice de la Historia del caballero de Dios que havía por nombre Cifar.

era una simple narración supeditada a una intención docente; desde el Libro de Patronio, adquiere interés por sí mismo y alcanza categoría de *verdadera obra de arte*.

Precedentes de la novela de caballerías

El siglo XIV representa, en la evolución de la nobleza, el paso hacia una postura individualista y caballeresca. Ello nos explica la presencia de dos producciones —de fines del siglo XIII o principios del XIV— que pueden considerarse como un precedente de las novelas de caballerías: la "Gran Conquista de Ultramar" y el "Caballero Cifar".

La Gran Conquista de Ultramar es una extensa narración en la que se adaptan y combinan diversas leyendas caballerescas y cantares de gesta franceses sobre las Cruzadas. Destaca entre aquéllas la del Caballero del Cisne —supuesto abuelo de Godofredo de Bouillon— que, como el héroe alemán Lohengrin, abandona a su esposa, cuando ésta inquiere su nombre faltando a la palabra empeñada.

El Libro del Caballero Cifar, considerado como la primera novela de caballerías hispánica, relata las aventuras del protagonista y de su hijo, combinando el conjunto con elementos didácticos. El tono realista de buena parte de la obra y la sobriedad moral de Cifar —verdadera excepción entre los héroes caballerescos— dan al libro un sello muy español, a pesar de hallarse inspirado en fuentes francesas.

Ya en el siglo XIV debió de existir una primitiva versión en tres libros del *Amadís de Gaula,* la gran novela de caballerías española. Mas, habiéndose perdido, sólo conservamos unos fragmentos copiados a comienzos del XV y la versión íntegra de principios del XVI.

BIBLIOGRAFIA

EDICIONES

Don Juan Manuel. "Obras": B. A. E. — El "Conde Lucanor": E. Juliá, 1933; Sánchez Cantón. Edit. Calleja, 1920; versión moderna: E. Moreno Báez, 1953; edición, introducción y notas de J. M. Blecua, Clásicos Castalia, 1969.
Conquista de Ultramar. B. A. E.
Caballero Cifar. Wagner, 1929.

ESTUDIOS

M. Menéndez y Pelayo: *Orígenes de la novela.* Vol. I, 1911. (Sobre don Juan Manuel, el Caballero Cifar, la Gran Conquista de Ultramar, etc.).
A. Giménez Soler: *Don Juan Manuel. Biografía y estudio crítico,* 1932.
R. Menéndez Pidal. *Antología de prosistas castellanos.* Col. Austral, 1940.
M. Gaibrois de Ballesteros: *El príncipe don Juan Manuel y su condición de escritor.* Madrid, 1945.

la historia.
el canciller ayala

11

Vida y ambiente

Pero López de Ayala (1332-1407) es la figura cumbre de la segunda mitad del siglo XIV. Lo mismo que don Juan Manuel, representa el espíritu aristocrático y la moral severa frente al popularismo y la desenvoltura del Arcipreste. Por eso, el conjunto de su producción tiene el tono acerbo de quien, firmemente anclado en las ideas del pasado, ve derrumbarse el orden tradicional en medio de un caos moral y político.

Nació en Vitoria y desempeñó altos cargos durante el reinado de Pedro I, al que abandonó —ni más ni menos que otros nobles de su época— cuando vio que llevaba las

El Canciller Pero López de Ayala y San Gregorio. Miniatura del siglo XV.

de perder en su lucha con su hermano Enrique II. Siendo rey Juan I, sufrió las consecuencias del desastre de Aljubarrota y fue encerrado por los portugueses en una jaula de hierro, en la que pasó varios meses. En la época de Enrique III consiguió el título de Canciller mayor de Castilla, y murió reinando Juan II.

Su intensa actividad como sagaz hombre de Estado no le impidió dedicarse plenamente a las letras, y así, su gran inteligencia se aplicó por igual a la política y al cultivo del verso y de la prosa.

El "Rimado de Palacio"

Es una extensa amalgama de diversos asuntos morales, religiosos y sociales, en la que utilizó, por lo común, el metro propio de los poemas del Mester de Clerecía, es decir, la cuaderna vía.

Puede dividirse en cuatro partes. En la *primera* hace una larga exposición de los vicios y las virtudes, simulando una confesión de sus propias faltas. En la *segunda* ataca duramente los defectos de las clases sociales de la época y define su criterio en lo que respecta al gobierno del país. La *tercera* está constituida por una serie de poesías a Dios y a la Virgen en las que aparece, como importante novedad, un tipo de religiosidad "íntima", que en el siglo XVI había de constituir la base de nuestra literatura mística. La *cuarta* —la más larga— se halla dedicada a temas morales y religiosos, tomando como base los "Morales" de San Gregorio.

En conjunto, la obra, escrita en parte en la cárcel, tiene una intención didáctico-moral y viene a ser *una prolongada diatriba contra los vicios de la época,* momento de crisis en el que, por el influjo creciente de la burguesía y por el aumento del lujo y de las costumbres caballerescas, la estructura tradicional de la sociedad española se cuarteaba a impulsos de un nuevo espíritu individualista. Pero el Canciller, hombre de temperamento austero y de distinguida posición social, no reacciona ante el espectáculo de su tiempo con la despreocupada risa del Arcipreste de Hita; *su*

El "Rimado de Palacio", de López de Ayala, alude en una de sus partes a la vida cortesana.

sátira será amarga, dura. Los defectos de sus contemporáneos no le divierten; le indignan. Así lo vemos en las censuras que dirige contra letrados, mercaderes, caballeros...

> Si quisieres parar mientes cómo pasan los dotores,
> maguer han mucha sciencia, mucho caen en errores,
> ca en el dinero tienen todos sus finos amores...
> Si quisieres, sobre un pleito, con ellos aver consejo,
> pónense solepnemente e luego abaxan el cejo.
> Dizen: "—Grand cuistión es ésta e grant trabajo sobejo:
> el pleito será luengo, ca atañe a todo el concejo.
> Yo pienso que podría aquí algo ayudar
> tomando grant trabajo en mis libros estudiar,
> mas todos mis negocios me conviene a dexar,
> e solamente en aqueste vuestro pleito estudìar"...
> "—Creed", dize, "amigo, que vuestro pleito es muy escuro...
> mas si tomo vuestra carga e yo vos aseguro,
> fazed cuenta que tenedes las espaldas en buen muro"...
> Pasado es ya el tiempo, e el pleito segudido, [1]
> e el cuitado finca dende condenado e vencido.
> Dize el abogado: "—Por cierto, yo fui fallido,
> que en los primeros días non lo ove concluido;
> mas tomadvos buen esfuerço e non dedes por esto nada;
> que aún vos finca ante el rey de tomar la vuestra alçada;
> e dadme vuestra mula, que aquí tenedes folgada;
> ante de veinte días, la sentencia es revocada."
> Non ha que diga el cuitado, que non tiene coraçón
> prometióle de dar la mula por seguir la apelación;
> después dize el bachiller: —"Prestadme vuestro mantón
> ca el tiempo es muy frío, non muera por ocasión.
> De buscarme mill reales, vos devedes acuciar,
> ca en esto vos va agora el caer o el levantar"...
> El cuitado finca pobre, mas el bachiller se va;
> si no es necio o pataco [2] nunca más le perderá.
> Así pasa, mal pecado, e pasó e pasará
> quien me creer quisiere, de tal se guardará.

El "Rimado de Palacio" es como el "Libro de buen amor", un amplio cuadro de la sociedad del XIV, pero desde el punto de vista estético es muy inferior a la obra de Juan Ruiz. Producto de una intención exclusivamente moralizadora, resulta *seco, desabrido y a menudo prosaico.*

En su *aspecto métrico* tiene alguna semejanza con el Libro de buen amor, ya que en ciertas ocasiones —v.gr., en su "Deytado sobre el Cisma de Occidente"—, y sobre todo en sus poesías líricas religiosas, utiliza formas estróficas distintas de la "cuaderna vía". Trátase de combinaciones juglarescas, en versos no alejandrinos y derivadas de la lírica galaico-provenzal, algunas de las cuales habían de predominar en la poesía

---

1. Seguido. — 2. Ignorante.

cortesana del siglo XV, por ejemplo, la copla de arte mayor en versos dodecasílabos —empleada en el referido Deytado—. En este sentido, la obra de Ayala representa —como la de Hita— *una transición del Mester de Clerecía a las formas poéticas del siglo siguiente.*

Su obra en prosa: las cuatro Crónicas

Si la producción en verso del Canciller ofrece escaso interés, su prosa es lo mejor que nos ha quedado de la época.

Las cuatro **Crónicas** que escribió en su vejez se refieren a los reinados de *Pedro I, Enrique II, Juan I* y *Enrique III,* y son las primeras en diseñar retratos de personajes contemporáneos. Entre ellas y las de Alfonso el Sabio media una gran distancia. Gran lector de los clásicos, consiguió dar, por primera vez en la literatura castellana, un verdadero *vigor dramático* a la exposición de los hechos históricos; y lo mismo que aquéllos, supo destacar la figura del personaje central con rasgos rápidos, pero acertadísimos, animando la narración con arengas, cartas, etc. No estuvo dotado de facultades imaginativas, pero su capacidad de observación hizo de él un gran historiador.

Para el Canciller Ayala, el interés supremo de la Historia reside, de acuerdo con el criterio tradicional, en lo que tiene de ejemplo moral. Esta orientación se manifiesta, sobre todo, en la *Crónica de Pedro I,* quizás la mejor de sus obras. En ella presenta al rey como un tirano cruel —contrariamente a la tradición popular, que había visto en él un monarca "justiciero"— y considera su muerte, a manos de Enrique II, como un castigo divino digno de ser tenido en cuenta.

He aquí, descritos con sobrias pinceladas, la escena de la muerte del rey en la noche de Montiel, y su retrato moral y físico, seguidos de la aleccionadora reflexión con que finaliza la Crónica.

> Dizen que dixo Don Pedro dos veces: "Yo so, yo so". E entonces el rey Don Enrique conoscióle e firióle con una daga por la cara; e dizen que amos a dos, el rey Don Pedro e el rey Don Enrique, cayeron en tierra e el rey Enrique que le firió, estando en tierra, de otras feridas. E allí morió el rey don Pedro a veinte e tres días de marzo... en edad de treinta e cinco años e siete meses...
>
> E fue el rey Don Pedro asaz grande de cuerpo, e blanco e rubio, e ceceaba un poco en la fabla. Era muy temprado e bien acostumbrado en el comer e beber. Dormía poco e amó mucho mujeres. Fue muy trabajador en guerra. Fue copdicioso de allegar tesoros e joyas... e mató muchos en su regno, por lo cual le vino todo el daño que avedes oído. Por ende, diremos aquí lo que dixo el Profeta David: "Agora los Reyes aprended e sed castigados todos los que juzguedes el mundo", ca grand juicio e maravilloso fue éste e muy espantable.

Además de las cuatro "Crónicas", el Canciller escribió también en prosa un *Libro de Cetrería* o *De la caza de las aves,* muy interesante para conocer las modalidades medievales de este deporte.

"Muerte de Lucrecia". Miniatura de las Décadas de Tito Livio (siglo XV). Museo Nacional, Madrid.

Su humanismo: las traducciones

Con López de Ayala se inicia en España una de las corrientes que iban a constituir el núcleo de los siglos inmediatos: el humanismo, o sea el estudio y conocimiento de los clásicos. Movido por un incipiente fervor hacia la antigüedad grecolatina, tradujo —aunque ayudándose con una reciente versión francesa— la primera, tercera y cuarta *Décadas* de Tito Livio.

Su versión de la obra de Boccaccio "De casibus virorum illustrium", a la que tituló *Caída de príncipes*, puede considerarse como el comienzo de la influencia italiana, que pronto iba a predominar sobre la influencia oriental y la francesa.

El Arcipreste de Hita —en el terreno de la moral— y el Canciller Ayala —en el de la cultura— se hallaban dentro de una corriente que había de desembocar en el Renacimiento.

Ayala tradujo además —o mandó traducir— el libro *De consolatione* de Boecio, el tratado *De summo bono* de San Isidoro, los *Morales* de San Gregorio y la *Crónica Troyana* de Guido de Colonna.

BIBLIOGRAFIA

EDICIONES

Rimado de Palacio. B. A. E. — Kuersteiner. Hispanic Society of America. 1920.
Crónicas. B. A. E.
Libro de la caza de las aves. J. Fradejas. Versión modernizada, con estudio preliminar, 1959.

ESTUDIOS

M. Menéndez y Pelayo: *Historia de la poesía castellana en la Edad Media.* Vol. I, 1911.
R. Lapesa: *El Canciller Ayala,* en "Historia de las literaturas hispánicas". Vol. I, 1949.
C. Sánchez Albornoz: *El Canciller Ayala, historiador,* en "Españoles ante la historia", 1958.

la literatura cortesana del siglo xv 12

El siglo XV

Dos son los rasgos capitales que definen la literatura del siglo XV: su carácter eminentemente *cortesano* y la aparición de nuevas corrientes —*italianas* y *grecolatinas*—. Lo primero da lugar a que la producción literaria presente un matiz de *artificioso refinamiento;* lo segundo, es decir, el conocimiento y admiración del mundo clásico, ocasiona la introducción de innumerables latinismos que dan al lenguaje un carácter *culto* y *amanerado.*

Un escritor en los albores del Renacimiento.

Todo ello no quiere decir que el arte popular se halle en decadencia, pues aunque el tono general lo da la literatura cortesana, basta el Romancero para acreditar la persistente vitalidad de lo juglaresco.

El reinado de Juan II

Si el siglo XIII es ante todo el siglo de la Clerecía, y el XIV es el de la Burguesía, el reinado de Juan II (1419-1454) presenta ya un tono decididamente *cortesano*. La corte, presidida por un monarca amante de las letras, agrupa a las principales figuras de la época, más preocupadas por afanes literarios y por diversiones y rencillas que por terminar la lucha contra los moros.

La aristocracia pierde la rudeza de otros tiempos, y aunque su egoísmo y espíritu de rebeldía origina un estado caótico, el mayor refinamiento de sus costumbres da lugar a la aparición de un arte elegantemente artificioso. Las grandes batallas de antaño ceden el paso a torneos cortesanos, y el nuevo ambiente ve nacer una poesía amorosa, frívola e intrascendente, que lleva el sello del medio social en que se origina.

Al propio tiempo tiene lugar un acontecimiento de enorme importancia: el descubrimiento de la antigüedad clásica a través del humanismo italiano, fenómeno análogo al que se registra en Cataluña medio siglo antes. Gracias a las relaciones políticas y culturales con Italia, la literatura de este país y la grecolatina comienzan a influir conjuntamente en Castilla, desplazando totalmente a la oriental y ganando terreno a la galaicoprovenzal y a la francesa. Respecto a la literatura italiana, los modelos preferidos son las tres grandes figuras del "trecento": *Dante* (en quien se ve el gran poeta alegórico de la Divina Comedia), *Boccaccio* y *Petrarca* (de quienes interesan más los tratados morales y humanísticos en latín que las obras en lengua vulgar).

En cuanto al *mundo clásico*, a pesar de despertar un extraordinario entusiasmo entre los cultos, es conocido imperfectamente. El contacto con los grandes autores de la antigüedad no es siempre directo, sino a base de traducciones (sobre todo tratándose de los griegos) y a menudo se toma de ellos lo más externo, olvidando lo esencial. De esta forma, la lengua literaria se llena de neologismos e hipérbatos que la complican y retuercen, apartándola de la armonía y naturalidad del clasicismo.

El humanismo del reinado de Juan II es, pues, ante todo, erudición mal asimilada. El conocimiento de los clásicos no origina aún un nuevo tipo de vida ni de arte que ofrezca la serena perfección de su modelo grecolatino. Sin embargo, fue el primer jalón obligado de una trayectoria que había de llevar a la plenitud del siglo XVI. Por eso, Menéndez y Pelayo pudo calificar con justicia a este período como el *Pórtico de nuestro Renacimiento*.

El reinado de Enrique IV

Es uno de los más calamitosos de la historia de Castilla (1454-1474). Epoca de feroces luchas nobiliarias y de absoluto desprestigio del poder real, apenas registra avances en el camino emprendido durante el reinado anterior hacia la comprensión de la cultura

Fray Ambrosio Montesino ofreciendo a los Reyes Católicos su traducción de la "Vita Christi", del cartujano Landulfo de Sajonia.

clásica. En cambio, adquiere singular relieve el *género satírico,* como corresponde a un momento de caos político y disolución moral.

El reinado de los Reyes Católicos

En esta época (1475-1516), *el conocimiento de la antigüedad grecolatina realiza considerables progresos.* Lo que hasta entonces había sido mera, aunque entusiasta curiosidad, se convierte en auténtico saber, gracias a los viajes de humanistas españoles a Italia, a la venida de doctos italianos a España, y a la decidida protección de Isabel la Católica. La pacificación del país, lograda por los Reyes, permite el desarrollo de la cultura nacional; se intensifican las traducciones en latín y comienza el estudio del griego.

Por su parte, la prosa castellana comienza a abandonar el énfasis retórico de la época de Juan II, revelando una mayor madurez y un cierto *criterio de selección* que sabe evitar los usos estilísticos ajenos al espíritu de la lengua de Castilla.

BIBLIOGRAFIA

ESTUDIOS SOBRE LA EPOCA EN GENERAL Y SOBRE LAS RELACIONES CON ITALIA

Menéndez y Pelayo: *Historia de la poesía castellana.* Vols. II y III, 1911-1913.

A. Farinelli: *Dante in Spagna,* 1922.

A. Farinelli: *Italia e Spagna.* Vol. I, 1929. (Sobre el influjo de Petrarca y Boccaccio.)

J. Huizinga. *El otoño de la Edad Media,* 1945.

G. Toffanin. *Historia del Humanismo,* 1953.

(Las dos últimas obras citadas son muy útiles para el conocimiento de la época, aunque no se
refieran a España en concreto.)

la poesía cortesana en 13 la primera mitad del siglo xv. imperial, santillana, mena

El Cancionero de Baena

Como ya observamos, en la lírica del siglo XIV comienza a advertirse un doble fenómeno: primero, el auge de los juglares castellanos frente a los gallegos, y más tarde, la paulatina desaparición de unos y otros del ambiente cortesano, substituidos por poetas palaciegos más cultos que toman el nombre de "trovadores". Pues bien, la última fase de esta evolución se manifiesta en el **Cancionero de Baena**.

Patio del palacio de los Mendoza, en Guadalajara. Su riqueza decorativa, propia del gótico final, concuerda con la exuberancia estilística de la literatura del siglo XV. Los Mendoza fueron una de las más importantes familias castellanas de esta época y contribuyeron en grado sumo a la formación política de la nueva España y a la difusión en el país de los gustos italianos.

Compilado por Juan Alfonso de Baena, agrupa a los poetas de fines del siglo XIV y principios del XV. En ellos se advierten diversas tendencias que permiten clasificarlos en *dos escuelas:*

1.º *La galaicocastellana,* que abarca los poetas más antiguos y hereda los temas que Galicia había tomado de Provenza. Muchos de los representantes de esta escuela utilizan el gallego con cierta preferencia o escriben en un castellano lleno de galleguismos. Los metros preferidos son los tradicionales versos de arte menor, v.gr., el octosílabo.

2.º *La alegórico-dantesca,* cuyas composiciones —escritas ya definitivamente en castellano— responden a la nueva influencia italiana, sobre todo a la poesía de Dante, aunque no pueda desconocerse la importancia de los modelos franceses, según afirma Le Gentil,[1] y muestran una mayor gravedad que las de la escuela galaica, por lo general más frívolas e insubstanciales. Por primera vez vemos en ellas un empleo sistemático de la "copla de arte mayor", integrada por ocho versos dodecasílabos de ritmo dactílico, que riman ABBAACCA. Empleada ya en el siglo XIV por Ayala, será la estrofa en que se escriban la mayor parte de los poemas alegóricos del siglo XV.

En conjunto, el "Cancionero de Baena" tiene *un escaso valor poético.* Trátase de una producción típicamente cortesana y de carácter culto y artificioso, que elude la expresión sincera de la intimidad y toma a menudo como motivo de inspiración triviales asuntos —si es mejor el invierno que el verano, el verde que el azul— o manidos tópicos didácticos y amorosos.

Entre los poetas más importantes de la escuela galaico-castellana destacan **Macías** y **Villasandino.** El primero interesa tanto por la poética leyenda a que dio origen como por sus composiciones en gallego. Según la tradición, murió a manos del marido de su amada, convirtiéndose luego en un personaje obligado de los "Infiernos de Amor" del siglo XV.

Alfonso Alvarez de Villasandino fue un trovador pedigüeño que puso su inspiración al servicio de los nobles; aunque en algunas composiciones satíricas hechas de encargo llega a groserías inconcebibles, en otras alcanza acentos de tanta delicadeza como en esta "cantiga" a una dama:

> Señora, flor de açucena,
> claro visso angelical,
> vuestro amor me da grant pena...

> Fizo vos Dios delicada,
> onesta, bien enseñada;
> vuestra color matizada
> más que rosa del rosal
> me tormenta e desordena...

> No me basta más mi seso,
> plázeme ser vuestro presso;
> señora, por ende besso
> vuestras manos de cristal,
> clara luna en mayo llena.

1. "La poésie lyrique espagnole et portugaise à la fin du Moyen-Âge".

Otros poetas de la misma escuela son **Pero Ferrús, Jerena,** y **Ferrán Sánchez Calavera,** autor de unas coplas que habían de influir en las de Jorge Manrique.

Micer Francisco Imperial. — Nacido en Génova, es quien inicia la moda alegórica-dantesca. Su *Dezir a las siete virtudes,* inspirado en la Divina Comedia, es sólo un pálido reflejo de la obra de Dante, a pesar de lo cual resulta lo más valioso del Cancionero de Baena. Como otros muchos poemas alegóricos del siglo XV, el "Dezir" comienza con un sueño, en el cual el poeta contempla la aparición de personajes simbólicos, enmarcados en un paisaje de jardín finamente estilizado. Los ataques de Dante a Florencia hallan un eco en los que Imperial dirige contra Sevilla, a la que imagina rodeada por siete serpientes que simbolizan los pecados capitales.

He aquí la estrofa que nos describe el despertar del poeta:

> E commo, en mayo, en prado de flores,
> se mueve el aire, en quebrando el alba,
> suavemente buelto en colores,
> tal se movió, acabada la salva.[1]
> Feríame en la faz e en la calva,
> e acordé [2] commo a fuerça despierto,
> e fallé en mis manos a Dante abierto [3]
> en el capítulo que la Virgen salva.

El "Dezir a las siete virtudes" presenta una novedad en la forma: el uso de los versos endecasílabos. La extraña mezcla de éstos con los doce, que se observa a través de todo el poema, puede achacarse a la impericia del poeta o a un error de copia.

Con la obra de Imperial se abre un nuevo —aunque limitado— horizonte a la poesía castellana. Junto a la ingeniosa trivialidad de la escuela galaico-castellana, escuchamos desde ahora *una voz más elevada y solemne*, mientras *una mayor intuición de la belleza plástica* y de los valores sensoriales viene a prestar brillantez y sonoridad al nuevo estilo, tan distinto del de la fría e incolora poesía cortesana tradicional.

La poesía cortesana en el reinado de Juan II

Después de las innovaciones de Imperial, entramos definitivamente en el reinado de Juan II. La poesía de esta época y, en general, toda la del siglo XV, puede encuadrarse en dos tendencias que apuntan en el "Cancionero de Baena", y que a menudo se interfieren aprovechando, además, elementos de orígen francés: la *trovadoresca*, de origen galaico-provenzal, y la *italiana*.

La primera continúa produciendo breves *cantigas* o "canciones" líricas: artificiosas composiciones de loor o de lamentación y destinadas al canto, en las que el ingenio rivaliza con la destreza técnica. El estilo suele ser ligero y los metros cortos —el tradicional octosílabo—; en cuanto a los temas —amorosos o satíricos—, se siguen

---

1. La Salve a la Virgen que el poeta acaba de oír. — 2. Acordar, volver en sí. — 3. La Divina Comedia.

repitiendo los viejos tópicos de la lírica provenzal (al presentar el amor como un humilde, doloroso y ennoblecedor anhelo dirigido hacia una dama inasequible por su absoluta perfección) junto a novedades de origen francés o petrarquista (el amante, cuya pasión se manifiesta como una encrucijada de dramáticas contradicciones, puede llegar a morir, víctima del único defecto de su amada: la crueldad).

La segunda ofrece extensos poemas de tono elevado y grandes pretensiones eruditas, escritos, por lo general, en rotundas coplas de arte mayor y en un lenguaje culto lleno de latinismos; son los llamados *decires,* de carácter más narrativo que lírico, y compuestos para ser recitados o leídos. El estilo se enriquece con alegorías de imitación dantesca, petrarquista o francesa, y con alusiones mitológicas a las que se presta un sentido simbólico; el fondo, constituido por los más diversos asuntos: didácticos o amorosos, presenta frecuentemente ideas morales de tradición clásica o cristiana —eficacia de la voluntad humana frente al influjo del destino, por ejemplo—, insistiendo sobre todo en el desarrollo de un tema capital: el menosprecio del mundo, dominado por la Fortuna, el Tiempo y la Muerte.

Es cierto que la poesía del XV —producto, muchas veces, de un frío afán de virtuosismo formal— se balancea entre dos extremos: *intrascendencia* en las composiciones breves de tema satírico o amoroso, y *afectada solemnidad* en los largos poemas cuya raíz parece ser un mero deseo de exhibición erudita. No obstante, la inspiración grave supo hallar acentos de auténtica nobleza —el Laberinto de Fortuna, las Coplas de Jorge Manrique...—, al paso que en el terreno de la poesía ligera —las Serranillas de Santillana, por ejemplo—, se llegaban a conseguir notables efectos de viveza expresiva y de fina y graciosa elegancia.

El Marqués de Santillana

Vida y cultura. — Don Íñigo López de Mendoza, marqués de Santillana (1398-1458), es una de las figuras más representativas del pre-renacimiento español del siglo XV, gracias a haber sabido unir felizmente *las actividades guerreras y políticas de un gran señor con el cultivo de la poesía y el estudio de los clásicos.* Su cultura literaria y sus elegantes maneras hacen de él un brillante anticipo de lo que será el tipo ideal del "Cortesano" en el siglo XVI.

Nacido en Carrión de los Condes y sobrino del Canciller Ayala y de Pérez de Guzmán, contribuyó a la anarquía de la época luchando contra su rey, Don Juan II, y favoreciendo la caída de Don Alvaro de Luna, pero supo ayudar también al monarca en ocasiones decisivas —por ejemplo, en la batalla de Olmedo— y arrancar a los moros alguna importante localidad.

Al propio tiempo, sus aficiones intelectuales le llevaron a reunir una nutridísima biblioteca y a impulsar los estudios humanísticos; gracias a él fueron traducidas algunas obras de Platón, Virgilio, Ovidio y Séneca. Aunque no conocía a fondo el latín, su cultura literaria fue muy amplia, ya que leía el italiano, el francés, el gallego y el catalán.

La señoril elegancia del marqués de Santillana aparece finamente captada por Jorge Inglés en este retrato.

La Carta Proemio. — Como prólogo a sus poesías, Santillana escribió en prosa un *Prohemio e Carta* al Condestable don Pedro de Portugal.

De acuerdo con la doctrina medieval, que subordina la forma a la intención docente, define la poesía como "fingimiento de cosas útiles, cubiertas o veladas con muy fermosa cobertura", mientras su actitud aristocrática frente al arte literario le hace desdeñar los productos de la inspiración popular como algo propio de "gente baja e de servil condición"; tal concepto debía de merecerle el género tradicional de los cantares de gesta, para los que no guarda en su obra la menor alusión.

Este opúsculo puede considerarse como el *primer ensayo de crítica en castellano*, ya que en él resume sus conocimientos sobre las literaturas castellana, gallega, catalana, francesa e italiana, manifestando su predilección por esta última.

No deja de ser curioso que, a pesar de su desvío hacia las manifestaciones del espíritu popular, haya sido el primero en recoger los *Refranes que dizen las viejas tras el fuego*, anticipándose en ello al Renacimiento, tan atento a realzar lo que consideraba como producto espontáneo de la cultura humana.

La influencia galaico-provenzal. — Las obras poéticas de Santillana pueden dividirse en tres grupos: el trovadoresco, el de influencia italiana y el didáctico-moral.

El influjo galaico-provenzal fue el que le inspiró en su juventud sus versos más logrados. Aunque no conoció directamente la poesía de los trovadores de Provenza sino a través de Galicia, las composiciones de este grupo se acercan más a la destreza técnica de los cortesanos provenzales que a la nostálgica emotividad de la lírica popular gallega.

Fórmanlo una serie de *Canciones y Dezires* —en los que glosa a menudo algún cantar tradicional, utilizando las formas musicales de la poesía lírica peninsular— y diez *Serranillas*. En estas últimas el poeta nos describe con graciosa agilidad el encuentro de un caballero y una serrana en un bello paisaje primaveral, la amorosa solicitud de aquél y la negativa de ella, que suele poner fin al diálogo mantenido por ambos.

De acuerdo con el espíritu aristocrático de Santillana, todo aquí se halla elegantemente estilizado. Como en la "pastorela" provenzal, el paisaje aparece dotado de finas líneas, la serrana y el caballero se expresan con galante corrección, y una amable ironía eleva el tono del diálogo, más propio de un salón cortesano que de un escenario rústico. En alguna que otra composición aflora el tipo de serrana agreste y ruda, de tradición nacional, descrito por el Arcipreste de Hita, pero siempre la actitud señorial del poeta confiere una delicada elegancia al episodio amoroso.

Estas diez serranillas constituyen la cumbre de la poesía de Santillana por su fresco lirismo, por su ligera y suelta versificación y por su gracia aérea, tan alejada de la pesadez erudita de los poemas alegóricos que escribió más tarde. Recordemos una de las más conocidas:

Moça tan fermosa
non vi en la frontera
como una vaquera
de la Finojosa.

Faziendo la vía
del Calatraveño
a Sancta María,
vencido del sueño
por tierra fragosa,
perdí la carrera
do vi la vaquera
de la Finojosa.

En un verde prado
de rosas e flores,
guardando ganado
con otros pastores,
la vi tan graciosa
que apenas creyera
que fuesse vaquera
de la Finojosa.

Non creo las rosas
de la primavera

sean tan fermosas
nin de tal manera
—fablando sin glosa—
si antes sopiera
d'aquella vaquera
de la Finojosa.

Non tanto mirara
su mucha beldad
porque me dexara
en mi libertad.
Mas dixe: —Donosa
—por saber quién era—,
¿dónde es la vaquera
de la Finojosa?

Bien como riendo,
dixo: —Bien vengades,
que ya bien entiendo
lo que demandades;
non es deseosa
de amar, nin lo espera,
aquessa vaquera
de la Finojosa.

Las obras de influjo italiano. — En ellas *la alegoría,* imitada por lo general de Dante, se reduce a tópicos de escasa significación: un sueño o una visión, apariciones de figuras simbólicas, paisajes agrestes (la "selva selvaggia" dantesca...). Muy poco queda del vigor dramático de la Divina Comedia o del hondo sentido de sus símbolos.

Por su parte, *lo clásico* sólo se manifiesta en referencias a la mitología —utilizada como mero elemento decorativo— y en un lenguaje lleno de neologismos latinos (scientes, locuela, fúlgido, etc.), sin que se observe un concepto del arte realmente clásico, hecho a base de armonía y equilibrio.

Con tan eruditas y recargadas composiciones se trataba de crear una poesía sabia que superase en gravedad y hondura filosófica a los intrascendentes juegos cortesanos de la escuela trovadoresca.

Entre los largos poemas de Santillana que responden a esta tendencia destaca la *Comedieta de Ponza,* escrita en coplas de arte mayor. En ella se nos describe, con notable vigor, la derrota naval de Alfonso V y sus hermanos, en Ponza; Boccaccio y la Fortuna consuelan a las esposas de los príncipes vencidos.

Obsérvese la influencia de la literatura clásica en los siguientes versos, inspirados en el "Beatus Ille" horaciano.

> ¡Benditos aquellos que con el açada
> sustentan su vida e viven contentos,
> e de cuando en cuando conoscen morada
> e sufren pacientes las lluvias e vientos! ...
> ¡Benditos aquellos que cuando las flores
> se muestran al mundo desciben [1] las aves,
> e fuyen las pompas e vanos honores,
> e todos escuchan sus cantos suaves!
> ¡Benditos aquellos que en pequeñas naves
> siguen los pescados con pobres traínas! [2]
> Ca éstos non temen las lides marinas,
> nin cierra sobre ellos Fortuna sus llaves.

En el *Infierno de los enamorados,* Hipólito acompaña al poeta, perdido en una selva, y le muestra los tormentos de Macías, Hero y Leandro, Dido y Eneas...

Otros poemas de tipo alegórico son *La defunción de don Enrique de Villena,* elogiado por las nueve musas, la *Coronación de Mosén Jordi de Sant Jordi,* el *Triunfete del Amor,* imitado de "I Trionfi", de Petrarca, etc.

También son resultado de la influencia italiana sus cuarenta y dos *sonetos "fechos al itálico modo"* en los que sigue a Petrarca, modelo obligado de todos los poetas del siglo XVI. Interesan más por ser los primeros escritos en castellano, que por su perfección formal, ya que al lado de los endecasílabos acentuados en cuarta y octava sílaba o en sexta, vemos a menudo otros de cuarta y séptima, que desde el siglo XVI se evitaron con acierto por tener un ritmo demasiado próximo al del dodecasílabo dactílico. Por otra parte, lo que en Petrarca es sincera emoción amorosa, queda aquí substituido por incoloras ingeniosidades, adornadas de mitología. Sin embargo, algunos sonetos ofrecen bellas y elegantes imágenes en las que se observa una refinada sensibilidad para los valores plásticos.

> Cual se mostrava la gentil Lavina [3]
> en los honrados templos de Laurencia,
> cuando solepniçaban a Heretina
> las gentes della con toda fervencia,
> e cual paresce flor de clavellina
> en los frescos jardines de Florencia,
> vieron mis ojos en forma divina [4]
> la vuestra imagen e deal presencia.

---

1. Engañan. – 2. Redes. – 3. Según la *Eneida,* la princesa Lavina apareció milagrosamente rodeada de llamas en la ocasión aquí aludida. – 4. Nótese la acentuación dactílica del verso.

> Cuando la llaga e mortal ferida
> llagó mi pecho con dardo amoroso,
> la cual me mata en pronto e da la vida,
> me face ledo,[1] contento e quexoso:
> alegre passo la pena indevida;
> ardiendo en fuego, me fallo en reposo.

Las obras didáctico-morales. – Aunque hoy casi nadie las lee, en su tiempo procuraron a su autor una gran celebridad como moralista. En ellas se alía la doctrina cristiana con reflexiones tomadas de los clásicos (Aristóteles, Platón, Virgilio y Ovidio...).

La más extensa es el *Diálogo de Bías contra Fortuna,* donde "el sabio presocrático ha sido arrancado del dominio de la cronología y convertido en símbolo intemporal de la virtud antigua",[2] y en la que se nos ofrecen diversos tópicos senequistas: vanidad y fugacidad de la vida, imperturbabilidad del sabio, exaltación de la dignidad del hombre...

Los *Proverbios* son una colección de sentencias inspiradas en los clásicos y expuestas en coplas de pie quebrado.

Por último, el *Doctrinal de Privados* es una larga diatriba contra Don Alvaro de Luna, en la que éste confiesa, después de muerto, sus pecados.

En el marqués de Santillana hay, aunque no tanto como en otros poetas del siglo, mucha pedantería erudita y muchos latinismos inoportunos, pero su *destreza técnica y musical* y su *gracioso y aristocrático lirismo* visibles, sobre todo en sus poemas juveniles, hacen de él uno de los tres mejores poetas del siglo XV.

Juan de Mena

Si Santillana es un precedente del "cortesano" renacentista, ducho en armas y letras, Juan de Mena es un claro ejemplo del proceso de secularización del intelectual que va operándose en la Baja Edad Media. Al antiguo clérigo, monopolizador de la cultura en unos siglos de ignorancia general, sucede ahora el tipo de escritor independizado de la tutela de la Iglesia y amparado por algún amante de las letras.

Mena nació en Córdoba (1411) y estudió en Salamanca y Roma –donde adquiriría una cultura humanística–; a su vuelta de Italia desempeñó diversos cargos –secretario de cartas latinas, cronista real– en la corte de su protector, Juan II, y murió el año 1456. Un contemporáneo habla de él como hombre de "rostro pálido" y "gastado del estudio".

Su obra menor. – Lo más interesante de la prosa de Mena es el *Homero romançado,* traducción de un resumen latino de la Ilíada. Escrito en un abarrocado

---

1. Contento. – 2. R. Lapesa, "La obra literaria del Marqués de Santillana".

Portada de las "Trescientas", de Juan de Mena.

lenguaje recargado de latinismos, es un notable intento de prosa culta. Su autor, deslumbrado por la "sancta e seráphica" obra de Homero, se esforzó en crear un estilo elevado que no desdijese de aquél.

Pero lo que más nos importa de su producción son sus obras en verso. Pueden dividirse en dos grupos:

el de *tipo trovadoresco tradicional,* y el de *influencia italiana y clásica.*

El primero tiene un valor muy relativo. Está constituido por composiciones en metros cortos —generalmente octosílabos— que siguen la tónica general de la poesía cortesana del siglo XV. En el grupo de poesías cultas de influencia italiana y clásica se halla su obra cumbre: "El Laberinto de Fortuna".

De tipo trovadoresco son las *Coplas contra los pecados mortales;* de influencia italiana, *Lo claroescuro* y *La Coronación del Marqués de Santillana.*

"El Laberinto de Fortuna" o "Las Trescientas". — Es el poema épico culto más importante de nuestra literatura medieval. Consta de 297 coplas de arte mayor y va dirigido al rey Don Juan II. La idea central de la obra es la influencia de la Fortuna —o de la Providencia— sobre la vida del hombre, y su arquitectura está inspirada en los procedimientos alegóricos de Dante.

El poeta se ve arrebatado por el carro de Belona, que le conduce hasta las proximidades del palacio de Fortuna, donde la Providencia le muestra tres enormes ruedas: dos inmóviles (que simbolizan el pasado y el futuro) y otra en movimiento (que significa el presente). Cada una de ellas consta de siete círculos, correspondientes a los siete "planetas": Venus (en el que vemos a Macías y a otros enamorados célebres), Febo (en el que aparece don Enrique de Villena), Marte (donde halla al conde de Niebla), etc. Al intentar descubrir la rueda del porvenir, la visión se desvanece.

Aunque las alegorías de Mena no tienen el alcance teológico de las de Dante, la *potencia dramática* de algunos episodios, dotados de gran inspiración patriótica —y en los que no falta la protesta moral contra la época—, se hallan cerca del arte del autor de la Divina Comedia. Así, el que narra patéticamente la muerte del conde de Niebla, al sucumbir en aguas de Gibraltar por salvar a los suyos; el de la trágica lamentación de la madre de Lorenzo Dávalos ante su hijo muerto, o el de los misteriosos y terribles conjuros de una maga que obliga a hablar a un cadáver para conocer el fin de don Alvaro de Luna:

> Ya comenzava la invocación
> con triste murmullo su díssono canto,
> fingiendo las bozes con aquel espanto,
> que meten las fieras con su triste son,
> oras silvando bien como dragón,
> o como tigre faziendo estridores,
> oras aullidos formando mayores
> que forman los canes que sin dueños son...
> Los miembros ya tiemblan del cuerpo muy fríos,
> medrosos de oir el canto segundo;
> ya forma bozes el pecho iracundo,
> temiendo la maga e sus poderíos,
> la cual se le llega con bezos [1] impíos,
> e faze preguntas por modo callado
> al cuerpo ya bivo, después de finado,
> porque sus actos non salgan vazíos...

"Las Trescientas" tienen, como advertimos, un eje filosófico-moral; pero su interés se cifra en los elementos históricos que encierra; de ahí que Menéndez Pelayo considerase a la obra como el *poema más nacional de nuestros siglos medios*.

El estilo del Laberinto es una de las manifestaciones literarias más notables de la Edad Media. Sus características fundamentales pueden resumirse en tres palabras: vigor, cultismo y sonoridad.

El arte de Juan de Mena ofrece una *vigorosa fuerza expresiva*, sobre todo cuando se aplica a escenas intensamente dramáticas.

En cuanto al lenguaje, el estilo de Mena se caracteriza por una acumulación de recursos expresivos que le prestan un aire barroco. Ello obedece, ante todo, a la *intención culta* que preside la elaboración del poema. Mena quería utilizar un lenguaje elevado que estuviese en consonancia con la dignidad de los temas, y al parecerle "rudo y desierto" el castellano habitual, emprende una tarea de latinización del idioma, movido por el gran prestigio que en aquel momento alcanzaba la cultura clásica.

Resultado de este propósito culto son los neologismos que se advierten a cada paso (ultriz, diáfano, caligo, ígneo...), el violento hipérbaton que disloca las frases ("los miembros ya tiemblan del cuerpo muy fríos") y la abundancia de perífrasis que evitan la expresión directa de las cosas ("espuma de canes que el agua recelan": en lugar de "canes rabiosos").

---

1. Labios.

Todo el poema se halla, además, cuajado de alusiones a la historia y mitología clásicas; incluso algunos fragmentos se hallan inspirados directamente en autores antiguos (el canto de la madre de Lorenzo Dávalos, en un episodio de la Eneida; la escena de los pronósticos desdeñados por el conde de Niebla, en las Geórgicas de Virgilio...); entre ellos fue Lucano a quien Mena imitó preferentemente (v. gr., en el episodio de los conjuros de la Maga, tomado de otro de la Farsalia). En este sentido es curioso que hayan sido tres poetas cordobeses –Lucano, Mena, Góngora– los que hayan intentado más a fondo crear en España un lenguaje poético culto, de tipo minoritario.

Veamos, por último, cómo la rotundidad de la expresión es otro de los altos valores del "Laberinto". Mena consigue a veces aciertos de *sonoridad* mediante el empleo del dodecasílabo –con sus cuatro acentos–, lo que da al poema una musicalidad grave y solemne, muy adecuada al lenguaje y a los temas tratados.

Si su amigo el marqués de Santillana no halla par en el terreno de la gracia y de la fina elegancia, el autor del "Laberinto" *es un maestro de la dicción robusta y patética.*

El Cancionero de Stúñiga

La conquista de Nápoles (en 1443), por Alfonso V de Aragón, dio lugar a la creación de una corte literaria en la que castellanos, aragoneses y catalanes procedentes de España sufrieron el influjo del ya poderoso movimiento humanístico italiano; el mismo rey fue un entusiasta propulsor de los estudios clásicos.

Sin embargo, el *Cancionero de Stúñiga,* que recoge la labor poética de los cortesanos de Alfonso V, se limita a consignar en versos ágiles y graciosos los variados incidentes de la vida palaciega.

Entre los poetas representados en este Cancionero, puede citarse al que encabeza la colección –**Lope de Stúñiga**–, a **Carvajales** –el mejor de todos ellos–, y a **Torrellas**.

Sátira moral y social: la "Danza de la Muerte"

El tema de la muerte, una de las máximas preocupaciones del hombre medieval, se convierte, al llegar los siglos XIV y XV, en una obsesión angustiosa, y la antigua resignación ascética ante el fin de la vida deja ahora paso a una sensación de terror que aumenta a medida que el hombre descubre nuevos alicientes a la existencia terrena.

Este es el origen de las "Danzas de la Muerte", tan frecuentes en toda la literatura europea de la época, y en las que aquélla, personificada en un esqueleto o un cadáver semicorrupto, obliga a los mortales a bailar una danza macabra, después de recordarles con agrias palabras cuál es el fin de los goces mundanos.

La literatura española tan sólo conserva una anónima *Danza de la Muerte* de principios del siglo XV, escrita en coplas de arte mayor. En ellas la Muerte increpa a diversos personajes que representan jerarquías religiosas y políticas, clases sociales, estados (el Papa, el Emperador, el Médico, el Labrador, la Doncella...), quienes, a su vez, expresan el terror que les produce la trágica llamada.

El tema de la Danza de la Muerte obsesionó a toda Europa durante los últimos siglos de la Edad Media y alcanzó resonancias en pleno siglo XVI. Grabado de Holbein.

Dize la Muerte:

> A la dança mortal, venit los nascidos
> que en el mundo soes de cualquiera estado,
> el que non quisiere, a fuerza e amidos [1]
> facerle he venir muy toste priado...[2]

Primeramente llama a su dança a dos donzellas.

> A éstas y a todos por las aposturas
> daré fealdad la bida partida,
> e por palacios daré por medida
> sepulcros escuros de dentro fedientes,
> e por los manjares gusanos royentes
> que coman de dentro su carne podrida.

En la "Danza de la Muerte" castellana hay que distinguir, aparte de la *intención ascético-moral*, un elemento de *sátira social*. Así se advierte en la complacencia con que el tétrico personaje insiste en la idea de la postrera igualdad de todos los hombres.

El mérito literario de la composición es muy escaso, y su principal interés radica en el hecho de ser una significativa muestra del sentir democrático, de la inclinación a los temas ascéticos y pesimistas y del realismo descarnado, tan típicos de todo un sector del arte castellano. Hay que advertir, no obstante, el origen francés del tema. En nuestra literatura medieval escaseó siempre la visión macabra —tan sólo se ha conservado *una* Danza— y la actitud más frecuente ante la muerte fue la resignación, no el horror. Confírmanlo la mayor parte de la producción de la época y la obra cumbre de la lírica del momento: las "Coplas", de Jorge Manrique.

1. De mala gana. — 2. Inmediatamente.

BIBLIOGRAFIA

EDICIONES

Cancionero de Baena. Hispanic Society of America, 1926. — J. M. Azáceta. Madrid, 1966.

Villasandino, Santillana, Mena, Stúñiga, Carvajales, etc., en "Cancionero castellano del siglo XV". Dos vols. N. B. A. E. Editado por Foulché-Delbosc.

Santillana. "Obras". J. Amador de los Ríos. Madrid, 1852. — "Canciones y decires". V. García de Diego. Clás. Cast., 1913. — "Obras". A. Cortina. Col. Austral.

Mena. "El Laberinto". J. M. Blecua. Clás. Cast., 1943.

Danza de la muerte. B. A. E. — Foulché-Delbosc, 1907.

ESTUDIOS

Menéndez y Pelayo: *Historia de la poesía castellana en la Edad Media.* Vols. I y II, 1911-1913.

P. le Gentil: *La poésie lyrique espagnole et portugaise a la fin du Moyen-Age.* Dos vols., 1949 y 1953.

A. Farinelli: *Italia e Spagna.* Vol. I, 1929.

R. Lapesa: *La obra literaria del Marqués de Santillana,* 1957.

M. R. Lida: *Juan de Mena, poeta del prerrenacimiento español,* 1950.

la poesía cortesana en la 14 segunda mitad del siglo xv. jorge manrique

El reinado de Enrique IV. La sátira anónima

Durante el reinado de Enrique IV, época de profunda relajación moral y de intrigas y rencillas cortesanas, la poesía satírica tuvo un notable florecimiento, hasta el punto de que, a excepción de la producción lírica de los Manrique, las principales manifestaciones literarias de la época se reducen a ataques personales o de tipo político.

Como ejemplos de lo primero tenemos las *Coplas del Provincial,* en las que se dirigen los más procaces insultos contra los principales personajes de la corte de Enrique IV, sin excluir a las damas. También tienen carácter de sátira personal las *Coplas de ¡Ay, Panadera!* Escritas probablemente a fines del reinado anterior, van dirigidas contra los nobles derrotados en la batalla de Olmedo por las tropas de Juan II.

Las *Coplas de Mingo Revulgo* tienen, en cambio, un carácter político-social y eluden toda grosería. Mingo Revulgo (símbolo del pueblo) manifiesta a Gil Arribato que por culpa del Pastor Candaulo (Enrique IV), que no guarda su rebaño, las ovejas son devoradas por los lobos. Gil Arribato contesta que toda la culpa no es del rey, sino que alcanza también al mismo pueblo.

Jorge Manrique

Es la figura culminante del reinado de Enrique IV. Hijo del conde don Rodrigo, Maestre de Santiago, nació en Paredes de Nava (Palencia, ¿1440?). Combatió contra los enemigos de Isabel la Católica y murió heroicamente ante el castillo de Garci-Muñoz —1479— en defensa de la reina.

La producción poética menor de Jorge Manrique ofrece escaso interés. Hállase constituida por frías *composiciones amorosas y burlescas,* concebidas como un mero esparcimiento cortesano.

Las primeras son las más abundantes y caracterízanse por un tono elegíaco convencional y por la interferencia —muy frecuente en la poesía de cancionero del XV— de elementos eróticos, religiosos y guerreros, expresados a menudo en forma

Época de contrastes, el siglo XV nos ofrece junto a la sátira jocunda y la galantería amorosa, la melancólica consideración sobre el tránsito de las cosas. El "Doncel" de la Catedral de Sigüenza.

alegórica. El amor se presenta como una terrible lucha, pero la falta de emoción que se advierte en la mayoría de las composiciones nos descubre la insinceridad del autor. Por su parte, las alambicadas sutilezas que retuercen innecesariamente los conceptos —siendo un notable ejemplo del prebarroquismo del siglo XV— acaban por restar interés a estos versos.

No obstante algunos temas están graciosamente resueltos. Así, la siguiente canción:

> Quien no estuviera en presencia
> no tenga fe en confiança
> que son olvido y mudança
> las condiciones de ausencia.
> 　Quien quisiere ser amado
> trabaje por ser presente,
> que cuan presto fuere ausente,
> tan presto será olvidado:
> 　y pierda toda esperança
> quien no estuviere en presencia,
> pues son olvido y mudança
> las condiciones de ausencia.

Las "Coplas por la muerte de su padre". — La literatura del siglo XV nos ofrece dos reacciones distintas frente a la idea de la caducidad de la vida presente: la que con agrio humor e intención satírica insiste en el horror de la muerte, y la que con noble intención moral se limita a subrayar la fugacidad de lo terreno, aunque complaciéndose en la melancólica evocación del pasado.

Ya hemos visto cómo la primera se halla representada por las terribles "Danzas de la Muerte". La segunda —más típica en España y reflejada en lo que tradicionalmente se viene designando como tema del "Ubi sunt?"— halla ahora su más egregia manifestación en las "Coplas por la muerte de su padre".

Comienza el poema con una severa reflexión sobre el carácter transitorio de la vida humana.

Recuerde[1] el alma dormida,
abive el seso y despierte,
   contemplando
cómo se pasa la vida,
cómo se viene la muerte
   tan callando;

cuán presto se va el plazer,
cómo, después de acordado,
   da dolor;
cómo a nuestro parescer,
cualquiera tiempo passado
   fue mejor...

Nuestras vidas son los ríos
que van a dar en la mar
   que es el morir:
allí van los señoríos
derechos a se acabar
   y consumir;

allí los ríos caudales,
allí los otros, medianos
   y más chicos;
allegados son iguales
los que biven por sus manos
   y los ricos...

Siguen unas estrofas donde se insiste gravemente en lo huidizo de los bienes "de Fortuna", y a continuación el poeta rememora bellamente el espectáculo de las cortes de antaño:

¿Qué se fizo el rey don Juan?
Los infantes de Aragón
   ¿qué se fizieron?
¿Qué fue de tanto galán?
¿Qué fue de tanta invención
   como truxieron? ...

Los jaezes, los cavallos
de su gente, y atavíos
   tan sobrados,
¿dónde iremos a buscallos?
¿qué fueron sino rocíos
   de los prados?

El poema termina recordando las gloriosas hazañas del padre de Manrique, el Maestre don Rodrigo, y su actitud serena y resignada cuando "vino la Muerte a llamar a su puerta":

—"No gastemos tiempo ya
en esta vida mezquina
   por tal modo,
que mi voluntad está
conforme con la divina
   para todo;

y consiento en mi morir
con voluntad plazentera
   clara y pura,
que querer ombre bivir
cuando Dios quiere que muera
   es locura."

Assí, con tal entender.
todos sentidos umanos
   conservados,
cercado de su mujer,
de sus fijos y hermanos
   y criados,

dio el alma a quien gela dio,
el cual la ponga en el cielo
   en su gloria,
y aunque la vida murió,
nos dexó harto consuelo
   su memoria.

Toda la composición es un prodigio de *noble dignidad expresiva.*

Evitando las notas macabras que tanto abundan en la literatura moral de la Europa de la época, *el poeta subraya la primacía de lo eterno, sin que ello le impida evocar con honda y serena emoción las cosas que desaparecieron para siempre.*

---

1. Despierte.

La forma estrófica utilizada en el poema —sextinas de pie quebrado— alcanza una sorprendente flexibilidad, y el lenguaje, cuajado de imágenes de extraordinaria belleza, se mantiene siempre en un alto nivel de elegante naturalidad.

Gracias al intenso valor emotivo de las Coplas y a su sencilla y grave dicción, uno de los tópicos más repetidos de la literatura mundial —recuerdo nostálgico del tiempo pasado y exaltación de los valores espirituales que no perecen— logró en la poesía española del siglo XV acentos personales del más puro y acendrado lirismo.[1]

Mucho se ha hablado del renacentismo de esta composición. Sin embargo, la lección moral que se extrae de la nostálgica consideración de la fugacidad de las cosas terrenas —tan distante de la jubilosa invitación al goce de la vida, que de la misma deducirán los poetas del Renacimiento— la sitúa de lleno en la literatura medieval. Las alusiones a héroes de la antigüedad grecolatina, o al valor de la fama, no encierran una consciente intención de tipo humanístico.

Las "Coplas" de Jorge Manrique han gozado desde el siglo XV de un ininterrumpido éxito y han sido traducidas a varios idiomas. Hoy se las considera como el mejor poema lírico de nuestra poesía medieval.

La poesía en el reinado de los Reyes Católicos

En el reinado de los Reyes Católicos se observa un progresivo *acercamiento de la lírica cortesana a la popular,* que contrasta con el desdén que por los motivos populares sentían las principales figuras del reinado de Juan II.

El grupo de autores más importantes se halla en el terreno de la poesía religiosa: **Fray Íñigo de Mendoza** y **Fray Ambrosio Montesino.**

El franciscano **Fray Íñigo de Mendoza** escribió una *Vita Christi* en la que se expone con notable gracia y soltura la infancia de Jesús. Aparecen intercaladas abundantes poesías populares y hasta un diálogo de tipo rústico en el momento de la adoración de los pastores.

De **Fray Ambrosio Montesino,** también franciscano, quedan numerosas coplas y villancicos de tono popular, entre los que destacan, por su delicada ternura, los dedicados al Nacimiento del Señor. Su obra es una prueba del nuevo sesgo que iba tomando la literatura religiosa, al centrarse en la meditación emocionada de la vida del Señor y de la Virgen, apartándose de otros temas hagiográficos o teológicos.

> No la debemos dormir
> la noche santa,
> no la debemos dormir.
>   La Virgen a solas piensa
> qué hará
> cuando al rey de luz inmensa
> parirá.
>
> Si de la divina esencia
> temblará
> o qué le podrá decir.
>
> No la debemos dormir
> la noche santa,
> no la debemos dormir.

1. Es enorme la trayectoria histórica de este tema, que, pasando por el Eclesiastés, llega hasta la poesía del XV. En este siglo hay varias composiciones que pueden considerarse como un claro precedente —por la intención y por la forma— de la de Jorge Manrique. Sobre todo las de Ferrán Sánchez Calavera y Gómez Manrique.

Por lo demás, Montesino cultivó —lo mismo que el anterior— la poesía satírico-moral. El cartujano **Juan de Padilla** sigue la línea iniciada por Mena, aunque resulta inferior a éste. Su poema alegórico, *Los doce triunfos de los doce apóstoles*, recuerda a Dante por su simbolismo religioso y por la fuerza plástica de algunas escenas en las que evoca episodios y personajes de la historia nacional. En el lenguaje, muy latinizante, sigue también al poeta cordobés.

Los poetas menores de la época están agrupados en el *Cancionero general* (1511) de Hernando del Castillo. Entre los allí incluidos se hallan **Garci Sánchez de Badajoz**, autor de un *Infierno d'Amor* y otras poesías en las que lo erótico se une a motivos litúrgicos y religiosos; el judío **Rodrigo de Cota** cuyo célebre *Diálogo entre el amor y un viejo* es una especie de debate en el que el segundo es vencido por el primero; etc.

Al mismo reinado corresponde el *Cancionero* de **Juan del Encina**, autor de deliciosas poesías de sabor popular, como el siguiente zéjel:

> Ojos garzos ha la niña:
> ¿quién ge los namoraría?

> Son tan bellos y tan vivos
> que a todos tienen cativos;
> mas muéstralos tan esquivos
> que roban ell alegría...

> No hay ninguno, que los vea,
> que su cautivo no sea;
> todo el mundo los dessea
> contemplar de noche y día.

BIBLIOGRAFIA

EDICIONES

Coplas del Provincial. Foulché-Delbosc. Rev. Hisp., 1898.
Mingo Revulgo. Menéndez Pelayo. Antol., poetas líricos. III.
Jorge Manrique. A. Cortina. Clás. Cast., 1929.
I. de Mendoza, Padilla. Foulché-Delbosc, en "Cancionero castellano del siglo XV". N. B. A. E.
Montesino. N. B. A. E., XXXV.
R. Cota, G. Sánchez de Badajoz. "Cancionero general de H. del Castillo". Bibliófilos esp., 1812.
Encina. "Cancionero". R. Acad., 1928.
Cancionero general. A. Rodríguez Moñino. Madrid, 1958.

ESTUDIOS

M. Menéndez y Pelayo: *Historia de la poesía castellana en la Edad Media.* Vol. II, 1911.
P. le Gentil: *La poésie lyrique espagnole et portugaise a la fin du Moyen-Age,* 1949 y 1953.
J. García López: Prólogo a la ed. de *Obras completas de Jorge Manrique,* 1942.
P. Salinas: *Jorge Manrique o tradición y originalidad,* 1947.
M. Bataillon: *Erasmo y España.* 1950. (Sobre la religiosidad de los poetas franciscanos.)
Américo Castro: *Cristianismo, Islam, poesía en Jorge Manrique.* En "Origen, ser y existir de los españoles". Ed. Taurus, 1959.
M. Darbord: *La Poésie religieuse espagnole des Rois Catholiques a Philippe II.* París, 1965.

el romancero y la lírica popular

15

Orígenes y formación del Romancero

La vieja poesía de los cantares de gesta, que en su época de florecimiento se atuvo al espíritu de la aristocracia guerrera, sufre en el siglo XV una profunda evolución al admitir, junto a los temas heroicos, elementos de tipo lírico y novelesco, que revelan los nuevos gustos de la nobleza caballeresca y de la burguesía individualista y mundana del siglo XV —fácilmente aceptados, a su vez, por la amplia masa popular—. Los primitivos poemas dejaron de interesar en su totalidad, perdurando de ellos tan sólo los episodios acordes con la sensibilidad estética de unas clases sociales en plena evolución. Estos *fragmentos aislados,* que la memoria de la colectividad salvó del olvido cuando dejaron de ser cantadas las antiguas gestas, constituyeron el punto de partida de un género que había de perdurar con sorprendente vitalidad hasta nuestros días: el Romancero tradicional.

Los primeros romances no son, pues, más que breves fragmentos desgajados de los cantares de gesta. Sabido esto, es fácil comprender su estructura métrica, ya que los *versos octosílabos* —con asonancia en los pares— de que están formados, derivan directamente de los dos hemistiquios del verso épico asonantado de dieciséis sílabas. Al evolucionar de esta forma, los antiguos poemas épicos no perdieron su carácter de *poesía oral,* lo que nos explica muchos de los rasgos que caracterizan al Romancero.

En efecto, una de sus notas más típicas es la *infinita cantidad de variantes* que presenta cada uno de los romances —unas 500 el de "Gerineldos"...—. La razón de tan sorprendente fenómeno se halla en el hecho de que quienes los cantaban iban introduciendo diversas modificaciones, bien porque no recordasen con exactitud la versión primitiva, bien porque su sentir estético les llevase a alterar el texto conocido. Con ello, el pueblo castellano no hacía sino seguir una de sus más genuinas orientaciones: la colaboración anónima y colectiva en obras de arte que respondían al sentimiento general del país.

El Romancero viejo

Los romances que desde el siglo XIV y durante todo el XV produjo la inspiración popular, reciben la denominación de "viejos". Sin embargo, no todos se originaron de la misma forma ni ofrecen idénticas características. En general, pueden agruparse en dos series: romances "tradicionales" y romances "juglarescos".

Los romances tradicionales. — Surgieron como queda expuesto más arriba. Algunos momentos felices de los largos relatos épicos se grababan en la mente de los oyentes, y al ser repetidos aisladamente por éstos a través de varias generaciones, llegaban a separarse del todo al que pertenecían, experimentando una profunda transformación.

"Se aligeraba la narración, se olvidaban algunos detalles objetivos ininteresantes en un fragmento breve y se desarrollaban o añadían, en cambio, elementos subjetivos sentimentales que en más o menos grado venían a dar al nuevo estilo una nueva intención épico-lírica de aquella escena fragmentaria" (Menéndez Pidal). Muchas veces se añadía un breve resumen que completase el sentido del episodio elegido.

Dado el origen de estos romances, su asunto habrá de ser el mismo que el de los poemas épicos de donde proceden: los Infantes de Lara, Bernardo del Carpio, Fernán González, el cerco de Zamora, el Cid, etc.

Su estilo es algo distinto del de las gestas de que derivan. La narración pierde la pausada solemnidad de los viejos poemas épicos, se hace *más rápida y nerviosa* y el breve conjunto de versos adquiere una mayor agilidad y una concentrada intensidad poética. Son fáciles de reconocer porque suelen presentar varias asonancias dentro de un mismo relato.

Véase, por ejemplo, esta robusta descripción de un momento culminante de la tradición histórica.

Doliente se siente el Rey,
ese buen rey Don Fernando;
los pies tiene hacia oriente
y la candela en la mano.
A su cabecera tiene
arzobispos y perlados,
a su man' derecha tiene
a sus fijos todos cuatro...
Ellos estando en aquesto
entrara Urraca Fernando,
y vuelta hacia su padre
desta manera ha fablado:
—Morir vos queredes, padre,
Sant Miguel vos haya el alma;
mandastes las vuestras tierras
a quien bien se vos antojara;
a Don Sancho a Castilla,
Castilla la bien nombrada,

a Don Alonso, a León,
y a Don García a Vizcaya.
A mí, porque soy mujer,
dejáisme desheredada:
irme he yo por esas tierras
como una mujer errada,
y este mi cuerpo daría
a quien se me antojara,
a los moros por dineros
y a los cristianos de gracia:
de lo que ganar puediere
haré bien por la vuestra alma
—Calledes, hija, calledes,
no digades tal palabra,
que mujer que tal decía
merescía ser quemada.
Allá en Castilla la Vieja
un rincón se me olvidaba,

Zamora había por nombre,
Zamora la bien cercada;
de una parte la cerca el Duero,
de otra, Peñatajada;
de la otra la Morería;

¡una cosa muy preciada!
¡Quien vos la tomare, hija,
la mi maldición le caiga!
Todos dicen: —Amen, amen,
sino Don Sancho, que calla.

Los romances juglarescos. – Cuando el pueblo comenzó a interesarse en sus fiestas y diversiones por la recitación de romances, es decir, cuando comenzaron a cobrar vida propia los "romances tradicionales", los juglares, que habían dejado de difundir los largos cantares épicos, se dedicaban a propagar un tipo de poema menos extenso que las gestas, pero más amplio que los romances que cantaba el pueblo. A esta especie de romances largos se les da el nombre de "romances juglarescos".

A mediados del siglo XV, los "tradicionales" empezaron a alcanzar gran difusión y dejaron de ser una diversión exclusiva del gran público, pasando a los palacios. En vista de ello, los juglares comenzaron a imitarlos, con lo cual, los "romances juglarescos" se redujeron en extensión y lograron una mayor viveza.

De todas formas, los "juglarescos" se diferencian de los "tradicionales" no sólo por su mayor amplitud, sino por el *ritmo más lento y pausado* de la narración y por su estilo *más lleno de color y de brillo*. En cuanto a la versificación, ofrecen una sola asonancia.

Los temas. – Son variadísimos, ya que junto a los de tema épico nacional aparece una extensa gama de asuntos; ello permite dividirlos en: 1.º históricos; 2.º de tema francés; 3.º novelescos; 4.º líricos, y 5.º fronterizos.

1.º Los *históricos* agrupan, además de los de tema tradicional español, toda una serie de asunto grecolatino.

Don Rodrigo ("Después que el rey Don Rodrigo"), Bernardo del Carpio ("Con cartas y mensajeros"), los Infantes de Lara ("A cazar va Don Rodrigo"), Fernán González ("Castellanos y Leoneses"), el Cid ("En Santa Águeda de Burgos"). De asunto romano ("Mira Nero de Tarpeya", sobre el incendio de Roma, "Mandó el rey prender Vergilios", etc.).

2.º Los de *tema francés* se dividen a su vez en "carolingios" y del "ciclo bretón". Los primeros proceden de gestas francesas difundidas en España y constituyen una amplia colección en torno a Carlomagno, Roldán y otros caballeros de Francia. Los tres que se conservan del "ciclo bretón" derivan de las leyendas bretonas dadas a conocer por los "romans" caballerescos franceses, y se refieren a Lanzarote, caballero del rey Artús, y a Tristán.

De tema carolingio son: "Asentado está Gaiferos", "Muerto queda Durandarte" y otros sobre el Conde Claros ("Media noche era por filo"), Montesinos, etc. De tema bretón: "Nunca fuera caballero" (sobre Lanzarote), "Herido está don Tristán", etc.

Los romances de tema francés se caracterizan por su gran extensión, su tono novelesco altamente imaginativo y fantástico, y por su riqueza en elementos decorativos, muy en consonancia con el carácter de la épica medieval francesa. Su libre concepción del amor los diferencia también de la austeridad moral de la épica castellana.

He aquí uno de los romances carolingios más intensamente dramáticos:

En París está Doña Alda,
la esposa de Don Roldán,
trescientas damas con ella
para la acompañar:
todas visten un vestido
todas calzan un calzar,
todas comen a una mesa
todas comían de un pan,
si no era Doña Alda,
que era la mayoral.
Las ciento hilaban oro,
las ciento tejen cendal,
las ciento tañen instrumentos
para Doña Alda holgar.
Al son de los instrumentos
Doña Alda adormido se ha;
ensoñado había un sueño
un sueño de gran pensar.
Recordó despavorida
y con un pavor muy grande,
los gritos daba tan grandes
que se oían en la ciudad.
Allí hablaron sus doncellas,
bien oiréis lo que dirán:
—¿Qué es aquesto, mi señora,
quién es el que os hizo mal?
—Un sueño soñé, doncellas,
que me ha dado gran pesar:
que me veía en un monte

en un desierto lugar;
de so los montes muy altos
un azor vide volar,
tras dél viene una aguililla
que lo ahínca muy mal.
El azor con grande cuita
metióse so mi brial;
el aguililla con grande ira
de allí lo iba a sacar:
con las uñas lo despluma,
con el pico lo deshace.
Allí habló su camarera,
bien oiréis lo que dirá:
—Aquese sueño, señora,
bien os lo entiendo soltar:
el azor es vuestro esposo
que viene de allén la mar;
el águila sodes vos,
con la cual ha de casar,
y aquel monte es la iglesia
donde os han de velar.
—Si así es, mi camarera,
bien te lo entiendo pagar.
Otro día de mañana
cartas de fuera le traen;
tintas venían de dentro,
de fuera escritas con sangre,
que su Roldán era muerto
en la caza de Roncesvalles.

3.º Los *novelescos* tratan los más diversos asuntos, generalmente de tipo sentimental. Como en los de tema francés, el amor aparece descrito con notable libertad de expresión.

Deben recordarse los que comienzan "De Francia partió la niña", "A cazar va el caballero", "Retraída está la Infanta", "Blança sois, señora mía", etc.

Obsérvese el misterioso poder de sugestión del romance del Conde Arnaldos:

¡Quién hubiese tal ventura
sobre las aguas del mar,
como hubo el conde Arnaldos
la mañana de San Juan!

Con un falcón en la mano,
la caza iba a cazar,
vio venir una galera
que a tierra quiere llegar;

El rey Don Rodrigo disponiéndose a violar el secreto de las arcas. Tema del Romancero viejo.

las velas traía de seda,
la ejarcia de un cendal,
marinero que la manda
diciendo viene un cantar
que la mar facía en calma
los vientos hace amainar,
los peces que andan n'el hondo
arriba los hace andar,
las aves que andan volando
n'el mástel las faz' posar;
allí fabló el Conde Arnaldos,
bien oiréis lo que dirá:
—Por Dios te lo ruego, marinero,
dígasme ora ese cantar.
Respondióle el marinero,
tal respuesta le fue a dar:
—Yo no digo esta canción
sino a quien conmigo va.

4.º Los *líricos* insisten ante todo en la expresión del sentimiento amoroso. Suelen ser muy breves y con escasa acción.

Entre los más bellos se hallan los que comienzan "Fonte frida, fonte frida", "En Sevilla está una ermita", "Yo me levantara, madre" y el que insertamos a continuación:

Que por mayo era, por mayo,
cuando los grandes calores,
cuando los enamorados
van servir a sus amores,
sino yo, triste, mezquino,
que yago en estas prisiones,

que ni sé cuándo es de día
ni menos cuándo es de noche,
sino por una avecilla
que me cantaba al albor;
matómela un ballestero:
¡Déle Dios mal galardón!

5.º Los juglares no se limitaron a poetizar el pasado, sino que tomaron frecuentemente como asunto sucesos de la vida contemporánea. Así, tenemos todo un ciclo de romances *noticiosos,* sobre don Pedro el Cruel.

Pero el grupo más importante es el de los *fronterizos.* Refiérense casi todos a episodios luctuosos, para los cristianos, de la guerra de Granada, y solían servir de medio de información. Un subgrupo lo constituyen los primeros *moriscos,* donde los hechos relatados se hallan vistos desde el lado musulmán; es típico en ellos el lujo descriptivo.

Merece citarse el de "Alora la bien cercada" —fronterizo—, y los de Abenámar, Reduán —moriscos—, o el de la pérdida de Alhama ("Paseábase el rey moro").

120

Por Guadalquivir arriba
el buen rey Don Juan camina:
encontrara con un moro
que Abenámar se decía.
El buen rey desque lo vido
d'esta suerte le decía:
Abenámar, Abenámar,
moro de la morería...
¿Qué castillos son aquéllos,
que altos son y relucían?
— El Alhambra era, señor,
y la otra es la Mezquita;
los otros los Alijares
labrados a maravilla.
El moro que los labró
cien doblas ganaba al día
y el día que no los labra
de lo suyo las perdía;
desque los tuvo labrados,
el rey le quitó la vida,
porque no labre otros tales
al rey del Andalucía.
La otra era Granada,
Granada la noblecida,
de los muchos caballeros
y de gran ballestería.
Allí habla el rey Don Juan,
bien oiréis lo que diría:
—Granada, si tú quisieses
contigo me casaría:
darte he yo en arras y dote
a Córdoba y a Sevilla,
y a Jerez de la Frontera,
que cabe sí la tenía.
Granada, si más quisieses,
mucho más yo te daría.
Allí hablara Granada,
al buen Rey le respondía:
—Casada só, el rey Don Juan,
casada, que no viuda;
el moro que a mí me tiene
bien defenderme querría...

A pesar del enorme éxito que alcanzaron, desde principios del siglo XVI dejaron de crearse nuevos romances de estilo tradicional. La conquista de América, por ejemplo, no dio lugar a ninguno.

Características formales y valor estético del Romancero viejo

El romancero español constituye un maravilloso mundo de poesía, sin par en la literatura mundial.

Destaca en primer lugar su fina *elegancia,* y un criterio de selección que sabe eludir todo cuanto no tenga valor estético. Una encantadora *simplicidad* que difícilmente encontraríamos en la poesía cortesana, realza el valor de estos breves poemas *épico-líricos* confiriéndoles una deliciosa frescura.

Otro de sus más sorprendentes rasgos es la enorme *variedad* que nos ofrecen a pesar de su indudable unidad estilística. La enérgica, rápida y escueta narración de los tradicionales épicos; la riqueza cromática y la brillante fantasía de algunos carolingios; el color y la animación de los fronterizos y moriscos; la capacidad evocadora, el hondo patetismo o la ingenua malicia de los novelescos y la sugestión emotiva de los líricos, bastan para calificar al Romancero español como uno de los más ricos y complejos conjuntos poéticos creados por la inspiración de un pueblo.

Si nos fijamos en sus características externas, podremos observar cómo algunos aspectos de la técnica contribuyen a dar a los romances un especial valor estético. El *estado fragmentario* —a veces provocado deliberadamente— en que se conservan muchos, lejos de constituir un defecto, realza a menudo su interés poético, al velar

Los temas caballerescos de origen nacional o extranjero atrajeron frecuentemente la atención de los juglares que en el siglo XV entretenían a su público con extensos romances.

misteriosamente el desenlace. De esto deriva, en gran parte, la sugestión lírica de algunos romances, como el del conde Arnaldos.

En cuanto al lenguaje, la *elegante espontaneidad* de los giros expresivos y la libertad sintáctica que a cada paso se advierte, confieren al estilo un apasionante dinamismo. Obsérvese, por ejemplo, las bruscas transiciones de un tiempo a otro ("¿Qué castillos son aquéllos, que altos *son* y *relucían*?") con las que la frase adquiere una nerviosa movilidad. Citemos, por último, el intencionado arcaísmo de algunas expresiones como uno de los más graciosos recursos utilizados.

Cabe destacar, por último, la escasez de notas realistas y el uso constante de una técnica de *estilización,* atenta a transfigurar estéticamente no sólo el pasado heroico, sino las realidades más próximas; fenómeno análogo al que había de caracterizar más tarde al teatro del Siglo de Oro, y que cabría explicar por la estrecha vinculación del Romancero viejo con las actitudes psicológicas de una sociedad sobre la que actuaba intensamente la ensoñación de unas formas de vida caballeresca.

Exito y evolución de los romances

Aunque al llegar el siglo XVI dejaron de componerse nuevos romances a la manera tradicional, fue en este siglo cuando alcanzaron una mayor difusión.

Con la introducción de la imprenta en España, a fines del siglo XV, comienza su publicación en *pliegos* sueltos, y desde mediados del siglo XVI se les reúne en colecciones tituladas *Cancioneros de romances o Romanceros* (el de Amberes —¿1547? —, los de Timoneda, la "Silva de Romances" de Esteban de Nájera, etc.). Con ello no perdieron su carácter de poesía oral, puesto que eran cantados y recitados sin cesar, tanto en las calles y talleres como en los salones cortesanos, y todo el mundo utilizaba en la conversación expresiones propias del romancero.

Hasta su acompañamiento musical se remozó al ser objeto de nuevas reelaboraciones por parte de eminentes compositores de la época (Milán, Pisador, Salinas...).

En la segunda mitad del siglo XVI surge, como simple moda pasajera, un nuevo tipo de *romances eruditos,* totalmente distintos de los "viejos". Algunos poetas de nombre conocido (Alfonso de Fuentes, Lorenzo de Sepúlveda), intentaron crear un nuevo Romancero con pretensiones de rigor histórico, inspirándose en las Crónicas (para el tema) y en los "romances viejos" (para el estilo).

Mucho más éxito lograron, en cambio, los *romances artísticos.* Reciben este nombre los que —desde mediados del siglo XVI y durante todo el siglo XVII— compusieron los poetas cultos, aplicando el metro octosilábico a nuevos asuntos (pastoriles, mitológicos, religiosos, sentimentales, burlescos, etc.).

Infinitamente más brillantes y retóricos que los "viejos", no tienen la encantadora sobriedad de éstos, pero en cambio les aventajan en riqueza de artificio estilístico y en lujo decorativo. La rima suele abandonar la antigua asonancia y va haciéndose consonante. Escribieron bellísimos romances artísticos Lope de Vega, Góngora, Quevedo, etc.

Los "Romanceros" del siglo XVII (v. gr., el "Romancero general") recogieron exclusivamente este tipo de romances. Sin embargo, los "viejos" no fueron olvidados, como lo indica el hecho de haber sido utilizados ampliamente por los dramaturgos de la época (Lope, Guillén de Castro), introduciéndolos en sus comedias.

En el siglo XVIII —época poco afecta a la tradición nacional— se debilitó notablemente entre los cultos el gusto por los romances, pero a fines de esta centuria, Meléndez Valdés reanudó el cultivo del "romance artístico", y poco más tarde el Romanticismo —con su entusiasmo por los géneros de tipo tradicional— inició brillantemente la rehabilitación de los "viejos" dentro y fuera de España.[1] Desde el Duque de Rivas hasta la actualidad, nuestros mejores poetas (García Lorca, Antonio Machado, etc.), se han inspirado en ellos constantemente, mientras la atención de los eruditos (Milá y Fontanals, Menéndez Pelayo y Menéndez Pidal) iba aclarando poco a poco el problema de sus orígenes y se les publicaba en ediciones cada vez más cuidadas.[2]

Vitalidad del Romancero. — Aunque el interés por el romancero sufrió diversas alternativas de favor. y desdén entre los cultos, las clases populares no lo olvidaron nunca. Todavía hoy es fácil recoger de boca del pueblo —en España y América— viejos romances que la tradición oral perpetuó hasta nuestros días. E incluso el español que visita lejanos puertos del Mediterráneo (Túnez, Salónica, Rodas, Estambul, Esmirna...) puede oirlos cantar en castellano arcaico a los descendientes de los judíos expulsados de España en el siglo XV.

---

1. Byron, Southey, W. Scott, Herder, Hegel, Goethe, los Schlegel y muchos otros les han dedicado encendidos elogios y amplios estudios, e incluso algunos poetas, como V. Hugo, han sido muy influidos por ellos. — 2. Grimm, Durán, Wolf, Menéndez Pelayo y Menéndez Pidal.

La canción lírica tradicional

Ya vimos al estudiar los orígenes de la poesía lírica, que, al lado de la compuesta en lengua gallega, debió de existir también una lírica tradicional en castellano. De esta última casi nada ha llegado hasta nosotros porque en los Cancioneros de la corte tan sólo se consignaba la poesía gallega. No obstante, al iniciarse, a mediados del siglo XV, el interés de las clases cultas por la poesía popular —recuérdese la entrada de los romances viejos en palacio—, se la acogió en los Cancioneros castellanos. De esta forma, gracias al "Cancionero musical de Palacio" o "Cancionero musical de los siglos XV y XVI" (compuesto en la época de los Reyes Católicos) y a algunos tratados de músicos del siglo XVI (Milán, Narváez, Mudarra, Pisador...), en los que se reunían multitud de canciones tradicionales con sus melodías respectivas, podemos conocer las últimas derivaciones de aquellos primitivos poemas líricos "con que el pueblo de Castilla entretenía y embellecía las labores del agricultor, los ocios del pastor, los juegos de los niños, las danzas en los ejidos, los paseos en busca de trébol y de verbena, las vigilias, las alboradas, los viajes, las romerías, el carnaval, la entrada de mayo, la primera noche de verano, la primera noche de invierno...".[1]

Estos cantos tradicionales fueron imitados o glosados por los poetas cultos desde el reinado de los Reyes Católicos, y lograron su mayor difusión en el siglo XVII: Lope los utiliza en el teatro (junto a los romances viejos), y Góngora y tantos otros componen poesías inspirándose en ellos.

Podemos señalar como características de su forma, la irregularidad silábica, y el uso de la versificación acentual o rítmica, del estribillo, de la estrofa paralelística y, sobre todo, del zéjel y del villancico.

Poco conocido hasta ahora, el cancionero anónimo de los siglos XV y XVI constituye, sin embargo, uno de los sectores más sugestivos de nuestra literatura, por la gracia de sus ritmos, por la aristocrática elegancia de la expresión sentimental y por su fresco y transparente lirismo.

Véanse estas deliciosas muestras entresacadas de la magnífica Antología de poesía medieval, de Dámaso Alonso:

De los álamos vengo, madre,
de ver cómo los menea el aire.
De los álamos de Sevilla,
de ver a mi linda amiga.
De los álamos vengo, madre,
de ver cómo los menea el aire.

Luna que reluces,
toda la noche alumbres
Ay, luna, que reluces
blanca y plateada,

toda la noche alumbres
a mi linda enamorada.
Amada que reluces,
toda la noche alumbres.

Morenica me era yo:
dicen que sí, dicen que no.
Otros que por mí mueren
dicen que no.
Morenica me era yo,
dicen que sí, dicen que no.

1. Henríquez Ureña.

        Gritos daba la morenica
so el olivar,
que las ramas hace temblar.

        La niña, cuerpo garrido,
lloraba su muerto amigo
so el olivar:
que las ramas hace temblar.

        Que no cogeré yo verbena
la mañana de San Juan,
pues mis amores se van.
        Que no cogeré claveles,
madreselvas ni mirabeles,
sino penas tan crueles,
cual jamás se cogerán,
pues mis amores se van.

BIBLIOGRAFIA

EDICIONES DE ROMANCES

Primavera y Flor de Romances. Wolf y Hoffmann. Reimpresa por M. Menéndez y Pelayo en "Antología de poetas líricos". Vols. VIII-IX.
Romancero general. A. Durán. B. A. E.
Flor nueva de romances viejos. R. Menéndez Pidal. Col. Austral, 1946.

EDICIONES ANTOLOGICAS DE LIRICA POPULAR Y TRADICIONAL

Dámaso Alonso: *Poesía de la Edad Media y poesía de tipo tradicional,* 1942.
Dámaso Alonso y J. M. Blecua: *Antología de la poesía española. Poesía de tipo tradicional,* 1956.

ESTUDIOS SOBRE EL ROMANCERO

M. Menéndez y Pelayo: *Tratado de los romances viejos,* en "Antol. de poetas líricos". Vols. VI y VII.
R. Menéndez Pidal: *La epopeya cast. a través de la literatura española,* 1945.
R. Menéndez Pidal: *Poesía juglaresca y juglares.* Col. Austral, 1942.
R. Menéndez Pidal: *Los romances de América y otros estudios.* Col. Austral, 1939.
R. Menéndez Pidal: *Romancero hispánico.* Dos vols., 1953.
P. Bénichou: *Creación poética en el romancero tradicional.* Madrid, 1968.
M. Alvar: *El Romancero. Tradicionalidad y pervivencia.* Edit. Planeta, 1970.

ESTUDIOS SOBRE LA LIRICA

Véase bibliografía de la pág. 43. Además:
Higinio Anglés: *La música en la corte de los Reyes Católicos,* en su edición del "Cancionero musical de Palacio", 1947.
J. Romeu Figueras: *La poesía popular en los Cancioneros Musicales españoles de los siglos XV y XVI,* en "Anuario musical", IV, 1949.
Dámaso Alonso y J. M. Blecua: Estudios al frente de su *Antología de la poesía española. Poesía de tipo tradicional,* 1956.

la prosa didáctica. la novela y la historia en el siglo xv

16

Características generales

Al llegar el siglo XV, la prosa, inspirada hasta ahora en modelos orientales y latino-eclesiásticos, cambia rápidamente de rumbo para adoptar los principales recursos estilísticos del latín clásico, mientras la sobriedad de algunos escritores del siglo XIV cede el paso a un estilo más afectado y grandilocuente.

Surge de este modo un nuevo tipo de *prosa artificiosa y culta,* caracterizada por el uso abundante de hipérbatos y otros latinismos sintácticos [1] y de vocabulario, que retuercen la expresión y le prestan un tono de afectación pedante. La frase suele presentar un desarrollo bastante amplio y solemne y una serie de recursos —ritmo,

1. Colocación del verbo al final de la frase, uso del participio de presente latino; "sciente", "padesciente", etc.

El desarrollo de las corrientes humanísticas se advierte, entre otras cosas, en un mayor interés por los temas mitológicos. Ilustración de **Los doce trabajos de Hércules,** de don Enrique de Villena.

rima, paralelismos— que la acercan al lenguaje poético. Tal es, por lo general, el estilo utilizado en la novela y en la producción didáctica.

Junto a esta refinada prosa humanística, vemos por primera vez, gracias al Arcipreste de Talavera, la *imitación artística del lenguaje de la calle.* Sólo la historia se mantiene dentro de una severa sobriedad de estilo.

Hasta que, ya en el reinado de los Reyes Católicos, se llega a una elegante contención que sabe evitar todo género de amaneramiento y de excesos en la imitación de la lengua latina. En la obra culminante de este período —la Celestina— veremos unidas en feliz equilibrio la orientación culta y la popular.

La prosa didáctica en el reinado de Juan II

Debido a la influencia humanística, la prosa didáctica adquiere en este período un tono engolado y solemne y una gravedad de conceptos que no poseía la producción del siglo XIV.

Don Enrique de Villena (1384-1434) interesa tanto por las leyendas a que dio origen como por su propia obra.

Aspiró al título de marqués, sin conseguirlo, alcanzando, en cambio, el de Maestre de Calatrava. Fue un hombre vanidoso y de carácter débil, cuya curiosidad intelectual le llevó al estudio de la magia y de otras ciencias "non cumplideras de leer". Ello le procuró, ya en vida suya, una misteriosa fama de mago que al morir dio al traste con buena parte de sus libros, ya que Juan II ordenó que expurgasen su biblioteca. Decían que había hecho pacto con el diablo, que sabía hacerse invisible, congelar el aire en forma esférica y adivinar el porvenir, y más tarde circuló la leyenda de que había ordenado que le hiciesen picadillo, metiéndole en una redoma, para resucitar después de muerto. Convertido ya en un personaje fantástico, la literatura posterior echó mano de él con fines frecuentemente humorísticos.[1]

Constituye su producción una serie de obras de escasa trascendencia, pero muy curiosas. Entre ellas se encuentran el *Arte de trovar* (del que sólo quedan fragmentos), especie de preceptiva poética a la manera provenzal, en la que constan algunas noticias sobre la organización de los juegos florales de la época, uno de los cuales había presidido; el *Libro de aojamiento o fascinología,* tratado para curar el mal de ojo, en el que se une la medicina con la superstición; el *Arte cisoria* o "de cortar con el cuchillo", divertido manual de etiqueta palaciega, que puede considerarse al mismo tiempo como el primer libro de cocina, y *Los doce trabajos de Hércules* —que escribió primero en catalán— y en el que la mitología adopta un significado moral.

Su *versión de la Eneida* al castellano es la primera que se hizo de esta obra a una lengua vulgar. También se le atribuye una *traducción de la Divina Comedia.*

---

1. "La redoma encantada" de Hartzenbusch, por ejemplo.

La mezcla de ciencia y superchería que hay en las obras de Villena, la interpretación alegórico-moral de la mitología clásica que se da en una de ellas y su estilo latinizante y pedantesco, hacen de él una figura típica de fines de la Edad Media.

El Arcipreste de Talavera, Alfonso Martínez de Toledo (1398-hacia 1470), es uno de los mejores prosistas castellanos del siglo XV.

Su obra capital, el *Corbacho,* o "Reprobación del amor mundano" —que él tituló simplemente "Arcipreste de Talavera"— se halla dividida en cuatro partes: la primera es una exposición doctrinal sobre los pecados que se derivan del "loco amor"; la segunda va dirigida contra las "malas e viciosas mujeres"; la tercera pone en relación el amor con las "complisiones [temperamentos] de los hombres", y la cuarta defiende la idea del libre albedrío.

De las cuatro, la más sugestiva es la segunda, en la que el autor describe con gracia insuperable diversas escenas de la vida cotidiana. La sátira contra los defectos de las mujeres va dirigida por una maliciosa intención irónica que hace de la obra uno de los jalones más importantes de la literatura misógina medieval.

Véase, por ejemplo, la viveza y el garbo expresivo de este fragmento:

> Sepas que su deseo de las mujeres non es otro sinon secrectos poder saber, descobrir e entender. E así escarvan en ello como faze la gallina por el gusano e porfiarán dos oras: "Dezid e dezid, dezídmelo, vos me lo diredes... ¡Dezídmelo por Dios! ¡O cuitada, o mesquina, o desventurada! ¡Yuy, qué yerto! ¿Cómo sois así? ¡Yuy, qué desdonado! ... Si non me lo dezís, nunca más vos fable. ¿Queréis, queréis, queréismelo dezir? A la terzera: ¿non queréis? Agora, pues, dexadme estar.
>
> En esto lança las cejas, asiéntase en tierra, pone la mano en la mexilla, comiença de pensar e aun de llorar de malenconía, bermeja como grana, suda como trabajada, sáltale el corazón como a leona, muérdese los beços, mírale con ojos bravos; si la llama, non responde; si della trava, rebuélvese con grand saña: "Quitaos allá, dexadme; bien sé cuanto me queréis; en este punto lo vi; todavía lo sentí". Luego faze que sospira, aunque lo non ha gana.

Un humanista ante su mesa de trabajo.

E a las vezes contesce quel triste del bachachas, como es mujereja, dize: "Non te ensañes, que yo te lo diré". Dízele todo el secrecto; ella faze que ge lo non prescia nin le plaze oirlo, pues non gelo dixo cuando ella quería e le venía de gana; mas presta tiene la oreja, aunque buelve el rostro.

Lo que da mayor relieve a la obra es su pintoresco estilo. En ella se intenta, por primera vez, *dar una forma artística al habla popular,* trasladando a la prosa literaria la rapidez de la expresión familiar. De esta forma, el Arcipreste consigue crear, mediante la incorporación de recursos propios de la lengua del pueblo —exclamaciones, interrogaciones, refranes, reiteración de ideas, etc.— un animado lenguaje lleno de color y de movimiento, cuya nota esencial es su extraordinaria verbosidad.

Esta modalidad estilística aparece tan sólo en los párrafos satíricos y descriptivos, ya que la parte puramente doctrinal se expresa en el lenguaje humanístico y latinizante propio del siglo XV. El ritmo acelerado y los giros pintorescos del lenguaje de la calle quedan substituidos aquí por amplios períodos llenos de hipérbatos, reiteraciones, similicadencias y audaces latinismos ("el *olor* de las narizes *natural",* "la verdad *dezir* non es pecado", *"murmurante"; "sospirante",* etc.).

El Arcipreste escribió también una obra histórica titulada *Atalaya de las Crónicas* y una *Vida de San Ildefonso y de San Isidoro.*

Otros escritores didácticos del siglo XV fueron: **Alfonso de la Torre** —del reinado de Juan II—, autor de la *Visión deleitable de la filosofía y artes liberales,* en la que se tratan temas científicos en forma alegórica, y **Juan de Lucena** —del reinado de Enrique IV—, cuyo *Libro de vida beata* es un tratado filosófico en el que Mena, Santillana, Alonso de Cartagena y el autor dialogan sobre la felicidad humana.

La novela sentimental

La narración novelesca, ligada hasta ahora al influjo oriental y a la técnica del cuento, se orienta en el siglo XV hacia Italia y adquiere un desarrollo más amplio. Nace así la "novela sentimental", que, tomando como eje la emoción amorosa, representa una última derivación de las teorías provenzales del amor cortés —unidas ahora a elementos de origen italiano [1] y caballeresco—.

Así lo confirma su carácter convencional, el melancólico apasionamiento de los protagonistas —víctimas resignadas de su idealismo amoroso—, y la artificiosidad del estilo, rasgos todos que permiten definirla como un género eminentemente cortesano.

El *Siervo libre de amor,* de **Juan Rodríguez del Padrón**, marca su aparición en el reinado de Juan II. El autor nos cuenta veladamente sus infortunados amores y envuelve la narración en un ambiente de nostálgico lirismo

Algo más tarde (1492) surge la obra que puede considerarse como la cumbre de la novela sentimental: la *Cárcel de Amor,* de **Diego de San Pedro**.

1. Alegorías dantescas, influjos de la "Fiammetta" de Boccaccio y otras novelas psicológicas de tema amoroso.

Su argumento es como sigue. El autor halla a Leriano, hijo del duque de Macedonia, en una alegórica cárcel donde sufre los tormentos que le causa su amor por la princesa Laureola. Esta se ve calumniada y Leriano la defiende valerosamente, pero más tarde se suicida, dejándose morir de hambre, al ser rechazado por ella, no sin haber pronunciado antes un extenso discurso en favor de las mujeres.

La mayor parte de la novela ofrece la forma epistolar —cartas entre Leriano y Laureola— y presenta las características de la elaborada prosa de la época: tono declamatorio, sutilezas psicológicas, abundantes latinismos, colocación del verbo al final de la frase, etc. Sin embargo, su estilo es elegante y no cae en excesos de énfasis; esto y el hecho de haber sabido expresar con máxima intensidad la concepción trágica del amor cortesano, le hizo alcanzar un inmenso éxito europeo. Su influjo llegará, por ejemplo, a la Celestina.

Diego de San Pedro escribió también el *Tratado de amores de Arnalte y Lucenda.*

Otras novelas sentimentales fueron la *Historia de Grisel y Mirabella,* de **Juan de Flores,** donde se narran los amores y la muerte de ambos, así como la del poeta misógino Torrellas, martirizado por las mujeres; la *Cuestión de Amor,* de ambiente italiano contemporáneo, y la *Sátira de felice e infelice vida,* melancólico relato autobiográfico del Condestable **Don Pedro de Portugal,** cuyo altisonante y abarrocado lenguaje puede servir de ejemplo de la enfática prosa del siglo XV:

> Cuando délfico declinaba del cerco meridiano a la cauda del dragón llegado, e la muy esclarecida virgen Latonia en aquel mismo punto, sin ladeza al encuentro venida, la serenidad del su fermoso hermano sufuscaba, la volante águila con el tornado pico rasgaba las propias carnes e la corneja muy alto gridava fuera del usado son; gotas de pluvia sangrienta mojaban las verdes hierbas; Euro y Zefiro, entrados en las concavidades de nuestra madre, queriendo sortir, sin fallar salida, la fazían temblar; e yo, sin ventura, padesciente, la desnuda y bicortante espada en la mi diestra, miraba... si era mejor prestamente morir...

Los libros de caballerías

Así como la novela sentimental encarna el ideal amoroso en el siglo XV, los "libros de caballerías" responden, además, a otro de los incentivos que agitaban el alma de la sociedad cortesana de la época: la aventura caballeresca.

Hemos aludido repetidas veces al cambio que experimenta la nobleza a lo largo de la Edad Media. Si en los primeros tiempos se trata de una aristocracia bárbara, que ve en la guerra el primer objetivo de su existencia, con el tiempo se transforma en una clase social más refinada, cuyos dos ideales máximos son el amor y el esfuerzo heroico individual.

Esta evolución dio lugar en Francia a la aparición —junto a la vieja época carolingia, guiada por ideales guerreros y religiosos de carácter colectivo— de un tipo de novela en verso, el "roman" cortesano, en el que se enaltecía *el sentimiento amoroso y el valor personal* utilizando, principalmente, los temas de Bretaña: la leyenda de

Tristán e Iseo, las hazañas de los caballeros del Santo Grial (Perceval, Merlín...) y los del rey Artús o de la Tabla redonda (Lanzarote, Iván...). *Un vago lirismo y un ambiente de fantasía y misterio,* propios de la literatura céltica, rodeaban estas narraciones, que, con el tiempo y al prosificarse, se convirtieron en las novelas de caballerías.

El género, de *origen francés,* se introdujo pronto en Castilla, pero de momento arraigó con mayor fuerza en Galicia y Portugal, donde obtuvo un eco inmediato a causa del temperamento lírico y soñador de este pueblo, tan distinto del realismo castellano.

Casi todos los libros de caballerías nos presentan a un caballero andante, prototipo de heroísmo y de fidelidad amorosa, que, erigiéndose en paladín de la injusticia y de los oprimidos, consigue infinitas victorias contra todo género de personajes fantásticos.

Tres móviles guían sus actos: *la defensa del débil, el amor a su dama y el gusto por la aventura.* Animado por un espíritu de sacrificio y con el pensamiento puesto en su amada, por la que profesa una adoración casi mística, acomete arduas empresas, de las que suele salir triunfante.

"Las hazañas heroicas de la epopeya se desarrollaban lentamente en medio de la vida social, vivida por pueblos de gran densidad histórica; mientras la aventura novelesca sobreviene brusca y rauda, en medio de un paisaje solitario: la dilatada floresta, donde se pierden los lamentos del agraviado hasta que los oye el caballero vengador".[1]

Aunque ya había en España algún precedente —la Gran Conquista de Ultramar, el Caballero Cifar—, los libros de caballerías cobraron gran prestigio a fines del siglo XV y alcanzaron su mayor éxito en el XVI. El primero y más perfecto del género fue el *Amadís de Gaula.*

Amadís de Gaula. — La versión íntegra que conservamos fue escrita hacia 1492 y publicada en 1508 por **Garci Rodríguez** (u Ordóñez) **de Montalvo**, que afirma haber corregido sus tres primeras partes, añadiendo la cuarta y la quinta, titulada "Sergas de Esplandián" ("hazañas" de Esplandián, hijo de Amadís). En la actualidad, la existencia de un Amadís anterior al de Montalvo ya no es una simple conjetura basada en la afirmación del Canciller Ayala y otros, que declaraban haberlo leído. Recientemente —1956— se han hallado varios fragmentos de un Amadís perdido, que datan del primer cuarto del siglo XV.

Según Gili Gaya, Rodríguez de Montalvo retocó el Amadís preexistente —del que se filtran arcaísmos de diversas épocas— con interpolaciones de tres tipos: 1.º, reflexiones morales; 2.º, elementos imaginativos, que revelan una fantasía desbordada, y 3.º, ciertas consideraciones patrióticas, religiosas y morales, en las que

---

1. Menéndez Pidal.

Portada de los "Cuatro libros del virtuoso caballero Amadís de Gaula".

opone reparos —desde un punto de vista católico— a lo caballeresco bretón, viendo en él "locura" y "vanagloria".

Refiérenos la novela el nacimiento de Amadís, hijo del rey Perión de Gaula y de la princesa Elisena de Inglaterra, sus tempranos amores en Escocia con la princesa Oriana y sus maravillosas victorias contra caballeros, gigantes y encantadores. Entre los principales episodios destacan su encantamiento por el malvado mago Arcalaus, su paso por el arco de los leales amadores, de la Insula Firme (que sólo podían atravesar los amantes fieles), y la penitencia que se impone, adoptando el nombre de Beltenebros, en la Peña Pobre, al ser rechazado por Oriana, con la que al fin se casa.

El principal interés del libro reside en *el valor poético de sus protagonistas y en la habilidad con que se hallan entretejidos sus innumerables episodios maravillosos.* Amadís aparece como prototipo de la fidelidad amorosa, del heroísmo y mesura caballerescos y de "todas" las virtudes que hasta entonces habíanse adjudicado separadamente a las diversas figuras de la tradición legendaria. Su amor es tan intenso que en una ocasión se desmaya con sólo oir pronunciar el nombre de Oriana. Es cierto que la obra ofrece algunos episodios de tipo sensual, pero en general, el sentimiento amoroso suele mostrársenos más depurado que en las novelas francesas del ciclo bretón —"Lanzarote" o "Tristán", por ejemplo, donde se glorifica el amor adúltero—.

Este elevado idealismo sentimental y guerrero, unido a la sugestión del ambiente lírico y misterioso en que se desarrollan los acontecimientos, al atractivo de las fantásticas hazañas del héroe, y a su elegante y cadencioso estilo, muy lejano del lenguaje enrevesado y altisonante de otras novelas de caballerías, le proporcionaron un enorme éxito que nos explica sus abundantes derivaciones en el siglo XVI. Se le tradujo a varios idiomas, se le añadieron varias partes y sus temas pasaron a otras obras. Gil Vicente escribió una comedia sobre el episodio de la Peña Pobre, y gran número de autores —entre ellos Juan de Valdés y Cervantes— le tributaron cálidos elogios.

Actualmente, España y Portugal se disputan la gloria de haber proporcionado la versión primitiva de la obra. Y no faltan razones para atribuirla al poeta gallego del siglo XIII Juan de Lobeira.

He aquí el paso de Amadís por el Arco de los leales amadores:

Como fue so el arco, la imagen comenzó a fazer un son mucho más diferenciado en dulzura que a los otros fazía, e por la boca de la trompa lanzaba flores muy fermosas, que gran olor daban e caían en el campo muy espesas... Luego... tomó sus armas e fuese adelante... e cuando llegó al lugar defendido paró un poco e dijo: " ¡Oh mi señora Oriana! De vos me viene a mí todo el esfuerzo e ardimiento; membradvos, señora, de mí a esta sazón! "... E luego pasó adelante e sintióse ferir de todas partes duramente... e oía gran ruido de voces... Pero él, con aquella cuita no dejaba de ir adelante, cayendo a las veces de manos, e otras de rodillas... Así llegó a la puerta de la cámara e vio una mano que le tomó por la suya e oyó una voz que dijo: "Bien venga el caballero que pasando de bondad a aquel que este encantamiento fizo... será aquí señor .

Tras el Quinto libro de Amadís —*Las sergas de Esplandián,* donde la caballería se pone al servicio de la fe, en la lucha contra los turcos—, surgieron el Sexto y el Séptimo (o *Lisuarte de Grecia*). El autor del Octavo hizo morir al héroe, pero **Feliciano de Silva** le resucitó con el Noveno (*Amadís de Grecia*) y continuó la historia en el Décimo (*Don Florisel de Niquea*) y Undécimo (*Don Rogel de Grecia*). Otros prosiguieron el relato hasta que el último —un italiano— acabó definitivamente con Amadís, en el Libro Trece, haciéndole perecer en descomunal batalla.

La historia en el siglo XV

En el siglo XV, la Historia presenta *dos direcciones:* la que deriva de las Crónicas generales de los siglos XIII y XIV, y la que prosigue la línea iniciada por el Canciller Ayala, haciéndose eco de las nuevas corrientes humanísticas.

En esta última, la más típica e importante del siglo XV, podemos observar un doble propósito estético y moral, una creciente influencia de los historiadores clásicos (Tito Livio, Salustio, Suetonio...), una mayor valoración y estudio del individuo —tal como se revela en el "retrato histórico" o en las Crónicas dedicadas a un solo personaje— y un estilo elegante y sobrio que contrasta con el tono retórico y latinizante de la prosa de la época.

En cuanto a los temas, se siguen refundiendo las crónicas medievales en amplias visiones retrospectivas —de las que prescindimos— o se escogen hechos contemporáneos; en el segundo caso hay que distinguir varios tipos de relatos: 1.º, las Crónicas de todo un reinado; 2.º, las biografías —individuales o colectivas—, y 3.º, las narraciones de hechos particulares.

1.º **Crónicas de Reinados.** — Siguiendo la innovación de Ayala, tenemos varias crónicas referentes a los reinados del siglo XV. De gran fluidez narrativa es la *Crónica* *de Juan II,* escrita en gran parte por **Alvar García de Santamaría.** En el reinado de Enrique IV destacan **Diego Enríquez del Castillo,** autor de una *Crónica* en la que se justifica a dicho rey, y **Alfonso de Palencia,** cuyas *Décadas,* en latín son una violenta diatriba contra el mismo monarca. La época de los Reyes Católicos fue historiada a su vez por **Andrés Bernáldez, Mosén Diego de Varela** y **Hernando del Pulgar.**

2.º **Relatos biográficos.** – Constituyen, tal vez, el sector más sugestivo de la historiografía del siglo XV. A él corresponden Pérez de Guzmán y Hernando del Pulgar, autores de dos colecciones de biografías.

Fernán Pérez de Guzmán (¿1377-1460?), perteneciente al reinado de Juan II, es el historiador más importante del siglo. Aparte una obra histórica en verso —"Loores de los claros varones de España"—, escribió el "Mar de historias", cuyas dos primeras partes proceden del "Mare historiarum" de Juan de Columna. La tercera es original y lleva el título de *Generaciones y semblanzas.* Se halla constituida por una serie de rápidos retratos, físicos y psicológicos, de personajes de las cortes de Enrique III y Juan II (Ayala, Villena, don Alvaro de Luna...).

Sobrino del Canciller Ayala, siguió a éste en la orientación psicológica y moral de sus crónicas y en el estudio de los clásicos. Su estilo es *nervioso y animado* y los juicios sobre los personajes que describe revelan una *imparcialidad de criterio,* que no excluye un vivo *apasionamiento.* Sus simpatías y antipatías quedan bien patentes en estos retratos abocetados donde con certeros trazos sabe presentarnos el perfil moral y físico de sus contemporáneos.

Véanse algunos rasgos del capítulo dedicado a don Enrique de Villena:

> Fue pequeño de cuerpo e grueso, el rostro blanco e colorado... Ansí era éste don Enrique ageno e remoto non solamente a la cavallería, mas aun a los negocios del mundo... que era grant maravilla, e porque entre las otras ciencias e artes se dio mucho a la estrología, algunos, burlando, dizían dél que sabía mucho en el cielo e poco en la tierra... E ansí... dexóse correr a algunas viles e rahezes artes de adevinar e interpretar sueños e estornudos e señales e otras tales que nin a príncipe real e menos a católico cristiano convenían. E por esto fue avido en pequeña reputación... e en poca reverencia...; todavía fue muy sotil en la poesía e grant estoriador... Sabía fablar muchas lenguas. Comía mucho e era muy inclinado al amor de las mugeres.

Hernando del Pulgar, historiador capital de la época de los Reyes Católicos, nos ha dejado una obra titulada *Claros varones de Castilla,* en la que presenta una serie de personajes de las cortes de Juan II y Enrique IV (los mismos reyes, el Marqués de Santillana, el Maestre don Rodrigo Manrique, etc.). Debió de inspirarse en Pérez de Guzmán, del que le diferencia su *mayor benevolencia en los juicios* y su estilo *menos enérgico.* Sin embargo, le supera quizás en la caracterización psicológica.

En el campo de la biografía individual tenemos *El Victorial (Crónica de don Pero Niño),* de **Gutierre Díez de Games,** vivo reflejo de las costumbres caballerescas de la época, la elogiosa *Crónica de don Alvaro de Luna,* anónima, y los *Hechos del Condestable Iranzo,* animada crónica —atribuida a **Pedro de Escavias**— con detalles sobre la vida en la Andalucía del siglo XV.

3.º **Narraciones de hechos particulares.** – Al reinado de Juan II corresponde una serie de crónicas de gran amenidad y repletas de interesantes datos sobre la vida cortesana de la época.

La más curiosa es, tal vez, el *Libro del Paso honroso,* de **Rodríguez de Lena,** donde se nos refiere cómo Suero de Quiñones defendió el paso de un puente de León contra los caballeros que acudieron de toda Europa a luchar con él y sus amigos. El suceso, motivado por una promesa de Quiñones a su dama, dio lugar a setecientos torneos.

Pueden citarse, además, dos libros de viajes: la *Historia del gran Tamorlán,* en la que **Ruy González de Clavijo** nos cuenta el que hizo a Persia como embajador de Enrique III, y las *Andanzas e viajes de* **Pero Tafur** por el Mediterráneo. En ambos se hallan pintorescas noticias sobre lejanas cortes orientales.

La prosa humanística: las traducciones. Nebrija.

Desde que Ayala inició a fines del siglo XIV la actividad humanística, con su traducción de algunas "Décadas" de Tito Livio, las versiones del latín aumentan progresivamente.

En el *reinado de Juan II* se dan a conocer en castellano —aunque valiéndose a veces de traducciones a otras lenguas— obras de diversos autores latinos, italianos y hasta griegos. Y en torno a Alfonso V se congrega también toda una serie de humanistas, españoles e italianos.

Sin embargo, en este período las traducciones son, por lo general, literales y mantienen violentamente el hipérbaton latino.

La actividad continúa, aunque con menos intensidad, durante el *reinado de Enrique IV;* Alfonso de Palencia compone un diccionario latino.

Hasta que, en la *época de los Reyes Católicos,* los estudios humanísticos se ponen definitivamente de moda, llegándose a un conocimiento más directo, científico y mejor orientado de la cultura clásica. Contribuye a ello la introducción de la imprenta (en 1474), la fundación de importantes universidades —la de Alcalá, ante todo, creada por el Cardenal Cisneros—, la afición de la propia reina Isabel a estos estudios —cuyo ejemplo seguirán los principales nobles de la época— y la venida a España de humanistas italianos (Lucio Marineo Sículo, Pedro Mártir de Anglería, etc.).

Pero fue sobre todo el esfuerzo de los humanistas españoles el que dio una mayor amplitud a este movimiento cultural, en el que llegaron a descollar algunas damas de la época (Beatriz Galindo enseñó latín a la reina, Lucía de Medrano desempeñó una cátedra en Salamanca, Francisca de Lebrija en Alcalá...).

Elio Antonio de Nebrija (1441-1522). – Es la figura cumbre del humanismo español en el reinado de los Reyes Católicos. Nació en Nebrija (Sevilla) y estudió en Salamanca e Italia. Vuelto a España, explicó en Salamanca y más tarde en Alcalá, por indicación del Cardenal Cisneros, quien, además, le encargó la revisión del texto latino de la Biblia Políglota.

Dedicado al estudio de las lenguas clásicas, empleó gran parte de su vida en la reforma de la enseñanza del latín, combatiendo, con éxito, la rutina escolar. Su método, derivado del de Lorenzo Valla, obtuvo una gran acogida en toda España.

Escribió sobre las materias más dispares –teología, derecho, astrología, pedagogía...–, pero el aspecto más importante de su labor lo constituyen sus tratados filológicos, entre los que se hallan las gramáticas del latín, del griego y del hebreo, los diccionarios latín-español y español-latín (los mejores de la época) y su obra capital, el *Arte de la lengua castellana*.

Es esta última la primera gramática que se escribió de una lengua vulgar. Publicada en el año 1492, cuando Colón navegaba hacia América, respondía a tres propósitos fundamentales: 1.º, establecer unas normas que fijasen definitivamente la estructura del castellano; 2.º, facilitar el estudio del latín; 3.º, proporcionar el medio adecuado para que los pueblos que España iba a conquistar pudiesen aprender el español, ya que "siempre la lengua fue compañera del imperio". No parece sino que Nebrija adivinase el resultado de la empresa de Colón.

Su libro presenta la gran novedad de aplicar al castellano el estudio gramatical, hasta entonces reservado para las lenguas clásicas. Por otra parte, su crítica del uso exagerado de los latinismos señala una nueva orientación en el empleo del lenguaje literario.

BIBLIOGRAFIA

EDICIONES

Villena. "Arte de trovar", en "Antol. de poetas lír. cast.". Vol. V. Menéndez y Pelayo. — "Los doce trabajos de Hércules". M. Mourcale. Madrid, 1958.

Arc. de Talavera. "Corbacho". Pérez Pastor, 1901. — J. González Muela y M. Penna. Madrid, 1970.

D. de San Pedro. "Cárcel de Amor". Gili Gaya. Clás. Cast., 1950.

Amadís. B. A. E. — E. B. Place. 4 vols. Madrid, 1959—1969.

Pérez de Guzmán. "Generaciones' . Domínguez Bordona. Clás. Cast., 1941.

Hernando del Pulgar. "Claros varones". Domínguez Bordona. Clás. Cast., 1942.

Díez de Games. "Pero Niño". Mata Carriazo, 1942.

Rodríguez de Lena. "Paso honroso". Archer Huntington, 1902.

González de Clavijo. "Tamorlán". F. López Estrada, 1943.

P. Tafur. "Andanzas". Jiménez de la Espada, 1874.

Nebrija. "Gramática castellana". P. Galindo y L. Ortiz, 1946.

ESTUDIOS

Villena: Menéndez y Pelayo: *Historia de la poesía cast. de la E. M.* Vol. III.

Talavera: Menéndez y Pelayo: *Orígenes de la novela.* Vol. I, 1905. — Dámaso Alonso: *El Arcipreste de Talavera a medio camino entre moralista y novelista.* En "De los siglos oscuros al de oro", 1958.

Novela sentimental. Menéndez y Pelayo: *Historia de la poesía cast. de la E. M. y Orígenes de la novela.* Vol. I.

Libros de caballerías. Menéndez y Pelayo: *Orígenes de la novela.* Vol. I.

H. Thomas: *Las novelas de caballerías españolas y portuguesas,* 1952.

W. E. Entwistle: *The Arthurian Legend in the Literatures of Spanish Peninsula,* 1925.

P. Bohigas Balaguer: *Los textos españoles y galaico-portugueses de la demanda del Santo Grial,* 1925.

P. Bohigas Balaguer: *Orígenes de los libros de caballería,* en Hist. gen. de las Literaturas hisp. Vol. I, 1949.

S. Gili Gaya: *Amadís de Gaula,* 1956.

Historia. B. Sánchez Alonso: *Historia de la historiografía esp.* Vol. I.

Domínguez Bordona: Prólogos a sus ediciones de *Pérez de Guzmán* y *H. del Pulgar.*

J. Marichal: *Gutierre Díez de Games y su "Victorial",* en "La voluntad de estilo", 1957.

Menéndez y Pelayo: *Historia de la poesía cast. en la E. M.* (sobre Pérez de Guzmán.) Vol. III.

Nebrija y el humanismo. Menéndez y Pelayo: *Historia de la poesía cast. en la E. M.* Vol. III.

el teatro en el siglo xv. 17
juan del encina

La historia del teatro español presenta una enorme laguna que se extiende desde la época del "Auto de los Reyes Magos" hasta el siglo XV. Sin embargo, el drama religioso conservó su vitalidad hasta esta época, como nos lo demuestra la producción de Gómez Manrique, Juan del Encina y Lucas Fernández.

Gómez Manrique

(¿1412-1490?). Desempeñó un importante papel en el reinado de Juan II, y hacia el final de su vida apoyó —como su sobrino Jorge Manrique— a los Reyes Católicos.

El siglo XV nos da las primeras muestras españolas de un teatro profano de ambiente popular. Tipos de la época, según un relieve de la Universidad de Salamanca.

De él conservamos un *Cancionero* —que contiene las "Coplas a Diego Arias de Avila", precedente de las de su sobrino Jorge "por la muerte de su padre"— y unas piezas dramáticas en las que se mantiene la tradición de los misterios medievales. La *Representación del Nacimiento de Nuestro Señor* es una especie de Auto de Navidad, integrado por varias escenas yuxtapuestas relativas al Nacimiento.

En las *Lamentaciones fechas para Semana Santa,* San Juan, la Virgen y María Magdalena intervienen en una serie de breves cuadros, manifestando su dolor por la muerte de Jesús. Tanto esta pieza como la anterior, interesan no sólo por su valor histórico, sino por la delicada emoción de alguna de sus escenas.

Unos *Momos* en los que dialogaban figuras alegóricas completan su reducida producción dramática.

Juan del Encina

(¿1469-1529?). Nació en la provincia de Salamanca, en cuya Universidad estudió, y sirvió a los duques de Alba. Más tarde marchó a Roma, y residió allí, salvo breves ausencias, hasta sus cincuenta años, época en que decidió ordenarse sacerdote. Tras un viaje a Jerusalén, regresó a España, y permaneció en León hasta su muerte.

Fue uno de los mejores músicos de la época de los Reyes Católicos, lo que le procuró en Roma la protección de varios Papas. Sus facultades poéticas se manifiestan en las composiciones de tipo popular de su *Cancionero,* cuya música —recogida en el de Barbieri— revela el entronque con la tradición local, y, lo mismo que las artes plásticas de la época, el influjo de Flandes e Italia.

Aparte de éstas, muy notables por su ágil versificación y su fresco lirismo, escribió también una serie de composiciones de carácter alegórico, una versión libre de las "Eglogas", de Virgilio, un largo poema, la *Trivagia,* sobre su viaje a Jerusalén, y un tratado en prosa titulado *Arte de poesía castellana.*

Obra dramática. – La importancia de Juan del Encina radica ante todo en su obra dramática. El título que se la ha dado de "patriarca del teatro español" no es exagerado, teniendo en cuenta que es el primer autor en quien vemos una acción escénica perfectamente estructurada, dentro de un tipo de teatro primitivo. Lo mismo que su producción poética, sus quince obras teatrales reflejan dos influencias distintas: la de la tradición medieval —en sus dos aspectos, popular y religioso— y la del ambiente de la época —en lo que respecta al concepto renacentista de la vida y a la admiración por los clásicos—. La medieval se da, sobre todo, en su primera época, correspondiente a su estancia en Salamanca. La segunda se acentúa en las piezas escritas después de su viaje a Roma.

Pertenecen a la *primera época* varias representaciones religiosas y profanas de escasa acción. Trátase de piezas breves en las que el ambiente rústico de campesinos y pastores se nos ofrece por primera vez en el teatro, con una viveza y un animado realismo del más puro estilo español.

De tipo religioso son varias *"Eglogas" de Navidad* y dos representaciones sobre la *Pasión y Resurrección.* Entre las de carácter profano sobresalen la *Egloga de Antruejo,* llena de un sentimiento de alegría carnavalesca,[1] y el *Auto del Repelón,* en el que, siguiendo seguramente la línea del teatro escolar medieval, se presentan las pesadas burlas de que son objeto unos pastores por parte de ciertos estudiantes.

Las tres "Eglogas" que constituyen su *segunda época* señalan, en cambio, una nueva dirección. En ellas se observa una acción más estructurada y un refinado ambiente, a veces de tipo bucólico. Escritas durante su estancia en Roma, reflejan un concepto pagano de la vida.

La *Egloga de Fileno, Zambardo y Cardonio* nos presenta el suicidio, por amor, del primero. En la de *Cristino y Febea* el Amor consigue que Cristino deje su vida de penitencia, enviándole a la ninfa Febea, y en la de *Plácida y Victoriano,* Venus impide que Victoriano se mate tras el suicidio de su amada Plácida, resucitando a ésta.

He aquí las últimas palabras de Plácida antes de su muerte:

> ¡Oh Cupido, dios de amor!
> recibe mis sacrificios,
> mis primicias de dolor,
> pues me diste tal señor
> que despreció mis servicios.
>   Ve, mi alma
> donde amor me da por palma
> la muerte por beneficios.

Lo mismo que las obras de la primera época, iban destinadas a un reducido público cortesano; de una de ellas sabemos que se representó en Roma en el palacio de un cardenal.

Significación de su teatro. — Juan del Encina significa *el paso del teatro medieval al renacentista,* pues si en las piezas de la primera época predominan aún las fórmulas tradicionales —los asuntos religiosos, ambiente rústico nacional, expresión popular—, el viaje a Roma y el consiguiente contacto con la cultura humanística determinan un fuerte cambio de orientación: los temas se secularizan, se hace triunfar el amor sobre las consideraciones ascético-religiosas, se amplía la estructura de la obra y se hace discurrir su acción en un ambiente convencional, en el que a veces intervienen los dioses mitológicos y donde los protagonistas se expresan en un lenguaje culto.

Sin embargo, lo mismo que en el estilo plateresco, lo renacentista no desplaza por completo a lo nacional o local, y el ambiente pastoril, por ejemplo, mantiene notas rústicas, a pesar de que en ocasiones se le idealiza según la moda bucólica del

---

1.   Hoy comamos y bebamos   embutamos estos panchos,
     y cantemos y holguemos,   recalquemos el pellejo.
     que mañana ayunaremos.   Que costumbre es de concejo
          Por honra de San Antruejo   que todos hoy nos hartemos,
     parémonos hoy bien anchos;   que mañana ayunaremos...

"Nacimiento de Nuestro Señor", por el titulado Maestro de Ávila. Delicadeza, finura, como en la obra dramática de Gómez Manrique.

momento. Es precisamente este elemento popular y castizo el que perpetuará el teatro del Siglo de Oro.

En conjunto, la producción dramática de Juan del Encina tiene un gran valor histórico no sólo porque sintetiza admirablemente las principales corrientes culturales de la época —gusto por lo popular y local español, optimismo renacentista, influjo de Italia y de la antigüedad grecolatina—, sino por ser la primera en la que se observa el sello de una fuerte personalidad artística.

Lucas Fernández

(1474-1542). Nació, como Juan del Encina, en Salamanca, y como éste fue un excelente músico. Aunque discípulo suyo, parece anterior a él por el hecho de no admitir en su obra elementos renacentistas. De las seis "Farsas y Eglogas" que de él se conservan, tres son de carácter religioso. La más importante es el *Auto de la Pasión,* en el que Jeremías, San Mateo y las tres Marías comentan patéticamente la muerte de Cristo. *Su honda emoción dramática y el intenso realismo de la expresión* hace que la obra pueda parangonarse con las mejores producciones del teatro religioso español.

He aquí las palabras de San Mateo:

¡Oh, qué fue verle acezando [1]
con una cruz muy pesada;
cayendo y estropezando
y levantando!
Con la cara ensangrentada,
con la voz enronquecida,
rompidas todas las venas
y la lengua enmudecida,
con la cara denegrida,
cargado todo de penas,

y los miembros destorpidos,[2]
los ojos todos sangrientos,
los dientes atenazados,
lastimados
los labrios con los tormentos.
¡Lágrimas, sangre y sudor
era el matiz de su gesto,
derretido con amor
para curar el langor
en qu'el mundo estaba puesto!

1. Jadeando. – 2. Estropeados.

Pintura de F. Gallegos, dotada de un patetismo análogo al **Auto de la Pasión,** de L. Fernández.

Siguiendo la tradición del teatro religioso de la Edad Media, el "Auto de la Pasión" se representó en la iglesia.

Más adelante veremos cómo las dos tendencias que hemos estudiado —la que continúa la línea del drama litúrgico medieval (Gómez Manrique, Lucas Fernández) y la que aporta nuevos elementos renacentistas (Juan del Encina)— perduran a través de todo el siglo XVI.

BIBLIOGRAFIA

EDICIONES

Gómez Manrique. Foulché-Delbosc.
"Cancionero cast. del siglo XV". N. B. A. E.
Encina. Cañete, Barbieri, 1893. — Giménez Caballero. "Plácida y Victoriano". Clás. Ebro, 1941.
Lucas Fernández. Cañete, 1897. — Cotarelo. "Farsas y Eglogas", 1929.
Obras diversas. F. Lázaro Carreter. "Teatro medieval". Textos en versión moderna y prólogo.
(Contiene el Auto de los Reyes Magos, obras de G. Manrique, R. Cota, etc.) 1958.

ESTUDIOS

M. Menéndez y Pelayo: *Historia de la poesía cast. en la Edad Media.* Vol. III.
A. Bonilla San Martín: *Las Bacantes o del origen del teatro,* 1921.
T. Schoemaker: *Los escenarios múltiples en el teatro de los siglos XV y XVI,* en "Cuadernos del Instituto del Teatro". Núm. 2, 1952.
E. Juliá: *La literatura dramática peninsular en el siglo XV.* En "Historia de las literaturas hispánicas". Vol. II, 1951.
F. Lázaro Carreter: *Prólogo a su ed. de Teatro medieval,* 1958.
Conrado Rodríguez: *El teatro religioso de G. Manrique,* en "Religión y Cultura", 1934.
G. Cirot: *Le théatre religieux d'Encina.* Bull. Hisp., 1941.
Vid. Bibliografía del cap. VIII, sobre teatro medieval en general.

la celestina

18

La "Comedia de Calisto y Melibea" —llamada "Tragicomedia" desde la edición de 1502 y *"La Celestina"* a partir de 1519— queda totalmente al margen de la evolución del teatro español. Sin precedentes nacionales inmediatos que justifiquen su aparición —téngase en cuenta que debió de escribirse poco después de los intentos dramáticos de Gómez Manrique y al mismo tiempo que las primeras églogas de J. del Encina— y sin derivaciones que recojan dignamente su espíritu y su forma, álzase con valor independiente en medio de la producción de su época.

Autor, fecha, ediciones

Aunque conservamos una edición de la Celestina fechada en 1499 (Burgos), parece ser que anterior a ésta es otra, recientemente descubierta, impresa en Toledo en 1500, y

Calisto, Melibea y Celestina, según la edición de 1502.

que consta también de 16 actos. En la de 1501 (Sevilla) se declara en un corto prólogo y en unos versos acrósticos que el bachiller Fernando de Rojas halló escrito el primer acto y compuso los quince restantes en medio mes de vacaciones. En la de 1502 (Sevilla), se intercalan cinco más, llegándose a la redacción definitiva: 21 actos. Algunas ediciones posteriores añaden un acto 22 que nada tiene que ver con el resto de la obra.

Hoy parece haberse llegado a la conclusión de que Fernando de Rojas [1] no fue, en efecto, el autor del primer acto [2] aunque sí de los 15 siguientes, así como de los cinco que se añadieron más tarde.

Asunto y estructura formal

"La Celestina" presenta la estructura de una obra de teatro, pero su extraordinaria extensión la hace irrepresentable en su forma primitiva.

Su acción es como sigue. Calisto, joven de noble linaje, llega, persiguiendo un halcón, al jardín de Melibea, de quien se enamora súbitamente. Rechazado por ella, habla con su criado Sempronio y, por consejo de éste, recurre a la vieja Celestina para lograr sus propósitos amorosos. Celestina, ducha en estos trances, visita a la doncella, y con gran habilidad consigue avivar en ella su secreto amor por Calisto y preparar, venciendo su timidez, una entrevista con éste.

Sempronio y Pármeno deciden explotar a su amo, valiéndose de las circunstancias y, movidos por la codicia, matan a Celestina al no querer ésta darles parte de una cadena de oro que le ha entregado Calisto. Préndelos la justicia y son degollados.

Hallándose una noche Calisto en el jardín de Melibea, oye ruido en la calle y, al intentar salvar la tapia con una escala, resbala y muere de la caída. Melibea, desesperada, se encierra en una torre y a la vista de su padre se suicida, arrojándose desde lo alto. La obra termina con el llanto de Alisa y Pleberio, padres de la joven.

Recientemente, la crítica ha tratado de justificar el terrible desenlace de la obra, pensando en "las dificultades para unirse en matrimonio un caballero cristiano viejo con la hija de un poderoso judío converso" [3] o bien en el precedente de toda una literatura amorosa, según la cual el "ideal refinado y sugestivo del amor-pasión... sólo era posible fuera del matrimonio". [4]

El doble plano de la "Tragicomedia"

"La Celestina" es una obra de alcance universal, pero al mismo tiempo profundamente española. En este sentido hay que considerar la acusada dualidad que se observa en muchos de sus aspectos.

Hay, por ejemplo, una serie de elementos que responden a un doble punto de

---

1. Pocas cosas se saben de él; nació, de padres judíos, en la Puebla de Montalbán, estudió leyes en Salamanca y fue Alcalde Mayor de Talavera. Murió en 1541. — 2. Ciertos investigadores atribuyen hoy la paternidad de dicho acto al poeta Juan de Mena o a Rodrigo de Cota. — 3. Emilio Orozco. — 4. Corrales Egea.

vista *medieval-renacentista*. Medieval sería el propósito moral que el autor declara perseguir con su obra ("compuesta en reprehensión de los locos enamorados"),[1] y el presentar la muerte de protagonistas y criados como un castigo divino, ya que todo esto coincide con el criterio religioso tradicional. En cambio, el suicidio por amor, de Melibea, la audacia de algunas expresiones de Calisto[2] y la sensualidad de muchas escenas responden plenamente a la ideología y al ambiente paganos del Renacimiento. Esta fusión de elementos renacentistas y medievales habrá de ser uno de los rasgos más típicos del siglo XVI español.

Otro contraste se advierte también en la calidad humana de los personajes y en el ambiente en que discurren: por una parte los protagonistas, cultos y refinados, que obran a impulsos de una avasalladora pasión amorosa; por otra, Celestina y los criados, movidos sólo por la más repulsiva codicia y el más ruin egoísmo. Aquéllos contemplan la vida a través de un bello prisma; para éstos únicamente existe el mundo de los sentidos y de las bajas apetencias materiales.

> CALISTO. — Comienço por los cabellos. ¿Vees tú las madexas del oro delgado que hilan en Arabia? Más lindos son y no resplandecen menos; su longura, hasta el postrero assiento de los pies; después, crinados e atados con la delgada cuerda, como ella se los pone, no ha más menester para convertir los hombres en piedras.
> SEMPRONIO. — ¡Mas en asnos! ...
> CALISTO. — Los ojos verdes, rasgados; las pestañas luengas, las cejas delgadas e alçadas, la nariz mediana, la boca pequeña, los dientes menudos y blancos, los labrios colorados e grossezuelos, el torno del rostro poco más luengo que redondo... La tez lisa, lustrosa; el cuero suyo escurece la nieve...
> SEMPRONIO. — ¡En sus treze está este necio!
> CALISTO. — Las manos pequeñas en mediana manera, de dulce carne acompañadas, los dedos luengos, las uñas en ellos largas e coloradas que parecen rubíes entre perlas...

Lo mismo que la coexistencia de elementos renacentistas y medievales, este doble plano *entusiasta* o *escéptico* constituye una de las notas más originales de nuestra literatura y volverá a darse multitud de veces en los Siglos de Oro; así lo veremos en el Quijote, en el gran teatro del siglo XVII, en la poesía barroca, etc.

Espíritu de la obra

El autor de la "Celestina" —"cristiano nuevo"—, aun debiendo mucho a las inquietudes ideológicas del momento, nos ofrece una desolada concepción del mundo, en la que pudo influir la angustiosa situación social y espiritual de los judíos conversos.

---

1. La crítica actual no se muestra aún unánime al considerar el propósito moral como clave de la obra. Mientras Bataillon ve ante todo en la Celestina una "moralidad", M. R. Lida se opone a tal interpretación. — 2. Sempronio pregunta a Calisto si es cristiano, y éste responde: "¿Yo? melibeo soy, y a Melibea adoro y en Melibea creo y a Melibea amo."

Personajes de la Celestina. Grabado de su primera edición.

Rojas ve la vida humana como una trágica lucha en la que el hombre es arrastrado por terribles fuerzas cuyo control le escapa. El más absoluto azar domina esta contienda universal, en la que el dolor y la muerte pesan por igual sobre todos los humanos, y la amorosa entrega de Calisto y Melibea tienen el mismo fin que las ruindades de Celestina y los criados. Es cierto que los móviles que determinan la conducta de los personajes son muy diversos, pero la vida no hace distingo y la desgracia abate lo mismo al impetuoso Calisto que a la astuta Celestina, a la apasionada Melibea que al honrado Pleberio. Todos ellos participan también de esta visión pagana del mundo que excluye la noción cristiana del pecado y de acuerdo con ella no se sienten culpables, sino víctimas de su infausto destino. Verdad es que el autor censura la conducta moral de los protagonistas, pero ello tiene todo el aspecto de una cautelosa concesión a las ideas tradicionales, ya que se contradice totalmente con el espíritu que anima a toda la obra.

Las palabras de Melibea, momentos antes de su suicidio, son bien significativas: es la fuerza sobrehumana del amor quien ha motivado su conducta; por eso en ellas no hay el menor asomo de remordimientos; tan sólo una desolada queja —"tan tarde alcançado el plazer, tan presto venido el dolor"— y un deseo de justificar su actitud: "Tú, Señor... ves mi poco poder, ves cuán cativa tengo mi libertad, cuán presos mis sentidos de tan poderoso amor...". Incluso en las lamentaciones de su padre no hallamos un solo reproche hacia Melibea, pues el amor y la fortuna son los verdaderos culpables: " ¡O fortuna variable, maestra y mayordoma de los temporales bienes! ... ¡O amor, amor! ... ¿por qué te riges sin orden ni concierto? "

En medio de la tragedia no hay nadie que represente la voz de la conciencia moral. La vida acaba pareciendo un doloroso caos sin sentido, "un laberinto de errores", como dice Pleberio. Y la obra termina con una serie de dramáticos interrogantes que no hallan respuesta:

"¡O mi hija despedaçada! ¿Por qué no quisiste que estorvase tu muerte? ¿Por qué no oviste lástima de tu querida y amada madre? ¿Por qué te mostraste tan cruel con tu viejo padre? ¿Por qué me dexaste cuando yo te avía de dexar? ¿Por qué me dexaste penado? ¿Por qué me dexaste triste y solo in hac lacrymarum valle? "

El máximo acierto de Fernando de Rojas está en haber sabido expresar con genial intensidad su sentimiento trágico de la vida, resuelto dramáticamente en su obra por la ausencia de una providencial salvación.

Valor literario y estilo

"La Celestina es una comedia humanística del tipo de las que se escribían y representaban en la Italia del siglo XV, generalmente en latín; precede a las que escribieron en italiano Maquiavelo, Ariosto, Bibbiena y Aretino. Como ellas se sitúa dentro de la tradición de la comedia latina de Plauto y Terencio; pero en intensidad deja muy atrás a latinos e italianos" (Henríquez Ureña).

Valiéndose de una trama extraordinariamente simple, Rojas consigue crear una obra de enorme *valor dramático,* gracias sobre todo a la dimensión de los personajes y a la profunda verdad humana de sus actitudes. Nunca dan éstos la impresión de ser figuras ideales movidas por el autor, sino la de seres vivos de carne y hueso que actúan a impulsos de sus propias pasiones. Nada hay en ellos de convencional ni de falso; el amor de los protagonistas, por ejemplo, que abarca tanto lo físico como lo espiritual, es infinitamente más auténtico que el que nos presentan muchos poetas del Renacimiento, obsesionados por los tópicos de la moda literaria.

Y es esta autenticidad de sus sentimientos —la astucia de la desaprensiva Celestina, el arrebato pasional de Calisto y Melibea, la baja hipocresía de Sempronio o el dolor paternal del bondadoso Pleberio— lo que da a su *perfil psicológico* un poderoso relieve. En este sentido, la obra de Rojas hace pensar más en Shakespeare que en el teatro español de los Siglos de Oro, más atento al dinamismo externo de la acción que al alma de los personajes.

No es menor el *valor lírico* de algunas escenas, v.gr., la inmediatamente anterior a la muerte de Calisto:

MELIBEA. — La media noche es pasada
y no viene.
Sabedme si ha otra amada
que lo detiene.

CALISTO. — Vencido me tiene el dulçor de tu suave canto; no puedo más sufrir tu penado esperar. ¡O mi señora e mi bien todo! ¿Cuál mujer podía aver nascida que desprivasse tu gran merecimiento? ¡O salteada melodía! ¡O gozoso rato! ¡O coraçón mío! ¿E cómo no podiste más tiempo sufrir sin interromper tu gozo e complir el deseo de entrambos?

MELIBEA. — ¡Oh sabrosa traición! ¡O dulce sobresalto! ¿Es mi señor de mi alma? ¿Es él? No lo puedo creer. ¿Dónde estavas, luziente sol? ¿Dónde me tenías tu claridad escondida? ¿Avía rato que escuchabas? ¿Por qué me dexavas echar palabras sin seso al aire con mi ronca boz de cisne? Todo se goza este huerto con tu venida. Mira la luna cuán clara se nos muestra, mira las nuves cómo huyen. Oye la corriente agua desta fontezica; ¡cuánto más suave murmurio su río lleva por entre las frescas yervas! Escucha los altos cipreses, ¡cómo se dan paz [1] unos ramos con otros por intercessión de un templadico viento que los menea! Mira sus quietas sombras, ¡cuán escuras están e aparejadas para encobrir nuestro deleyte!

Por todo lo dicho y sobre todo por la fuerza trágica de sus momentos culminantes, la Celestina puede considerarse como la obra capital de la literatura europea hacia 1500, y al mismo tiempo como la más importante de nuestras letras, después del Quijote.

El estilo de la Celestina. – Ofrece también un doble plano correspondiente a las dos tendencias que se notan en la prosa de fines del siglo XV: la popular y la culta.

La *popular* se manifiesta en el lenguaje de los criados y, siguiendo la línea marcada por el Arcipreste de Talavera, caracterízase por el empleo de un tipo de charla familiar llena de vivacidad y movimiento y cuajada de refranes, redundancias y expresiones callejeras.

La *culta* recoge los afanes latinizantes del humanismo renacentista y a ella se ajusta el habla de Calisto y Melibea. Sus rasgos más notables son un prudente uso del neologismo, la colocación del verbo al final de la frase, y una cierta elevación de tono, con la que se pretende alcanzar una elegante elocuencia.

Ambas tendencias soslayan aquí las exageraciones a que habían llegado en otros autores de la época y aparecen regidas por *un sereno y ponderado criterio* que evita tanto la excesiva verbosidad del Corbacho, como la recargada y pedantesca retórica de la novela sentimental. El hipérbaton, por ejemplo, es muy leve, aunque sea frecuente la colocación del verbo al final de la frase.

En general, se prefiere el período amplio y lleno de reiteraciones (aunque no falta la frase breve engarzando refranes o sentencias clásicas) y el diálogo se articula con insospechada perfección, alcanzando una mayor seguridad que en la literatura anterior. Es cierto que abundan las crudezas de expresión —esas crudezas que hacían exclamar a Cervantes, al hablar de la Celestina: "libro, en mi opinión divino, si encubriera más lo humano"—, pero la gravedad, elegancia y dignidad estética del conjunto, suavizan cualquier estridencia.

También, por su estilo, la Celestina puede ser calificada como una de las máximas producciones de nuestra literatura.

Fuentes e imitaciones

Fernando de Rojas, de cuya biblioteca nos da cuenta su testamento, debió de conocer bastante a fondo la literatura latina y la medieval. Confírmalo la "Celestina", en la que se notan influencias de Plauto, Terencio, Horacio, Virgilio, Ovidio, Séneca, Marcial; de

---

1. Se besan.

Hita (recuérdese la figura de Trotaconventos), Ayala, Talavera, Diego de San Pedro; de Boccaccio, Petrarca, etc., etc.

La "Celestina" influyó grandemente, a su vez, en el teatro; Juan del Encina (el suicidio por amor de Fileno...), Gil Vicente, Juan de la Cueva, Lope de Vega (La Dorotea) y tantos otros, se inspiraron en ella, si bien su influencia limitóse a lo más externo (situaciones y tipos, sobre todo el de la vieja tercera). También se ve su huella en la novela picaresca del siglo XVII.

Se han hecho de ella infinidad de ediciones, se la ha traducido a varios idiomas, y modernamente se la ha refundido para llevarla al teatro.

BIBLIOGRAFIA

EDICIONES

Krapf, 1899. Reproduce la edición de 1514.
J. Cejador. Clás. Castellanos, 1913.
Comedia de Calisto y Melibea, Toledo, 1500. Bibliotheca Bodmeriana, 1961.
M. Criado del Val y G. D. Trotter, Madrid, 1965.

ESTUDIOS

M. Menéndez y Pelayo: *Orígenes de la novela*. Vol. III.
M. Menéndez y Pelayo: *Estudios y discursos de historia y crítica literaria*. Vol. II.
F. Castro Guisasola: *Observaciones sobre las fuentes de la Celestina*, 1925.
R. de Maeztu: *Don Quijote, don Juan y la Celestina*, 1926.
A. Castro: *El problema histórico de la Celestina*, en "Santa Teresa y otros ensayos", 1929.
Stephen Gilman: *Diálogo y estilo en la Celestina*, en N. Rev. de Fil. Hisp., 1953.
M. Criado del Val: *Indice verbal de la Celestina*. Anejo LXIV de la Rev. Fil. Esp., 1955.
M. de Riquer: *F. de Rojas y el primer acto de la Celestina*. En Rev. de Fil. Esp., 1957.
J. Bergamín: *Releyendo la Celestina*, en "Fronteras infernales de la poesía", 1959.
M. Criado del Val: *La celestinesca*. En "Teoría de Castilla la Nueva", 1960.
M. Bataillon: *La Célestine selon Fernando de Rojas*. 1961.
María Rosa Lida: *La originalidad artística de la Celestina*. Buenos Aires, 1962.
E. Ruth Berndt: *Amor, muerte y fortuna en la Celestina*. Ed. Gredos, 1963.
J. A. Maravall: *El mundo social de "La Celestina"*. Ed. Gredos, 1964.
A. Castro: *La "Celestina" como contienda literaria*. Ed. Rev. de Occ. 1965.
M.ª R. Lida: *Dos obras maestras españolas: El Libro de buen amor y La Celestina*. Eudeba, 1968.
S. Gilman: *La Celestina. Arte y estructura*. Ed. Taurus, 1974.

SIGLO
XVI

el renacimiento

19

El Siglo de Oro

Finalizada la Edad Media, comienza para nuestras letras el gran "Siglo de Oro", expresión que ha de tomarse en sentido amplio, ya que abarca la dilatada época que se extiende desde principios del siglo XVI hasta fines del XVII.

Dada la diversidad de caracteres que ofrece el período áureo de la literatura española, es necesario su división en dos períodos, correspondientes a los mencionados siglos: el Renacimiento y el Barroco.

La Universidad de Alcalá, centro de nuestro humanismo cristiano a comienzos del siglo XVI.

El Renacimiento

Al alborear el siglo XVI, queda definitivamente constituida la cultura del Renacimiento, cuyo eje habrá de ser la *entusiasta valoración del mundo y del hombre, presidida por el conocimiento y admiración de la antigüedad clásica.* De estos dos puntos fundamentales —el apasionado interés por la vida presente y por lo humano, y la rehabilitación de lo grecolatino, llevada a cabo por los humanistas— derivarán las principales facetas del nuevo movimiento cultural.

Cómo se prepara el Renacimiento

Como culminación de un lento proceso cultural, dos hechos vienen a dar en el siglo XIV un fuerte impulso a la evolución que conduce al Renacimiento: el pleno desarrollo de la burguesía y el primer humanismo italiano.

La *clase burguesa* produce ahora sus máximas realizaciones —los cuentos de Canterbury, el Libro de buen amor, el Decamerón—, en los que una visión práctica de la vida contrasta con la gravedad heroica de los viejos ideales —guerreros y religiosos— de la Edad Media.

Coincidiendo con ello, tienen lugar en Italia los *primeros intentos humanísticos.* Es sobre todo Petrarca quien, con fervorosa admiración hacia el mundo grecolatino, comienza a difundir un nuevo tipo de arte y de vida.

El siglo XV es la gran época del *humanismo italiano.* La afanosa búsqueda de manuscritos clásicos iniciada por Petrarca es imitada por toda una legión de humanistas que, protegidos por generosos mecenas, llevan a cabo la resurrección de la cultura antigua. La Edad Media europea no la había olvidado por completo (Alfonso X había utilizado a Lucano, Hita a Ovidio, Ayala a Tito Livio...), pero antes del siglo XV el conocimiento de los clásicos no tenía otro alcance que el de un mero saber erudito, puesto a menudo al servicio de la moral cristiana y plagado de errores de interpretación...

Al propio tiempo, la invención de la *imprenta* permite una amplia difusión de los clásicos recién descubiertos; y un sinfín de *hallazgos arqueológicos y paleográficos* completan los conocimientos sobre la antigüedad grecolatina, muy abundantes ya desde la *llegada a Italia de los sabios griegos* fugitivos de Bizancio. Señalemos, por último, cómo el uso de la *brújula* hace que cambie la noción del mundo físico, al facilitar la llegada a tierras ignotas.

Concepto renacentista del mundo y del hombre

Al terminar la Edad Media, el entibiamiento del fervor religioso en ciertos sectores y los acontecimientos históricos (descubrimientos geográficos y científicos, hallazgo de insospechados tesoros culturales...) engendraron un sentimiento de orgullo e independencia que acabó de desmoronar las concepciones tradicionales. Si el hombre medieval aceptaba humildemente el orden establecido en el Cosmos, por creerlo obra de Dios, y veía en Este el centro del Universo, el renacentista invertirá los términos, considerán-

El estudio de los clásicos, junto al de las Sagradas Escrituras, fue tarea esencial de nuestros literatos del Renacimiento.

dose a sí mismo como eje del mundo y dueño de un destino propio, sujeto tan sólo a las leyes de una Naturaleza divinizada. La antigua visión teocéntrica deja paso a un orgulloso antropocentrismo que exalta el poder de la naturaleza humana y rechaza altivamente, con acentuado sentido individualista, la imposición de cualquier norma que no derive de su propio criterio.

Por ese camino se llega a valorar en el hombre todo aquello que provenga de su condición humana: se tendrá una confianza plena en la razón (en contraste con la vieja adhesión al criterio de autoridad), se analizarán con manifiesta complacencia sus reacciones sentimentales (como se advierte en la producción lírica) y se justificarán los instintos naturales (haciendo a menudo caso omiso de la moral establecida).

El evidente sentido pagano de esta nueva posición ideológica se manifiesta asimismo en la jubilosa valoración de la vida terrena, que viene a sustituir al concepto ascético tradicional. Fiel reflejo de esta actitud son las innumerables glosas renacentistas del tema clásico del "Carpe diem", en las que, tras una breve consideración sobre la fugacidad de la vida, se nos incita a gustar cuantos placeres pueda procurarnos.

Otra enorme consecuencia del lugar privilegiado que el hombre se asigna en el Universo será su creciente curiosidad científica, pues al saberse dueño de inmensos dominios, sentirá despertar en él el afán de conocer sus más ocultos secretos. Se estudiará, pues, la Naturaleza y se llegará a ver en ella el modelo ideal de cualquier actividad humana; el arte habrá de evitar toda afectación, manteniéndose dentro de los límites de la más estricta naturalidad, y la vida perfecta será aquella que se desenvuelva del modo más espontáneo; de ahí el enorme prestigio del tópico bucólico, al considerar el ambiente pastoril como arquetipo supremo de existencia sencilla, natural y por tanto perfecta. Esta valoración de la Naturaleza hallará su expresión artística en los temas del "Beatus ille" y de la "Edad dorada", así como en las abundantísimas alusiones al paisaje.

Resumiendo, tendremos como rasgos de todo un sector de la ideología renacentista:

1.º, *la aparición de un orgulloso espíritu de independencia;*
2.º, *la exaltación de las facultades humanas (razón, sentimientos, instintos);*
3.º, *la valoración de la vida terrena por encima de la sobrenatural;*
4.º, *el afán de conocimiento científico;*
5.º, *la valoración de la Naturaleza en la vida y en el arte;*
6.º, *la influencia decisiva −en todo ello− del concepto clásico del mundo.*

Téngase en cuenta, sin embargo, que no todos los escritores del momento participaron por igual de las características apuntadas, ya que fueron muchos los que rechazaron los elementos paganizantes que pudieran oponerse al cristianismo −divinización de la Naturaleza, crítica de la Revelación, valorización excesiva de lo terreno...−, sin dejar de ser plenamente renacentistas. Por eso, junto al Renacimiento de tipo pagano, es necesario destacar la importancia y amplitud de un *Humanismo* o *Renacimiento cristiano.*

Aspectos de la cultura renacentista

La educación del hombre. − Se concibe como el *desarrollo equilibrado de todas sus facultades.* El Renacimiento, hostil a toda desproporción y ávido de alcanzar la mayor armonía, recogerá el tema clásico del "mens sana in corpore sano", orientándolo hacia la consecución de un tipo de perfección humana que conjugue el cultivo de lo físico con el de lo espiritual, reuniendo todo aquello de que el hombre se siente ahora capaz. A esta aspiración responde la figura ideal del *"Cortegiano",* creada por Baltasar de Castiglione. El "cortesano" habrá de ser ducho en armas y letras, y armonizando los tipos medievales del "clérigo" y el "caballero", tendrá que unir el esfuerzo heroico a las buenas maneras, y el dominio de los juegos físicos al ejercicio de las bellas artes.
        Los centros de enseñanza evitarán el predominio de los estudios teológicos combinándolos con las llamadas "humanidades" (Historia, Filosofía, Letras clásicas). En este sentido hay que citar, en España, la Universidad Complutense −o de Alcalá de Henares− y la de Salamanca −que tras una cierta resistencia a las nuevas orientaciones, se incorporó a ellas con todo entusiasmo−.

        La Filosofía. − El Renacimiento no consiguió crear un sistema filosófico verdaderamente original, limitándose a ejercer una cierta crítica racionalista sobre la ya degenerada escolástica medieval, y a resucitar algunos aspectos del pensamiento clásico.
        Entre éstos destacan: el *escepticismo* −que confirmaba la actitud crítica de algunas figuras del momento, oponiéndose al dogmatismo medieval−, el *apicureísmo* −con su invitación al goce moderado de la vida− y sobre todo el "estoicismo" y el "platonismo".
        El *estoicismo* senequista, que ya había ejercido una gran influencia en el pensamiento de la España medieval, gracias a sus puntos de contacto con la moral cristiana y con la psicología nacional, logró una enorme difusión en la época

Dos bellas muestras del arte renacentista español. La Virgen de Damián Forment —de dulces y armoniosas formas— es un claro reflejo del estilo italiano. El San Cristóbal de A. Berruguete —de líneas más dinámicas y expresivas— representa la adaptación del nuevo arte al gusto hispánico.

renacentista, dada la coincidencia de algunos de sus principios con las ideas de la época: exaltación de la dignidad del hombre y de la vida de acuerdo con la naturaleza, elogio de la serenidad espiritual y de la resignación viril ante el dolor, etc.

Aunque el Renacimiento trató a menudo de conciliar las doctrinas de Aristóteles y Platón, en el siglo XVI se observa un auge del segundo en detrimento de aquél. Las teorías del amor neoplatónico —que a través de los "Dialoghi d'amore" del judío español León Hebreo y del "Cortegiano" de Castiglione, pasaron a gran parte de la literatura de la época— señalaban que la belleza de los seres materiales no es sino un reflejo de la belleza espiritual, y ésta, de la belleza divina. De ahí que el amor a lo individual y concreto nos pueda —y nos deba— llevar al amor de Dios. La Mujer, el Arte y la Naturaleza son tres puntos de partida para elevarnos —mediante un amor puro a su belleza— hasta la Divinidad.

Esta doctrina —producto de la fusión de las teorías de Platón con las de los neoplatónicos— dignificó, idealizándolo, el sentimiento amoroso e influyó no sólo en los poetas profanos del momento, sino en los místicos, quienes le dieron una orientación específicamente religiosa.

Las ideas políticas. – Ya hemos visto repetidas veces cómo por diversas causas, entre las que se halla el desarrollo de la burguesía, la antigua concepción feudal fue perdiendo terreno ante el *derecho romano,* que venía a fortalecer el poder real al asignarle un origen divino. El siglo XVI será la época de las grandes monarquías autoritarias, en las que, a estilo de Roma, se concentrarán en una sola mano las riendas de la gobernación del Estado.

España –tras la unidad nacional lograda por los Reyes Católicos– alcanza la meta imperial con la monarquía de Carlos V, quien intentará resucitar el viejo ideal de una Cristiandad unida bajo el lema de "un Monarca, un Imperio y una espada".

La novedad europea más importante en el terreno de la teoría fueron las doctrinas de *Maquiavelo,* basadas en la absoluta separación de la moral y la política. Sin embargo, España se mantuvo fiel a las ideas católicas, llegando a crear un gran Imperio que asumió el papel de defensor del Catolicismo.

La Religión. – Aunque la relajación de costumbres de fines de la Edad Media, y el tono paganizante de ciertos sectores de la cultura de la época produjeron un enfriamiento del fervor religioso, el Renacimiento favoreció también el desarrollo de un tipo de *religiosidad íntima* que centraba la vida religiosa en la pureza de costumbres y atribuía un valor secundario a las ceremonias y prácticas del culto externo.

Esta corriente de cristianismo interior –cuyo punto de arranque se halla en los últimos siglos de la Edad Media– se manifestó, en la primera mitad del siglo XVI, dentro y fuera de la ortodoxia, siendo Erasmo de Rotterdam una de las figuras más representativas. Pero, llegada la Contrarreforma, la Iglesia adoptó frente a aquélla una actitud de prudente cautela para evitar que, llevada a sus últimas consecuencias, diese lugar a desviaciones heterodoxas de tipo protestante.

Señalemos también cómo la reforma de Lutero –con su principio de la libre interpretación de la Biblia– responde al sentido individualista de la época, visible asimismo entre los místicos españoles, en ciertos aspectos que analizaremos más adelante.

Las artes plásticas. – El estilo gótico, caracterizado por su intensa expresividad espiritual, cede ahora el paso a un nuevo arte, inspirado en gran parte en el grecolatino, cuya finalidad primordial será lograr *la belleza armónica de las formas.* Frente al inquieto dinamismo y la tendencia a sobrepasar cualquier límite, típicos del último gótico, el estilo del Renacimiento, esencialmente estático, ofrece una *serena mesura,* de evidente raíz clásica, que trata de evitar todo exceso. Su sentido de reposado equilibrio llega a manifestarse en detalles de la técnica, como es la preferencia por la simetría y por la estructurada coordinación de los elementos formales.

La pintura y la escultura, aunque revelan un prodigioso avance en el estudio y expresión de la forma humana, someten frecuentemente a ésta a una cierta *idealización generalizadora* que elimina los rasgos individuales en pro de un esquema de belleza arquetípica. Tanto en esto como en la supresión sistemática de lo feo e irregular, el

Una escuela de la época renacentista.

arte renacentista sigue las orientaciones del clasicismo, apartándose del vigoroso realismo de buena parte del gótico. Señalemos, por último, la tendencia a la expresión de lo *esencial y permanente,* en contraposición con lo accidental y momentáneo, buscado insistentemente por el último gran estilo de la Edad Media.

Casi todos los rasgos apuntados se dan igualmente en la literatura y pueden servir como ejemplo de la perfecta unidad de las manifestaciones estéticas de la época.

La literatura. – La influencia de Italia y del mundo grecolatino confirió una cierta *homogeneidad* y un sentido cosmopolita a la producción de los diversos países. Gracias a ello podemos establecer unas líneas generales en las que, más o menos, todos coinciden.

La entusiasta aceptación de los *modelos clásicos* despertó un deseo de lograr también en la creación literaria una armoniosa belleza formal, prescindiendo de propósitos didácticos. La "fermosa cobertura", desdeñada por los medievales, pasará ahora a un primer plano, olvidándose las alegorías morales, tan características de la época anterior, y la única fuente de inspiración será la Naturaleza, bien directamente, bien a través de la literatura clásica. En este sentido, el Renacimiento rehabilitó los principales temas de la edad pagana: los relatos mitológicos y el bucolismo pastoril. También influyeron notablemente —sobre todo en la segunda mitad del siglo— las Preceptivas de Aristóteles y Horacio, a pesar del espíritu de individualismo e independencia típicos del momento.

Junto a los clásicos, fueron los italianos —primeros descubridores del clasicismo— los modelos preferidos de toda Europa. En el siglo XVI, *Petrarca* será la fuente obligada de todos los poetas; de él derivan, entre otras cosas, el gusto exquisito de la forma, la afición a la imagen lujosa y brillante, el uso del endecasílabo, la exaltación del paisaje, la introspección amorosa y el tono quejumbroso que caracterizan a la lírica renacentista.

La literatura del Renacimiento representa un formidable avance en el dominio de la técnica formal y en la expresión de lo psicológico y de lo plástico, pero la imitación obligada de clásicos e italianos condicionó a menudo la actividad creadora restándole espontaneidad.

La lengua. – El humanismo del siglo XVI fomentó el cultivo del *latín clásico,* tomando como modelo el estilo ciceroniano, frente a los usos del medieval. Sin embargo, los mismos clásicos habían defendido el empleo de la lengua vernácula; de ahí que el Renacimiento, movido también por su afición a todo lo que fuese producto de la Naturaleza, exaltase las *lenguas vulgares* como medio más natural y espontáneo de expresión. Por eso, en España, el castellano fue ganando terreno al latín y llegó a sustituirle en casi todos los campos.

Por otra parte, el siglo XVI es también la época de la mayor difusión del castellano: desplaza prácticamente al catalán como lengua literaria, conquista amplios territorios en América y se impone en toda Europa como lengua internacional, gracias al poderío político conseguido por Carlos V.

En cuanto al estilo, la norma general será la *naturalidad* y la sencillez "sin afectación alguna". Se seleccionará la expresión, evitando tanto el rudo vulgarismo como el cultismo pedante, y se buscará una elegante llaneza. Juan de Valdés habrá de ser, en el reinado del Emperador, el máximo defensor de esta orientación, hasta que, a fines de la centuria, Herrera inicie una tendencia hacia lo artificioso, que culminará en el siglo XVII.

El Renacimiento en España

Aunque hace algunos años se llegó a afirmar que España se había mantenido al margen del movimiento renacentista, en la actualidad es imposible sostener con seriedad una opinión semejante.

Más aún: el Renacimiento español no sólo igualó en esplendor al de los demás países, sino que lo superó en originalidad y hondura merced a lo que constituye su rasgo esencial: *la perfecta unión de las nuevas corrientes europeas con la tradición nacional,* o sea, lo medieval con lo renacentista.

Así como en otras partes –Francia, Italia–, el Renacimiento supone una absoluta ruptura con la Edad Media, en España ambos elementos se unen en una síntesis superior más rica y compleja, o coexisten asegurando la continuidad de ese dualismo que hemos señalado repetidas veces como típico de nuestra literatura.

Observemos, en primer lugar, cómo *la nueva valoración del mundo y del hombre no impide la persistencia del tradicional espíritu religioso,* sino que fundiéndose con él produce obras de tan alta calidad estética como las de los místicos, en las que lo humano, e incluso el espectáculo de la belleza natural asumen una alta significación. La naturaleza es objeto de admiración y estudio, pero ni se la diviniza, como en otras partes, ni se la hace ocupar el lugar de Dios.

Otro rasgo sumamente notable es la *coexistencia de lo popular y local hispánico con lo universal y europeo culto.* Junto a los temas bucólicos y mitológicos veremos perdurar el recuerdo de las grandes figuras de la tradición épica medieval: junto a los pastores arcádicos y los dioses grecolatinos, el Cid, Bernardo del Carpio, los Infantes de Lara. Del mismo modo que al lado de la aristocrática poesía italianizante de Garcilaso;

mantendrá su vigencia la canción lírica popular. En general, nuestra literatura renacentista no adoptó como en otros países una actitud de sistemático apartamiento del pueblo, sino que supo también llegar a él con obras como el Lazarillo, el teatro de Lope de Rueda o los tratados místicos.

En íntima relación con este doble plano popular y culto se hallan otras dos direcciones cuya presencia ya señalamos al estudiar nuestra literatura medieval: la que tiende hacia el *realismo* y la que desemboca en el *idealismo.* El Lazarillo de Tormes y el Amadís de Gaula son los dos polos de esta españolísima visión del mundo, tan pronto orientada hacia la realidad inmediata como hacia los más altos afanes. Dualidad que no sólo se refiere al orden estético —es decir, a la preferencia por unos determinados temas o recursos estilísticos— sino al orden moral: más delante veremos cómo los místicos saben remontarse hasta las más altas cimas del sentimiento religioso sin perder de vista la realidad cotidiana.

Precisamente es este elemento moral otra de las notas que prestan un acento singular a nuestro Renacimiento. Frente al de Italia, por ejemplo, en el que se ve la vida desde un ángulo exclusivamente estético, el Renacimiento español se caracteriza por su *orientación ética,* por su concepción del arte como algo subordinado a la vida y no a la inversa. Los españoles del siglo XVI, descendientes de aquellos otros que durante siglos se habían visto absorbidos por la dura tarea de la Reconquista y empeñados ellos mismos en arduas luchas europeas o en la conquista de un continente, no podían considerar el arte como una finalidad en sí, sino como bella expresión de unos valores morales necesarios para el logro de la perfección humana; a lo que contribuía, por otra parte, su profundo sentido cristiano.

Ello nos explica, a su vez, la persistencia en el siglo XVI de un rasgo diferencial del arte español: la despreocupación por la frase atildada y la *propensión a la expresión espontánea* y libre de todo artificio. Como decía el mismo Herrera, los españoles "ocupados en las armas... no pudiendo acudir a la quietud y sosiego destos estudios, quedaron por la mayor parte agenos a su noticia". No faltan egregias excepciones —la prosa cuidadísima de un Fray Luis de León, por ejemplo—, pero son muy frecuentes las obras en las que la soltura llega al franco desaliño.

En relación con ello merece consignarse también la *resistencia a aceptar dócilmente los preceptos clásicos.* El renacentista español admira los productos de la cultura grecolatina, pero su espíritu individualista le lleva a menudo a rechazar cualquier imposición que contraríe su peculiar visión del arte.

Sintetizando, tendremos como principales aspectos del esencial dualismo de nuestro Renacimiento:

1.º, *lo tradicional religioso junto al humanismo pagano de la época;*
2.º, *popularismo y cultismo;*
3.º, *persistencia de lo local frente a lo universal europeo;*
4.º, *realismo e idealismo;*
5.º, *finalidad ética al lado de un afán de logros estéticos;*

6.º, *libertad de expresión y preocupación por el estilo;*

7.º, *admiración por los clásicos y sentido de independencia estética.*

Epocas del Renacimiento español

Dos épocas pueden señalarse en la evolución de las corrientes renacentistas: el Pre-Renacimiento del siglo XV y el pleno Renacimiento del XVI.

El Renacimiento del siglo XV ha de entenderse más como desarrollo de las tendencias humanísticas y de los conocimientos sobre la antigüedad grecolatina que como total renovación de la vida y del arte. La cultura antigua se interpreta a menudo de modo imperfecto y el resultado es una serie de obras plagadas de pedantesca erudición y faltas de la serena ponderación que caracteriza el arte clásico. Se utilizan frecuentemente materiales de segunda mano —pues no siempre se conoce directamente a los clásicos— y por lo común todo se reduce a un *mero saber erudito.*

En el pleno Renacimiento del siglo XVI hay que distinguir dos períodos, correspondientes a Carlos V y Felipe II, o sea, a las dos mitades de la centuria.

El reinado de Carlos V es un momento de *orientación europea.* Las tendencias estéticas e ideológicas que agitan el resto de Europa hallan una profunda resonancia en España, quien, sin perder por eso su carácter propio, acoge abiertamente influencias que llegan de fuera. La poesía adquiere un matiz italianizante, las doctrinas platónicas se aceptan con entusiasmo, y en el terreno del pensamiento religioso las ideas de Erasmo obtienen una fabulosa difusión. Por otro lado, los éxitos en el extranjero y el sentido jubiloso de la nueva concepción del mundo dan a la vida y al arte un tono de sereno y confiado *optimismo.* Gran parte de los poetas de este siglo son caballeros y soldados que alternan el bullicio del ambiente palaciego y los afanes bélicos con el cultivo del arte literario. La gran figura de Garcilaso, poeta y cortesano, cuya vida transcurre en gran parte fuera de España, puede ser un símbolo del ambiente espiritual de la época.

El reinado de Felipe II marca un cambio decisivo en la cultura nacional. Escindida Europa en dos mitades irreconciliables, por obra de la Reforma luterana, España se apresta a la defensa de sus ideales políticos y religiosos, *cerrando la puerta a cualquier influencia extranjera* que pueda menoscabar la unidad espiritual del país —tal la de Erasmo— y erigiéndose en campeona de la catolicidad, con sus teólogos y sus ejércitos. La Contrarreforma da ahora copiosos frutos y la vida española adquiere un tono de grave religiosidad.

Las corrientes renacentistas, ya plenamente asimiladas, asumen un *carácter nacional* y todas las manifestaciones del arte y de la literatura ofrecen un sello de *severidad* y nobleza típicamente españolas. La extensa producción de místicos y ascéticos, el enérgico perfil del Escorial y la misma persona del Rey Prudente, siempre vestido de negro, son ejemplos bien significativos de esta nueva época en la que España pone en tensión todas sus fuerzas frente a un mundo hostil, vigorizando sus recursos espirituales. Si en el reinado del Emperador era un aristocrático poeta cortesano la figura más representativa, ahora será un fraile agustino —Fray Luis de León— quien mejor sintetice el ambiente cultural del momento.

El humanismo español

La historia del humanismo español cuenta con nombres tan ilustres como los de Pérez de Oliva, Vitoria, Arias Montano, el "Brocense", el "Pinciano", Simón Abril, Melchor Cano, Fox Morcillo, etc. Desde sus cátedras universitarias o desde sus libros, los humanistas españoles —cuyo rasgo capital fue su orientación práctica y el apartamiento de la erudición pedantesca e inútil— realizaron una fructífera labor en los más diversos aspectos de la cultura, *poniendo por lo general su saber al servicio del conocimiento y exégesis de los Libros Sagrados.* Así ocurrió, por ejemplo, en la Universidad de Alcalá, donde las lenguas clásicas se enseñaban con el fin de aplicarlas a los estudios bíblicos. Por eso tuvo en España mayor influjo el humanismo cristiano de Erasmo que el de Italia, más paganizante.

Tres son los puntos capitales de este nuestro humanismo —filológico y escriturario— en la primera mitad del siglo: la Biblia políglota Complutense, la influencia de Erasmo y la producción de Luis Vives.

La Biblia Políglota Complutense, o de Alcalá, representa uno de los mayores esfuerzos realizados por el humanismo español. Patrocinada por Cisneros, fue la primera en el mundo en presentar juntos los textos caldeo, hebreo, griego y latino. Obra de colosal amplitud, requirió la colaboración de varios ilustres filólogos, entre los que figuró Elio Antonio de Nebrija, quien se encargó, junto con otros, de revisar el texto latino. (Sus seis volúmenes se imprimieron entre 1514 y 1517.)

La influencia de Erasmo. — Erasmo de Rotterdam (1466-1536) fue uno de los humanistas que ejercieron mayor influencia durante las primeras décadas del siglo XVI. Hombre de erudición portentosa y gran conocedor de los clásicos y de los libros sagrados, publicó una serie de obras de contenido moral, religioso y satírico —los "Adagia", el "Enquiridion", el "Elogio de la locura"— en los que propugnaba, de acuerdo con la moral evangélica, una *mayor pureza* de costumbres, censurando, al propio tiempo, la relajación del elemento eclesiástico, las supersticiones que se habían introducido en la sociedad cristiana y la *práctica exclusiva del culto externo.* Sus brillantes dotes de escritor y su penetrante ironía favorecieron notablemente la difusión de sus ideas.

España fue, tal vez, el país donde las doctrinas erasmistas alcanzaron una mayor resonancia, al hallar preparado el terreno por una fuerte corriente "intimista", a la que nutrió de humanismo. El "Enquiridion", por ejemplo, traducido por el arcediano de Alcor, obtuvo un éxito enorme. Luis Vives y los hermanos Valdés estuvieron en

LVDOVICVS VIVES VALENTINVS

Luis Vives, figura señera del humanismo, cristiano y filológico, de España.

relación directa con Erasmo, y muchos otros se vieron influidos por sus ideas. Hasta el propio Inquisidor general, Alonso Manrique, fue un ardiente defensor de ellas contra sus violentos impugnadores.

Pero el erasmismo duró poco en España, ya que al morir el gran humanista holandés, en 1536, se prohibió la publicación de sus obras, considerando que podían ser un punto de partida para llegar a una solución protestante. A pesar de ello y de que la Contrarreforma acabó de borrar su huella, su influjo se observa, más o menos intensamente, en algunos autores posteriores.

Luis Vives es la figura central del humanismo español. Nació en Valencia en 1492 y estudió en París. Después de una estancia en Brujas fue profesor en Lovaina, lector de la reina de Inglaterra, Catalina de Aragón, y catedrático en Oxford, tras haber renunciado a ocupar el puesto de Nebrija en Alcalá. Volvió luego a París y acabó su vida en Brujas (1540).

Su extensa producción, escrita totalmente en latín, abarca las más diversas materias: psicología ("De anima et vita"), moral ("De institutione faeminae christianae"), cuestiones sociales ("De communione rerum"); pero fue *la pedagogía y la filología* lo que atrajo preferentemente su atención, como lo demuestran sus Diálogos ("Exercitatio linguae latinae"), llenos de curiosas alusiones a la vida cotidiana de la época.

Luis Vives *no creó un sistema filosófico original, pero recogió mejor que nadie las nuevas orientaciones* que flotaban en el ambiente renacentista. Oponiéndose a todo lo que de caduco y rutinario había en las últimas derivaciones de los métodos medievales y al uso del bárbaro latín de la época anterior, preconizó la vuelta al latín ciceroniano y el empleo de la experiencia y de la razón, movido por una finalidad práctica típicamente española. Su insistencia en la necesidad de la observación experimental para el estudio de la Naturaleza y de la introspección para el conocimiento de los fenómenos psicológicos, hace que se le pueda considerar como un precedente de Bacon, Descartes y de ciertas tendencias de la psicología y pedagogía modernas.

BIBLIOGRAFIA

CARACTERES GENERALES DEL RENACIMIENTO ESPAÑOL

L. Pfandl: *Introducción al Siglo de Oro*, 1929.
F. de Onís: *El Renacimiento*. En "Ensayos sobre el sentido de la cultura española", 1932.
C. Vossler: *Algunos caracteres de la cultura española*. Col. Austral, 1941.
C. Vossler: *Introducción a la literatura española del Siglo de Oro*. Col. Austral, 1945.
Aubrey F. G. Bell: *El Renacimiento español*, 1944.
Américo Castro: *La realidad histórica de España*. Ed. Losada, 1962.
Otis H. Green: *España y la tradición occidental*. Ed. Gredos, 1968-1969.
M. Fernández Alvarez: *La sociedad española del Renacimiento*. Ed. Cátedra, 1974.

HISTORIA DE LA PRODUCCION LITERARIA RENACENTISTA

L. Pfandl: *Historia de la Literatura Nacional de España en la Edad de Oro*, 1933.
Historia de las literaturas hispánicas. Vols. II y III, 1951-53.

ESTUDIOS SOBRE ASPECTOS PARCIALES

M. Menéndez y Pelayo: *Horacio en España*, 1877.
M. Menéndez y Pelayo: *Historia de las ideas estéticas en España*. Tomo III.
M. Menéndez y Pelayo: *Humanistas españoles del siglo XVI*. En "Estudios y discursos de crítica histórica y liter.". Vol. II.
M. de Unamuno: *De mística y humanismo*. En "En torno al casticismo", 1895.
A. Bonilla y San Martín: *Luis Vives y la filosofía del Renacimiento*, 1903.
B. Croce: *La Spagna nella vita italiana durante la Rinascenza*, 1917.
A. Castro: *El pensamiento de Cervantes*, 1925.
B. G. de Escandón: *Los temas del "Carpe diem" y la brevedad de la rosa en la poesía española*, 1937.
C. Vossler: *La soledad en la poesía española*, 1941.
R. Menéndez Pidal: *El lenguaje del siglo XVI*. En "La lengua de Cristóbal Colón". Col. Austral, 1942.
G. Marañón: *Luis Vives*. En "Españoles fuera de España". Col. Austral, 1947.
E. García Valdecasas: *El hidalgo y el honor*, 1948.
M. Bataillon: *Erasmo y España*, 1950.
M. Morreale de Castro: *P. Simón Abril*. Anejos Rev. de Fil. Esp. LI.
A. Vilanova: *Los preceptistas de los siglos XVI y XVII*. En "Historia general de las literaturas hispánicas". Vol. III.
Gregorio Marañón: *La literatura científica de los siglos XVI y XVII*. En "Historia general de las literaturas hispánicas". Vol. III.
J. M. de Cossío: *Fábulas mitológicas de España*, 1952.
Tomás Navarro: *Métrica española*, 1956.
Dámaso Alonso: *De los siglos oscuros al de Oro*, 1958. (Contiene, entre otros, trece estudios breves en torno a figuras del siglo XVI.)
W. Bahner: *La lingüística española del Siglo de Oro*. Madrid. Ciencia Nueva, 1966.

la lírica en el reinado del 20 emperador. garcilaso

La nueva poesía renacentista

En el año 1526, fecha decisiva para la historia de la poesía española, tuvo lugar la conversación entre el poeta Boscán y el embajador veneciano Andrea Navagiero, que originó la introducción de las formas y el espíritu de la lírica renacentista italiana. La renovación de nuestra poesía afectó a los metros, a los temas y al estilo.

Los metros. – El verso preferido por la poesía culta será de ahora en adelante *el endecasílabo,* de origen italiano. Su flexibilidad y elegancia le hacían más apto para las nuevas aspiraciones poéticas que los dos metros usuales del siglo XV: el octosílabo, indicadísimo para la expresión rápida, y el pesado dodecasílabo, muy solemne, pero dotado de un ritmo excesivamente lento y machacón. El endecasílabo se acentuó en las sílabas 1.ª, 2.ª o 3.ª, más la 6.ª, y en la 4.ª, más la 6.ª u 8.ª, o combinando los tipos anteriores. También se utilizó en un principio la acentuación en la 4.ª y 7.ª, forma que luego fue desechada.

En cuanto a las estrofas, aparecen —substituyendo, por ejemplo, a la copla de arte mayor, típica de la poesía culta del siglo XV— el soneto, la octava real, el terceto, la lira, la canción y la silva. Los tipos más frecuentes de composición serán la oda, la égloga, la elegía y la epístola, todas ellas de abolengo clásico.

Los nuevos temas poéticos. – Tres son los grandes temas de la lírica renacentista en la época del Emperador: el amor, la Naturaleza y los mitos grecolatinos.

El amor aparece tratado —siguiendo la moda petrarquista— como un intenso anhelo insatisfecho, fuente de melancolía y tristeza, o como un doloroso conflicto entre la razón y los sentidos. Otras veces, el inspirador será Platón —a través del "Cortesano" de Castiglione— y el sentimiento amoroso se convertirá en purificador impulso lleno de espiritualidad. En todos los casos, la influencia de Petrarca, y a veces la del sutil y atormentado Ausias March hará que el poeta ahonde en el estudio de sus propios sentimientos, llegando a un fino análisis de sus estados de ánimo.

También se debe al gran humanista italiano la complacencia en la descripción de *la Naturaleza,* como marco adecuado a las incidencias amorosas. Por otra parte, y de acuerdo con el espíritu del clasicismo, el campo, descrito con líneas finamente estilizadas, aparece como un bello mundo de armonía y reposo que contrasta con el agitado espíritu del poeta y como un símbolo de la perfección natural. En relación con esta exaltación estética y moral de la Naturaleza, que exige una refinada sensibilidad para los valores sensoriales, surge también en la lírica de la época el tema pastoril y el de la "Edad de Oro". Casi todos ellos derivan de Teócrito, Virgilio u Horacio, bien directamente, bien a través de Sannazaro.

Los mitos paganos —desprovistos de la significación moral que a veces les prestó el siglo XV— gozan, asimismo, de un gran prestigio. Procedentes en gran parte de la enorme cantera ovidiana de las Metamorfosis, substituyen a las frías personificaciones alegóricas de la Edad Media y son utilizados como bellos motivos literarios o símbolos de las fuerzas de la naturaleza.

Tendremos, pues, como influencias predominantes en la poesía española del siglo XVI, la de Petrarca y la de los clásicos grecolatinos —Platón, Virgilio, Horacio, Ovidio...—; y como secundarias, las de Ausias March, Sannazaro y algún otro poeta italiano.

El estilo. — Nuestros renacentistas, fieles a las consignas de Petrarca, cifrarán en el logro de *la forma bella* una de sus máximas aspiraciones. De este modo, las graciosas improvisaciones de la lírica cortesana del siglo XV cederán el paso a unas composiciones elaboradas cuidadosamente [1] según una norma de *elegante naturalidad.* La poesía ya no se considera como una simple diversión palaciega, apta para lucir el ingenio o una mal asimilada erudición clásica, mediante retorcidos conceptos o pedantescas citas, sino como un alto quehacer espiritual que requiere una sencilla *gravedad* de tono y estilo, diametralmente opuesta a la afectación o intrascendencia de buena parte de la lírica del siglo anterior.

Triunfo de la escuela petrarquista. — Es cierto que en la producción del siglo XV apuntaban ya la mayor parte de las tendencias que distinguen a la nueva escuela, pero no fueron sino aislados tanteos. De ahí el carácter de auténtica revolución literaria que asumió el movimiento petrarquista español. No faltaron los detractores, pero la elegante simplicidad y el tono emocionado de los nuevos versos triunfaron fácilmente.

Es innegable que la nueva poesía también ofrecía ciertos defectos, y no es el menor la insinceridad o monotonía a la que daba lugar el empleo de algunos tópicos

---

1. Una prueba del carácter reflexivo de la nueva técnica sería ese "gusto por ciertos esquemas distributivos de la materia en el verso y en la estrofa, en especial por la regular distribución de materia en el verso, y sobre todo por la bimembración", en el que Dámaso Alonso —"Poesía española"— ve una de las huellas más patentes del influjo de Petrarca.

aprendidos en Petrarca; no obstante, su superioridad en casi todos los órdenes pronto quedó de manifiesto.

Juan Boscán

Juan Boscán nació en Barcelona (entre 1487 y 1492). Su familia, perteneciente a la alta burguesía catalana, le envió a la corte de los Reyes Católicos. En Castilla sirvió como preceptor al duque de Alba y conoció a Garcilaso, al que le unió una entrañable amistad que tuvo enormes consecuencias en la historia de nuestra poesía. Vuelto a Cataluña, se casó hacia el final de su vida con una noble y culta dama, y murió en 1542.

Sus innovaciones métricas. – En 1526 tuvo lugar en Granada su encuentro con el embajador veneciano, Andrea Navagiero, quien le rogó que intentase escribir en castellano "sonetos y otras artes de trovas usadas por los buenos autores de Italia". El consejo no fue desoído y Boscán, animado por el propio Garcilaso, comenzó a incorporar al castellano los principales metros utilizados por Petrarca y los demás poetas italianos.

Las obras. – Las poesías de Boscán (publicadas después de su muerte por su esposa,[1] junto con las de Garcilaso), ocupan tres libros. En el primero, aunque lo forman composiciones de escaso interés, escritas todavía en los metros tradicionales, es ya visible la influencia de Petrarca. El segundo está constituido por noventa y dos sonetos y varias canciones en endecasílabos y heptasílabos. El tercero reúne las composiciones más largas: el poema de tema mitológico *Hero y Leandro,*[2] el titulado *Octava Rima,* de carácter alegórico, y la *Epístola a Mendoza,* en la que el poeta se refiere con simpática sinceridad a su ambiente familiar y al amor que le une a su esposa. En ella se nos ofrece como hombre apacible y tranquilo que sabe apreciar el encanto de los pequeños goces de la vida doméstica cotidiana. Es su producción más notable y quizá la que mejor le define.

Gran importancia tiene también la magnífica versión que hizo, a instancias de Garcilaso, de "El Cortesano", de Baltasar de Castiglione, traducción que hay que considerar como una de las mejores producciones en prosa del reinado del Emperador.

El estilo. – La obra de Boscán carece de auténtica perfección formal, pues la versificación es dura y premiosa, cosa de esperar en el que por vez primera utilizaba unos metros hasta entonces no empleados. En cuanto al fondo, aclimató, aunque en forma rudimentaria, los temas y el tono petrarquista. Su mérito reside, pues, ante

---

1. Doña Ana Girón de Rebolledo. – 2. Leandro muere ahogado al atravesar a nado el Helesponto, y su amada Hero, por quien él cruzaba el mar todas las noches, se suicida. El tema fue luego repetido por infinidad de poetas.

Estatuas orantes del poeta Garcilaso de la Vega y su hijo. La poesía de Garcilaso se caracterizó por la honda melancolía y el minucioso análisis de los sentimientos.

todo, en haber introducido el instrumento de que luego se servirían los mejores poetas castellanos.

Garcilaso de la Vega

Nació en Toledo (1503 ¿o 1501?). Hijo de ilustre familia, entró al servicio del Emperador, a cuyo lado cambatió contra los Comuneros. Más tarde intervino, junto con su gran amigo Boscán, en la fracasada expedición a Rodas y en las luchas contra los franceses en Navarra. A poco de haber contraído matrimonio con doña Elena de Zúñiga —a la que nunca aludirá en sus versos—, conoció a doña Isabel Freyre, dama portuguesa que le había de inspirar un gran amor. Hacia esa época —1526— debió de empezar a componer en metros italianos. Al cabo de tres años, doña Isabel se casa y el poeta sufre una grave crisis sentimental. Va a Italia con el Emperador, quien más tarde le destierra a una isla del Danubio, por haber asistido a cierta boda contra su voluntad. Conseguido el perdón real, dirígese a Nápoles, donde reside algún tiempo, familiarizándose con las literaturas italiana y clásica. La muerte de doña Isabel (1534) es ahora ocasión de emocionados versos, pero un nuevo amor le inspira también varias composiciones. Toma parte en la expedición contra Túnez y, en 1536, dirigiendo, por orden del Emperador, el asalto a la fortaleza de Muy (Provenza), es herido en la cabeza y muere en Niza a los 33 años de edad.

Arrojado en la guerra, extremadamente cortés en la relación social, profundo conocedor de la cultura clásica, inspirado poeta y hombre de intensa vida sentimental, Garcilaso encarna, como ningún otro escritor de su siglo, el ideal renacentista del "cortesano".

Producción poética. – La obra poética que nos queda de Garcilaso —editada, junto con la de Boscán, por la viuda de éste, en 1543— es de reducidas dimensiones. Aparte alguna composición inicial en metros tradicionales, nos ha dejado una epístola, dos elegías, tres églogas, cinco canciones y treinta y ocho sonetos.

Más interesante que la *epístola* (dirigida a Boscán) y que las *dos elegías* (al duque de Alba y a Boscán), son las *cinco canciones.* Entre ellas destacan la tercera, escrita desde el Danubio, "río divino"; la cuarta, donde expresa con desesperada violencia su amor a doña Isabel Freyre, y la quinta, dedicada a la "flor de Gnido", dama napolitana a la que Garcilaso, en nombre de un amigo, reprocha sus crueles desdenes; esta última es la más famosa, y su primer verso —"si de mi baja lira"— ha dado nombre a la estrofa utilizada en ella por primera vez en castellano.

Los *sonetos* giran, como la mayor parte de su producción, en torno al tema amoroso. Entre los más bellos se encuentran los dedicados al mito de Hero y Leandro y al de Dafne y Apolo,[1] el que se refiere a la muerte de doña Isabel (¡Oh dulces prendas por mi mal halladas...), el que glosa el tema del Carpe diem (En tanto que de rosa y azucena...) y el que nos ofrece el maravilloso espectáculo de unas ninfas bajo el río (Hermosas ninfas que en el río metidas...).

Pero son las *tres églogas* lo más logrado de su poesía. Todas ellas se hallan dentro del género pastoril. La primera nos refiere las lamentaciones de Salicio por los desdenes de Galatea, y las de Nemoroso por la muerte de Elisa. Unos y otros corresponden a dos momentos sucesivos de la vida del poeta, que alude veladamente a su amor no correspondido por doña Isabel, y a la muerte de ésta. Llena de honda emoción y exquisitas descripciones de paisaje, es tal vez su obra cumbre.

La segunda une lo bucólico a lo heroico, ya que junto a una glosa del "Beatus ille" horaciano y a la historia amorosa de los pastores Camila y Albanio, vemos una larga relación de las hazañas de la casa de Alba. Es la que tiene un mayor movimiento dramático. La tercera —donde se llega al máximo de la perfección formal— nos describe, idealizándolo, el paisaje del Tajo y los ricos tapices que tejen las ninfas bajo el río —en los que se representan los mitos de Orfeo y Eurídice,[2] el de Dafne y Apolo, el de Venus y Adonis[3] y la muerte de Elisa—; la égloga termina con un diálogo pastoril en el que Tirreno y Alcino se refieren a su amor por Flérida y Filis.

La expresión del sentimiento amoroso. — La honda melancolía de la poesía de Garcilaso, así como el minucioso análisis de los estados afectivos que en ella se manifiesta, revelan la influencia de Petrarca, máximo inspirador de la lírica renacentista. Una notable coincidencia de situaciones sentimentales —el amor no correspondido, la muerte de la amada, el insatisfecho afán de paz espiritual— viene a aumentar la analogía entre ambos.

Sin embargo, contrastando con la ostentación sentimental del poeta italiano, Garcilaso sabe velar su dolor con gesto de elegante recato, ocultando a veces su personalidad tras la figura de algún imaginario pastor. Del mismo modo, el tono lacrimoso de Petrarca se evita gracias a un aristocrático sentido de contención que *logra refrenar la expresión desbordada de su sufrimiento amoroso.* Una viril aceptación del hado adverso y una estoica resignación ante el infortunio consiguen también alejar toda estridencia. Y si en el cantor de Laura alguna fría sutileza viene a destruir la

---

1. Dafne, perseguida por Apolo, solicitó la ayuda de los dioses, que la convirtieron en laurel. — 2. Orfeo pierde definitivamente a su esposa Eurídice, a la que había ido a buscar a los infiernos, al contravenir la orden de los dioses, que habíanle prohibido mirarla antes de volver a la superficie de la tierra. — 3. Marte, lleno de celos, se convierte en jabalí y destroza a Adonis, amado por Venus.

emoción de unos versos, *la grave sinceridad y la ternura* que siempre distinguen a los de Garcilaso, les impiden tropezar en este escollo.

Garcilaso sufrió también, como la mayor parte de los poetas de su tiempo, la influencia de las doctrinas neoplatónicas del amor, pero la profunda verdad de sus sentimientos amorosos le alejó de las idealizadas abstracciones a que aquéllas daban lugar. La figura de la amada no es en su obra una mera encarnación del ideal femenino que puso de moda el platonismo renacentista, sino la mujer real que le inspiró una gran pasión amorosa.

He aquí uno de sus más emocionados sonetos: el motivado, probablemente, por el recuerdo de doña Isabel:

> ¡Oh dulces prendas, por mi mal halladas,
> dulces y alegres cuando Dios quería!
> Juntas estáis en la memoria mía,
> y con ella en mi muerte conjuradas.
> ¿Quién me dijera, cuando en las pasadas
> horas en tanto bien por vos me vía,
> que me habíades de ser en algún día
> con tan grave dolor representadas?
> Pues en una hora junto me llevastes
> todo el bien que por términos me distes,
> llevadme junto el mal que me dejastes.
> Si no sospecharé que me pusistes
> en tantos bienes porque deseastes .
> verme morir entre memorias tristes.

Hay que advertir que no toda la producción de Garcilaso ofrece el tono de resignada tristeza que acabamos de señalar. Las composiciones anteriores al viaje a Nápoles, que representa en la vida del poeta la superación de la grave crisis ocasionada por la boda de doña Isabel, nos lo muestran en pleno desequilibrio sentimental. La violenta lucha entablada entre su razón y la pasión que le agita no siempre acaba con el triunfo de la primera. "No hay parte en mí que no se me trastorne", exclama en la canción IV, una de las poesías más características de esta época turbulenta en la que junto al influjo de Petrarca, se da el del patético y apasionado Ausiàs March.

La visión de la Naturaleza. – Tras el amor, encontramos, como segundo tema fundamental, la descripción de la Naturaleza, sobre todo en las Eglogas I y III, escritas con posterioridad a su viaje a Italia. En ellas es decisivo, aparte el influjo de Petrarca, el de la tradición bucólica grecolatina que, partiendo de Teócrito, se perpetúa a través de Virgilio y Horacio para llegar más tarde a la "Arcadia" del italiano Sannazaro.

De acuerdo con el tópico pastoril, y como movido por un ferviente anhelo de reposo espiritual, el poeta nos presenta *una naturaleza finamente estilizada* en la que todo tiende a producir una *sensación de armonía y sosiego*.

Un "verde prado de fresca sombra lleno", en el que un "viento fresco, manso y amoroso" mece suavemente "los verdes sauces" o algún "alta haya"; un "dulce y claro río", cuyas "corrientes aguas, puras, cristalinas" bañan con "manso ruido" alguna

"A Dafne ya los brazos le crecían y en luengos ramos vueltos se mostraban..."

"verde y deleitosa ribera" "sembrada de flores" constituyen el escenario obligado de "el dulce lamentar" de algún enamorado pastor.

La nítida *luminosidad* del "inmenso y cristalino cielo", la transparencia de las "cristalinas ondas" que forma el agua de alguna "fuente clara y pura" y el profundo *silencio* en que se destaca el "dulce canto" del ruiseñor o el susurro de "las solícitas abejas", son otras notas esenciales de este bellísimo paisaje, en el que, a pesar de las alusiones a Toledo —"cerca del Tajo, en soledad amena — de verdes sauces hay una espesura..."—, se elude toda concreción realista.

La soledad y el reposo del campo no es, como más tarde lo será para Fray Luis, un medio para alcanzar la perfección espiritual; la Naturaleza sólo aparece como un oasis de belleza absoluta y como un adecuado fondo sobre el que destacar los propios sentimientos del autor.

El estático paisaje que nos ofrece el poeta, aunque responde a un lugar común bucólico y a la idea renacentista según la cual la Naturaleza es arquetipo de toda perfección, refleja al mismo tiempo una delicada sensibilidad para los valores sensoriales y una extraordinaria intuición lírica.

Véase la fina elegancia de esta estilizada descripción:

> Movióla el sitio umbroso, el manso viento,
> el suave olor de aquel florido suelo.
> Las aves en el fresco apartamiento
> vio descansar del trabajoso vuelo.
> Secaba entonces el terreno aliento
> el sol subido en la mitad del cielo.
> En el silencio sólo se escuchaba
> un susurro de abejas que sonaba

O el tono de esfumada lejanía con que termina la primera égloga:

> La sombra se veía
> venir corriendo apriesa
> ya por la falda espesa
> del altísimo monte, y recordando

ambos [1] como de sueño, y acabando
el fugitivo sol, de luz escaso,
su ganado llevando,
se fueron recogiendo paso a paso.

Las poesías anteriores al viaje a Nápoles son también en esto radicalmente distintas de las que escribió una vez vencida la conmoción espiritual que le ocasionó la boda de doña Isabel. Sus primeras composiciones son parcas en alusiones al paisaje; Garcilaso, abismado en su dolor, no tiene ojos para la Naturaleza, o se limita a verla a través de sus propios estados de ánimo; de ahí que aparezca descrita como un mundo hosco y desolado. Son las "agudas peñas peligrosas" y el "áspero camino" de la patética canción IV, o "la región desierta, inhabitable" de la primera. Como en las Eglogas, y a diferencia de Petrarca, el paisaje responde aquí a la situación sentimental del poeta, de la que en cierto modo viene a ser una bellísima y emocionada proyección estética.

El estilo. – El estilo de Garcilaso se caracteriza, ante todo, por la misma *elegante sobriedad* que observamos en la expresión de sus sentimientos y en la descripción de la Naturaleza. Lejos ya de las frías y afectadas artificiosidades de la lírica cortesana del siglo XV, el lenguaje poético de Garcilaso, *llano y natural* es un extraordinario ejemplo de claridad expresiva.

Que Garcilaso era además un profundo conocedor de los recursos técnicos de la poesía, nos lo demuestra la *suave musicalidad* de sus versos. Es una dulce y reposada melodía que armoniza maravillosamente con la ternura de sus sentimientos y con la plácida belleza de sus paisajes. El mismo sentido de grave y aristócrática elegancia que pone serena mesura a la expresión sentimental o que evita toda estridencia cromática en la descripción de la Naturaleza [2] es lo que da a la poesía de Garcilaso ese *ritmo señoril,* tan pausado y tan fluido al mismo tiempo, logrado a base de un predominio de endecasílabos terminados en palabra llana y acentuados en sexta sílaba.

El siguiente soneto puede servir de ejemplo de la admirable perfección formal conseguida en muchos casos:

En tanto que de rosa y azucena
se muestra la color en vuestro gesto,
y que vuestro mirar, ardiente, honesto,
enciende el corazón y lo refrena;
y en tanto que el cabello, que en la vena
del oro se escogió, con vuelo presto,
por el hermoso cuello blanco, enhiesto,
el viento mueve, esparce y desordena;
coged de vuestra alegre primavera
el dulce fruto, antes que el tiempo airado
cubra de nieve la hermosa cumbre.
Marchitará la rosa el viento helado,
todo lo mudará la edad ligera,
por no hacer mudanza en su costumbre.[3]

---

1. Recordando ambos: despertando Salicio y Nemoroso. – 2. El verde, el blanco y el oro son los colores preferidos por Garcilaso. – 3. La *h* de *hacer,* como la de *hermosa,* se aspiraba.

Si el tono suavemente nostálgico en la expresión del sentimiento y la comprensión estética del paisaje sólo aparecen tardíamente en los mejores poemas de Garcilaso, ese estilo natural, reposado, lleno de delicados matices cromáticos y musicales, es también fruto de un largo aprendizaje y de un contacto cada vez mayor con la literatura clásica e italiana. Por eso, sus primeros versos, pobres de adjetivación y de imágenes y agitados por un vehemente dinamismo, recuerdan algo la poesía cortesana del XV y se hallan a gran distancia de la maravillosa Egloga III, por ejemplo.

En cuanto a las formas métricas, hemos de recordar que la "lira", introducida por él, había de ser la estrofa en que se compusiese lo mejor de la lírica castellana: las poesías de Fray Luis de León y las de San Juan de la Cruz.

Los poetas italianistas

La reforma poética llevada a cabo por Boscán y Garcilaso obtuvo un rápido éxito en España porque coincidía con las exigencias estéticas del momento, pero no llegó a eliminar totalmente las formas y temas tradicionales; por eso veremos cultivar a la mayor parte de los poetas italianistas los asuntos y los tipos de versificación castellana anteriores a la introducción del nuevo estilo.

Gutierre de Cetina (Sevilla, 1520-Méjico, ¿1557?). — Peleó al servicio del Emperador y murió en Méjico, quizás a consecuencia de una reyerta por cuestión de amores. Su obra, integrada por madrigales, canciones, epístolas y más de doscientos sonetos, y muy influida por Petrarca, Ausiàs March y Garcilaso, representa la plena incorporación de la moda italiana. Cetina es ante todo *un poeta amoroso de tipo palaciego*, y su estilo, sumamente fino y delicado —Herrera le reprochaba decir "muchas cosas dulcemente, pero sin fuerzas"— tiene a menudo *la gracia ligera de una improvisación cortesana*. Por ello fue el mejor cultivador del madrigal amoroso. Una de sus composiciones de este tipo se ha hecho justamente famosa:

> Ojos claros, serenos,
> si de un dulce mirar sois alabados,
> ¿por qué si me miráis, miráis airados?
> Si cuando más piadosos
> más bellos parecéis a aquel que os mira
> no me miréis con ira
> porque no parezcáis menos hermosos.
> ¡Ay, tormentos rabiosos!
> Ojos claros, serenos,
> ya que así me miráis, miradme al menos.

Hernando de Acuña (Valladolid, ¿1520? -1580). — Alternó el cultivo de la poesía con las empresas militares, luchando en Italia y Alemania. Los suaves versos de sus "Eglogas" denotan la influencia de Virgilio y de Garcilaso.

Lo más notable de su producción —publicada en 1591— lo constituyen una serie de sonetos, entre los que destaca el que resume, con noble y rotunda expresión, el ideal político del Emperador:

un Monarca, un Imperio y una espada.

Diego Hurtado de Mendoza (1502-1575). – Aunque su producción en prosa es del reinado de Felipe II, su labor poética corresponde a las tendencias de la primera mitad del siglo. *Cultivó los metros italianos y los tradicionales.* En los primeros se hallan escritas una serie de "epístolas" de grave contenido filosófico-moral –Hurtado es el introductor de la epístola horaciana– y algunas composiciones amorosas y mitológicas (v.gr., la *Fábula de Adonis*). Todas ellas ofrecen una dura y desmañada versificación.

Mayor soltura presentan, en cambio, las que utilizan las formas castellanas tradicionales. Dotadas de un tono más realista, tienen a menudo una intención satírica y, en ocasiones, una gracia maliciosa bastante audaz.

Sá de Miranda (1485-hacia 1558). – Es un poeta portugués –nació en Coimbra–, pero sus setenta y cinco composiciones en castellano, entre las que se encuentra la bella égloga titulada "Nemoroso", dedicada a la muerte de Garcilaso, permite citarle –lo mismo que a Camoens, de la segunda mitad del siglo– al lado de los otros poetas castellanos italianistas. Sá de Miranda fue, como Boscán en España, el introductor del petrarquismo en Portugal.

La persistencia de los metros tradicionales castellanos

Algunos poetas de la época se mostraron de momento absolutamente reacios a aceptar las formas italianas y continuaron utilizando los tipos de versificación castellana –letrillas, glosas, villancicos, redondillas–, en composiciones que, por otra parte, demuestran a menudo una total asimilación del nuevo espíritu. Esta resistencia fue, sin embargo, pasajera, ya que todos –a excepción de Castillejo– acabaron empleando los metros italianos.

Lo cual no quiere decir que la poesía tradicional –tanto la de carácter popular, como la de tipo cancioneril, más artificiosa– se extinguiera. Por el contrario, siguió cultivándose –rasgo muy español– a través de todo el Siglo de Oro (Gil Vicente, Montemayor, Lope de Vega...), junto a la de tipo italianista.

Cristóbal de Castillejo. (Ciudad Rodrigo, ¿1490?-1550). – Perteneció a la orden cisterciense y fue más tarde secretario del rey de Bohemia. Vivió a causa de ello varios años fuera de España, y murió cerca de Viena.

La producción de Castillejo –publicada en edición expurgada en 1573– suele dividirse en obras "de amores", "de conversación y pasatiempo" y "morales y de devoción". Entre las primeras se encuentran varias poesías amorosas (dedicadas a Ana

Escena bucólica en un códice de Virgilio.

de Schaumburg y Ana de Aragón) y un extenso *Sermón de amores,* en el que discurre, con notable desenfado, sobre el amor no correspondido y el que halla correspondencia.

Entre las segundas, vemos, aparte otras divertidas sátiras, el *Diálogo de mujeres,* larga composición en la que —como en el "Sermón de amores"— sigue la tradición misógina de la Edad Media, y la *Represión contra los poetas españoles que escriben en verso italiano.*

En esta última, se opone a la poesía italianista, reprochándole su seria gravedad y su lento ritmo; "son —dice—

estas trovas a mi ver
enfadosas de leer
y tardas de relación...

escritas siempre de veras
que corren con pies de plomo,
muy pesadas de caderas..."

Castillejo prefería el rápido octosílabo tradicional, y en él escribió la mayor parte de su obra; por esto y por los temas que trata —debates, composiciones amorosas y satíricas al modo medieval— nos produce a veces la sensación de un rezagado poeta de cancionero.

Sin embargo, su producción, como decía Menéndez Pelayo, "pertenece al Renacimiento con el mismo derecho que la de Boscán, y es, a pesar de su amable negligencia, una poesía de espíritu clásico y humanista; libre, audaz en la intención, viva, fresca y espontánea en su juvenil alegría."

Léanse los primeros versos de su *Canto de Polifemo,* traducción de Ovidio:

Hola, gentil Galatea,
más alba, linda, aguileña,
que la hoja del alheña
que blanquea...;
más fulgente,
que el vidrio resplandeciente;
más loçana qu'el cabrito
delicado, ternecito,
retoçador, diligente;
más polida,
lampiña, limpia, bruñida
que conchas de la marina,
fregadas de la contina
marea, nunca rendida...;
en blancura

más reluciente y más pura
que el yelo claro, lustroso;
más dulce que la sabrosa
moscatel uva madura;
delicada
y blanca, siendo tocada,
más que la pluma sotil
del blanco cisne gentil
y que la leche cuajada;
y aun diría
si no huyes a porfía,
como sueles desdeñosa,
que eres más fresca y hermosa
que la huerta regadía...

Ciertamente, el *matiz realista* de sus versos satíricos, la *graciosa agilidad de la expresión* y el *desenfadado epicureísmo* de su espíritu se hallan muy lejos del refinado ideal estético de Garcilaso, pero la vitalidad y lozanía de su obra —libre, por lo general, de las frías artificiosidades de la poesía cortesana del siglo XV— la sitúan plenamente dentro de la época renacentista.

Gregorio Silvestre. (1520-1569). — Fue organista de la Catedral de Granada. Sus primeros versos mantienen los metros tradicionales. Más tarde escribió poesías, en endecasílabos de gran perfección técnica, sobre asuntos amorosos, religiosos y mitológicos (*Fábula de Narciso*).

BIBLIOGRAFIA

EDICIONES

Boscán. Poesías. B. A. E. — *El cortesano,* González Palencia, 1942. — *Obras poéticas.* M. de Riquer, A. Comas, J. Molas, Barcelona, 1957.
Garcilaso T. Navarro Tomás. Clásicos Cast., 1924. — E. L. Rivers. Ed. Castalia, 1964.
Cetina. Hazañas, 1895.
Acuña. Elena Catena, 1954.
Hurtado. B. A. E. — W. I. Knapp, 1877.
Castillejo. Domínguez Bordona. Clásicos Cast., 1926.
G. Silvestre. B. A. E.
Antologías. "Poetas del siglo XVI". R. Lapesa, 1947. — "Poesías de la Edad Media y poesía de tipo

tradicional". Dámaso Alonso, 1942. — "Antología de la poesía española" *(Poesía de tipo tradicional).* Dámaso Alonso y J. M. Blecua, 1956.

ESTUDIOS

M. Menéndez y Pelayo: *Boscán.* En "Antol. de poetas líricos". Vol. X.

Margot Arce Blanco: *Garcilaso de la Vega,* 1930.

G. Díaz Plaja: *Garcilaso y la poesía española,* 1937.

R. Lapesa: *Trayectoria poética de Garcilaso,* 1948.

Dámaso Alonso: *Garcilaso y los límites de la estilística.* En "Poesía española", 1950.

A. Gallego Morell: *La escuela de Garcilaso.* En "Dos ensayos sobre poesía española del siglo XVI". 1951.

Dámaso Alonso: *El destino de Garcilaso.* En "Cuatro poetas españoles", 1962.

S. Serrano Poncela: *Garcilaso el inseguro.* En "Formas de vida hispánica". Madrid, 1963.

A. Blecua: *En el texto de Garcilaso.* Madrid, 1970.

E. L. Rivers: *La poesía de Garcilaso.* Barcelona, 1974.

Consúltense, asimismo, los prólogos de las ediciones de "Clásicos castellanos" citados y el de la "Antología" de D. Alonso y J. M. Blecua.

el teatro primitivo de torres naharro y gil vicente

El teatro en la primera mitad del siglo XVI

Dos importantes figuras representan la evolución del género en la primera mitad del siglo: *Torres Naharro* y *Gil Vicente.* Partiendo ambos de los intentos dramáticos de Juan del Encina, consiguen crear un animado teatro en el que se mezclan los más diversos elementos medievales y renacentistas. Sin embargo, su *técnica,* a pesar de que revela un indudable progreso, es todavía *rudimentaria:* algunas obras carecen de verdadera trama y en ellas todo se reduce a una mera yuxtaposición de escenas costumbristas sin trabazón íntima; en otras, la acción se precipita torpemente o se interrumpe con episodios ajenos al tema central. Habrá que llegar a Lope de Vega para hallar un desarrollo hábil y coherente de la intriga.

Al margen de los autores citados, el teatro de la época ofrece otras dos direcciones: la que continúa la tradición del *drama religioso medieval* y la que aspira a restaurar la fórmula teatral del *clasicismo grecolatino.*

Torres Naharro

Nació en Extremadura (Torre de Miguel Sexmero). Estuvo preso en Argel y más tarde marchó a Italia, donde se hizo sacerdote. Algunas de sus obras fueron representadas en la corte papal de León X. Murió hacia 1531.

Las reglas de Propalladia. – Las ocho comedias que escribió fueron reunidas en un volumen que tituló "Propalladia" (Nápoles, 1517), cuyo prólogo contiene la primera teoría dramática que registra nuestra historia literaria. Basándose en Horacio, establece varias reglas: la obra ha de tener un desenlace feliz, debe constar de "cinco jornadas" (o actos), ha de estar sometida a una reflexiva ponderación que evite toda impropiedad, etc.

Ilustración de la "Propalladia", primera obra de teatro español que alude a las reglas clásicas.

Las ocho comedias. — Sus propias obras, que no siempre se ajustan a estas normas, constan de un "introito", una exposición del argumento y cinco actos, en octosílabos. Las divide en dos grupos: "a noticia" —o sea tomadas de la realidad—, y "a fantasía" —o creadas por la imaginación—.

Las primeras son una especie de entremeses costumbristas, en los que apenas hay acción. Así, *Soldadesca* (diálogos entre soldados) y *Tinellaria* (en la que se representa la vida de los criados en el tinelo de un cardenal).

Las segundas desarrollan una sencilla intriga novelesca. *Himenea,* la mejor construida, puede considerarse como un precedente de las comedias de capa y espada: Himeneo pretende a Febea; el hermano de ésta cree ultrajado su honor e intenta matarle, pero al fin todo se soluciona, terminando la obra con la boda de aquéllos.

Las restantes comedias se titulan *Trofea, Jacinta, Serafina, Aquilana* y *Calamita*. Escribió también un *Diálogo del Nacimiento* siguiendo la técnica de Juan del Encina.

Caracteres de su teatro. — Aun sin dejar de hallarse conectada con la tradición del teatro medieval, la obra de Torres Naharro responde preferentemente —por lo menos en su espíritu— al ambiente cultural del Renacimiento; así se advierte en las abundantes alusiones satíricas de tipo anticlerical, en el *desenfado* con que se plantean algunas situaciones escabrosas o en la *alegre solución* que se da a todos los conflictos.

Las comedias "a noticia", ofrecen, como ya dijimos, una estructura muy simple: pero la viva animación del diálogo (en el que se emplean diversas lenguas: castellano, valenciano, italiano, francés, latín macarrónico...) y los abigarrados colores de sus escenas costumbristas les prestan una *gracia pintoresca* no desprovista de originalidad.

Las piezas "a fantasía" integran el primer grupo de comedias del teatro español en el que se advierte *el desarrollo de una intriga*. En ellas son frecuentes las *situaciones patéticas,* los efectismos dramáticos, y un *ambiente novelesco* que las convierte en un lejano precedente del teatro español del siglo XVII.

En conjunto, las innovaciones de Torres Naharro en la evolución del teatro se podrían cifrar en lo siguiente: una mayor regularidad en la estructura dramática,

Escena de la **Barca do Inferno**, de la **Trilogía das Barcas**, de Gil Vicente, según un grabado de la época. Los diablos se disponen a apresar al caballero, mientras el ángel permanece inmóvil.

aparición de nuevos personajes (soldados, frailes, damas, príncipes) que vienen a sumarse a los pastores de Juan del Encina, complicación de la trama en piezas que anuncian la posterior comedia urbana de amor y de celos, observación realista de costumbres y caracteres, y gracioso desenfado en el empleo del diálogo.

Gil Vicente

(¿1465-1536?). Es la figura capital de nuestro teatro en el reinado de Carlos V. Nació en Portugal (¿Lisboa?), fue notable músico, actor y orfebre, y estuvo al servicio de los reyes portugueses, en cuya corte se representaron algunas de sus obras.

Su producción dramática —escrita en portugués y en castellano— ofrece tal variedad que es difícil establecer una clasificación exacta, pero aproximadamente puede dividirse en cuatro grupos.

1.º **Piezas religiosas.** — Las más antiguas se limitan a continuar la fórmula de las Eglogas de Encina y son meros monólogos o diálogos pastoriles con escasa acción *(Auto da Visitaçao, Auto pastoril castellano).* Las de época posterior presentan una mayor complejidad e introducen nuevos elementos: alegorías *(Auto da ánima),* sátiras antieclesiásticas *(Auto da Feira),* fragmentos líricos *(Auto dos quatro tempos),* personajes bíblicos *(Auto da Sibila Casandra),* etc.

La más importante del grupo es la *Trilogía das Barcas* (1517-19). Su asunto se halla relacionado con el tema medieval de las Danzas de la Muerte y con el renacentista de la Barca de Caronte. En las dos primeras ("Barca do Inferno", "Barca do Purgatorio"), escritas en portugués, los diablos recriminan a una serie de pecadores de distintas clases sociales: el hidalgo, el usurero, el zapatero, el corregidor... En la "Barca da Gloria", escrita en castellano, es la misma Muerte quien llama a diversos personajes eclesiásticos y civiles: el Papa, el Emperador, el Rey, el Cardenal, etc. La sátira social y religiosa es el elemento capital de la obra, pero su autor supo aprovechar el tema para trazar, con acertados rasgos, el perfil psicológico de variados tipos humanos. La Trilogía interesa también por la belleza lírica de ciertas escenas y el dramatismo de algunas situaciones.

2.º Comedias. – Pueden reunirse en este grupo varias piezas en las que se desarrolla con mayor amplitud una intriga novelesca. En tal caso se hallan la *Comedia do viuvo* (del viudo), en la que Don Rosvel Tenorí se ve en el aprieto de tener que escoger entre dos jóvenes, de las que se ha enamorado; la *Comedia Rubena* (1521), donde se utilizan elementos fantásticos de la tradición popular, y dos comedias de asunto caballeresco: *Amadís* (1533), sobre el episodio de la penitencia del héroe, y *Don Duardos* (1521-1525).

Esta última es una de las más bellas de Gil Vicente. El príncipe Don Duardos se enamora de la infanta Flérida y para lograr su amor sin descubrir su personalidad, se hace pasar por jardinero. Flérida bebe inocentemente un filtro amoroso que aquél le ofrece y decide escapar con él. La obra está impregnada de un intenso lirismo, y todo ello —la acción, el ambiente, los personajes— tiene un extraordinario encanto poético.

3.º Farsas costumbristas. – Aunque algunas desarrollan una sencilla intriga, lo esencial en ellas es la viva pintura de tipos y costumbres populares. Con fina intención irónica o con delicado lirismo, Gil Vicente nos va presentando una variada y multicolor galería de personajes: los médicos pedantes, en la *Farsa dos Físicos* (1512), el galán pobre *(Quem tem farelos)*, el viejo enamorado *(O velho da horta,* 1511), las gitanas ("Farsa das ciganas"), etc. En conjunto constituyen la parte más animada del teatro vicentino.

4.º Las Tragicomedias alegóricas de gran espectáculo [1] son una serie de piezas, a menudo de carácter patriótico, en las que aparecen confundidos diversos elementos: alegóricos *(Fragoa d'amor)*, mitológicos *(Exortação da guerra)*, antieclesiásticos: *Templo d'Apollo*, etc.

---

1. Así las designa Menéndez Pelayo.

El elemento lírico en el teatro vicentino. – El teatro de Gil Vicente ofrece tal diversidad de facetas que hace pensar en el de Shakespeare o en el de Lope. Pero su nota relevante es el clima lírico en que se sitúa la acción, pues "su profunda inspiración de poeta" y "la intacta nitidez de su recién creada expresión, superan en mucho a sus posibilidades como hombre de teatro".[1] Este ambiente poético lo consigue frecuentemente el autor glosando e intercalando breves cantares de la tradición anónima. Dotadas de una *fina musicalidad* y de una *gracia alada,* son, por lo general, elegantes y transparentes *estilizaciones de temas populares.*

Su delicada belleza puede apreciarse en estas sencillas muestras:

Muy graciosa es la doncella,
¡cómo es bella y hermosa!

Digas tú, el marinero
que en las naves vivías,
si la nave, o la vela o la estrella
es tan bella.

Digas tú, el caballero
que las armas vestías,
si el caballo o las armas o la guerra
es tan bella.

Digas tú, el pastorcico
que el ganadico guardas,
si el ganado o los valles o la sierra
es tan bella.

En la huerta nace la rosa:
quiérome ir allá
por mirar al ruiseñor
como cantabá.

Por las riberas del río
limones coge la virgo:
quiérome ir allá
por mirar al ruiseñor
como cantabá.

Limones cogía la virgo
para dar al su amigo:
quiérome ir allá
para ver al ruiseñor
como cantabá.

Lo popular y lo aristocrático. Edad Media y Renacimiento. – En la lírica de Gil Vicente se aprecian cumplidamente los dos polos de su arte: popularismo y aristocracia. *Popularismo en cuanto al origen de los temas, aristocracia en la exquisita elegancia con que los trata.* Pero ambos aspectos se manifiestan también a través de toda su obra.

A esta dualidad vienen a sumarse otras dos orientaciones de su producción: *la que deriva de la tradición medieval y la que es fruto del ambiente renacentista.* De la Edad Media proceden los temas religiosos, la técnica primitiva, los motivos líricos, la estructura del verso —pues Gil Vicente se mantuvo siempre al margen de la reforma italianista...—; típicos del Renacimiento son sus personajes mitológicos o la jubilosa exaltación de la vida, del hombre y del paisaje, que trasciende, como un aliento juvenil, de toda su obra.

Gil Vicente y Torres Naharro. – Comparando la producción de estas dos figuras de nuestro teatro, se observan ciertas analogías: un mismo punto de partida —Juan del

1. Dámaso Alonso.

Encina—, una técnica rudimentaria, una fusión de elementos medievales y renacentistas... Pero las diferencias son también notables. En Torres Naharro predomina el
influjo del Renacimiento; Gil Vicente, en cambio, se halla más ligado a la tradición
peninsular. En el teatro del primero sobresale lo novelesco, la intriga, la observación
realista y satírica; en el del segundo —bañado siempre por una luminosa alegría— lo
lírico, lo emotivo, la estilización poética de la realidad.

La obra de Torres tiene, con su regularidad, poco menos que un mero valor de
época; el teatro vicentino —desordenado, pero en extremo rico y complejo—
constituye, a pesar de su inferioridad en el aspecto técnico, una de las producciones
más sugestivas de nuestra literatura.

El teatro religioso de tradición medieval

Se halla representado hacia esta época por el *Códice de Autos Viejos,* y por una serie
de derivaciones del tema de la Danza de la Muerte, entre las que se encuentra el *Auto
de las Cortes de la Muerte,* de **Micael de Carvajal**; ejemplo, todo ello, de la
supervivencia que alcanzan los géneros medievales en el Renacimiento español.

El "Códice de Autos Viejos". Está integrado por noventa y seis producciones
dramáticas que perpetúan diversas formas del teatro litúrgico medieval. Hay, por
ejemplo, piezas de tipo historial (sobre los ciclos del Nacimiento y Pasión, sobre temas
del Antiguo Testamento, sobre vidas de Santos...); otras tienen carácter alegórico y
enlazan con lo que será más tarde el "auto sacramental". Destinadas probablemente a
su representación en las iglesias, ofrecen escaso interés. La introducción de personajes
rústicos, como el pastor o el "bobo" —precedente de la figura del "gracioso" de
nuestro teatro nacional posterior— indica el carácter popular de estas obras.

El Tema de la Danza de la Muerte. — Ya hemos hablado de su repercusión en la
"Trilogía de las Barcas". *Micael de Carvajal* compuso un *Auto de las Cortes de la
Muerte,* en el que acumula los más diversos elementos —sátira social y religiosa, crítica
antieclesiástica, escenas populares, efectismos escénicos...— en torno al tema tradicional. La obra tuvo un gran éxito en la época de Felipe II; más interesante es, no
obstante, su delicada y poética tragedia *Josefina* (1535), sobre el José de la Biblia.

El "Auto de las Cortes de la Muerte" fue terminado por **Luis Hurtado de Toledo**
(1535). También escribieron sobre el mismo tema **Diego Sánchez de Badajoz** ("Farsa
de la Muerte" hacia 1530) y **Sebastián de Horozco** ("Coloquio de la Muerte con todas
las edades y estados").

El teatro humanista

El entusiasmo por la cultura grecolatina dio lugar, en el reinado de Carlos V, a la
aparición de un teatro humanístico en prosa, integrado por traducciones o refundiciones de comedias y tragedias clásicas y destinado, más que a la representación ante un
amplio auditorio, a la lectura de unos pocos. Esta orientación se desarrolló
notablemente en la época de Felipe II y desapareció al crear Lope de Vega una más

amplia fórmula dramática que, por estar de acuerdo con el sentir estético nacional, obtuvo un profundo éxito popular. El teatro humanístico se halla representado en la primera mitad del siglo por **Francisco López de Villalobos** y **Hernán Pérez de Oliva.**

El Doctor **Francisco López de Villalobos** tradujo el *Anfitrión* de Plauto (1515) en un vivo estilo que mantiene el tono desenfadado de la comedia latina. Mucho más fría resulta la libre refundición de la misma llevada a cabo por el sabio humanista **Hernán Pérez de Oliva,** cuyas obras en prosa citamos en otro lugar. Un indudable interés tienen, sin embargo, sus dos tragedias. *La venganza de Agamenón* (1528) y *Hécuba triste,* escritas sobre la Electra de Sófocles y la Hécuba de Eurípides. Redactadas en prosa y sin división en actos, introducen alguna modificación, pero mantienen la fuerza patética y la dignidad de los originales griegos.

BIBLIOGRAFIA

EDICIONES

Gil Vicente. "Obras completas". Marqués Braga. Lisboa, 1944. — "Poesías". Dámaso Alonso, 1934. — "Tragicomedia de don Duardos". Dámaso Alonso, 1942. — "Teatro y poesía". Concha de Salamanca. Aguilar, 1945. — "Obras dramáticas castellanas". Thomas R. Hart. Clás. Cast., 1962.

Torres Naharro. Cañete. "Libros de Antaño".

M. de Carvajal. "Auto de las Cortes de la Muerte". B. A. E.

ESTUDIOS DE CARACTER GENERAL

A. Bonilla y San Martín: *Las Bacantes o del origen del teatro,* 1921.

J. P. Wickersham Crawford: *Spanish drama before Lope de Vega,* 1937.

B. W. Wardropper: *Introducción al teatro religioso del Siglo de Oro,* 1953.

A. Hermenegildo: *Los trágicos españoles del siglo XVI,* 1961.

ESTUDIOS SOBRE GIL VICENTE Y TORRES NAHARRO

M. Menéndez y Pelayo: *Gil Vicente.* En "Historia de la poesía castellana en la Edad Media". Vol. III.

M. Menéndez y Pelayo: *Torres y su "Propalladia".* En "Estudios y discursos de crítica histórica y liter.". Vol. III.

Dámaso Alonso: *La poesía dramática en la Tragicomedia de Don Duardos.* En "Ensayos sobre poesía española". 1944.

E. Asensio: *Gil Vicente y las cantigas paralelísticas "restauradas".* En "Poética y realidad en el cancionero peninsular de la Edad Media". 1957.

J. E. Gillet: *Torres Naharro and the Drama of the Renaissance.* Filadelfia, 1961.

la prosa didáctica : 22
los valdés y guevara

Temas y estilos

Ya hemos visto cómo la poesía del reinado del Emperador se incorpora a las tendencias europeas renacentistas. Idéntico fenómeno se manifiesta en la prosa didáctica del mismo período, abierta a las principales preocupaciones ideológicas que agitaban a la Europa del momento: el *erasmismo* (Alfonso de Valdés), el *estudio y defensa de la lengua vulgar* (Juan de Valdés), el *elogio de la vida del campo* (Guevara)...

En cuanto al estilo, predomina —como en la lírica— la norma de *naturalidad* y "la mayoría de los prosistas se atiene a la arquitectura ciceroniana de la frase, repartiéndola en miembros contrapesados. La marcha pausada del período los lleva a remansar el pensamiento, desdoblándolo en frecuentes parejas de vocablos"; [1]

1. R. Lapesa. "Historia de la Lengua española".

El emperador Carlos V. Grabado del siglo XVI.

bimembración que "se corresponde con la compostura, la gravedad aun en los usos sociales" y evoca "una falta de prisa, una necesidad de hacer con majestad, con nobleza".[1]

Es ahora el momento en que el castellano adquiere una gran difusión en Europa, gracias a la actitud de Carlos V, convirtiéndose en lengua de moda en muchas cortes extranjeras.

Alfonso de Valdés

(Cuenca, hacia 1490). Fue secretario del Emperador, al que acompañó en sus viajes por Europa, y murió en Viena (1532). La influencia de Erasmo no le apartó del catolicismo. Sus obras responden a dos objetivos primordiales: la defensa de la política imperial de Carlos V y la reforma religiosa.

En el *Diálogo de Lactancio y un Arcediano* o "De las cosas ocurridas en Roma", el primero trata de justificar al Emperador, con motivo del saqueo de Roma, llevado a cabo por los soldados del Condestable de Borbón, considerando las tropelías de éstos como menos graves que la relajación de la Curia romana y viendo en ellas un castigo de Dios. Al mismo tiempo, ataca la política del Papa y concede más importancia a la pureza de costumbres que a los actos del culto externo, para él menos eficaces que aquélla.

La influencia del humanista holandés se manifiesta en los siguientes párrafos, en los que Valdés habla por boca de Lactancio:

> ARCIDIANO. – ¿Luego no querríades vos que hoviesse estas iglesias que hay ni que toviessen ornamentos?
> LACTANCIO. – ¿Cómo no? Antes digo que son necessarios: pero no querría que se hiziesse por vana gloria; no querría que por honrar una iglesia de piedra dexemos de honrar la iglesia de Dios, que es nuestra ánima; no querría que por componer un altar dexássemos de socorrer un pobre y que por componer retablos e imágines muertas dexemos desnudos los pobres, que son imágines vivas de Jesu Cristo. No querría que hiziéssemos tanto fundamento donde no lo devríamos hazer; no querría que diéssemos a entender que se sirve Nuestro Señor Dios y se huelga en posseer lo que cualquiera sabio se precia de menospreciar... Mirad, señor: ha permitido agora Dios que roben sus iglesias por mostrarnos que no tiene en nada todo lo que se puede robar ni todo lo que se puede corromper.

En el *Diálogo de Mercurio y Carón* (¿1528-1530?) —como en las viejas "Danzas de la Muerte"— se pasa revista a las clases sociales, aprovechando el tránsito de las almas que Carón habrá de llevar en su barca hasta la laguna Estigia. Ello da pie a que Valdés insista en sus dos ideas fundamentales: la defensa del Emperador frente a la anticristiana y belicosa política de Francisco I, y la necesidad de una reforma moral de la cristiandad. En este sentido, vuelve a declarar sus preferencias por la religiosidad

---

1. Dámaso Alonso. "Seis calas en la expresión literaria española".

íntima, censurando la que se limita a prácticas externas. La obra fue prohibida por la Inquisición.

Su animado estilo —el mejor del reinado de Carlos V, después del de la traducción de "El Cortesano", según Menéndez y Pelayo— tiene una extraordinaria vivacidad y se halla matizado de agudas expresiones irónicas que denuncian el influjo de Erasmo y de Luciano de Samosata.

Juan de Valdés

Vida. — Era hermano gemelo de Alfonso de Valdés. En su juventud comenzó a interesarse por las doctrinas iluministas y las ideas de Erasmo, con el que llegó a cartearse. Denunciado a la Inquisición, huyó a Italia, donde sirvió al Papa y más tarde al Emperador. Allí fue el director espiritual de un pequeño núcleo aristocrático a quien también inquietaban las cuestiones religiosas. A su muerte (1541), sus doctrinas fueron condenadas por heterodoxas y algunos de sus discípulos se convirtieron al protestantismo.

Obras. — Casi todas sus obras son de contenido religioso. La más importante se titula *Ciento diez consideraciones divinas* y es notable por sus análisis psicológicos. La idea fundamental de Valdés estriba en que para salvarse no valen las obras, sino una fe ilimitada en Dios, en el poder de la gracia y en la propia salvación, lo que le acerca al luteranismo. "Todo el negocio cristiano está en confiar, creer y amar". Su tipo de religiosidad íntima coincide en parte con Erasmo, de cuya frialdad emotiva le separa, no obstante, su fervoroso entusiasmo.

Tanto ésta como las demás —*Diálogo de doctrina cristiana* (1529), *Alfabeto cristiano, Comentarios a la epístola de San Pablo a los romanos*— tienen escaso valor literario, a excepción de las traducciones de los Salmos y del Evangelio de San Mateo.

Mayor interés literario ofrecen el estilo y las ideas filológicas expuestas en su famoso *Diálogo de la lengua* (¿1535?), en el que intervienen, además del propio Valdés, un amigo español y dos italianos. Diluidos en las conversaciones que mantienen, hallamos estos tres elementos:

1.º *Un elogio de la lengua vulgar.* La defensa de las lenguas vernáculas era hacia esta época uno de los temas predilectos, dada la exaltación que de todo lo natural llevaba consigo el Renacimiento.[1] De modo semejante a lo que había hecho Bembo con el italiano y a lo que más tarde había de hacer Du Bellay con el francés, Valdés recomienda el uso del castellano como medio más natural y espontáneo de expresión, afirmando que gracias a su cultivo literario podrá un día equipararse con el italiano.

2.º Una serie de consejos, que ocupan la mayor parte de la obra, *sobre el correcto empleo del castellano.* Movido por un riguroso criterio de selección, Valdés

---

1. "Harto enemigo es de sí, quien estima más la lengua de otro que la suya propia", afirmaba Cristóbal de Villalón.

El humanista Erasmo de Rotterdam.

exige que se eviten tanto los vulgarismos como los cultismos que no respondan a una auténtica "necesidad",[1] se declara partidario de la ortografía fonética (no "fazer", sino "hacer") y, en general, señala como correctas aquellas formas que luego prevalecieron (no "roido", sino "ruido", no "envialdo", sino "enviadlo"...). El modelo lingüístico lo constituirán los refranes —"en los que se vee mucho bien la pureza de la lengua castellana"— y el habla de Toledo, llevada a la perfección literaria por Garcilaso.

El estilo habrá de regirse por una norma de concisión y naturalidad que eluda elegantemente toda afectación artificiosa. Idénticos conceptos se habían expuesto años antes en "El Cortesano", de Baltasar de Castiglione, quien había dicho que "la facilidad y la llaneza siempren andan con la elegancia".

VALDES. — ¿Qué es lo que queréis?

MARCIO. — Que nos digáis lo que observáis y guardáis acerca del escrevir y hablar en vuestro romance castellano, cuanto al estilo.

VALDES. — Para deziros la verdad, muy pocas cosas observo, porque el estilo que tengo me es natural, y sin afetación alguna escrivo como hablo; solamente tengo cuidado de usar vocablos que sinifiquen bien lo que quiero dezir y dígolo cuanto más llanamente me es posible, porque a mi parecer en ninguna lengua está bien l'afetación.

3.º Opiniones, no siempre exactas, *sobre el origen del castellano*, y *juicios críticos* bastante acertados *sobre la producción literaria* inmediatamente anterior.

El estilo sobrio, claro y espontáneo aconsejado por Valdés, se mantuvo en nuestra literatura hasta que Herrera inició, en la segunda mitad del siglo, una evolución que había de llevar a las artificiosidades del barroco.

Fray Antonio de Guevara

(Asturias de Santillana, ¿1480? -1545). Pasó su juventud en la corte e ingresó más

---

1. Valdés acepta buen número de cultismos, aunque adaptándolos a la fonética castellana: "dino", "coluna", "efeto".

tarde en la orden franciscana. Su elocuencia le procuró el cargo de orador —y cronista— de Carlos V. Llegó a ser Inquisidor y Obispo de Guadix y Mondoñedo.

Su obra tiene, por lo común, un fondo didáctico-moral, expuesto con gran amenidad y sabroso estilo.

El *Relox de príncipes* (o *Libro Aureo del Emperador Marco Aurelio*) (1529) se compone de una historia imaginaria de dicho personaje y de unas fingidas cartas. Es, en el fondo, un tratado político-moral sobre los deberes del príncipe cristiano. La obra está llena de fantásticas citas eruditas sobre la antigüedad, que no tienen otro valor que el de un mero ornato destinado a dar amenidad a la obra. Uno de sus episodios —el de "El villano del Danubio"— se hizo célebre y llegó a constituir el tema de una fábula de La Fontaine: un germano protesta ante el senado romano por la esclavitud de su pueblo y pone de manifiesto la superioridad del hombre natural frente a la corrupción del civilizado. El tema estaba de acuerdo con la ideología renacentista y alcanzó una considerable difusión.

Las ochenta y cuatro *Epístolas familiares* (1539 y 41) —que obtuvieron también notable éxito— ofrecen una gran variedad: desde la que versa sobre los privilegios de la vejez, hasta la dedicada "a una dama que cayó mala de pesar porque se le murió una perrilla"; desde la gravemente moralizadora, hasta la que muestra un malicioso e irónico desenfadado.

El *Menosprecio de corte y alabanza de aldea* (1539) está destinado a destacar las ventajas morales y prácticas del campo sobre la ciudad. Obra de dudosa sinceridad —dado el ambiente cortesano en que siempre vivió el autor— nos presenta una visión realista de la vida aldeana que nada tiene que ver con las poéticas idealizaciones de la literatura bucólica.

> O, bendita tú, aldea, a do comen al fuego si es invierno; en el portal si es verano, en la huerta si ay combidados, so el parral si haze calor, en el prado si es primavera, en la fuente si es Pascua, en las eras si trillan, en las viñas si plantan majuelo, a solas si traen luto, acompañados si es fiesta, de mañana si van de camino, olla podrida si vienen de caza, todo cozido si no tienen dientes, todo assado si quieren arreciar, a la tarde si no lo han gana o muy temprano si han apetito...
>
> O, felice vida la del aldea, a do todos los que allí moran tienen sus passatiempos en pescar con vara, armar pájaros, echar buitrones, cazar con hurón, tirar con arco, ballestear palomas, correr liebres, pescar con redes, ir a las viñas, adobar las vardas, catar las colmenas, jugar a la ganapierde, departir con las viejas, hacer cuenta con el tabernero, porfiar con el cura, y preguntar nuevas al mesonero. Todos esos passatiempos dessean los ciudadanos y los gozan los aldeanos.

El estilo de Guevara se aparta notablemente de la sobriedad preconizada por Valdés y ofrece —según habrá podido observarse— *una irrestañable locuacidad*. Lleno de antítesis, paralelismos, similicadencias, repeticiones y juegos de palabras que perpetúan usos estilísticos del siglo XV y anuncian la prosa barroca del XVII, es, al decir de Menéndez Pidal, "como el brillante ropaje de la corte imperial" de Carlos V.[1] Guevara también escribe como habla, pero su expresión, mezcla de sencillez y de efectismos retóricos, no es reflejo de la lengua familiar, sino de una moda cortesana de la época, que desaparecerá en el reinado de Felipe II. Su estilo resulta a veces fatigoso por su amaneramiento y falta de mesura, pero su gracia pintoresca, matizada de burlona ironía, le presta un especial encanto.

La obra de Guevara alcanzó un éxito asombroso; se le tradujo al francés, al italiano, al alemán, al holandés, al latín y hasta al armenio, e influyó sobre el estilo "eufuista" inglés iniciado por Lyly.

Otros escritores didácticos

También cultivaron la prosa didáctica de este período: **Hernán Pérez de Oliva,** autor del *Diálogo sobre la dignidad del hombre;* **Pero Mexía,** *Silva de varia lección* (1540), y el doctor **Andrés de Laguna,** cuyo *Viaje de Turquía* es una entretenida narración, llena de humor erasmista y de curiosas notas sobre las costumbres de aquel país.

· En el *Crotalón,* sátira de tipo lucianesco, un zapatero dialoga con un gallo, y en sus conversaciones abundan invenciones fantásticas y curiosas referencia a la sociedad de la época, llenas de burlona intención. La obra, en la que es también patente la influencia de Erasmo, fue atribuida a **Cristóbal de Villalón,** pero debe considerársela como anónima.

BIBLIOGRAFIA

EDICIONES

Alfonso de Valdés. J. F. Montesinos. Clás. Cast. 1928 y 1929.

Juan de Valdés. "Diálogo de la lengua". J. F. Montesinos. Clás. Cast. 1928. — "Alfabeto cristiano". Cione y Croce, 1938.

Guevara. "Menosprecio". Martínez de Burgos. Clás. Cast., 1915. — "Reloj de príncipes". Rosenblat. 1936.

Viaje de Turquía. Solalinde. Col. Austral, 1942. (En esta edición la obra aparece atribuida a Villalón.)

El Crotalón. N. B. A. E. — Col. Austral.

ESTUDIOS

M. Menéndez y Pelayo: *Historia de los heterodoxos.* Vol. IV, 1928. (Sobre los *Valdés* y el erasmismo.)

M. Menéndez y Pelayo: *Juan de Valdés.* En "Estudios y disc. de crítica hist. y liter." Vol. II.

M. Menéndez y Pelayo: *Orígenes de la novela.* Vol. I, 1905. (Sobre *Guevara.*)

M. Bataillón: *Erasmo y España,* 1950. (Sobre el erasmismo y los *Valdés.*)

1. "El lenguaje del siglo XVI", en "La Lengua de Cristóbal Colón".

R. Costes: *Antonio de Guevara. Sa vie et son oeuvre*, 1926.

M. R. Lida: *Fray Antonio de Guevara*. En "Rev. de Fil. Hisp.". 1945.

J. Marichal: *La originalidad renacentista en el estilo de Guevara*. En "La voluntad de estilo", 1956.

A. Castro: *Antonio de Guevara*. En "Hacia Cervantes". 1957.

F. Márquez Villanueva: *Fray A. de Guevara o la ascética novelada*. En "Espiritualidad y literatura en el siglo XVI". Alfaguara, 1968.

M. Menéndez y Pelayo: *El Maestro F. P. de Oliva*. En "Estudios y discursos de crít. histórica y lit.". Vol. II.

P. Henríquez Ureña: *Hernán Pérez de Oliva*. En "Plenitud de España". 1945.

C. Clavería: *Humanistas y creadores*. En "Historia general de las literaturas hispánicas". Vol II, 1951.

Vid. asimismo, los prólogos de las ediciones citadas de Clásicos castellanos.

historiadores de carlos v y de indias

23

La Historia gira, en la primera mitad del siglo XVI, en torno a los dos hechos culminantes de la época: la política de Carlos V y la conquista de América. El nuevo humanismo clasicista o, al contrario, la escasa cultura de algunos historiadores —a veces simples soldados sin pretensiones literarias—, dan en cada caso un sesgo especial a la narración. El estilo varía notablemente de acuerdo con la condición social del autor, y va desde el amplio y pausado período, lleno de citas clásicas, típico de la prosa culta del momento, hasta la frase rápida y desaliñada de algunos relatos autobiográficos.

La empresa americana estimuló toda una amplia labor historiográfica, de extraordinario valor literario y humano. Expedición española a las Indias. Grabado de la época.

Historiadores de Carlos V

Pero Mexía (¿1499? -1551). – Fue cronista oficial después de Guevara y comenzó una *Historia del Emperador Carlos V,* en la que muestra una ciega admiración por el soberano. Mayor interés ofrece su *Historia imperial y cesárea* (1545), en la que, partiendo de Julio César, se refiere a los emperadores romanos y luego a los alemanes, hasta Maximiliano. A pesar de su gran cultura humanística no imitó a los historiadores latinos.

Escribió también una *Silva de varia lección,* divertida colección de anécdotas y noticias que, por su pintoresca y a veces fantástica erudición, nos recuerda a Guevara, y unos *Coloquios* de tipo lucianesco.

Luis de Avila y Zúñiga (1500-1564). – Puede considerarse, por la elegante concisión de su prosa, como el mejor estilista del grupo. Fue cronista oficial de la guerra de Carlos V contra la Liga de Esmalcalda, cuyos hechos relata elogiosamente en un *Comentario de la guerra de Alemania* (1548) que refleja su gran conocimiento de los historiadores latinos.

Don Francesillo de Zúñiga († 1532). – Nos ofrece una visión grotesca del ambiente cortesano del Emperador en su *Corónica istoria* (1527). Fue una especie de bufón de Carlos V, a quien divertía con los retratos caricaturescos de los nobles de la época. Su obra está repleta de agudas y malintencionadas observaciones y de expresiones audaces, dotadas a veces de una gran comicidad. Murió asesinado, víctima de su ingenio burlón. He aquí una de sus rápidas biografías:

> Este don Pedro fue buen caballero discreto; amábale su madre en tanta manera que le hizo estudiar siete años hasta que aprendió el Juvenal y el Salustio Catilinario, y por esta causa vivió enfermo algún tiempo; diole su madre a comer almendras, de donde le redundó que le nacieron las barbas a manera de cabeza de ajos cocida... Murió de edad de treinta y dos años y parescía que había setenta y dos...

Historiadores de las Indias

El conjunto de las Crónicas e Historias de América constituye uno de los monumentos literarios más importantes del reinado del Emperador. Los cronistas de Indias, por lo general testigos presenciales de los hechos que narran, saben dar a sus relatos una *viveza y una amenidad* no superada por la producción novelesca de la época. Extraordinariamente crédulos y sinceros, nos cuentan con igual entusiasmo las más estupendas maravillas y las auténticas peripecias de sus andanzas en el Nuevo Mundo, y aunque en la mayoría de los casos se trata de soldados que escriben sin propósito literario alguno, sus obras, llenas de *color, de detalles pintorescos y de emocionante tensión dramática,* tienen, aparte su valor histórico, una calidad humana y estética de primer orden.

Prescindiendo de documentos primitivos como son las *Cartas* a los Reyes Católicos y el *Diario* de **Cristóbal Colón** —notable por su objetividad—, así como de las *Decades de orbe novo* (1511-1516), escritas en latín por **Pedro Mártir de Anglería** (1459-1526) a base de referencias de los descubridores, estudiaremos los monumentos más importantes de la historia de Indias.

Historia Natural de Indias. — *La Historia general y natural de las Indias* (Primera parte, 1526) de **Gonzalo Fernández de Oviedo** (1478-1557) está dedicada casi íntegramente a la descripción de las regiones descubiertas. Su autor —que fue el primer cronista oficial de Indias— estuvo en América, de cuya fauna, flora, razas y costumbres nos da cumplida cuenta en dicha obra. Abundante en pintorescos detalles, refleja el sentido de observación de Fernández de Oviedo, quien, ajeno a toda preocupación humanista, limitóse a exponer en forma viva y amena el sorprendente espectáculo que ofrecía el Nuevo Mundo a los ojos de los españoles.

La violenta diatriba del Padre Las Casas. — Tras una estancia en Méjico, donde desempeñó ejemplarmente el cargo de obispo de Chiapas, **Fray Bartolomé de Las Casas** (1474-1566) escribió una *Brevísima relación de la destrucción de las Indias,* y más tarde una *Historia General de las Indias* (1552-1561), en las que movido por un humanitario celo y, quizá todavía más, por su violento carácter, se erigió en defensor de los indios, a los que atribuía una admirable bondad natural contra las supuestas crueldades de los españoles. La obra fue dirigida a Carlos V, quien convocó una Junta para examinar el valor de sus afirmaciones. Estas fueron atacadas, entre otros, por Juan Ginés de Sepúlveda, pero más tarde trascendieron al extranjero y contribuyeron a dar pábulo a la "leyenda negra" contra España. Actualmente nadie duda ya de que el tratado del Padre Las Casas está lleno de exageraciones manifiestas.

Historia de Méjico. — Las primeras noticias sobre el Imperio azteca las debemos a su conquistador, **Hernán Cortés** (1485-1547). Dotado de una considerable cultura humanística, dirigió al Emperador unas "Relaciones" (1520-1526) sobre los territorios recién descubiertos. Pero las dos figuras capitales de la historia de Méjico son Gómara y Bernal Díaz.

Francisco López de Gómara (1512-¿1562?) escribió una *Historia General de las Indias* (1552), cuya segunda parte se refiere exclusivamente a la conquista de Méjico. Compuesta a base de las informaciones que le facilitó el propio Hernán Cortés, de quien fue capellán, destaca su figura, convirtiéndole en el eje de los acontecimientos. En cuanto a los indios, su juicio es radicalmente opuesto al del Padre Las Casas, por lo que hace una apología de la colonización española.

A pesar de que no vivió los hechos que relata, supo ordenarlos con perspectiva histórica y dar a la narración una auténtica amenidad. Su estilo, lleno de rasgos agudos e intencionados, es *elegante y correcto* y en ocasiones se halla esmaltado de citas de los clásicos, a los que conocía bastante a fondo; así lo demuestra también su concepto de la historia como exaltación de su héroe. Se le ha llamado "el más literato de los cronistas del Nuevo Mundo, hasta Solís".

Bernal Díaz del Castillo (1492-1581), dolido porque la obra de Gómara daba un relieve excesivo a la figura del conquistador, olvidando el importante papel desempeñado por sus soldados, escribió a su vez una *Verdadera historia de los sucesos de la conquista de Nueva España,* en la que sin restar mérito a Hernán Cortés —ni disminuir sus defectos—, reivindica el de sus compañeros, defendiéndoles, al mismo tiempo, de las acusaciones de Las Casas. El estilo de Bernal Díaz es el de un simple soldado; *sencillo y popular,* tiene por su misma tosquedad ingenua un encanto superior al de Gómara.

El siguiente fragmento, lleno de interés dramático, puede servir de ejemplo de su simpática sinceridad.

> Como cada día vía llegar a sacrificar a nuestros compañeros y había visto, como dicho tengo, que los aserraban por los pechos y sacalles los corazones bullendo, y cortalles pies y brazos y se los comieron a los setenta y dos que dicho tengo, e de antes habían muerto diez de los nuestros compañeros, temía yo que un día que otro habían de hacer de mí lo mismo, porque ya me habían asido dos veces para me llevar a sacrificar, y quiso Dios que me escapé de su poder. Y esto he dicho porque antes de entrar en las batallas [1] se me ponía una como grima y tristeza grandísima en el corazón. Y ayunaba una vez o dos y encomendábame a Dios y a su bendita Madre, Nuestra Señora, y entrar en las batallas todo era uno, y luego se me quitaba todo aquel pavor. Y acordándoseme de aquellas feísimas muertes siempre entonces temí la muerte más que nunca.

Historiadores del Perú. — También la conquista del Imperio inca tuvo sus cronistas, el más importante de los cuales —el inca Garcilaso— pertenece al reinado de Felipe II.

Francisco López de Jerez (1504-1539) nos ha dejado una *Verdadera relación de la conquista del Perú* (1534) hasta la muerte de Atahualpa. Residió en América desde los quince años y su Crónica revela un profundo conocimiento de los hechos.

Pedro Cieza de León (1518-1560) es autor de una amplia y exacta *Crónica del Perú* (1553) en la que dedica preferentemente su atención a la geografía y costumbres del país, partiendo de la época preincaica, de la que tuvo conocimiento gracias a los informes de ancianos indígenas.

Diversas regiones aparecen también descritas en las obras de otros cronistas; así, **Alvar Núñez Cabeza de Vaca,** quien nos cuenta sus agitadas andanzas y cautiverio entre los indios de la Florida, en una narración de gran interés novelesco titulada *Naufragios.* Su odisea terminó en 1537, y tres años más tarde Alvar Núñez fue nombrado Capitán General del Río de la Plata.

---

1. Bernal Díaz llegó a tomar parte en ciento diecinueve.

BIBLIOGRAFIA

EDICIONES

Mexía. Historia del Emperador Carlos V. Carriazo. 1945.
Obras de Avila, Francesillo de Zúñiga, Oviedo, Gómara, Díaz del Castillo, Jerez, Cieza, Cabeza de Vaca: en B. A. E.
Las Casas: en B. A. E. y N. B. A. E.

ESTUDIOS

M. Menéndez y Pelayo: *De los historiadores de Colón*. En "Estudios y disc. de crítica hist. y literaria". Vol. VII.
A. Morel Fatio: *Historiographie de Charles-Quint*. París, 1913.
J. Juderías: *La leyenda negra*, 1914.
B. Sánchez Alonso: *Historia de la historiografía española*. Vols. I y II, 1941-1944.
R. Menéndez Pidal: *La lengua de Cristóbal Colón* y *¿Codicia insaciable, ilustres hazañas?* En "La lengua de Crist. Colón". Col. Austral, 1942.
R. Menéndez Pidal: *El Padre las Casas y Vitoria*. Col. Austral, 1958.

los libros de caballerías 24
y el lazarillo

Los libros de caballerías

Los libros de caballerías, cuyo origen se halla en la Edad Media, consiguieron un gran éxito en el siglo XVI y *fueron de hecho el género novelesco más abundante en el reinado del Emperador*. Entre las razones que justifican la popularidad que obtuvieron en pleno Renacimiento se hallan su idealismo amoroso —relacionable, en parte, con el platonismo de la época— y su exaltación del espíritu aventurero, aspecto que había de hallar una profunda resonancia en el ánimo de los españoles del momento, deslumbrados por las hazañas de los soldados en América y Europa. Muy significativo es también el hecho de que algunos conquistadores designasen los lugares de las Indias recién descubiertas con nombres tomados de los libros de caballerías —v.gr., el de "California"—.

Dadas estas circunstancias, no ha de extrañarnos la avidez con que se leían, por ejemplo, las fantásticas narraciones de **Feliciano de Silva**, el más famoso autor de esta clase de libros. A él debemos el Noveno, Décimo y Undécimo (1535) libros de Amadís, escritos en el enrevesado y ampuloso estilo que es típico del género.

Junto a la serie de los "Amadises" hubo otras interminables colecciones —la de los "Palmerines", por ejemplo—, y la literatura caballeresca se enriqueció durante un siglo con nuevas adquisiciones *(Don Palmerín de Oliva, Primaleón, Don Palmerín de Inglaterra, Don Clarisel de las Flores, Don Felixmarte de Hircania...)*, llegándose a escribir versiones "a lo divino". Los moralistas clamaron repetidamente contra ellos —pues a pesar de su tono idealista no estaban exentos de sensualidad—, pero su éxito alcanzó a todas las clases sociales e influyeron incluso en algunos místicos —Santa Teresa, San Ignacio— que aprovecharon su espíritu heroico dándole una orientación religiosa.

Los libros de caballerías decaen en el reinado de Felipe II, y Cervantes acaba por fin con ellos (1605-1615); pero hay que advertir que, aunque su sátira está justificada en la mayoría de los casos, es innegable que el plano de fantasía y misterio en que a veces si sitúa la acción presta a algunas de estas novelas un gran encanto poético.

Portada de un libro de caballerías del siglo XVI

El Lazarillo de Tormes

El *Lazarillo de Tormes* señala a fines del reinado del Emperador, el comienzo de un nuevo género en la literatura castellana: la novela picaresca.

Autor y Fecha. — Las tres primeras ediciones conocidas de la *Vida de Lazarillo de Tormes y de sus fortunas y adversidades* llevan la fecha de 1554 y no indican el nombre de su autor, con lo que viene a continuarse uno de los rasgos típicos de nuestra literatura: la tendencia al anonimato. Esto ha dado lugar a diversas conjeturas, habiéndose atribuido la obra, con más o menos fundamento, a Diego Hurtado de Mendoza y a otros muchos.

Principales episodios de la novela. — Lázaro inicia, en primera persona, su relato, aludiendo a su nacimiento cerca del río Tormes. Condenado su padre por ladrón, su madre —cuya conducta deja también que desear— le entrega, siendo todavía un niño, a un ciego de alma ruin para que le sirva de acompañante. Este castiga con tal crueldad sus inocentes travesuras, que Lázaro se venga de él y le abandona. Su nuevo amo, un clérigo avariento, le hace pasar más hambre que el anterior y lo descalabra por equivocación, enterándose al propio tiempo de que aquél le roba los panes que guarda en su arca. Lázaro busca entonces otro acomodo, poniéndose al servicio de un pobre hidalgo ridículamente vanidoso, hasta que éste desaparece perseguido por sus acreedores. Los nuevos amos serán un fraile de la Merced, un buldero —expendedor de bulas— que embauca a la gente para lograr compradores, un pintor de panderos, un capellán y un alguacil. Por fin consigue en Toledo el cargo de pregonero y se casa con la criada de un arcipreste sin que le hagan mella las habladurías que el hecho provoca.

Condición social del protagonista. — La figura y el ambiente social del protagonista se oponen diametralmente a los de las novelas caballerescas. Si en éstas vemos siempre a un héroe de ilustre linaje que actúa a impulsos de altos ideales en un mundo bellamente irreal, Lázaro es tan sólo *un pobre muchacho de bajo origen* a quien un destino adverso zarandea cruelmente sin dejarle escapar del mísero ambiente en que vive. Los móviles de su conducta serán los que origine la triste realidad cotidiana: en primer lugar, *el hambre*. El héroe lucha y cosecha victorias; el pícaro se debate inútilmente en una sociedad hostil y no recibe más que golpes.

Su espíritu satírico. — Las anteriores circunstancias sólo condicionan hasta cierto punto la psicología de Lázaro, quien lejos de reaccionar con amargura, se limita a poner de relieve, *con sana intención irónica,* las flaquezas de sus diversos amos. Sus palabras no son la venganza de un resentido impotente, sino el desahogo de un espíritu crítico que, libre de prejuicios, observa la realidad con risueña malicia. Nunca le abandona el *humor* y aun en medio de los mayores infortunios sabe adoptar una actitud de alegre resignación; por eso su sátira de tipos y costumbres ofrece un tono tan benévolo que a veces logra mover nuestra simpatía hacia los mismos que son objeto de sus ironías. En este sentido, el episodio del pobre hidalgo es altamente significativo; Lázaro se burla de él, pero con frases que denotan una conmiseración afectuosa. Claro está que no siempre sucede lo mismo: las figuras del ruin ciego y del clérigo tacaño llegan a hacérsenos odiosas; pero, en general, *la sátira no alcanza la acritud que caracterizará a las novelas picarescas posteriores* y se adivina tras ella un noble calor de humanidad. El "Lazarillo" no es, en suma, un libro pesimista.

Su realismo. — El "Lazarillo de Tormes" es una novela esencialmente realista, no sólo por sus continuas referencias a la vida cotidiana, sino por su técnica descriptiva. La tradicional tendencia española hacia el realismo no podía dejar de manifestarse ni aun en esta época, en que tanto la lírica como la novela habían tomado una dirección francamente idealista.

En efecto, en sus páginas *la caracterización psicológica de los personajes alcanza una precisión raras veces igualada,* produciendo una asombrosa impresión de realidad. Este afán realista motiva la aparición de algunas escenas que rozan los linderos de lo repugnante —así el episodio de la longaniza y el ciego—, pero nunca se llega a las desagradables crudezas que más tarde constituirán uno de los rasgos típicos del género. El "Lazarillo" se limita, pues, a ofrecernos con propósito satírico un aspecto de la sociedad de la época, que habían silenciado los demás géneros literarios del momento.

La estructura novelesca. — Desde el "Lazarillo", es el pícaro quien narra en forma *autobiográfica* sus propias andanzas. Se ha tratado de explicar esta circunstancia teniendo en cuenta la baja condición del protagonista: ¿quién si no él iba a ocuparse en dar cuenta de los vulgares episodios de su vida?

En cuanto a su estructura externa, la novela está concebida como el relato de una serie de *episodios independientes entre sí* y unidos tan sólo por la presencia del protagonista. *El desarrollo de la acción queda truncado,* como en espera de nuevos acontecimientos. Esta supresión del desenlace definitivo de los hechos priva a la obra de todo sentido trascendente, dejándola reducida a un expresivo cuadro de la vida cotidiana, a través de la visión realista del pícaro. La sucesiva aparición de personajes de diversa índole es, en el fondo, un mero pretexto para someter determinados aspectos de la sociedad a una sátira más o menos dura.

La narración se desenvuelve en el "Lazarillo" con una gracia y una soltura verdaderamente admirables, y el curso de la acción avanza con un ritmo tranquilo,

El realismo del Lazarillo tendrá su mayor desarrollo en el siglo XVII. Ejemplo de ello: "El Piojoso", de Murillo.

aunque al final de la novela se precipita, malogrando el efecto de los tres primeros episodios.

El estilo del "Lazarillo" es de una maravillosa sobriedad y se halla matizado de jugosas expresiones populares, por lo que resulta adecuadísimo al contenido de la obra y a su espíritu realista. Su lenguaje *vivo, espontáneo y directo,* es el polo opuesto de la farragosa ampulosidad de los libros de caballerías y refleja el habla familiar de la época.

Obsérvese, por ejemplo, la naturalidad y la rapidez expresiva de los siguientes párrafos, en los que dialogan Lázaro y el hidalgo de Toledo:

—"Tú, mozo, ¿has comido?" —"No, señor, dije yo, que aún no eran dadas las ocho cuando con vuestra merced encontré." —"Pues, aunque de mañana, yo había almorzado, dice, y cuando ansí como algo, hágote saber que hasta la noche me estoy ansí; por eso, pásate como pudieres, que después cenaremos." Vuestra merced crea, cuando esto le oí, que estuve un poco de caer de mi estado, no tanto de hambre como por conocer de todo en todo la fortuna serme adversa... Con todo, disimulando lo mejor que pude: —"Señor, mozo soy que no me fatigo mucho por comer, bendito sea Dios; deso me podré yo alabar entre todos mis iguales, por de mejor garganta, y ansí yo fui loado della hasta hoy día de los amos que yo he tenido." —"Virtud es esa, dijo él, y por eso te querré yo más: porque el hartar es de los puercos, y el comer regladamente es de los hombres de bien." —Bien te he entendido, dije yo entre mí; maldita tanta medicina y bondad como aquestos mis amos, que yo hallo, hallan en el hambre. Púseme a un cabo del portal y saqué un pedazo de pan del seno, que me habían quedado de los de por Dios.

El, que vio esto, díjome: —"Ven acá, mozo; ¿qué comes?" Yo lleguéme a él y mostréle el pan; tomóme él un pedazo, de tres que eran, el mayor y más grande, y díjome: —"¡Por mi vida, que parece éste buen pan!" —"¡Y cómo agora, dije yo, señor es bueno!" —"Sí, a fe, dijo él; ¿adónde lo hubiste? ¿Si es amasado de manos limpias?" —"No sé yo eso, le dije; mas a mí no me pone asco el sabor dello." —"Ansí plega a Dios", dijo el pobre de mi amo, y llevándolo a la boca comenzó a dar en él tan fieros bocados como yo en lo otro. —"¡Sabrosísimo pan está, dijo, por

Dios! " Y como le sentí de qué pie coxqueaba,[1] dime priesa, porque le vi en disposición, si acababa antes que yo, se comediría[2] a ayudarme a lo que me quedase; y con esto acabamos casi a una... Y entró en una camareta que allí estaba, y sacó un jarro desbocado, y no muy nuevo, y desque hubo bebido convidóme con él. Yo, por hacer del continente, dije: —"Señor, no bebo vino." —"Agua es, me respondió; bien puedes beber". Entonces tomé el jarro y bebí, no mucho, porque de sed no era mi congoja. Ansí estuvimos hasta la noche, hablando de cosas que me preguntaba, a las cuales yo le respondí lo mejor que supe.

Antecedentes. — En el "Lazarillo", producción genuinamente española, influyen conjuntamente la tradición nacional y las circunstancias culturales de la España del momento.

Su tono realista viene a perpetuar una tendencia castellana medieval que, tras manifestarse egregiamente en épocas primitivas, se refuerza más tarde con la aportación que supone el espíritu de la burguesía; en este sentido, el "Lazarillo" se sitúa en la línea marcada por el Poema de Mio Cid, el Libro de buen amor y la Celestina. Sin embargo, puede también considerársele como fruto del Renacimiento, teniendo en cuenta la forma en que éste contribuyó a una visión más franca y directa del mundo físico y psicológico. A la cultura del siglo XVI responden asimismo algunos importantes aspectos del libro, como son la sátira antieclesiástica —visible en el episodio del clérigo y más aún en el del buldero—, o el empleo de la lengua popular.

Como precedentes concretos del "Lazarillo" hay que considerar el realismo burgués de la desenvuelta narración autobiográfica del Arcipreste de Hita, el pintoresco y animado lenguaje del Corbacho, el mundo plebeyo de criados y rufianes que asoma por vez primera en la Celestina y, ya en pleno siglo XVI (1528), la obra de Francisco Delicado titulada "Retrato de la Lozana Andaluza", cuya protagonista constituye un claro antecedente de la figura del pícaro.

Su influencia posterior. — El "Lazarillo" obtuvo un gran éxito desde el momento de su publicación. Sus críticas antieclesiásticas dieron lugar a que fuera prohibido por la Inquisición; pero, en vista de que se le continuaba leyendo, se procedió a editarlo de nuevo, suprimiendo algunos fragmentos. Lo mismo que La Celestina, el Amadís, y tantas otras producciones españolas, fue continuado varias veces; hay una segunda parte anónima (1555) y otra de Pedro de Luna (1620). Pero su importancia histórico-literaria radica ante todo en su aguda visión psicológica y en el hecho de haber dado "a la literatura universal el primer modelo de la novela moderna de costumbres".[3]

A pesar de su extraordinaria popularidad, el "Lazarillo" no tuvo consecuencias inmediatas en la producción novelesca de la época; pero medio siglo más tarde, el "Guzmán de Alfarache" vino a reanudar, aunque con un espíritu diverso, la línea interrumpida, iniciándose con él una larga serie de relatos picarescos que había de prolongarse hasta mediados del siglo XVII.

---

1. Cojeaba. – 2. Anticiparía. – 3. Menéndez Pidal. "Antología de prosistas castellanos".

BIBLIOGRAFIA

Ediciones

Palmerines, N. B. A. E.
Lazarillo. Cejador. Clás. Cast., 1914. — J. Caso González. Madrid, 1967. — A. Isasi. Barcelona, 1970.

Estudios sobre Libros de Caballerías

M. Menéndez y Pelayo: *Orígenes de la novela*. Vol. I.
I. A. Leonard: *Los libros del conquistador*. Fondo de Cult. Econ. México, 1953.
P. Bohigas: *Los libros de caballerías en el siglo XVI*. En "Historia general de las literaturas hispánicas". Vol. II, 1951.

Vid. otros estudios en la bibliografía de la pág. 136.

Estudios sobre la picaresca

F. W. Chandler: *La novela picaresca en España*, 1913.
J. F. Montesinos: *Gracián y la picaresca pura*. En la rev. "Cruz y Raya", 1933.
M. Herrero: *Nueva interpretación de la picaresca*. En "Rev. de Fil. esp.", 1937.
A. Castro: *Perspectiva de la novela picaresca*. En "Hacia Cervantes", 1957.
P. Salinas: *El "héroe" literario y la novela picaresca*. En "Ensayos de literatura hispánica", 1958.
M. Criado del Val: *La picaresca*. En "Teoría de Castilla la Nueva", 1960.
F. Rico: *La novela picaresca y el punto de vista*. Barcelona, 1970.
A. A. Parker: *Los pícaros en la literatura*. Madrid, 1971.
A. del Monte: *Itinerario de la picaresca española*. Barcelona, 1971.

Estudios sobre el Lazarillo

A. Zamora Vicente: *Lazarillo de Tormes, libro español*. En "Presencia de los clásicos", 1951.
Dámaso Alonso: *El realismo psicológico del Lazarillo*. En "De los siglos oscuros al de Oro", 1958.
M. Bataillon: *El sentido del Lazarillo de Tormes*. París, 1954.
M. Bataillon: *Novedad y fecundidad del "Lazarillo de Tormes"*. Salamanca, 1968.
F. Lázaro Carreter: *"Lazarillo de Tormes" en la picaresca*. Barcelona, 1972.

Vid. además, prólogos de A. Valbuena a "La novela picaresca española" (Aguilar, 1943), de Marañón a la edición del "Lazarillo" (Col. Austral, 1940) y de A. Blecua a su edición del "Lazarillo".

la lírica de
fray luis de león

La nacionalización del Renacimiento

La Contrarreforma y la política de defensa y aislamiento practicada por Felipe II da lugar a que la cultura renacentista española adquiera en la segunda mitad del siglo un matiz acentuadamente *religioso y nacional.* Florece una abundante literatura mística, se remozan las doctrinas escolásticas, gracias al esfuerzo de dominicos —Melchor Cano, Soto, Báñez— y jesuitas —Molina, Suárez—, y la filología clásica y hebrea se aplican con gran rigor científico a los estudios de exégesis bíblica. Por otra parte desaparecen algunas influencias europeas que habían dominado en la época del Emperador, como sucede con el erasmismo, o son asimiladas por completo, como ocurre con la lírica petrarquista. El tono grave de esta segunda etapa del Renacimiento se manifiesta en la literatura, en las artes —pintura del Greco, arquitectura de Herrera, música de Victoria— y hasta en la misma vida social y cortesana.

España pierde el contacto con Europa —desde 1559 se había prohibido cursar estudios en la mayor parte de las universidades extranjeras—, pero consigue crear una cultura en la que se funden armoniosamente las tradiciones nacionales con las aportaciones renacentistas.

Retrato del rey Felipe II.

Desde el punto de vista estético, la época se caracteriza también por su *equilibrado y severo clasicismo*. Cobran ahora gran impulso dos géneros de abolengo grecolatino —la tragedia y el poema épico— y la novela tiende a hacerse racional, ofreciendo ideales figuras arquetípicas (el pastor, el moro, el amante...). Todo ello débese en parte al nuevo predicamento de la Poética de Aristóteles, que al proponer al arte la expresión de lo ejemplar y verosímil, había de arrinconar lo fantástico (libros de caballerías) y la realidad concreta (el Lazarillo). No obstante, la serenidad de este intento clasicista se vio perturbada, como siempre, por notas muy españolas (elementos novelescos en la tragedia, históricos en la épica, arrebato en la lírica...).

La lengua en el reinado de Felipe II

El castellano continúa su progresión ascendente en la segunda mitad del siglo, sustituyendo al latín en el campo de la literatura religiosa y científica y ampliando sus posibilidades expresivas.

El modelo de la lengua literaria ya no es el habla cortesana de Toledo, sino un lenguaje más ampliamente nacional con modalidades propias de Castilla la Vieja (pérdida de la aspiración de la *h* y unificación de los tres pares de consonantes *z ç, s ss* y *j x* en los sonidos actuales *z, s* y *j*). "La lengua hablada adquiere los caracteres fonéticos que hoy la distinguen y la lengua escrita produce la modalidad sin duda más hermosa que jamás se escribió en España".[1]

En cuanto al estilo, *sigue manteniéndose la norma de naturalidad* y armonía, propios del período anterior, pero, en lugar de suelta espontaneidad, encontramos un mayor rigor selectivo, que confiere a la forma una gran *pureza clásica* (el Escorial proporcionaría el mejor ejemplo de ello en las artes plásticas). De todas formas, no falta la frase desaliñada y viva (Santa Teresa), ni el gusto por lo artificioso (tal como se insinúa ya a fines del siglo XVI en la poesía de Herrera).

Las nuevas tendencias de la poesía lírica

La lírica refleja sensiblemente las nuevas orientaciones culturales: *la fórmula italianista se impregna de esencias españolas*, ampliándose con dos nuevos temas, el religioso —Fray Luis, San Juan— y el patriótico —Herrera—, mientras un proceso de *espiritualización de signo cristiano o platónico* alcanza a casi todos los poetas.

El carácter nacional de esta nueva fase de nuestra lírica es confirmado con la escisión de la escuela de Garcilaso en dos grupos, correspondientes a otras dos regiones españolas: Salamanca y Sevilla. La poesía, pues, se bifurca, vinculándose al sentir estético de Castilla o Andalucía.

La llamada *escuela salmantina*, cuya figura central es Fray Luis de León, se caracterizará por su clásico equilibrio entre el contenido y la forma, por su tono íntimo y recoleto y por una noble sobriedad expresiva aprendida de Horacio. La

1. Menéndez Pidal. "El lenguaje del siglo XVI".

sevillana, presidida por Herrera, concederá una mayor importancia a la expresión brillante, ampulosa y sonora.

Fray Luis de León

Vida y temperamento. – Fray Luis de León, hijo de un eminente jurista, nació en Belmonte (prov. de Cuenca, 1527). Ingresó en la orden de San Agustín y realizó casi todos sus estudios en Salamanca, bajo el magisterio de Domingo Soto y Melchor Cano, a quienes debió probablemente su intensa formación escolástica y patrística. Luego desempeñó diversas cátedras en la universidad salmantina, hasta que se vio envuelto en un proceso inquisitorial. Acusado por sus enemigos universitarios de conceder más importancia al texto hebreo de la Biblia que a la Vulgata –lo que, según aquéllos, le hacía sospechoso de "judaísmo"– y de no haber impedido la difusión de su traducción del Cantar de los Cantares, a pesar de las disposiciones de Trento, fue encarcelado en Valladolid, hasta que, cinco años más tarde, la Inquisición le declaró absuelto. Devuelto a su cátedra, la cedió a quien la estaba desempeñando y al ocupar otra, comenzó sus clases, –según cuenta la tradición– con la generosa frase: "Decíamos ayer...". El resto de su vida lo pasó dedicado a sus tareas docentes y murió (1591) a los pocos días de ser nombrado Provincial de Castilla.

Hombre de enorme cultura, gozó de un gran prestigio, pero su carácter irritable y la terquedad y vehemencia de su temperamento le granjearon enemistades y disgustos. Por ello, el tema de la paz y de la soledad, que tan frecuentemente aparece en su obra, ha de interpretarse sólo como consecuencia de la aspiración hacia un sosiego espiritual ardientemente deseado y raras veces conseguido.

Su cultura renacentista y cristiana. – Si Fray Luis merece ser considerado como la *figura más representativa del Renacimiento español,* es sobre todo *por haber sabido reunir en armoniosa síntesis los principales elementos de la cultura de su tiempo:* lo clásico, lo italiano y la tradición religiosa –bíblica y patrística–.

Del mundo clásico proceden sus ideas platónicas, los modelos literarios –Horacio, Virgilio– y en cierta manera lo que constituye el rasgo esencial de su pensamiento y de su arte: el sentido de la proporción y de la armonía, y la íntima aversión a todo extremo. Obsérvase siempre en él un constante esfuerzo para conciliar "razón y revelación, renacimiento y escolástica..., duda y autoridad, estimación exagerada y menosprecio del alma humana".[1] Menos trascendencia alcanza, la influencia de Italia, aunque Fray Luis experimentó el halago de sus poetas, apropiándose su maravilloso instrumento: el endecasílabo.

La Biblia fue, en cambio, una de sus principales fuentes de inspiración. Comprendió como nadie el robusto vigor de la poesía bíblica, y llegó a ser uno de los mejores hebraístas de su tiempo. Sin embargo, el núcleo del pensamiento de Fray Luis se halla en la tradición cristiana. San Agustín le influyó notablemente, pero su tendencia conciliadora le llevó también a participar en el movimiento neoescolástico,

---

1. Vossler. "Fray Luis de León".

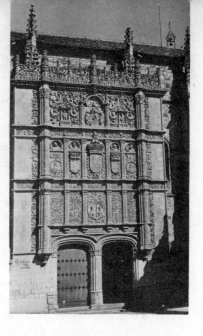

La Universidad de Salamanca, sede de la actividad docente de Fray Luis.

siguiendo a M. Cano y D. Soto. En cuanto a su posición religiosa, aunque algunas poesías revelan cierta inclinación hacia la visión contemplativa que roza los linderos de la Mística, nunca se refirió a la unión íntima y personal con Dios, manteniéndose apartado de toda consideración en torno al misticismo propiamente dicho. En este sentido, casi todo lo que escribió en prosa se reduce a comentarios y exégesis de las Sagradas Escrituras.

Fray Luis dio un sello cristiano a todos los elementos culturales por él utilizados, pero al mismo tiempo *supo infundir un espíritu renacentista en la mayor parte de su producción religiosa.* Típica del Renacimiento es la curiosidad intelectual que le movió a estudiar matemáticas, medicina, pintura, música, etc., e idéntico sentido tienen la independencia de criterio que manifestó repetidas veces, la valoración de los textos primitivos de la Biblia, [1] el rigor científico con que orientó sus estudios filológicos, su exaltación de la lengua vulgar, etc.

Obras en prosa. — Fray Luis escribió en latín gran número de tratados teológicos y comentarios a la Biblia, pero el alto valor que concedía a la lengua nativa le impulsó a redactar en castellano las cuatro obras que mencionamos a continuación.

La *Traducción literal y declaración del Libro de los Cantares de Salomón,* hecha a instancias de una monja, fue difundida en copias manuscritas sin su permiso, y constituyó uno de los motivos de su encarcelamiento.

La perfecta casada (1583), dirigida a una dama, expone el ideal de la esposa cristiana, basándose en las enseñanzas de la Biblia. Es interesante desde el punto de vista histórico y literario por sus pintorescas alusiones a los usos femeninos de la época

1. El Renacimiento buscó siempre la mayor pureza en los momentos primitivos.

—en lo referente a trajes, afeites, perfumes, lecturas...— y por la viveza y color de su estilo.

La *Exposición del Libro de Job* es una traducción del original hebreo, acompañada de comentarios. La resignación del personaje bíblico debió de interesar particularmente a Fray Luis, ofreciéndosele como un modelo en medio de los turbulentos episodios de la vida.

El tratado *De los nombres de Cristo* (1583) constituye su producción capital en prosa. Marcelo —en quien algunos han visto al propio Fray Luis— comenta con otros dos religiosos "los nombres con que es llamado Jesucristo en la Sagrada Escritura" (Pimpollo, Fazes de Dios, Camino, Pastor, Monte, Padre del siglo futuro, Brazo de Dios, Rey, Príncipe de la Paz, Esposo, Amado, Jesús, Cordero, Hijo de Dios). Las conversaciones tienen lugar en las cercanías de la Flecha, quinta de los agustinos en las proximidades de Salamanca, donde Fray Luis solía pasar temporadas de descanso. Ello da lugar a bellísimas alusiones al paisaje.

La obra, comenzada durante su estancia en la cárcel, fue escrita para suplir la lectura de la Biblia en lengua vulgar —prohibida en aquella época— y para contrarrestar el efecto de los libros profanos.

El estilo de las obras en prosa. — Fray Luis empleó frecuentemente el latín, pero, influido por las ideas del Renacimiento, mostró gran aprecio por la lengua castellana. "Nuestra lengua, decía, no es dura ni pobre... sino de cera y abundante para los que la saben tratar." Era, pues, lícito y conveniente, emplear el castellano como forma de expresión literaria, pero *había que saber tratarlo,* ya que "el bien hablar no es común sino negocio de particular juicio". Consecuente con esta idea, exigía que el cultivo de la prosa se hallase sometido a un riguroso criterio de selección del vocabulario —pues "las palabras no son graves por ser latinas, sino por ser dichas como a la gravedad que les conviene, o sean francesas o sean españolas"— y a un estudio reflexivo y atento que confiriese al lenguaje "claridad..., armonía y dulzura". Tanto se esforzó él mismo en este sentido que se consideró como padre de la prosa literaria.

Tras el tono retórico de Fray Luis de Granada y el desaliño de Santa Teresa, el estilo de Fray Luis de León, *poético y musical,* sobresale por una *luminosa transparencia* y una *armoniosa sencillez* que son producto de un *exquisito cuidado.* Es, pues, el suyo, un arte pulcro y meditado que responde todavía a la norma de naturalidad, típica del Renacimiento.

El siguiente párrafo de *Los Nombres de Cristo* (capítulo "Pastor") es un elocuente ejemplo de la serena belleza de su estilo:

> Bive en los campos Cristo, y goza del cielo libre, y ama la soledad y el sossiego, y en el silencio de todo aquello que pone en alboroto la vida, tiene puesto él su deleyte. Porque, assí como lo que se comprehende en el campo es lo más puro de lo visible, y es lo senzillo y como el original de todo lo que dello se compone y se mezcla, assí aquella región de vida

Fray Luis de León, figura cumbre del Renacimiento español.

adonde bive aqueste nuestro glorioso bien es la pura verdad y la sencillez de la luz de Dios, y el original expresso de todo lo que tiene ser y las rayzes firmes de donde nascen y adonde estriban todas las criaturas. Y si lo avemos de dezir así, aquéllos son los elementos puros y los campos de flor eterna vestidos, y los mineros de las aguas bivas, y los altos montes verdaderamente preñados de mil bienes altíssimos, y los sombríos y repuestos valles, y los bosques de la frescura, adonde, esentos de toda injuria, gloriosamente florecen la haya, la oliva y el lináloe, con todos los demás árboles del encienso, en que reposan exércitos de aves en gloria y en música dulcíssima que jamás ensordece. Con la cual región si comparamos aqueste nuestro miserable destierro, es comparar el desassossiego con la paz, y el desconcierto y la turbación y el bullicio y desgusto de la más inquieta ciudad con la misma pureza y quietud y dulzura. Que aquí se afana y allí se descansa; aquí se imagina y allí se vee; aquí las sombras de las cosas nos atemorizan y assombran, allí la verdad assossiega y deleyta; esto es tinieblas, bullicio, alboroto; aquello es luz puríssima en sossiego eterno.

Las poesías. — Fray Luis reunió sus versos en tres libros: el primero contiene las composiciones originales, y los dos restantes diversas traducciones del griego, del latín, del italiano y del hebreo.

Estas *versiones* tienen un extraordinario valor no sólo por su belleza formal, sino porque mantienen admirablemente los valores poéticos del original; la delicada ternura de Virgilio, la pulcritud y sobriedad del lirismo horaciano y la potente voz del rey David se hallan plenamente incorporadas a la lengua castellana en las magníficas traducciones de las Bucólicas, las Odas y los Salmos.

Fray Luis tradujo también a Píndaro, Eurípides, Tíbulo, Bembo, Juan de la Casa, Petrarca, algunos versículos del Libro de los Proverbios y varios capítulos del de Job.

La *producción original es muy breve* —unas veintitantas poesías—, pero aunque se redujese a las seis composiciones que vamos a enumerar, bastaría para acreditarle como uno de nuestros mejores líricos.

Entre sus Odas morales destacan cuatro: *La vida retirada* (" ¡Qué descansada vida!"...) sigue el "Beatus Ille", de Horacio, pero lo que en éste es sentimiento epicúreo de la naturaleza e ironía, se halla sustituido por un exaltado elogio del campo, como lugar de apartamiento y reposo, en el que se logra la perfecta paz del espíritu.

La *Noche serena* ("Cuando contemplo el cielo...") expresa la añoranza de la gloria que el poeta siente, al contemplar el espectáculo de la noche estrellada con la "bajeza de la tierra".

En la oda *A Felipe Ruiz* ("Cuándo será que queda...") manifiesta idéntico anhelo de beatitud, aunque aquí, para "contemplar la verdad pura", aspiración típicamente renacentista.

La dirigida *A Salinas* ("El aire se serena...") responde a la idea de raigambre platónica de que el arte —la música en este caso— eleva el alma y la libra del "bajo y vil sentido", moviéndola a la contemplación del "bien divino"

Las dos mejores odas religiosas son las que llevan por título *En la Ascensión* ("¡Y dejas Pastor santo...! "), agitada por un sentimiento de soledad y congoja por la partida del Señor, y la *Morada del cielo* ("Alma región luciente..."), visión de la gloria como "prado de bienandanza", en el que "el buen pastor" apacienta sus ovejas "con dulce son", en un ambiente de paz maravillosa.

Del resto de sus composiciones sobresalen tres de carácter moral: *Al apartamiento, En una esperanza* (ambas escritas en la cárcel y llenas de "suspiros encendidos" y de ansia de reposo espiritual) y *A Elisa* (versión cristiana del "carpe diem"); tres de tipo religioso: *A Nuestra Señora, A todos los Santos* (desoladas invocaciones desde la cárcel) y *A Santiago;* y tres de tema profano: *La profecía del Tajo* (sobre la pérdida de España por el rey don Rodrigo), calcada de Horacio, la *Imitación de diversos* (otra glosa del "carpe diem" en el estilo de la poesía amorosa de cancionero) y el soneto *Agora con la aurora se levanta*, también de tipo amoroso.

Los temas y su origen. — Fray Luis manifestó repetidas veces la escasa estima en que tenía su producción poética, a la que consideraba como un mero desahogo o como un descanso en sus tareas y tribulaciones: "nunca hice caso desto que compuse ni gasté en ello más tiempo del que tomaba para olvidarme de otros trabajos".

No obstante, tenía un alto concepto de la poesía que "se emplea en argumentos debidos", y veía en ella una *"comunicación del aliento celestial y divino";* "sin duda —afirmaba— la inspiró Dios en los ánimos de los hombres para con el movimiento y spíritu della levantarse al cielo de donde ella procede". Para él, pues, el interés de la poesía no radicaba en la simple belleza de la forma, sino en su contenido espiritual y en su poder depurador, lo cual no podía conseguirse sin una verdadera inspiración.

De acuerdo con ello, *la producción poética de Fray Luis se mueve casi siempre en el campo de las ideas.* Incluso lo sensorial cobra en sus manos un sentido trascendente; las cosas aparecen como espiritualizadas y desprovistas de toda concreción. Así ocurre con las alusiones al paisaje; "no es una visión directa la del poeta —ha dicho Azorín,[1] —; en una trasposición intelectual, afectiva".

---

1. "Los dos Luises y otros ensayos".

Entre las ideas que constituyen el fondo de Fray Luis, hay una que puede considerarse como *su motivo capital: la nostalgia del cielo.* Esta ansia de beatitud responde a un deseo de alcanzar la felicidad en la contemplación de Dios, pero también a una necesidad de conocimiento intelectual y, sobre todo, de paz, de absoluto sosiego del espíritu. *El mundo presente, lleno de falsedad y engaño, es visto como un doloroso destierro,* pero en la soledad y en el apartamiento el alma puede olvidarlo, elevándose hacia las verdades eternas mediante la contemplación de lo que se considera su reflejo: la Naturaleza y el Arte.

El núcleo de estas ideas es esencialmente cristiano, pero a él han venido a sumarse diversos elementos de la cultura renacentista, sobre todo de tipo platónico. Así lo vemos en la oda "A Salinas".

El aire se serena
y viste de hermosura y luz no usada,
Salinas, cuando suena
la música extremada
por vuestra sabia mano gobernada.

A cuyo son divino,
el alma, que en olvido está sumida,
torna a cobrar el tino
y memoria perdida
de su origen primera esclarecida.

Y como se conoce,
en suerte y pensamientos se mejora;
el oro desconoce
que el vulgo vil adora,
la belleza caduca engañadora.

Traspasa el aire todo
hasta llegar a la más alta esfera,
y oye allí otro modo
de no perecedera
música que es la fuente y la primera.

Ve cómo el gran Maestro,
a aquesta inmensa cítara aplicado,
con movimiento diestro
produce el son sagrado
con que este eterno templo es sustentado.

Y como está compuesta
de números concordes, luego envía
consonante respuesta
y entra ambas a porfía
se mezcla una dulcísima armonía.

Aquí la alma navega
por un mar de dulzura, y finalmente
en él ansí se anega
que ningún accidente
extraño o peregrino oye o siente.

¡Oh desmayo dichoso!
¡oh muerte que das vida! ¡oh dulce
¡durase en tu reposo   olvido!
sin ser restituido
jamás a aqueste bajo y vil sentido!

A este bien os llamo,
gloria del apolíneo sacro coro,
amigos a quien amo
sobre todo tesoro;
que todo lo visible es triste lloro.

¡Oh! suene de contino,
Salinas, vuestro son en mis oídos,
por quien al bien divino
despiertan los sentidos,
quedando a los demás adormecidos.

El estilo y los modelos. — El lenguaje poético de Fray Luis tiene como principal característica la *extrema sobriedad* y la admirable sencillez de sus recursos estilísticos: la adjetivación es elemental, el repertorio de imágenes es escaso, y el vocabulario, usual y casi desprovisto de cultismos.

Esta ausencia de artificiosidades formales, e incluso los descuidos que a veces se observan, son consecuencia del carácter vehemente de la inspiración del autor. *Fray Luis escribe siempre dominado por un vivo sentimiento* —dolorido anhelo de paz, punzante añoranza del cielo— que da calor y animación dramática a sus versos; su poesía no es "manso fluir de aguas cristalinas, sino arrebato emocional"; [1] de ahí la abundancia de interrogaciones y admiraciones.

Pero Fray Luis no es sólo el poeta inspirado, creador de rápidas improvisaciones, sino el poeta filólogo, conocedor de los más íntimos recursos del idioma y del verso, que *pule su obra hasta lograr la máxima pureza expresiva.* Y es esta feliz conjunción de inspiración arrebatada y de arte reflexivo lo que hace posible el maravilloso equilibrio entre el contenido y la forma, y la serena armonía que resplandece en cada estrofa.

A todo ello habría que añadir *la suave dulzura y la nítida luminosidad de los versos.* Si la escuela andaluza había de ceder a la sugestión de los colores brillantes, Fray Luis da una nota, casi única en la literatura castellana, inundando su poesía de una pura y vivísima luz.

El eje del pensamiento de Fray Luis es el cristianismo con elementos platónicos; la forma responde, por su parte, a otras dos influencias: la italiana y la clásica. Italia proporciona el metro: endecasílabos, heptasílabos; los clásicos, Horacio ante todo, la estructura —climática y anticlimática— de la composición.

Significación histórico-literaria e influencias. — Fray Luis representa una superación de la lírica anterior, que se enriquece ahora con nuevas influencias —bíblicas, por ejemplo—, se amplía con motivos religiosos y morales, se hace más íntima y subjetiva y adquiere un sabor nacional.

La producción poética de Fray Luis fue conocida solamente en copias manuscritas, hasta que Quevedo la editó en 1631. Obtuvo siempre un gran éxito, pero su influencia fue, por el momento, escasa.

La escuela salmantina

Esta denominación se presta a confusiones que conviene aclarar. Existía en Salamanca un grupo de intelectuales, reunidos en torno al magisterio poético de Fray Luis, al que pertenecían Arias Montano, autor de una célebre paráfrasis del Cantar de los Cantares; el "Brocense", comentador de Mena y Garcilaso, etc. Pero para todos ellos, la poesía sólo constituía una ocupación secundaria y no produjeron nada esencial. En cambio, las figuras más importantes de la llamada "escuela salmantina" —Aldana, La Torre, Figueroa y Medrano— no pueden considerarse discípulos directos de Fray Luis, puesto que no tienen con él otra relación que la coincidencia en unos mismos ideales poéticos de sobriedad, sencillez y horacianismo.

Francisco de Aldana, "el divino" (1537-1578), pasó sus primeros años —y probablemente nació— en Italia, peleó en Europa y murió en Alcazarquivir con el rey don Sebastián. En su breve obra, en italiano y castellano (1589-1591), se reflejan

---

1. Lapesa. "Historia de la Lengua española".

"el guerrero, el humanista y el anacoreta" (Vossler). Contiene, en efecto, impetuosas poesías de guerra, composiciones amorosas y una bellísima *Carta para Arias Montano,* "sobre la contemplación de Dios", en la que se desarrolla la filosofía neoplatónica del amor, dándole una orientación religiosa. El *anhelo místico* que en ella se manifiesta y el *dinámico dramatismo* de su estilo son sus dos notas esenciales.

Francisco de la Torre. – La obra de este poeta desconocido, publicada en el siglo XVII por Quevedo, está integrada en su mayor parte por una serie de sonetos y una colección de églogas *(La Bucólica del Tajo).* Los temas preferidos son el amor –dolorido, melancólico y lleno de resonancias platónicas– y la descripción del paisaje bucólico, a la manera de Garcilaso, aunque con mayor colorido. El rasgo más original lo constituye su culto a la noche, a quien toma por confidente de sus estados de ánimo.

La *suavidad y ternura* de su poesía –donde se ve la huella de Horacio– puede observarse en su composición "A la cierva herida".

Francisco de Figueroa, "el divino" (antes de 1536-¿1617?), combatió en Europa y al retirarse a su pueblo mandó quemar sus poesías amorosas. Nos quedan entre otras, unas *Canciones a "Fili".* Caracterízale la desenvoltura y *arranque pasional* con que expresa su amor contrariado y la firme influencia que sobre él ejercen Horacio, los petrarquistas de Italia y Garcilaso. Escribió versos en castellano y en italiano.

Francisco de Medrano. – Nació en Sevilla (1570) y fue novicio jesuita, aunque abandonó la Compañía; murió joven (1607). Su producción consta de *Sonetos y Odas.* Estas últimas le acreditan como *uno de nuestros mejores poetas horacianos,* ya que en ellas el original latino aparece vivificado por una emoción sincera. Influida por Herrera, pero mucho más por Fray Luis, la poesía de Medrano puede incluirse en la escuela salmantina por su *contención clásica.*

BIBLIOGRAFIA

EDICIONES

Fray Luis, B. A. E. – Onís. "De los Nombres...". Clás. Cast. – "Obras completas". P. Félix García. B. A. C., 1944.

Francisco de la Torre. A. Zamora Vicente. Clás., Cast., 1944.

Aldana. E. L. Rivers. Clás. Cast., 1957.

Figueroa. A. González Palencia. 1943.

Medrano. Dámaso Alonso, 1958.

ESTUDIOS

M. Menéndez y Pelayo: *Horacio en España* e *Historia de las ideas estéticas.* Vol. III, 1920. (Sobre Fray Luis de León.)

P. Rousselot: *Los místicos españoles,* 1907. (Sobre Fray Luis.)

Azorín: *Fray Luis de León.* En "Los dos Luises", 1920.

A. Coster: *Fray Luis de León.* En "Rev. Hisp.", 1921-1922.

Aubrey F. G. Bell: *Luis de León,* 1925.

C. Vossler: *La concentración religiosa en la poesía de la soledad: Fray Luis de León.* En "La soledad en la poesía española", 1941.

Dámaso Alonso: *Notas sobre F. Luis y la poesía renacentista.* En "Estudios sobre poesía española", 1944.

C. Vossler: *Fray Luis de León,* 1946.

Dámaso Alonso: *Forma exterior y forma interior en Fray Luis.* En "Poesía española", 1950.

P. Angel Custodio Vega: *Fray Luis de León.* En "Historia general de las literaturas hispánicas". Vol. II, 1951.

C. Vossler: *Francisco de Aldana.* En "La soledad en la poesía española", 1941.

A. Zamora Vicente: Prólogo a su ed. de *Francisco de la Torre.* Clás. Cast., 1944.

Dámaso Alonso: *Vida y obras de Medrano,* 1948.

E. L. Rivers: *Francisco de Aldana, el Divino Capitán.* 1955.

J. Ferraté: *Las octavas sobre los "Efectos de amor" de F. de Aldana.* En "La operación de leer", 1962.

la poesía de herrera 26
y la épica culta

La escuela sevillana

Si Salamanca representa en la poesía de la época la expresión sobria y austera, Sevilla es la sede de una escuela poética cuyas predilecciones se orientan hacia la exuberancia formal y el lujo decorativo, conseguidos a base de un lenguaje poético lleno de resonancias musicales y efectos de color. Herrera es la figura central de este grupo de poetas, formados casi todos ellos en la academia del humanista sevillano Juan de Mal–Lara. Sus más importantes seguidores corresponden al siglo XVII.

Fernando de Herrera

Vida y temperamento. – Nació en Sevilla (1534-1597), se ordenó de menores y vivió allí, hasta su muerte, de un beneficio eclesiástico. Sus principales estímulos fueron el estudio, la poesía y un silencioso amor hacia doña Leonor de Milán, esposa del conde de Gelves, a cuyo palacio acudía con otros hombres de letras. De carácter hosco y retraído, encarna el tipo del intelectual apartado de las empresas bélicas y del ajetreo cortesano en que habían vivido la mayor parte de los poetas del reinado del Emperador. Su actitud contrasta con la de Fray Luis, no menos que con la de Garcilaso. Si para el salmantino la poesía sólo era un descanso entre otros afanes considerados como más importantes, Herrera hará de ella uno de los objetivos primordiales de su actividad intelectual. Gozó de un gran prestigio y alcanzó el sobrenombre de "divino".

Doctrina poética. – La expuso en las "Anotaciones" a las obras de Garcilaso (1580), redactadas con posterioridad a las del "Brocense". Herrera, a pesar de su gran admiración por el autor de las Eglogas, se muestra partidario de la creación de un *lenguaje poético distinto del usual y enriquecido con todo género de elementos cultos* —neologismos, hipérbatos, alusiones a la mitología, metáforas audaces, etc.–, un lenguaje que sólo sea accesible a una minoría culta. Con todo ello provoca la ruptura del equilibrio clásico entre el fondo y la forma, inclinando la balanza a favor de ésta e iniciando una trayectoria que desembocará en el barroco.

El sevillano Francisco de Medina —autor de una Oda a Garcilaso— puso un prólogo a estas Anotaciones, en el que defiende el artificio frente a la sencillez, y el ornamento poético frente a la expresión desnuda.

Las poesías amorosas. — La mayor parte de la producción de Herrera se agrupa en dos sectores, el amoroso y el patriótico, aunque no faltan tampoco los temas religiosos y bucólicos. Las poesías de amor dan la nota más acusada del petrarquismo en el siglo XVI y se hallan dedicadas a doña Leonor de Milán, a quien tributa un *culto neoplatónico,* considerándola como un reflejo de la belleza suprema. Pero ella sólo le correspondió con un simple aunque sincero afecto y el poeta pasó largos años de su vida entregado a un amor sin esperanza, complaciéndose en sus propios sufrimientos y sin otra aspiración que la de ofrecerle tímidamente un sentimiento purificado por el dolor. De ello deriva el *tono resignado y melancólico* de sus poesías, en las que idealiza a su amada, dándole los nombres de Luz, Llama, Lumbre, Aglaya...

A su elevada espiritualización del amor responde el siguiente soneto, en el que el tema pagano del "Carpe diem" asume una nueva significación:

> Las hebras de oro puro que la frente
> cercan en ricas vueltas, do el tirano
> señor teje los lazos con su mano,
> y arde en la dulce luz resplandeciente,
> cuando el ivierno frío se presente
> vencedor de las flores del verano,
> el purpureo color tornado vano,
> en plata volverán su lustre ardiente.
> Y no por eso amor mudará el puesto,
> que el valor lo asegura y cortesía,
> el ingenio y del alma la nobleza.
> Es mi cadena y fuego el pecho honesto,
> y virtud generosa, Lumbre mía,
> de vuestra eterna angélica belleza.

El dolor del poeta llega a proyectarse sobre el paisaje y entonces aparecen el desierto, las ruinas, la soledad o el áspero camino, como símbolo de desengaño y tristeza, temas que habrán de ser más tarde típicos de la poesía barroca. Herrera alude repetidas veces al "frío bosque, solo y oscuro", a la "solitaria tierra", a la "ardua cumbre", áspera naturaleza que le sirve de confidente.

El amor de Herrera, aunque responda a una realidad vivida, nos da la sensación de algo elaborado en su imaginación. De ahí el tono recogido y al mismo tiempo *frío y cerebral* de la poesía que lo expresa. Ello y la escasa variedad de imágenes y situaciones constituyen su falla esencial. No obstante, la grave elegancia del estilo y la señoril distinción, típicamente renacentista, de la actitud espiritual de Herrera, compensan los defectos apuntados.

Las composiciones patrióticas. – La exaltación del Imperio es característica de esta época en que los valores nacionales cobran vigor inusitado. Herrera aplicará su inspiración patriótica a cuatro robustas poesías; dos en las que es patente la imitación de la Biblia: la *Canción por la batalla de Lepanto* y la *Canción por la pérdida del rey don Sebastián;* y otras dos llenas de imágenes de origen clásico: las dedicadas *A don Juan de Austria* –por su victoria contra los moriscos de la Alpujarra– y *Al santo rey don Fernando*. Tanto en la primera –que es la más importante– como en los restantes, lo esencial es el tono grandilocuente y sonoro de su retórico lenguaje.

Véanse como ejemplo de la majestuosidad y elevación de este estilo, algunos versos de la *Canción* por la victoria de Lepanto:

> Cantemos al Señor, que en la llanura
> venció del ancho mar al Trace fiero.
> Tú, Dios de las batallas, Tú eres diestra,
> salud y gloria nuestra.
> Tú rompiste las fuerzas y la dura
> frente de Faraón, feroz guerrero.
> Sus escogidos príncipes cubrieron
> los abismos del mar y descendieron
> cual piedra en el profundo; y tu ira luego
> los tragó como arista seca el fuego...
> Adórente, Señor, tus escogidos;
> confiese cuanto cerca el ancho cielo
> tu nombre, ¡oh nuestro Dios, nuestro consuelo!
> ¡y la cerviz rebelde, condenada,
> padesca en bravas llamas abrasada!

El estilo. – Dos elementos esenciales le caracterizan: *el cultismo y la nota de color*. El primero se halla abundantemente representado por una serie de latinismos e hipérbatos que privan a la expresión de la elegante sencillez hasta entonces exigida por todos los poetas renacentistas; vocablos como "horrísono", "flamígero", "purpúreo" son frecuentes en versos retorcidos a veces por una violenta ordenación sintáctica: "el ingenio y del alma la nobleza...". El segundo se advierte fácilmente en el gran número de alusiones a todo lo que signifique brillo, luz, color; en este sentido es notable la insistencia con que se refiere al rojo: "llamas de oro", "rojo sol", "purpúreo color...".

Fernando de Herrera, cuya noble retórica marcó nuevas orientaciones al estilo de la época.

Estos rasgos —artificiosidad, cultismo, riqueza cromática— hacen de él un precursor de la pomposa poesía gongorina.

Aunque toda su producción ofrece, en general, las notas apuntadas, las *composiciones amorosas* y las patrióticas difieren notablemente en otros aspectos estilísticos. Las primeras, no tan declamatorias y retóricas como las segundas, se caracterizan, entre otras cosas, por el uso de la correlación y del contraste, utilizados para expresar rebuscadas sutilezas en las que es fácil ver la huella de Petrarca. Así en el soneto que comienza:

> Amor en mí se muestra todo fuego
> y en las entrañas de mi Luz es nieve;
> fuego no hay que ella no torne en nieve
> ni nieve que no mude yo en mi fuego...[1]

Las *poesías de tipo patriótico* presentan un tono más elevado y solemne que evidencia a las claras su modelo: los Salmos de David —novedad típica de la época y que ya vimos en Fray Luis—. Su magnífica sonoridad y su vigorosa fuerza expresiva son ejemplo de lo que el poeta quería decir cuando echaba de menos en los versos de sus contemporáneos "nervio y músculos".

Baltasar del Alcázar

Nació en Sevilla (1530-1606), como Herrera, pero no ofrece los rasgos que definen a la escuela sevillana. Su nota esencial la constituye la gracia satírica y la sal andaluza de sus composiciones festivas. Así lo vemos en la famosa *Cena jocosa* ("En Jaén donde resido..."), en la que utiliza el tradicional verso octosílabo, su metro favorito. Uno de sus modelos fue Marcial, pero también imitó a Garcilaso y empleó el endecasílabo.

La épica renacentista

La épica culta, *inspirada en los grandes modelos del clasicismo (Virgilio, Lucano) y de Italia (Ariosto, Tasso)*, no se desarrolla en España hasta el reinado de Felipe II, momento en que cobra renovado vigor la preceptiva aristotélica.

Trátase de extensos poemas, por lo general en *octavas reales;* sus temas históricos responden a la *exaltación de los valores nacionales* típica del momento, y los religiosos, a las orientaciones de la *Contrarreforma.*

El rasgo que mejor los caracteriza es su *preferencia por los asuntos históricos,* que tan bien se compagina con el realismo historicista de la vieja épica popular. En tanto que los italianos consideran lo novelesco como único tema poético, España continúa fiel a su tradición estética, visible ya en la obra del cordobés Lucano.

---

1. "Las metáforas de herida, incendio o prisión para designar los daños o las armas de Amor, son uno de los rasgos que inmediatamente descubren hasta el siglo XVII (y más allá) la huella petrarquista." (Dámaso Alonso. "Seis calas en la expresión literaria española.")

Poemas históricos

Apenas merecen una simple mención los que se refieren a la Edad Media española. Otro tanto sucede con los que toman como asunto el reinado del Emperador, entre los cuales se encuentra *La Carolea* (1560), de **Jerónimo de Sempere**. El *Carlo Famoso* (1566), de **Luis Zapata,** ofrece, no obstante, una bella fusión de historia y fábula mitológica —la de Polifemo, las Sorlingas, la Hiedra...—.

Juan Rufo compuso una *Austriada* (1584) en torno a los hechos de Don Juan de Austria, en la que se refiere a su victoria sobre los moriscos sublevados en la Alpujarra y a la batalla de Lepanto. La primera parte de la obra es un plagio de la Guerra de Granada, del historiador Hurtado de Mendoza.

Alonso de Ercilla (1533-1594) es autor del mejor poema de tema americano. Viajó por Europa con Felipe II, tomó parte en la conquista de Chile, y, vuelto a España, obtuvo el hábito de Santiago.

Su *Araucana* (1569-1589) nos relata, en treinta y siete cantos, las luchas entre los españoles y los indios del valle de Arauco (Chile). La primera parte, escrita en el mismo escenario de los hechos, es tal vez la mejor. En las otras dos se intercalan episodios ajenos a la trama (las batallas de Lepanto y San Quintín, la historia de Dido, etc.).

A pesar de su lentitud narrativa, de la escasa musicalidad de sus versos y de su sequedad imaginativa, la "Araucana" interesa ante todo por sus vigorosas descripciones de paisajes y batallas.

Muy bien trazados se hallan también los retratos de los conquistadores —Valdivia, Villagrán, el mismo Ercilla—, los de los jefes araucanos —Colocolo, Rengo, Tucapel— y sobre todo el de Caupolicán, caudillo de los indios, que muere ejecutado por los españoles. La escena en que se describe esto último refleja, como otras muchas, la simpatía del autor hacia los indios, quienes, a causa de ello, se convierten en los verdaderos protagonistas del poema.

> ...Le sentaron después con poca ayuda
> sobre la punta de la estaca aguda.
>
> No el aguzado palo penetrante,
> por más que las entrañas le rompiese,
> barrenándole el cuerpo, fue bastante
> a que al dolor intenso se rindiese:
> que con sereno término y semblante
> sin que labio ni ceja retorciese,
> sosegado quedó, de la manera
> que si sentado en tálamo estuviera.
>
> En esto, seis flecheros señalados,
> que prevenidos para aquello estaban,
> treinta pasos de trecho desviados,
> por orden y despacio le tiraban...

...Y en breve, sin dejar parte vacío,
de cien flechas quedó pasado el pecho,
por do aquel grande espíritu echó fuera,
que por menos heridas no cupiera.

La "Araucana" fue imitada por varios autores, entre los que destacan *Pedro de Oña* (nacido en Chile) con su *Arauco domado* (1596), en el que exalta la figura del joven general García Hurtado de Mendoza, casi olvidado por Ercilla, y *Juan de Castellanos,* autor de las *Elegías de Varones Ilustres de Indias* (1589), relato de la conquista, sin otro valor que el puramente histórico.

Poemas de asunto religioso

El más importante es *El Monserrate* (1587), de **Cristóbal de Virués** donde se nos cuenta el crimen y la penitencia de Fray Garín.

Fray Garín mata a la hija del Conde de Barcelona y arrepentido va a Roma a confesar su falta. Vuelve a España de rodillas para cumplir la penitencia que le ha sido impuesta y es cazado como una fiera por el conde, quien al reconocerle le perdona. Desentierran entonces a la joven y la hallan viva. Fray Garín ingresa en el recién fundado monasterio de Montserrat.

El poema, con su exaltación del arrepentimiento, ha sido considerado como una obra de propaganda contrarreformista y antiluterana.

Poemas novelescos

Son, como decíamos, los que menos abundan, y en ellos se dan al mismo tiempo la influencia de Ariosto y la de los libros de caballerías. Sobresale, entre otros, el de **Barahona de Soto** (1548-1595), *Las lágrimas de Angélica* (1586), basado en un episodio del "Orlando Furioso" de Ariosto (los amores de Angélica y Medoro). A pesar de la fuerza plástica y del colorido de sus descripciones, lo más interesante de la producción de este poeta andaluz se halla en otras composiciones de tipo lírico, como la bella "Egloga de las hamadríades", cuya pompa cromática y lujo sensorial anuncia el de la escuela prebarroca de los poetas antequerano-granadinos.

Los romances

Aunque ya hablamos de ellos en otro lugar, conviene recordar aquí que es en la segunda mitad del siglo XVI cuando se publican los Cancioneros de romances *eruditos* y se componen los primeros *artísticos*.

BIBLIOGRAFIA

EDICIONES

Herrera. V. García de Diego. Clás. Cast., 1914. — "Rimas inéditas". J. M. Blecua, Anejos de la Rev. Fil. Esp., XXXIX, 1948.

Alcázar. Rodríguez Marín, R. Acad. Esp., 1910.

Ercilla, Oña, Virués. En B. A. E. — *Ercilla*. C. de Salamanca, Madrid, 1968.

Barahona. "Las lágrimas..." Huntington, 1904.

Poetas del siglo XVI. Antología de R. Lapesa, 1947.

ESTUDIOS

A. Coster: *Fernando de Herrera el Divino*. 1908.

A. Gallego Morell: *El andaluz Fernando de Herrera*. En "Dos ensayos sobre poesía española del siglo XVI", 1951.

A. Vilanova: *F. de Herrera*. En "Historia general de las literaturas hispánicas", Vol. II, 1951.

Oreste Macrí: *Fernando de Herrera*. 1959.

G. Celaya: *La poesía pura de F. de Herrera*. En "Exploración de la poesía". Barcelona, 1964.

A. D. Kossoff: *Vocabulario de la obra poética de Herrera*. Madrid, 1966.

M. Menéndez y Pelayo: *Historia de la poesía hispano-americana*, 1892-95. (En torno a *Ercilla* y *Pedro de Oña*.)

Azorín: *Ercilla*. En "Los dos Luises", 1920.

F. Rodríguez Marín: *Barahona de Soto*, 1903.

R. Menéndez Pidal: *Romancero hispánico*. Vol. II, 1953. (En torno al *Romancero artístico*.) *El romancero nuevo*. En "De primitiva lírica y antigua épica", 1951.

F. Pierce: *La poesía épica del Siglo de Oro*. 1968.

mística y ascética 27

La prosa religiosa

La prosa religiosa —de la que constan más de tres mil títulos— constituye el sector más importante de la literatura en el reinado de Felipe II. En ella se advierten dos directrices que es necesario definir: ascetismo y misticismo.

Ascetismo y misticismo

Ascética equivale a esfuerzo personal encaminado a lograr la máxima perfección del espíritu mediante la práctica de las virtudes y el dominio de las pasiones, con la ayuda de la gracia. La *Mística* aspira, por su parte, a un fin más alto: la íntima unión del alma con Dios, anticipando en lo posible la absoluta beatitud, que sólo se alcanza plenamente en la otra vida. Nada vale aquí el propio esfuerzo, puesto que todo depende de la voluntad divina.

Aunque Dios puede conceder la gracia de su presencia lo mismo a un pecador que a un justo, las prácticas ascéticas se consideran siempre como la preparación obligada para llegar al goce de la unión mística. Por eso los tratadistas establecen tres fases —"vías"— en el camino que conduce a la Divinidad.

1.ª *Vía purgativa* ("purgatio"). Es la etapa ascética. En ella el alma se purifica de sus vicios, valiéndose de la oración y la mortificación. La eficacia de este momento depende, aunque no exclusivamente, de la voluntad humana.

2.ª *Vía iluminativa* ("illuminatio"). Corresponde ya a la Mística. El alma, libre de sus anteriores defectos, comienza a participar —sin cooperación por su parte— de los dones del Espíritu Santo y a gozar de la presencia de Dios.

3.ª *Vía unitiva* ("unio"). Llégase al final de ella a la íntima unión con Dios. El mundo ya no significa nada y el alma queda a solas con la Divinidad en absoluta entrega amorosa y gozosa pasividad. Los éxtasis que a veces experimenta el místico son meros fenómenos accesorios.

Fragmento de "El Expolio", de El Greco.

La mística española

Precedentes. — Así como el ascetismo del siglo XVI tiene amplios precedentes en la Edad Media española —hasta el punto de que la mayor parte de la literatura moral de esta época cabe dentro de la actitud ascética—, la Mística del Siglo de Oro aparece como una absoluta novedad. Por ello habrá que buscar sus antecedentes fuera de España.

El misticismo, considerado como afán de relación intensa y personal con Dios, es un fenómeno universal que se manifiesta en multitud de religiones y movimientos filosóficos. Así lo vemos, aunque con diversos matices, en el emanatismo panteísta brahmánico, en los neoplatónicos alejandrinos —Plotino—, en los "sufíes" musulmanes —Abenarabí—, en los judíos españoles —Abengabirol—, etc.

Limitándonos al misticismo cristiano, observamos en la Edad Media una corriente que, partiendo del *Seudo Dionisio Areopagita* (siglo V), llega hasta el siglo XV, acarreando influencias neoplatónicas, agustinianas y más tarde franciscanas. Caracterízala el hecho de considerar el amor o una cierta iluminación íntima como el mejor camino para llegar a la unión con Dios, ya que Este se halla muy por encima de todo conocimiento racional humano. Figuras señeras de esta corriente mística son: San Bernardo (siglo XII), San Buenaventura (siglo XIII), los alemanes Eckhart, Tauler y Suso (siglo XIV), los flamencos Ruysbroeck (siglo XIV) y Dionisio el Cartujano (siglo XV), y en cierto modo Tomás de Kempis (XV), autor de la "Imitación de Cristo". Fueron estos *místicos alemanes y flamencos* de la Baja Edad Media —en quienes se ve una acusada tendencia a popularizar la vida religiosa separándola de lo intelectual y de lo externo y haciéndola más íntima, emotiva y personal— quienes influyeron de un modo decisivo sobre los españoles.

Rasgos característicos. — Como ya indicamos, la literatura religiosa de la primera mitad del siglo —aun la más estrictamente ortodoxa— mostró preferencia por la religiosidad de tipo íntimo, dejando en segundo término la teología dogmática y el culto externo; pero la Contrarreforma restableció el equilibrio cortando las desviaciones heterodoxas y dando todo su valor a la oración vocal, a la especulación teológica y a la práctica de las virtudes, junto a la oración mental, la emoción amorosa y la actitud contemplativa.

De ahí que tengamos, en primer lugar, entre las notas típicas de la mística española, la *tendencia a unir la contemplación pasiva con un fervoroso activismo*. Nuestros místicos saben conciliar la soledad meditativa con la práctica de la caridad, orientada a la salvación de las almas. "Obras quiere el Señor", dirá a menudo Santa Teresa. Una vez más queda de manifiesto el espíritu práctico del genio castellano, que ni en los momentos de mayor elevación e idealismo olvida el contacto con la realidad cotidiana.

Muy característico es también el acentuado *individualismo* de los místicos españoles, que alejándoles del panteísmo les lleva a afirmar su propia personalidad frente a Dios, hasta en la misma unión. Esta será concebida siempre como una unión de voluntades, pero no de esencias, quedando a salvo la libertad humana, incluso para rechazar la gracia divina. "Es el hombre tan libre —afirma Malón de Chaide— que puede no querer cuando Dios quiere."

Otro rasgo es la *inclinación a buscar a Dios en el fondo del alma*, más que en la Naturaleza o en el mundo sensible o inteligible. "Ninguna cosa pensada ni creada puede servir al entendimiento de propio medio para unirse con Dios", exclama San Juan de la Cruz; y Santa Teresa: "En el centro interior del alma... está el mismo Dios." El amor a la Divinidad se hace partir del conocimiento de uno mismo; de ahí la finura y profundidad de los *análisis psicológicos* llevados a cabo por nuestros místicos. Esta propensión al estudio de los secretos resortes de la personalidad humana se evidencia en la frase de Santa Teresa: "Qué gran cosa es entender un alma."

Sin embargo, la *consideración de la humanidad de Cristo* y de sus dolores físicos y morales constituyó a menudo el punto de partida para la meditación religiosa. Algunos místicos —como San Juan de la Cruz— la creían sólo adecuada para principiantes, pero el sentido realista español —siempre en busca de lo concreto— y las orientaciones de la Contrarreforma le dieron un enorme impulso.

El estilo. — Los místicos españoles no consideraron nunca sus doctrinas como una sabiduría secreta comunicable sólo a un reducido grupo de iniciados; muy al contrario, *intentaron popularizarlas* en amplios sectores, movidos por un caritativo afán de evangelización. No pretendieron, pues, crear belleza, sino adoctrinar a sus lectores, a pesar de lo cual sus obras alcanzan un alto valor literario.

El místico se debate en un constante esfuerzo para *expresar con claridad* sus íntimas experiencias religiosas, pero al referirse al momento supremo de la unión con Dios *abandona el lenguaje directo*, por resultar insuficiente dada la índole inefable de los fenómenos a que alude, y se ve obligado a utilizar toda clase de símbolos, metáforas, paradojas, frases de sentido vago o simples exclamaciones. Ejemplo de ello es el símbolo de la "noche oscura" en San Juan, la imagen de "la mariposa" en Santa Teresa, o expresiones de aparente sentido contradictorio, como "gozosa pena", "martirio sabroso", "música callada", "rayo de tiniebla", etc. Muy frecuente es la imagen del amor humano para expresar el divino.

El propósito popularizador de nuestros escritores clásicos les llevó a utilizar el castellano, en lugar del latín, haciéndose eco al propio tiempo de la exaltación renacentista de la lengua vulgar —Malón de Chaide, Fray Luis de León...—. En esto, como en otros aspectos, *aprovecharon las conquistas estéticas e ideológicas del Renacimiento,* si bien prestándoles un profundo sentido cristiano.

Las órdenes religiosas

Las órdenes religiosas, de las que proceden la mayor parte de los escritores místicos y ascéticos, ofrecen una cierta diversidad de orientación.

En términos generales pueden establecerse dos corrientes: una *afectiva* (agustinos y franciscanos) y otra intelectual (dominicos y jesuitas); ambas se armonizan en la posición adoptada por los carmelitas, que representan el sector más genuinamente nacional de nuestra mística.

Entre los *agustinos* es importante la idea del amor a Dios como Bondad absoluta y Belleza suprema, de acuerdo con la orientación platónica de San Agustín. Lo afectivo predomina sobre lo intelectual ("las cosas que valen más que nosotros, mejor es amarlas que entenderlas", Malón de Chaide).

Los *franciscanos* heredan la efusión sentimental del fundador de la Orden y prefieren también la entrega amorosa a la contemplación intelectual de Dios.

Los *dominicos*, en cambio, mantienen el sistema escolástico de Santo Tomás insistiendo en la especulación teológica, más que en actitudes líricas o sentimentales. Su medio más frecuente de expresión es el latín.

Los *jesuitas* se hallan más cerca de la ascética que de la mística. La férrea disciplina impuesta por San Ignacio de Loyola marcó en este sen-

Una impresionante interpretación plástica de la actitud. ascética: el **San Bruno**, de M. Pereyra.

tido el camino desde los comienzos de la Orden. Sólo en época tardía vemos aparecer algún místico doctrinal.

Los *carmelitas* combinan en armoniosa síntesis lo afectivo con lo intelectual, la experiencia personal con la teoría, la actitud contemplativa con la actividad práctica, y constituyen el núcleo más importante de la mística.

La mística heterodoxa

Aunque la mayor parte de la producción religiosa nacional no rebase los límites de la más estricta ortodoxia, hubo en ciertos momentos desviaciones de carácter heterodoxo. Los dos movimientos más importantes fueron el *iluminismo,* a principios del siglo XVI, y el "quietismo" en el siglo XVII.

Los "iluminados" o "alumbrados" —que representan la exageración heterodoxa del intimismo típico de la época de Carlos V— despreciaban la actividad y las prácticas de devoción sensibles y adoptaban una actitud de abandono en espera de que Dios iluminase su alma regenerándola con la gracia. En relación con los alumbrados que se reunían en casa del Marqués de Villena estuvo **Juan de Valdés.**

Causas que contribuyen a la aparición de la literatura místico-ascética

Como ocurre con otros géneros de raíz medieval, la literatura religiosa —y concretamente la mística— que en el extranjero había producido sus mejores frutos en la Edad Media, llegó en España a su cumbre en pleno Renacimiento.

La causa de la tardía agudización de la conciencia religiosa española suele verse en la *reforma de Cisneros* y el posterior *movimiento contrarreformista,* que prestaron un vigoroso impulso al sentimiento católico.

Las *relaciones con el resto de Europa* y los *viajes de los estudiantes españoles* a universidades extranjeras favorecieron el conocimiento de los místicos alemanes y flamencos, cuyas obras fueron divulgadas en España mediante traducciones que la imprenta se encargó de difundir, y a las que pronto sucedió una vastísima producción original, en la que influyeron, a veces, la ideología y la literatura profana del Renacimiento.

Epocas

1.ª **Reinado de los Reyes Católicos.** — En este período casi todo se reduce a traducciones o reimpresiones de autores extranjeros (sobre todo el Cartujano, traducido por Montesino). Cisneros fomenta ahora el ideal contemplativo y manda traducir varias obras místicas.

2.ª **Reinado de Carlos V.** — Se inicia la producción original (Osuna, Laredo, el beato Juan de Avila...), con un carácter predominantemente intimista.

3.ª **Reinado de Felipe II.** — Epoca de los grandes místicos (Fray Luis de

Granada, Fray Luis de León, Malón de Chaide, Fray Juan de los Angeles, Santa Teresa, San Juan de la Cruz...). Es la época de la Contrarreforma. El iluminismo es reprimido con vigor, y la religiosidad íntima florece, encauzada por la Iglesia y dentro de la ortodoxia, entre los místicos carmelitas.

4.ª **Siglo XVII.** – Epoca de la decadencia (Sor María de Agreda, La Puente, Nieremberg, el heterodoxo Miguel de Molinos, etc.).

Período de iniciación: reinado de Carlos V

Los autores de este período, en gran parte franciscanos, interesan, aparte su valor intrínseco, porque marcan orientaciones que habrán de seguir los de la época inmediatamente posterior. En general se caracterizan por su tendencia al intimismo afectivo preconizado por Cisneros.

Escritores de tendencia mística. – El franciscano **Francisco de Osuna** es autor del *Abecedario espiritual* (1527), donde se recomienda la oración mental y se sistematizan, por primera vez en España, los caminos de la mística, teniendo en cuenta las doctrinas de los alemanes y flamencos. Su estilo popular está de acuerdo con la tradición franciscana. Es el más importante precursor de los grandes místicos, verbigracia, de Santa Teresa, en quien influyó mucho. Su tendencia es afectiva.

Fray Bernardino de Laredo, también franciscano, nos ha dejado una *Subida del monte Sión* (1535), en la que alude a las tres "vías" de la mística. El tono de su obra es muy sencillo y ofrece en ocasiones matices líricos, por ejemplo, en descripciones de la naturaleza.

El Beato Alonso de Orozco (1500-1591), agustino, es uno de nuestros primeros místicos, en el orden cronológico. Escribió entre otras obras un *Vergel de oración* (1544) y el breve tratado *De nueve nombres de Cristo,* posible antecedente del de Fray Luis de León.

Escritores de tendencia ascética. – Al franciscano **Alonso de Madrid** le debemos un *Arte para servir a Dios* (1521), en el que vemos notables análisis psicológicos, y a **Alejo Venegas**, la *Agonía del tránsito de la muerte* (1536), donde abundan momentos de un gran efecto dramático.

Junto a los franciscanos destaca **San Juan de Avila** (1500-1569). Tras ordenarse sacerdote, se dedicó a la predicación, alcanzando el sobrenombre de "apóstol de Andalucía". Escribió un comentario al Salmo *Audi filia et vide* (1557) y un *Epistolario espiritual para todos los estados* (1578). Su estilo es sencillo y robusto, su tono bondadoso y su tendencia ascética, como lo demuestra al preferir el esfuerzo a la contemplación y al prevenir contra las falsas visiones.

Período de plenitud: reinado de Felipe II
1. Dominicos: Fray Luis de Granada

Entre los dominicos, dedicados en general a los estudios teológicos de orientación escolástica –Vitoria, Cano, Báñez–, sobresale, por la belleza de sus escritos ascéticos, Fray Luis de Granada (Luis de Sarria).

Vida y carácter. – Nació en Granada (1504-1588), hijo de familia humilde, pero pudo adquirir una sólida formación, e ingresó luego en la Orden de Santo Domingo. Desempeñó en ella altos cargos y llegó a ser provincial de Portugal.

En la producción de Fray Luis de Granada se advierte a menudo la huella de la teología tomista, pero su *temperamento afectivo* y el tono de su obra le acercan a la tradición representada por agustinos y franciscanos; así lo vemos en sus consideraciones en torno a la idea platónica y agustiniana de la belleza de Dios o en su tendencia franciscana a ver en la Naturaleza un reflejo de la Divinidad.

Casi toda su producción es de *carácter ascético;* no obstante, en algunos momentos se aproxima a la *efusión sentimental* típica de la mayoría de los místicos. Téngase en cuenta que la Inquisición hizo corregir algunos pasajes cercanos al iluminismo.

Obras. – Fray Luis de Granada escribió obras en latín, en portugués y en castellano. Entre éstas destaca *El libro de la Oración y Meditación,* la *Guía de Pecadores* y la *Introducción del Símbolo de la Fe.*

El libro de la oración y meditación (1554) es un tratado ascético en el que se habla de las cinco partes de la oración, se proponen meditaciones para los días de la semana y se dan normas sobre el ejercicio de la devoción.

La *Guía de Pecadores* (1556), también de carácter ascético, expone las razones por las que estamos obligados a practicar las virtudes, los privilegios que de ellas derivan y los remedios más eficaces contra los diversos pecados. En conjunto viene a ser un tratado completo de moral cristiana. Por ello y por la belleza de su estilo es una de las mejores producciones de Granada.

La *Introducción del Símbolo de la Fe* (1583) es su obra capital. Su primera parte habla de las bellezas de la Creación, la segunda de las excelencias de la religión cristiana y la tercera de la Redención. La más sugestiva de las tres es la primera y en ella Fray Luis, partiendo de la idea de que "aunque Dios sea incomprehensible, todavía se conoce algo dél por la consideración de las obras de sus manos, que son sus criaturas", nos ofrece una amplia visión de la naturaleza, insistiendo en los más pequeños detalles con un cariño y una delicadeza de tipo franciscano. Es deliciosa la admiración con que se refiere a la belleza de diversos frutos o flores o la simpatía y afecto que pone en la descripción de las costumbres de diversos insectos: abejas, arañas, hormigas..., en las que se detiene porque "resplandece más la sabiduría y providencia del Criador en las cosas pequeñas que en las grandes".

Véase esta graciosa anécdota sobre las hormigas:

> Tenía yo en la celda una ollica verde con un poco de azúcar rosado; la cual por temor dellas (de que allí era muy molestado), tapé con un papel

Santa María Magdalena, según la ascética visión de Pedro de Mena.

recio y doblado para más firmeza, y atélo muy bien al derredor, de modo que no hallasen ellas entradero alguno; el cual saben ellas muy bien buscar por muy pequeño que sea. Acudieron de ahí a ciertos días al olor de lo dulce... y como buscadas todas las vías no hallasen entrada, ¿qué hicieron? Determinan de dar un salto, y romper el muro para entrar dentro. Y para esto, unas por un lado de la ollilla y otras por la banda contraria, hicieron con sus boquillas dos portillos en el papel doblado... y cuando acudí a la conserva (pareciéndome que la tenía a buen recaudo), hallé los portillos abiertos en ella y desatándolo, veo dentro un gran enjambre dellas, que no sirvió después la conserva más que para ellas. De modo que podemos decir que ellas me alcanzaron de cuenta, y supieron más que yo, pues vencieron con su astucia mi providencia.

El resto de su producción en castellano lo integran varios *tratados ascéticos* (Memorial de vida cristiana...), diversas *biografías* (por ejemplo, la de su maestro, San Juan de Avila), una *Retórica* en latín y varias *traducciones* (v.gr., la de la Imitación de Cristo).

El estilo. – El estilo de Fray Luis de Granada suele ser eminentemente retórico, grandilocuente. Su prosa, hecha de *períodos amplios y solemnes,* recuerda el ritmo pausado de Cicerón. La frase, decía: "cuanto más larga, es tanto más elocuente". Es cierto que este estilo resulta a veces poco hábil; no obstante, marca un indudable progreso en el cultivo de la prosa artística y ofrece al mismo tiempo una *rica variedad de matices:* dramatismo, entusiasmo, ternura.

He aquí un bello y significativo párrafo:

¿Qué es, Señor, todo este mundo visible sino un espejo que pusistes delante de nuestros ojos, para que en él contemplásemos vuestra hermosura? Porque es cierto que así como en el cielo vos seréis espejo en que veamos las criaturas, así en este destierro ellas nos son espejo, para que conozcamos a vos... Las criaturas hermosas predican vuestra hermosura, las fuertes vuestra fortaleza, las grandes vuestra grandeza, las artificiosas vuestra sabiduría, las resplandecientes vuestra suavidad, las bien ordenadas y proveídas vuestra maravillosa providencia. ¡Oh testificado con tantos y tan fieles testigos...! ¿Quién no se deleitará de la música tan acordada de tantas y tan dulces voces, que por tantas diferencias de tonos nos predican la grandeza de vuestra gloria?

La obra de Granada alcanzó una gran difusión en Europa y ejerció un considerable influjo en el aspecto estilístico.

2. Agustinos: Malón de Chaide

Prescindiendo de Fray Luis de León —de quien ya hablamos—, es Pedro Malón de Chaide el más importante de los escritores agustinos.

Pedro Malón de Chaide, natural de Navarra (1530-1589), escribió una obra de carácter ascético, titulada *Libro de la conversión de la Magdalena,* (1588), notable por su *estilo popular y pintoresco.* El realismo, a veces extraordinariamente patético, de las imágenes y el color de las animadas descripciones, hacen de ella una de las producciones más brillantes y amenas de nuestra literatura religiosa. Obsérvese la graciosa vivacidad de la siguiente escena:

> Llega el otro, desuellacaras, homicida, robador de los pobres, con mil pecados mortales que el menor dellos escandaliza el aire; dice que se quiere confesar y que viene de priesa, que no se puede detener; es menester que se despidan los que ha un mes que no hallan para confesarse, porque llega el señor don Fulano... En tanto, vuestro penitente se está paseando, renegando del confesor y de su tardanza. Al fin sale el Padre Maestro a acompañar a su penitente; llévale a su celda, porque son pecados de cámara los que trae; llega el paje descaperuzado y pone la almohada de terciopelo porque no se lastime. Hinca la una rodilla, como ballestero; persígnase a media vuelta, que ni sabéis si hace cruz o garabato, y comienza a dar de dedos y a desgarrar pecados, que hace temblar las paredes de la celda con ellos; y si el confesor se los afea, sale con mil bachillerías, y dice que un hombre de sus prendas no ha de vivir como vive el fraile, y parécele que todo le está bien. Al fin, sálese tan seco y tan sin jugo como entró, y el desventurado muy contento como si Dios tuviese en cuenta que desciende de los godos.

El prólogo, con su ataque a los géneros de la época —v.gr., los libros de caballerías— y su brillante apología del castellano, demuestra que el autor se hallaba al corriente de las ideas y literatura renacentistas. El sentido platónico de ciertos pasajes revela la influencia de San Agustín, y las traducciones de algunos Salmos, intercalados en la obra, la de Fray Luis de León.

Fray Cristóbal Fonseca, autor del *Tratado del amor de Dios* (1592), de influencia neoplatónica, representa la decadencia de la mística en la Orden de San Agustín.

3. Franciscanos: Fray Juan de los Angeles

Nació èn Avila (1536-1609). Sus obras más importantes —*Triunfos del amor de Dios* (1590), *Lucha espiritual y amorosa entre Dios y el alma* (1600), *Diálogos de la conquista del espiritual y secreto reino de Dios* (1595)— se hallan influidas por la mística germánica —Tauler, Ruysbroeck—, por la idea platónica del amor y en general por todos aquellos que representan la corriente afectiva y sentimental. Muy significativa es, a este respecto, su afirmación de que "la unitiva y mística sabiduría... se alcanza más por... amorosos afectos... que por la especulación y delgadeza de entendimiento" y de que "no se procede a ella por razones ni arguyendo..., sino deseando y amando".

Elegante y delicado, Fray Juan de los Angeles aporta una nota de *dulce lirismo* y de *fina intimidad* que da a su producción un gran valor poético. Es al mismo tiempo un *hábil psicólogo* y un *profundo conocedor de los clásicos*, como lo demuestran sus frecuentes alusiones a Platón, Plotino, Aristóteles, Séneca, etc., y la luminosa armonía de su estilo, cercano en esto al de Fray Luis de León.

Menor transcendencia alcanza la obra del navarro **Fray Diego de Estella** (1524-1578), autor de un ascético *Tratado de la vanidad del mundo* (1565) y unas *Meditaciones del amor de Dios* (1578), de estilo robusto y grandilocuente y orientación franciscana y platónica.

4. Los jesuitas: el P. Ribadeneyra

Los *Exercitia spiritualia* (1548) de **San Ignacio de Loyola** muestran a la figura del Fundador como un temperamento activo que veía el peligro en la efusión sentimental y cifraba todo su empeño en la férrea reglamentación de la vida religiosa. De ahí que la disciplina y el dominio de la voluntad fuesen uno de los puntos fundamentales de su doctrina. Es de notar también el valor psicológico de los "Ejercicios", obra de un profundo conocedor de los principales resortes del alma humana.

El **P. Ribadeneyra** (1527-1611) fue uno de los principales seguidores de Ignacio de Loyola. A raíz del desastre de la Invencible escribió el *Tratado de la Tribulación* (1589), obra transida de honda emoción ascética y senequista.

Es también autor de una *Vida de San Ignacio* (1583), de varias biografías de jesuitas ilustres y de una *Historia sobre el Cisma de Inglaterra* (1588).

BIBLIOGRAFIA

EDICIONES

Osuna, Laredo, Alonso de Madrid, Juan de los Angeles, Estella: en "Escritores franciscanos". B. A. C., 1948, 1949.

Alonso de Madrid, Orozco, Venegas: N. B. A. E.
Juan de Avila. García de Diego. Clás. Cast. — B. A. C.
Granada. B. A. E. — "Guía de pecadores". Martínez de Burgos. Clás. Cast.
Malón de Chaide. B. A. E. — P. Félix García. Clás. Cast., 1930.
Juan de los Angeles. N. B. A. E.
Ribadeneyra. B. A. C., 1946.

ESTUDIOS

M. Menéndez y Pelayo: *Historia de los heterodoxos españoles.* Vols. IV y V (ed. de 1928). En torno al movimiento religioso del siglo XVI.

M. Menéndez y Pelayo: *La estética platónica en los místicos de los siglos XVI y XVII.* En "Historia de las ideas estéticas". Vol. III (ed. de 1928).

M. de Unamuno: *De mística y humanismo.* En "En torno al casticismo", 1895.

P. Roussellot: *Los místicos españoles*, 1907. (Sobre Venegas, Malón de Chaide, Fray Juan de los Angeles, Estella, Juan de Avila, Granada y Fray Luis de León.)

Azorín: *Fray Luis de Granada.* En "Los dos Luises", 1920.

P. Sáinz Rodríguez: *Introducción a la historia de la literatura mística en España*, 1927.

Miguel Herrero: *Sermonario clásico*, 1942.

E. Allison Peers: *El misticismo español.* Col. Austral, 1947.

M. Bataillon: *Erasmo y España*, 1950.

J. de Chazeville: *Les mystiques espagnols*, 1952.

H. Hatzfeld: *Estudios literarios sobre mística española*, 1955.

E. Orozco: *Poesía y Mística*, 1959.

los místicos carmelitas. 28
santa teresa de jesús y
san juan de la cruz

Santa Teresa de Jesús y San Juan de la Cruz son las dos figuras supremas de la mística española. Ambos pertenecen a la Orden del Carmelo.

Santa Teresa de Jesús

Vida, temperamento y formación. — Teresa de Cepeda y Ahumada nació en Avila (1515), de familia noble. El ambiente de piedad que debía de respirar en su casa se trasluce en la decisión que tomó con su hermano, siendo todavía niños, de huir a tierra de moros para sufrir el martirio. A los diecinueve años ingresó en la Orden del Carmelo. Hacia los cuarenta consiguió superar una larga etapa de sequedad espiritual y algún tiempo después escribió su primera obra y fundó el primer convento (1562). Desde entonces, su vida entró en un período de asombrosa y fecunda actividad, llegando a crear treinta y dos conventos de carmelitas descalzos, lo que le acarreó

Santa Teresa de Jesús, por Ribera.

grandes disgustos y persecuciones, pues la austera reforma de la Orden emprendida por ella encontraba poderosos adversarios. Fue denunciada a la Inquisición varias veces, pero sus esfuerzos alcanzaron un éxito rotundo. La muerte le sorprendió en Alba de Tormes a los sesenta y siete años (1582), mientras realizaba uno de sus innumerables viajes.

Sus libros y lo que de ella sabemos por sus contemporáneos nos la muestran como una mujer animosa, decidida y de gran energía. Cierta dignidad eclesiástica de la época la calificaba de "inquieta y andariega" y un dominico decía que no era mujer "sino varón y de los muy barbados". Fue, en efecto, enemiga de blanduras y ñoñeces, pero a esta *fortaleza de ánimo* unía también una *exquisita feminidad;* alegre, sencilla, afectuosa y capaz de una gran ternura, encantaba a quienes la conocían por la espontánea *simpatía* que emanaba de su personalidad y por la gracia y desenvoltura de sus expresiones.

En cuanto a su formación cultural, aunque consideraba secundaria la lectura para alcanzar la perfección religiosa, debió de conocer la Biblia, San Agustín, el Kempis y, sobre todo, la producción de los franciscanos. También influyó en ella la literatura profana que frecuentó en su juventud, v.gr., los libros de caballerías, a los que fue aficionada y cuya huella parece advertirse en algunas ocasiones (en el castillo de las Moradas, por ejemplo).

La doctrina. — El rasgo esencial de su doctrina reside en la *unión del recogimiento contemplativo y la actividad práctica.* Su repugnancia por las actitudes de abandono espiritual queda bien de manifiesto en su conocida afirmación de que "Marta y María han de andar juntas," porque, al fin y al cabo, también "entre los pucheros anda el Señor". La meditación sólo tiene valor si va acompañada de una eficaz actividad: "Para esto es la oración, desto sirve este matrimonio espiritual, de que nazcan siempre obras, obras", pues "el aprovechamiento del alma no está en pensar mucho sino en amar mucho". Su sentido de la realidad le hacía ver el peligro de supuestos "arrobamientos", que para ella eran a veces simples "embobamientos", y exigía que sus monjas fuesen "varones fuertes" que "espanten a los hombres". A tal actitud responden las siguientes palabras:

> Advertid que suele causar la complisión flaca cosas de estas penas, en especial si es en unas personas tiernas, que por cada cosita lloran; mil veces las hará entender que lloran por Dios, que no sea ansí... Y como ya tienen entendido que las lágrimas son buenas, no se van a la mano, ni querrían hacer otra cosa, y ayudan cuanto pueden a ellas. Pretende el demonio que se enflaquezcan de manera que después ni puedan tener oración ni guardar su Regla... No pensemos que está todo hecho llorando mucho, sino que echemos mano del obrar mucho y de las virtudes, y las lágrimas vénganse cuando Dios las enviare; no haciendo nosotros diligencias para traerlas... Con esto andaremos descansados, y el demonio no terná tanto lugar para hacernos trampantojos.

En cuanto a la oración, recomendaba *buscar a Dios en el fondo del alma y tener presente la humanidad de Cristo* para no perderse en abstracciones. Ella misma procuraba siempre concretar y aclarar sus íntimas experiencias psicológicas con ejemplos tomados de la naturaleza sensible —la mariposa, la lluvia, las velas, el huerto, la noria...—, que por otra parte, no le interesaba, como a otros místicos, de una manera especial.

Las obras. — En la producción de la Santa, la doctrina místico-ascética casi nunca responde solamente a un esfuerzo de tipo intelectual: o bien se basa en experiencias propias o bien aprovecha y sintetiza lo dicho anteriormente por otros, combinándolo con aquéllas.

Las obras principales pueden dividirse en: 1.º, de contenido preferentemente autobiográfico (la Vida, las Relaciones, las Fundaciones); 2.º, de exposición doctrinal (Camino de perfección, Conceptos del amor de Dios, las Moradas). Quedan aparte las Cartas y las Poesías.

El *Libro de su Vida* es su obra inicial. Escribiólo ya en edad madura —entre 1561 y 1565— y en él relata con encantadora sinceridad, partiendo de su infancia, la historia de su evolución espiritual: las épocas de sequedad, su visión del infierno, los momentos de fervor, los éxtasis, etc. Buena parte del libro puede considerarse como un tratado de la oración.

El *Libro de las Relaciones* viene a ser un complemento del anterior.

El *Libro de las Fundaciones* alude, en cambio, a su vida externa, contándonos las peripecias ocurridas en la fundación de diversos conventos. La obra revela el duro esfuerzo realizado por la Santa y la energía de su temple.

El *Libro de las Moradas o Castillo interior* —escrito en 1577 y publicado, como la *Vida*, en 1588, por Fray Luis de León— es la obra capital. En ella resume sus experiencias espirituales, dándoles forma orgánica mediante una acertada alegoría. Imagina el alma como "un castillo todo de diamante", compuesto de "muchas Moradas, unas en lo alto, otras en bajo, otras a los lados; y en el centro o mitad de todas éstas tiene la más principal, que es a donde pasan las cosas de mucho secreto entre Dios y el alma". Las tres moradas primeras corresponden a la vía purgativa, las tres que siguen a la iluminativa, y la séptima a la unitiva.

Los *Conceptos del amor de Dios,* son, en cierto modo, un complemento de las Moradas y contienen comentarios del Cantar de los Cantares.

En el *Camino de Perfección,* tratado ascético dirigido a las monjas, es de notar su orientación activista.

Las *Cartas* tienen un gran valor para el conocimiento del carácter de la Santa y las circunstancias de la reforma de la Orden, y están escritas con notable gracejo. Se conservan más de 400.

Las *poesías* que han llegado a nosotros no ofrecen el interés de su obra en prosa. Son, por lo general, glosas de estribillos o villancicos populares, como la que comienza

"Vivo sin vivir en mí". El metro suele ser octosílabo, el tono fervoroso y la dicción sencilla.

El estilo. – Buena parte de las características del estilo de Santa Teresa se explica por la circunstancia de que *generalmente escribía por mandato o ruego de otras personas*. "¿Para qué quieren que escriba? –decía–. Escriban los letrados que han estudiado, que yo soy una tonta y no sabré lo que digo, pondré un vocablo por otro, con que haré daño".

Redactaba exclusivamente para obedecer y, al hacerlo, sólo se proponía aleccionar a sus lectores; de ahí la *ausencia de todo artificio literario* en su obra. No sentía afán alguno de orden intelectual o estético y confesaba ingenuamente el trabajo que le costaba escribir: "Cierto algunas veces tomo el papel, como una boba, que ni sé qué decir ni cómo empezar". Además, creía que un lenguaje sencillo y natural era el más adecuado a una religiosa; por eso declaraba preferir un estilo "de ermitaños y gente retirada, que no ir tomando palabras de novedades y melindres". Otra cosa le hubiera parecido una vanidad poco en consonancia con sus mismas doctrinas.

Su expresión es, pues, la corriente en el habla familiar de Castilla la Vieja y no hay en ella galanuras cortesanas ni refinamientos cultos. *Pero por el camino de la naturalidad, Santa Teresa llega al terreno de lo incorrecto:* sus frases están llenas de errores sintácticos y vulgarismos de léxico. Respecto a estos últimos, vemos aparecer frecuentemente, formas como "anque", "naide", "catredático", "ilesia", "añidir"..., lo que hay que atribuir, más que a ignorancia o descuido –posible, desde luego, en más de un caso–, a un humilde propósito de no sentar plaza de sabia.

Sus errores de sintaxis son, en su mayor parte, fruto de la rapidez con que escribía. *Generalmente improvisaba* y no releía nunca lo escrito: "si faltaren letras, póngalas", dice en una de sus cartas. Por eso, en sus frases abundan las elipsis, las expresiones inacabadas, propias del lenguaje oral, y las construcciones defectuosas, como ésta de la "Vida": "Tenía uno [1] casi de mi edad. Juntábamonos entramos a leer vidas de Santos *que era el que yo más quería,* aunque a todos tenía gran amor...". Como dice Menéndez Pidal,[2] Santa Teresa "no redacta, habla por escrito", y su prosa tiene todos los descuidos, pero también toda la *vivacidad espontánea* de la conversación familiar. Fray Luis de León veía ya en ella "una elegancia desafeitada que deleita en extremo".

A ello podría añadirse una serie de matices que derivan del temperamento mismo de la Santa: la viva *plasticidad de ciertas imágenes,* el *tono cordial y afectuoso* que a veces asume la expresión mediante el uso de diminutivos –"cositas", "devota concitas", "avecitas"...– o la *gracia de ciertos rasgos de humor* –como cuando se refiere a los diablos diciendo "no se me da más de ellos que de moscas"...–.

En cuanto a las *imágenes* –que nunca constituyen grandes símbolos, a la manera de la "noche oscura", de San Juan de la Cruz–, por lo general *están tomadas de la*

_____

1. Uno de mis hermanos. – 2. "El estilo de Santa Teresa", en "La Lengua de Cristóbal Colón".

realidad cotidiana —recuérdense las ya citadas de la "mariposita de noche", la "lluvia", la "llama de las dos velas", significando la imaginación distraída, los favores divinos o la unión con Dios—, pero tienen una enorme fuerza expresiva y, a menudo una auténtica belleza. En relación con ello, señalemos también las frecuentes referencias a la vida usual, como las alusiones a los "pucheros" o a las "moscas", que prestan a la obra un ambiente de absoluto *realismo*.

San Juan de la Cruz

Vida, temperamento y formación. – Juan de Yepes ve la luz en Fontiveros (Avila, 1542). Hijo de familia humilde, pasa algún tiempo como enfermero en el hospital de Medina e ingresa en la Orden del Carmelo, para estudiar luego en Salamanca. A los veinticinco años se encuentra con Santa Teresa, quien le convierte en firme colaborador de la reforma de la Orden. Ello le acarrea persecuciones durante los diez años que reside en Castilla: en cierta ocasión llega a sufrir ocho meses de prisión en un convento de Toledo, del que un buen día se escapa. El resto de su vida lo pasa en Andalucía, donde desempeña altos cargos al separarse las dos ramas de la orden carmelitana. En 1591 muere en Ubeda, a punto de ser enviado a América.

San Juan de la Cruz tenía un *auténtico temperamento de poeta*. Sus biógrafos declaran que amaba la soledad y afirman que a menudo se le veía embebido en la contemplación de la noche estrellada. Su producción lírica confirma estos datos y señala en él una gran delicadeza de afectos y una exquisita elegancia espiritual. Cualidades que, unidas a una percepción intelectual extremadamente sutil, hacían que Santa Teresa lo considerase como "muy espiritual y de grandes experiencias y letras". Mas por otra parte, la entereza con que supo soportar las más duras pruebas nos lo muestran como hombre *de recio temple viril* y virtudes heroicas.

Su producción trasluce una *amplia formación religiosa*. Su libro preferido era la Biblia, pero conocía a fondo la teología tomista y lo más importante de la tradición mística extranjera y española (San Bernardo, los místicos alemanes y flamencos, Santa Teresa...). También llegaron a él las doctrinas platónicas —v.gr., la idea de Dios como Belleza absoluta— tal como aparecen expuestas por León Hebreo o Castiglione. No debió de poseer una gran cultura humanística, aunque dominaba el latín.

La doctrina mística: el símbolo de la Noche. – Casi toda la doctrina de San Juan de la Cruz gira en torno al símbolo de la "Noche oscura". La imagen no era nueva en literatura mística, pero en sus manos cobra tal alcance que podemos considerarla como algo completamente original. En efecto, la noche, al borrar los límites de las cosas, le evoca lo eterno y ve en ella un símbolo de la negación "activa" del alma a lo sensible, o del absoluto vacío espiritual; "noche oscura" llama también a *las terribles pruebas que Dios envía al hombre para purificarle*. Ateniéndose a este último significado, habla de una "noche del sentido" y de una "noche del espíritu", "pasivas", situadas respectivamente al fin de la vía purgativa y de la iluminativa. En ambas el alma experimenta una desoladora sensación de soledad y abandono y terribles tentaciones que si consigue vencer dejan paso a una nueva luz, pues "Dios no deja vacío sin llenar".

La producción de San Juan no estudia, como la de Santa Teresa, todas las fases del proceso místico, sino tan sólo los paréntesis que median entre la "purgatio" y la "illuminatio", y la "illuminatio" y la "unio". Y así como aquélla hace partir del mundo sensible sus meditaciones, San Juan *prefiere eludir toda referencia a lo concreto,* llegando a afirmar que la consideración de la humanidad de Cristo sólo es adecuada para principiantes. Sus insistencias en el *superior valor de la oración íntima,* frente a la externa, le acercan en apariencia al iluminismo, del que le separan, no obstante, su firme adhesión a la teología escolástica de Santo Tomás —que le impide apartarse de la más pura ortodoxia— y la creencia en la suma eficacia de todas las virtudes teologales.

Su doctrina aparece expuesta con claridad y coherencia, pero la *profundidad de sus conceptos* y su mismo tono, muy lejano de la expresión popular de Santa Teresa, hizo que no alcanzase a grandes sectores. Por lo demás, las obras de San Juan de la Cruz no fueron publicadas hasta el siglo XVII.

Los tratados en prosa. — San Juan escribió cuatro tratados en prosa como comentario doctrinal de tres de sus poesías:

1.º La *Subida del Monte Carmelo* (1578-1583), en el que comenta los versos de la "Noche oscura", explicándonos en qué consisten las "noches" del sentido y del espíritu.

2.º La *Noche oscura del alma,* en el que se refiere al mismo poema que el anterior y al mismo asunto; pero así como allí aludía a las noches "en cuanto a lo activo", es decir, a los esfuerzos realizados por el alma, aquí las trata "en cuanto a lo pasivo", o sea especificando la intervención de Dios en el proceso.

3.º El *Cántico espiritual* (1584), en el que interpreta el poema del mismo nombre.

4.º La *Llama de amor viva* (1584), aclaración de la poesía del mismo título.

Estos cuatro libros no tienen un carácter tan marcadamente autobiográfico como los de Santa Teresa, ya que San Juan debió de aprovechar en gran escala experiencias ajenas, además de las propias.

A pesar de que son interpretaciones didáctico-teóricas del contenido religioso de sus expansiones líricas, tienen a menudo por sí mismas un extraordinario valor poético. Véase cómo comenta un par de versos del Cántico espiritual:

> *Los valles solitarios nemorosos.*

Los valles solitarios son quietos, amenos, frescos, umbrosos, de dulces aguas llenos, y en la variedad de sus arboledas y suave canto de sus

aves, hacen gran recreación y deleite al sentido, dan refrigerio y descanso en su soledad y silencio. Estos valles es mi Amado para mí.

El canto de la dulce filomena.

Así como el canto de la filomena, que es el ruiseñor, se oye en la primavera, pasados ya los fríos, lluvias y variedades del invierno, y hace melodía al oído y al espíritu recreación, así en esta actual comunicación y transformación de amor que tiene ya la Esposa en esta vida, amparada ya y libre de todas las turbaciones y variedades temporales, y desnuda y purgada de las imperfecciones, penalidades y nieblas, así del sentido como del espíritu..., siente la dulce voz del Esposo, que... dice: Levántate, date priesa, amiga mía, paloma mía, hermosa mía, y ven; porque ya ha pasado el invierno, la lluvia se ha ido muy lejos; las flores ha parecido en nuestra tierra; el tiempo de podar es llegado, y la voz de la tórtola se oye en nuestra tierra.

San Juan de la Cruz escribió también en prosa unos "Avisos y sentencias", especie de máximas religiosas. De él conservamos asimismo unas dos docenas de "Cartas".

Las poesías. – Analizaremos en primer lugar los tres poemas comentados en los tratados en prosa.

El de la *Noche oscura* refiere la emoción "del alma que goza de haber llegado al alto estado de perfección, que es la unión con Dios". Sus últimas estrofas —las más exquisitas de toda la obra poética de San Juan— expresan maravillosamente el plácido abandono del alma que reposa en el amor del Amado, lejos de todo apetito sensual:

> ...Allí quedó dormido,
> y yo le regalaba,
> y el ventalle de cedros aire daba.

El aire de la almena,
con su mano serena
cuando yo sus cabellos esparcía,
en mi mano hería,
y todos mis sentidos suspendía.

Quedéme, y olvidéme,
el rostro recliné sobre el Amado,
cesó todo, y dejéme,
dejando mi cuidado,
entre las azucenas olvidado.

El *Cántico espiritual* o "Canciones entre el alma y el Esposo" —escrito probablemente entre 1576 y 1578— es la poesía más extensa. Inspirándose en el Cantar de los Cantares, el poeta describe, mediante una alegoría amorosa, todo el proceso místico —purgación, iluminación, unión—: el afán de la esposa que busca al Esposo, el venturoso encuentro y la unión mística, en la cual el alma halla en Dios a la Naturaleza antes desdeñada:

> Mi Amado, las montañas,
> los valles solitarios nemorosos,
> las ínsulas extrañas,
> los ríos sonorosos,
> el silbo de los aires amorosos...

Lleno de color y de musicalidad, sobresale entre los demás poemas por su cálida emoción y por el embriagador lirismo de sus imágenes.

La *Llama de amor viva* es una poesía casi enteramente exclamativa, sin elementos narrativos. Simple grito del alma abrasada en la llama del amor divino.

Entre los poemas restantes destacan el del *Pastorcico* (alegoría de la Redención, en la que se vierten "a lo divino" imágenes de la literatura pastoril), el que repite el estribillo *Aunque es de noche* (donde la Fe se halla simbolizada por una fuente cuyo murmullo se percibe "aunque es de noche") y los que comienzan *Entréme donde no supe* (sobre la imposibilidad de aprehender con la inteligencia los más altos estados místicos) y *Tras de un amoroso lance* (donde la caza es el símbolo que expresa el logro del amor de Dios).

El estilo. – La producción poética de San Juan, en la que se vierten "a lo divino" motivos de la poesía amorosa tradicional y renacentista, es reducidísima, pero gracias a ella, el autor del "Cántico" merece ser considerado como el más alto lírico de nuestra literatura.

Señalar sus rasgos esenciales ofrece una enorme dificultad, dada la gran variedad que presenta: vigor intelectual en "Entréme donde no supe" y emocionada ternura en el poema del "Pastorcico"; desnuda sobriedad en el de la "Caza" y exuberancia de color y de imágenes en el "Cántico"; delicada languidez amorosa en la "Noche" y pasión abrasadora en la "Llama"... Cada poema es un mundo aparte y responde a una emoción y una técnica completamente distintas.

Es cierto que San Juan utilizaba determinados recursos estilísticos con una profusión y acierto poco frecuente en los demás poetas del momento; expresiones paradójicas ("vivo sin vivir en mí", "música callada", "cauterio suave"), exclamaciones ("¡oh llama de amor viva! "...), etc. Pero esto es algo característico de la poesía mística de todos los tiempos. Por ello, quizás haya que buscar la nota que mejor define la poesía de San Juan en su *extraordinaria intensidad expresiva,* ya que cada imagen y hasta cada palabra se halla tan cargada de lirismo que ello produce por sí solo una tensión emocional y estética infinitamente superior a la que suscita el resto de la producción poética de la época. A ello contribuye también el hecho de que San Juan no proceda siempre en su expresión de un modo discursivo, sino mediante una constante yuxtaposición de elementos poéticos de enorme densidad lírica, prescindiendo de nexos estéticamente neutros:

> La noche sosegada
> en par de los levantes de la aurora,
> la música callada,
> la soledad sonora,
> la cena, que recrea y enamora...

Tal vez estribe otro de los atractivos de esa poesía en la *misteriosa sugestión* que ejercen, gracias a su forzosa vaguedad e inconcreción, los elementos simbólicos utilizados, ausentes, por ejemplo, de la de Fray Luis de León, de contenido intelectual tan diáfano. Las "lámparas de fuego" del poema de la *Llama,* el "ciego y oscuro salto" del de la *Caza,* las "azucenas" de la *Noche,* las "escondidas cavernas" del *Cántico,* la oculta "fonte" de *Aunque es de noche,* tienen un extraño y profundo poder evocador que no volvemos a hallar en toda la producción lírica castellana.

Las influencias literarias. – El análisis de las influencias que se advierten en la poesía de San Juan nos da el siguiente resultado [1]: la *Biblia, Garcilaso* (directamente o a través de la versión "a lo divino", de Sebastián de Córdoba), *la poesía culta de Cancionero,* y la *lírica tradicional popular.* De la primera proceden, por ejemplo, las imágenes y el ambiente del "Cántico"; del segundo, determinadas expresiones y el uso del endecasílabo y la lira; de las últimas, el tono y los metros cortos de las composiciones de arte menor.

BIBLIOGRAFIA

EDICIONES

Santa Teresa. B. A. E. – "Moradas". T. Navarro. Clás. Cast. – "Camino de perf." y "Fundaciones". J. A. Aguado. Clás. Cast. – "Obras". Aguilar. – "Obras completas". B. A. C., 1951-54.
San Juan de la Cruz. "Obras". B. A. E. – "Vida y obras de S. J. de la C." Crisógono de Jesús Crucificado y Lucino del SSmo. Sacramento, B. A. C., 1946. – "Cántico espiritual". M. Martínez Burgos. Clás. Cast.

ESTUDIOS SOBRE SANTA TERESA Y SAN JUAN

P. Roussellot: *Los místicos españoles,* 1907. Vol. II.
E. Allison Peers: *El misticismo español,* 1947.
H. Hatzfeld: *Estudios literarios sobre mística española,* 1955.
E. Orozco: *Poesía y mística,* 1959.

1. Dámaso Alonso. "La poesía de San Juan de la Cruz".

ESTUDIOS SOBRE SANTA TERESA

A. Sánchez Moguel: *El lenguaje de Santa Teresa*, 1915.

P. Crisógono de Jesús: *Santa Teresa. Su vida y su doctrina*, 1933.

R. Menéndez Pidal: *El estilo de Santa Teresa*. En "La lengua de Crist. Colón", 1942.

R. Fülöp-Miller: *Santa Teresa*, 1948.

J. Marichal: *Santa Teresa en el ensayismo hispánico*. En "La voluntad de estilo", 1957.

F. Márquez Villanueva: *Santa Teresa y el linaje*. En "Espiritualidad y literatura en el siglo XVI". Ed. Alfaguara, 1968.

ESTUDIOS SOBRE SAN JUAN DE LA CRUZ

P. Crisógono de Jesús: *S. J. de la C. Su obra científica y su obra literaria*, 1929.

P. Garrigou-Lagrange: *L'Amour de Dieu et la Croix de Jésus*, 1930. (Sobre el amor y las purificaciones pasivas según Santo Tomás y San Juan de la Cruz.)

J. Baruzi: *Saint Jean de la Croix et le problème de l'expérience mystique*, 1931.

M. Asín Palacios: *San Juan de la C*. En "Huellas del Islam", 1941.

Número 25 de la revista *Escorial*, 1942.

D. Alonso: *La poesía de San Juan de la Cruz*, 1942.

D. Alonso: *El misterio técnico en la poesía de S. J. de la C*. En "Poesía española", 1944.

H. Sanson: *L'esprit humain selon Saint Jean de la Croix*, 1953.

H. Hatzfeld: *Tres estudios sobre San Juan de la Cruz*. En "Estudios literarios sobre Mística española", 1955.

Jorge Guillén: *Lenguaje insuficiente: San Juan de la Cruz, o lo inefable místico*. En *Lenguaje y poesía*, 1962.

F. Ruiz Salvador: *Introducción a San Juan de la Cruz: el escritor, los escritos, el Sistema*. Madrid, 1968.

la novela

La novela durante el reinado de Felipe II

Durante el reinado de Felipe II, la novela *sigue orientándose por el camino de la idealización,* pero, a diferencia de los ya decadentes libros de caballerías —llenos de elementos fantásticos—, la narración será ahora racional y verosímil, ofreciendo un mundo artificiosamente perfecto y poblado de figuras ejemplares (el pastor, el moro, el amante), de acuerdo con las tendencias literarias de la época. Por no responder a ellas, se interrumpirá, en cambio, la novela realista iniciada por el Lazarillo.

La prosa pastoril

Elementos esenciales. — Pueden destacarse entre ellos: 1.º, una *naturaleza estática* bellamente estilizada, semejante a la que nos ofrece la poesía bucólica (verdes prados.

"La vida de los pastores". Composición ilustrativa de "La Arcadia" de Sannazaro, en un manuscrito del siglo XVI. Nótese lo estilizado del paisaje y de las figuras.

cristalinos arroyos, silenciosas florestas...), pero que en ocasiones aparece matizada con rasgos del lugar de origen del autor; 2.º, unos *refinados pastores,* entre los cuales se ocultan a veces personajes reales, que exponen melancólicamente *sus cuitas amorosas,* siguiendo los tópicos de la doctrina neoplatónica, y 3.º, una *embrollada acción* que discurre con morosidad, para resolverse al fin, gracias a la intervención de la magia.

Una de las principales características del género es la perfecta adecuación de todos estos elementos. El paisaje, las figuras humanas y su elevado concepto del amor responden a una misma *visión idealista,* del mismo modo que la acción y hasta el ritmo de la prosa ofrecen una *apacible lentitud* que armoniza perfectamente con la quietud del ambiente descrito o el lánguido desarrollo de los diálogos pastoriles.

Eminentemente cortesana, aunque presentase una imagen idealizada de la vida del campo, la novela pastoril vino a ser en el siglo XVI, lo que la sentimental en el XV, ya que, como ésta, centraba el interés en el mundo de lo íntimo y espiritualizaba el amor, de acuerdo con el tono de la sociedad de la época.

Los orígenes del género. — La novela pastoril es el resultado de una larga tradición. El punto de partida se halla ya en la antigüedad clásica: *Teócrito, Virgilio;* siglos más tarde, *Boccaccio* introduce el uso de la prosa narrativa en la ficción pastoril, pero la tensión dramática de sus relatos —el "Ninfale fiesolano", el "Ninfale d'Ameto"— se pierde en la placidez idílica de la "Arcadia", de Sannazaro, a partir de la cual, el género pastoril adoptará un tono de blanda voluptuosidad.

Junto a la línea clásica e italiana, Portugal influye añadiendo una nota de suave y nostálgica melancolía y una concepción lírica del paisaje, visibles en "Menina e moça" de *Bernardim Ribeiro,* que, con la "Arcadia", constituye el más inmediato precedente de la primera novela pastoril española.

También pasaron al género pastoril ciertos elementos del caballeresco (a pesar de que, como hemos dicho, los ideales sustentados por uno y otro eran radicalmente distintos: el amor virtuoso en la plácida quietud del campo o el esfuerzo heroico en un mundo erizado de peligros). Así lo vemos en el empleo de los recursos mágicos o en la exaltación del sentimiento amoroso. Nada tiene ello de extraño desde el momento en que ambos géneros obedecían a una visión falsa y convencional de la vida. Obsérvese, por ejemplo, que Feliciano de Silva había intercalado algún episodio pastoril en sus novelas de caballerías.

La "Diana", de Jorge de Montemayor. — Jorge de Montemayor nació en Portugal (Montemor ò Velhu, 1520). Allí residió hasta su viaje a Castilla como músico de la Capilla real. Estuvo en Flandes e Inglaterra con Felipe II y, según se cuenta, murió en Italia (1561) por una cuestión amorosa.

Tradujo los "Cantos de amor" de Ausiàs March, y compuso un *Cancionero* en metros tradicionales e italianos, pero su obra capital son *Los siete libros de la Diana* (¿1559?).

Sireno está enamorado de Diana, quien, en su ausencia, se casa con Delio. La

Portada de "La Diana" de Montemayor.

Portada de "La Diana" de Montemayor.

vuelta de Sireno provoca un conflicto sentimental que soluciona, junto con el de otros pastores y pastoras, el agua encantada de la maga Felicia, a cuyo palacio acuden todos.

El interés de la novela se halla más que en la acción —extraordinariamente lenta e interrumpida a menudo por disquisiciones neoplatónicas sobre el amor—, en las descripciones de paisajes y palacios suntuosos, en el acierto psicológico que suponen algunos personajes, en los versos intercalados —sobre todo los de tipo tradicional— y en su prosa "tersa, suave y melódica" al decir de Menéndez y Pelayo.

Véanse, como ejemplo, las siguientes líneas:

> Con muy gran contentamiento caminavan las hermosas ninfas con su compañía por medio de un espesso bosque, y ya quel sol se quería poner, salieron a un muy hermoso valle, por medio del cual iva un impetuoso arroyo, de una parte y otra, adornado de muy espessos salzes y alisos, entre los cuales havía otros muchos géneros de árboles más pequeños que, enredándose a los mayores, entretejiéndose las doradas flores de los unos por entre las verdes ramas de los otros davan con su vista gran contentamiento. Las ninfas y pastores tomaron una senda que por entre el arroyo y la hermosa arboleda se hazía y no anduvieron mucho espacio cuando llegaron a un verde prado muy espacioso a donde estava un muy hermoso estanque de agua, del cual procedía el arroyo que por el valle con gran ímpetu corría. En medio del estanque estava una pequeña isleta a donde havía algunos árboles por entre los cuales se devisava una choça de pastores; alrededor della andava un rebaño de ovejas paciendo la verde hierva.

La novela tuvo un éxito enorme; se la tradujo a otras lenguas e inspiró varias obras del mismo género en España y en el extranjero (La "Astrea", de D'Urfé; la "Estela", de Florián, etc.).

Aparte lo estrictamente pastoril, la obra contiene algunos episodios de diverso carácter: el de los amores cortesanos de Félix y Felismena, la historia morisca de Abindarráez y la hermosa Jarifa, la evocación poética de héroes de la tradición española, etc.

La "**Diana enamorada**", de Gil Polo (1564), es una continuación de la de Montemayor y termina con las bodas de Diana y Sireno, muerto Delio. Su principal encanto se halla en las descripciones del paisaje valenciano, que reflejan bellamente la nítida luminosidad de la región levantina, patria del autor. Gran interés ofrece también la parte poética intercalada, en la que Gil Polo ensayó el cultivo de nuevos metros y estrofas, logrando magníficos aciertos musicales. Los versos del "Canto de Turia" —donde elogia a valencianos ilustres— fueron más tarde imitados por Cervantes en su relato pastoril "La Galatea".

Otras novelas pastoriles. — El género pastoril tuvo infinidad de cultivadores hasta bien entrado el siglo XVII, y se llegaron a hacer versiones "a lo divino"; pero, aparte las dos Dianas, apenas presenta obras de verdadero mérito. Citemos tan sólo *El Pastor de Fílida* (1582), de **Gálvez de Montalvo**; *La Galatea* (1585), de **Cervantes**; la *Arcadia* (1598), de **Lope de Vega**, y *La constante Amarilis* (1607), de **Suárez de Figueroa**.

La novela morisca

Junto a la figura convencional del pastor enamorado, comienza a cobrar hacia esta época extraordinario auge la del musulmán caballeroso y galante. El nuevo personaje no constituía una novedad: ya los romances fronterizos del siglo XV habían iniciado la idealización del mundo árabe; pero ahora el tema se pone de moda y pasa a la novela, al romancero artístico y poco más tarde al teatro. *El moro engendra simpatía y se le adorna con las más bellas cualidades morales,* creando a su alrededor un ambiente lleno de fastuosidad y brillante colorido.

La *Historia del Abencerraje y de la hermosa Jarifa* (1565) es la primera muestra en prosa del nuevo género. El moro Abindarráez es hecho prisionero por el alcaide de Antequera, don Rodrigo Narváez, quien le deja marchar al saber que va a casarse. Aquél se obliga a volver al cabo de tres días y cumple su promesa, presentándose con su esposa, pero el español les colma de regalos y les deja en libertad. Esta deliciosa narración, de autor anónimo, debió inspirarse, sin duda, en algún suceso histórico. Aparece intercalada en la "Diana" de Montemayor, y en el Inventario de Antonio de Villegas (1565).

Las *Guerras civiles de Granada*, de **Ginés Pérez de Hita**, o "Historia de los bandos de Zegríes y Abencerrajes", se publicó en dos partes (1595-1619). La primera nos refiere las luchas intestinas entre los dos bandos —antes de la conquista de Granada—, que finalizaron con la matanza del último. Es una novela de fondo histórico, pero se halla cuajada de elementos novelescos procedentes en gran parte de los romances fronterizos. La vida cortesana y caballeresca de los moros granadinos está descrita con tal fantasía y lujo de color, que la obra sirvió de punto de partida a una larga tradición literaria, exaltadora del mundo oriental, que había de prolongarse hasta el Romanticismo (Chateaubriand, Martínez de la Rosa, Washington Irving, etc.).

La segunda parte es un relato de la rebelión de los moriscos en la Alpujarra, en tiempos de Felipe II. Pérez de Hita, que había presenciado los hechos como soldado, nos ofrece una narración rigurosamente histórica, pero desprovista del valor novelesco y literario de la primera parte de la obra.

Manifestaciones posteriores del género morisco fueron la "Historia de Ozmín y Daraja", intercalada en el "Guzmán de Alfarache"; la "Historia del cautivo", incluida en el Quijote, etc.

La novela "bizantina" o de amor y aventuras

En la época helenística de la literatura griega se había cultivado un tipo de novela llamada "bizantina", en la que *a una intriga sentimental se unía el relato de una serie de viajes y peripecias* que terminaban generalmente de forma venturosa para los protagonistas. Algunas de estas narraciones (el *Teágenes y Cariclea* de Heliodoro y el *Leucipe y Clitofonte* de Aquiles Tacio) fueron traducidas y alcanzaron tanto éxito que pronto dieron lugar a diversas imitaciones que ofrecían —frente a la novela caballeresca— varias ventajas: mayor verosimilitud, espiritualización del sentimiento amoroso, verdad humana... Tal carácter tienen las novelas —de evidente fondo simbólico— de **Núñez de Reinoso** (*Historia de los amores de Clareo y Florisea*, 1552) y de **Jerónimo de Contreras** (*Selva de aventuras*, 1565), germen de otras, del mismo género, de Cervantes (el "Persiles") y de Lope de Vega ("El peregrino en su patria"), respectivamente.

La anécdota y el comienzo de la novela corta de tipo italiano

Al lado de las narraciones pastoriles, moriscas y bizantinas —todas de carácter idealista— no podía faltar la alusión, siquiera en un género menor, a la realidad cotidiana. Y en efecto, en la época de Felipe II hubo también una serie de colecciones de anécdotas y dichos ingeniosos, derivadas de Italia o de la tradición oral popular y motivadas por una intención entre humorística y aleccionadora. Véase como ejemplo, una anécdota de *Sobremesa y alivio de caminantes* (1569), de **Juan de Timoneda**.

Una cierta dama valenciana, ultra que era muy sabia, tenía una tacha y era que a veces hablaba más de lo que era menester. Un día, estando en sarao, tomóle un desmayo, y fueron corriendo a decirlo a su marido, diciéndole que su mujer estaba sin habla, el cual, como lo oyese, dijo: "Déjala estar, que si eso dura, será la mejor mujer del mundo.

Melchor de Santa Cruz compiló una *Floresta de apotegmas y sentencias españolas* (1574), y **Juan Rufo**, *Los seiscientos apotegmas* (1596). Ambas colecciones contienen diversas anécdotas, aclaraciones de refranes y dichos populares ingeniosos.

Hay que aludir, por último, a los primeros influjos de la novela corta italiana, caracterizada por su enmarañada intriga, su fondo algo licencioso y sus temas trágicos o burlescos. De momento, **Timoneda** la imitó toscamente en su *Patrañuelo* —1567— (colección de cuentos o "patrañas"), pero en el siglo XVII había de dar lugar a uno de los géneros más importantes de la época (la llamada "novela cortesana"), después de ser adaptada genialmente por Cervantes.

BIBLIOGRAFIA

EDICIONES

Montemayor. "Diana". F. López Estrada. Clás. Cast., 1946.
Gil Polo. Ferreres. Clás. Cast., 1953.
Gálvez de Montalvo. N. B. A. E.
Historia del Abencerraje. B. A. E. — F. López Estrada, 1957.
Pérez de Hita. B. A. E., P. Blanchard — Demonche, 1913-15.
J. de Contreras. B. A. E.
Núñez de Reinoso. B. A. E.
Timoneda. "Patrañuelo". Ruiz Morcuende. Clásicos Cast., 1929.
Otras narraciones breves. "Cuentos de la vieja España". Sainz de Robles, 1943.

ESTUDIOS

M. Menéndez y Pelayo: *Orígenes de la novela.* Vol. I, 1905. (Sobre cuentos y novelas cortas.)
G. Cirot: *La maurophilie littéraire en Espagne au XVI siècle.* En "Rev. Hisp.", 1938.
J. B. Avalle-Arce: *La novela pastoril española,* 1959.

Vid. también prólogos de las ediciones de Montemayor y Gil Polo en Clásicos castellanos, ya citadas.

la historia y la prosa didáctica 30

Rasgos generales

La novedad más importante que ofrece la Historia en el reinado de Felipe II es la *aparición del sentido de la investigación científica;* pero habrá que esperar al siglo XVIII para ver triunfar definitivamente esta tendencia, ya que lo que de momento interesa más son las normas de Aristóteles y otros preceptistas. Otro hecho, derivado de la Contrarreforma, es el impulso que adquiere la *Historia eclesiástica* y la presencia de religiosos en el campo de la Historia de América.

La Historia documentada: Zurita

El zaragozano **Jerónimo Zurita** (1512-1580) fue cronista oficial y escribió unos *Anales de la Corona de Aragón* (1562-1580) *con gran rigor científico* y utilizando a fondo los archivos. Desde el punto de vista literario, los Anales no ofrecen interés alguno. No obstante, la labor de Zurita tiene una importancia decisiva por ser el punto de partida de un concepto más exigente de la investigación histórica.

Ambrosio de Morales puede considerarse como un continuador de la tendencia erudita y documental de Zurita, a quien defendió con gran ardor. Viajó por León, Galicia y Portugal, recogiendo datos arqueológicos por encargo de Felipe II, y publicó *El libro de las antigüedades de las ciudades de España* (1575).

La Historia eclesiástica: Sigüenza

Fray José de Sigüenza escribió una extensa *Historia de la Orden de San Jerónimo* (1595-1605), que contiene un pormenorizado relato de la construcción del Escorial, ocupado entonces por dicha Orden. La obra abunda en noticias interesantes sobre el monasterio y su fundador. El estilo, sobrio y elegante, es un modelo de clasicismo.

La Historia de sucesos particulares: Hurtado de Mendoza

Don Diego Hurtado de Mendoza (1503-1575) fue una de las personalidades más

Fray José de Sigüenza habla en su "Historia" de la construcción de El Escorial.

ilustres de los reinados de Carlos V y Felipe II. Nació en Granada y estudió en Italia, adquiriendo una profunda cultura humanística. Actuó como enviado del Emperador en Inglaterra y Venecia y en el Concilio de Trento. Más tarde intervino en la represión del levantamiento de los moriscos en la Alpujarra. Menéndez Pelayo lo definió como "el hombre más italiano de todo el Renacimiento español".

Su obra poética, inferior a su producción en prosa, fue estudiada al hablar de la escuela de Garcilaso.

Como historiador nos ha dejado una *Guerra de Granada,* en la que relata la sublevación de Aben Humeya y el castigo de los rebeldes. He aquí la impresionante descripción de la muerte de Aben Aboo, sucesor de Aben Humeya.

> Abenaboo... se fue para la boca de la cueva; mas un moro... le asió los brazos por detrás... le dio con el mocho de la escopeta en la cabeza y le aturdió, y el Xeniz le dio con una losa y le acabó de matar;... esa noche le llevaron, sobre un macho, a Bérchul..., allí le abrieron y sacaron las tripas, hinchiendo el cuerpo de paja... Llegados a Granada... le cortaron la cabeza y el cuerpo entregaron a los muchachos, que después de haberlo arrastrado por la ciudad, lo quemaron.

La "Guerra de Granada" responde al concepto clásico de la Historia como obra de arte y *sigue la técnica de los historiadores latinos,* no sólo en la introducción de discursos, retratos y reflexiones morales, sino en el mismo estilo sobrio y elegantemente conciso, refleja la prosa sentenciosa y lacónica de Salustio y Tácito. Mérito esencial es la visión crítica de los hechos y la imparcialidad de los juicios; circunstancias que impidieron la impresión de la obra —redactada en Granada— hasta medio siglo más tarde (1627).

Al mismo asunto de la obra de Hurtado de Mendoza se refiere la segunda parte de las *Guerras civiles de Granada*, de **Pérez de Hita**, al que ya aludimos en el capítulo anterior.

La Historia de Indias: el inca Garcilaso

Hijo de un pariente del poeta Garcilaso y de una prima de Atahualpa, nació en América *Garcilaso de la Vega*, "el Inca" (1539-1616). A los veinte años vino a España, donde se ordenó sacerdote.

Escribió unos *Comentarios reales* (1609) interesantísimos, porque en ellos se hace eco de las leyendas que oyó en su niñez sobre la América precolombina. Lo pintoresco de las noticias que nos ofrece y el cariño con que nos habla de su país natal, hacen de los "Comentarios" uno de los libros más sugestivos sobre el Nuevo Mundo. También le debemos una traducción de los "Diálogos de amor", de León Hebreo.

El **Padre Acosta** es autor de una *Historia natural y moral de las Indias* (1590), en la que se sistematiza por primera vez la geografía y la historia natural de América. Ello le ha valido el título de "Plinio del Nuevo Mundo".

La Historia de España: Mariana

El P. **Juan de Mariana** (Talavera de la Reina, 1536-1624) perteneció a la Compañía de Jesús, viajó por Europa y se retiró luego a Toledo. Además de gran historiador fue un notable teólogo y moralista, pero la audacia de algunos de sus libros y opiniones le acarreó serios disgustos, llegando incluso a ser procesado.

En su obra *De rege et regis institutione* (1599), referente a los deberes del príncipe, defendió la idea de que el Estado y hasta el individuo, tienen derecho a eliminar al tirano, cuando lo exijan las circunstancias, lo que dio lugar a que se le considerase como el causante indirecto del asesinato de Enrique IV de Francia.

El más interesante de sus *Tractatus septem* (1609) es el *De Spectaculis,* en el que ataca el teatro de la época por razones de índole moral. Escribió también tratados teológicos y ascéticos en los que se refleja, como en el resto de su producción, la austeridad de su carácter.

Su obra capital es la *Historia de España*, que redactó primero en latín, y

El P. Juan de Mariana, autor de una gran Historia de España.

posteriormente tradujo al castellano (1601). Abarca desde los orígenes fabulosos del reino hasta la muerte de Fernando el Católico. Desde el punto de vista de la crítica histórica, representa un retroceso respecto de Zurita, pues, aunque utiliza las más diversas fuentes —documentos, inscripciones, etc.—, admite con facilidad hechos legendarios, siempre que no resulten absurdos. La razón de semejante método está en que no le interesaba hacer una labor de investigación, sino dar a conocer a españoles y extranjeros las líneas generales de nuestra historia. "Mi intento, dice, no fue hacer historia, sino poner en orden y estilo lo que otros habían recogido". Por eso se preocupó ante todo de hacer amena la narración y de cuidar los efectos artísticos.

Su concepto de la Historia es de origen clásico: introduce discursos, esmalta el relato con reflexiones morales y se asemeja a Tito Livio en el modo pausado de exponer los hechos. El estilo es sencillo, grave y elegante y presenta como nota particular el uso frecuente e intencionado de ciertos arcaísmos: "al", "ca", "hobo", "maguer", etc.

Véase el relato de un célebre episodio de Enrique IV, en el que no falta la reflexión aleccionadora.

> Los alborotadores en Avila acordaron de acometer una cosa memorable; tiemblan las carnes en pensar una afrenta tan grande de nuestra nación; pero bien será que se relate para que los reyes, por este ejemplo, aprendan a gobernar primero a sí mismos, y después a sus vasallos, y adviertan cuántas sean las fuerzas de la muchedumbre alterada, y que el resplandor del nombre real y su grandeza más consiste en el respeto que se le tiene que en sus fuerzas... La cosa pasó desta manera. Fuera de los muros de Avila, levantaron un cadahalso de madera en que pusieron la estatua del rey don Enrique con su vestidura real y las demás insignias del rey, trono, cetro y corona; juntáronse los señores y acudió una infinidad de pueblo. En esto, un pregonero a grandes voces publicó una sentencia que contra él pronunciaban en que relataron maldades y casos abominables que decían tenía cometidos. Leíase la sentencia y desnudaban la estatua poco a poco y a ciertos pasos de todas las insignias reales; últimamente con grandes baldones le echaron del tablado abajo.

La prosa didáctica: Huarte de San Juan

Entre los tratados didácticos de la época sobresale un curioso libro: el *Examen de ingenios* (1575). Su autor **Juan Huarte de San Juan**, médico navarro, expone en él el resultado de sus reflexiones en torno al problema de la elección de profesión, y sus observaciones personales sobre las aptitudes que se derivan de los distintos temperamentos. Uno de sus principales aciertos está en haber sabido relacionar el carácter con la constitución física, anunciando descubrimientos de la psicología contemporánea.

BIBLIOGRAFIA

EDICIONES

Hurtado de Mendoza. Guerra de Granada. B. A. E. — Gómez Moreno, 1946.
Inca Garcilaso. Obras completas. B. A. E. 4 vols.
Acosta. B. A. E. LXXIII, 1954.
Mariana. B. A. E.
Huarte de San Juan. B. A. E.

ESTUDIOS

B. Sánchez Alonso: *Historia de la historiografía española.* Vol. II.
A. G. Palencia y E. Mele: *Vida y obras de D. Hurtado de M.,* 1942-43.
G. Cirot: *Mariana historien,* 1905.
J. Fitzmaurice Kelly: *El Inca Garcilaso de la Vega,* 1921.
A. Farinelli: *Dos excéntricos: C. Villalón y el Dr. J. Huarte,* 1936.
G. Marañón: *Juan de Dios Huarte.* En "Tiempo viejo y tiempo nuevo". Col. Austral, 1940.
M. de Iriarte: *El doctor Huarte de San Juan y su Examen de Ingenios,* 1948.
L. Alberto Sánchez: *Garcilaso Inca de la Vega,* 1957.

El pasado legendario de los incas —de cuyo arte nos quedan restos tan bellos como la talla que reproduce el grabado —halló una emotiva resonancia en los "Comentarios reales" de Garcilaso de la Vega.

el teatro anterior a
lope de vega

En la producción teatral de la época de Felipe II se aprecian tres tendencias: dos procedentes del reinado anterior —la humanística y la religiosa— y otra en la que se engloban diversos elementos populares, nacionales y novelescos que, junto con los religiosos, habrán de confluir a fines del siglo en el teatro de Lope de Vega.

El teatro humanístico

La tragedia clásica tuvo en este período numerosos cultivadores, gracias al auge de los géneros grecolatinos y a la difusión de la Poética de Aristóteles. Pero, a pesar de que se

Lope de Rueda, actor y autor de graciosos "pasos" y novelescas "comedias".

españolizó hasta cierto punto —al admitir, por ejemplo, elementos novelescos y espeluznantes, siguiendo a Séneca— no produjo obra alguna definitiva. Por su parte, el público español, ávido de acción dinámica, tampoco podía aceptar un teatro sometido a excesivas convenciones [1] y basado en el paciente análisis de un caso psicológico.

A **Fray Jerónimo Bermúdez** debemos la mejor tragedia clásica de la época. Se halla dividida en dos partes, tituladas *Nise* [2] *lastimosa* y *Nise laureada* (1577), y se refiere a la dramática historia de Doña Inés de Castro, asesinada por razones de Estado y coronada después como reina de Portugal. La primera parte se inspira en la obra del portugués Antonio Ferreira y conserva el lirismo melancólico del modelo; la segunda es original y abunda en detalles de tipo sangriento. Como en el teatro griego, el coro dialoga a veces con los personajes.

La tragedia clásica fue cultivada también por el poeta **Cristóbal de Virués** (*Elisa Dido*, 1609), **Lupercio Leonardo de Argensola** (*La Isabela*), **Cervantes** (*La Numancia*), etc., y acabó siendo sustituida por la comedia de inspiración popular y nacional de Lope de Vega.

El teatro religioso

La Contrarreforma dio un gran impulso a las representaciones religiosas de tradición medieval: autos del Nacimiento y de la Pasión, farsas alegóricas, historias de santos, etc. A esta época pertenecen algunas piezas del *Códice de Autos viejos,* y los *Ternarios sacramentales* (1575), del impresor **Timoneda**, en los que figura el bello auto de "La oveja perdida", notable por su emoción lírica popular.

Timoneda —a quien ya aludimos como colector de romances y cuentos— tradujo también a Plauto y editó con el título de *Turiana* una serie de obras teatrales, entre las que sobresale la tragicomedia "Filomena", de asunto mitológico y desarrollo novelesco.

El teatro popular: Lope de Rueda

Lope de Rueda (Sevilla, principios del siglo XVI-1565) recorrió diversos lugares de España con una compañía de teatro, actuando a la vez como actor y autor, y obtuvo una gran celebridad. El mismo Cervantes le había de tributar más tarde encendidos elogios.

Su producción presenta dos aspectos: el popular de los "Pasos" y el novelesco de las "Comedias" de imitación italiana.

Las cuatro *comedias* que se conservan —*Eufemia* (1567), *Armelina, Los engañados* (1556) y *Medora*— se hallan inspiradas en el teatro italiano "de enredo", que Rueda conocería gracias a las compañías de cómicos que, procedentes de Italia, recorrían nuestra patria.

---

1. Las tres unidades, separación de lo trágico y lo cómico, división en cinco actos... — 2. Anagrama de Inés.

Los de mayor interés son los *pasos,* piezas breves en prosa, de sabor cómico y ambiente popular, que se representaban al principio de las comedias, en sus entreactos o intercalándolos en la acción principal. Los personajes, tipos populares —el bobo, el pastor, el vizcaíno, la negra, el labrador...—, pasaron luego al teatro del siglo XVII, dando lugar a la figura del "gracioso".

El mérito esencial de los "pasos" —en los que casi no hay argumento— está en la *viveza del diálogo* y en la *gracia pintoresca de sus escenas costumbristas.* Rueda debe considerarse por ello como el verdadero creador del teatro realista en prosa y como el principal iniciador del género del "entremés", que tanto éxito había de alcanzar en el siglo XVII.

Recuérdense, entre otros, el paso de *Las aceitunas* (1548), el de *La tierra de Jauja* (1547), el del *Convidado* (1546), etc.

El teatro de tema nacional
de Juan de la Cueva

Juan de la Cueva (1550-¿1610?) nació en Sevilla, estuvo en Méjico y volvió de nuevo a España. Lo más importante de su producción teatral (1588) puede dividirse en dos grupos: 1.º de asunto clásico y, 2.º de tema nacional.

Las obras de *asunto clásico* —v.gr., la *Tragedia de Ayax Telamón*— tienen un desarrollo eminentemente novelesco y responden a una técnica personal sin relación alguna con el teatro grecolatino. Con este grupo cabría relacionar la *Comedia del Infamador;* Leucino, joven disoluto, que acaba siendo castigado por los dioses mitológicos, es en ella un curioso precedente de la figura de Don Juan, inmortalizada por Tirso de Molina.

En las obras de *asunto nacional* vemos ampliamente incorporados al teatro por primera vez los temas de la tradición épica medieval. Valiéndose de crónicas y romances, Juan de la Cueva compuso la *Comedia de la muerte del rey Don Sancho,* la *Tragedia de los siete Infantes de Lara* y la *Comedia de la libertad de España por Bernardo del Carpio.*

Aunque muy exaltado y violento, el teatro de Juan de la Cueva no se halla dotado de grandes valores dramáticos. Confuso, desordenado y desprovisto de lirismo y de color local, tiene, no obstante, el mérito de haber preparado el camino a Lope, llevando a las tablas a los héroes de la tradición nacional, mezclando lo trágico con lo cómico, rompiendo la "unidad de tiempo", utilizando diversas estrofas —redondillas, octavas, tercetos, etc.— y reduciendo a cuatro "jornadas" los cinco actos del teatro clásico.

BIBLIOGRAFIA

EDICIONES

Timoneda. Teatro. Menéndez y Pelayo, 1911.
Colección de Autos, Farsas y coloquios del siglo XVI. Leo Rouanet, 1901.
Lope de Rueda. E. Cotarelo, 1908. Dos volúmenes. — Moreno Villa. Clás. Cast., 1924. — A. Cardona y D. Garrido Pallardó, 1967.
Juan de la Cueva. Comedias y tragedias. F. A. de Icaza, 1917. — "El Infamador" y "Los siete infantes de Lara". F. A. de Icaza. Clás. Cast.

ESTUDIOS

J. Mariscal de Gante: *Los Autos sacramentales,* 1911.
A. Bonilla y San Martín: *Las Bacantes,* 1921.
J. P. Wickersham Crawford: *Spanish pastoral drama before Lope de Vega,* 1937.
R. W. Wardropper: *Introducción al teatro religioso del Siglo de Oro,* 1953.
E. Juliá. *La literatura dramática, en el s. XVI.* En "Hist. gen. de las liter. hispánicas", Vol. III.
Alfredo Hermenegildo: *Los trágicos españoles del siglo XVI.* Madrid, 1961.
E. Asensio: *Itinerario del entremés.* Ed. Gredos, 1965.

Vid. también prólogos de las ediciones en Clásicos Castellanos.

Los "pasos" de Lope de Rueda presentan reiteradamente una serie de tipos populares. Mujeres vizcaínas del siglo XVI. Grabado de la época.

SIGLO
XVII

el barroco.
características generales

32

Renacimiento y Barroco

De los dos rasgos típicos del momento renacentista –la exaltación del mundo y del hombre y el conocimiento y admiración de la antigüedad clásica–, el Barroco –término ya aceptado por todos para designar la cultura del siglo XVII en sus diversas manifestaciones– sustituye al primero por una radical desvalorización de la vida presente y de la naturaleza humana; en cuanto al segundo, la cultura grecolatina sigue siendo admirada, pero sus principios estéticos –armonía, sencillez, ponderación...– ceden el paso a un criterio completamente distinto.

La tétrica pintura de Valdés Leal ilustra elocuentemente el tema barroco del "desengaño".

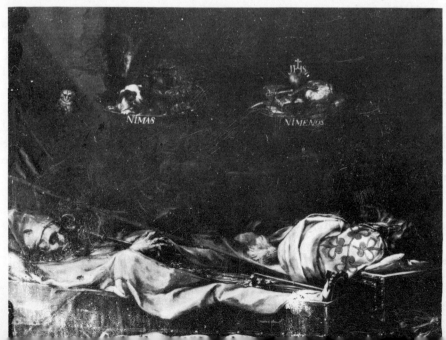

Si la cultura del Renacimiento fue, por lo menos en el momento inicial, un producto de importación, las principales orientaciones del Barroco no son en el fondo sino la más aguda manifestación de ciertas tendencias típicas del espíritu español. Ello nos explica el calificativo de "período nacional" con que algunos designan al siglo XVII.

El desequilibrio psicológico del siglo barroco en España y sus causas

Pesimismo e indiferencia. — El siglo XVII señala la *pérdida de nuestra hegemonía política.* España continúa siendo hasta la muerte de Felipe II (1598) la primera potencia europea, pero con la subida al trono de Felipe III, se inicia un proceso de descomposición interna que no hace sino acelerarse durante los reinados de Felipe IV y Carlos II. La miseria se va apoderando de la sociedad española y una serie de derrotas en el extranjero dan al traste con buena parte de nuestro Imperio. Desde mediados de siglo, España se ve sustituida por Francia en la dirección de los asuntos europeos y al finalizar la centuria ya no es —en frase de un escritor del XVIII— sino "el esqueleto de un gigante".[1]

Frente a tal estado de cosas, el espíritu español adopta dos actitudes diametralmente opuestas. Hay en primer lugar la de quienes, movidos por una aguda conciencia de la dolorosa realidad, reaccionan con *desolado pesimismo.* Es, por ejemplo, el caso de un Quevedo, en cuyas palabras se transparenta a menudo una angustiosa sensación de fracaso y un amargo desaliento que contrastan con el vital impulso de la época anterior. No hay sino comparar su trágica evocación de los arruinados muros de la patria —"si un tiempo fuertes, ya desmoronados"— con el entusiasta soneto de Acuña a Carlos V o los robustos versos de Herrera por la batalla de Lepanto.

Pero mientras unos pocos advierten con lúgubres acentos la ruina de España, los más prefieren embriagarse con los placeres de una vida frívola o refugiarse en un mundo falso de bellas ilusiones y fantasías novelescas, cerrando los ojos a la realidad. El fastuoso lujo de la corte de los Austrias o el éxito popular del teatro de Lope —en el que no se observa el menor indicio de preocupación por la gravedad del momento— indican bien a las claras la *alegre inconsciencia* de la mayoría del pueblo español.

He aquí, pues, una de las causas que dan lugar a que la literatura española del siglo XVII ofrezca el violento desequilibrio que suponen tan radicales contrastes y se mueva con acelerado ritmo entre angustiosas reflexiones y placenteros estímulos, entre bellas fantasías e implacables alusiones a la terrible realidad.

Desengaño ascético y ansia de goces mundanos. — La profunda conmoción religiosa que agita a Europa a mediados del siglo XVI mina los cimientos del jubiloso

---

1. Cadalso. "Cartas marruecas". Se ha calculado que entre 1600 y 1650, España perdió un veinticinco por ciento de su población, que quedó reducida a unos seis millones de habitantes.

El Transparente de Toledo, por Tomé; ejemplo típico del gusto barroco por la profusión ornamental.

concepto de la vida aportado por el Renacimiento, y al llegar el siglo XVII nada queda ya de la alegre confianza en la bondad de la Naturaleza. La vida deja de verse como una brillante fiesta en la que el hombre puede participar sin recelo con sólo aceptar las leyes naturales, y se convierte en un doloroso problema. Vuelven a plantearse multitud de cuestiones que el Renacimiento había soslayado o resuelto a su modo —el concepto de la moral, las ideas de libertad y predestinación, la realidad del mundo físico, los límites del conocimiento empírico...— y una angustiosa incertidumbre, acompañada de una formidable tensión espiritual,. viene a sustituir a la tranquila seguridad vital de la época anterior.

España experimenta como ningún otro país este cambio de rumbo gracias al profundo arraigo que en ella alcanzan las ideas de la *Contrarreforma*. La noción cristiana del pecado original se instala de nuevo en la mente de todos y la bella ilusión humanística de la bondad natural del hombre se quiebra para dar paso a un radical desengaño. La Naturaleza, se dirá ahora, es mala, y el mundo un conjunto de falsas apariencias; será, pues, necesario adoptar una actitud de prudente cautela y reprimir los impulsos espontáneos haciendo uso de la mayor violencia. A la confiada exaltación renacentista de la vida presente sucede una ascética desvalorización de todo lo terreno, que se complace en poner de relieve su inevitable caducidad; al antiguo optimismo, una honda melancolía.

Se compara la vida humana a un sueño, a una breve representación teatral, a una efímera rosa; la imagen de la muerte —antes eficaz acicate para el placer— es ahora rigurosa advertencia y en fin, la idea de la fugacidad de lo terreno y de la apariencia engañosa de las cosas se impone a todos con tal avasalladora fuerza que *la doctrina del desengaño* se convierte en el núcleo del pensamiento moral que informa la literatura del siglo XVII.

Desilusión, desconfianza, desengaño; pero al mismo tiempo desenfrenado goce de placeres sensoriales, pues a la muerte del Rey Prudente, y roto el freno que suponía su presencia, España se precipita en el más bajo materialismo. La progresiva *desorganización política, social y económica* favorece el nuevo estado de cosas y, a pesar de las advertencias de unos pocos y de que las ideas de la Contrarreforma son compartidas por todos, la sociedad española experimenta, en sus varios sectores, un considerable *descenso de nivel moral.*

Las clases altas, atentas solamente al logro de una vida muelle, se dejan arrastrar por un exarcebado apetito de lujo y de placeres mientras degeneran o se esfuman los ideales de otros tiempos: la fama, codiciosamente anhelada en el Renacimiento, ya no mueve los ánimos; el amor pierde la elevación que le confería la doctrina platónica, para degenerar en pura sensualidad, y el ideal patriótico queda reducido a un altivo y estéril orgullo nacional que la realidad no justifica lo más mínimo.

En cuanto a las clases inferiores, es de notar la presencia de una miserable caterva de vagos, mendigos y delincuentes,[1] producida por las guerras y la indiferencia del gobierno. Trátase de un vasto sector social, encanallado por el hambre, la holgazanería y el vicio, y para el que sólo existen rastreros móviles y brutales instintos. La novela picaresca nos ha descrito con descarnado realismo el ambiente repulsivo formado por esta gente desprovista de todo criterio moral.

La literatura española, al reflejar estas dos posiciones de desengaño ascético y desatado materialismo, ofrece un contraste tanto más estrindente cuanto que ambas actitudes, al parecer irreductibles, se interfieren constantemente. La producción de un Quevedo o de un Góngora es un incesante vaivén entre severas sentencias y cínicas bufonadas, entre agrias reflexiones y complacidos halagos sensoriales. Y de la misma forma que la conciencia de la transitoriedad de lo terreno hace a veces más febril e impetuoso el goce de los placeres mundanos, el pícaro llega a acentuar lo innoble de su conducta con frecuentes alusiones a la ley moral.

Una vez más, desequilibrio, inestabilidad, fluctuación, desasosegado cambio de actitudes y puntos de vista; lo más opuesto, en suma, a la armoniosa serenidad espiritual del momento renacentista.

Violencia y tensión. – El reinado de Felipe II supone ya una época de esfuerzo. Fracasados los intentos del Emperador para impedir la escisión de Europa en dos bandos y mantener la vieja concordia amenazada por la Reforma protestante, España se dispone a la defensa de sus ideales contrarreformistas poniendo sus fuerzas en tensión. Pero en la lucha que ahora comienza, el impulso es unánime y rectilíneo porque la meta perseguida por todos es la misma: el triunfo de la idea política y religiosa española. La severa mole del Escorial, prodigio arquitectónico de fuerzas disciplinadas, es el mejor ejemplo del espíritu de la época.

El siglo XVII ofrecerá un espectáculo radicalmente distinto. Se agudiza aún más la tensión, pero lo que antes era coordinado empuje nacional, se convierte en personal desasosiego. Hay, sí, una fe que todos comparten y un respeto general a la Monarquía, pero falta un criterio superior que unifique y robustezca la vida espiritual del país, y el

---

1. Según ciertas estadísticas, a fines del siglo XVI había ya en España unos 150 000 mendigos.

individuo, acuciado por angustiosas inquietudes, pretende resolver con actitudes extremosas y gestos desorbitados los problemas que la vida y la realidad histórica del momento le plantean.

Se pierde el sentido de mesura que había caracterizado al Renacimiento, y todos aquellos contrastes que hemos señalado repetidas veces como típicos del alma española adquieren una terrible violencia. El pesimismo político y la visión ascética de la vida, lo mismo que el materialismo despreocupado y el ansia de placeres, sobrepasan ahora todo límite; y en el terreno del arte, el tradicional doble plano realista-idealista se proyecta hasta el infinito, dando lugar a repulsivas caricaturas o a las más exquisitas estilizaciones.

La necesidad de nuevas formas y asuntos. — Al lado de las razones que acabamos de señalar, hay otra de índole psicológica que justifica también la aparición del arte barroco. Nos referimos al *cansancio que engendran las formas y los temas de cualquier estilo al producirse un cambio socio-cultural.*

Es un hecho que el hábito de contemplar siempre las mismas modalidades artísticas da lugar a que se relaje la atención del espectador, sobre todo si un nuevo contexto histórico exige otras formas a través de las cuales pueda expresarse. Esta es la razón de que muchos estilos evolucionen hacia una progresiva complicación; tal es el caso del helenístico, del gótico florido o del barroco, cuyas artificiosidades vienen a sustituir, respectivamente, la simplicidad del arte clásico, del gótico del siglo XIII y del renacentista.

Del mismo modo, los poetas del siglo XVII, movidos por un afán de lograr el mayor asombro, procuran *retorcer y exagerar las formas y presentar al lector los asuntos más inesperados.* Lo nuevo, lo original, lo sorprendente se convierte con ello en uno de los principales recursos del arte de la época, porque, como dice Gracián, "la costumbre de ver las cosas, por maravillosas que sean, no deja lugar a la admiración".

En cuanto a *la forma,* en lugar de la elegante naturalidad de un Garcilaso, tendremos ahora la rebuscada artificiosidad de un Góngora; en lugar de la armoniosa prosa de Fray Luis, la perpetua movilidad de la de un Quevedo. El paso, como en otros

La técnica del contraste en el arte barroco; obsérvese el violento claroscuro. "Martirio de San Bartolomé", de Ribera.

momentos de la historia del arte, se hace de lo sencillo a lo complicado, de lo estático a lo dinámico, de la armonía al contraste.

En cuanto a *los asuntos,* el deseo de nuevos motivos y el desequilibrio espiritual del siglo dan lugar a que el autor busque unas veces su inspiración en lo insignificante y otras en lo grandioso: Quevedo cantará la ruina del Imperio o el bostezo de una dama; Lope de Vega, la conquista de Jerusalén o la riña de unos gatos... Como en el terreno de la forma, se procura huir de lo habitual para aludir preferentemente a lo que sobrepasa —por defecto o por exceso— los límites de la normalidad, es decir, a lo monumental o a lo ínfimo.

Rasgos fundamentales del arte barroco

Analizados someramente los motivos que favorecen la aparición del Barroco, veamos el fin a que aspira y sus rasgos esenciales. Téngase en cuenta, no obstante, que los que vamos a enumerar no se dan conjuntamente en todos los autores del XVII ni representan otra cosa que las formas extremas de las tendencias más características del siglo.

Su objeto. – El arte barroco, en contraposición al clásico, no aspira a producir una impresión de apacible belleza; muy al contrario, su principal objeto es *excitar frecuentemente la sensibilidad o la inteligencia con violentos estímulos* de orden sensorial (colores, luces, sonidos), intelectual (ideas ingeniosas, brillantes agudezas) y sentimental (el terror, la compasión, etc.).

De ahí que no se escatimen los medios para provocar la sorpresa admirativa: lo maravilloso, lo pintoresco, lo colosal, lo grotesco, lo monstruoso..., serán recursos frecuentemente empleados. Arte, pues, fuertemente expresivo, excluirá todo aquello que por no ser suficientemente *nuevo, original o sorprendente,* deje de producir la conmoción estética deseada.

Importancia del criterio personal. – Ya vimos la importancia que para el arte del Renacimiento tienen los modelos grecolatinos y sus normas estéticas. El artista procura someterse a ellas, y a menudo su inspiración sigue los cauces del clasicismo.

El arte barroco responde a una orientación distinta. El poeta, por ejemplo, sigue admirando a los clásicos; utiliza sus recursos estilísticos —la metáfora, el hipérbaton— y no olvida sus temas —los pastoriles, los mitológicos—, pero *su criterio estético no se ajusta ya a los viejos cánones* y prescinde de ellos forzado por su íntimo desasosiego y por las exigencias de un público ávido de novedades. Compárese también un edificio renacentista con otro barroco: los elementos son los mismos —capiteles, frontones, arquitrabes—, pero su utilización es distinta y el contraste, evidente.

Por lo mismo, ya no será el dictamen de los preceptistas clásicos —respetado en teoría— el que informe la obra de arte, sino *la mera apreciación del individuo o el capricho del autor;* de ahí que el ingenio personal adquiera ahora capital importancia y que la originalidad se convierta en una de las máximas aspiraciones del artista barroco.

Dinamismo e idealización en el arte del siglo XVII: "Triunfo de San Hermenegildo".

Tendencia a la exageración. – Si la ponderación había sido una de las normas capitales del arte renacentista, el barroco manifestará una *inclinación decidida a prescindir de toda mesura*. Se olvida el viejo lema del "ne quid nimis" y en su lugar aparece una acentuada tendencia a la exageración, radicalmente opuesta a la noción clásica del límite. La aguda tensión espiritual de la época y el deseo de lograr la mayor originalidad hace que estallen los moldes habituales de la expresión artística, y un ansia nunca satisfecha de alcanzar las últimas posibilidades del estilo destruye todo sentido de contención en la elaboración de la obra de arte.

Todo adquiere un carácter desorbitado, hiperbólico; las dimensiones colosales de algunos edificios barrocos, el frenético dinamismo de la pintura de Rubens, la complicación metafórica del estilo de Góngora, las actitudes desmesuradas de Calderón o el extremado laconismo de la prosa de Gracián son ejemplos harto elocuentes.

Dinamismo. – Siendo así que la expresión de lo esencial y permanente confiere al arte clásico un carácter estático, es lógico que el barroco, para el que sólo existe el mundo de las puras apariencias y el incesante cambio y desaparición de las cosas, se nos ofrezca como un estilo fundamentalmente dinámico.

Si la pintura intenta captar la apariencia engañosa, con el claroscuro, y el momento que huye, con el movimiento de las figuras, la literatura refleja la obsesión del devenir universal y de la falsedad del mundo visible mediante el tema del desengaño: observa, dice incansablemente, cómo lo que fue ya no es, y cómo no es sino mentira lo que creíste verdad. Idea que el autor barroco resuelve plásticamente presentándonos la vida –con visión esencialmente dinámica– como una vertiginosa *sucesión de imágenes que el tiempo arrastra consigo* y como un *perpetuo cambio de amables apariencias en ásperas realidades.*

También hallamos dinamismo en la vida de los personajes: *desatado impulso* unas veces; otras, violenta contención que engendra *contorsionadas actitudes.*

El estilo da, asimismo, una impresión de *movilidad y retorcimiento.* Dislocada la frase por forzados hipérbatos, o acelerado su ritmo con atrevidas elipsis, el lenguaje pierde la pausada elegancia y sereno reposo del siglo anterior para adquirir una mayor rapidez e intensidad expresiva.

Ejemplo de todo ello pueden ser los violentos escorzos o el claroscuro de las pinturas de Ribera, el movimiento de ciertos lienzos de Valdés Leal, la retorsión de las columnas salomónicas en los templos barrocos, la preferencia por la línea abierta en las artes plásticas, la agitación de los personajes calderonianos, siempre en lucha consigo mismos, el rápido estilo de Quevedo o la audaz alteración del orden lógico gramatical en el lenguaje culto de Góngora.

Hay que tener en cuenta, no obstante, que este desatado dinamismo se halla frenado a menudo por el deseo de lograr una construcción orgánica. Como dice Dámaso Alonso: "impulso vehemente y estructura ordenadora son los dos polos del arte del siglo XVII".

Contrastes. – Una tendencia a subrayar los contrastes diferencia también el arte barroco del clásico. En éste los elementos de la obra de arte aparecen fundidos en equilibrada y armoniosa síntesis; en aquél, suelen presentarse en *violenta contraposición*. Compárese a este respecto la pintura de Rafael con la de Rembrandt, la de Juan de Juanes con la de Ribera. En unos, la misma luz baña la superficie de las cosas; en los otros, manchas de luz y sombra se ofrecen en cruda oposición.

La literatura barroca se muestra pródiga en contrastes como resultado del desequilibrio psicológico de la época. El hombre del siglo XVII sabe que en el mundo nada hay que tenga un valor único y que las cosas son buenas o malas, bellas o feas, según el punto de vista adoptado, pues, cuando media el desengaño, lo hermoso puede ser repugnante y lo que se nos antojaba verdad, falso. Ello nos explica que el arte de la época, obsesionado por el dualismo realidad-ilusión, nos ofrezca a menudo *en un mismo plano lo minúsculo y lo grandioso, lo refinado y lo grosero, lo feo y lo bello, la luz y la sombra y, en una palabra, el haz y el envés de la realidad.*

Ejemplos concretos serían las graves sentencias y los chistes procaces de Quevedo, las exquisitas idealizaciones y las poesías burlescas de Góngora, las figuras del caballero y del gracioso en el teatro, las de Andrenio y Critilo en Gracián, y hasta, si se quiere, las de Don Quijote y Sancho en la obra cumbre de Cervantes.

Con la ley del contraste cabe relacionar otro recurso del barroco: la *subordinación de los elementos de la obra a un motivo central*. En contraposición al arte renacentista, en el que éstos aparecen coordinados y con valor independiente, el del siglo XVII subraya la importancia de uno de ellos, subordinándole todos los demás. Así lo vemos en los Autos Sacramentales de Calderón, cuyo motivo central es la Eucaristía, en la mayoría de las composiciones pictóricas y en el sistema radial de los edificios arquitectónicos.

Artificiosidad. – La pérdida de la confianza en la bondad de la Naturaleza da lugar a nuevas actitudes. Deja de verse en la naturalidad una de las normas supremas del artista y una tensa *afectación* invade la literatura. La elegancia ya no se ve en la

El realismo descarnado en el barroco: "El Patizambo", de José de Ribera.

espontaneidad y la sencillez, sino en el *artificio y la complicación;* lo mejor ya no es lo fácil, lo claro, sino lo difícil, lo oscuro. El ingenio se aguza hasta lo inconcebible en busca de alambicadas sutilezas, la expresión se recarga con retorcidas imágenes y la obra de arte se convierte en un enmarañado problema erizado de dificultades.

El escritor evita todo aquello que pueda ser comprendido por el vulgo, porque sólo atiende a despertar la admiración de un público selecto, lo que le lleva a la creación de *un tipo de arte únicamente accesible a unos pocos.* Es lo que sucede con la poesía gongorina, cuya pompa decorativa está conseguida a base de elementos cultos. A veces, la complicación no impide que la obra sea gustada por amplios sectores, por ejemplo, cuando estriba en el juego de ideas y conceptos; pero aún en este caso —en el que dada la aptitud del pueblo español para captar el doble sentido de una expresión, las dificultades no son insuperables—, se llega a tales extremos que sólo una reducida minoría puede hacerse cargo de lo que el autor ha querido significar.

Otro motivo, en fin, que justifica la artificiosidad del estilo barroco es la idea, aceptada entonces por muchos, de que *la intensidad del goce estético está en razón directa del esfuerzo realizado por el lector* para desentrañar el sentido de la obra. Es lo que afirma Gracián al decir que "la verdad, cuanto más dificultosa es más agradable".

La *excesiva abundancia de adornos* —uno de los resultados de la tendencia a la afectación— puede observarse lo mismo en la literatura que en las artes plásticas; pues así como en la arquitectura la línea de las columnas queda frecuentemente oculta tras una gran cantidad de flores y frutos, en la poesía, los elementos decorativos —metáforas, cultismos, alusiones a la Mitología...— aparecen con tal profusión que llegan a hacer olvidar el tema que sirve de base a la composición.

Deformación caricaturesca y estilización embellecedora. — El examen atento de la producción del siglo demuestra que uno de sus rasgos más característicos es la exageración de las dos tendencias que coexisten en todo el arte español: la realista y la idealista.

El realismo adquiere, en efecto, en el estilo barroco *un tono más crudo y descarnado y se convierte a menudo en caricatura,* al ofrecer en primer plano, los aspectos más bajos de la vida social o de la realidad física y psicológica. Confróntense las figuras humanas que cruzan las páginas del Lazarillo con la del Dónime Cabra, descrito en el Buscón de Quevedo, y podrá apreciarse la enorme diferencia que existe entre el realismo del siglo XVI y el expresionismo del XVII.

En cuanto a los productos artísticos de la tendencia idealista, ya no son consecuencia de una leve estilización generalizadora, como en el Renacimiento, sino *desorbitadas creaciones en las que la realidad aparece substituida por otro mundo de superior belleza.* En los paisajes de sus Eglogas, Garcilaso se limitaba, por lo general, a escoger, de entre los elementos que la realidad le ofrecía, los que consideraba más bellos: fuentes, aves, flores, ríos... El procedimiento de Góngora es distinto: más que escogerlos, lo que hace es substituirlos: los ruiseñores serán "trompeticas de oro" o "sirenas con plumas", las ondas del río "cuerdas de plata", el cielo "campos de zafiro", y hasta un trozo de carne "purpúreos hilos de grana fina".

En su mayoría, las obras literarias de nuestro siglo XVII responden a un enfoque subjetivo y unilateral de las cosas, que contrasta con el certero realismo y la amplia y comprensiva visión de Cervantes. Por lo general, se elimina sistemáticamente lo bello para ofrecer tan sólo lo desagradable —es el caso del Guzmán de Alfarache—, se deforma la realidad hasta convertirla en caricatura —como a veces hace Quevedo— o se huye de ella, bien transfigurándola, bien substituyéndola por un mundo poético creado por la imaginación —como en los grandes poemas de Góngora—.

El hombre del siglo barroco no sabe situarse con serenidad ante la vida. Ha perdido el optimismo de la época precedente y su concepto pesimista de la realidad le inclina unas veces a subrayar morbosamente su lado repulsivo, otras a eludirla en una ansia de belleza absoluta.

Por la misma razón, el arte expresa en ocasiones lo individual y lo concreto, es decir, lo que escapa a las leyes generales de la razón —como hacen los grandes pintores españoles del siglo[1] — o, por lo contrario, intenta reducir a esquema, mediante alegorías de valor universal, el mundo fluctuante de los fenómenos particulares —recurso frecuente en la literatura moral: Gracián, Saavedra Fajardo, el mismo Calderón...—.

Resumiendo lo dicho, tendremos:

1.º, *afanosa búsqueda de lo nuevo o extraordinario, para excitar la sensibilidad y la inteligencia y provocar la admiración;*

2.º, *substitución de las normas clásicas por la apreciación del individuo o el capricho personal;*

3.º, *exageración, gusto por lo desmesurado e hiperbólico, tendencia a superar todo límite;*

---

1. Recuérdese que el siglo XVII es la gran época del retrato en la pintura.

4.º, *concepción dinámica de la vida y el arte, contorsión en los gestos, rapidez y retorcimiento en el estilo;*

5.º, *violenta contraposición de elementos extremos; subordinación del conjunto a un motivo central;*

6.º, *artificiosidad, complicación, arte difícil, para minorías; superabundancia de adornos;*

7.º, *visión unilateral de la realidad: deformación expresionista e idealización desorbitada. Desequilibrio.*

Las dos formas extremas de la literatura barroca en España

Los rasgos que acabamos de apuntar como característicos del estilo barroco han de considerarse solamente como el común denominador de los autores de la época, ya que no todos siguieron el mismo camino ni utilizaron idénticos recursos. Por ello, distinguiremos dos tendencias dentro de la literatura barroca: el culteranismo y el conceptismo —aun reconociendo que el primero no es en realidad más que un aspecto del segundo—.

Culteranismo. *– El culteranismo aspira a crear un mundo de belleza absoluta, atendiendo, sobre todo, a los valores sensoriales.* Para ello se vale de atrevidas transposiciones metafóricas y de un lenguaje poético esencialmente culto.

Sus recursos expresivos son los mismos de la poesía renacentista de origen clásico e italiano, pero sometidos al proceso de exageración típico del Barroco. Como la lírica del siglo XVI, utiliza metáforas, neologismos, hipérbatos, alusiones a la mitología..., pero con mayor profusión e intensidad.

El uso audaz de la *metáfora* responde a un febril anhelo de esquivar los aspectos desagradables o neutros de la realidad cotidiana, para atender tan sólo a los que ofrecen algún valor estético. El procedimiento no era nuevo, pero así como el poeta renacentista se limitaba a utilizar el lenguaje figurado como recurso frecuente, el culterano hará uso de él como forma casi exclusiva de expresión. Gracias a la metáfora, la miel se convierte en "oro", los labios en "puertas de rubíes", los pájaros cantores en "inquietas liras".

El *lenguaje culto* se basa en el empleo abundante del latinismo, merced al cual la expresión adquiere originalidad y se aleja de las formas vulgares del habla habitual. Ejemplo de ello son los frecuentes *neologismos,* a veces de una gran sonoridad —"canoro", "esplendor", "adolescente", "náutico", "cándido"...— y el constante *hipérbaton,* con el que se altera el orden normal de la frase —"deste, pues, formidable de la tierra – bozezo el melancólico vacío"—.[1]

---

1. La ordenación lógica de estos versos de Góngora sería: "el vacío melancólico deste bostezo formidable de la tierra". El poeta se refiere a una gruta.

Como procedimiento culto cabe citar también las *alusiones a la mitología*, mediante las cuales la poesía se sitúa en un mundo bellamente irreal y se ennoblece con el prestigio que deriva de la antigüedad clásica.

Siendo así que la atención del poeta culterano se concentra en la exaltación de la belleza sensorial —el color, la luz, el sonido...— y en la creación de un exquisito lenguaje poético, se comprende que en sus versos el asunto sea lo de menos y llegue a desaparecer tras una *exuberante fronda ornamental*. Por ello, el poema queda reducido a una brillante sucesión de imágenes, expuestas en un estilo afectado y difícil, pero espléndido y magnificente, en el que, no obstante, falta a menudo una vibración cordial.

La siguiente estrofa del "Polifemo" de Góngora puede ejemplificar lo dicho:

> Purpúreas rosas sobre Galatea
> la Alba entre lilios cándidos deshoja;
> duda el Amor cuál más su color sea,
> o púrpura nevada o nieve roja;
> de su frente la perla es, eritrea,
> émula vana. El ciego dios se enoja,
> y condenado su esplendor, la deja
> pender en oro al nácar de su oreja.

Aunque los rasgos expresivos del culteranismo proceden del repertorio renacentista italianizante, sus rasgos esenciales —lenguaje culto, uso de la metáfora, exaltación de los valores sensoriales— se hallan vinculados en cierto modo al sentir estético del Mediodía de España. Basta para acreditarlo la producción de tres grandes poetas andaluces: Mena —siglo XV—, Herrera —siglo XVI— y Góngora —siglo XVII—.

Conceptismo. — Si las metáforas, ennoblecedoras de la realidad, son el recurso capital del culteranismo, *la base del conceptismo se halla en las asociaciones ingeniosas de ideas o palabras ("conceptos").* A aquél le interesa ante todo la belleza de la imagen y la expresión refinada; a éste, la "sutileza del pensar" y la agudeza del decir. Por eso, el estilo culterano se manifiesta a menudo en la poesía y el conceptismo en la prosa.

Uno y otro buscan afanosamente las expresiones más inesperadas y difíciles, pero así como el culteranismo lo consigue utilizando un elevado lenguaje culto, el conceptista prefiere valerse del habitual y retorcerlo artificiosamente *creando palabras nuevas, prestándoles a éstas significados arbitrarios o violentando la sintaxis.*

En ocasiones, el conceptismo revela agudeza en el pensamiento y en la expresión, pero en muchos casos todo se reduce a juegos meramente verbales a base de doble significado de un término —equívocos—, de la semejanza fonética de dos vocablos —paronomasia—, de la contraposición de palabras o frases —retruécanos—, etc. La prosa conceptista se llena así de *antítesis, paradojas, contrastes, paralelismos, rebuscados chistes e ingeniosidades de toda especie,* que le prestan un tono extraordinariamente afectado.

He aquí unos cuantos "conceptos" de Gracián:

Mira lejos de aquí la *fama* y muy cerca la *fame* [el hambre]...; no hallarás un *sí* sin *no* ni cosa sin un *sino* [sin un aspecto contradictorio]...; mira muchos *cabos* que acaban con todo, si no con el enemigo, y por eso nunca se acaban las guerras, porque siempre hay *cabos* [en su doble sentido de "jefes militares" y "asuntos pendientes"]...; oirás locos a gritos y las menos *cuerdas* [o sea "locas"] más *tocadas* [tocadas de locura, ataviadas, manoseadas]...; verás *sin ceros* [sin dinero] los más *sinceros* y al que no tiene *cuentos* [millones] no ser de *cuenta*...

Típico del conceptismo es también el *laconismo* de la frase, ya que la eficacia del "concepto" —como la de toda ocurrencia ingeniosa— depende en gran parte de su rápida expresión. La brevedad aumenta la dificultad, pero una vez vencida ésta, el efecto resulta superior y el goce derivado de la comprensión más intenso. Por eso, si la poesía culterana dilata la exposición de los temas rodeándolos de una serie de deslumbrantes imágenes, la prosa conceptista condensa el pensamiento en frases extremadamente concisas. De ahí su inquieta movilidad y su *ritmo cortado y zigzagueante*.

En cuanto a los temas mitológicos, el conceptismo o bien los utiliza excepcionalmente con fines paródicos —como hace Quevedo— o los substituye por alegorías morales —como Gracián—.

Aunque el culteranismo coincidía en algunos puntos con la tradición poética andaluza, fue un fenómeno literario de minorías y provocó, por lo menos al principio, violentas protestas. No sucedió lo mismo con el conceptismo, que por hallarse íntimamente relacionado con una de las tendencias típicas del espíritu español —el gusto por la sutileza y la frase ingeniosa, visible ya en la poesía de cancionero del siglo XV— *tuvo siempre una amplia acogida*. Dos fueron los géneros literarios que utilizaron sus recursos con mayor profusión: el burlesco y el didáctico moral; en el primero, los conceptos sirvieron de base a agudas observaciones de tipo satírico; en el segundo, se emplearon como ornato literario destinado a contrarrestar lo denso del pensamiento o lo amargo de la moralidad.

No obstante, el conceptismo llegó a infiltrarse en los demás géneros de la época: el teatro, la historia y hasta la propia poesía culterana. Lo mismo sucedió, aunque en menor escala, con el culteranismo, que si en un principio había sido privativo de la lírica, acabó invadiendo el campo de la prosa, del teatro e incluso de la oratoria religiosa. Al fin y al cabo, no eran sino aspectos de una misma concepción del arte y nada tiene de extraño que se interfiriesen continuamente. Por eso, cierto crítico [1] ha definido las disputas entre culteranos y conceptistas como simples "riñas de parientes".

El culteranismo y el conceptismo pueden relacionarse, más o menos, con otras manifestaciones barrocas de la poesía europea del siglo XVII, que según ciertos críticos, obedecerían en parte a un influjo español: el "marinismo" italiano, el

---

1. B. Croce.

"preciosismo" francés, la producción de la escuela silesiana en Alemania –Opitz, Gryphius...–, y en cierta manera la de los poetas "metafísicos" de Inglaterra –Donne, Herbert...–.

Comienzo, auge y decadencia del estilo barroco

La producción del siglo XVII presenta una mayor uniformidad si se atiende al espíritu que la informa que si se la examina desde el punto de vista del estilo. El tema del desengaño, por ejemplo, se impone a todos con tal fuerza que llega a convertirse en un tópico, incluso en los autores más alejados de los recursos estilísticos del barroquismo. Las nuevas formas, en cambio, no consiguen triunfar sino después de haber vencido la resistencia de importantes núcleos.

Durante los últimos años del siglo XVI y los primeros del XVII, comienzan a apuntar las tendencias barrocas, pero *el estilo natural,* típico del período renacentista, *continúa siendo el de la mayoría.* Cervantes constituye el ejemplo más egregio.

Los años siguientes –primer tercio del siglo– señalan el paso hacia el estilo barroco. Es la época de Lope, de Góngora, de Quevedo, y el momento cumbre de las luchas entre culteranos y conceptistas. El culteranismo halla adeptos e impugnadores, pero, salvo escasas excepciones, todos presentan la misma afectación, la misma artificiosidad, el mismo abandono de la naturalidad, hasta entonces norma suprema del arte.

A mediados del siglo, el Barroco se ha impuesto definitivamente. Gracián codifica sus recursos en la "Agudeza y arte de ingenio", y Calderón –en quien se observa la tendencia a convertir en rígido y estructurado sistema racional lo que en un principio fue desordenado ímpetu–, lleva al teatro las sutilezas del conceptismo y las magnificencias de la lírica culterana. Así, lo que sólo fue arte de minorías, adquiere la máxima popularidad.

La muerte de Calderón (1681) *marca la decadencia del estilo.* El conceptismo degenera en extravagancia, el culteranismo sólo sabe ya repetir tópicos, y la literatura en general se llena de vulgaridad y farragosa pedantería. Así continúan las cosas hasta que, bien entrado el siglo XVIII, la influencia francesa instaura el reinado del neoclasicismo en España.

BIBLIOGRAFIA

HISTORIA DE LA PRODUCCION LITERARIA DEL SIGLO XVII

L. Pfandl: *Historia de la literatura nacional de España del Siglo de Oro,* 1933.
Literaturas hispánicas. *Renacimiento y Barroco.* Vol. III, 1953.
A. Valbuena: *Historia de la literatura española,* 1960.

ESTUDIOS SOBRE EL BARROCO Y EL SIGLO XVII EN ESPAÑA

L. Pfandl: *Introducción al Siglo de Oro*, 1929.

G. Díaz-Plaja: *El espíritu del Barroco*, 1940.

H. Hatzfeld: *Predominio del espíritu español en la literatura europea del siglo XVII*. En Rev. de Fil. Hispánica, 1941.

C. Vossler: *Algunos caracteres de la literatura española*, 1941.

A. F. G. Bell: *El Renacimiento español*, 1944.

C. Vossler: *Introducción a la literatura nacional de España en la Edad de Oro*, 1945.

E. Orozco: *Temas del Barroco*, 1947.

J. Deleito y Piñuela: *La España de Felipe IV*. Siete vols. 2.ª ed. desde 1947.

E. Orozco: *Lección permanente del Barroco español*. 1952.

A. Vilanova: *Preceptistas de los siglos XVI y XVII*. En "Hist. gen. de las literaturas hispánicas". Vol. III.

G. Marañón. *La literatura científica en los siglos XVI y XVII*. En "Hist. gen. de las literaturas hispánicas". Vol. III.

A. Castro: *Las complicaciones del arte barroco*. En "Semblanzas y estudios españoles", 1956.

A. Cionarescu: *El Barroco o el descubrimiento del drama*, 1957.

O. Macrí: *Historiografía del Barroco literario español*. Bogotá, 1961.

P. Sainz Rodríguez: *Evolución de las ideas sobre la decadencia de España*, 1962.

L. Spitzer: *Il Barocco Spagnuolo*. En "Cinque saggi di ispanistica", Torino, 1962.

H. Hatzfeld: *Estudios sobre el barroco*. Ed. Gredos, 1964.

Andrée Collard: *Nueva poesía. Conceptismo, culteranismo en la crítica española*. Edit. Castalia, 1967.

Otis H. Green: *España y la tradición occidental*. Vol. IV, Madrid, Gredos, 1969.

A. Collard: *Nueva poesía. Conceptismo, culteranismo en la crítica española*. Ed. Castalia, 1967.

M. Herrero García: *Ideas de los españoles del siglo XVII*. Ed. Gredos, 1966.

ESTUDIOS SOBRE ASPECTOS PARCIALES

M. Menéndez y Pelayo: *Horacio en España*, 1882.

M. Menéndez y Pelayo: *Historia de las ideas estéticas*. Vol. III. Ed. de 1920.

A. Bonet: *La filosofía de la libertad en las controversias teológicas del siglo XVI y primera mitad del XVII*, 1932.

B. G. de Escandón: *Los temas del "Carpe diem" y la brevedad de la rosa en la poesía española*, 1938.

A. García Valdecasas: *El hidalgo y el honor*, 1948.

J. M. Cossío: *Fábulas mitológicas en España*, 1952.

T. Navarro: *Métrica española*, 1956.

R. Menéndez Pidal: *Gran innovación en el habla común del siglo XVII*. En "Los Reyes Católicos y otros estudios", 1962.

OTROS ESTUDIOS SOBRE EL BARROCO EN SUS DIVERSAS MANIFESTACIONES (LITERATURA, ARTES PLASTICAS, ETC.)

E. D'Ors: *Lo barroco*.

E. I. Watkin: *Arte católico y cultura*, 1941.

W. Weisbach: *El Barroco, arte de la Contrarreforma*. Prólogo de Lafuente Ferrari, 1942.

M. L. Caturla: *Arte de épocas inciertas*, 1944.

A. Hauser: *Historia social de la literatura y el arte*. Vol. II, 1957.

La vida

Miguel de Cervantes Saavedra, cuarto hijo de los siete que tuvieron el cirujano Rodrigo de Cervantes y Leonor de Cortinas, nació en Alcalá de Henares (1547). No se sabe a ciencia cierta dónde transcurrió su infancia y adolescencia (¿Sevilla, Alcalá?), pues las primeras noticias se refieren a sus estudios en Madrid.

A los veintidós años se embarca para Italia acompañando al cardenal Acquaviva, y en 1571 interviene heroicamente en la batalla de Lepanto, recibiendo heridas en el pecho y la mano izquierda, de las que se enorgullecerá hasta su vejez. Su condición de soldado le lleva a tomar parte en otras expediciones militares, hasta que, regresando a España, es apresado, junto con un hermano suyo, por los piratas berberiscos. Comienza así un período de duro cautiverio en Argel, que habrá de prolongarse más de cinco años. Cervantes intenta evadirse cuatro veces, poniéndose en peligro por salvar a sus

Miguel de Cervantes Saavedra, según un retrato firmado por Jáuregui.

compañeros, y al fin es rescatado por los Padres Trinitarios, cuando estaba a punto de ser conducido a Constantinopla. Tiene entonces treinta y tres años. Hasta aquí su época heroica; de ahora en adelante una vida gris, llena de sinsabores y privaciones.

Se instala en Madrid y al cabo de algún tiempo se casa con una joven de Esquivias —Catalina de Salazar y Palacios—. Publica su primera obra —La Galatea— y, abandonando el pueblo de su mujer, se dedica a recoger víveres para la Invencible. Viaja por diversas ciudades de Andalucía en el desempeño de su cargo y es encarcelado dos veces en Sevilla: una de ellas al quebrar el banquero en cuyas manos había depositado Cervantes los impuestos que cobraba para la Hacienda; otra, al no poder pagar a ésta ciertos atrasos.

Por fin le vemos en Valladolid. Tiene ahora cincuenta y siete años. Ha terminado su afanoso ir y venir por las ciudades españolas, pero no sus infortunios. El asesinato de un caballero, cometido frente a su casa, da lugar a un nuevo proceso, aunque nada puede probarse contra él. Los últimos años de su vida los pasará en Madrid. Acaba de publicar la primera parte del Quijote y escribe incansablemente. Todavía pretende volver a Italia acompañando al conde de Lemos, pero no lo consigue, y desvanecida su última ilusión, va dando rápidamente a la imprenta sus últimas obras: las Novelas Ejemplares, el Viaje del Parnaso, el teatro, la segunda parte del Quijote. La muerte le sorprende el 23 de abril de 1616, pocos días después de haber escrito la dedicatoria del Persiles.

Semblanza física y moral

Todavía se discute la autenticidad del retrato, firmado por Juan de Jáuregui, que conservamos de Cervantes, pero sus rasgos coinciden con los descritos por el propio autor del Quijote en el prólogo de las Novelas Ejemplares:

> Este que veis aquí, de rostro aguileño, de cabello castaño, frente lisa y desembarazada, de alegres ojos y de nariz corva, aunque bien proporcionada; las barbas de plata que no ha veinte años que fueron de oro; los bigotes grandes, la boca pequeña, los dientes ni menudos ni crecidos, porque no tiene sino seis y esos mal acondicionados y peor puestos, porque no tienen correspondencia los unos con los otros; el cuerpo entre dos extremos, ni grande ni pequeño; la color viva, antes blanca que morena, algo cargado de espaldas y no muy ligero de pies; éste digo que es el rostro del autor de la Galatea y de Don Quijote de la Mancha .

En cuanto a su semblanza moral, hay que destacar la dignidad y entereza con que supo hacer frente a la adversidad. Su vida, si la comparamos con las de otras brillantes figuras de la época —Lope, Quevedo, Calderón— nos causa una impresión dolorosa, más por la obscura miseria de su madurez que por los difíciles trances de su juventud, recordados más tarde con orgullo por el propio Cervantes. Es cierto que la publicación del Quijote le proporcionó una gran fama, pero este éxito tardío no consiguió aliviar sus estrecheces económicas ni quizá le elevó al lugar que le correspondía en el ambiente literario de la época. Basta recordar una frase de Lope de Vega —"de poetas... ninguno hay tan malo como Cervantes ni tan necio que alabe a Don Quijote"— y la afirmación de un extranjero, según el cual, si Cervantes escribía para ganar el sustento, valía la pena que continuase siendo pobre.

No obstante, el autor del Quijote superó todas las dificultades gracias a su extraordinaria *nobleza de ánimo,* a su *fe en los valores del espíritu* y a su inquebrantable *optimismo.*

Formación cultural

Cervantes no fue un escritor inculto. Un estudio atento de sus obras ha demostrado que *conocía a fondo lo más importante de las doctrinas renacentistas y a los autores —italianos y españoles— más importantes de su tiempo.* Aparte de que su ideología se halla en todo de acuerdo con la del siglo XVI, basta tener en cuenta las constantes alusiones a Aristóteles, Platón, Horacio, Ariosto, León Hebreo, etc., o a los escritores españoles contemporáneos, para poder afirmar que, aunque no fuese un sabio erudito, tampoco ignoraba lo esencial del pensamiento humanístico. "No construye ciencia como Galileo o Descartes —dice un crítico de nuestros días [1] —, porque su genio es de otra índole; pero conscientemente lleva a su obra, como elementos creadores, los supuestos primarios de la cultura de su tiempo." No hay que olvidar que pasó seis años en Italia, donde aprendió la lengua del país, adquiriendo, de paso, una sólida formación literaria.

Las poesías

Cervantes mostró siempre una gran afición a escribir versos, pero los que compuso no se hallan, ni con mucho, a la altura de la prosa. El mismo tenía conciencia de ello y exclamaba:

> Yo que siempre trabajo y me desvelo
> por parecer que tengo de poeta
> la gracia que no quiso darme el cielo...

El valor de su producción poética deriva, más que de la habilidad técnica del autor, del reflejo que en ella alcanza su rica personalidad y su aguda visión de las cosas. No constituye un conjunto esencialmente lírico, pero abunda en matices de ironía, de gracia o de emoción autobiográfica.

Gran parte de sus versos se hallan intercalados en las obras en prosa.

En La Galatea encontramos, además de insulsas canciones, el *Canto de Calíope,* donde elogia a diversos poetas contemporáneos; en "La Gitanilla", el bello soneto a Preciosa o el gracioso romance *Hermosita, hermosita;* en el Quijote y el Persiles, varias composiciones en las que a veces se advierte la influencia de Garcilaso, uno de sus poetas preferidos, etc. También el teatro contiene muestras líricas de tipo popular.

1. Américo Castro.

Una curiosa visión de Don Quijote.
Aguafuerte de Francisco de Goya.

Entre las poesías sueltas hay que citar el intencionado e irónico soneto *Al túmulo de Felipe II* —uno de sus mejores aciertos—, la *Espístola a Mateo Vázquez*, escrita durante su cautiverio en Argel, y dos canciones a la Invencible, antes y después del desastre.

El poema más largo es el *Viaje del Parnaso*, donde se pasa revista, con tono elogioso, a los principales poetas de la época, reunidos ante Apolo. Fue publicado dos años antes de su muerte y su mayor interés está en algunos fragmentos que, al aludir al propio Cervantes, revelan la tristeza del último período de su vida.

El teatro

Comedias en verso. — La producción teatral de Cervantes —muy superior a la poética— corresponde a dos épocas distintas. De la primera sólo ha llegado hasta nosotros un par de obras, de las cuales la más importante es *El cerco de Numancia,* vibrante apología del heroísmo español, en la que intervienen personajes alegóricos —la Guerra, el Duero, la Fama...—.

Esta y otras obras perdidas —que según su autor se representaron con gran éxito— se hallan dentro del tipo de teatro humanístico del siglo XVI. Todavía en la primera parte del Quijote, Cervantes se burla del teatro popular de Lope de Vega, ajeno a toda norma clasicista, v.gr., a la de las tres unidades; pero, pasados los años, y viendo el éxito que alcanzaba la técnica de Lope, aceptó su reforma, porque "los tiempos mudan las cosas y perfeccionan las artes". Resultado de este cambio de orientación fueron las "Ocho comedias" que publicó junto con los "Ocho entremeses" (en 1615) y que nunca vio representados.

Entre ellas destacan *Los baños de Argel, El rufián dichoso* y *Pedro de Urdemalas.* La primera es una comedia de cautivos, donde evoca con gran fuerza dramática e intenso colorido su cautiverio en Argel. *El rufián dichoso* pone en escena la vida pecadora, la conversión y la muerte de Fray Cristóbal de Lugo. *Pedro de Urdemalas,* la mejor pieza del teatro cervantino, se desenvuelve en un ambiente de pícaros y gitanos. El protagonista, tipo pintoresco y simpático, se ve obligado al fin a renunciar al amor de Belica, al descubrirse el origen de ésta. Escenas cómicas y motivos líricos populares dan interés a la obra.

Las comedias restantes son "de cautivos" —*El gallardo español, La gran sultana*—, "de capa y espada" —*La entretenida*— y "caballerescas" —*La casa de los celos* y *El laberinto de amor*—.

En general, las comedias de Cervantes, aun las de la segunda época, difieren del teatro de Lope en que insisten más en lo psicológico que en la intriga novelesca. El desarrollo de la acción es todavía algo tosco e inhábil, pero los caracteres y pasiones de los personajes adquieren a veces un gran relieve. Por estas razones, su teatro no ha de considerarse como el de un discípulo de Lope, sino como el más importante de la producción escénica anterior a éste, a pesar de las limitaciones de su técnica.

Los entremeses. — Ofrecen un interés mayor que el de las comedias y son los más logrados de todo el teatro español. Sus modelos fueron seguramente los Pasos de Lope de Rueda; como ellos, son breves cuadros populares, escritos casi todos en prosa, pero resultan infinitamente superiores por su vivacidad, su gracia desenvuelta y su maliciosa ironía. En conjunto constituyen un repertorio de pequeñas obras maestras que acreditan a Cervantes como el mejor entremesista del teatro español.

Los dos mejores son, indudablemente, *El retablo de las maravillas* y *La guarda cuidadosa*. El primero es una aguda sátira, dotada de gran fuerza cómica, contra las conveniencias e hipocresías sociales; su asunto coincide con el del cuento de don Juan Manuel sobre los tejedores que hicieron el paño mágico; sólo que aquí el ambiente es popular y "el paño" aparece substituido por un "retablo", o teatrillo, de figuras invisibles. *La guarda cuidadosa* nos presenta las rivalidades amorosas de un soldado y un sacristán, que terminan con el triunfo del último. También abundan en situaciones divertidas *La cueva de Salamanca* y *El viejo celoso;* ambas giran en torno al tema del marido burlado.

Dignos de mención son, asimismo, *El juez de los divorcios,* en el que después de desfilar una serie de matrimonios mal avenidos, se afirma que "más vale el peor concierto, que no el divorcio mejor", y *La elección de los alcaldes de Daganzo,* visión humorística de unas elecciones pueblerinas. Menor interés alcanzan *El rufián viudo* y *El vizcaíno fingido.* Entre los atribuidos a Cervantes destaca el graciosísimo de *Los dos habladores,* en el que se intenta curar a una mujer del vicio de charlatanería, enfrentándola con un sempiterno "hablador".

"La Galatea", novela pastoril

Cervantes comenzó su carrera literaria con *La Galatea* (1585), novela pastoril al estilo de la de Montemayor. En ella su autor se limitó a seguir un género en boga, sin añadir nada substancial. La acción es lánguida, los versos intercalados —v.gr., el Canto de Calíope— bastante mediocres, y el estilo muy cuidado, pero desprovisto de la vivacidad y soltura de las novelas posteriores. No falta ninguno de los elementos esenciales del género: la idealización —a veces muy bella— del paisaje, las desventuras sentimentales de los pastores —tras los cuales se ocultan personajes de la época—, las disquisiciones sobre el amor platónico, siguiendo a León Hebreo, etc.

El mérito de la obra es escaso. Sin embargo, "La Galatea" nos revela aspectos interesantes de la personalidad de su autor, por ejemplo, su devoción por los géneros literarios e ideas del Renacimiento (platonismo, exaltación de la Naturaleza, idealización del mundo pastoril)...; devoción que había de mantener hasta su vejez, prometiéndonos una segunda parte de la novela, a pesar de que se daba perfecta cuenta de lo convencional del género y reconocía —irónicamente— que los pastores de la realidad pasaban el día "espulgándose o remendando sus abarcas". Fue precisamente esta resistencia a abandonar los ideales de su juventud lo que hizo posible el Quijote, en el que pugnan dramáticamente el optimismo y la visión desengañada de la vida.

Las "Novelas Ejemplares"

Las doce *Novelas Ejemplares* aparecieron entre la primera y la segunda parte del Quijote (1613). Su autor afirma en el prólogo haber sido el primero en componer novelas [1] originales en castellano, sin traducirlas ni imitarlas de lenguas extranjeras —Cervantes aludía a la novela corta italiana—; lo cual resulta cierto teniendo en cuenta que ninguna de las intrigas por él imaginadas se halla en la novelística italiana, que hacia aquella época constituía, como ya vimos, la fuente directa de la novela corta española. En cuanto al calificativo de "ejemplares", aunque no siempre parece adecuado, tampoco puede rechazarse, dado el sano criterio moral que informa los relatos, diferenciándolos de gran parte de las narraciones italianas (téngase presente, tan sólo, el tono de muchos cuentos del Decamerón).

Las Novelas Ejemplares pueden agruparse en dos series: en la primera predomina la visión idealista, la intriga complicada —a veces inverosímil— con personajes aristocráticos, y el estilo elevado; en la segunda, una técnica más o menos realista, la descripción de escenas de la vida ordinaria o de ambientes sociales bajos, y un lenguaje familiar y rápido, con toques de humor.

Las novelas del *primer grupo* son las que más cerca se hallan de la técnica italiana y las que mayor éxito alcanzaron en su tiempo. Trátase de relatos, escritos con gran esmero, pero por lo general faltos de viveza y algo convencionales. Véase, por ejemplo, *El amante liberal,* historia de amor y de cautivos; *Las dos doncellas,* donde las protagonistas salen en busca de sus prometidos vestidas de hombre, o *La española inglesa,* en la que una joven andaluza, raptada en su niñez por los ingleses, llega a casarse con su amado, tras mil peripecias que ponen a prueba su temple.

Más interés tienen *La Gitanilla* y *La ilustre fregona.* En ellas, el elemento novelesco es aún muy importante, pero a su lado vemos ciertos rasgos de humor y abundantes referencias a la realidad española de la época —la vida de los gitanos, el ambiente de un mesón...—, descrita, no obstante, con técnica típicamente idealista.

---

1. Por "novela" se entendió en el siglo XVII la narración breve intermedia entre el cuento y la novela extensa, o sea lo que hoy llamamos "novela corta".

La Gitanilla nos cuenta los amores de la gitana Preciosa y un caballero, que para lograr su mano decide seguirla, adaptándose a su misma vida. La obra termina con la boda de ambos, al descubrirse el origen noble de aquélla. El mundo de los gitanos y la delicada figura de Preciosa se hallan envueltos por un halo de simpatía y de gracia, y una leve idealización suaviza los contornos, sin que se pierda del todo el contacto con la realidad ni el sentido de lo pintoresco.

En *La ilustre fregona,* un joven hidalgo decide convertirse en mozo de un mesón de Toledo al enamorarse de la "fregona" Constanza, con la que al fin se casa, al ser reconocida por un noble como hija suya.

Al mismo grupo pertenecen *La señora Cornelia* y *La fuerza de la sangre.*

El *segundo grupo* reúne las novelas más típicas del arte de Cervantes. En algunas —*El casamiento engañoso* y *El celoso extremeño*— la intriga desempeña un papel importante; en las demás —*Rinconete y Cortadillo, El coloquio de los perros...*—, lo de menos es la intriga novelesca, y lo esencial, la pintura humorística o satírica de determinados ambientes.

El celoso extremeño es la trágica historia de un viejo ricacho que muere de tristeza al conocer la infidelidad de su joven esposa, a quien perdona. Interesa aquí el estudio de los personajes —el viejo, el seductor, la joven— y la solución del conflicto, muy original, dadas las ideas de la época. Las alusiones al ambiente picaresco sevillano están llenas de color y de vida.

Rinconete y Cortadillo se refiere a las aventuras de estos dos pilletes y a su relación con la "cofradía" de ladrones avecindada en el patio de Monipodio. Ofrece notables puntos de contacto con el género picaresco, pero difiere de éste en que Cervantes, lejos de adoptar el rastrero punto de vista del pícaro, se limita a ofrecernos con regocijado realismo y ágil estilo el pintoresco espectáculo del hampa sevillana.

He aquí un gracioso diálogo entre los protagonistas y un ladronzuelo de la pandilla de Monipodio:

> Dijo Rincón a su guía:
> —¿Es vuesa merced por ventura ladrón?
> —Sí, respondió él, para servir a Dios y a la buenas gentes, aunque no de los muy cursados; que todavía estoy en el año del noviciado.
> A lo cual respondió Cortado:
> —Cosa nueva es para mí que haya ladrones en el mundo para servir a Dios y a la buena gente.
> A lo cual respondió el mozo:
> —Señor, yo no me meto en tologías; lo que sé es que cada uno en su oficio puede alabar a Dios, y más con la orden que tiene dada Monipodio a todos sus ahijados.
> —Sin duda debe ser buena y santa, pues hace que los ladrones sirvan a Dios.
> —Es tan santa, replicó el mozo, que no sé si podrá mejorar en nuestro arte. El tiene ordenado que de lo que hurtáremos demos alguna cosa o limosna para el aceite de la lámpara de una imagen muy devota que

Portada de la primera edición inglesa de *El ingenioso hidalgo Don Quijote de la Mancha.*

está en esta ciudad, y en verdad que hemos visto grandes cosas por esta buena obra; porque los días pasados dieron tres ansias a un cuatrero que había murciado dos roznos, y con estar flaco y cuartanario, así las sufrió sin cantar como si fueran nada; y esto atribuimos los del arte a su buena devoción, porque sus fuerzas no eran bastantes para sufrir el primer desconcierto del verdugo. Y... sepan voacedes que *cuatrero* es el ladrón de bestias; *ansia* es el tormento; *roznos,* los asnos, hablando con perdón; *primer desconcierto* es las primeras vueltas del cordel que da el verdugo...

—De perlas me parece todo eso, dijo Cortado; pero dígame vuesa merced: ¿hácese otra restitución o otra penitencia más de la dicha?

—En eso de restituir no hay que hablar, respondió el mozo, porque es cosa imposible por las muchas partes en que se divide lo hurtado, llevando cada uno de los ministros y contrayentes la suya; y así, el primer hurtador no puede restituir nada; cuanto más que no hay quien nos mande hacer esa diligencia a causa que nunca nos confesamos, y si sacan cartas de excomunión, jamás llegan a nuestra noticia porque jamás vamos a la iglesia al tiempo que se leen, si no es en los días de jubileo, por la ganancia que nos ofrece el concurso de la mucha gente...—.

—Y ¿con sólo eso que hacen, dicen esos señores —dijo Cortado— que su vida es santa y buena?

—Pues ¿qué tiene de malo? , replicó el mozo. ¿No es peor ser hereje, o renegado, o matar a su padre y madre? ...

El casamiento engañoso nos narra la historia de un alférez que, tras un matrimonio desafortunado, va a parar a un hospital, donde oye *El coloquio de los perros.* En este relato, añadido al anterior, el perro Berganza cuenta su vida a Cipión, lo que sirve de pretexto a una visión satírica de tipos y costumbres de la época. Como en las novelas picarescas, Berganza habla de los diversos ambientes en que se ha encontrado; matarifes, pastores, estudiantes, gitanos y hasta los locos de un hospital desfilan por las páginas de esta novela, una de las más vivas y complejas —tanto desde un punto de vista estético como ideológico— de toda la serie.

En *El licenciado Vidriera* se expone un conjunto de sentencias mediante una sencilla trama: Tomás Rodaja se vuelve loco al ser víctima de un hechizo, e imagina ser de vidrio; pero la locura le despierta el ingenio y, como don Quijote, asombra a sus interlocutores con sus agudas observaciones. Al fin recobra el juicio y marcha a Flandes. El tema del loco que dice verdades que nadie se atreve a confesar se da frecuentemente en la literatura universal, pero en manos de Cervantes adquiere una especial significación.

En algún tiempo se atribuyó también a Cervantes otra novela corta titulada "La tía fingida".

Las Novelas Ejemplares inauguran un nuevo tipo de narración, opuesto al arte de Boccaccio —modelo hasta entonces de la novela corta—; las del primer grupo, aportando intrigas originales que eluden el tono desenfadado de la novelística italiana, y añadiendo procedimientos, tomados de la novela larga, para realzar el interés del relato: comienzo de éste "in media res", oportunas digresiones, conversaciones referidas textualmente...; las del segundo, atendiendo, más que a la intriga, a la descripción de la vida.[1] Ello nos explica el gran éxito que obtuvieron —incluso fuera de España—, sobre todo las de tipo idealista, punto de partida para la llamada "novela cortesana" del siglo XVII.

Modernamente, se ha visto en las Novelas Ejemplares una clara muestra del arte barroco, "arraigado en la polaridad materia-espíritu".[2] Las protagonistas de la primera serie —la Gitanilla, la española inglesa...— nos ofrecerían dechados de "virtud heroica"; los personajes del Coloquio o del Rinconete serían ejemplos vivos de lo cómico o absurdo de la Naturaleza no iluminada por la Gracia o el Ideal.

El Quijote

El asunto y los personajes. — La primera parte de *El ingenioso hidalgo don Quijote de la Mancha* apareció en Madrid en 1605;[3] diez años más tarde se publicó la segunda parte.

He aquí algunos de sus más importantes episodios. El hidalgo manchego Alonso Quijano pierde el juicio a fuerza de leer libros de caballerías, y, tomando el nombre de don Quijote de la Mancha, decide abandonar su aldea para actuar como caballero andante en defensa de los débiles. Su dama será doña Dulcinea del Toboso, nombre que inventa para substituir el de Aldonza Lorenzo, aldeana de la que estuvo enamorado.

Su primera salida acaba con la paliza que le propinan unos mercaderes. Pero tras el escrutinio de su librería, hecho por el cura del pueblo, se lanza de nuevo en busca de aventuras, en compañía de Sancho Panza, al que nombra escudero. Sucédenles, entre otras, las de los molinos de viento, el encuentro con los cabreros, la del yelmo de Mambrino y la de los galeotes. Don Quijote se queda en Sierra Morena para hacer penitencia por su dama, imitando a Amadís; pero al enviar a Sancho con una carta para Dulcinea, se descubre su paradero, y el cura y el barbero consiguen volverle al pueblo, valiéndose de un engaño.

1. Hainsworth. – 2. Casalduero. – 3. Oliver Asín ha aportado convincentes pruebas sobre la existencia de una edición del Quijote en 1604.

Cuatro interpretaciones extranjeras del famoso episodio de los Molinos de Viento, que demuestran el interés universal suscitado por la gran novela de Cervantes.

La segunda parte nos cuenta la tercera salida del héroe, quien, después de vencer al Caballero de los Espejos —el bachiller Sansón Carrasco, paisano suyo—, de enfrentarse con los leones y de bajar a la cueva de Montesinos, llega a la corte de los Duques. Estos se divierten a su costa (episodio de Clavileño, entrega a Sancho de la ínsula Barataria...), hasta que don Quijote se marcha a Barcelona, donde es vencido por Sansón Carrasco, que adopta esta vez el nombre de Caballero de la Blanca Luna. El bachiller le obliga a volver al pueblo y el héroe obedece; ya en su casa decide hacerse pastor, pero enferma y muere después de recobrar el juicio y de renegar de los libros de caballerías.

La intención de Cervantes. — Sería pueril interpretar a la letra las palabras de Cervantes, según las cuales sólo habría escrito el Quijote para "poner en aborrecimiento de los hombres las fingidas y disparatadas historias de los libros de caballerías". Es posible que el móvil inicial fuese componer una parodia; pero una vez creado el personaje central, debió de encariñarse con él, superando su antiguo propósito y limitándose a desarrollar la completa personalidad del héroe, movido por una *intención puramente estética.*

Ideal y realidad. — Los primeros lectores del Quijote sólo acertaron a ver sus elementos cómicos —la locura del protagonista, su anacrónica armadura, lo ridículo de muchas situaciones...—. Pero más tarde, la atención se fijó en otros aspectos: la grosera incomprensión de los que le rodean sin descubrir que su conducta se inspira en la bondad, las crueles burlas de quienes ignoran que es el amor quien mueve sus actos y, en fin de cuentas, lo infructuoso de su heroísmo.

He aquí por qué, desde la época del Romanticismo, suele verse en el Quijote *la trágica lucha del hombre que impulsado por ideales generosos choca dolorosamente con la realidad* y fracasa en sus nobles propósitos, recibiendo golpes por toda recompensa.

El humor de Cervantes. — Fuera o no el propósito de Cervantes plantear este conflicto, es necesario ver cómo se sitúa ante él, cómo juzga a su héroe. ¿Se burla de don Quijote, o comparte su punto de vista? Su propia vida nos puede dar la respuesta.

Cervantes ha actuado heroicamente en su juventud; ha luchado en Lepanto —recibiendo heridas de las que se envanecerá hasta su muerte— y se ha expuesto a graves peligros por salvar a sus compañeros de cautiverio; ha sido también un gran lector de libros de caballerías y ha dejado volar su imaginación con las aventuras de los héroes fantásticos. Luego han venido las privaciones, la vejez y, en una palabra, el desengaño de todas sus ilusiones. La tragedia de don Quijote es la suya misma. Sin embargo, su optimismo es invencible: seguirá creyendo en los altos valores del espíritu, a pesar de conocer la amargura del fracaso; *preferirá sonreír con melancolía ante las desventuras de su héroe, a caer en un pesimismo negativo.* Por eso, aunque la actuación de Don Quijote resulte a veces francamente cómica, su figura queda revestida de nobleza y engendra en nosotros un movimiento de irresistible simpatía.

El humor de Cervantes equivale, pues, a la sonrisa comprensiva de quien en el fondo está de acuerdo con lo mismo que critica. De ahí la frase de Menéndez y Pelayo, según la cual, el Quijote "no vino a matar un ideal, sino a transfigurarle y enaltecerle".

El Quijote y la cultura nacional. — El valor nacional del Quijote deriva de que la gran obra puede considerarse como *una maravillosa síntesis de las dos orientaciones que definen la cultura española:* la que representa la valoración del mundo de los ideales y la que supone una aguda conciencia de la realidad.

Don Quijote hace de los más altos afanes —el amor, la generosidad, el heroísmo— la razón de su existencia; Sancho vive atento solamente a la realidad material. Es el mismo doble plano que observábamos en otras producciones cumbres de nuestra literatura; sólo que *en la obra de Cervantes, idealismo y realismo no aparecen como dos posiciones irreductibles,* sino interfiriéndose constantemente como en la vida misma; y así veremos a Sancho contagiarse de los puntos de vista de su amo y a don Quijote renunciar a sus ideales caballerescos tras un cúmulo de experiencias amargas.

Valor universal del Quijote. — A pesar de que el Quijote ha sido interpretado de muy diversas formas, sus dos protagonistas constituyen, para la mayoría de los lectores, los símbolos de la postura idealista y del materialismo, de la fe ciega en los valores del espíritu y del sentido práctico de la vida. Sin embargo, la trascendencia universal de nuestra primera novela no deriva de que don Quijote y Sancho encarnen determinadas actitudes, sino de *su profunda humanidad.* Más que tipos creados según una intención previa, parécennos seres vivos que actúan independientemente de la voluntad del autor; no son figuras rígidas, siempre idénticas a sí mismas, sino personajes dotados de vida propia que evolucionan de acuerdo con los rasgos que definen su personalidad o siguiendo el ritmo impuesto por las leyes que rigen la existencia humana. En la segunda parte de la obra veremos cumplirse el proceso psicológico que conduce a Don Quijote hacia la cordura y el desengaño, mientras Sancho siente nacer en sí mismo nobles anhelos de generosidad y de justicia, que

Ilustración de la historia del Cautivo, incluida en el Quijote.

contrastan con su proverbial egoísmo. Téngase en cuenta que si todos concedemos a ambos un alto valor representativo, y en una forma u otra nos vemos reflejados en ellos, es precisamente gracias a su honda verdad humana.

La primera parte y la segunda. – Las dos partes del Quijote ofrecen, en cuanto a la técnica novelística, notables diferencias.

En *la primera* únense a la acción central varias novelitas que en conjunto vienen a ser un modelo de los géneros narrativos en boga: así tenemos la historia de Marcela y Grisóstomo (novela pastoril), la del Cautivo (morisca), la de Cardenio y Luscinda (sentimental), la del Curioso impertinente (psicológica) o el episodio de los galeotes (picaresca).

La segunda es, por muchos motivos, más perfecta que la primera. El estilo revela un mayor cuidado, el efecto cómico deja de buscarse en lo grotesco y se logra con recursos más depurados, y los personajes adquieren mayor complejidad al efectuarse en ellos la evolución a que aludíamos. Se advierte que Cervantes ha ido cobrando simpatía por los protagonistas y se ha interesado cada vez más por su propia obra, lo que da lugar a que el relato presente una enorme riqueza de matices —estéticos y psicológicos— y momentos de gran emoción. En este sentido quizás sea el más intenso aquel en que don Quijote, melancólico y desengañado tras la derrota en Barcelona, recobra el juicio y muere al ver desvanecidas sus últimas ilusiones. Es el capítulo en que Cervantes parece darnos la clave de su obra, pues al morir don Quijote, vuelve a aparecer Alonso Quijano "el bueno", para mostrarnos que el más íntimo resorte de su alma y el móvil esencial de sus actos no radicaba en una simple manía caballeresca, sino en una profunda e insobornable bondad. Instante decisivo que confiere sentido a toda la narración y nos hace comprender la terrible tragicomedia de la vida del héroe.

Exito e influencia del Quijote. – El Quijote obtuvo un gran éxito desde el momento de su aparición. En vida de Cervantes llegaron a publicarse dieciséis ediciones y más tarde se le fue traduciendo a todos los idiomas cultos. Pero si el éxito ha sido constante, cada época lo ha interpretado desde un punto de vista distinto: si el siglo XVII sólo vio en él un libro extraordinariamente divertido, el romanticismo le consideró como un símbolo de la lucha entre el idealismo y la realidad.

Su influencia sobre el género novelesco ha sido decisiva: baste señalar cómo los grandes novelistas del siglo XIX —Flaubert, Dickens, Tolstoi, Galdós...— le tuvieron en cuenta, considerando a Cervantes como el creador de la novela moderna.

El Quijote de Avellaneda

Un año antes de publicar Cervantes la segunda parte del Quijote, apareció en Tarragona una continuación de la novela; su autor debió de emplear un seudónimo, pues nadie sabe todavía quién pudo ser el "Alonso Fernández de Avellaneda" que firma la obra.

Los eruditos la han atribuido a Lope de Vega, Ruiz de Alarcón, Guillén de Castro, Tirso de Molina, los hermanos Argensola, etc., pero hasta la fecha nadie ha presentado razones convincentes para aclarar el misterio que envuelve dicho nombre.

Esta segunda parte apócrifa no tiene ni remotamente el valor literario y humano de la auténtica: en ella, don Quijote es un loco vulgar y atrabiliario y Sancho un rústico grosero y desagradable. No obstante, si prescindimos de toda comparación con la obra de Cervantes, podemos considerar la de Avellaneda como una buena novela, bastante animada y hasta cierto punto divertida. No es nada despreciable, por ejemplo, la historia de "Los felices amantes" —intercalada en la narración—, sobre el conocido tema de la monja que huye del convento para más tarde volver a él arrepentida.

Cervantes supo contestar con dignidad en el prólogo de su segunda parte, a los insultos que le había dirigido Avellaneda, burlándose de su vejez.

El Persiles

Los trabajos de Persiles y Sigismunda se publicaron después de muerto Cervantes, quien alcanzó a escribir la dedicatoria al conde de Lemos ("Puesto ya el pie en el estribo...") tan sólo cuatro días antes de fallecer.

En esta especie de novela bizantina de aventuras —donde es patente la influencia de Heliodoro y Aquiles Tacio— se nos cuentan las peripecias de los príncipes Persiles y Sigismunda, quienes, con nombres supuestos (Periandro y Auristela), y haciéndose pasar por hermanos, recorren diversos países septentrionales y más tarde España, hasta llegar a Roma, donde se unen en matrimonio.

Cervantes abandona en su última producción el punto de vista realista y deja volar su imaginación para crear una bella ficción novelesca, en la que los héroes vencen y la vida es descrita con los más sugestivos colores. El amor, la poesía y el misterio son elementos esenciales de este ambiente maravilloso donde apenas hallan cabida los factores que determinan la existencia cotidiana. Tras el melancólico desenlace del Quijote, el Persiles representa una afirmación optimista del mundo de la fantasía, y el triunfo definitivo del idealismo de Cervantes sobre la triste y prosaica realidad a la que tuvo que rendirse el hidalgo manchego.

El contraste entre las dos obras se manifiesta, incluso con mayor evidencia, en los capítulos relativos al paso de Periandro y Auristela por España, verdadero paréntesis dentro de la narración por el tono realista de su ambiente; pues si en el Quijote es la realidad la que acaba imponiéndose al héroe, aquí son los protagonistas los que, sin contaminarse, influyen sobre ella con la pureza de su idealismo.

El interés supremo de la novela reside, más que en la trama central o en las figuras de los protagonistas, algo simples e idealizados, en algunos vigorosos personajes secundarios, en ciertas descripciones de imaginarios paisajes, en el estilo, extraordinariamente cuidado y elegante, y sobre todo en el clima poético y fantástico en que se desarrolla la acción.

Véase, por ejemplo, el relato de un sueño de Periandro:

Desembarcamos todos y pisamos la amenísima ribera, cuya arena, vaya fuera todo encarecimiento, las formaban granos de oro y de menudas perlas. Entrando más adentro, se nos ofrecieron a la vista prados cuyas hierbas no eran verdes por ser hierbas, sino por ser esmeraldas, en el cual verdor las tenían, no cristalinas aguas, como suele decirse, sino corrientes de líquidos diamantes formados, que, cruzando por todo el prado, sierpes de cristal parecían. Descubrimos luego una selva de árboles de diferentes géneros tan hermosos, que nos suspendieron las almas y alegraron los sentidos: de algunos pendían ramos de rubíes que parecían guindas, o guindas que parecían granos de rubíes...; todo allí era primavera, todo verano, todo estío sin pesadumbre y todo otoño agradable, con extremo increíble. Satisfacía a todos nuestros cinco sentidos lo que mirábamos; a los ojos, con la belleza y la hermosura; a los oídos, con el ruido manso de las fuentes y arroyos y con el son de los infinitos pajarillos...

El estilo de Cervantes

El estilo de Cervantes y sus opiniones sobre el lenguaje literario responden perfectamente a la ideología renacentista, o sea a la *exaltación de lo natural y espontáneo y a la crítica de la afectación artificiosa.*

Aunque toda su obra se ajusta a esta orientación, pueden distinguirse en ella *dos estilos:* uno —el de La Galatea, el Persiles y algunas narraciones idealistas— muy cuidado y conforme con la sosegada prosa de amplios períodos simétricos del siglo XVI; otro —el del Quijote y las Novelas Ejemplares de tono realista—, sencillo, animado y suelto, que perpetúa el tipo del lenguaje familiar empleado en el Lazarillo. Esta segunda modalidad, a la que prestan viveza y agilidad frecuentes notas de realismo y humor, es la más característica de la expresión cervantina.

En la obra de Cervantes aparecen esporádicamente algunos párrafos redactados en un estilo grandilocuente y pomposo que hay que interpretar como una imitación irónica del de los libros de caballerías. Así lo vemos en ciertos pasajes del Quijote.

Cervantes entre el Renacimiento y el Barroco

La honda complejidad de la producción de Cervantes deriva en buena parte de hallarse éste situado en el cruce de los siglos XVI y XVII, de cuyas respectivas culturas viene a ser una espléndida síntesis.

La formación cultural de Cervantes es, como ya dijimos, plenamente renacentista: idealismo, platonismo, fe en la Naturaleza, son rasgos que definen amplios sectores de su obra, en la que se advierte también el optimismo de quien ha visto triunfar a España en momentos decisivos. Pero las circunstancias personales de su vida y el curso de los acontecimientos históricos —v.gr., el comienzo de la decadencia española— añaden con el tiempo un elemento de crítica que, poniendo en tela de juicio cuanto había afirmado el Renacimiento, conduce a la postura barroca del desengaño. Nótese cómo el problema planteado en el Quijote equivale a la pugna entre ilusión y verdad —¿gigantes o molinos, castillos o ventas, Dulcinea del Toboso o Aldonza Lorenzo? —.

La actitud de Cervantes —crítica, escepticismo, conciencia del doble valor de la realidad— supone, pues, *una avanzada hacia el barroco;* pero así como en éste la duda y el consiguiente desengaño llevan fatalmente al pesimismo, en el autor del Quijote *la experiencia dolorosa no da origen a actitudes negativas;* por eso es el suyo un humor sano, luminoso y desprovisto de acritud, que lejos de destruir, eleva y dignifica cuanto toca porque tiene su raíz en un sentimiento de generosa comprensión.

En cuanto a su técnica artística, Cervantes se halla igualmente entre Renacimiento y Barroco. El lenguaje, ya lo vimos, obedece a orientaciones renacentistas, pero ciertos recursos —por ejemplo, el del contraste, tan ampliamente utilizado en el Quijote— anuncian lo que serán los procedimientos típicos del siglo XVII.

BIBLIOGRAFIA

EDICIONES

Obras Completas. R. Schevill y A. Bonilla, 1914-1941. Diecinueve volúmenes. — Ediciones Aguilar. Un volumen.
Don Quijote. Ed. Rodríguez Marín. Clás. Cast., 1915. Ocho vols. — En 1947-1948 otra edición comentada, del mismo R. Marín, en Clásicos Castellanos.
Galatea. J. B. Avalle Arce. Clás. Cast., 1961.
Novelas ejemplares. F. Rodríguez Marín. Clás. Cast., 1914-1917.
Entremeses. M. Herrero García. Clás. Cast., 1945.
Persiles. J. B. Avalle Arce. Castalia, 1970.
Quijote de Avellaneda. M. Menéndez y Pelayo, 1905; M. de Riquer, 1972.

BIOGRAFIA DE CERVANTES

F. Navarro Ledesma: *El ingenioso hidalgo Miguel de Cervantes Saavedra,* 1905.
S. J. Arbó: *Cervantes,* 1945.
L. Astrana Marín: *Vida ejemplar y heroica de M. de Cervantes Saavedra.* Siete vols., 1948-1958.

PENSAMIENTO, FORMACION LITERARIA, AMBIENTE, ETC.

M. Menéndez y Pelayo: *Cultura literaria de Cervantes,* 1905. En "Estudios y discursos de crít. histór. y liter.".
A. Bonilla y San Martín: *Cervantes y su época,* 1916.
A. Castro: *El pensamiento de Cervantes,* 1925.
M. Bataillon: *El erasmismo de Cervantes.* En "Erasmo y España", 1950.

A. Castro: *Erasmo y la Inquisición y Erasmo en tiempos de Cervantes*. En "Hacia Cervantes", 1957.

POESIA

J. Manuel Blecua: *Garcilaso y Cervantes*, 1948.
Claube, J. M.: *La poesía lírica de Cervantes*, 1948.

TEATRO

E. Cotarelo Valledor: *El teatro de Cervantes*, 1915.
J. Casalduero: *Sentido y forma del teatro de Cervantes*, 1951.

LA GALATEA

F. López Estrada: *La Galatea*, 1948.
J. B. Avalle-Arce: *La novela pastoril española*, 1959. Cap. VIII.

NOVELAS EJEMPLARES

F. A. de Icaza: *Las Novelas Ejemplares*, 1915.
G. Hainsworth: *Las Novelas Ejemplares*. En la rev. "Escorial", núm. 29.
J. Casalduero: *Sentido y forma de las Novelas Ejemplares*, 1946.
A. Castro: *Ejemplaridad de las Novelas Ejemplares*. En "Hacia Cervantes", 1957.
A. González de Amezúa: *Cervantes creador de la novela corta*. Dos volúmenes, 1956-1958.

EL QUIJOTE

J. Valera: *Sobre el Quijote y sobre las diferentes maneras de comentarle y juzgarle*. En "Ensayos". Vol. II, 1864.
I. Turgueniev: *Hamlet y Don Quijote*.
M. Menéndez y Pelayo: *Interpretaciones del Quijote*, 1905. En "Estudios y disc. de crítica histórica y literaria." Vol. I.
M. de Unamuno: *Vida de Don Quijote y Sancho*, 1905.
J. Ortega y Gasset: *Meditaciones del Quijote*, 1914.
S. de Madariaga: *Guía del lector del Quijote*, 1926.
R. de Maeztu: *Don Quijote, don Juan y la Celestina*, 1926.
M. Azaña: *La invención del Quijote y otros ensayos*, 1934.
R. Menéndez Pidal: *Un aspecto en la elaboración del Quijote*. En "De Cervantes y Lope de Vega". Col. Austral, 1940.
H. Hatzfeld: *El Quijote como obra de arte del lenguaje*, 1946.
J. Casalduero: *Sentido y forma del Quijote*, 1949.
P. Hazard: *Don Quichotte de Cervantes*, 1949.
R. Menéndez Pidal: *Cervantes y el ideal caballeresco*. En "Miscelánea histórico literaria". Col. Austral, 1952.
A. Marasso: *Cervantes. La invención del Quijote*, 1954.
L. Spitzer: *Perspectivismo lingüístico en el Quijote*. En "Teoría e historia literaria", 1955.
A. Alonso: *Don Quijote, no asceta...* En "Materia y forma en poesía", 1955.
A. Castro: *Los prólogos al "Quijote". La estructura del "Quijote" y La palabra escrita y el "Quijote"*. En "Hacia Cervantes", 1957.
P. Salinas: *Cervantes. Tres ensayos sobre el Quijote* en "Ensayos de literatura hispánica", 1958.
C. Sánchez Albornoz: *Raíces medievales del Quijote*. En "Españoles ante la Historia". Ed. Losada, 1958.

M. Criado del Val: *Don Quijote como diálogo*. En "Teoría de Castilla la Nueva", 1960.

Pierre Vilar: *El tiempo del "Quijote"*. En "Crecimiento y desarrollo". Barcelona, 1964.

E. C. Riley: *La teoría de la novela en Cervantes*. Madrid, 1971.

E. Moreno Báez: *Reflexiones sobre el Quijote*. Madrid, 1968.

Américo Castro: *Cervantes y los casticismos españoles*. Ed. Alfaguara, 1966.

PERSILES Y SIGISMUNDA

A. Farinelli: *El Persiles*. En "Divagaciones hispánicas", 1936.

J. Casalduero: *Sentido y forma de los trabajos de Persiles y Sigismunda*, 1947.

DIFUSION E INFLUJO DEL QUIJOTE

F. A. de Icaza: *El Quijote durante tres siglos*, 1913.

J. J. A. Bertrand: *Cervantes et le romantisme allemand*, 1914.

M. Bardon: *Don Quichotte en France au XVII et au XVIII siècle*, 1931.

A. Speziale: *Il Cervantes e la imitazioni nella novellistica italiana*, 1914.

J. Fitzmaurice Kelly: *Cervantes in England*, 1905.

E. Allison Peers: *Aportación de los hispanistas extranjeros al estudio de Cervantes*. En Rev. de Fil. Esp., 1948.

EL QUIJOTE DE AVELLANEDA

M. Menéndez y Pelayo; *El Quijote de Avellaneda*, 1905. En "Estudios y disc. de crítica hist. y literaria". Vol. I.

S. Gillman: *Cervantes y Avellaneda. Estudio de una imitación*, 1951.

Consúltese, además, el tomo XXXII (1948) de la Rev. de Fil. Esp. Contiene 25 artículos sobre diversos aspectos de la producción cervantina.

Don Quijote en Sierra Morena.
Ilustración de Gustavo Doré.

el desarrollo de la novela 34 picaresca. el cuadro de costumbres y la novela cortesana

La novela en el siglo XVII

La ficción novelesca, que en el siglo XVI se había situado en un plano idealista (novela caballeresca, pastoril, bizantina, morisca), *se orienta ahora hacia el realismo* con el género picaresco y el cuadro de costumbres; no falta la narración centrada en el relato de aventuras amorosas, pero aun en ésta, la acción se encuadra a menudo en un ambiente cortesano que refleja, por más que la estilice, la realidad histórica del momento.

La novela picaresca: rasgos fundamentales

Iniciada con el "Lazarillo", a mediados del XVI, no halló continuadores hasta que Mateo Alemán reanudó, medio siglo más tarde, la línea interrumpida.

Muchos de los rasgos fundamentales de este género, eminentemente nacional por su ambiente, temas y orientación estética, se hallan ya en el relato de Lázaro; otros aparecen en el XVII como consecuencia del cambio de gusto y de ambiente. En términos generales son los siguientes:

1.º *El pícaro* se nos presenta casi siempre como un *holgazán de origen innoble,* que vive a expensas de la caridad del prójimo o aprovechándose de la buena fe de éste, con todo género de hurtos, timos y raterías. En ocasiones decide trabajar al servicio de alguien, pero pronto vuelve a su vida ociosa y aventurera.

2.º *Su psicología* deriva de las terribles circunstancias que le rodean. Todo conspira contra él, condicionando su existencia: su poco honrosa cuna, el bajo ambiente en que vive, la perfidia de sus semejantes, de los que no recibe más que golpes. De ahí su amargo pesimismo y su *radical desconfianza respecto del prójimo.* Sin embargo, nunca se rebela contra la adversidad, limitándose a sufrir sin rechistar toda clase de contratiempos y a esperar el momento oportuno para dar libre cauce a su resentimiento.

3.º La aparición de *reflexiones moralizadoras* tras el relato de alguna fechoría es otra curiosa novedad. A renglón seguido de cada tropelía, el pícaro se complace en destacar su ilicitud, exponiendo la norma moral que la condena, con el objeto, tal vez, de justificarse, insistiendo en la flaqueza de la conducta humana.

4.º Tan frecuente como la moralización es el *elemento satírico.* El pícaro ataca a todos los que le rodean movido por el *resentimiento,* pero su especial cobardía hace que dirija preferentemente sus dardos satíricos contra los de su misma calaña, es decir, contra mendigos, vagabundos, fulleros, tahúres, hidalgos empobrecidos, cómicos de la lengua, estudiantes desvergonzados, etc., que integran el ambiente social que sirve de marco a sus andanzas.

5.º *El humor* que envuelve esta sátira varía según los autores, pero en las novelas más características del género —él Guzmán y el Buscón— aparece impregnado de *agrio pesimismo,* como corresponde a la psicología del protagonista.

6.º *El lenguaje* ofrece también una notable variedad, pues si al principio se prefirió la expresión espontánea y natural como la más adecuada a la descripción realista de las escenas de la vida cotidiana, las tendencias barrocas hicieron a veces perder a la prosa su primitiva llaneza, complicándola con las geniales retorsiones a que la vemos sometida, por ejemplo, en el Buscón de Quevedo.

7.º *La orientación realista* es uno de los rasgos más notables de la picaresca, aunque a menudo el realismo cede el paso a una *acusada tendencia hacia la estilización deformadora de la realidad.* A ello obedecen las desorbitadas caricaturas de Quevedo o los detalles repugnantes en que abundan la mayor parte de las novelas del género.

La novela picaresca y el siglo XVII. — Prescindiendo del Lazarillo, cuya sátira benévola nada tiene que ver con la acritud y dureza de las novelas posteriores, el género picaresco responde plenamente a las tendencias del siglo barroco. Pruébanlo su visión desengañada de la vida, el agudo contraste de reflexiones morales y relatos poco edificantes, su realismo descarnado y el ambiente social que nos presenta, en el que se refleja implacablemente la decadencia material y moral de España. Todo ello nos explica que la picaresca, iniciada a mediados del XVI, no alcanzase su máximo desarrollo hasta el siglo XVII.

A la serie de novelas picarescas que analizaremos a continuación hay que añadir el "Buscón" de Quevedo y, en cierto modo, el "Rinconete" de Cervantes, tan distinta de todas las otras por su alegre optimismo.

El "Guzmán de Alfarache" de Mateo Alemán

Mateo Alemán (1547-¿1614?) nació en Sevilla y estudió en Salamanca y Alcalá. Más tarde desempeñó el cargo de Contador, lo que le llevó dos veces a la cárcel. Hacia el final de su vida, y privado totalmente de recursos, emigró a Méjico, donde murió.

Su obra capital es la *Vida del pícaro Guzmán de Alfarache* (1599), con la que vino a continuar, aunque con matices diversos, un género iniciado medio siglo antes. A diferencia del Lazarillo, trátase de una larga novela en dos partes, en la que se nos cuentan las andanzas del protagonista por España e Italia; otra novedad importante la constituyen las digresiones moralizadoras que interrumpen a menudo el relato y confieren a la personalidad de Guzmán un peculiar relieve.

Argumento. — Siendo todavía niño, Guzmán abandona la casa de sus padres y se marcha a Madrid donde conoce la vida picaresca. Tras servir a un cocinero, dedícase al oficio de la esportilla, pero comete un robo y se ve obligado a huir. Embarca para Italia, donde vive como mendigo y más tarde, como criado de un cardenal y de un Embajador. Engaña a unos parientes suyos y vuelve a España. De nuevo en Madrid, se casa con la hija de un estafador y al morir ésta intenta ordenarse sacerdote, pero acaba casándose otra vez. Márchase a Sevilla, huyendo de la justicia, y allí es condenado a galeras. Sirviendo como galeote descubre una conspiración y le ponen en libertad.

La filosofía del "Guzmán". — Contrastando con la alegre ironía del "Lazarillo", la *obra de Mateo Alemán revela una amarga visión del mundo*. El pícaro concibe la vida como una lucha: "La vida del hombre milicia es en la tierra"; la humana conducta se halla condicionada por el ambiente y la herencia: "la sangre se hereda y el vicio se apega"; el hombre es malo: "todos vivimos en asechanza, los unos de los otros"; la confianza en el prójimo conduce al fracaso: hay que saber "disimular", "cautelar"; el mundo nos engaña con falsas apariencias: "todo es fingido y vano", "todo es mentira, todo ilusión y todo falso...".

Tan exacerbada se halla la actitud negativa del pícaro, que al fin llega a volverse contra él mismo: "Yo, como soy malo, nada juzgo por bueno"; "convierto las violetas en ponzoña, pongo en la nieve manchas, maltrato y sobajo con el pensamiento la fresca rosa". Es precisamente la intensidad con que está expresado tan desolado concepto de la vida y de la propia personalidad lo que presta a la novela su mayor interés. Incluso la deliciosa historia de "Ozmín y Daraja", intercalada en el relato como algo ajeno a la triste realidad, parece decirnos que la belleza y el amor sólo existen en el terreno de la imaginación.

La vida del trabajo, silenciada en otras modalidades de la narrativa de la época, aparece frecuentemente aludida en la novela picaresca.

El estilo. – Si el fondo ideológico de la obra coincide plenamente con la visión del mundo de la época barroca, el estilo, preciso y sobrio, se halla todavía dentro de las normas renacentistas.

He aquí unos significativos párrafos de la novela:

> Llegué a una venta sudado, polvoroso, despeado, triste y, sobre todo, el molino picado,[1] el diente agudo y el estómago débil. Sería mediodía. Pedí de comer; dijeron que no había sino sólo huevos. No tan malo si lo fueran: que a la bellaca de la ventera, con el mucho calor o que la zorra le matase la gallina, se le quedaron empollados y por no perderlo todo los iba encajando con los otros buenos... Hízome sentar en un banquillo cojo y encima de un poyo me puso un barredero de horno, con un salero hecho de cántaro, un tiesto de gallinas lleno de agua y media hogaza más negra que los manteles. Luego me sacó en un plato una tortilla de huevos, que pudiera llamarse mejor emplasto de huevos... Comí como el puerco la bellota, todo a hecho; aunque verdaderamente sentía crujir entre dientes los tiernecitos huesos de los sin ventura pollos, que era hacerme como cosquillas en las encías...
>
> ¿Qué conjuración se hizo contra mí? ¿Cuál infelice estrella me sacó de mi casa? Sí: después que puse el pie fuera della, todo se me hizo mal, siendo las unas desgracias presagio de las venideras y agüero triste de lo que después vino, que como tercianas dobles, iban alcanzándose, sin dejar un breve intervalo de tiempo con algún reposo. La vida del hombre, milicia es en la tierra: no hay cosa segura ni estado que permanezca, perfecto gusto ni contento verdadero; todo es fingido y vano.

La "Vida del escudero Marcos de Obregón", de Vicente Espinel

Vicente Espinel (1550-1624) nació en Ronda, estudió en Salamanca y en uno de sus viajes por el extranjero fue apresado por los piratas de Argel. Vuelto a España, gozó de gran prestigio como poeta y músico. Perfeccionó la décima (o "espinela") y añadió la quinta cuerda a la guitarra.

La *Vida del escudero Marcos de Obregón* (1618), en la que su autor aprovechó numerosos recuerdos de su azarosa existencia, es, tanto como una novela picaresca, un entretenido relato de aventuras. Las escenas de ambiente picaresco son escasas, el protagonista se expresa en términos que no concuerdan con la psicología del pícaro —tal como fue definida en el "Guzmán"— y sus disquisiciones morales se hallan exentas de todo pesimismo. Incluso la sátira se da excepcionalmente y no adopta nunca un tono incisivo.

El interés de la novela reside en la amenidad de la narración y en la amable gracia con que el autor nos relata multitud de anécdotas. La fina sensibilidad de Espinel, de la que son muestra algunas breves descripciones de paisajes, confiere al lenguaje una pulcritud poco frecuente en otras producciones del género.

---

1. Hambriento.

La obra nos cuenta las andanzas de Marcos en España, su cautiverio en Argel, su estancia en Italia y su vuelta a la patria. Buena parte del libro está dedicada a referir las maravillosas aventuras del doctor Sagredo —médico a quien sirvió Marcos— en América.

Bastan dos frases para ver la enorme diferencia que separa al "Guzmán" del "Marcos de Obregón". El primero sólo sabe insistir en los detalles desagradables: su paso por una venta le deja únicamente el recuerdo de "el aceite negro, que parecía de suelos de candiles, la sartén puerca y la ventera legañosa". Marcos, en cambio, se complacerá en evocar la belleza de un ambiente: "Fue tan grande... la fragancia que traía el viento regalándose por aquellas maravillosas huertas, llenas de todas especies de naranjos y limones, llenas de azahar todo el año, que me pareció ver un pedazo del paraíso".

El francés Lesage aprovechó varios episodios del "Marcos" en su novela picaresca *Gil Blas de Santillana.*

Otros relatos picarescos

"La pícara Justina" (1605). — Atribuida a **Francisco López de Ubeda,** interesa por sus escenas de ambiente popular y por la gracia castiza de su lenguaje. Es la primera novela en la que la figura del pícaro aparece encarnada en una mujer.

"La hija de Celestina", de **Salas Barbadillo.** — Alonso Jerónimo de Salas Barbadillo inició una nueva modalidad dando a la novela un fondo cortesano. Así lo vemos en *La hija de Celestina* o *La ingeniosa Elena* (1612), narración satírica, alegre y vivaz, a pesar de la trágica muerte de la protagonista en la horca.

Salas escribió también una gran cantidad de novelas cortas de tipo cortesano llenas de gracia y agudeza —v.gr., "Don Diego de noche"—, alguna pieza de teatro —"El sagaz Estacio"— y buen número de versos.

"La Garduña de Sevilla", de **Castillo Solórzano.** — Alonso de Castillo Solórzano "suaviza la picaresca, le quita bajeza y humorismo trágico y la convierte en alegre recreo de fondo cortesano" (A. Valbuena). Sus novelas tienen, como las de Salas, un protagonista femenino y un escenario urbano, pero carecen de la aguda intención satírica que caracteriza a las de éste. Sus mejores producciones son: *Las harpías en Madrid* (1631) —historia de cuatro pícaras—, *La niña de los embustes* (1632) y *La garduña de Sevilla* (1642).

Solórzano cultivó asimismo la novela corta de tipo cortesano en extensas colecciones: "Jornadas alegres" (1626), "Tiempo de regocijo" (1627), "Fiestas del jardín" (1634).

La **"Vida y hechos de Estebanillo González"** (1646) es, según algunos, una autobiografía auténtica. El protagonista nos relata sus viajes por toda Europa y su poco heroica intervención en la guerra de los Treinta Años. La novela no llega nunca a los tonos negros del "Guzmán" y queda como una alegre y entretenida novela de aventuras en ambientes extranjeros.

El cuadro de costumbres

Durante todo el siglo XVII, cultivóse con éxito un tipo de prosa costumbrista en la que a la descripción pintoresca de diversos ambientes —cortesanos o picarescos— se une un propósito satírico o simplemente didáctico. A veces una sencilla trama novelesca

El realismo en la pintura del siglo XVII. Cuadro de Loarte.

enlaza los cuadros de costumbres, pero el interés se concentra siempre en el elemento descriptivo. Así ocurre ya en el *Coloquio de los perros,* de Cervantes, e incluso en el *Rinconete,* al que ciertos críticos consideran como un mero relato costumbrista.

De principios de siglo son *El pasajero* (1617), de **Cristóbal Suárez de Figueroa,** interesante diálogo satírico en el que se alude a muy diversos aspectos de la sociedad y costumbres de la época, y los *Avisos y guía de forasteros* (1620), de **Liñán y Verdugo,** donde se intercalan graciosas novelitas que nos revelan curiosos detalles de la vida madrileña del siglo XVII.

"El diablo cojuelo", de **Vélez de Guevara** (1641). — Es más que nada un cuadro satírico de costumbres, aunque, como alguien ha dicho, ofrezca en su acción el trajín de la novela picaresca y alguna que otra escena de pícaros.

Su asunto es como sigue: Don Cleofás Pérez Zambullo, "caballero huracán... y estudiante de profesión", va a parar, huyendo de la justicia, a la buhardilla de un astrólogo, donde encuentra al Cojuelo metido en una redoma de vidrio; le saca de su encierro y el diablo, en recompensa, le muestra el interior de Madrid, levantando los tejados de las casas. Tras un accidentado viaje de ambos por Andalucía, don Cleofás vuelve de nuevo a Alcalá.

El interés fundamental de la narración se halla en los rasgos ingeniosos de su *abarrocado lenguaje,* atestado de chispeantes juegos de palabras y de equívocos extravagantes.

El ambiente que sirve de blanco a las divertidas sátiras del Cojuelo deriva de los "Sueños" de Quevedo y, como éstos, nos produce el efecto de un mundo de pesadilla, creado por una imaginación calenturienta. Un diablillo chistoso y enredador hace aquí las veces de pícaro, pero su sátira, desprovista de acritud, va orientada tan sólo a destacar los aspectos grotescos de la sociedad contemporánea.

A la segunda mitad del siglo corresponden *El día de fiesta por la mañana* y *El día de fiesta por la tarde* (1654-1660), de **Juan de Zabaleta**, variada galería de tipos y costumbres madrileñas, llena de vivo color y de pintoresquismo, y el *Día y noche de Madrid* (1663), de **Francisco Santos**, donde la sátira y la moralización acompañan siempre al elemento descriptivo.

El tono realista de sus cuadros costumbristas y su intención satírica o moralizante ha hecho que se considere la obra de ambos como una derivación de la novela picaresca en una época en que ésta había dejado de cultivarse.

La novela idealista de amor o de aventuras

Al lado de la picaresca, con su implacable visión de la realidad, no podía faltar en el siglo XVII un género aristocrático en el que el ambiente, los personajes y el asunto respondiesen a un *concepto noble de la vida:* es decir, al lado del pícaro el caballero. Y en efecto, durante toda la centuria se desarrolla un tipo de narración más o menos idealista, donde *lo esencial es una intriga novelesca de amor o de aventuras,* con frecuentes conflictos de honor o lances caballerescos en un ambiente cortesano. Trátase de colecciones de novelas cortas en las que perdura a veces la influencia italiana —y, desde luego, la de las Novelas Ejemplares, de Cervantes— o de extensos relatos —derivados de la novela bizantina del siglo XVI—, en los que los aspectos grises de lo cotidiano ceden el paso a sugestivas o insólitas situaciones. A pesar del éxito que obtuvieron, su interés literario no alcanza ni con mucho al de las mejores producciones de la picaresca.

La novela corta de ambiente cortesano. – Cultivada ya por Cervantes, Lope de Vega, Tirso de Molina y otros, hallan en **Doña María de Zayas** una de las figuras más importantes. Sus *Novelas amorosas y ejemplares* (1637) y *Saraos* (1647) son notables por sus aciertos psicológicos y su orientación feminista. La abundancia del elemento patético y la audacia de ciertas situaciones amorosas da a estos relatos un inconfundible tono barroco.

Novelas cortesanas escribieron, asimismo, **Salas Barbadillo y Castillo Solórzano,** a quien ya aludimos. **Cristóbal Lozano** es también autor de una serie de relatos breves agrupados bajo el título de *Soledades de la vida y desengaños del mundo* (1658), en los que se observa un gusto por lo macabro y espeluznante, muy típico del siglo XVII.

La novela bizantina. – Está representada por **Gonzalo de Céspedes y Meneses,** autor del *Poema trágico del español Gerardo* (1615), que lo mismo que el "Persiles" de

Cervantes y "El peregrino en su patria" de Lope de Vega, puede considerarse como una de las derivaciones del género a principios del XVII. Su retorcida prosa y lo desorbitado y truculento del asunto —en el que abundan los raptos, duelos y asesinatos— convierten la obra en un típico ejemplar de novela barroca.

BIBLIOGRAFIA

EDICIONES

La novela picaresca española. A. Valbuena. Aguilar, 1943.
La novela picaresca. Selección, introd. y notas, J. García López, 1946.
Alemán. "Guzmán". Gili y Gaya. Clás. Cast., 1940.
Espinel. "M. de Obregón". Gili y Gaya. Clás. Cast., 1922-1925.
Pícara Justina. B. A. E., XXXIII.
Salas Barbadillo. "Obras". Cotarelo. — "Peregrinación sabia", "Sagaz Estacio". A. de Icaza. Clás. Cast.
Castillo Solórzano. "Harpías", "Niña embustes", "Jornadas", "Tiempos"... Ed. Cotarelo, con prólogos. — "Garduña". Ruiz Morcuende. Clás. Cast., 1922.
Estebanillo. Millé y Jiménez. Clás. Cast., 1946.
Suárez de Figueroa. "Pasajero". Rodríguez Marín, 1913.
Liñán. "Avisos". Madrid, 1923.
Vélez de Guevara. "El diablo cojuelo". Rodríguez Marín. Clás. Cast., 1918.
Zabaleta. "Día de Fiesta". Bibl. Clás. Esp., 1885.
Santos. B. A. E.
Zayas. B. A. E.
Lozano "Historias y leyendas". Entrambasaguas. Clás. Cast.
Céspedes. "Español Gerardo". B. A. E., XLII.

ESTUDIOS

E. Moreno Báez: *Lección y sentido del Guzmán de Alfarache,* 1948.
A. Zamora Vicente: *Tradición y originalidad del Escudero Marcos de Obregón.* En "Presencia de los clásicos", 1951.
D. Pérez Minik: Ensayos sobre la *novela picaresca,* el *Lazarillo,* el *Guzmán* y el *Buscón.* En "Novelistas españoles de los siglos XIX y XX", 1957.
F. Lázaro Carreter: *Tres historias de España* (Sobre el Lazarillo, el Guzmán y el Buscón). 1960.
Francisco Ayala: Tres ensayos sobre el *Lazarillo,* el *Guzmán* y el *Buscón.* En "Experiencias e invención", 1960.

E. B. Place: *Manual elemental de novelística española. Bosquejo histórico de la novela corta y el cuento durante el Siglo de Oro,* 1926.
A. González de Amezúa: *Formación y elementos de la novela corta,* 1929.

Véase, también, bibliografía de la pág. 201 sobre novela picaresca y los prólogos de las ediciones citadas de Clásicos Castellanos y los de Cotarelo.

La lírica culta a principios del siglo XVII

Los rasgos que a fines del siglo XVI determinan el lenguaje poético de Herrera —artificiosidad culta y brillo decorativo— se manifiestan a principios del XVII en una serie de poetas que preparan el camino al pleno barroquismo de Góngora, bien en el terreno de la pompa ornamental —como los antequerano-granadinos—, bien en el del cultismo latinizante —como Carrillo y Sotomayor—.

La escuela antequerano-granadina. – En la antología de Pedro de Espinosa, titulada "Flores de poetas ilustres de España" (1605), se nos ofrece la producción de una serie de líricos de Granada y Antequera, cuya nota esencial la constituye el gusto por la metáfora luminosa y por la descripción fina y elegante —pero llena de exuberancia y color— de la belleza del paisaje. En esto, más que en el uso del cultismo, de cuyas exageraciones se burlan a veces, pueden considerarse como un precedente de la poesía gongorina, lujosamente sensorial, como más adelante veremos.

Entre los más importantes cabe citar al mismo **Pedro de Espinosa**, autor de una bellísima y original *Fábula del Genil*, de gran riqueza cromática, como puede advertirse en estos cuatro versos:

> Hay blancos lirios, verdes mirabeles
> y azules guarnecidos de alhelíes,
> y allí las clavellinas y claveles
> parecen sementeras de rubíes...

Luis Carrillo y Sotomayor. – Es el más inmediato precedente de Góngora. Como éste, nació en Córdoba y murió a los veintisiete años (1610), dejando una reducida pero exquisita producción poética (1611). Escribió canciones, romances y sonetos —que oscilan entre el estilo fácil y la dicción culta— y una *Fábula de Acis y Galatea*, inspirada en Ovidio, que injustificadamente se consideró en algún tiempo como el modelo de los grandes poemas de Góngora, por su sintaxis latinizante. Carrillo era

Luis de Góngora y Argote, por Velázquez.

partidario de un tipo de arte selecto y difícil y así lo manifestó en su "Libro de erudición poética", donde afirma que la poesía sólo es asunto de "plumas muy doctas".

"Su verso —ha dicho D. Alonso—, más sedoso (aunque complicado) que el de Góngora y más bajo de color..., tiene a veces ecos de la suavidad y emoción de la voz de Garcilaso".

Góngora

Vida. — Don Luis de Góngora y Argote nace en Córdoba (1561). Estudia —con escasa aplicación— en Salamanca; desempeña el cargo de racionero de la Catedral de Córdoba, alternando la asistencia al coro con la afición a los toros o a la poesía, y viaja por España. Hacia el final de su vida se ordena sacerdote, residiendo en Madrid como capellán de honor de Felipe III, lo que le permite relacionarse con los círculos literarios de la época; hasta que, cansado de la Corte, se vuelve a Córdoba, donde muere a los sesenta y seis años (1627).

Su carácter adusto y malhumorado y su ingenio mordaz quedan de manifiesto en sus poesías y en un magnífico retrato, atribuido a Velázquez, que de él conservamos.

Aspectos de su producción. — La obra poética de Góngora puede agruparse en dos sectores, atendiendo al metro utilizado: uno sería el de las *composiciones en metros cortos populares;* otro, el de los *poemas a base de endecasílabos* (los sonetos, el Polifemo, las Soledades).

Pero cabe otra división, según el plano en que se sitúa su autor: *poesías de carácter burlesco*, en las que la realidad queda degradada, y *poesías en las que el objetivo es el logro de la belleza absoluta;* o como ha dicho Dámaso Alonso, "a un lado, las producciones en las que todo es belleza en el mundo, todo virtud, riqueza, esplendor; al otro, las gracias más chocarreras, las burlas menos piadosas y la fustigación más inexorable de todas las miserias humanas".

Esta doble línea —popular o culta en cuanto al metro, noble o burlesca en cuanto a la intención— se da a través de "toda" la vida del poeta. Nadie admite ya, en cambio, la idea de un Góngora fácil y un Góngora difícil, en dos momentos sucesivos, ni la de una primera fase popular y sencilla seguida de otra culta y obscura. En último término, lo único que se advierte es una progresiva complicación que alcanza por igual a las dos maneras indicadas.

Poesías en metros populares: letrillas y romances. – Lo más importante de la producción en metros cortos tradicionales son las letrillas y romances. En unas y otros es frecuente la utilización de recursos y motivos propios de la lírica popular: canciones, bailes, estribillos, rimas asonantes, irregularidades silábicas... Pero la nota distintiva de Góngora es la estilización aristocrática de lo popular y la fusión de la técnica tradicional con los artificios del estilo barroco: antítesis, metáforas, hipérboles... Así lo vemos en esta exquisita letrilla:

> No son todos ruiseñores
> los que cantan entre las flores,
> sino campanitas de plata,
> que tocan al Alba;
> sino trompeticas de oro,
> que hacen la salva
> a los soles que adoro.
>
> No todas las voces ledas
> son de Sirenas con plumas,
> cuyas húmidas espumas
> son las verdes alamedas.
>
> Si suspendido te quedas
> a los süaves clamores
> no son todos ruiseñores
> los que cantan entre las flores...
>
> Lo artificioso que admira
> y lo dulce que consuela,
> no es de aquel violín que vuela
> ni desotra inquieta lira;
> otro instrumento es quien tira
> de los sentidos mejores.
> No son todos ruiseñores
> los que cantan entre las flores...

Las *letrillas* –siempre graciosas y vivaces– oscilan entre lo finamente sentimental –"Dexadme llorar – orillas del mar"– y lo maliciosamente satírico –"Ande yo caliente – y ríase la gente", "Cuando pitos flautas – cuando flautas pitos"–.

Los *romances* –que por su sonoridad, brillantez de color y pulcra perfección formal, constituyen uno de los más notables conjuntos del "romancero artístico" del siglo XVII– ofrecen también una muy variada gama: los hay moriscos –"Entre los sueltos caballos"–, de cautivos –"Amarrado al duro banco"–, amorosos –"Angélica y Medoro", uno de los más bellos de Góngora–, burlescos –"Hero y Leandro"–, o con estribillo –"Que se nos va la Pascua, mozas", en el que el tema del "carpe diem" adquiere matices grotescos–.

Obsérvese la diferencia entre el tono chocarrero de este último y la refinada elegancia de la letrilla anterior:

> Yo sé de una buena vieja
> que fue un tiempo rubia y zarca
> aunque al presente le cuesta
> harto caro el ver su cara;
> porque su bruñida frente
> y sus mejillas se hallan
> más que roquete de obispo
> encogidas y arrugadas.

El tema de Polifemo, eje de la célebre "Fábula" de Góngora, atrajo poderosamente la atención de pintores y poetas del siglo XVII. Cuadro de Poussin.

Que se nos va la Pascua, mozas,
que se nos va la Pascua.

Y sé de una buena vieja
que un diente que le quedaba
se lo dejó estotro día
sepultado entre unas natas.

Y con lágrimas le dice:
—Diente mío de mi alma
yo sé cuanto fuiste perla,
aunque agora no sois nada.

Que se nos va la Pascua, mozas,
que se nos va la Pascua.

Poesías en metros cultos: los sonetos. — Aparte los grandes poemas, lo esencial de la producción gongorina en endecasílabos es una abundante serie de sonetos, de perfecta arquitectura y atildada elegancia.

Lo mismo que en las letrillas y romances, vemos también aquí los motivos burlescos, aplicados a la sátira literaria o personal (v.gr., el dirigido a Lope: "Por tu vida, Lopillo, que me borres"); pero las más bellas muestras se encuentran en la evocación noble de edificios y ciudades ("Sacros, altos dorados chapiteles", dedicado al Escorial), en el elogio de personas ilustres (v.gr., del Greco) o en el tema amoroso, entre los que se puede incluir la siguiente versión barroca del "carpe diem":

Mientras por competir con tu cabello,
oro bruñido, el sol relumbra en vano;
mientras con menosprecio, en medio el llano
mira tu blanca frente el lilio bello;
mientras a cada labio, por cogello,
siguen más ojos que al clavel temprano;
y mientras triunfa con desdén lozano
del luciente marfil tu gentil cuello;
goza cuello, cabello, labio y frente
antes lo que fue en tu edad dorada
oro, lilio, clavel, marfil luciente,
no sólo en plata o viola troncada
se vuelva, más tú y ello juntamente
en tierra, en humo, en polvo, en sombra, en nada.

Señalemos también, entre las composiciones en endecasílabos, varias *Canciones*, como la dedicada "A la toma de Larache" (1610), en la que se advierten ya las audacias cultas de los últimos poemas.

El estilo culterano de Góngora. – El propósito fundamental del autor de las Soledades fue, como dijimos en otro lugar, elaborar un mundo de belleza absoluta, estilizando los elementos ofrecidos por la realidad o substituyéndolos por otros de superior eficacia estética. Para ello se valió de un aristocrático lenguaje culto que, a pesar de las protestas que suscitó, no representaba una novedad absoluta, puesto que no era en el fondo sino la máxima intensificación de los recursos propios de la lírica renacentista. En Góngora hay –como en Garcilaso, como en Herrera– metáforas, cultismo, mitología, sólo que con mayor profusión e intensidad.

El arte de la *metáfora* fue cultivado por Góngora con maravilloso acierto. En sus versos, los montes nevados se convierten en "gigantes de cristal", los pájaros en "esquilas dulces de sonora pluma", el mar en "cerúlea tumba fría", en "pabellón de espuma", en "húmido templo de Neptuno"...; hasta las cosas más vulgares adquieren, gracias a la metáfora, un alto prestigio: el aceite será "líquido oro", los manteles blancos "nieve hilada", la carne "purpúreos hilos de grana fina", el gallo "doméstico del sol nuncio canoro"...

El uso del *cultismo* –neologismos e hipérbatos– le sirve de paso a Góngora para obtener los más bellos efectos de sonoridad y color; obsérvese el valor musical o cromático de vocablos como "zafiro", "óvalo", "adolescente", "canoro", "esplendor", "cándido", "púrpura", o de versos como "en las lucientes de marfil clavijas", "el fresco de los céfiros ruido", "infame turba de nocturnas aves".

Los *temas mitológicos* son profusamente utilizados como simples elementos decorativos, en gracia a su belleza poética y a su ennoblecedor prestigio, y suponen también una huida de la prosaica realidad cotidiana, dado el valor metafórico que se les confiere: Orfeo será la música, Cupido el amor, Neptuno el mar...

Con estos tres recursos capitales –metáfora, cultismo, mitología– Góngora consigue crear un maravilloso universo poético en el que todo es "un constante halago de los sentidos" (D. Alonso); para él, la belleza es ante todo belleza sensorial, de ahí que sus versos equivalgan a un espléndido cortejo de rutilantes imágenes enriquecidas por brillantes colores y armoniosas sensaciones musicales.

Los grandes poemas: el Polifemo y las Soledades. – El estilo que acabamos de definir alcanza su máxima tensión y eficacia en el *Panegírico al duque de Lerma* (1617) y sobre todo en los dos grandes poemas de última hora: el Polifemo y las Soledades.

La *Fábula de Polifemo y Galatea* (1612), escrito en octavas, se basa en un tema de Ovidio: el gigante Polifemo, enfurecido de celos por los amores del pastor Acis y la ninfa Galatea, arroja un peñasco sobre su rival, que queda convertido en riachuelo. Perfecto de construcción, cuajado de lujosas imágenes, exquisito y pomposo al mismo tiempo, insuperable en la expresión de lo terrible –la furia del cíclope– o de lo delicado –la belleza de Galatea–, el "Polifemo" es quizás el poema más plenamente logrado de toda la lírica barroca.

Léase el comienzo de la bellísima invocación del Polifemo:

> ¡Oh bella Galatea, más suave
> que los claveles que troncó la aurora,
> blanca más que las plumas de aquel ave [1]
> que dulce muere y en las aguas mora;
> igual en pompa al pájaro [2] que grave
> su manto azul de tantos ojos dora
> cuantas al celestial zafiro [3] estrellas;
> oh tú, que en dos [4] incluyes las más bellas! ...

En las *Soledades,* el elemento narrativo, realmente insignificante, desaparece bajo una exuberante fronda ornamental. En la primera (1613) –Soledad de los campos–, un joven náufrago llega a tierra y, acogido por unos cabreros, presencia las fiestas con que solemnizan unas bodas. Más tarde –Soledad segunda o "de las riberas"– asiste a los trabajos de unos pescadores y convive con ellos unas horas. "La materia del argumento no ha servido sino para dar al autor los elementos indispensables para con ellos –sobre ellos– plasmar la fuga irreal de lo poético"; en las Soledades "flores, árboles, animales de la tierra, aves, pescados, variedad de manjares... pasan en suntuoso desfile ante los ojos dél lector", pero de esta varia naturaleza "no sólo ha desaparecido lo feo, lo incómodo, lo desagradable, sino que aun su misma belleza se ha estilizado o simplificado para reducirse a armoniosas sonoridades, a espléndidos colores" (D.Alonso).

El valor de las Soledades reside, pues, en la exuberante pompa de sus adornos, en el brillo de sus rutilantes metáforas, en sus magníficos efectos de luz, de color y de música, y en la suprema elegancia de su difícil y recargado lenguaje.

He aquí el comienzo de las Soledades y su versión en prosa por D. Alonso:

> Era del año la estación florida
> en que el mentido robador de Europa
> –media luna las armas de su frente,
> y el sol todos los rayos de su pelo–,
> luciente honor del cielo,
> en campos de záfiro pace estrellas...

"Era aquella florida estación del año en que el Sol entra en el signo de Tauro (signo del Zodíaco que recuerda la engañosa transformación de Júpiter en Toro para raptar a Europa). Entra el Sol en Tauro por el mes de abril, y entonces el toro celeste (armada su frente por la media luna de los cuernos, luciente e iluminado por la luz del Sol, traspasado de tal manera por el Sol que se confunden los rayos del astro y el pelo del animal) parece que pace estrellas (que de tal modo las hace palidecer ante su brillo) en los campos azul zafiro del cielo."

---

1. El cisne. – 2. El pavo real. – 3. El cielo. – 4. En dos ojos.

Valor y limitación de la poesía gongorina. – Góngora es uno de nuestros más excelsos artífices literarios. El garbo, la soltura, la gracia poética de sus composiciones en metros populares; la dignidad y perfecta construcción de los sonetos y el prodigioso derroche metafórico de los grandes poemas, le sitúan a una altura no alcanzada por ningún otro poeta de su tiempo.

Pero su arte es limitado; magnífico de color y de sonoridad, elegantemente suntuoso, realmente egregio en la expresión de la belleza plástica, asombra pero no conmueve, porque falto de intimidad y de calor humano nos produce la sensación de algo frío e inerte. No obstante, si atendemos sólo a su maravilloso dominio de la forma, Góngora se nos ofrece como "el mejor poeta europeo del siglo XVII" (D. Alonso).

La polémica en torno a Góngora. – Si las poesías breves de Góngora –letrillas, romances– fueron siempre objeto de un elogio unánime, el Polifemo y las Soledades tuvieron la virtud de provocar una de las más ruidosas polémicas literarias del siglo XVII. Se atacó su "oscuridad" con argumentos eruditos o con sátiras mordaces y se tildó a Góngora de poeta huero y pedante. Sin embargo, el nuevo estilo, briosamente defendido por los amigos del poeta, dio origen a toda una escuela gongorina y llegó a influir sobre los mismos impugnadores.

Los principales ataques partieron de Jáuregui, Cascales y Faria e Sousa, a cuyos alegatos se opusieron los elogiosos comentarios de Salcedo Coronel, Pellicer, Salazar y Mardones, etc. Las cordiales burlas de Lope y los hirientes dardos de Quevedo fueron contestados por Góngora con agudos versos satíricos.

El siglo XVIII, desde la introducción del neoclasicismo, fue adverso a la poesía de Góngora, cuya obra no se vio rehabilitada hasta que, a fines del siglo XIX, Verlaine y los modernistas españoles –con Rubén Darío a la cabeza– se declararon partidarios suyos, atraídos por su aristocrático concepto de la poesía y quizás por su misma oscuridad. Hoy, gracias sobre todo a los estudios de Dámaso Alonso y a la general revalorización del estilo barroco, se le considera como una de las más altas cumbres de la poesía castellana.

La huella de Góngora

La poesía de Góngora ofrecía como falla capital la ausencia de contenido humano; no obstante, su influjo fue beneficioso porque vino a ofrecer, por lo menos, un nuevo lenguaje poético, en un momento en que los recursos de la lírica del siglo XVI se hallaban completamente desgastados y en el que ya no era posible mantener la fórmula renacentista del equilibrio entre el fondo y la forma. Téngase en cuenta –como señala Gerardo Diego [1] – que, a partir de Calderón, "el gongorismo directo es suplantado por un calderonismo", en el que se observa "una substitución de la sensibilidad por el

1. Gerardo Diego. "Antología Poética en honor de Góngora".

Fray Hortensio Félix Paravicino, por El Greco.

ingenio" y una tendencia hacia el tópico. Veremos a continuación los principales representantes de lo que puede denominarse escuela poética de Góngora.

El Conde de Villamediana, don Juan de Tassis (1582-1622), cuya misteriosa muerte fue atribuida durante mucho tiempo a unos supuestos amores con la reina, escribió *punzantes versos satíricos* contra personajes de la Corte y exquisitos sonetos de típica factura gongorina. Entre sus composiciones mayores destaca la *Fábula de Faetón.*

Juan de Jáuregui (Sevilla, 1583-1641), autor del supuesto retrato de Cervantes, fue *el más violento detractor de Góngora* en su *Antídoto contra la pestilente poesía de las Soledades* y más tarde *uno de los mejores poetas gongorinos.* La brillantez decorativa y el lujo sensorial de sus retorcidos y pomposos versos (1618) denotan, en efecto, la influencia del autor de las Soledades. Nos ha dejado magníficas traducciones del "Aminta" (1607), de Tasso, y de la "Farsalia", de Lucano, y el poema *Orfeo.*

Fray Hortensio Félix Paravicino (1580-1633) fue, como Villamediana, amigo de Góngora, a quien imitó en una serie de *sonetos* en los que *lo gongorino se une a un evidente conceptismo.* Entre ellos figuran los que dedicó al Greco por el retrato que éste le hizo. Más fama obtuvo como predicador de Felipe III; sus *sermones,* pomposos y recargados de metáforas y sutilezas conceptistas, son el mejor ejemplo de oratoria sagrada de estilo barroco.

Pedro Soto de Rojas (granadino, 1585-1658) es autor de un *Paraíso cerrado para muchos, jardines abiertos para pocos* (1652), delicada evocación de los de la Alhambra, en la que la grandiosa ornamentación gongorina aparece sustituida por una rica acumulación de finos detalles. Su verso resulta siempre "muelle y fragante frente a la mineral dureza de Góngora".[1]

1. Gerardo Diego. "Antología poética en honor de Góngora".

Gabriel Bocángel (Madrid, ¿1608-1658?) escribió *La lira de las Musas* (1635), que, además de una culterana "Fábula de Leandro y Hero", contiene diversas poesías, en las que *alterna lo amoroso* (gongorino) y *lo moral* (quevedesco). Plásticos y luminosos, sus versos abundan en delicadas tonalidades y magníficos aciertos expresivos.

Francisco Trillo y Figueroa presenta la particularidad de recoger los típicos contrastes de la poesía de Góngora y de todo el arte barroco: la idealización embellecedora de la realidad, junto a las bromas más chabacanas u obscenas. En este último aspecto, resultan bien significativas varias *letrillas* en las que no retrocede ante las mayores procacidades. Poco interés ofrece su extenso poema titulado "Neapolisea" (1651).

Jacinto Polo de Medina (Murcia, 1603-1676) escribió graciosas poesías burlescas y exquisitos versos, donde se alía lo descriptivo a. lo moral —*Academias del jardín* (1630)—.

Sor Juana Inés de la Cruz (1651-1695) es la figura más importante de la lírica de influencia gongorina en las últimas décadas del siglo XVII. Nació en Méjico y escribió comedias de influencia calderoniana, pero lo mejor de su producción lo constituyen sus poesías —canciones, sonetos, silvas— en las que una fina sensibilidad femenina presta interés humano a los pomposos versos culteranos. Apasionados y delicadamente emotivos son, por ejemplo, sus sonetos amorosos. Entre sus obras mayores merece citarse la silva titulada *El sueño*. También son suyas las célebres redondillas "Hombres necios que acusáis..."

El influjo de Góngora se mantuvo unido al de Calderón, gran imitador suyo en el aspecto formal, durante la primera mitad del siglo XVIII.

BIBLIOGRAFIA

EDICIONES

Flores de poetas ilustres. Quirós y Rodríguez Marín, 1896. Selección en B. A. E.
Carrillo. Dámaso Alonso, 1936.
Góngora. Obras completas. Foulché Desbosc, 1921. — Obras completas. Millé, 1943. — "Soledades", con versión en prosa, Dámaso Alonso, 1927. — "Polifemo". D. Alonso, 1961. — "Antología poética en honor de Góngora". Gerardo Diego, 1927.
Villamediana. J. M. Rozas. Castalia, 1970.
Jáuregui. B. A. E.
Paravicino. Poesías: B. A. E.
Bocángel. Benítez Claros, 1946.
Trillo. B. A. E.
Polo de Medina. B. A. E. — J. M.ª Cossío, en "Clásicos olvidados", 1931.
Soto de Rojas. Gallego Morell, 1950.
Sor Juana Inés. Obras escogidas. Col. Austral.

ESTUDIOS

F. Rodríguez Marín: *Pedro de Espinosa*, 1907.

J. M.ª de Cossío: *La fábula de Genil, de Pedro de Espinosa*. En "Siglo XVII", 1939.

Dámaso Alonso: *La poesía de don Luis Carrillo*. En "Estudios y ensayos gongorinos", 1955.

M. Menéndez y Pelayo: *De las teorías acerca del arte literario en España durante los siglos XVI y XVII*. En "Historia de las ideas estéticas". Tomo III. Edic. de 1920.

L.-P. Thomas: *Le Lyrisme et la preciosité cultiste en Espagne*, 1909.

L.-P. Thomas: *Góngora et le gongorisme consideré dans leurs rapports avec le maniérisme*, 1911.

M. Artigas: *Don L. de Góngora. Biografía y estudio crítico*, 1925.

F. García Lorca: *La imagen poética en Góngora. Obras completas*, vol. VII.

Dámaso Alonso: *La lengua poética de Góngora*. 1935.

J. M.ª de Cossío: *Anecdotario incompleto de don L. de Góngora*. En "Siglo XVII".

C. Vossler: *Lope de Vega y Góngora*. En "Lope de V. y su tiempo". 1940.

G. Díaz Plaja: *El espíritu del Barroco*, 1940. (Contiene un ensayo sobre Góngora.)

Dámaso Alonso: *Monstruosidad y belleza en el Polifemo de Góngora*. En "Poesía Española", 1950.

E. Orozco: *Góngora*, 1953.

Dámaso Alonso: *Estudios y ensayos gongorinos*, 1955.

J. Ares Montes: *Góngora y la poesía portuguesa del siglo XVII*, 1956.

A. Vilanova: *Las fuentes y los temas del Polifemo de Góngora*, 1957.

P. Salinas: *Góngora (La exaltación de la realidad)*. En "Ensayos de literatura hispánica", 1958.

Dámaso Alonso: *Góngora y el "Polifemo"*, 1960.

Jorge Guillén: *Lenguaje prosaico: Góngora*. En *Lenguaje y poesía*, 1962.

Dámaso Alonso: *Góngora entre dos centenarios (1627-1927)*. En "Cuatro poetas españoles", 1962.

M. Molho: *Sémantique et poétique à propos des Solitudes de Góngora*. Burdeos, 1969.

Andrée Collard: *Nueva poesía. Conceptismo, culteranismo en la crítica española*. Edit. Castalia, 1967.

J. M.ª de Cossío: *J. Polo de Medina*. En "Siglo XVII", 1939.

A. Gallego Morell: *Pedro Soto de Rojas*. Granada, 1948.

J. M. Alda Tesán: *Bocángel y su obra poética*. Bol. Bibl. M. Pelayo, 1947.

C. Vossler: *La Décima Musa de México, Sor Juana I. de la Cruz*. En "Escritores y poetas de España", Col. Austral, 1944.

P. Salinas: *En busca de Juana de Asbaje* (Sobre Sor Juana I. de la C.). En "Ensayos de literatura hispánica", 1958.

L. Rosales: *Pasión y muerte del Conde de Villamediana*. Madrid, 1969.

el lirismo barroco no culterano y la épica culta del siglo XVII

La poesía barroca no culterana

Aunque la influencia gongorina fue decisiva sobre la poesía del siglo XVII, ciertos núcleos quedaron al margen de la tendencia culterana, prefiriendo mantenerse dentro de los límites de una relativa *sobriedad de expresión de tipo clásico*. Pero si la forma permaneció en ellos alejada de las audacias de Góngora, sus temas fueron los propios de todo el arte barroco, en primer lugar el del "desengaño". Esto es lo que vemos, en términos generales, en la producción de los poetas sevillanos y aragoneses que analizaremos a continuación.

Queda otra dirección, la del *conceptismo*, que aunque se manifestó a menudo en composiciones culteranas, se dio muchas veces independientemente en poesías de tema religioso —Ledesma, Bonilla— o burlesco —Quevedo—.

La ingente obra poética de Lope de Vega ocupa una posición ecléctica, ya que oscila entre las dos actitudes extremas del arte barroco —magnificencia culterana e ingeniosidad conceptista—, ofreciendo, al mismo tiempo, las formas más sencillas y espontáneas del estilo tradicional popular.

La escuela sevillana

La escuela sevillana del siglo XVII viene a continuar la orientación renacentista de Herrera, en una época en que Góngora había creado ya una nueva fórmula poética. Pero aunque sus recursos expresivos ofrezcan una cierta sobriedad clásica, el *gusto por las notas de color* y por la *reflexión desengañada* da a sus composiciones un inconfundible tono barroco.

Francisco de Rioja (1583-1659), uno de los más finos y delicados poetas menores de la lírica castellana, es la figura más importante del grupo. Lo más interesante de su obra es una serie de poesías dedicadas a las flores *(A las rosas, Al jazmín, Al clavel...)*, en las que se advierte una *exquisita sensibilidad para los efectos de color;* el

El poeta Francisco de Rioja

rojo, por ejemplo, aparece —como en Herrera— con las más diversas tonalidades. Al lado de ello, es también frecuente la reflexión moral de tipo barroco, pues la vida efímera de las flores le lleva a la consideración de la caducidad de todo lo humano:

> Pura, encendida rosa,
> émula de la llama
> que sale con el día,
> ¿cómo naces tan llena de alegría
> si sabes que la edad que te da el cielo
> es apenas un breve y veloz vuelo?
> Y no valdrán las puntas de tu rama
> ni tu púrpura hermosa
> a detener un punto
> la ejecución del hado presurosa...
> Tiendes aún no las alas abrasadas
> y ya vuelan al suelo desmayadas.
> Tan cerca, tan unida
> está al nacer tu vida,
> que dudo si en sus lágrimas la aurora
> mustia tu nacimiento o muerte llora.

Rodrigo Caro (Utrera, 1573-1647) fue sacerdote y unió a los estudios arqueológicos el cultivo de la poesía. Escribió una *Canción a las ruinas de Itálica,* en la que el desolado espectáculo de la antigua ciudad romana sirve de base a la melancólica lección moral de desengaño:

> Estos Fabio ¡ay dolor! , que ves ahora
> campos de soledad, mustio collado,
> fueron un tiempo Itálica famosa...

El poema, aunque ofrece una forma clásica impecable —su autor la retocó y pulió varias veces—, resulta algo frío, retórico y descolorido.

Juan de Arguijo (Sevilla, 1560-1623) es autor de un centenar de sonetos en los que predominan los temas históricos y mitológicos: *A Sísifo, A Troya, A Julio César...,* y cuya pulcritud formal no llega a compensar lo frío de su inspiración.

La Epístola Moral a Fabio. — Atribuida en otro tiempo a Rioja, es considerada hoy como obra del capitán **Andrés Fernández de Andrada**. Sus bellos tercetos exponen la doctrina del renunciamiento, combinando el ideal estoico con la moral cristiana y el elogio de la vida retirada:

> un ángulo me basta entre mis lares,
> un libro y un amigo, un breve sueño
> que no perturben deudas ni pesares

con la melancólica advertencia de la vanidad de lo terreno:

> ¿que es nuestra vida más que un breve día
> do apenas sale el sol cuando se pierde
> en las tinieblas de la noche fría?

La noble entonación de los versos y su digna sobriedad expresiva hacen de la *Epístola moral* una de las más perfectas manifestaciones poéticas del tema barroco —y español— del desengaño.

Los poetas aragoneses

Los Argensola, como Villegas, se apartan del barroquismo por su contención formal y el escaso colorido de sus versos. No obstante, sólo la temática de los primeros ofrece las preocupaciones ideológicas del barroco.

Lupercio Leonardo de Argensola (Barbastro, 1559-1613) vivió en Madrid y murió en Nápoles, siendo secretario del conde de Lemos.

Lo que nos queda de su obra carece de emoción y de brillantez, pero presenta una forma sobria y elegante y una aguda intención moralizadora. Tradujo a Horacio en limados versos y escribió correctos *sonetos* de *tema amoroso y satírico,* entre los que destaca aquel cuyo último terceto alude al tema barroco de la falsa apariencia de las cosas:

> Porque ese cielo azul que todos vemos
> ni es cielo ni es azul. ¡Lástima grande
> que no sea verdad tanta belleza!

Nos ha dejado también algunas canciones, una fina *Descripción de Aranjuez* en tercetos y, como ya vimos, varias tragedias de tipo humanístico.

Bartolomé Leonardo de Argensola (Barbastro, 1562-1631), hermano menor de Lupercio, se ordenó sacerdote y estuvo con él en Italia. Su producción, más extensa que la de Lupercio, ofrece la misma contención formal e insiste sobre todo en los *temas morales y religiosos.* En ella sobresalen las *Epístolas, Canciones* y *Sonetos*, y, entre estos últimos, el que comienza: "Dime Padre común, pues eres justo...", cuya conclusión —la tierra no es "el centro de las almas"— resulta muy típica del momento.

Bartolomé escribió, asimismo, una *Historia de la conquista de las islas Molucas* (1609) y una continuación de los *Anales de la Corona de Aragón* (1630), de donde fue cronista.

En conjunto, la obra de los Argensola (editada en 1634) —repleta de tópicos filosófico-morales— resulta algo fría e incolora, pero sus cualidades —corrección, ausencia de excesos— la hacen resaltar en la producción del siglo barroco.

Esteban Manuel de Villegas (1589-1669). — La parte más importante de su obra poética, contenida en las *Eróticas o amatorias* (1618), la forman las *cantilenas y anacreónticas* (originales o traducidas del griego). Notables por su blando epicureísmo, su ritmo suelto y jugetón y su gracia ligera, alcanzaron un gran éxito a pesar de su intrascendencia y constituyeron el punto de partida de lo que había de ser el género más característico de la lírica del siglo XVIII.

He aquí un breve ejemplo:

> La rosa de Cupido
> juntemos a Lieo,
> y de ella laureados
> bebamos y juguemos.
>
> La rosa, que a las flores
> es suave ornamento
> y del verano alegre
> el cuidado primero...

> Haz, pues, oh padre Baco,
> que de rosas compuesto
> y de lira adornado
> me reciba tu templo.
>
> Suaves daré olores,
> suaves diré versos
> y junto yo y mi dama
> suaves bailaremos.

Villegas, que conocía a fondo la poesía grecolatina, intentó aclimatar los metros clásicos al castellano. Consecuencia de ello son algunas composiciones en hexámetros y las bellas estrofas de la célebre Oda sáfica que comienza:

> Dulce vecino de la verde selva,
> huésped eterno del abril florido,
> vital aliento de la madre Venus,
>   céfiro blando...

La épica culta

La épica erudita, iniciada en España durante el reinado de Felipe II, alcanzó un enorme desarrollo en la primera mitad del siglo XVII, siguiendo cuatro direcciones fundamentales: la fantástica, la religiosa, la burlesca y la histórica.

Bernardo de Balbuena. — Nació en España y llegó a ser obispo de Puerto Rico. Su extenso poema *El Bernardo* (1624) se refiere a las aventuras de Bernardo del Carpio y a su victoria sobre los doce Pares. El interés de la obra reside ante todo en el exuberante lujo sensorial de sus brillantes descripciones. Llena de color y de efectos musicales, es un magnífico ejemplo de barroquismo decorativo.

He aquí dos representativas octavas sobre el viaje del hada Alcina:

Humillando jazmines y azucenas,
rosas y lirios que el placer retoza,
de blanco aljófar y de olores llenas
las ruedas van de la imperial carroza;
y la playa, el cristal y ondas serenas
la Hada mira, y con la vista goza
de un florido tapiz y alfombra rica
de cuanto abril y mayo multiplica.

Del inmortal laurel en la guirnalda
que en torno ciñe el lago, considera
bruñida plata y cercos de esmeralda,
que un resplandor en otro reverbera;
y en las floridas rosas de su falda,
de pedrería una estrellada esfera
de no menor beldad que la que en vuelo
trastorna por sus bóvedas el cielo.

La utilización de elementos maravillosos denota la influencia de Ariosto y de la literatura caballeresca y sitúa la obra dentro de la tendencia fantástica. El Bernardo, con sus 45 000 versos, es uno de los mejores poemas épicos del siglo XVII.

Fray Diego de Hojeda, dominico sevillano, es autor de *La Cristiada* (1611), bello poema sobre la Pasión y Muerte de Cristo. Carente de entusiasmo místico, se halla dotado de fuerza dramática, emoción humana y ternura, como corresponde al matiz psicológico de la religiosidad del momento. El estilo, sencillo y en ocasiones hasta prosaico, contrasta con la brillantez de otros poemas de la época, pero su sentido de la composición —alegorías, grandioso trasfondo sobrenatural, técnica descriptiva...— es plenamente barroco.

Jose de Villaviciosa representa la épica burlesca con su gracioso pero intrascendente poema *La Mosquea* (1615), en el que nos narra las luchas entre las hormigas y las moscas. El siglo barroco, con su afán de contrastes, fue muy aficionado a estas visiones paródicas en las que *el mundo de lo épico aparece tratado de un modo grotesco;* lo mismo se advierte en los lienzos de Velázquez o en ciertas poesías de Góngora, donde se lleva a cabo una caricatura de los temas mitológicos —recuérdese el romance burlesco de "Hero y Leandro" o el cuadro de "Los borrachos"...—.

Lope de Vega, que, como veremos más adelante, cultivó las cuatro direcciones de la épica, es autor de varios poemas históricos: *La Dragontea* (1598), sobre el pirata Drake, y *La Corona trágica* (1627), sobre la muerte de María Estuardo.

BIBLIOGRAFIA

EDICIONES

Ledesma. B. A. E. XXXV.
Rioja. B. A. E. XXXII.
Caro. Menéndez y Pelayo, 1883-1884.
Arguijo. B. A. E. XXXII.
Argensolas. B. A. E. XLII. — J. M. Blecua, 1950-1951.
Villegas, B. A. E. XLII, XLI. — N. Alonso Cortés, Clás. Cast., 1913.
Balbuena. B. A. E. XVIII.
Hojeda, Villaviciosa, B. A. E. XVII. — *Hojeda,* F. Pierce, Salamanca, 1971.

ESTUDIOS

P. Henríquez Ureña: *Rioja y el sentimiento de las flores.* En "Plenitud de España", 1940.
M. Cañete: *Paralelo de Garcilaso, Luis de León y Rioja.* 1858.
M. Menéndez y Pelayo: *Vida y escritos de Rodrigo Caro.* En "Estudios y discursos de crítica histór. y liter.", vol. II.
A. Sánchez Castañer: *Rodrigo Caro, estudio biográfico y crítico,* 1914.
E. Wilson: *Sobre la Canción a las ruinas de Itálica de R. C.* En Rev. Fil. Esp., 1936.
M. Artigas: *Algunas fuentes de la Epístola Moral a Fabio.* Bol. Bibl. Menéndez Pelayo, 1925.
Dámaso Alonso: *El Fabio de la epístola moral.* En "Dos españoles del Siglo de Oro", 1960.
M. Menéndez y Pelayo: *Horacio en España,* 1885. (Sobre los *Argensola*).
O. H. Green: *Vida y obras de L. L. de Argensola.* Zaragoza, 1945.
J. Ferraté: *Una máscara de Bartolomé Leonardo.* En "La operación de leer", 1962.
M. Menéndez y Pelayo: *Historia de los heterodoxos españoles.* (Sobre Villegas.)
N. Alonso Cortés: *Prólogo a su edición de Villegas en Clás. Cast.,* 1913.
F. Pierce: *La poesía del Siglo de Oro,* 1961.

El tema de las ruinas sirvió a poetas y pintores del siglo XVII para expresar la idea barroca del "desengaño". Cuadro de I. Iriarte.

la moral y la sátira de quevedo   37

Su vida

Francisco de Quevedo y Villegas nació en Madrid (1580), sirviendo sus padres a personajes reales. Estudió las primeras letras con los jesuitas, lenguas clásicas y modernas en Alcalá y teológicas en Valladolid, con lo que adquirió una extraordinaria cultura humanística. Trasladóse más tarde a Sicilia acompañando a su amigo el duque de Osuna, y al ser éste designado virrey de Nápoles, ocupó su secretaría de Hacienda. Llevó a cabo varias peligrosas gestiones y en el curso de una de ellas tuvo que huir a Venecia, disfrazado de mendigo, para salvar la vida. Destituido Osuna, Quevedo fue desterrado, pero al morir Felipe III, volvió de nuevo a la Corte. Allí casó, a los cincuenta y cuatro años, con una viuda, de la que se separó al poco tiempo. Acusado de haber dejado bajo la servilleta del rey la poesía "Católica, Sacra, Real Majestad", contra la actuación del Conde Duque de Olivares, fue detenido y llevado a un calabozo de San Marcos, en León, donde permaneció cuatro años, hasta que la caída del privado le permitió marchar a su Torre de Juan Abad. Murió, poco después, en Villanueva de los Infantes (1645).

Su visión del mundo

Enérgica afirmación de los más altos valores del espíritu, crítica despiadada de las mezquindades humanas: he aquí los dos rasgos que mejor sintetizan la actitud de Quevedo ante la vida, explicándonos al propio tiempo la desconcertante dualidad de su obra. Hay, en efecto, un Quevedo que insiste con honda gravedad en la primacía de lo eterno y en la excelsitud de las virtudes cristianas, y un Quevedo agrio y sarcástico, atento a destacar con sangrientas bufonadas el panorama de ruindades y bajezas que descubre su vista; no obstante, el punto de partida para ambos es el mismo: *una exacerbada sensibilidad moral* que le impulsa con la misma violencia a exaltar la justicia, la autoridad y el patriotismo, que a denunciar con implacable dureza y desenfadado ingenio las falsedades terrenas.

Aunque a través de toda su obra puede observarse esta doble reacción, producto, como acabamos de decir, de un único e indivisible resorte psicológico, sus primeros escritos se inclinan preferentemente del lado de la censura mordaz y de la burla; es el momento en que su total exigencia de autenticidad le lleva a abultar con desaforadas caricaturas los perfiles ridículos de la sociedad y a presentar el *espectáculo del mundo como una farsa grotesca.* El elemento cómico, ahora predominante, no desaparecerá ya del todo, pero con el tiempo veremos un paulatino deslizamiento hacia las tintas negras y la actitud severa.

Cambio que irá acentuándose a medida que las experiencias y lecturas y el peso de los años hagan sentir su influjo. Séneca —su gran mentor— le proporcionará argumentos en que fundamentar su desprecio de las cosas superfluas; los trágicos vaivenes de su agitada existencia, la convicción de la fragilidad de todo lo humano; la —para él evidente— decadencia española, siniestra confirmación de su desolado concepto de la vida; la literatura cristiana, en fin, la esperanza consoladora en un más allá... Por este camino, y en un progresivo ensombrecimiento de su visión pesimista frente al mundo, Quevedo llegará a la noción de *la muerte como única verdad indiscutible* frente a un cúmulo de engañosas apariencias, hasta convertirla en obsesionante leit-motiv de su pensamiento moral.

Falta, no obstante, añadir un factor decisivo, y es que Quevedo vive, y expresa, todas estas ideas —que al fin y al cabo no dejan de ser tópicos de la época— con una incontenible *violencia pasional,* que lo mismo alcanza a sus tétricas consideraciones filosóficas que a sus descarnados rasgos de humor, a su noble afán de justicia que a su hosco pesimismo. Violencia y pasión que le alejan de la luminosa y serena sonrisa de Cervantes, pero que prestan a su obra *el más duro y enérgico relieve de toda la literatura española.*

La obra poética

Publicada después de su muerte con el título de *El Parnaso español* (1648) y *Las tres últimas musas* (1670), puede dividirse en dos sectores: 1.º, poesías de tono grave y severa intención doctrinal —sobre temas ascéticos o políticos— y 2.º, poesías concebidas como puro juego literario —sobre temas amorosos o burlescos—.

Las composiciones de asunto ascético cuentan —con las de tema político— entre lo mejor de su producción en verso. Las primeras giran en torno a los motivos capitales de la moral barroca: desprecio de las vanidades, fugacidad de lo terreno, caducidad de los bienes de Fortuna... Las ideas de la muerte y del desengaño se hallan aquí expuestas con la nobleza y dignidad que pueden observarse en el siguiente soneto:

> Ya formidable y espantoso suena
> dentro del corazón el postrer día,
> y la última hora, negra y fría,
> se acerca, de temor y sombras llena.

Si agradable descanso, paz serena,
la muerte en traje de dolor envía,
señas da su desdén de cortesía,
más tiene de caricia que de pena.

¿Qué pretende el temor desacordado
de la que a rescatar piadosa viene
espíritu en miserias añudado?

Llegue rogada, pues mi bien previene;
hálleme agradecido, no asustado;
mi vida acabe y mi vivir ordene.

Las poesías de asunto político, en las que la advertencia moral se une a veces a la sátira, revelan la dolorosa conciencia de Quevedo respecto *de la decadencia material y espiritual de España*. Así lo vemos en la *Epístola censoria al Conde Duque* o en el célebre soneto que reproducimos a continuación:

Miré los muros de la patria mía,
si un tiempo fuertes, ya desmoronados,
de la carrera de la edad cansados,
por quien caduca ya su valentía.

Salíme al campo, vi que el sol bebía
los arroyos del hielo desatados;
y del monte quejosos los ganados,
que con sombras hurtó su luz al día.

Entré en mi casa; vi que amancillada
de anciana habitación era despojos;
mi báculo más corvo y menos fuerte.

Vencida de la edad sentí mi espada
y no hallé cosa en que poner los ojos
que no fuese recuerdo de la muerte.

Completamente distintas son las **composiciones amorosas**. Si en las anteriores se trataba de hondas reflexiones expuestas en un estilo sobrio y austero, aquí casi todo se reduce a un mero aunque *bellísimo juego poético,* en el que el lenguaje ofrece toda la refinada gracia metafórica de la lírica gongorina.

Véase la exquisita elegancia de estos versos a Floris:

Al oro de tu frente unos claveles
veo matizar, cruentos, con heridas;
ellos mueren de amor, y a nuestras vidas
sus amenazas les avisan fieles...
Mas con tus labios quedan vergonzosos
(que no compiten flores o rubíes)
y pálidos después de temerosos.
Y cuando con relámpagos te ríes
de púrpura, cobardes, si ambiciosos,
marchitan sus blasones carmesíes.

Francisco de Quevedo y Villegas.

Hay, sin embargo, en este sector, algo más que bellas y rebuscadas galanterías. Quedan, en efecto, ciertos sonetos en los que la emoción amorosa —sentida como puro e intenso anhelo espiritual— se halla expresada con una apasionada gravedad que permite ver en Quevedo "al más alto poeta de amor de la literatura española".[1]

Tal es el caso de aquella extraordinaria composición en la que afirma que aún después de la muerte, sus venas y sus médulas "serán ceniza — mas tendrán sentido, — polvo serán — mas polvo enamorado".

Las **poesías satírico-burlescas** aluden a una serie de motivos que van desde lo más grave a lo más nimio. Las formas métricas preferidas son los versos cortos —en romances, letrillas, jácaras—, aunque no faltan los endecasílabos. Todos los recursos del estilo conceptista más extremado —chistes, juegos de palabras, antítesis...— hallan su representación en muchas de estas composiciones en las que *la realidad aparece deformada hasta la caricatura* y donde el autor llega a veces a lo francamente procaz. Quevedo aparece aquí como el poeta más audaz del conceptismo.

Pueden servir de ejemplo las desaforadas comparaciones del célebre soneto "A una nariz".

> Érase un hombre a una nariz pegado,
> érase una nariz superlativa,
> érase una nariz sayón y escriba,
> érase un peje espada mal barbado.
>
> Era un reloj de sol mal encarado,
> érase una alquitara medio viva,
> érase un elefante boca arriba,
> era Ovidio Nasón más narizado.
>
> Érase un espolón de una galera,
> érase una pirámide de Egito,
> las doce tribus de narices era.

1. Dámaso Alonso. "Poesía española".

>   Erase un naricísimo infinito,
>   frisón archinariz caratulera,
>   sabañón garrafal, morado y frito.

Un grupo muy característico lo constituyen las poesías dedicadas a Góngora, en las que Quevedo acumula los más sangrientos sarcasmos contra el autor de las *Soledades*, burlándose de paso de su estilo:

>   ¿Qué captas nocturnal en tus canciones,
>   Góngora bobo, con crepusculallas,
>   si cuando anhelas más garcibolallas
>   las reptilizas más y subterpones? ...

En conjunto, la poesía de Quevedo —siempre *concentrada y fuertemente expresiva*— presenta los típicos *contrastes* del arte barroco: elevación de tono en los poemas ascéticos y políticos, y escarceo intrascendente en los amorosos y burlescos; idealización de la belleza femenina en los amorosos y grotesca deformación en los de tipo satírico... Los labios de una dama serán, alternativamente, "puerta de rubíes", o "jeta comedora"; los dientes, "perlas" o "colmillos comidos de gorgojos"; la risa, "relámpagos de púrpura" o "gorjeos" de "quijadas bisabuelas..."; pero si atendemos a lo esencial, Quevedo se nos ofrece ante todo como el *poeta que ha sabido expresar con mayor intensidad y hondura el pensamiento moral del siglo XVII.*

La obra en prosa

La extensa obra en prosa de Quevedo resulta tan variada en el tono y en los asuntos como su poesía. En ella volvemos a observar el doble plano burlesco o elevado, festivo o grave, satírico o doctrinal.

La prosa satírica

Quevedo es el más alto representante de la sátira española. Su producción satírica —escrita en términos generales con anterioridad a la ascético-política— ofrece *un tono despiadado y cruel* que denota una absoluta falta de amor o simpatía hacia lo criticado. Es la suya una sátira que *alcanza lo mismo a los vicios más repelentes que a los defectos más insignificantes,* a lo repulsivo que a lo digno de conmiseración, a lo que todos censuraríamos que a lo que la sensibilidad actual sería incapaz de ridiculizar. Quevedo dirige atroces invectivas y sangrientos sarcasmos contra los malos privados o contra sastres, zapateros y barberos; contra la poesía del orgulloso Góngora o contra el aspecto físico del contrahecho Alarcón; y convierte en espectáculo grotesco lo mismo una travesura estudiantil que la muerte de un hombre en la horca. No obstante, desde el punto de vista estrictamente literario, su prosa satírica, siempre ingeniosa y aguda, tiene un extraordinario interés *por su fuerza cómica y su insuperable vigor expresivo.*

Obras festivas. – Escritas casi todas durante su juventud, ofrecen una muy reducida extensión. Por lo general, su propósito es tan sólo conseguir un efecto cómico. Entre las más graciosas pueden recordarse las *Cartas del Caballero de la Tenaza* (1625) o una serie de *Premáticas,* en las que se establecen castigos para los malos hábitos y distracciones sin importancia.

> Hay advertencias, por ejemplo, para "los que paseándose por alguna pieza ladrillada o losas de la calle fueren asentando los pies por las hiladas y ladrillos"; para "los que cuando el reloj toca la hora, preguntan cuántas da, siéndoles más fácil y decente contarlas"; para "los que cuando están subidos en lo alto escupen abajo... para si aciertan con la saliva en alguna parte"...

El "Buscón", novela picaresca. – La "Historia del Buscón don Pablos, ejemplo de vagabundos y espejo de tacaños" (1603), una de las primeras obras que escribió Quevedo –aunque fue publicada en 1626–, *se halla en la línea de la picaresca amarga* iniciada por el "Guzmán", por más que le falten las tétricas reflexiones morales de éste. Su autor se limita a ofrecernos, con intención y arte despiadados, una visión grotesca del ambiente picaresco, atento solamente a lograr un intenso efecto de comicidad. La repulsiva figura del pícaro, zarandeada cruelmente por el novelista, viene a ser la concreción de un mundo abyecto en el que sólo tienen existencia las más bajas apetencias y en el que "no queda resquicio para el menor idealismo".[1]

He aquí el argumento de la obra. Pablos, hijo de un barbero ladrón y de una madre aficionada a brujerías, entra en Segovia al servicio del joven don Diego Coronel, hospedándose ambos en casa del Dómine Cabra, clérigo avaro que los mata de hambre. Trasládanse luego a la Universidad de Alcalá, donde Pablos es objeto de sucias bromas estudiantiles. Al saber éste que su padre ha muerto en la horca, vuelve a Segovia a recoger la herencia y se marcha a Madrid, donde después de vivir una temporada con otros pícaros, va a parar a la cárcel. Libre ya, intenta casarse con una dama, pero Don Diego lo reconoce y le manda apalear. Más tarde actúa como cómico en Toledo y como fullero en Sevilla. Pablos acaba su relato aludiendo a un viaje a América, donde no consiguió mejorar de estado.

Sin respeto alguno para la condición humana de sus personajes, Quevedo se complace en abultar desmesuradamente su fealdad física y moral, creando las más desaforadas caricaturas. Véase, por ejemplo, el grotesco retrato del Dómine Cabra:

> El era un clérigo cerbatana, largo sólo en el talle, una cabeza pequeña, pelo bermejo (no hay más que decir). Los ojos avecindados en el cogote, que parecía que miraba por cuévanos, tan hendidos y oscuros, que era buen sitio el suyo para tiendas de mercaderes; la nariz entre Roma y Francia, porque se la había comido de unas bubas de resfriado, que aun no fueran de vicio, porque cuestan dinero; las barbas descoloridas de miedo de la boca vecina, que, de pura hambre, parece que amenazaba a comérselas...; el gaznate, largo como de avestruz; una nuez tan salida, que parece que,

1. A. Castro. Introducción a su edición del "Buscón".

forzada de la necesidad, se le iba a buscar de comer. Mirado de medio abajo, parecía tenedor o compás; las piernas, largas y flacas... Cada zapato podía ser tumba de un filisteo... La cama tenía en el suelo; dormía siempre de un lado por no gastar las sábanas. Al fin, él era archipobre y protomiseria.

El genial humorismo de Quevedo se manifiesta brillantemente en esta obra maestra, donde lo trágico adquiere una apariencia ridícula y en la que chistes macabros alternan con groserías y procacidades. El lenguaje, lleno de aceradas frases de doble sentido y rápidas alusiones burlescas, es un prodigio de expresividad e ingenio.

Los Sueños. — Son fantasías satíricas —publicadas en 1627, pero compuestas a partir de 1606— en las que, valiéndose del viejo recurso del "sueño" o de la "visión", el autor pasa revista a los tipos y costumbres de su época. Un confuso revoltijo de las más variadas figuras —zapateros, poetas, lacayos, verdugos, médicos, barberos, dueñas, personajes históricos y hasta dioses de la mitología clásica— desfilan ante los ojos del lector en grotesca zarabanda. Es cierto que la sátira obedece a hondas preocupaciones del autor y revela una aguda visión de la decadencia española, pero, en ocasiones, todo se reduce a un puro entretenimiento burlesco de escasa trascendencia.

Cabe destacar el *Sueño de las calaveras* (en el que el autor contempla el Juicio Final), *Las Zahurdas de Plutón* (visión burlesca del infierno), *El mundo por de dentro* (donde Quevedo, guiado por un viejo —el Desengaño—, advierte la falsedad de aquél) y la fantasía moral, de técnica muy semejante a los Sueños, titulada *La hora de todos y la Fortuna con seso* (en la que la Fortuna, al volverse equitativa por mandato de Júpiter, origina un cómico desbarajuste en el mundo).

Las siguientes escenas del Juicio Final —*Sueño de las calaveras*— pueden dar idea de la técnica de Quevedo:

> Después noté de la manera que algunas almas huían, unas con asco y otras con miedo, de sus antiguos cuerpos... y admiróme la providencia de Dios en que, estando barajados unos con otros, nadie, por yerro de cuenta, se ponía las piernas ni los miembros de los vecinos. Sólo en un cimenterio me pareció que andaban destrocando las cabezas, y que vi a un descontento que no le venía bien el alma y quiso decir que no era suya por descartarse della... Volviéndome a un lado vi a un avariento que estaba preguntando a uno (que por haber sido embalsamado y estar lejos sus tripas no hablaba porque aún no habían llegado) si pues habían de resucitar aquel día todos los enterrados, si resucitarían unos bolsones suyos. Pero lo que más me espantó fue ver los cuerpos de dos o tres mercaderes que se habían calzado las almas al revés, y tenían todos los cinco sentidos en las uñas de la mano derecha...

Los Sueños restantes son *El alguacil alguacilado* —descripción del infierno por un diablo que ha poseído a un alguacil— y *La visita de los chistes* —en el que desfilan ante la Muerte una serie de tipos populares: el Rey que rabió, Pero Grullo, El Marqués de Villena, etc.—. A ellos se puede añadir la fantasía moral *El entremetido, la dueña y el soplón*, nueva visión del infierno.

La muerte, tema central de la obra de Quevedo.
Cuadro de Valdés Leal.

Obras de crítica literaria. — Van dirigidas contra el estilo gongorino o contra el mismo Góngora, cuyo vocabulario poético ridiculiza con agudo ingenio y a veces con groserías inconcebibles, a pesar de haberlo empleado él mismo en sus poesías amorosas.

Entre estos breves opúsculos cabe citar *La aguja de navegar cultos* (1631), donde figuran los célebres versos:

Quien quisiere ser Góngora en un día,
la jeri —aprenderá— gonza siguiente:
fulgores, arrogar, joven, presiente,
candor, construye, métrica, armonía...

y *La culta latiniparla* (1629) ("Catecismo de vocablos para instruir a las mujeres cultas y hembrilatinas"), en el que se dan consejos como los siguientes:

A las medias llamará "no enteras"...; para decir "no como olla" dirá "estoy desollada"...; no dirá "calzo o tengo pie pequeño", dirá "tengo pie lacónico"...

Quevedo intentó también combatir el culteranismo publicando como antídoto las poesías de Fray Luis de León y Francisco de la Torre.

La prosa doctrinal

Obras ascéticas. — Quevedo es tal vez el escritor español en quien Séneca ha influido más hondamente; de ahí que en sus tratados ascéticos se unan los puntos de vista de la *moral cristiana* con las doctrinas del *estoicismo*. Un *pesimismo* realmente tétrico respecto del mundo presente se advierte en estas obras, en las que la vida es descrita con los más negros colores y donde la idea de la muerte ocupa un lugar central; todo lo humano aparece aquí sometido a la terrible desvalorización de la moral barroca. El estilo, intenso y lleno de agudos contrastes, contribuye a dar relieve a las siniestras consideraciones del autor.

Destacan dentro del grupo ascético *La cuna y la sepultura* (1635) —de significativo título—, *Las cuatro pestes del mundo* (1651) y la *Providencia de Dios* (1641).

Léanse estas frases de "La cuna y la sepultura", en las que abundan las antítesis típicas del estilo de Quevedo:

Son la cuna y la sepultura el principio de la vida y el fin della; y con ser al juicio del divertimiento las dos mayores distancias, la vista desengañada no sólo las ve confines, sino juntas con oficios recíprocos y convertidos en sí propios: siendo la verdad que la cuna empieza a ser sepultura, y la sepultura cuna a la postrera vida. Empieza el hombre a nacer y a morir; por esto, cuando muere acaba a un tiempo de vivir y de morir...

Todo lo haces al revés, hombre: al cuerpo, sombra de muerte, tratas como a imagen de vida; y al alma eterna dejas como sombra de muerte... Empieza, pues, hombre, con este conocimiento y ten de ti firmemente tales opiniones: que naciste para morir y que vives muriendo; que traes el alma enterrada en el cuerpo, que cuando muere, en cierta forma resucita...

Carácter semejante tiene su traducción libre de una obra atribuida a Séneca, titulada *De los remedios de cualquier fortuna* (1638).

En relación con las obras ascéticas pueden citarse también la *Vida de San Pablo* (1644), la *Vida de Fray Tomás de Villanueva* (1620), escritas en una prosa bellísima, y *La constancia y paciencia del santo Job*.

Obras políticas. – Las ideas políticas de Quevedo se hallan –como las de los demás tratadistas de la época– *en absoluta oposición con las de Maquiavelo* y se inspiran en las normas cristianas y el ejemplo de Roma. Así lo vemos en la *Política de Dios, gobierno de Cristo, tiranía de Satanás* (1626) y en la *Vida de Marco Bruto* (1644), cuya prosa, sobria y acerada, es un modelo de concisión y energía.

Ambas se hallan integradas por reflexiones políticas de orden abstracto, pero tras de ellas se vislumbra una potente crítica del estado de cosas en España. Movido por una vívida conciencia de la decadencia del Imperio, Quevedo dirige terribles ataques contra los malos ministros, la relajación de las costumbres y la pérdida de los ideales heroicos de otros tiempos, poniendo como ejemplo la austeridad romana o las virtudes de los antepasados. Hay que observar, no obstante, que la figura del monarca queda siempre a salvo y que sus censuras contra la realidad social y política del momento dejan paso a un férvido elogio de España cuando la ve atacada por los países extranjeros; así sucede en su *España defendida*.

Carácter histórico-político tienen el *Lince de Italia* (1628) y el *Mundo caduco y desvaríos de la edad* (1621), sobre la política exterior de España, y los *Grandes anales de quince días* (1621), interesante documento sobre los primeros años del reinado de Felipe IV.

Traducciones

La gran cultura lingüística de Quevedo le permitió realizar una serie de versiones. En prosa tenemos las "Epístolas", de Séneca; el "Rómulo", del Marqués de Malvezzi, y la "Introducción a la vida devota", de San Francisco de Sales; en verso, traducciones e imitaciones de Anacreonte, Epicteto, Virgilio, Horacio, Marcial, Petrarca, Du Bellay, etc.

El estilo de Quevedo

Quevedo es uno de los mejores prosistas del siglo XVII. Su producción *—típicamente conceptista—* presenta rasgos comunes, a pesar de la diversidad de asuntos y de tono. Destacan entre ellos el *laconismo de la frase,* su *ritmo nervioso y rápido* y la extraordinaria abundancia de *antítesis y contrastes.* Es la suya una prosa vigorosa y enérgica, ajena a todo halago sensorial, pero dotada de una *formidable fuerza expresiva.*

El poderoso ingenio de Quevedo y su magnífico conocimiento de los recursos del lenguaje se manifiestan especialmente en las obras satíricas. En ellas *el léxico usual es objeto de audaces deformaciones;* los vocablos adquieren nuevos significados según el capricho personal del autor, y los más atrevidos chistes y juegos de palabras se suceden vertiginosamente, desconcertando sin cesar al lector. El genial humor de Quevedo halla también aquí su más alta expresión en una serie de sangrientas alusiones burlescas y grotescos personajes, cuyos estrambóticos perfiles son el resultado de una desorbitada *estilización caricaturesca* de la realidad; *humor siniestro* que no perdona nada y que —producto de una visión desengañada de la vida— se complace en dirigir sobre ella y el mundo los más duros sarcasmos.

Las obras ascéticas y políticas son menos brillantes y agudas, pero la *austera sobriedad* de su robusta prosa y la dignidad moral de su contenido ideológico les confiere un alto valor literario y humano.

BIBLIOGRAFIA

EDICIONES

Obras. B. A. E. XXXIII, XLVIII, LXIX.
Los Sueños. Cejador, Clás. Cast., 1916-17.
Obras satíricas y festivas. Salaverría. Clás. Cast., 1924.
El Buscón. A. Castro, Clás. Cast., 1926.
Obras completas. Astrana Marín, 1932. Dos vols.
Poesía. J. M. Blecua. 4 vols. Madrid, 1969.

ESTUDIOS

E. Merimée: *Essai sur la vie et les oeuvres de don F. de Q.,* 1886.
J. Juderías: *Quevedo. La época, el hombre, las doctrinas,* 1923.
L. Astrana Marín: *Quevedo y su época.* 1925.
R. Bouvier: *Quevedo, homme du diable, homme de Dieu,* 1929.
L. Astrana Marín: *Ideario de Quevedo,* 1940.
G. Díaz-Plaja: *El espíritu del barroco,* 1940.
Dámaso Alonso: *Sonetos atribuidos a Quevedo.* En "Ensayos sobre poesía española", 1944.
Números 13-15 de la revista "Mediterráneo", dedicados a Quevedo, 1946.

Osvaldo Lira: *Visión política de Quevedo*, 1949.

Emilio Carilla: *Quevedo*. Tucumán, 1940.

Dámaso Alonso: *El desgarrón afectivo en la poesía de Quevedo*. En "Poesía española", 1950.

Alfonso Reyes: *Quevedo*. En "Cuatro ingenios". Col. Austral, 1950.

Sergio E. Fernández: *Ideas sociales y políticas en el Infierno de Dante y en los Sueños de Quevedo*, 1950.

A. Cotarelo: *El teatro de Quevedo*. En Bol. R. Acad. Esp. Enero, 1951.

R. Gómez de la Serna: *Quevedo*. Col. Austral, 1953.

J. D. Crosby: *Entorno a la poesía de Quevedo*. Madrid, 1967.

A Castro: *Escepticismo y contradicción en Quevedo*. En "Semblanzas y estudios españoles", 1956.

P. Laín Entralgo: *La vida del hombre en la poesía de Quevedo*. En "La aventura de leer", 1956.

J. Marichal: *El escritor como espejo de su tiempo*. En "La voluntad de estilo", 1957.

R. Lida: *Cinco ensayos sobre Quevedo*. En "Letras hispánicas", 1958.

J. Bergamín: *Quevedo*. En "Fronteras infernales de la poesía", 1959.

L. Spitzer: *L'arte di Quevedo nel Buscón*. En "Cinque saggi di ispanistica", 1962.

J. Serrano Poncela: *Quevedo, hombre político*. En "Formas de vida hispánica", 1963.

Otis H. Green: *El amor cortés en Quevedo*. Zaragoza, 1955.

el teatro y la lírica de lope de vega

El teatro nacional en el siglo XVII

El animado y brillante teatro creado por *Lope de Vega* representa *el triunfo de los elementos populares y nacionales* —presentes en Rueda, Juan de la Cueva y en los Autos religiosos— que durante todo el siglo XVI lucharon en nuestra escena contra las tendencias humanísticas. Fracasada definitivamente la tragedia de orientación clásica, surge un teatro dinámico, de inspiración netamente española, que, aunque aprovecha las conquistas culturales del Renacimiento, *viene a perpetuar en lo fundamental las tradiciones estéticas e ideológicas de la Edad Media:* la tendencia a la improvisación y a

Festejos celebrados en la Plaza Mayor de Madrid en tiempos de Lope de Vega.

la expresión libre del sentimiento artístico, el concepto de la obra de arte como reflejo del sentir general, el apego a la tradición local, etc.

La producción dramática de nuestro siglo XVII se agrupa en torno a la de sus *dos figuras máximas:* Lope de Vega y Calderón de la Barca. El primero significa la creación de unas fórmulas teatrales que habrán de mantenerse a través de toda la centuria; el segundo, la incorporación a aquéllas de los recursos más característicos del estilo barroco. Estudiaremos, pues, sucesivamente, el ciclo de autores de Lope y el ciclo de Calderón.

El teatro de los "corrales" en el siglo XVII

Hacia 1580, o sea al comenzar Lope su producción dramática, había en España *tres tipos de teatro:* 1.º, *el religioso,* representado con gran pompa y al aire libre, en determinadas festividades de la Iglesia; 2.º, *el cortesano,* que había de adquirir un gran incremento en el reinado de Felipe IV, gracias al concurso de importantes escenógrafos y al auge de las fiestas palaciegas, y 3.º, *el de los "corrales"* (luego verdaderos teatros), a los que acudía todo el pueblo.

Estos últimos, para los que se escribieron la mayor parte de las comedias del siglo XVII, estaban situados en el patio interior de una manzana de casas y su disposición era la siguiente: el escenario no tenía telón de boca, y las decoraciones eran tan rudimentarias que los actores tenían que aludir constantemente al lugar donde se hallaban; el público ocupaba diversas localidades: *a)* los balcones que daban al patio ("aposentos" alquilados por los nobles); *b)* los bancos situados ante el escenario; *c)* el espacio desde donde los ruidosos "mosqueteros" contemplaban de pie la representación y, *d)* la "cazuela", local reservado a las mujeres. Fueron célebres en Madrid los teatros de "la Cruz" y del "Príncipe" —desde 1579 y 1582, respectivamente—.

El espectáculo comenzaba a las tres o cuatro de la tarde y duraba dos horas y media. No había los actuales "descansos", pues en los entreactos de la comedia el escenario quedaba ocupado por los que representaban "entremeses", cantaban "jácaras" o distraían al público con "bailes". Si molestaba el sol se corría un toldo, y si llovía fuerte se suspendía la representación.

Las obras duraban pocos días en la escena y para responder a la constante demanda del público los empresarios de las compañías ("autores") las compraban a los comediógrafos, editándolas luego en grupos de doce en el caso de que hubieran alcanzado mucho éxito. Ello nos explica que se haya perdido gran parte de la producción de Lope de Vega y del resto de los dramaturgos españoles, como siglos antes había ocurrido con los cantares de gesta y los romances.

Lope de Vega

Vida. — Lope Félix de Vega Carpio nació en Madrid (1562) de familia humilde. Estudió allí con los teatinos y más tarde en Alcalá, demostrando desde muy pequeño

Fray Lope Félix de Vega Carpio.

una precocidad extraordinaria; cuéntase que, todavía niño, tradujo un poema de Claudiano y que a los trece años escribía su primera comedia.

Su vivo y apasionado carácter da pronto lugar a una serie de episodios sentimentales que habrán de prolongarse hasta su muerte. Unos amores con la actriz Elena de Osorio (la "Filis" de sus versos) acaban con el destierro de Lope por haber insultado éste a sus familiares. Embarca tal vez en la Invencible y luego reside dos años en Valencia con su esposa Isabel de Urbina ("Belisa"). Terminado el destierro, se instala con su mujer en Alba de Tormes, desempeñando el cargo de secretario del Duque, pero muere ella y Lope celebra segundas nupcias en Madrid con Juana de Guardo, lo que no le impide mantener relaciones con Micaela Luján ("Camila Lucinda").

La muerte de su segunda esposa y la de su hijo Carlos Félix dan lugar a una crisis espiritual que le decide a ordenarse sacerdote a los cincuenta y dos años. Sin embargo, vuelve a enamorarse, esta vez de la bella actriz Marta de Nevares ("Amarilis", "Marcia Leonarda"); amores que amargan sus últimos años al quedar ella ciega y perder más tarde la razón. Estos hechos y la fuga de su hija Antonia Clara, hicieron que Lope la sobreviviera poco tiempo; el gran dramaturgo murió cristianamente en Madrid en 1635.

Temperamento. — Cuanto sabemos de él nos lo presenta como un hombre dotado de un temperamento *sano* y *vital*, capaz de grandes caídas y grandes arrepentimientos. Cordial y arrebatado, supo poner una extraordinaria *vehemencia* en todos sus actos y una nota de *ternura* en sus afectos; esto y la profunda *sinceridad* de sus sentimientos —religiosos y profanos— hacen simpática su figura y nos mueven a olvidar sus debilidades. Alegre y comunicativo, el carácter de Lope es el polo opuesto de la adusta altivez de un Góngora o del agrio pesimismo de un Quevedo. Por eso su obra, totalmente exenta de las tintas negras que se observan en la producción del siglo XVII, se halla oreada por un *juvenil optimismo* y viene a ser un verdadero oasis de vitalidad en una época de desilusión pesimista.

Elementos de su teatro

Lope de Vega es, como dijimos, quien fija definitivamente las fórmulas a que habrá de ajustarse, con escasas modificaciones, nuestro teatro nacional. El mismo las definió en parte en su *Arte nuevo de hacer comedias,* donde justifica sus innovaciones ante las censuras de los que defendían los preceptos clásicos y las tres unidades, alegando que "los que miran en guardar el arte — nunca del natural alcanzan parte", y que escribía para el vulgo:

> escribo por el arte que inventaron
> los que el vulgar aplauso pretendieron
> porque, como las paga el vulgo, es justo
> hablarle en necio para darle gusto.

Palabras en las que hemos de ver una excusa no muy sincera, porque, en el fondo, los gustos de Lope coincidían con los de su inquieto auditorio, indiferente a las normas clásicas y deseoso, en cambio, de divertidas novedades.

En consecuencia, creó una estructura escénica, en la que los convencionalismos de la preceptiva pseudo-aristotélica fueron substituidos por otros más de acuerdo con la psicología del público español de la época.

La estructura externa. — La "comedia" de Lope [1] representa la adopción definitiva del sistema de los *tres actos* en lugar de los cinco de la tragedia clásica. La impaciencia de un público ávido de emociones —"la cólera del español sentado"— se mantiene reservando para el final del tercero un desenlace sorprendente y por lo general feliz.

La lucha entre el verso y la prosa, como medios de expresión teatral, se resuelve con el *triunfo del verso.* Se utiliza generalmente el octosílabo, pero hay una viva polimetría que contrasta con los invariables y solemnes alejandrinos del teatro clásico francés. Los metros y estrofas se ajustan a las situaciones dramáticas: Lope recomendará que las redondillas se usen para las escenas amorosas, las décimas para las "quejas", los romances para las "relaciones", los sonetos para los monólogos...

Lo trágico se une con lo cómico —contra la opinión de los preceptistas aristotélicos, partidarios de la separación de los géneros—, gracias a lo cual la obra se anima con repetidos contrastes. De la misma forma, *se hace caso omiso de las tres unidades* —sobre todo de las de lugar y de tiempo—, lo que permite al autor trasladar rápidamente la acción de un punto a otro y mostrarnos toda la vida en concentrada síntesis.

En cuanto a los personajes, hay que destacar *la figura del "gracioso",* encarnada generalmente en la de algún criado y presente en la mayoría de las obras. Como sus precedentes del teatro anterior —"el bobo", el "pastor"—, representa el elemento

---

1. El término "comedia" abarcaba en el siglo XVII, tanto a lo que hoy entendemos por tal, como a las obras de contenido trágico.

cómico, pero sirve al mismo tiempo de figura de contraste, que permite establecer dentro de la obra el doble plano —idealista y práctico, entusiasta y burlesco— típico de la literatura española.

En general, *se da más importancia al dinamismo externo de la acción y a la intriga que al estudio del alma de los personajes.* En este sentido, el teatro español suele presentar una sucesión rápida de escenas en las que actúan individuos someramente caracterizados, en oposición al teatro clásico francés, menos movido pero más psicológico y generalizador.

Los temas nacionales. — Lope es el gran animador e intérprete del sentir de la colectividad y de los ideales nacionales; y así lo vemos en su inmenso repertorio dramático, cuyo núcleo fundamental lo constituyen las tradiciones españolas. Su teatro nos ofrece una enorme variedad de asuntos, de personajes, de ambientes y situaciones, pero siempre hay una estrecha vinculación con lo hispánico.

Tres son los temas a los que dio vida literaria, fijándolos definitivamente en nuestra escena: el épico, el religioso y el del honor.

Siguiendo tal vez el ejemplo de Juan de la Cueva, halló en *la tradición épica* una rica cantera de asuntos dignos de ser llevados al teatro, y la aprovechó hasta el punto de que gran parte de su producción —unas setenta comedias— gira en torno a ella. Hay que advertir que Lope mira nuestro pasado histórico con ojos de poeta, *atento sólo a su belleza o interés dramático.* No le interesa presentarlo a la manera de Quevedo, como un ejemplo aleccionador en una época en que iban perdiendo tensión los viejos valores; en primer lugar, porque el teatro no era para él una escuela de moralidad, sino, como dice Vossler,[1] el reino de la pura ilusión; en segundo término, porque su temperamento optimista le impidió percatarse de la decadencia nacional.

Los temas religiosos constituyen otro de sus grandes motivos de inspiración. Sus autos, sus comedias bíblicas, sus comedias de santos, no suelen incidir en lo teológico, ni revelan preocupaciones religiosas de orden intelectual. *Su religiosidad es siempre de tipo popular;* es una sencilla devoción ingenua en la que la ternura o la emoción humana desempeñan un importante papel. En este sentido, es muy significativa la repetida presencia del tema de arrepentimiento en su teatro. Lope hace vibrar la cuerda del fervor religioso valiéndose unas veces de temas delicada o fuertemente emotivos, otras con el estupor de lo maravilloso; de ahí la frecuencia con que aparecen en su escena las más sorprendentes conversiones y los más asombrosos milagros. Con ellos ofrecía plásticamente a su público una prueba evidente del poder y de la misericordia de Dios.

El tema del honor será otro de los motivos fundamentales del teatro español desde que Lope lo lleve a escena. Según Menéndez Pidal, la venganza del honor aparece

1. C. Vossler. "Lope de Vega y su tiempo".

en la producción dramática del siglo XVII como "la defensa de un bien social que hay que anteponer a la propia vida o de los seres queridos; sólo cede ante el respeto al rey, o sea ante el bien común de la patria; tiene carácter de heroicidad estoica, que se cumple con sufrimiento sereno y decidido; el castigo ha de ser diligente y adecuado a la ofensa, público o secreto según la ofensa sea manifiesta o se halle aún oculta". El sentimiento del honor se atribuía tan sólo a los nobles, pero Lope, con su simpatía hacia todo lo popular, introdujo la original innovación de hacer partícipes de él a los villanos. Ello nos lleva a la consideración de otro importante motivo de nuestro teatro nacional y de la sociedad española del siglo XII: *el amor a la monarquía;* pues en los conflictos del honor villanesco, es siempre la persona del rey quien ampara al campesino contra el noble ofensor.

El elemento novelesco. – La producción dramática de Lope descansa sobre los motivos básicos del sentir colectivo. Pero para él, como para su público, el teatro no sólo tenía el valor de fiel reflejo de la realidad espiritual de la época, sino que constituía una especie de arte "de evasión", es decir, de *bella creación imaginativa con la cual eludir la realidad prosaica.* Lope ha sabido crear sugestivos argumentos en los que lo fantástico y sobrenatural desempeña en ocasiones un papel decisivo. Pero sin llegar al terreno de lo maravilloso, muchas de sus comedias —las de capa y espada, por ejemplo— desarrollan con habilidad una acción novelesca que mantiene la expectación con inesperadas incidencias.

La atracción de los motivos populares: el elemento lírico. – El interés por los motivos populares es, en la obra de Lope, tan importante como la comprensión de lo nacional. Simpatía o identificación con el pueblo denotan su técnica teatral, la figura del "gracioso", su religiosidad, su concepto del honor villanesco... Pero donde el entusiasmo y compenetración con lo popular se hacen más evidentes es en las *canciones y romances tradicionales que esmaltan gran parte de su obra dramática,* creando un clima de gracioso y fresco lirismo. Ello va unido a un frecuente empleo de *romances viejos,* que, introducidos en el teatro por Juan de la Cueva hacia 1580, vivirán en la escena hasta 1620, en que serán substituidos por los artísticos.

El estilo. – Movido por convicciones estéticas de tipo renacentista, Lope se declaró siempre partidario del *lenguaje natural:* "el hacer versos y amar – naturalmente ha de ser", dice en cierta ocasión. Pero los gustos de la época en que vive influyen sobre el, inclinándole a las *artificiosidades barrocas.* Ahora bien, la relativa complicación de sus versos no procede de la acumulación de elementos cultos —pues aunque éstos no falten en su obra, Lope se burló siempre de la obscuridad gongorina—, sino de las sutilezas conceptistas que pone frecuentemente en boca de los personajes. Ante las dos direcciones literarias de la época —culteranismo y conceptismo—, era lógico que se acercase preferentemente a la segunda, dada la estrecha relación de ésta con el gusto tradicional español.

El Corral del Príncipe en 1670. Se trata de una reconstitución moderna a base de textos literarios.

Extensión de su obra

Lope es el autor más fecundo de la literatura española y tal vez de la literatura mundial. Producen estupefacción las noticias que en este sentido nos dan sus contemporáneos: su amigo Pérez de Montalbán afirma que llegó a escribir 1800 comedias y unos 400 autos; puede haber en ello notable exageración, pero las 426 comedias y 42 autos que han llegado hasta nosotros bastan para justificar el título de "monstruo de la naturaleza" con que le designa Cervantes. El mismo asegura que escribió algunas "en horas veinticuatro", y que en conjunto se elevaban a la cifra de 1500. Pero lo más sorprendente es que todavía le quedase tiempo para retocarlas, como aún puede verse en ciertos autógrafos que se nos han conservado.

Su facilidad para escribir debió de ser enorme; aunque quizás sea esto la causa de que no haya llegado a producir una obra de la categoría del "Quijote" o de "La vida es sueño", y de que resulte algo difuso y poco concentrado. Por ello, si se le quiere valorar justamente, hay que tener en cuenta "toda" su producción.

Clasificación por géneros

Una clasificación aproximada podría ser:

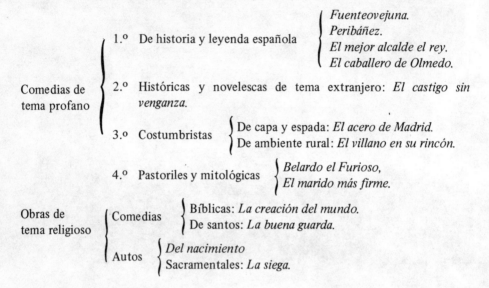

Comedias de tema profano

1.º De historia y leyenda española
- *Fuenteovejuna.*
- *Peribáñez.*
- *El mejor alcalde el rey.*
- *El caballero de Olmedo.*

2.º Históricas y novelescas de tema extranjero: *El castigo sin venganza.*

3.º Costumbristas
- De capa y espada: *El acero de Madrid.*
- De ambiente rural: *El villano en su rincón.*

4.º Pastoriles y mitológicas
- *Belardo el Furioso,*
- *El marido más firme.*

Obras de tema religioso

Comedias
- Bíblicas: *La creación del mundo.*
- De santos: *La buena guarda.*

Autos
- *Del nacimiento*
- Sacramentales: *La siega.*

Comedias de historia y leyenda española. — Constituyen el grupo más importante de toda la producción de Lope, quien se basó al componerlas en la tradición escrita y oral —crónicas, romances, cantares...—. En ellas queda incorporada al teatro toda la historia de España, desde las viejas tradiciones épicas —"El casamiento en la muerte", sobre Bernardo del Carpio, "El bastardo Mudarra", sobre la leyenda de los Infantes de Lara— hasta la época de Felipe II —"El alcalde de Zalamea"—.

Las más logradas son aquéllas en las que se plantea el tema del honor popular: *El mejor alcalde el rey*, *Peribáñez* (impresa en 1614) y *Fuenteovejuna* (impresa en 1619).

En *El mejor alcalde el rey* (¿1620-1623?), Alfonso VII manda matar al noble don Tello después de hacerle casar con una bella aldeana a quien éste había ofendido. En *Peribáñez y el comendador de Ocaña* (¿1613?), el protagonista, rico labriego, mata al comendador al saber que ha intentado ultrajar a su esposa Casilda; el rey Enrique III elogia su acción. Algo semejante ocurre en *Fuenteovejuna* (¿1612-1614?), donde es todo un pueblo quien mata al comendador Fernán Gómez para vengar la afrenta inferida por éste a la joven Laurencia; aquí son los Reyes Católicos los que aprueban la decisión popular. El hondo patetismo de la acción y la bella evocación del ambiente campesino hacen de estos dramas rurales obras definitivas.

He aquí una vigorosa escena de "Fuenteovejuna", en la que la ofendida Laurencia pide venganza a los aldeanos y protección para Frondoso, su prometido:

ESTEBAN (padre de LAURENCIA).
JUAN, MENGO y otros aldeanos.
(*Entra* LAURENCIA, *desmelenada.*)

EST. — ¡Hija mía!
LAU. —   No me nombres
tu hija.
EST. —   ¿Por qué, mis ojos?
¿Por qué?
LAU. —   Por muchas razones,
y sean las principales,
porque dejas que me roben
tiranos sin que me vengues,
traidores sin que me cobres...
Llevóme de vuestros ojos
a su casa Fernán Gómez:
la oveja al lobo dejáis,
como cobardes pastores...
¿Vosotros sois hombres nobles?
¿Vosotros, padres y deudos?
¿Vosotros, que no se os rompen
las entrañas de dolor,
de verme en tantos dolores?
Ovejas sois, bien lo dice
de Fuente Ovejuna el nombre.
Dadme unas armas a mí,
pues sois piedras, pues sois bronces,
pues sois jaspes, pues sois tigres...
Tigres no, porque feroces
siguen quien roba sus hijos,
matando los cazadores
antes que entren por el mar
y por sus ondas se arrojen.
Liebres cobardes nacisteis;
bárbaros sois, no españoles.
Gallinas, ¡vuestras mujeres
sufrís que otros hombres gocen!
Poneos ruecas en la cinta.
¿Para qué os ceñís estoques?

¡Vive Dios, que he de trazar
que solas mujeres cobren
la honra de estos tiranos,
la sangre de estos traidores,
y que os han de tirar piedras,
hilanderas, maricones,
amujerados, cobardes,
y que mañana os adornen
nuestras tocas y basquiñas,
solimanes y colores!
A Frondoso quiere ya,
sin sentencia, sin pregones,
colgar el Comendador
del almena de una torre;
de todos hará lo mismo;
y yo me huelgo, medio-hombres,
porque quede sin mujeres
esta villa honrada, y torne
aquel siglo de amazonas,
eterno espanto del orbe.
EST. — Yo, hija, no soy de aquéllos
que permiten que los nombres
con esos títulos viles.
Iré solo, si se pone
todo el mundo contra mí...
JUA. — ¿Qué orden pensáis tener?
MEN. — Ir a matarle sin orden.
Juntad el pueblo a una voz,
que todos están conformes
en que los tiranos mueran.
EST. — Tomad espadas, lanzones,
ballestas, chuzos y palos.
MEN. — ¡Los reyes nuestros señores
vivan!
TOD. —   ¡Vivan muchos años!
MEN. — ¡Mueran tiranos traidores!
TOD. — ¡Traidores tiranos mueran!
(*Vanse todos.*)

Intensamente drámatica es también *El caballero de Olmedo* (¿1620-1625?), donde la intervención del elemento sobrenatural da lugar a escenas de una sombría belleza. La obra se refiere al asesinato —por rivalidades amorosas— del caballero don Alonso, a quien unos misteriosos pronósticos anuncian su trágico fin. Lope se basó en un cantar tradicional:

Que de noche le mataron   la gala de Medina,
al caballero;   la flor de Olmedo...

Merece citarse también todo un grupo de comedias sobre el rey don Pedro el Cruel, en las que la figura del monarca es presentada con colores simpáticos, de acuerdo con la tradición popular, que veía en él al Rey justiciero. Así lo observamos en *El rey don Pedro en Madrid* y en *Audiencias del rey don Pedro.*

Comedias históricas y novelescas de asunto extranjero. – Son menos interesantes que las anteriores; en ellas, lo histórico queda en segundo plano ante la importancia del elemento novelesco. Un valor excepcional tiene, sin embargo, *El castigo sin venganza* (1631), intenso drama de honor, localizado en Italia.

Comedias costumbristas. – Las de costumbres urbanas o *de capa y espada* son un reflejo estilizado de la vida cortesana de la época. Suelen tener como base una complicada intriga amorosa, que invariablemente se resuelve de un modo feliz. "Todo se desarrolla con regularidad de minué: el galán debe inclinarse ya hacia una dama ya hacia otra; la dama debe hallarse siempre entre dos galanes; al final nadie queda sin pareja".[1] El interés de estas deliciosas comedias, en las que abundan lances caballerescos, escondites y carreras, está en su animado movimiento escénico, en la gracia irónica de algunas situaciones y en sus elementos líricos.

Sobresalen, entre otras, *El acero de Madrid* (1608-1612), *La Dama Boba* (1613) y *Los melindres de Belisa.*

Entre las de ambiente rural encontramos una de las más bellas comedias de Lope: *El villano en su rincón* (¿1614-1615?), donde se idealiza la vida tranquila de la aldea frente a los afanes cortesanos. Exquisitos motivos líricos populares dan también un gran interés a la obra.

Comedias pastoriles y mitológicas. – Coinciden en presentar un estilo muy trabajado y en la importancia que adquiere en ellas lo ornamental; la música desempeña a veces un papel de primer orden, lo que hace que algunas puedan considerarse como verdaderas óperas. Lope, que ante todo era un genio de lo nacional, no consigue crear aquí bellezas definitivas.

Pueden citarse como ejemplos *Belardo el furioso* (1586-1595) –comedia pastoril con elementos autobiográficos– y *El marido más firme,* sobre el mito de Orfeo y Eurídice. Calderón desarrolló más tarde el género mitológico, adornándolo con todo la pompa del estilo barroco.

Autos religiosos. – Los autos de Lope suponen un gran progreso sobre los del siglo XVI, pero en este género habrá que esperar a Calderón para hallar la fórmula definitiva. El interés de los de aquél reside ante todo en su emoción humana y en el delicado lirismo de las poesías de tipo popular que se intercalan en la acción. Muy bellos son los autos sacramentales titulados *La siega, La adúltera perdonada* y *El auto de los Cantares.*

1. Henríquez Ureña. "Plenitud de España".

Comedias religiosas. – Lope escribió un buen número de comedias sobre temas del Antiguo Testamento *(La creación del mundo y la primera culpa del Hombre)* y del Nuevo *(El nacimiento de Cristo);* pero las más conseguidas de su producción religiosa son aquéllas en las que da forma dramática a vidas de santos o leyendas piadosas, como *La buena guarda,* verdadera obra maestra por sus valores emocionales y líricos, sobre el viejo tema de la monja a quien la Virgen substituye en el convento, hasta que vuelve a él arrepentida. Gran interés tiene también *Lo fingido verdadero,* en el que vuelve a aparecer el ambiente rústico, tan bellamente evocado por Lope en multitud de ocasiones.

Exito y valor del teatro de Lope de Vega

En su tiempo, Lope gozó de una fama inmensa. Sus contemporáneos hacían de su nombre sinónimo de excelente y los autores extranjeros acudían a su teatro en busca de asuntos. En el siglo XVIII su estrella sufrió un breve eclipse, pero la generación romántica volvió a situarle en un primerísimo plano.

Como ya dijimos, Lope de Vega no llegó a crear una obra de teatro de absoluto valor universal, que pueda compararse con las dos o tres mejores de Calderón. No obstante, considerada en conjunto, su producción ofrece un interés enorme, ya que en ella *vemos convertida en materia poética la esencia de la tradición nacional.* Pero Lope no sólo recoge y transmite, sino que modifica e inventa; su *imaginación no tiene límites* y ello le permite dar a la escena una inacabable serie de argumentos y de temas en los que sus dotes de dramaturgo y de poeta colaboran con una brillante fantasía. Por eso fue el ídolo de un público que "quería encontrar plasmados en fábula dramática sus sentimientos e ideas, su visión del mundo y de la vida", pero que "ansiaba además soñar, calmar su sed de acción intensa".[1] Es cierto que sus personajes adolecen a menudo de falta de relieve humano y que su teatro suele ser poco profundo, pero *su juvenil dinamismo, su graciosa vivacidad y su sana alegría* hacen de él una de las más altas cumbres del arte nacional. Vossler lo ha definido con una certera frase al decir que "Lope no educa, da alas".[2]

La lírica de Lope de Vega

Como lírico, Lope debe ponerse junto a Góngora y Quevedo, poetas máximos del siglo XVII.

Su estilo participa de los rasgos que caracterizan la poesía de su siglo: brillantez formal y sutileza conceptista; por eso se ha dicho que su fórmula poética debió de ser "el concepto español con exorno italiano".[3] Así, venían a confluir en él *el fondo ingenioso de la poesía tradicional de cancionero y las refinadas formas de la lírica del Renacimiento.* Sin embargo, lo que hoy nos interesa de Lope no son los virtuosismos

---

1. Lapesa. – 2. Vossler. Obra. cit. – 3. Montesinos. "Lope de Vega. Poesías líricas". (Introducción.)

de la técnica, sino la *profunda emoción* de ciertos momentos —reflejo directo, y ajeno a toda elaboración artificiosa, de las infinitas incidencias de su apasionado vivir— y el *fresco lirismo* de sus interpretaciones de la poesía tradicional.

Su inmensa producción poética —incluida en gran parte en las obras dramáticas— puede dividirse en dos grupos, según que el metro utilizado sea de tipo popular o culto.

Poesías en metros populares. — Lope cultivó sobre todo dos tipos de *romances:* los pastoriles y los moriscos. En los primeros vemos un apasionado reflejo de las turbulencias sentimentales de su juventud ("Hortelano era Belardo..."), recordadas a veces desde su vejez ("Pobre barquilla mía"). En los segundos, aunque no falta la nota autobiográfica, tiene más importancia el color. Unos y otros figuran entre lo más lozano y brillante del "Romancero artístico".

Pero son las *letras para cantar* lo que tiene para nosotros un mayor encanto. En ellas Lope interpreta, glosa o imita motivos tradicionales, consiguiendo efectos del más puro y elevado lirismo.

Trátase de seguidillas, cantares de siega, canciones de amor, villancicos... cuya agilidad musical y cristalina transparencia no hallan par en toda la literatura castellana. Finamente irónicas unas, dotadas otras de delicada ternura, las "letras" de Lope son un prodigio de gracia expresiva y de sugestión poética.

Naranjitas me tira la niña
en Valencia por Navidad,
mas a fe que si se las tiro
que se le han de volver azahar...

En las mañanicas
del mes de Mayo
cantan los ruiseñores,
retumba el campo...

No corráis, vientecillos,
con tanta prisa,
porque al son de las aguas
duerme la niña.

Si os levantáis de mañana
pisad con planta de lana,
quedito, pasito, amor,
no espantéis al ruiseñor...

A la esposa divina
cantan la gala
pajarillos al alborada,
que de ramas en flores
y de flores en ramas
vuelan y saltan...

A la dana dina,
a la dina dana,
a la dana dina,
Señora divina,
a la dina dana,
Reina soberana...

¡Cómo retumban los remos,
madre, en el agua,
con el fresco viento
de la mañana!

Lavaréme en el Tajo
muerta de risa,
que el arena en los dedos
me hace cosquillas...

Poesías en metros cultos. — Los tres mil *sonetos* que aproximadamente debió de escribir se hallan contenidos en sus comedias y en varios libros de poesías, entre

Los pastores de Belén, por Pantoja de la Cruz.

los que destacan *Rimas Humanas* (1602), *Rimas Sacras* (1614) y *Rimas humanas y divinas de Tomé de Burguillos* (1634). Los temas son variadísimos: pastoriles, mitológicos, históricos... Hay algunos sonetos verdaderamente magníficos por su fuerza plástica —v.gr., el dedicado a Judit—, pero los mejores son aquellos que aluden a la inquieta personalidad del poeta. Aun aquí —por ejemplo, en los amorosos, llenos de sutilezas petrarquistas— Lope hace concesiones al conceptismo de la época, pero en los mejores momentos deja que la emoción impregne su voz y que los versos reflejen con patética sinceridad sus agudas crisis espirituales. Así lo vemos en los que expresan conmovedoramente el dolor del arrepentimiento.

> ¿Qué tengo yo que mi amistad procuras?
> ¿Qué interés se te sigue, Jesús mío,
> que a mi puerta, cubierto de rocío,
> pasas las noches del invierno escuras?
> ¡Oh, cuánto fueron mis entrañas duras,
> pues no te abrí!   ¡Qué extraño desvarío
> si de mi ingratitud el hielo frío
> secó las llagas de tus plantas puras!
> ¡Cuántas veces el ángel me decía:
> Alma, asómate agora a la ventana,
> verás con cuánto amor llamar porfía!
> ¡Y cuántas, hermosura soberana:
> Mañana le abriremos —respondía—,
> para lo mismo responder mañana!

El resto de la producción lírica en metros cultos lo constituyen una serie de *Epístolas, Eglogas y Elegías*. Destacan por su intensa emoción la canción *A la muerte de Carlos Félix* y la égloga *Amarilis* (1633), en las que el poeta evoca dolorosamente la imagen de su hijo y la de Marta de Nevares después de muertos.

Los poemas épicos

Lope cultivó las cuatro direcciones que marcamos en la épica culta del siglo XVII: 1.º, la fantástica o novelesca, en *La hermosura de Angélica* (1602), imitación del "Orlando" de Ariosto, en *La Jerusalén conquistada* (1608), donde lo fabuloso se combina con los histórico, y en una serie de poemas mitológicos como *La Circe* (1624) o *La Filomena* (1621); 2.º, la histórica, en *La Dragontea* (1598), sobre el pirata Drake, y *La Corona trágica* (1627), sobre María Estuardo; 3.º, la religiosa, en el delicioso poema en quintillas, de ambiente rústico, titulado *El Isidro* (1599), exaltación del patrón de Madrid; y 4.º, la burlesca, en *La Gatomaquia* (1634), graciosísima epopeya escrita a los setenta y dos años, sobre la batalla gatuna entablada a causa del rapto de Zapaquilda por Marramaquiz, cuando está a punto de celebrarse la boda de aquélla con Micifuz.

El interés fundamental de estos extensos poemas, a los que Lope concedía una importancia muy superior a la que nosotros le atribuimos, se halla, sobre todo, en su *brillantez descriptiva*.

Debemos citar también *El laurel de Apolo* (1630) —inspirado en el "Viaje del Parnaso", de Cervantes—, en el que el poeta tributa elogios a los autores de la época, y el ya aludido *Arte nuevo de hacer comedias* (1609), exposición de las normas que rigen su teatro y justificación ante los ataques de los aristotélicos.

Las novelas en prosa: La Dorotea

Quedan por ver, dentro de la inmensa producción de Lope, las obras narrativas en prosa, menos interesantes que las dramáticas y poéticas, pero dignas de ser tenidas en cuenta. En primer lugar, *La Arcadia* (1598), novela pastoril "de clave" y *Los pastores de Belén* (1612), donde lo bucólico se vierte "a lo divino" y se intercalan exquisitas muestras de poesía popular.

El peregrino en su patria (1604) es una narración de tipo "bizantino". Su núcleo lo forman una intriga sentimental y una serie de aventuras. Contrariamente a otras del mismo género, falta el elemento fantástico; la acción, por ejemplo, se sitúa en España.

Las cuatro *Novelas a Marcia Leonarda* —Marta de Nevares— (1621-1624) pertenecen al género de la novela corta y siguen el modelo de las "Ejemplares", de Cervantes.

Muy superior a todos estos relatos, *La Dorotea* (1632), semejante en su disposición externa a la Celestina, a la que tanto debe, es una extensa narración dialogada. Lope nos cuenta en ella, cambiando los nombres, sus amores juveniles con

Elena Osorio: la presencia del rico don Bela, pretendiente de Dorotea (Elena), da lugar a la ruptura de ésta con Fernando (Lope), quien acaba reanudando sus amores con Marfisa.

La Dorotea —escrita en la juventud de Lope, pero retocada en su vejez— tiene un extraordinario interés humano y estético, porque su autor aprovecha en sus páginas la experiencia literaria y sentimental de toda su vida. El proceso psicológico descrito —el amor apasionado del comienzo, el tormento de los celos y la indiferencia final— da por ello una impresión de auténtica realidad.

La obra, en la que se intercalan composiciones líricas de exquisita belleza, ofrece un estilo muy cuidado, y el diálogo —lleno de agudezas, de citas y de frases ingeniosas— es un curioso ejemplo del tipo de conversación culta de la época.

Tan sólo la novela picaresca se halla ausente de la amplia producción de Lope. Su temperamento vital y su visión esencialmente poética de la vida le impidieron acercarse a un género en el que la realidad aparecía sistemáticamente degradada.

BIBLIOGRAFIA

ESTUDIOS SOBRE EL TEATRO DEL SIGLO DE ORO

A. Morel-Fatio: *La Comédie espagnole du XVIIIe siècle*, 1885.

H. A. Rennert: *The Spanish Stage in the time of Lope de Vega*, 1909.

J. Mariscal de Gante: *Autos sacramentales*, 1911.

C. Vossler: *La escena española. El estilo dramático de España*. En "Lope de Vega y su tiempo", 1940.

R. Menéndez Pidal: *Del honor en el teatro español*. En "De Cervantes y Lope de Vega", 1940.

R. Menéndez Pidal: *El teatro clásico*. En "La epopeya castellana a través de la literatura española", 1945.

J. Bergamín: *España en su laberinto teatral del siglo XVII (Mangas y capirotes)*, 1950.

B. W. Wardropper: *Introducción al teatro religioso del Siglo de Oro*, 1953.

R. Menéndez Pidal: *El Romancero hispánico*. Vol. II, 1953.

A. Castro: *Teatro clásico y literatura barroca*. (Sobre el concepto del honor.) En "Semblanzas y estudios españoles", 1956.

E. Asensio: *Itinerario del entremés*. Ed. Gredos, 1965.

F. Sánchez Escribano y A. Porqueras: *Preceptiva dramática española del Renacimiento y el Barroco*. Ed. Gredos, 1966.

J. Caro Baroja. *Honor y vergüenza*. En "La ciudad y el campo", 1966.

Everet W. Hesse: *Análisis e interpretación de la comedia*. (Sobre Lope, Tirso y Calderón.) Edit. Castalia, 1970.

E. M. Wilson y D. Moir: *Siglo de Oro: Teatro*. En "Historia de la literatura española". Barcelona, Ariel, 1974.

EDICIONES DE LOPE DE VEGA

Teatro. B. A. E. 4 vols. — Ed. R. Acad. Esp., Menéndez y Pelayo, 1890-1913. — Real Acad. E. Cotarelo. 13 vols., 1916-1930. — Ed. Aguilar, 2 vols. — "Peribáñez", "Dama boba", "Villano en su rincón", "Bizarrías Belisa": A. Zamora Vicente. Clás. Cast. "Remedio en desdicha", "Mejor Alcalde": J. Gómez Ocerín. R. M. Tenveiro. Clás. Cast. "Fuenteovejuna": López Estrada, C. Castalia, 1969. — "Caballero de Olmedo": F. Rico, Anaya, 1970.

Poesía. B. A. E. — Ed. Aguilar. I vol.

Poesías líricas. Montesinos. Clás. Cast., 1926-1927.

El Isidro. A. Castro, 1918.

Gatomaquia. Rodríguez Marín, 1935.

Arte nuevo. Morel-Fatio. Bull. Hisp., 1901.

Novelas. B. A. E. — Ed. Aguilar.

La Dorotea. B. A. E. — A. Castro, 1913.

ESTUDIOS SOBRE LOPE DE VEGA

M. Menéndez y Pelayo: *Estudios sobre el teatro de L. de V.* Seis vols., 1949. (Es una recopilación de los prólogos de su edición del teatro de Lope.)

R. Schevill: *The dramatic art of L. de V.*, 1918.

H. A. Rennert y A. Castro: *Vida de L. de V.*, 1919.

M. Romera Navarro: *La preceptiva dramática de Lope de Vega*, 1935.

A. G. de Amezúa: *Lope de Vega en sus cartas*, 1935-1943.

R. Menéndez Pidal: *El Arte Nuevo y la Nueva Biografía.* En "Cervantes y L. de V.", Col. Austral, 1940.

S. G. Morley y E. Bruerton: *Chronology of L. de Vega's Comedias,* 1940, y en Hisp. Review, 1947.

P. Henríquez Ureña: *Lope de Vega.* En "Plenitud de España", 1940.

C. Vossler: *Lope de Vega y su tiempo*, 1940.

J. de Entrambasaguas: *Estudios sobre Lope de Vega.* Tres vols., 1945-1958.

Dámaso Alonso: *Lope de Vega, símbolo del Barroco.* En "Poesía española", 1944.

J. de Entrambasaguas: *Vivir y crear de Lope de Vega.* 1946.

Alfonso Reyes: *Lope de Vega.* En "Cuatro ingenios", 1950.

R. Menéndez Pidal: *Romancero hispánico.* Vol. II, 1953.

A. Alonso: Tres estudios sobre la creación poética de *Lope de Vega.* En "Materia y forma en poesía", 1955.

R. Menéndez Pidal: El lenguaje de Lope de Vega y *El castigo sin venganza.* En "El P. Las Casas y Vitoria", 1958.

Alonso Zamora Vicente: *Lope de Vega*, 1961.

El teatro de Lope de Vega. (Estudios de Ch. V. Aubrun y J. F. Montesinos, E. M. Wilson, Ribbans, L. Spitzer, Bataillon y A. Alonso.) Buenos Aires, 1962.

Noël Salomon: *Recherches sur le thème payan dans la "comedia" au temps de Lope de Vega.* Burdeos, 1965.

J. Caro Baroja: *Honor y vergüenza.* En "La ciudad y el campo", 1966.

J. Montesinos: *Estudios sobre Lope de Vega.* Ed. Anaya, 1967.

R. Froldi: *L. de V. y la formación de la Comedia.* Ed. Anaya, 1968.

la escuela de lope. 39
tirso de molina y alarcón

La escuela de Lope

La fórmula teatral creada por Lope de Vega fue aprovechada por una serie de dramaturgos que, aunque aportando cada cual notas individuales, siguieron en lo esencial la huella del maestro.

Tirso de Molina

Vida. — Fray Gabriel Téllez —hijo, según algunos, del duque de Osuna— nació en Almazán (Soria), en 1584. Ingresó en la Orden de la Merced y estuvo en América, de donde regresó a los dos años para residir largo tiempo en Toledo. Muy pronto se dio a conocer como autor de comedias, con el seudónimo "Tirso de Molina", pero denunciado a causa de su labor teatral, dejó de escribir durante diez años. Desempeñó los cargos de Cronista de la Orden y Definidor de Castilla, y murió en un convento de Soria (1648).

Su obra en prosa. — Tirso escribió dos obras en prosa, tituladas *Los cigarrales de Toledo* (1621) —colección de divertidas comedias y novelas cortas, entre las que destaca la de "Los tres maridos burlados"— y *Deleitar aprovechando* (1635) —donde agrupa autos, narraciones morales y vidas de santos—. El tono desenvuelto de la primera, contrasta con la severidad de la segunda. La gracia narrativa y las dotes literarias de Tirso quedan de manifiesto en estas dos interesantes colecciones, escritas en una prosa ágil o abarrocada y brillante. Escribió también una *Historia de la Orden de la Merced.*

Características de su teatro. — Tirso es, después de Lope y Calderón, la figura más importante del teatro español. De las cuatrocientas comedias que debió de escribir, sólo unas ochenta han llegado hasta nosotros.

Su teatro, aunque sigue al de Lope en la amplia libertad de su técnica y en su vivo dinamismo escénico ofrece notas particulares, como son el presentar personajes fuertemente caracterizados y el eludir el mundo convencional —caballeresco, mitológico, pastoril...— que Lope había llevado, bien que circunstancialmente, a las tablas. En este sentido, Tirso, menos preocupado también por los temas nacionales, prefería inspirarse en la realidad social de la época.

Dos son los rasgos sobresalientes de su arte dramático: la *intuición psicológica* y el elemento humorístico. Aquélla da origen a poderosas individualidades —don Juan, doña María de Molina—, pues Tirso, gran creador de caracteres, gusta de presentar figuras extraordinarias, siguiendo una técnica opuesta a la del teatro francés, más atento al común denominador humano; por otra parte, ha sabido también llevar a la escena un tipo de mujer desenvuelta, lleno de simpatía y de gracia.

Su humor, más cercano a la socarronería maliciosa que a la simple comicidad ingenua, aunque siempre sano y jovial, se halla desparramado por la mayor parte de las comedias, pero cobra singular relieve en aquellas donde deliciosas figuras femeninas recurren a diversas astucias para dar buen fin a sus afanes amorosos.

El estilo sobresale por su riqueza de léxico, por lo jugoso de su vivaz expresión y por sus frecuentes notas de ingenio. A veces deriva hacia lo culterano, pero, en general, abunda más el rasgo conceptista.

Géneros y obras. — Las comedias más importantes de Tirso pueden agruparse en cuatro apartados: 1.º, de tema bíblico; 2.º, de santos; 3.º, históricas; 4.º, de intriga amorosa. Quedan fuera de esta división "El condenado por desconfiado" y "El burlador de Sevilla".

Entre las "de tema bíblico" figuran la poderosa tragedia titulada *La venganza de Tamar* y *La mejor espigadora*, sobre la bella historia de Ruth. De "santos" son *El mayor desengaño*, en torno a las terribles circunstancias de la conversión de San Bruno, y las dos partes de *Santa Juana* animadas con deliciosas escenas de ambiente rústico.

La mejor de las comedias "históricas" es, sin duda, *La prudencia en la mujer* (impresa en 1634), en la que la protagonista, doña María de Molina, se opone con energía varonil a las maquinaciones de los nobles, consiguiendo salvar la corona de su hijo Fernando IV.

Las "comedias de intriga amorosa" constituyen el sector más animado de todo el teatro de Tirso, por la gracia con que el autor dirige la actuación de sus personajes femeninos. En *El vergonzoso en Palacio* —tal vez su primera comedia (¿1605-1606? , impresa en 1624)—, Magdalena se declara en sueños al tímido Mireno para alentarle a que él lo haga a su vez; *Don Gil de las calzas verdes* (1635) y *La gallega Mari-Hernández* repiten el tema de la joven que, disfrazada de hombre, sale en busca de su prometido; *Marta la piadosa* (1635) nos presenta la astucia de la protagonista, que para no casarse contra su voluntad finge una vocación religiosa; y, en fin, en *La villana de Vallecas* (1620), una dama, disfrazada de labradora, consigue, gracias a sus enredos, ser la esposa de quien ama.

La fina ironía con que Tirso plantea divertidas situaciones, el interés de la intriga, la simpatía de los protagonistas y la vivacidad con que se describen ambientes cortesanos o rústicos, hacen de estas comedias obras verdaderamente deliciosas.

El burlador de Sevilla y Convidado de Piedra. — Aprovechando elementos tradicionales, Tirso perfila por primera vez el tipo de "don Juan" en esta obra capital de su teatro (impresa en 1630). El castigo del protagonista, que muere y se condena después del banquete macabro ofrecido por la estatua del Comendador, a quien aquél había invitado a cenar, se presenta como el justo fin de una desenfrenada vida de placeres. El siglo XVII no podía reaccionar de otro modo ante la figura de don Juan, encarnación típicamente barroca del ansia nunca satisfecha de goces sensuales. El Romanticismo, en cambio, adoptó otra actitud al ver en él un símbolo de la rebeldía contra las trabas de la moral y de los prejuicios sociales; de ahí el desenlace de la obra de Zorrilla, en la que don Juan acaba salvándose.

Tirso, atento a la lección moral derivada del fin del protagonista, no acabó de concretar los rasgos de su personalidad. Quizás lo más importante para él fuera mostrar a dónde conduce la excesiva confianza en la misericordia de Dios, pues cuando a don Juan le hablan del más allá, responde despreocupadamente: "¡Tan largo me lo fiáis...!" Sin embargo, su potente intuición psicológica le permitió esbozar las líneas esenciales de un tipo humano que la posteridad literaria había de recoger interpretándolo de mil formas diversas. En este sentido, se le puede considerar como creador de la figura que ha tenido más derivaciones en la literatura universal. Sobre don Juan han escrito en España, Zamora, Zorri-

lla, Jacinto Grau...; en el extranjero, Molière, Mozart, Goldoni, Byron, Lenau, Lenormand, Bernard Shaw, etc.

Es realmente curioso examinar las variadas interpretaciones que de su figura han llegado a formularse: don Juan es el hombre enamoradizo o el que no se enamora nunca, un voluptuoso gustador de placeres o "el hombre que no saborea", el seductor o el seducido, un símbolo de la masculinidad o lo más opuesto a ella...

Fray Gabriel Téllez (Tirso de Molina)

El condenado por desconfiado. – Estudiamos aquí esta importante producción (impresa en 1636) aunque no hay pruebas suficientes para atribuirla a Tirso.

Su asunto –que ha sido relacionado con antiquísimas leyendas orientales– es como sigue. El ermitaño Paulo pide a Dios le comunique si ha de salvarse, y un diablo en forma de ángel le revela que su fin será el de Enrico. Parte Paulo en su busca y al saber que es un bandolero se desespera y decide llevar su misma vida. Pero Enrico se confiesa a tiempo, por obediencia a su padre, y se salva, mientras que Paulo muere a manos del pueblo, enfurecido contra él por sus fechorías, y se condena.

Se ha dicho que el autor del Condenado quiso defender la tesis del P. Molina, según el cual la gracia concedida por Dios sólo resulta eficaz si el hombre colabora con sus obras. Sea o no exacta esta afirmación, es indudable que la obra gira en torno al tema teológico de la predestinación; no obstante, su valor es más bien de tipo psicológico, dado el vigor con que se hallan trazadas las figuras del asceta orgulloso de su santidad, que acaba desconfiando de la misericordia de Dios –al revés que don Juan, que se condena por demasiado "confiado"–, y la de Enrico, que en medio de sus crímenes conserva la auténtica virtud del amor filial y se salva gracias a ella.

La siguiente escena nos muestra el momento en que Paulo decide abandonar la vida ascética. Obsérvese la intervención del "gracioso":

PAULO y PEDRISCO

PAU. – Diez años y más, Señor,
ha que vivo en el desierto,
comiendo hierbas amargas,
salobres aguas bebiendo,
sólo porque vos, Señor,
juez piadoso, sabio, recto,
perdonarais mis pecados.
¡Cuán diferente lo veo!
Al infierno tengo de ir.
¡Ya me parece que siento
que aquellas voraces llamas
van abrasando mi cuerpo.

PED. – Sólo oírle me da miedo.
Padre, volvamos al monte.

PAU. – ...Dios me dijo que si aqueste [1]
se iba al cielo, me iría al cielo,
y al profundo, si al profundo.
Pues es ansí, seguir quiero
su misma vida; perdone
Dios aqueste atrevimiento:
si su fin he de tener,

tenga su fin y sus hechos;
que no es bien que yo en el mundo
esté penitencia haciendo,
y que él viva en la ciudad
con gustos y con contentos,
y que a la muerte tengamos
un fin.

PED. –   Es discreto acuerdo.
Bien has dicho, padre mío...
Vamos, pues.

PAU. –   Señor, perdona
si injustamente me vengo.
Tú me has condenado ya:
tu palabra es caso cierto
que atrás no puede volver.
Pues si es ansí, tener quiero
en el mundo buena vida,
pues tan triste fin espero.
Los pasos pienso seguir
de Enrico.

PED. –   Ya voy temiendo
que he ir contigo a las ancas
cuando vayas al infierno.

_____

1. "Aqueste": Enrico.

El "corral" de Almagro (Ciudad Real), recientemente restaurado, nos permite evocar el ambiente que enmarcaba la representación de las comedias de nuestro Siglo de Oro.

Guillén de Castro

La estancia de Lope de Vega en Valencia influyó poderosamente en la producción de un grupo de autores de aquella región, entre los que destaca Guillén de Castro.

Nació en Valencia (1569), fue capitán de caballería en el Grao y participó activamente en la vida literaria de la época, hasta su muerte en Madrid (1631). Fue uno de los fundadores de la Academia de los Nocturnos.

La obra fundamental de su teatro, que en algunos rasgos —v. gr., la ausencia del gracioso— recuerda el inmediatamente anterior a Lope, la constituyen las dos partes de *Las mocedades del Cid* (impresa en 1618). En la primera, el héroe castellano, a pesar de estar enamorado de Jimena, mata a su padre, el conde Lozano, para vengar una afrenta inferida por éste al suyo, Diego Laínez. Jimena pide venganza al rey, pero al fin acaba casándose con Rodrigo. En la segunda se dramatiza el tema del cerco de Zamora, la muerte de Sancho II y la jura de Santa Gadea. Ambas vienen a ser en realidad una sucesión de cuadros plásticos, con escasa relación entre sí, en los que se escenifican motivos del romancero.

Guillén de Castro aprovechó diversos romances populares en esta obra abigarrada y confusa, pero que puede considerarse como *una de las más enérgicas y briosas de nuestro teatro épico*. Sus cualidades y defectos quedan de manifiesto si la comparamos con "Le Cid", imitación de Corneille ajustada a las reglas clásicas, en las que se pierde el elemento nacional español y cobra mayor relieve el conflicto humano entre el valor y el deber filial.

El teatro de Guillén de Castro ofrece la particularidad de presentar varias comedias inspiradas en obras de Cervantes: *Don Quijote de la Mancha, El curioso impertinente* y *La fuerza de la sangre.*

Dignas de mención son también *El Conde Alarcos,* sobre un dramático romance; *El Narciso en su opinión,* de capa y espada, y *Progne y Filomena,* de tema mitológico. Es asimismo notable la frecuencia con que Castro aludió a conflictos matrimoniales, resolviéndolos de una manera negativa.

Ruiz de Alarcón

Juan Ruiz de Alarcón nació en Méjico (1581-1639) y ejerció la abogacía en Sevilla. Tras un viaje a su país natal, se estableció en Madrid, donde intervino en la vida literaria, y desempeñó un cargo en el Consejo de Indias. Su desgraciado aspecto físico —era de pequeña estatura y jorobado de pecho y espalda— le acarreó groseras burlas de sus contemporáneos: Lope, Quevedo, Góngora y muchos otros le zahirieron cruelmente llamándole "camello enano", "mona", "don Talegas", "baúl poeta", etc. Ello hizo tal vez de él un resentido, lo que explicaría que en su teatro la virtud aparezca a menudo encarnada en tipos poco simpáticos y que, por el contrario, los más atractivos ofrezcan algún defecto moral.

Carácter de su teatro. — Tres son las notas de su producción: la orientación moralizadora, la pintura de "tipos" representativos y la sobriedad y cuidado del estilo.

La *dirección moral* de la comedia alarconiana venía a ser algo nuevo en el teatro español, considerado generalmente como un divertido entretenimiento. Alarcón convierte la escena en escuela moral, haciendo que sus obras fustiguen una serie de vicios, lo que les da un tono de severidad que ya fue advertido por sus contemporáneos.

La *pintura de caracteres* le separa también de Lope y de Tirso, dada la preferencia de Alarcón por el análisis psicológico de un tipo de humanidad media de fácil generalización: el mentiroso, el ingrato, el maldiciente... Ello explica el éxito que obtuvo entre los dramaturgos franceses —Corneille sobre todo—, más inclinados a la nota abstracta que al rasgo individual.

La *cuidada sobriedad del estilo* y su técnica reflexiva ofrecen asimismo un gran contraste con los frecuentes descuidos de las improvisaciones de Lope. Alarcón escribió poco —sólo nos quedan de él unas veinte comedias—, lo que le permitió pulir sus versos y dar una perfecta estructura a las obras.

Obras. — Entre las comedias de tipo moral sobresale *La verdad sospechosa* (¿antes de 1621?, pero impresa en 1630) —imitada más tarde por Corneille en "Le menteur"—. En ella nos presenta al joven don García, que, enredado en sus propias mentiras, pierde el amor de su dama y se ve obligado a casarse con quien no quiere.

En la escena siguiente, su padre le afea el vicio de mentir, aunque sin conseguir nada, pues a continuación don García urde otro de sus embustes.

DON BELTRAN, DON GARCIA

BEL. — ¿Sois caballero, García?
GAR. — Téngome por hijo vuestro.
BEL. — ¿Y basta ser hijo mío
para ser vos caballero?
GAR. — Yo pienso, señor, que sí.
BEL. — ¡Qué engañado pensamiento!
Sólo consiste en obrar
como caballero, el serlo...
luego si vuestras costumbres
os infaman en el pueblo
no importan paternas armas
no sirven altos abuelos...
Obliga a los codiciosos
el poder que da el dinero;
el gusto de los manjares
al glotón; el pasatiempo
y el cebo de la ganancia
a los que cursan el juego;

su venganza al homicida,
al robador su remedio,
la fama y la presunción
al que es por la espada inquieto;
todos los vicios, al fin
o dan gusto o dan provecho;
mas de mentir, ¿qué se saca
sino infamia y menosprecio?
GAR. — Quien dice que miento yo
ha mentido.
BEL. —   También eso
es mentir, que aun desmentir
no sabéis sino mintiendo.
GAR. — Pues si dais en no creerme...
BEL. — ¿No seré necio si creo
que vos decís verdad sólo
y miente el lugar entero?
Lo que importa es desmentir
esta fama con los hechos.

El mismo carácter moralizador tiene *Las paredes oyen* (1628), donde se censura el vicio de hablar mal del prójimo; una dama acaba desdeñando a su galán —atractivo, pero dado a la murmuración— y se enamora de otro personaje de noble alma y figura contrahecha. En *La prueba de las promesas* se critica la ingratitud, valiéndose de un tema del "Conde Lucanor" —el cuento de don Illán—, etc.

En el teatro de Alarcón la acción suele desarrollarse en un ambiente de ciudad que da pie a notas de costumbrismo urbano. Sin embargo, algunas obras tienen un fondo histórico o legendario, como *Ganar amigos* y *El tejedor de Segovia* (1634), vigorosas creaciones de gran fuerza dramática y ambiente misterioso o tétrico, en las que se exaltan virtudes heroicas.

En general, el teatro de Ruiz de Alarcón resulta algo prosaico por su escasez de elementos líricos, novelescos e incluso cómicos, como lo demuestran sus "graciosos"; sin embargo, su tono mesurado y digno, la atildada pulcritud de su estilo y su perfecta construcción, hacen que pueda considerársele como el mejor discípulo de Lope, después de Tirso.

Juan Ruiz de Alarcón.

construcción, hacen que pueda considerársele como el mejor discípulo de Lope, después de Tirso.

Luis Vélez de Guevara

Nació en Ecija (1579-1644), estuvo en Italia como soldado y ejerció la abogacía en Madrid. Estudiada en otro lugar su novela costumbrista "El diablo Cojuelo", réstanos examinar su obra dramática.

Como autor teatral, Vélez es uno de los autores del ciclo de Lope que más cerca se hallan de lo que éste representa en nuestra escena. En efecto, sus mejores producciones son enérgicas *dramatizaciones de motivos histórico-legendarios,* en las que la utilización de romances y cantares populares da lugar a momentos de un gran *lirismo.* Como en Lope, la simpatía hacia lo popular se manifiesta también en varias comedias donde se defiende briosamente el honor villanesco contra las tropelías de los nobles. Un estilo matizado de gongorismo, una gran capacidad para trazar caracteres —sobre todo femeninos— y un notable alejamiento de la comedia costumbrista de capa y espada, completan los rasgos fundamentales que definen a Vélez y a su teatro.

Su obra maestra es el bello drama *Reinar después de morir.*

Inés de Castro, casada en secreto con el príncipe Pedro de Portugal, es asesinada por mandato del rey a instancias de doña Blanca, prometida oficial del príncipe; el rey muere también al poco tiempo y don Pedro, al subir al trono, hace que los cortesanos acaten como soberana a doña Inés, quien, de esta forma, reina después de morir.

El valor lírico de algunas escenas impregnadas de melancolía, y el patetismo de sus momentos culminantes, hacen de esta producción una de las piezas más logradas de todo el teatro español.

Un gran interés dramático y poético tiene también *La luna de la sierra,* sobre el tema del honor popular, y *La serrana de la Vera* —inspirada en cantares tradicionales—, donde una moza, burlada por un capitán, se hace bandolera, y al encontrarse con él en el monte, se venga, arrojándole por un precipicio.

Antonio Mira de Amescua

Nació en Granada y siguió la carrera eclesiástica (¿1577? -1644). Su teatro se distingue, entre otras cosas, por el *carácter arrebatado de los personajes,* por la fuerte *tensión dramática* de muchas escenas, y por su brillante y ampuloso *estilo culterano.* Pero si en esto último se aproxima a Calderón, su técnica es todavía la de Lope: una atropellada sucesión de escenas y una pluralidad de acciones dentro de una misma comedia.

Todo ello podemos verlo en su mejor obra, *El esclavo del demonio* (impresa en 1612), cuyos impetuosos personajes pasan bruscamente del más extremado ascetismo a las más violentas pasiones y del pecado a la santidad.

Dedícanse ambos al bandidaje y don Gil vende su alma al diablo para conseguir el amor de una hermana de Lisarda, pero al ir a abrazar la imagen que aquél le presenta, se encuentra con un esqueleto y se arrepiente; su ángel de la guarda lucha contra el demonio y recupera el contrato de venta, lo que permite al protagonista poder llegar a ser un día San Gil de Portugal.

Amescua cultivó también la comedia de "santos" en *La mesonera del cielo,* la de costumbres en *La Feria de Salamanca* y la de tema legendario en *Lo que puede el oír misa.*

Los "Autos" de Valdivielso

José de Valdivielso, sacerdote toledano (1562-1638), sobresale como autor de "Autos sacramentales" que, aunque influyeron en los de Calderón, se asemejan a los de Lope en el hecho de dar mayor importancia a la emoción humana que a la idea teológica. Uno de los mejores es *El hijo pródigo* (1622).

Como poeta lírico aprovechó, lo mismo que Lope, motivos populares que vertió a lo divino en composiciones llenas de delicadeza y ternura. A esta orientación responde su *Romancero espiritual* (1612). Valdivielso es también autor de uno de los más valiosos poemas épicos del siglo XVII: la *Vida, excelencias y muerte del gloriosísimo patriarca San Joseph.*

Los entremeses de Quiñones de Benavente

Luis Quiñones de Benavente († 1651) es, después de Cervantes, el entremesista más importante del siglo XVII. Sus graciosos entremeses —comenzados a imprimir en 1645—, llenos de notas satíricas y rasgos costumbristas, son un interesante documento de época. Pueden citarse *El guardainfantes, Las civilidades, La Maya,* etc.

BIBLIOGRAFIA

EDICIONES

Tirso. "Cigarrales". Said Armesto, 1914. — "Teatro". B. A. E. — E. Cotarelo, N. B. A. E. — Obr. compl. B. de Los Ríos. Ed. Aguilar, 1959. — A. Castro; Zamora Vicente. Clás. Cast.

Guillén de Castro. B. A. E. — "Mocedades". Said Armesto, Clás. Cast., 1913. — Obras. Ed. E. Juliá. Acad. Esp., 1925, 26 y 27.

Ruiz de Alarcón. B. A. E., vol. XX. — A. Reyes y Millares Carlo. Clás. Cast.

Vélez de Guevara. B. A. E., XLV. — M. Muñoz Cortés. Clás. Cast., 1948.

Mira de Amescua. B. A. E., XLII, XLV. — A. Valbuena. Clás. Cast., 1926.

Valdivielso. B. A. E., XXIX.

Quiñones. E. Cotarelo, N. B. A. E., XVII, XVIII.

ESTUDIOS

M. Menéndez y Pelayo: *Tirso de Molina*. En "Estudios y disc. de crítica hist. y literaria". Vol. III.

G. Gendarme de Bévotte: *La légende de don Juan*, 1906.

V. Said Armesto: *La leyenda de don Juan*, 1908.

Blanca de los Ríos: *Del Siglo de Oro*, 1910.

R. Menéndez Pidal: *El condenado por desconfiado* y *Sobre los orígenes de El convidado de piedra*. En "Estudios literarios", 1920.

R. de Maeztu: *Don Quijote, don Juan y la Celestina*, 1925.

J. A. Tamayo: *Tirso de Molina*, 1944.

C. Vossler: *Tirso de Molina*. En "Escritores y poetas de España", 1944.

H. L. McClelland: *Tirso de Molina. Studies on dramatic realism*, 1948.

A. Zamora Vicente: *Acercamiento a Tirso de M.* En "Presencia de los clásicos", 1951.

Karl Vossler: *Lecciones sobre Tirso de Molina*. Madrid, 1965.

E. Juliá: Introducción a su edición del teatro de *Guillén de Castro*.

M. Menéndez y Pelayo: *Historia de la Poesía hispanoamericana*. (Sobre *Ruiz de Alarcón*). Vol. I, 1911.

P. Henríquez Ureña: *Don Juan Ruiz de Alarcón*, 1914.

A. Reyes: *Juan de Alarcón* (La "Lectura"), 1918.

J. Jiménez Rueda: *Juan Ruiz de Alarcón y su tiempo*, 1939.

J. M. Castro: *El resentimiento de la moral en el teatro de J. Ruiz de A.* En Rev. de Fil. Esp., 1942.

E. Cotarelo: *Mira de Amescua y su teatro*. Bol. Acad. Esp., 1930.

F. Rodríguez Marín: *Luis Vélez de Guevara*, 1910.

E. Cotarelo: *L. Vélez de Guevara y sus obras*. Bol. Acad. Esp., 1916 y 1917.

P. E. Spencer y R. Schevill: *The Dramatic Works of L. Vélez de G.*, 1937.

M. Muñoz Cortés: *Aspectos estilísticos de Vélez de G.* En Rev. de Fil. Esp., 1943.

J. Mariscal de Gante: *Los Autos Sacramentales*, 1911. (Sobre *Valdivielso*.)

Hannah E. Bergman: *Luis Quiñones de Benavente y sus entremeses*. Madrid, 1965.

Véanse además los prólogos de Clásicos Castellanos en las ediciones de Tirso, G. de Castro, Ruiz de Alarcón, Vélez de Guevara y Amescua.

La imitación de "Las mocedades del Cid" por Corneille es un ejemplo del influjo de nuestro teatro nacional sobre los dramaturgos europeos de la época. Grabado de una edición francesa del siglo XVII, de "Le Cid".

el teatro barroco de calderón

El teatro barroco calderoniano

Si Lope crea nuestro teatro nacional estableciendo sus líneas fundamentales, Calderón da un paso más allá incorporándole los más extremados recursos del barroco. No quiere ello decir que la producción escénica del primero se halle totalmente alejada de los procedimientos estilísticos del barroquismo, pues aunque algunas convicciones de Lope le vinculen todavía con la ideología renacentista, los matices conceptistas de su lenguaje, el vivaz dinamismo de la acción o la técnica del contraste —a base de la presencia del "gracioso"— demuestran su coincidencia con las modalidades estéticas más características del siglo XVII. Pero es sobre todo Calderón quien, a partir del segundo tercio de la centuria, impone una nueva fórmula teatral plenamente de acuerdo con los principios básicos del estilo barroco.

Pedro Calderón de la Barca.

Vida de Calderón

Pedro Calderón de la Barca nace en Madrid en el año 1600. Estudia en el Colegio Imperial de los jesuitas, en Alcalá y Salamanca, y adquiere una sólida formación teológica. Pero abandona los estudios eclesiásticos y marcha a Madrid, donde al cabo de un tiempo se convierte en el dramaturgo favorito de la Corte. Logra el hábito de Santiago y guerrea en Cataluña, hasta que a los cincuenta años se ordena sacerdote, yendo a vivir a Toledo como capellán de los Reyes Nuevos. Nombrado capellán de honor del rey se establece en Madrid, donde reside hasta su muerte, ocurrida en 1681.

Su vida presenta un gran contraste con la de Lope. Si en la ruidosa existencia de éste todo es agitación e impulso vital, la de aquél, dedicada íntegramente a la cuidadosa elaboración de su obra dramática, se halla presidida por la *meditación y el estudio.*

Sus dos estilos dramáticos

El estilo de Calderón ofrece —como observa A. Valbuena [1] — dos modalidades distintas; no sucesivas —aunque la segunda se acentúe en las obras de última hora—, sino paralelas.

En su *primer estilo,* Calderón no hace sino ordenar y condensar lo que en Lope aparecía desordenado y difuso; elimina lo accesorio, concentra la acción en torno a un tema central y estiliza las notas de realismo costumbrista, típicas, por ejemplo, de las comedias de capa y espada.

En el *segundo,* más característico del arte de Calderón, e iniciado hacia 1635, lo ideológico y escenográfico adquiere una importancia enorme y los elementos realistas desaparecen casi por completo para dejar paso a lo simbólico, fantástico y poético. Una brillante profusión de recursos ornamentales del más puro estilo barroco —líricos, plásticos, musicales...— adornan ahora la obra dramática, en cuyo núcleo se halla a menudo un concepto filosófico.

La forma externa y la técnica teatral

La expresión ofrece las dos modalidades del estilo barroco: conceptismo y culteranismo. Vemos, por una parte, sutilezas, antítesis y conceptos, expresados en una forma ingeniosa; por otra, una gran riqueza de metáforas de tipo gongorino, en las que obsérvase ya un deslizamiento hacia el tópico.

El gusto barroco por la ornamentación recargada se manifiesta también en la complicada *escenografía* que sirve de marco a las obras, sobre todo a las del segundo estilo y a los Autos sacramentales. A diferencia del popular teatro de "corral", de Lope, el de Calderón, destinado en gran parte a animar las "Fiestas Reales" de Palacio, ofrece, gracias a la colaboración de hábiles arquitectos y tramoyistas, un magnífico

1. A. Valbuena. "Calderón".

despliegue de sorprendentes trucos escenográficos y efectos visuales: jardines maravillosos, fantásticas apariciones de seres sobrenaturales, castillos que viajan por los aires... La danza y la música se unen frecuentemente a la plástica, convirtiendo las obras en un espectáculo insuperable.

La técnica teatral de Calderón se ajusta igualmente a los principios barrocos. Ejemplo de ello sería la subordinación de los elementos dramáticos a un motivo central, el sentido desmesurado que alcanzan los gestos o pasiones de los protagonistas, el dinamismo contenido que observamos en las actitudes de éstos, siempre en lucha consigo mismo, y sobre todo la estilización esquemática de la realidad, a base por ejemplo, de una rigurosa ordenación simétrica y correlativa [1] de los personajes —el violento, el apacible...—.

En los primeros versos de "La vida es sueño", pueden verse algunos aspectos del arte barroco de Calderón: la abundancia del elemento metafórico, el sentido hiperbólico de las imágenes, las referencias a la mitología, la dinámica visión del caballo desbocado, la áspera violencia del paisaje aludido, tan distinto de la plácida naturaleza del bucolismo clásico...

Dice Rosaura dirigiéndose a su caballo:

> Hipogrifo violento
> que corriste parejas con el viento,
> ¿dónde, rayo sin llama,
> pájaro sin matiz, pez sin escama
> y bruto sin instinto
> natural, al confuso laberinto
> destas desnudas peñas
> te desbocas, arrastras y despeñas?
> Quédate en este monte,
> donde tengan los brutos su Faetonte,
> que yo, sin más camino
> que el que me dan las leyes del destino,
> ciega y desesperada,
> bajaré la aspereza enmarañada
> deste monte eminente,
> que arruga al sol el ceño de su frente.

El fondo ideológico

En Calderón, el elemento filosófico cobra una importancia decisiva, pues la acción aparece a menudo subordinada al pensamiento, y los personajes llegan a ser a veces meros símbolos de conceptos abstractos.

Tres aspectos capitales pueden advertirse en este fondo ideológico: el social, el moral y el teológico. El primero se halla sometido a la influencia de las convenciones de la época; el segundo, a los puntos de vista del estoicismo y de·la tradición cristiana; el tercero, a los conceptos fundamentales de la teología neoescolástica de los jesuitas.

1. Dámaso Alonso. "Seis calas en la expresión literaria española".

En el terreno de las *convenciones sociales,* Calderón se hace eco, como Lope, de las ideas sobre el honor y el respeto a la persona del monarca, si bien extremando las actitudes hasta los límites de lo inconcebible. La lealtad al rey se antepone a la vida y el honor, y se afirma que éste

> es de materia tan frágil
> que con una acción se quiebra
> y se mancha con el aire.

En este sentido, los maridos calderonianos lavan con sangre un simple intento de ofensa y castigan con la muerte un ultraje del que sólo tienen indicios. Es curioso, no obstante, observar cómo Calderón da una solución distinta al problema del honor cuando lo sitúa fuera del marco de las costumbres de la época. Así, en el auto "El pintor de su deshonra", donde aparece vertido "a lo divino".

Las *ideas morales* llevan el sello pesimista de la época. La noción del "desengaño" se impone por encima de cualquier otra consideración, se insiste en la apariencia engañosa de las cosas y en su ineludible caducidad, y el concepto negativo de la humana existencia halla variadas imágenes en qué expresarse: unas veces será la de la efímera vida de las flores, otras la de una representación teatral, otras, en fin, la de un puro sueño:

> porque en el mundo, Clotaldo,
> todos los que viven sueñan...

Las glorias terrenas "no son más que una ilusión", "humo, polvo, sombra y viento". Sin embargo, hay algo estable y definitivo que oponer a los valores ficticios de este mundo: la virtud, único bien que "no se pierde". De ahí el "acudamos a lo eterno", con que el protagonista de "La vida es sueño" resuelve una serie de amargas reflexiones.

En cuanto a las *ideas teológicas,* vemos el influjo directo del neoescolasticismo de los jesuitas, por ejemplo en la del libre albedrío, tan ampliamente debatida por los teólogos de la época; en este problema, Calderón acepta la tesis del P. Molina, defensor a ultranza del concepto de libertad humana frente a toda idea de predestinación. Por eso hará exclamar a uno de sus personajes que

> el planeta más impío,
> la inclinación más violenta,
> sólo el albedrío inclinan,
> no fuerzan el albedrío.

Como una consecuencia de las doctrinas tomistas deben considerarse las ideas de Calderón respecto del valor de la inteligencia y el estudio como medio para llegar al conocimiento de las verdades eternas e incluso a la santidad. La importancia concedida por él al elemento intelectual le diferencia notablemente de Lope, en quien lo religioso ofrece siempre matices de tipo sentimental y emotivo.

Escenografía de "La fiera, el rayo y la piedra", de Calderón. Obsérvese el lujo ornamental del decorado. De derecha a izquierda: Marte, el Océano, coro de Ninfas, el Viento y Cupido.

La influencia escolástica y jesuítica alcanza incluso a la forma, como se advierte en la frecuencia con que los personajes calderonianos razonan sus actitudes y hasta resuelven sus íntimos conflictos mediante retorcidos silogismos, en los que se advierte, por otra parte, la *mentalidad racionalista* del autor.

Lope y Calderón

Resalta en primer lugar, como diferencia fundamental, la extraordinaria fecundidad de Lope, frente a la *producción menos extensa* de Calderón. Si en la de aquél predomina la improvisación desordenada y la invención espontánea y suelta, en la de éste, *menos original pero más meditada* y reflexiva, serán notas esenciales la *perfecta arquitectura dramática* y el *artificio de la forma.* Uno y otro, pues, vienen a representar respectivamente la noción renacentista de "natura" y la barroca de "arte".

La importancia dada por Lope al elemento popular y nacional es otra de las cosas que le separan de Calderón, *más culto y aristocrático*[1] e inclinado a los *temas morales de validez universal.* La obra de Lope no se concibe fuera del ambiente español de la época; la de Calderón, sin dejar de ser profundamente española, está hecha en gran parte de ideas que rebasan el área nacional. No hay sino comparar "Fuenteovejuna", por ejemplo, con "La vida es sueño". En aquélla se nos ofrece, con finalidad puramente estética, la vida de unos rústicos españoles; en ésta, la dramatización de un pensamiento abstracto, con *propósito educativo* y artístico al mismo tiempo.

La obra de Calderón

Conservamos de Calderón ciento veinte comedias, ochenta autos sacramentales y unas cuantas piezas breves (entremeses, loas, jácaras, etc.).

1. Bien significativa, a este respecto, sería la sustitución del romance tradicional —tan profusamente utilizado en la obra de Lope— por el artificioso romancero artístico —preferido por Calderón—.

Las comedias pueden dividirse, aproximadamente, de esta forma:

1.º, de historia y leyenda española: *El alcalde de Zalamea.*
2.º, de honor y de celos: *El médico de su honra.*
3.º, de capa y espada: *La dama duende.*
4.º, filosóficas: *La vida es sueño.*
5.º, religiosas: *El mágico prodigioso.*
6.º, fantásticas y mitológicas: *La hija del aire, La estatua de Prometeo.*

Las tres primeras clases corresponden, en términos generales, al primer estilo de Calderón; las tres últimas, al segundo.

Comedias dramáticas de historia y leyenda española

La más importante del grupo es, sin duda alguna, *El alcalde de Zalamea* — ¿escrita en 1642? —, cuyo asunto deriva de otra comedia de Lope del mismo título. La obra gira en torno al tema del honor popular amparado por el monarca. El capitán don Alvaro de Ataide atenta contra el honor de Isabel, hija de Pedro Crespo, alcalde de Zalamea, y éste, después de haberle rogado sin éxito que repare la afrenta casándose con ella, le manda ahorcar, a pesar de las protestas del general don Lope de Figueroa. Enterado del caso Felipe II, aprueba la conducta de Pedro Crespo y le nombra alcalde perpetuo.

El formidable vigor con que está trazado el perfil moral de los personajes —especialmente el de Pedro Crespo— y la intensidad dramática de la acción, muy superior al del simple esbozo de Lope, convierten esta obra en una de las cumbres del teatro español. No deja de ser curioso que Calderón haya conseguido uno de sus más altos logros en una pieza de ambiente popular y, por lo tanto, alejada de la orientación aristocrática de su producción.

También se alude a la actuación justiciera de los reyes en *La niña de Gómez Arias,* escrita despueś de 1639 y basada en una leyenda tradicional, según la cual la Reina Católica hace ajusticiar a Gómez Arias, después de casarle con una joven a quien éste había afrentado y vendido como esclava.

Comedias dramáticas de honor y de celos

En ellas se plantea con extraordinaria violencia el tema del honor conyugal; los celos suelen ser lo de menos, pues, en general, los protagonistas obran fríamente, después de sutiles razonamientos e impulsados por lo que creen un deber social. La solución es siempre la muerte de la esposa, aunque sólo haya sospechas de su infidelidad. Así lo vemos en *El médico de su honra* (1635), *El pintor de su deshonra* (¿1639?) y *A secreto agravio, secreta venganza* (1636); en la primera, por ejemplo, don Gutierre mata a su esposa, haciéndola sangrar por un médico, sin que haya habido ofensa alguna.

En cambio, en *El mayor monstruo los celos* (hacia 1635), éstos se exageran hasta rebasar los límites de lo normal. Su protagonista, el Tetrarca de Jerusalén, llega a decidir la muerte de su esposa para evitar que, al morir él, ella pueda ser de otro.

Aunque las actitudes adoptadas por los personajes de estos dramas resultan desmesuradas, su extraordinaria potencia trágica los sitúa entre las mejores producciones de Calderón.

Comedias de capa y espada

Como las de Lope, desarrollan hábilmente una complicada intriga amorosa, en un ambiente urbano o palaciego. A pesar de su obligado desenlace —la boda del galán con la dama— y de la monotonía de los tipos —la joven audaz, el padre colérico...—, ofrecen una gran variedad de recursos y situaciones y figuran entre las más animadas de su autor. Su ritmo vertiginoso, la presencia de elementos líricos y la fuerza cómica de algunas escenas, en las que el gracioso reacciona a veces con ironía ante los tópicos y convencionalismos del género, constituyen otros tantos atractivos de estas deliciosas comedias.

Pueden citarse *La dama duende* (1629) —donde una dama deja regalos en la habitación de su galán, sin que nadie lo advierta y con el consiguiente susto del criado de éste—, *Casa con dos puertas mala es de guardar* (1629) y *Mañanas de abril y mayo* (1634).

Comedias filosóficas

A este grupo pertenece *La vida es sueño* (1635), producción máxima de Calderón, y, tal vez, de todo el teatro barroco europeo.

Su argumento es como sigue. Basilio, rey de Polonia, tiene encerrado en un castillo a su hijo Segismundo, para evitar que pueda volverse contra él, según han dicho los oráculos. Allí crece el príncipe sin conocer su origen ni ver a nadie más que a su ayo Clotaldo, hasta que un día, el rey, para probarle, le da un narcótico y le lleva a la corte. Al despertar, Segismundo obra bárbaramente, por lo que su padre le narcotiza

Otro apunte escenográfico para la representación de "La fiera, el rayo y la piedra". El grabado alude a Cupido en la fragua de los Cíclopes.

de nuevo, lo lleva otra vez al castillo y le hace creer que todo ha sido un sueño. Enterado el pueblo, se subleva y le liberta; Segismundo vence entonces a Basilio, pero la lección recibida al verse por segunda vez en la cárcel, le hace reprimir sus impulsos, moviéndole a obrar generosamente.

He aquí un momento culminante; aquel en que el desengañado príncipe llega a una conclusión negativa sobre el valor de la existencia humana:

CLOTALDO, SEGISMUNDO

CLO. — Tu sueño imperios han sido;
mas en sueños fuera bien
honrar entonces a quien
te crió en tantos empeños,
Segismundo, que aun en sueños
no se pierde el hacer bien.
(Vase.)
SEG. — Es verdad; pues reprimamos
esta fiera condición,
esta furia, esta ambición
por si alguna vez soñamos:
y sí haremos, pues estamos
en mundo tan singular,
que el vivir sólo es soñar;
y la experiencia me enseña
que el hombre que vive, sueña
lo que es, hasta despertar.
Sueña el rey que es rey y vive
con este engaño mandando,
disponiendo y gobernando;
y este aplauso, que recibe
prestado, en el viento escribe,
y en cenizas le convierte

la muerte, ¡desdicha fuerte! :
¿qué hay quien intente reinar
viendo que ha de despertar
en el sueño de la muerte?
Sueña el rico en su riqueza
que más cuidados le ofrece,
sueña el pobre que padece
su miseria y su pobreza;
sueña el que a medrar empieza,
sueña el que afana y pretende,
sueña el que agravia y ofende,
y en el mundo, en conclusión,
todos sueñan lo que son,
aunque ninguno lo entiende.
Yo sueño que estoy aquí
destas prisiones cargado,
y soñé que en otro estado
más lisonjero me vi.
¿Qué es la vida? un frenesí;
¿qué es la vida? una ilusión,
una sombra, una ficción,
y el mayor bien es pequeño;
que toda la vida es sueño,
y los sueños, sueños son.

"La vida es sueño" tiene un valor excepcional como drama de ideas, pues todo él es una verdadera encrucijada de problemas filosóficos de trascendental importancia: la influencia de la educación en la vida del hombre; el poder de la voluntad frente al destino, simbolizado éste en el influjo de los astros; el escepticismo ante las apariencias sensibles; el escaso valor de la existencia humana, considerada como un simple sueño; y, en fin, la consoladora idea de "que aun en sueños, no se pierde el hacer bien"; es decir, todas las cuestiones que, centradas por la idea del "desengaño", inquietaban al hombre barroco.

Comedias religiosas

Entre las primeras comedias religiosas de Calderón sobresale *La devoción de la Cruz* (¿1623-1625?), obra juvenil, llena de impetuosas pasiones, en la que el protagonista se

La visión estilizada de la vida cortesana, presente ya en el teatro de Lope, adquiere suma importancia en el de Calderón y sus seguidores. Los jardines reales del Pardo en la época de Felipe IV.

salva por su respeto al signo de la Cruz. Posterior es *El príncipe constante* —representado en 1629—, donde se escenifica la historia de don Fernando de Portugal, que sufre heroicamente el martirio antes que entregar la plaza de Ceuta a los moros.

Muy representativa del segundo estilo de Calderón es *El mágico prodigioso* (1637), una de sus máximas producciones. Cipriano vende su alma al diablo para conseguir el amor de Justina, pero al ir a abrazarla se encuentra con un esqueleto; desengaño que le lleva a la conversión y a sufrir el martirio con ella. La obra, llena de momentos de un subido valor lírico —como el de la tentación de Justina—, se halla entre un grupo de comedias religiosas en las que se nos presentan personajes que se convierten por vía intelectual. Esta valoración de la inteligencia razonadora como factor decisivo en la vida espiritual del hombre es algo típico de Calderón y contrasta con la actitud más sentimental y afectiva de Lope, gran admirador de santos alejados de problemas intelectuales.

Comedias fantásticas y mitológicas

Muy características del último estilo de Calderón, representan la máxima estilización de temas caballerescos —*El Castillo de Lindabridis* (1660)—, legendarios —*La hija del aire* (1653), en torno a la figura de Semíramis, reina de Nínive— y mitológicas —*La estatua de Prometeo* (1669)—. Interesan ante todo por la brillantez de su lenguaje metafórico y por su profusa ornamentación barroca, conseguida a base de elementos líricos, musicales y escenográficos. Muchas de ellas fueron escritas para ser representadas en el palacio real.

Los autos sacramentales

El "auto sacramental" *no adopta hasta Calderón su forma definitiva*. Lope y Valdivielso habían infundido emoción y lirismo popular en las rígidas escenificaciones de motivos religiosos a que venían a reducirse las "farsas sacramentales" en su época primitiva; Calderón enriquecerá el género, fundiendo en perfecta síntesis la idea teológica, los valores poéticos y dramáticos y los más fastuosos recursos de la escenografía.

El auto sacramental es, como dice A. Valbuena, "una composición dramática en una jornada, alegórica y relativa, generalmente, a la Comunión".[1] Concebidos como apoteosis popular del dogma católico frente a la herejía protestante, los autos sacramentales solían representarse durante la octava de Corpus sobre un suntuoso escenario de "carros", montado al aire libre. A partir de la época de Felipe III, los municipios se encargaron de nombrar una Junta para organizar y seleccionar las obras.

Calderón aplica *el procedimiento alegórico* no sólo a los personajes —frecuentemente encarnación de conceptos abstractos: el Pensamiento, la Idolatría, la Hermosura...—, sino al sentido de cada escena e incluso a toda la obra. Así lo vemos, por ejemplo, en "La cena de Baltasar", donde la profanación de los vasos sagrados simboliza la Comunión sacrílega.

En cuanto al asunto, aunque utilizó a fondo toda la teología católica, convirtió en motivo central *el Misterio de la Eucaristía,* símbolo visible de la Redención; sin embargo, a veces, "las alusiones a la Comunión se reducen a una escena o a la apoteosis final".

Tanto el contenido teológico de los Autos —centrados en los temas de la Creación, la Caída del primer hombre y la Redención— como la perfecta estructura de su exposición, revelan en Calderón a un profundo conocedor de las doctrinas de Santo Tomás y de los jesuitas neoescolásticos. Así lo demuestran las alusiones a la gracia, al libre albedrío, al pecado original, etc.

Véanse, como ejemplo de la técnica empleada en los autos, las escenas finales de *El gran teatro del mundo:*

MUNDO

¡Corta fue la comedia! Pero ¿cuándo
no lo fue la comedia desta vida,
y más para el que está considerando
que toda es una entrada, una salida?
Ya todos el teatro van dejando,
a su primer materia reducida
la forma que tuvieron y gozaron.
Polvo salgan de mí, pues polvo entraron.

1. A. Valbuena. "Literatura dramática española".

Desde hace años los Autos sacramentales de Calderón han vuelto a representarse con gran éxito. A ello a contribuido no poco la atención concedida al factor escenográfico.

Van saliendo sucesivamente el REY, *la* HERMOSURA, *el* LABRADOR, *el* RICO, *el* POBRE *y la* DISCRECION. *El* MUNDO *les va despojando de sus atributos y al final exclama:*

> Ya que he cobrado augustas majestades,
> ya que he borrado hermosas perfecciones,
> ya que he frustrado altivas vanidades,
> ya que he igualado cetros y azadones;
> al teatro pasad de las verdades,
> que éste el teatro es de las ficciones.

POBRE

> Pues que tan tirano el mundo
> de su centro nos arroja,
> vamos a aquella gran cena
> que en premio de nuestras obras
> nos ha ofrecido el Autor...

Con música se descubre otra vez el globo celeste y en él una mesa con cáliz y hostia, y el AUTOR *sentado a ella.*

AUTOR

> Pues el ángel en el cielo,
> en el mundo las personas
> y en el infierno el demonio
> todos a este Pan se postran;
> en el infierno, en el cielo
> y mundo a un tiempo se oigan
> dulces voces que le alaben
> acordadas y sonoras.

(Tocan chirimías, cantando el "Tantum ergo" muchas veces.)

Los autos sacramentales de Calderón son uno de los productos más característicos de la cultura española barroca, no sólo por la exuberancia del factor ornamental, por la fusión sintética de diversos elementos —ideológicos, dramáticos, poéticos, escenográficos...— o por su contenido teológico, sino por el sistemático empleo que en ellos se hace de la alegoría.

Clasificación. — Adoptando la de A. Valbuena tendremos:

1.º Filosóficos y teológicos: *El gran teatro del mundo* (¿1633?), donde se dramatiza la idea de la vida como representación teatral, en la que los hombres desempeñan el papel asignado por Dios; *El veneno y la triaca* (1634) —símbolos respectivos del pecado y los sacramentos—, sobre la creación, caída y redención del hombre; y *La vida es sueño* (1673), en torno a la idea desarrollada en la comedia del mismo título.

2.º Mitológicos: *Los encantos de la culpa* (¿1645?), sobre el mito de Circe y Ulises, y *El divino Orfeo,* referente al de Orfeo y Eurídice.

3.º Del Antiguo Testamento: *Sueños hay que verdad son* (1670), sobre la historia de José, y *La cena de Baltasar* (1634).

4.º Del nuevo Testamento: *Tu prójimo como a ti* (antes de 1674), referente a la parábola del buen samaritano.

5.º Histórico-legendarios: *La devoción de la misa* (¿1637?), sobre una leyenda medieval.

6.º De Circunstancias: *La segunda esposa* (¿1648?), donde el tema lo proporcionan las bodas de Felipe IV y Mariana de Austria.

Calderón y la posteridad

Después de imponer su técnica sobre la de Lope, Calderón gozó de una enorme popularidad, hasta que a mediados del siglo XVIII la crítica neoclásica reaccionó contra su teatro, llegando a conseguir que se prohibiera la representación de los Autos Sacramentales. Los románticos alemanes —sobre todo Guillermo Schlegel—, iniciaron su rehabilitación, junto con la de Shakespeare. La crítica actual le ha valorado justamente, viendo en él una de las más altas cumbres del barroco europeo.

BIBLIOGRAFIA

EDICIONES

Comedias y Entremeses. B. A. E., 4 vols. — Obras completas. Edit. Aguilar, 3 vols. — "Dama duende", "No hay cosa...", A. Valbuena Briones. Clás. Cast. — "Comedias religiosas". A. Valbuena. Clás. Cast. — "Dramas de honor", A. Valbuena Briones. Clás. Cast. — "Vida es sueño", "Alcalde Zalamea", A. Cortina. Clás. Cast.

Autos Sacramentales. A. Valbuena Prat. Clás. Cast., 2 vols., 1926-7. — "Teatro teológico español",
    B. A. C., 1956.

Antología. "Calderón. Selección de la obra dramática". Prólogos y notas de J. Alcina Franch y
    E. Veres d'Ocón, 1958.

ESTUDIOS

M. Menéndez y Pelayo: *Calderón de la Barca.* En "Estudios y discursos de crít. histórica y
    literaria", vol. III.

J. Mariscal de Gante: *Los Autos sacramentales,* 1911.

A. Farinelli: *La Vita è un sogno,* 1916.

A. Valbuena: *Los autos sacramentales de Calderón.* En Rev. Hisp., 1924.

E. Cotarelo: *Ensayo sobre la vida y obras de D. P. Calderón de la Barca,* 1924.

P. Olmedo: *Las fuentes de La vida es sueño,* 1928.

J. M. Cossío: *Racionalismo del arte dramático de Calderón.* En "Siglo XVII", 1939.

C. Vossler: *La soledad mágica en los Autos Sacramentales y El hombre solitario en las comedias de
    Calderón.* En "La soledad en la poesía española", 1941.

A. Valbuena: *Calderón,* 1941.

A. A. Parker: *The allegorical Drama of Calderón,* 1943.

A. Valbuena: *El teatro barroco en Europa.* En Rev. "Escorial", 1943.

E. Frutos: *Calderón,* 1949.

Dámaso Alonso: *La correlación en la estructura del teatro calderoniano.* En "Seis calas en la
    expresión literaria española", 1951.

E. Frutos: *La Filosofía de Calderón en sus Autos Sacramentales.* Zaragoza, 1952.

Vid., asimismo, prólogos de las ediciones en Clásicos Castellanos.

la escuela de calderón. 41
rojas y moreto

La escuela de Calderón

El ejemplo de Calderón fue seguido, como el de Lope, por todo un ciclo de autores dramáticos cuyas características derivan, en lo fundamental, de la técnica del maestro: cuidadosa reelaboración de comedias anteriores, reflexiva estructuración de la obra, gusto por la ornamentación recargada, etc. No obstante, la grandiosa **magnificencia** y la potencia trágica de un sector de la producción calderoniana se ven substituidas en algunos de ellos por una nota de elegante finura que anuncia lo que habrá de ser el siglo XVIII; proceso análogo al que nos ofrece —en las artes plásticas— el paso del barroco al "rococó".

Rojas Zorrilla

Francisco de Rojas Zorrilla (1607-1648) nació en Toledo, vivió en Madrid y alcanzó el hábito de Santiago. Muchas de sus obras fueron representadas en palacio.

Sus cualidades esenciales vienen a reducirse a dos: *intensidad trágica y fuerza cómica.* Otros rasgos serían la capacidad psicológica, la perfecta construcción de las obras, el estilo brillante —y en ocasiones gongorino, a pesar de sus burlas contra el culteranismo—, la escasa originalidad de los asuntos y, sobre todo, *la solución personal dada al problema del honor,* en

Francisco de Rojas Zorrilla, figura capital de la escuela de Calderón.

contra de los convencionalismos de la época y de acuerdo con un punto de vista más humano.

Lo más importante de la producción de Rojas puede dividirse en dos grupos: trágico y cómico.

Obras trágicas. — Dentro de este grupo se hallan una serie de comedias sobre el honor, entre las que figura una de las más famosas del teatro español: *Del rey abajo, ninguno* (conocida también por "El labrador más honrado" y "García del Castañar"). En ella se plantea el conflicto entre el sentimiento del honor conyugal y la fidelidad al rey, resolviéndolo a favor de ésta.

El noble don García, que vive en el Castañar como labrador, recibe un día al rey en su casa; un cortesano requiebra a su esposa y aquél, confundiéndole con el monarca, lo respeta; pero al enterarse de su verdadera personalidad, repara su honor matándole.

He aquí una escena final del drama, en la que García explica al rey la razón de su actitud:

GARCIA

Vivía sin envidiar,
entre el arado y el yugo,
las Cortes, y de tus iras
encubierto me aseguro;
hasta que anoche en mi casa
vi aqueste huésped perjuro,
que en Blanca, atrevidamente,
los ojos lascivos puso.
Y pensando que eras tú,
por cierto engaño que dudo,
le respeté, corrigiendo
con la lealtad lo iracundo.
Hago alarde de mi sangre;
venzo al temor con quien lucho;
pídeme el honor venganza,
el puñal luciente empuño,
su corazón atravieso;

mírale muerto, que juzgo
me tuvieras por infame
si a quien de este agravio acuso
le señalara a tus ojos
menos, señor, que difunto.
Aunque sea hijo del sol,
aunque de tus Grandes uno,
aunque el primero en tu gracia,
aunque en tu imperio el segundo,
que esto soy y éste es mi agravio,
éste el brazo que le ha muerto,
éste el confesor injusto,
éste divida el verdugo;
pero en tanto que mi cuello
esté en mis hombros robusto,
no he de permitir me agravie
del Rey abajo ninguno.

La fuerza dramática de algunas escenas y el vigor con que están trazados los caracteres del enérgico protagonista y su esposa Blanca, son valores fundamentales de esta obra (1640), en la que, por otra parte, alternan "la dulzura idílica y el terror trágico".[1]

En el mismo grupo figura también *Cada cual lo que le toca*, donde Rojas, adoptando una actitud diametralmente opuesta a la de Calderón, prescinde de los prejuicios tradicionales sobre el honor, que exigían la muerte de la esposa del

---

1. Menéndez y Pelayo.

ofendido, y hace que sea ella quien lo repare matando al ofensor con la espada de su marido, quien al saber lo ocurrido la perdona. El público no aceptó la innovación y silbó la obra.

La figura de la mujer vengadora de su honor se da igualmente en la potente tragedia de asunto clásico *Progne* y *Filomena* (1640).

Una solución humana del conflicto entre el amor y el deber se observa en dos obras de contenido histórico: *El Caín de Cataluña* y *No hay ser padre siendo rey*. En la primera, el conde de Barcelona condena a su hijo Berenguer, el fratricida, abriéndole luego las puertas de la cárcel; en la segunda, un rey de Polonia abdica en su hijo para no tener que ejercer su autoridad contra él.

Obras cómicas. – Rojas es, como Tirso, un autor cómico de primer orden. Así lo vemos en *Entre bobos anda el juego* (1637), cuyo ridículo protagonista motiva la inclusión de la obra en el género de la llamada "comedia de figurón". El viejo don Lucas, a punto de casarse con la joven doña Isabel, la envía a buscar por medio de su primo Pedro; pero éstos se enamoran y aquél renuncia a la mano de su prometida. La figura caricaturesca del viejo y la gracia del diálogo y de las situaciones hacen de esta obra una de las más logradas del género cómico.

Fuerte sabor cómico tiene también *Lo que son mujeres,* cuyas protagonistas acaban quedándose solteras, a causa de sus actitudes desdeñosas.

Agustín Moreto

A. Moreto y Cavana (1618-1669), sacerdote madrileño, nos ofrece una producción muy cuidada, pero poco original en los temas, ya que muchas de sus comedias son mera refundición de otras anteriores. La nota esencial de su teatro la da *la elegancia y la gracia delicada.* Nada enfática ni altisonante, la obra de Moreto es un modelo en el terreno de la forma atildada y pulcra.

Su producción más importante es *El desdén con el desdén* (impresa en 1654), deliciosa comedia "de salón", cuya graciosa intriga amorosa se desarrolla en un refinado ambiente palaciego. Su esquema es bien simple: Carlos, conde de Urgel, pretende a

Agustín Moreto y Cavana

Diana, hija del conde de Barcelona; pero ante los desdenes de ésta, finge una glacial indiferencia que le proporciona al fin el amor de la joven.

La fina ironía que envuelve la obra, su exquisita ambientación y la gracia con que se resuelve el caso psicológico planteado son las cualidades sobresalientes de esta pequeña obra maestra.

Véase una escena en la que Carlos gana terreno en su empresa a base de no prestar atención a Diana.

Jardín del Palacio

DIANA, CINTIA, LAURA, FENISA

DIA. — ¿No habéis visto entrar a Carlos?
CIN. — No sólo no le hemos visto
mas ni aun de que venir pueda
en el jardín hay indicio...
DIA. — Aunque arriesgue mi decoro
he de vencer sus desvíos...
(*Entran* CARLOS *y* POLILLA)
POL. — No te derritas, señor.
CAR. — Polilla, ¿no es un prodigio
su belleza? En aquel traje
doméstico es un hechizo.
POL. — ¡Qué bravas están las damas
en guardapiés y justillo! ...
Pero vuelve allá la cara,
no mires, que vas perdido...
CIN. — Ya te escucha, cantar puedes.
DIA. — Así vencerle imagino.
(*Canta*) "El que sólo de su abril
escogió mayo cortés,
por gala de su esperanza,
las flores de su desdén"...
¿No ha vuelto a oír?
LAU. —   No, señora.
DIA. — ¡Cómo no! ¿Pues no me ha oído?
CIN. — Puede ser, porque estás lejos.
CAR. — En toda mi vida he visto
más bien compuesto jardín.
POL. — Vaya deso, que eso es lindo.
DIA. — El jardín está mirando;
este hombre está sin sentido...
Yo no creo lo que miro
ve tú al descuido, Fenisa,
y vuelve a dar el aviso.
(*Levántase y va* FENISA.)
POL. — Otro correo dispara,
mas no dan lumbre los tiros.
FEN. — ¿Carlos?

CAR. – ¿Quién llama?
POL. –   ¿Quién es?
FEN. – Ved que Diana os ha visto.
CAR. – Admirado desta fuente
en verla me he divertido,
y no había visto a su Alteza;
decid que ya me retiro.
DIA. – (*Ap.* Cielos, sin duda se va.)
Oíd, escuchad, a vos digo.
                    (*Levantándose.*)
CAR. – ¿A mí señora?
DIA. –   Sí, a vos.
CAR. – ¿Qué mandáis?
DIA. –   ¿Cómo atrevido
habéis entrado aquí dentro,
sabiendo que en mi retiro
estaba yo con mis damas?
CAR. – Señora, no os había visto;
la hermosura del jardín
me llevó y perdón os pido.
DIA. – (*Ap.* Esto es peor, que aun no dice
que para escucharme vino.)
Pues ¿no me oísteis?
CAR. –   No, señora.
DIA. – No es posible.
CAR. –   Un yerro sido
que sólo enmendarse puede
con no hacer más el delito.
                    (*Vase.*)
CIN. – Señora, este hombre es un tronco.
DIA. – Déjame, que sus desvíos
el sentido han de quitarme.
DIA. – (*Ap.* a LAURA) Laura, esto va ya perdido.
LAU. – Si ella no está enamorada
de Carlos, ya va camino.

Al género de la "comedia de figurón" pertenece la graciosa pieza *El lindo don Diego* (impresa en 1654), basada en "El Narciso en su opinión", de Guillén de Castro. En ella, el estúpido protagonista pierde la mano de su prometida al enamorarse de una criada que otro pretendiente de aquélla le presenta haciéndole creer que es una condesa.

Moreto cultivó también la comedia de santos en *San Franco de Sena* —historia de un pecador que, arrepentido, llega a la santidad después de convertir a la que en otro tiempo fue su dama— y en *La vida de San Alejo,* versión teatral de la del santo que abandonó el hogar el día de sus bodas.

Cubillo de Aragón. – Nacido en Granada (¿1596? -1661), opinaba que la comedia había de ser "graciosa, entretenida, alegre, caprichosa, breve"; de ahí que su producción escasee en elementos trágicos y ofrezca, como la de Moreto, una nota de fina gracia. Así lo vemos en una de sus mejores comedias: *Las muñecas de Marcela,* en la que ésta pasa bruscamente de los juegos infantiles al amor. El hecho de que su galán y el gracioso se oculten en su cuarto de muñecas da lugar a divertidas situaciones.

Bances Candamo. — Es la última figura importante de la escuela calderoniana (1662-1704). Su obra más representativa, *La piedra filosofal,* derivada de "La vida es sueño", une el lenguaje gongorino al ambiente mágico y fantástico de las últimas comedias de Calderón. Las consideraciones del protagonista —amenazado por un horóscopo— sobre el valor ficticio de la vida, aumentan la semejanza entre las dos obras.

Entre los restantes autores del ciclo de Calderón se encuentran **Sor Juana Inés de la Cruz, Juan Bautista Diamante,** cuya comedia *El honrador de su padre* se inspira en "Le Cid", de Corneille —y no en la obra de Guillén de Castro—, anunciando la moda galicista del siglo XVIII, **Antonio de Solís,** de quien hablaremos en el capítulo siguiente, etc.

Los influjos calderonianos alcanzaron al siglo XVIII.

BIBLIOGRAFIA

EDICIONES

Rojas Zorrilla. B. A. E. LIV. — "Del rey abajo..." y "Entre bobos...", Ruiz Morcuende, Clás. Cast., 1971. — "La viña de Nabot" y "Cada cuál lo que le toca", A. Castro, 1917.

Moreto. B. A. E. XXXIX. — "Desdén con el desdén" y "Lindo don Diego", N. Alonso Cortés, Clás. Cast., 1916.

Cubillo. "Las muñecas..." A. Valbuena, Clás. Olvidados, 1928.

Bances Candamo. B. A. E.

ESTUDIOS

E. Cotarelo: *Don F. Rojas Zorrilla,* 1911.

Raymond R. MacCurdy: *Francisco de Rojas Zorrilla.* Nueva York, 1968.

R. Lee Kennedy: *The dramatic art of Moreto,* 1932.

C. Cuervo-Arango: *D. Francisco A. de Bances y López-Candamo, estudio biográfico y crítico,* 1916.

E. Cotarelo: *Juan Bautista Diamante y sus comedias,* Acad. Esp., 1916.

Véanse, además, para Rojas, Moreto y Cubillo, prólogos de las ediciones citadas de Ruiz Morcuende, A. Castro, N. A. Cortés y Valbuena Prat.

la prosa histórica, mística y política. gracián.

42

La Historia en el siglo XVII

En el siglo XVII, la Historia ofrece como características generales la predilección por los *sucesos particulares* y el uso de una *prosa concisa*, apta para la expresión de sentencias morales. Hay en ciertos casos un deseo de exactitud y de crítica; pero, por lo común, perdura el *concepto clásico de la historia como arte*.

Francisco de Moncada (1586-1635), noble valenciano que desempeñó importantísimos cargos políticos y militares en Alemania, Italia y Flandes, nos ha dejado un relato de la *Expedición de catalanes y aragoneses contra turcos y griegos* (1623) en el que, basándose en Muntaner, nos refiere la conquista del Ducado de Atenas por los almogávares. Está escrito en un estilo sentencioso y conciso, que recuerda algo el de Hurtado de Mendoza y revela la influencia de los clásicos.

Francisco Manuel de Melo (1611-1667), portugués que luchó al servicio de España, declarándose más tarde partidario de la independencia de su país, es autor de una *Historia de los movimientos, separación y guerra de Cataluña* (1645), vigoroso relato en cuyo estilo nervioso, extremadamente conciso y lleno de sentencias morales de tono pesimista, se advierte la imitación de Quevedo. La obra, no siempre rigurosamente exacta desde el punto de vista histórico, tiene un gran interés literario y dramático. Es magnífica, por ejemplo, la descripción de los sucesos del "Corpus de sangre", presenciados por el autor. Si Moncada está por su estilo todavía cerca del siglo XVI, Melo es un típico representante de la prosa del siglo XVII.

Antonio de Solís (1610-1686) fue sacerdote y Cronista Mayor de Indias. Escribió comedias de tipo calderoniano, pero su producción capital es una *Historia de la conquista de Méjico* (1684), menos vivaz que los relatos de los cronistas de Indias del siglo XVI, pero más rigurosa y exacta y mejor construida. La glorificación del héroe central —Cortés— o la abundancia de arengas y discursos denota la influencia de los historiadores clásicos, pero el estilo, muy retórico y artificioso, está de acuerdo con las tendencias de la literatura barroca; así lo vemos en el uso frecuente de la metáfora o en el tono abstracto de sus idealizadas descripciones. Se le puede considerar como el mejor historiador de América en el siglo XVII.

El escritor y diplomático don Diego de Saavedra Fajardo.

La prosa mística

Después de la espléndida floración del reinado de Felipe II, la prosa religiosa decae sensiblemente al llegar al siglo XVII. Hay que citar, no obstante, a **Sor María de Jesús de Ágreda** (1602-1665), célebre por su correspondencia epistolar con Felipe IV y autora de una bellísima vida de la Virgen titulada *Mística Ciudad de Dios* (1670); al jesuita **Juan Eusebio Nieremberg** (1595-1658), traductor del Kempis y autor del tratado ascético: *Diferencia entre lo temporal y eterno, crisol de desengaños* (1643); y al heterodoxo **Miguel de Molinos** (1628-1692). Las doctrinas "quietistas" de este último aparecen expuestas en su *Guía espiritual* (1675), donde se desprecia la actividad —tan importante, como vimos, para los grandes místicos del siglo XVI— y se aconseja la contemplación pura.

El alma —se afirma— ha de estar "quieta" y "Dios hará lo restante"; "abismaos en la nada y Dios será vuestro todo". Molinos fue condenado a reclusión perpetua, pero la "Guía espiritual" —cuyo último capítulo "parece una oración en loor del Nirvana" [1] — influyó en el extranjero —en Francia, por ejemplo—, a pesar de haber sido prohibida por la Inquisición.

La prosa política: Saavedra Fajardo

Don Diego de Saavedra Fajardo (1584-1648), de origen murciano, fue uno de los diplomáticos españoles más importantes del siglo XVII. Representó a España en diversas capitales europeas y estuvo en el Congreso de Münster.

Su obra más importante es la *Idea de un príncipe político-cristiano representada en cien empresas* (1640). En ella da abundantes consejos sobre la educación y conducta del príncipe, que proceden de otras obras análogas del Siglo de Oro. Las nobles ideas expuestas son poco originales, pero demuestran la orientación pacifista y antimaquiavélica del autor y su profundo conocimiento de la decadencia nacional. "Empresas" son los dibujos que, acompañados de un lema, se hallan al frente de cada uno

1. P. Sainz Rodríguez. "Introducción a la historia de la literatura mística en España".

de los cien capítulos del libro, aludiendo a su contenido. El estilo, preciso y de una gran concisión, ofrece tanto interés como el fondo ideológico.

Véase este vigoroso párrafo en el que, tras refutar las calumnias extranjeras sobre nuestra colonización en América, expone con gran realismo las enormes atrocidades de la guerra de los Treinta Años.

> A ningún edificio ilustre, a ningún lugar sagrado perdonó la furia y la llama. Breve espacio de tiempo vio en cenizas las villas y las ciudades, y reducidas a desiertos las poblaciones. Insaciable fue la sed de sangre humana. Como en troncos se probaban en los pechos de los hombres las pistolas y las espadas, aun después del furor de Marte. La vista se alegraba de los diformes visajes de la muerte. Abiertos los pechos y vientres humanos, servían de pesebres... A costa de la vida se hacían pruebas del agua que cabía en un cuerpo humano, y del tiempo que podía un hombre sustentar la hambre... Uncidos los rústicos, tiraban los carros, y para que descubriesen las riquezas escondidas los colgaban de los pies... y los metían en hornos encendidos. A sus ojos despedazaban las criaturas, para que obrase el amor paternal en el dolor ajeno de aquéllos, partes de sus entrañas, lo que no podía el propio. En las selvas y bosques donde tienen refugio las fieras, no le tenían los hombres, porque con perros venteros los buscaban en ellas, y los sacaban por el rastro... Aun los huesos difuntos perdieron su último reposo, trastornadas las urnas y levantados los mármoles para buscar lo que en ellos estaba escondido. No hay arte mágica y diabólica que no se ejercitase en el descubrimiento del oro y de la plata. A manos de la crueldad y de la cudicia murieron muchos millones de personas, no de vileza de ánimo como los indios, en cuya extirpación se ejercitó la divina justicia, pór tantos siglos rebeldes a su criador.

Saavedra escribió también la *República literaria* (publicada en 1655), en la que, valiéndose del recurso del "Sueño", describe una ciudad habitada por los principales ingenios españoles y europeos.

Baltasar Gracián

Vida. – Gracián (1601-1658) nace en Belmonte (Zaragoza) e ingresa todavía muy joven en la Compañía de Jesús. Actúa como profesor en Huesca y, tras una estancia en Tarragona como rector del Colegio, se traslada a Valencia donde se gana una reprimenda por anunciar desde el púlpito —extremando los procedimientos de la oratoria barroca— que leerá una carta enviada del infierno. Poco después le vemos actuar heroicamente como capellán en el sitio de Lérida; Gracián recordará siempre este hecho y el título de "padre de la victoria", con que le distinguieron los soldados.

Los últimos años de su vida serán de infortunio, ya que la publicación de su obra cumbre, sin contar con el permiso de sus superiores, le vale duras sanciones: represión pública, ayuno a pan y agua, destitución de su cátedra de Zaragoza y destierro a Graus. La severidad de tales castigos le impulsa a solicitar el ingreso en otra orden, pero no lo consigue y muere al poco tiempo en Tarazona.

Temperamento. – Gracián es quizás el más inteligente de nuestros clásicos. No es un pensador profundo, pero su sagacidad crítica y su poderoso ingenio satírico no hallan par en la literatura española. Sin embargo, en él todo lo absorbe la vida de la inteligencia, y lo afectivo queda anulado por el predominio de lo cerebral. De ahí el tono duro y la falta de calor humano de que adolecen sus agrios aunque frecuentemente certeros juicios.

Actitud intelectual. – Nuestro autor adopta la actitud típica del hombre barroco al afirmar que las cosas tienen un doble valor. "Así verás cada día que de una misma cosa uno dice blanco y otro negro". Todo depende, pues, del punto de vista que se escoja. Por eso, el pensamiento de Gracián –para quien el considerar la vida desde diversos ángulos constituía un sugestivo juego mental– *fluctuará siempre entre los más apartados extremos.* Esta es la razón de las frecuentes contradicciones que pueden rastrearse en su obra.

Visión del mundo y de la vida. – Gracián gusta de situarse –como acabamos de observar– en los puntos de vista más opuestos; no obstante, su temperamento descontentadizo le impulsó siempre a fijarse preferentemente en el lado reprobable de la realidad para ofrecernos luego una tétrica visión del mundo. *Su concepto del hombre y de la vida es esencialmente negativo;* aquél es el peor de los seres de la creación; ésta, un perpetuo engaño y una lucha constante, de suerte que "todo es arma y todo es guerra".

> Todo cuanto hay se burla del miserable hombre: el mundo le engaña, la vida le miente, la fortuna le burla, la salud le falta, la edad se pasa, el mal le da priesa; el bien se le ausenta, los años huyen, los contentos no llegan, el tiempo vuela, la vida se acaba, la muerte le coge, la sepultura le traga, la tierra le cubre, la pudrición le deshace, el olvido le aniquila, y el que ayer fue hombre, hoy es polvo y mañana nada.

Por otra parte, su pensamiento nos demuestra una aguda conciencia de la realidad del momento; en este sentido, Gracián es, como Quevedo, uno de los pocos escritores del siglo XVII en cuya obra hallamos un implacable reflejo de la decadencia material y moral del Imperio español.

A pesar de todo, *sólo hasta cierto punto se le puede considerar como un verdadero pesimista,* ya que la resignación no se halla nunca en su programa de vida, y sus juicios, por amargos que sean, no incitan nunca al abandono de la lucha, sino que son un constante acicate para proseguirla con éxito.

Ideario moral. – Para Gracián, intelectual puro, la vida de acción ejercía una sugestión fascinadora. Ello y sus agudas dotes de psicólogo le impulsaron a analizar los secretos resortes de la conducta humana y a buscar la clave del éxito. Por eso, su moral, derivada del concepto de la vida como lucha, *es una moral de combate.* Cree que hay que actuar sin descanso, poniendo en tensión *la voluntad y la inteligencia,* pues la Fortuna "sólo se burla con los sufridos"; pero su aguda conciencia de las cosas le hace ver el peligro de una acción rectilínea y prefiere aconsejar una extremada *prudencia* para sortear hábilmente los obstáculos. Prudencia y al mismo tiempo *desconfianza, recelo.* "Procura ir con cautela en el ver, en el oír y mucho más en el hablar. Oye a muchos y de ninguno te fíes". Penetrar hasta el fondo las intenciones ajenas y disimular las propias serán, pues, dos condiciones ineludibles para el triunfo, cifrado en la Fama y en el logro de una vida independiente.

Analogías y diferencias. – La moral de Gracián ofrece notables analogías con otros puntos de vista de la literatura de su época, pero en cada caso pueden observarse también considerables diferencias que ponen de relieve la posición personal del autor.

En efecto, su actitud recelosa y su visión negativa de la vida le hacen coincidir con la desconfiada cautela y el pesimismo del pícaro. No obstante, su aristocrático concepto de la Inmortalidad como galardón del esfuerzo humano y su exaltación de la voluntad, le apartan del amargo determinismo de éste y de su plebeya indiferencia hacia la Fama.

Como Quevedo, Gracián es también un gran senequista; identifica la virtud con la sabiduría y considera la prudencia y el dominio de sí mismo como dos cualidades de primer orden; pero la tranquilidad de ánimo perseguida por el estoicismo no le interesa como fin sino como medio para triunfar en la lucha cotidiana. Su concepto dinámico de la vida se halla totalmente en pugna con la pasividad del sabio estoico.

Su creencia, en fin, de que a la virtud se llega por la inteligencia y de que ésta es quien nos advierte la inanidad de todo lo terreno, desengañándonos de los falsos bienes que la vida nos ofrece, le vincula con la moral de su tiempo, presidida, como sabemos, por la idea del desengaño. No obstante, vemos también aquí que la desilusión no conduce a la renuncia, siendo, al contrario, fuente de nuevas energías y eficaz acicate para la lucha.

Las ideas estéticas. – La moral y la belleza artística fueron las dos preocupaciones máximas de Gracián. Examinemos, pues, a continuación sus ideas estéticas.

El núcleo de la obra literaria lo constituye para él la agudeza o el concepto, al que define como "un acto de entendimiento que exprime [expresa] la correspondencia que se halla entre los objetos". Todo estriba, pues, en lograr una feliz asociación de ideas que ofrezca alguna dificultad a la inteligencia porque, "la verdad, cuanto más dificultosa es más agradable". La obra artística ha de producir el asombro —buscado siempre por el escritor barroco—, pero éste ha de ir siempre seguido de una comprensión inteligente. Gracián define así un tipo de arte en el que *lo intelectual* —es decir, lo que él llama "el acierto del juicio"— desempeña un papel de primer orden.

Junto a este factor, nuestro autor coloca el *"ingenio"* como segundo elemento importante, porque siempre han de ir unidos "el acierto del juicio" y "la viveza del ingenio". A cargo de éste correrá la belleza del ornato literario y la novedad en la

El gran moralista Baltasar Gracián.

expresión, conseguida a base de las más
audaces artificiosidades. Ejemplo de
cuán alejada se hallaba, en este sentido,
la estética de Gracián de la del Renacimiento, es su afirmación de que "donde no media el artificio, toda se pervier-
te la naturaleza". El autor, según él, ha
de perseguir lo ingenioso, lo nuevo, lo
artificioso y hasta lo oscuro, porque
"los mayores prodigios si son fáciles y a
todo querer, se envilecen". Así viene a
coincidir con las orientaciones fundamentales del barroco, atento siempre a crear
productos artísticos, válidos únicamente para una minoría culta.

Lo esencial es, pues, la agudeza intelectual y el adorno literario; pero no se puede
prescindir de la *"utilidad"* o el "provecho". "Siempre ha de atender el arte al fruto de
la moralidad". Ello nos explica su gusto por el procedimiento alegórico. Mediante la
alegoría, Gracián logrará dar a su obra un contenido docente, y al mismo tiempo
—anhelo capital de un buen sector del arte de la época—, ordenar el confuso conjunto
de las apariencias engañosas, refugiándose en unas cuantas verdades esenciales y
permanentes, de las que la imagen alegórica constituirá la más cabal expresión.

Esta valoración de la inteligencia, del ingenio y del contenido moral en la obra de
arte, contrasta en Gracián con su indiferencia por el elemento sensorial —luz, color,
musicalidad— y con su absoluto olvido del factor sentimental o emotivo.

El estilo. – El estilo de Gracián, aunque no se halla desprovisto de elementos
culteranos, representa *la máxima intensificación de los procedimientos conceptistas:*
los vocablos se utilizan según nuevas e inesperadas significaciones, dando lugar a
innumerables antítesis y juegos de palabras, y una constante elipsis de elementos
gramaticales da a la frase un ritmo tan rápido que la prosa se convierte en la más
lacónica y condensada de la literatura española. El mismo afirma en cierta ocasión que
"lo bueno, si breve, dos veces bueno".

He aquí unos cuantos ejemplos de recursos frecuentemente utilizados:

Antítesis: "Trocóse la alegría del nacer en el horror del morir, el
trono de la mañana en el túmulo de la noche; sepultóse el sol en las aguas y
yo quedé anegado en otro mar de mi llanto".

Juego de palabras: "Al descoronar la empanada hallaba sólo el eco [nada] y del pernil el nihil"; "como yo tengo en estos ojos un par de viejas en vez de niñas, todo lo descubro"; "allí se vive porque se bebe"...

Elipsis: (dos ejemplos de "zeugma", uno de los tropos más empleados por Gracián) "no veía gota, aunque sí bebía muchas"; "no miraba de mal ojo y a todos hacía dél", etc.

Descartado el elemento emotivo y parcamente representados los valores sensibles, su obra ofrece como aspectos fundamentales la agudeza, la alegoría y el humor.

La asombrosa agilidad mental de Gracián cristalizó en una extraordinaria cantidad de *conceptos* en los que el más chispeante ingenio alterna con una centellante movilidad que mantiene tensa la atención del lector, llevándole de sorpresa en sorpresa.

Mayor trascendencia alcanzan las *alegorías morales* o personificaciones que cruzan las páginas de Gracián, representando conceptos e ideas. A veces la idea abstracta encarna en figuras arquetípicas —el Héroe, el Discreto...—, otras, en seres de apariencia humana —Andrenio, Critilo...—, pero muy a menudo el autor les hace revestir la forma de espectrales monstruos de pesadilla. En estos casos, el arte de Gracián se nos muestra tan alejado de todo propósito realista, como en otro aspecto lo pueda estar el de Góngora o el de Quevedo.

Según ya observamos, la finalidad docente era uno de los propósitos que movían su pluma. Sin embargo, en su sátira, más que un severo designio de corregir, vemos frecuentemente un mero pretexto para acumular pintorescas observaciones y agudos rasgos de *humor*. Merced a estos últimos, Gracián es uno de los tres grandes humoristas del siglo XVII. Su humor, diametralmente opuesto a la amplia y bondadosa risa de Cervantes, ofrece el tono duro y descarnado del de Quevedo, pero resulta mucho más incisivo y certero que el de éste, porque se halla manejado por uno de los más penetrantes y malintencionados psicólogos de la literatura española. Gracián no se entretiene fustigando a barberos, sastres o lacayos; sus dardos satíricos apuntan más alto —la estupidez, la hipocresía, la vanidad...— y suelen dar en el blanco.

Los arquetipos humanos: "El Héroe", "El Discreto" y "El Político". — En estas obras primerizas, Gracián formula tres paradigmas abstractos de perfección humana.

En *El Héroe* —que es su primera producción (1637)— establece las condiciones necesarias para que el hombre superior pueda sortear todo género de obstáculos y alcanzar sus fines particulares, logrando tras el éxito, la fama. Gracián considera esenciales la inteligencia y el valor, pero también el disimulo y la prudente reserva.

Excuse a todos el varón culto sondarle el fondo a su caudal, si quiere que le veneren todos. Formidable fue un río hasta que se le halló vado, y venerado un varón hasta que se le conoció término a la capacidad; porque ignorada y presumida profundidad, siempre mantuvo con el recelo el crédito...

Arguye eminencia de caudal penetrar toda voluntad ajena y concluye superioridad saber celar la propia. Lo mismo es descubrirle a un varón un afecto, que abrirle un portillo a la fortaleza del caudal, pues por allí maquinan políticamente los atentos, y las más veces asaltan con triunfo. Sabidos los afectos, son sabidas las entradas y salidas de una voluntad, con señorío en ella a todas horas.

La tremenda tensión a que obliga tal actitud, es característica del momento barroco y señala la enorme distancia que separa el cauteloso Héroe gracianesco del sereno y ponderado "cortesano" renacentista.

En *El Discreto* (1646) se insiste sobre las cualidades del hombre superior, aunque vinculando éste a un ambiente cortesano; por eso, ya no se le exige como al Héroe un verdadero "corazón de rey", sino aquellas virtudes que confieren el éxito en una sociedad distinguida: trato agradable, ingenio, cultura, rapidez de juicio, etc. El hecho de que Gracián recomiende "singularizarse" en alguna cualidad excelsa, más que el desarrollo armónico de todas las facultades, establece otra notable diferencia respecto del concepto renacentista de la formación humana.

Menos interés ofrece *El Político* (1640), donde la figura de Fernando el Católico —cuyo perfil psicológico queda muy borroso— da pretexto para hilvanar una serie de observaciones y consejos sobre el perfecto gobernante.

Las ideas sobre el estilo en la "Agudeza y Arte de Ingenio". – Las ideas estéticas de Gracián se hallan expuestas en la "Agudeza y Arte de Ingenio" (1642). La obra consta de dos elementos: una larga exposición de los procedimientos estilísticos gratos a la época barroca y una extensa antología de poetas españoles y extranjeros, intercalada en el texto para ejemplificar la teoría.

Todos los tropos y figuras de la retórica tradicional aparecen agrupados bajo la denominación de "agudezas" y "conceptos",[1] que para Gracián constituyen, como vimos, la esencia de la creación literaria. Ello y el elogio del ingenio como facultad capital del poeta dan a la obra un inconfundible tono conceptista.

Las normas de vida del "Oráculo Manual". – El "Oráculo Manual y Arte de Prudencia" (1647) se halla constituido por unas trescientas máximas en las que nuestro autor condensa lo más esencial de su filosofía práctica. En el fondo, sus consejos vienen a decirnos lo siguiente: sé prudente y no hagas caso de las apariencias; descubre el alma ajena para el ataque y oculta la tuya para la defensa, y piensa que la vida es una perpetua lucha en la que una retirada a tiempo vale más que una brillante victoria. En ningún lado como aquí queda de relieve el seco egoísmo y la aguda penetración psicológica de Gracián.

He aquí algunas de sus máximas más características; obsérvese el extremado laconismo de la frase.

---

1. Aunque Gracián considera el "concepto" como una operación de la mente, y la "agudeza" como su expresión verbal, por lo común utiliza indistintamente los dos términos.

Realidad y apariencia. Las cosas no pasan por lo que son, sino por lo que parecen: son raros los que miran por dentro y muchos los que se pagan de lo aparente. No basta tener razón con cara de malicia.

No ser todo columbino. Altérnense la calidez de la serpiente con la candidez de la paloma. No hay cosa más fácil que engañar a un hombre de bien. Cree mucho el que nunca miente y confía mucho el que nunca engaña. No siempre procede de necio el ser engañado, que tal vez de bueno.

No perecer de desdicha ajena. Conozca al que está en el lodo y note que le reclamará para hacer consuelo del recíproco mal... Es menester gran tiento con los que se ahogan para acudir al remedio sin peligro...

Un libro de meditaciones: "El Comulgatorio". – Gracián nos ha dejado en "El Comulgatorio" (1655) un magnífico ejemplo de oratoria culterana. Trátase de unas cincuenta meditaciones para la Comunión, expuestas en un estilo que contrasta por su color y brillantez con la acerada dureza de otras producciones. Es curioso también ver cómo el jesuita aragonés abandona aquí sus secos principios utilitarios para decirnos que "más goza quien más ama" o que "no hay horror donde hay amor".

La obra máxima: "El Criticón". – Las tres partes de "El Criticón" (1651-1653-1657) –publicadas con los seudónimos "García de Marlones" y "Lorenzo Gracián"– nos ofrecen *una amplia visión alegórica de la vida humana en forma novelesca.* Toda la narración gira en torno a las peripecias por que pasan los protagonistas *Andrenio* y *Critilo, símbolos respectivos de la Naturaleza y la Cultura,* de los impulsos espontáneos y la reflexión prudente. Como Gracián parte del supuesto barroco de que la Naturaleza es imperfecta, Critilo es quien salva a Andrenio de las asechanzas del mundo conduciéndole a la isla de la Inmortalidad, a través de una serie de lugares alegóricos –la entrada del mundo, la fuente de los engaños, el palacio de Virtelia, el yerno de Hipocrinda, la cueva de la Nada, etc.–. Los distintos acontecimientos son mero pretexto para que el autor exponga, valiéndose de agudas y penetrantes sátiras, su concepto negativo del mundo y su confianza optimista en las posibilidades del hombre ayudado por la inteligencia y la bondad.

"El Criticón" interesa no sólo por su densidad ideológica, sino porque el estilo de Gracián alcanza en él los más brillantes efectos. Grandiosos símbolos –la Rueda del Tiempo, el gran teatro del Universo, la mansión de la Muerte...–, alternan con las más divertidas personificaciones –el "diptongo", el "ablativo absoluto", el "paréntesis"...– y apenas hay una sola figura –Virtelia, Falsirena, Falimundo, Momo...– que no tenga un doble sentido moral. Por otra parte, Gracián, que en sus obras anteriores habíase limitado a la simple exposición didáctica, despliega aquí sus magníficas dotes del humorista genial.

Lleno de chispeantes agudezas y graves máximas morales, de irónicas cabriolas y desoladas reflexiones, de acres censuras y divertidas sátiras, "El Criticón" es una de las más geniales producciones de la literatura española.

En el siguiente fragmento podemos ver cómo Andrenio y Critilo reaccionan de forma diversa ante el doble valor de las cosas; Andrenio, atendiendo a la apariencia; Critilo, a la realidad auténtica. Obsérvese, desde el punto de vista estilístico, la técnica del contraste, el uso del procedimiento alegórico y la lúgubre descripción final, típicamente barroca:

Entró finalmente la tan temida reina, ostentando aquel su extraño aspecto a media cara, de tal suerte que era de flores la una mitad y la otra de espinas; la una de carne blanda y la otra de huesos; muy colorada aquélla y fresca, que parecía de rosas entreveradas de jazmines; muy seca y muy marchita ésta; con tal variedad que, al punto que la vieron, dijo Andrenio:

— ¡Qué cosa tan fea!	— ¡De negro viene vestida!	— ¡Qué agradable!
Y Critilo:	— ¡No, sino de verde!	— ¡Qué pobre!
— ¡Qué cosa tan bella!	—Ella parece madrastra.	— ¡Qué rica!
— ¡Qué monstruo!	—No, sino esposa.	— ¡Qué triste!
— ¡Qué prodigio!	— ¡Qué desapacible!	— ¡Qué risueña!

—Es, dijo el Ministro, que estaba en medio de ambos, que la miráis por diferentes lados, y así hace diferentes visos, causando diferentes efectos y afectos. Cada día sucede lo mismo, que a los ricos les parece intolerable y a los pobres llevadera, para los buenos viene vestida de verde y para los malos de negro, para los poderosos no hay cosa más triste, ni para los desdichados más alegre. ¿No habéis visto tal vez un modo de pinturas que si las miráis por un lado, os parece un ángel, y si por el otro un demonio? Pues así es la Muerte: haceros heis a su mala cara dentro de breve rato, que la más mala no espanta en haciéndose a ella.

—Muchos años serán menester, replicó Andrenio.

Sentóse ya en aquel trono de cadáveres, en una silla de costillas mondas, con brazos de canillas secas y descarnadas, sitial de esqueletos y por cojines calaveras, bajo un deslucido dosel de tres o cuatro mortajas, con goteras [cenefas] de lágrimas y randas al aire de suspiros, como triunfando de soberanías, de bellezas, de valentías, de riquezas, de discreciones y de todo cuanto vale y se estima.

Éxito e influencia de Gracián. — Gracián ha sido uno de los autores españoles más conocidos en el extranjero, como lo demuestra el hecho de que sus obras hayan sido vertidas a la mayoría de las lenguas europeas. En cuanto a su influjo, es notable el que ha ejercido sobre las máximas morales de La Rochefoucauld y sobre las doctrinas pesimistas de Schopenhauer. A través de éste —que opinaba que "El Criticón" era "uno de los mejores libros del mundo"— Gracián pudo llegar a ser conocido por Nietzsche, con el que coincide en muchos aspectos.

BIBLIOGRAFIA

EDICIONES

Moncada. B. A. E. – Gili Gaya, Clás. Cast.

Melo. J. O. Picón, 1912.

Solís, B. A. E.

Agreda. Pardo Bazán, 1899.

Nieremberg. B. A. E. Dos vols., 1957. – "Epistolario" N. A. Cortés, Clás. Cast., 1915.

Molinos. R. Urbano, 1906.

Saavedra Fajardo. B. A. E. – García de Diego. Clás. Cast., 1927. – A. González Palencia, 1946.

Gracián. "Criticón", Romera Navarro, 1940. "Oráculo Manual", Romera Navarro, 1954. "Obras completas", E. Correa Calderón, 1945 y A. del Hoyo, 1960.

ESTUDIOS

B. Sánchez Alonso: *Historia de la historiografía.* (Sobre *Moncada, Melo* y *Solís.*) Vol. II, 1944.

J. M. Cossío: *Don Antonio de Solís.* En "Siglo XVII", 1939.

M. Menéndez y Pelayo: Sobre *Nieremberg,* en "Colección de escritores españoles", vol. 19.

M. Menéndez y Pelayo: Sobre *Molinos y el molinismo.* En "Historia de los heterodoxos españoles". 1928, vol. V.

P. Dudon: *Le quiétiste espagnol Michel Molinos,* 1921.

J. de Entrambasaguas: *Miguel de Molinos,* s. a.

F. Cortines: *Ideas jurídicas de Saavedra Fajardo,* 1907.

Azorín: *Saavedra Fajardo.* En "De Granada a Castelar", 1922.

J. C. Dowling: *El pensamiento político-filosófico de Saavedra Fajardo.* Murcia, 1957.

Véanse, además, los prólogos en C.C. a las ediciones citadas de Moncada, Nieremberg, S. Fajardo.

ESTUDIOS SOBRE GRACIAN

B. Croce. *I trattatisti italiani del concettismo e B. Gracián,* 1899.

A. Coster: *Baltasar Gracián.* En Rev. Hisp., 1913.

A. F.-G. Bell: *B. Gracián,* 1921.

A. Rouveyre y V. Bouiller: *Gracián. Pages caractéristiques,* 1925.

E. García Gómez: *Un cuento árabe fuente común de Abentofail y de Gracián,* en Rev. Arch., 1926.

A. Castro: *Gracián y España.* En "Santa Teresa y otros ensayos", 1929.

L. Spitzer: *"Bethlengabor", une erreur de Gracián?* En Rev. Fil. Esp., 1930.

J. F. Montesinos: *Gracián o la picaresca pura.* En Rev. "Cruz y raya", 1933.

C. Vossler: *Introducción a Gracián.* En "Rev. de Occidente", 1935.

J. M. de Cossío: *Gracián, crítico literario.* En "Siglo XVII", 1939.

G. Díaz Plaja: *El espíritu del Barroco,* 1941.

J. M. Blecua: *El estilo de El Criticón.* "Arch. de Fil. Arag.", 1945.

J. García López: *Baltasar Gracián,* 1947.

A. Reyes: *Gracián.* En "Cuatro ingenios", 1950.

Eguía Ruiz: *Formación escolar y religiosa de B. G.* En "Cervantes, Calderón, Lope y Gracián", 1951.

M. Batllori: *Gracián y el Barroco,* 1953.

Homenaje a Gracián: (14 ensayos de diversos autores). Zaragoza, 1958.

J. Luis Aranguren: *La moral de Gracián.* "Rev. de la Univ. de Madrid". Vol. VII. 1959.

Klaus Heger: *Baltasar Gracián. Estilo y doctrina,* 1960.

E. Correa Calderón: *Baltasar Gracián,* 1961 (Gredos).

Véase, además, el prólogo de Romera Navarro a su edición ya citada, de *Gracián.*

SIGLO
XVIII

Decadencia literaria e interés cultural del siglo

Al comenzar el siglo XVIII, la literatura española continúa el vertiginoso descenso iniciado a fines de la centuria anterior. Siglo mediocre desde el punto de vista estético, tiene, no obstante, un extraordinario interés por las corrientes culturales que lo atraviesan, ya que en él surgen o se desarrollan muchas de las notas características del mundo moderno. La literatura refleja una encarnizada pugna entre los conceptos tradicionales y las nuevas tendencias —producto, en su mayor parte, de una relación

La familia de Felipe V de Borbón, rey de España. La influencia francesa, visible aquí en la indumentaria, será uno de los rasgos típicos de la cultura española del siglo XVIII.

cada vez más intensa con Europa: Francia, Italia, Inglaterra...– y en ello reside uno de sus mayores atractivos.

Cuatro direcciones fundamentales

Aunque el siglo XVIII suele designarse como la "época del neoclasicismo", es imposible encajar dentro de tal denominación todos los fenómenos literarios que iremos estudiando. Por eso, señalaremos la presencia de cuatro tendencias fundamentales:

1.ª, la que perpetúa el *barroquismo* o bien el *estilo tradicional español;*
2.ª, la que intenta una renovación siguiendo los cauces del *Neoclasicismo;*
3.ª, la que se orienta hacia la crítica racionalista y la investigación erudita –*Ilustración*–; y
4.ª, la que recibe el nombre de *Prerromanticismo.*

Aunque cada una de ellas tiene su momento de auge, no aparecen sucesivamente, sino paralelamente a lo largo de todo el siglo, interfiriéndose tan a menudo, que son escasos los autores que pueden definirse sólo por una de las tendencias apuntadas.

El posbarroquismo

A partir de la muerte de Calderón (1681), el barroco entra en un período de franca decadencia. Agotadas todas sus posibilidades, *mantiene únicamente sus características formales más externas,* y queda a menudo reducido a un arte huero y extravagante, que ofrece el aspecto de una caricatura del gran estilo del siglo XVII.

La figura del ciego cantor de romances en pleno siglo XVIII es una prueba más de la fuerza de la tradición en España.

De la intensa dramaturgia de Calderón sólo resta una escenografía ridículamente aparatosa y un afanoso ir y venir de los personajes por las tablas; de la intencionada y viva producción de Quevedo, un humor chabacano; y de la brillante lírica gongorina, un montón de agostadas imágenes que producen la impresión de flores de trapo.

Esta orientación posbarroca informa la mayor parte de la literatura *hasta mediados del siglo,* momento en que comienzan a imponerse las corrientes neoclásicas. No obstante, la veremos languidecer, en formas cada vez más degeneradas, aunque gozando a menudo del favor popular, durante la segunda mitad del siglo XVIII, para desembocar, más tarde, en el amplio fenómeno del Romanticismo.

Fue sobre todo del sector culto —dominado por el nuevo criterio neoclásico— de donde partieron los más encarnizados ataques contra el arte barroco; sin embargo, esta violenta hostilidad contra el estilo propio del siglo XVII no supuso siempre —a pesar del empuje avasallador de las corrientes europeas— una repulsa absoluta de la tradición española, ya que junto a la crítica negativa del barroquismo y al deseo de ponerse en contacto con la cultura extranjera, *se intentó una labor de revalorización y estudio de nuestro siglo XVI.* Prueba de ello fue el entusiasmo manifestado por figuras como Fray Luis de León y Herrera, y la presencia de un buen número de obras que, si bien ajenas a los principios barrocos, se mantienen dentro de la más pura línea tradicional.

La literatura neoclásica

Con la llegada de Felipe V de Borbón a Madrid, durante el año 1701, una nueva dinastía de origen francés comienza a regir los destinos de España. A consecuencia de ello, todas las formas de vida nacional van transformándose en sus estratos más altos, *siguiendo el modelo de la sociedad francesa.* La indumentaria, los bailes, la

organización militar y cultural, y hasta los más diversos usos sociales adoptan un aire decididamente francés, abandonando los cauces de la tradición. Francia está de moda en toda Europa, y la literatura española no escapa a esta ley general. Tanto es así que, como observaba Menéndez y Pelayo, aunque no se hubiera producido la venida de los Borbones, la vida española hubiera entrado igualmente dentro de la órbita de la in-

El estilo barroco perdura hasta mediados del siglo XVIII. Fachada de la catedral de Murcia.

fluencia francesa, visible ya en España a fines del período de los Austrias. Nuestra literatura no podía substraerse a esta corriente europea y, en efecto, sus principales directrices durante todo el siglo fueron las del país vecino.

Tal hecho se vio grandemente favorecido por la decadencia a que había llegado el barroco en España. Aunque el ambiente popular seguía fiel a este estilo y aplaudía las mayores extravagancias con tal de que respondieran al gusto tradicional, las minorías selectas de la nación sentían un verdadero cansancio ante un arte ya totalmente agotado. Nada tiene, por lo tanto, de extraño que adoptaran complacidos como modelo el clasicismo francés del siglo XVII, más comedido y sereno que el barroco español.

He aquí, pues, cómo, *gracias a la entronización de los Borbones, al afrancesamiento general europeo y a la corrupción del barroco, Francia consiguió imponer sus orientaciones literarias en España.*

No hay que olvidar, sin embargo, el papel desempeñado por los clasicistas italianos —e incluso españoles del Siglo de Oro— en la aparición y desarrollo del neoclasicismo español, como lo demuestra la Poética de Luzán, inspirada en las doctrinas de Muratori.

Las Reglas. — Este cambio de rumbo supone la aparición de tendencias diametralmente opuestas a las que hasta ahora habían regido nuestro arte. En primer lugar, frente al audaz individualismo del XVII español, vemos aparecer un *sentido de unidad,* al someterse todos a la autoridad de los preceptistas, quienes en nombre de la *razón* y de los *clásicos* —cuyo sentir interpretan a menudo equivocadamente—, exigen que el arte se ajuste a unas normas sensatas que eviten todo descarrío. La "razón", o sea el pensamiento lógico independiente de toda circunstancia histórica, nacional o individual, señala al artista, según ellos, caminos de los que no puede apartarse por un capricho personal. Estos caminos o *reglas,* basadas en Aristóteles y Horacio, obligaban, entre otras cosas, a lo siguiente:

1.º, a dar a la obra *un alcance universal y un aire de verosimilitud,* huyendo por igual de la expresión de lo concreto y de lo fantástico, y buscando lo genérico y arquetípico, la "idea" abstracta, más que la realidad específica o lo irregular;

2.º, a no unir en una misma obra lo trágico con lo cómico, ni el verso con la prosa, ni lo elevado con lo familiar, para mantener la separación de los géneros y la *unidad de estilo;*

3.º, a prestar a la obra de arte una *finalidad moral o educativa,* de acuerdo con el sentir de los clásicos —de ahí el auge de las fábulas—.

Esas y otras normas, como la de las *tres unidades,* tuvieron la virtud de crear en España un arte fuertemente disciplinado y correcto, pero por lo común falto de vigor y de espontaneidad.

En la fachada del Palacio de la Granja, residencia favorita de los primeros Borbones españoles, hallamos un ejemplar del estilo que floreció en España durante la segunda mitad del siglo XVIII, esto es, el neoclásico, a imitación de los estilos imperantes en Francia. Compárese la simplicidad de sus líneas con la frondosidad del barroco.

Los salones literarios y los centros oficiales. — Análogamente a lo que sucede con las normas políticas del siglo —es la época de la monarquía absoluta—, existe *una autoridad indiscutida* —los clásicos grecolatinos y franceses—, cuya acción se ejerce sobre un público dócil y sumiso: el de las tertulias y Academias. Aunque el siglo XVII ya había conocido la existencia de estas reuniones de gente letrada, los "salones literarios" se habrán de convertir en algo típico del XVIII. A imitación de los que tanta celebridad habían alcanzado en el París del siglo anterior —por ejemplo, el de Mme. de Rambouillet—, se crean en Madrid la *Academia del Buen Gusto,* en el reinado de Fernando VI, y la *Tertulia de la "Fonda de San Sebastián",* en el de Carlos III. En ambas, una sociedad refinada discurre sobre temas literarios e impone al país un arte basado en la reflexión, el equilibrio, la sencillez y la pureza de estilo, que representa la antítesis del violento y dinámico estilo barroco.

El Estado interviene activamente en esta labor unificadora del gusto y de la cultura, fundando organismos oficiales que vienen a ser un complemento de la centralización política. Es así como surgen la *Real Academia de la Lengua* (1713) —siguiendo el ejemplo de la Académie française—, la *Biblioteca Nacional* (1712), la *Real Academia de la Historia* (1738), etc.

Alcance del neoclasicismo en España. — Es cierto que el espíritu normativo del neoclasicismo impidió que España continuara por los derroteros de un barroquismo degenerado, pero hay que reconocer que, al eliminar fantasías absurdas, *suprimió también el desarrollo de la inspiración imaginativa.* Por otra parte, la base intelectual o racional del arte neoclásico y el cúmulo de normas que presidía la elaboración de sus productos, *dificultó considerablemente la expresión libre y sincera de los sentimientos individuales,* dando por resultado una literatura correcta e impecable, pero prosaica y sin vida.

La falta de ímpetu y de emoción auténtica de que adolece gran parte de la producción del siglo, obedece también a otras razones. El neoclasicismo, además de ser un arte aristocrático que no podía hallar resonancia alguna en el ambiente popular español, era, en sus formas extremas, algo importado y extraño, y, por tanto, *opuesto a los gustos tradicionales del país.* El carácter europeizante de algunos de sus rasgos había de impedir que enraizase fuertemente en una España que desde la Contrarreforma había permanecido aislada del Continente, viviendo de sus propios ideales culturales. La misma interpretación de los clásicos, que los preceptistas franceses nos traían, era totalmente distinta de la versión española del clasicismo, más en consonancia con el individualismo nacional, contrario a toda traba normativa.

En resumen, el nuevo estilo vino a oponer un freno de sensatez y buen gusto a la literatura española, pero no consiguió levantarla de la postración en que había caído. El mezquino criterio estético a que respondía y el agotamiento del genio creador nacional frustraron un verdadero resurgimiento. Por eso podemos afirmar que el siglo XVIII es —si exceptuamos su último tercio, en el que, gracias a un nuevo contexto cultural, algunos escritores supieron vitalizar el arte neoclásico— el bache más profundo en que cayeron las letras españolas.

Modelos españoles. — Si bien es cierto que en el terreno de la teoría literaria el influjo de los preceptistas franceses fue, como acabamos de ver, decisivo, no hay que olvidar el papel desempeñado por los clasicistas italianos —menos rigurosos que aquéllos—, como lo demuestra la Poética de Luzán. Del mismo modo, conviene tener presente que en lo que se refiere a la producción poética y teatral, el ejemplo francés nunca actuó como modelo exclusivo. Bien al contrario, los neoclásicos españoles se inspiraron frecuentemente en las grandes figuras de nuestro siglo XVI —Garcilaso, Fray Luis de León, Herrera...—, uniendo así su aversión al barroco y su adhesión a las corrientes clasicistas europeas, con una decidida admiración por la literatura renacentista del país. Fenómeno paralelo a la labor de revalorización y estudio del siglo XVI español que se manifestó en otros sectores de la vida cultural del XVIII.

Todo ello impide considerar nuestro Neoclasicismo como un mero calco del francés o como una ruptura total con la tradición del país. Más bien habría que ver en él un no siempre logrado intento de regenerar nuestras letras, acogiéndose a las orientaciones europeas de la época y a los modelos que ofrecía la literatura española anterior a la época barroca. De ahí que según un historiador actual —Russel P. Sebold— "el término *neoclásico*" deba interpretarse en su sentido más riguroso: "Nuevo clasicismo español".

El elemento rococó. — Junto a la tendencia neoclásica, nos llegó también de Francia un elemento de *exquisita elegancia.* Es la misma gracia ligera que caracteriza a la música de cámara dieciochesca, al mundo sensual y galante de Versalles —tal como aparece en los lienzos de Watteau, Fragonard o Boucher—, o a las menudas y doradas volutas del estilo rococó.

Así como los palacios neoclásicos, de aspecto exterior frío y de forma esquemática, ofrecen en su interior una lujosa y amable ornamentación de líneas graciosamente retorcidas, las obras literarias, fruto por lo común de un propósito racional y de un reflexionado cálculo, se nos muestran a veces dotadas de una fina delicadeza y un delicioso atildamiento.

De esta forma, la grandiosa magnificencia y la fuerza expresiva del barroco queda a menudo substituida, al llegar el siglo XVIII, por un arte superficial y frívolo, dotado, no obstante, de *gracia, ligereza y pulcra corrección*.

Ciertamente, el estilo barroco había derivado en algunos autores españoles de fines del XVII —recuérdese, por ejemplo, el caso de un Moreto— hacia una fórmula de ágil y fina estilización, pero el elegante buen gusto del siglo XVIII es un producto genuinamente francés.

El espíritu de la Ilustración en Europa

La nota más interesante del siglo XVIII la da un amplio movimiento de investigación y de crítica que recibe el nombre de Ilustración. Su origen hay que buscarlo, entre otras cosas, en el empirismo sensualista de la filosofía inglesa. Bacon, Locke, Hume y otros pensadores ingleses abandonan el estudio de las cuestiones metafísicas y, tomando como base del conocimiento la experiencia sensible, inician *una revisión de las ideas tradicionales* que tendrá intensa repercusión en toda la Europa del siglo XVIII. El "Enciclopedismo" francés y la "Aufklärung" alemana figuran entre las manifestaciones más importantes de esta tendencia crítica.

Entre los rasgos que caracterizan la nueva orientación filosófica se halla la sustitución de los conceptos de jerarquía, disciplina y autoridad dogmática por los de *igualdad, independencia intelectual y libre crítica*. En general, las figuras de este momento coinciden en una actitud de rebeldía y *escepticismo* frente al pasado tradicional.

España acoge a fines del siglo XVIII la nueva valoración de los impulsos sentimentales que caracteriza la literatura prerromántica. Grabado francés de la época.

En este sentido, muchas de las ideas de la Ilustración responden a una intensa laicización de la cultura anterior: la moral pierde su justificación religiosa y adopta un tono utilitario; los dogmas cristianos ceden el paso a una vaga creencia en un Ser Supremo *(deísmo);* la caridad se ve substituida por una *filantropía* que exalta la fraternidad humana, sin motivos de orden religioso, y un espíritu de *tolerancia* impregna las nuevas concepciones ideológicas.

Todo ello tuvo enormes consecuencias. En primer lugar, la ausencia de un concepto religioso de la existencia —unida al desarrollo económico— engendró un ideal de vida muelle y sensual que halló su realización social en el frívolo ambiente de Versalles, y su expresión estética en amplios sectores del arte de la época, como la pintura francesa cortesana o gran parte de la poesía anacreóntica. En segundo término, el abandono de las cuestiones metafísicas dio lugar a que la atención se centrase en los problemas *científicos* o *eruditos*. En este sentido, se consiguieron magníficos resultados en el terreno de la técnica y de la ciencia experimental, lo cual, a su vez, originó una ciega confianza en el *progreso* del hombre ayudado por la razón y la crítica, idea cuya difusión data precisamente del siglo XVIII.

Por último, la substitución del "derecho divino" por el *derecho natural,* efectuada por aquella sociedad "más preocupada de sus derechos que de sus deberes",[1] y la convicción de que es el pueblo y no el rey el sujeto de la soberanía, tuvo una decisiva trascendencia, ya que todo ello desembocó en la Revolución francesa y en el predominio de las ideas liberales durante el siglo XIX.

Su repercusión en España. — Como en el resto de Europa, lo más importante de la cultura española del siglo XVIII se halla, más que en la producción artística, en la investigación y el ensayo. Agotado el genio creador del país, *la actividad cultural asumió un carácter preferentemente didáctico,* fenómeno muy frecuente en la historia de los pueblos. Filología, Historia, Estética, Filosofía, Medicina, Ciencias Políticas y Sociales, Bibliografía..., he aquí los géneros preferidos por un siglo dotado de mediocre imaginación y escasa sensibilidad lírica. No es época de poetas y novelistas, sino de críticos e investigadores.

Merced a ello, las ciencias experimentales, lamentablemente descuidadas durante el siglo XVII e incluso en la primera mitad del XVIII, logran un considerable avance. Los mismos reyes y gobernantes, movidos por el afán general de cultura, y obedeciendo a las consignas del despotismo ilustrado, favorecen, según vimos, la creación de centros oficiales destinados a estudios científicos y humanísticos, como las Reales Academias de la Lengua, de la Historia, de Buenas Letras, de Medicina, o las Sociedades Económicas de Amigos del País, viendo en el desarrollo de la educación pública la panacea para regenerar la nación.

Por otra parte, el intenso cosmopolitismo de la época y los viajes de aristócratas y becarios al extranjero ocasionan la europeización de la cultura española, dando un

---

1. Paul Hazard. "La crisis de la conciencia europea".

tono racionalista y crítico a las tareas intelectuales. Este carácter se acentúa en la segunda mitad del siglo a consecuencia de la introducción de las ideas de la "Enciclopedia" francesa, comenzada en 1751, lo que origina en un amplio sector *un espíritu antitradicional,* que pone en tela de juicio multitud de instituciones y predilecciones estéticas del país. La expulsión de los jesuitas o la prohibición de los Autos Sacramentales responden claramente a estas tendencias.

No obstante, el programa de reforma de los "ilustrados" españoles —esencialmente económico, moral, pedagógico y científico— *respetó en lo fundamental la religión católica y el absolutismo monárquico* de la época —manteniéndose al margen del liberalismo político—, e intentó armonizar las corrientes ideológicas de origen extranjero con los elementos de la propia tradición que aún consideraba válidos. De ahí que el patriótico *anhelo de renovación nacional* típico de los gobernantes y escritores del XVIII se caracterice —salvo alguna agria y poco afortunada protesta contra el pensamiento europeo del momento— por el hecho de tomar como norte *no sólo las tendencias de la Ilustración sino, tanto en lo estético como en lo ideológico, nuestro gran siglo XVI*–Simón Abril, Luis Vives, Arias Montano, Fray Luis de León...–.

El Prerromanticismo

A mediados del siglo XVIII y coincidiendo con el *desarrollo de la burguesía,* comienzan a surgir en toda Europa chispazos de una nueva orientación literaria, que por su analogía con las corrientes románticas del siglo XIX recibe el nombre de Prerromanticismo.

Una de las causas de este cambio de rumbo hemos de verla en la *filosofía* sensualista de Inglaterra, ya que al exaltar el mundo de las sensaciones hace posible la aparición de una novela sentimental, basada precisamente en la eficacia literaria de las sensaciones conmovedoras. Las narraciones de un *Samuel Richardson,* por ejemplo, orientadas en este sentido, tuvieron un gran éxito, porque coincidían con la blanda sensibilidad burguesa dominante en aquella época. Las poesías de *Thompson,* con su visión realista y entusiasta de la naturaleza rústica, las lúgubres meditaciones de *Young* y el melancólico lirismo de *Macpherson,* produjeron una oleada de sentimentalismo que trascendió rápidamente de Inglaterra a los demás países.

Por su parte, las ideas de la *Enciclopedia* dieron pronto lugar a una explosión de emotividad, al exaltar las nociones de filantropía y humanitarismo. No deja de ser curioso que el Enciclopedismo, tan apartado de toda efusión sentimental, haya preparado el camino a la libre expresión de las emociones. *La unión de ideas filosóficas y de sentimentalismo es, en efecto, una de las características más sobresalientes de la segunda mitad del siglo dieciocho.*

Sin embargo, quien dio el mayor impulso a la difusión de estas corrientes prerrománticas fue el ginebrino *Juan Jacobo Rousseau.* Si Voltaire simboliza el espíritu crítico, irónico y negativo de la Ilustración, Rousseau, apasionado y "sensible", es el polo opuesto a la fría seguridad racionalista de la Enciclopedia.

Su idea fundamental, basada en la negación del pecado original, es la de que el hombre es bueno por naturaleza. Ello le lleva a considerar que el progreso y la civilización corrompen al individuo y que el único camino viable es volver a la primitiva pureza del estado natural; de ahí *sus elogios de la vida sencilla y del paisaje libre y agreste,* tan distinto del artificioso escenario del bucolismo clásico. Al lado de ello, la justificación de los sentimientos, como impulsos naturales del hombre, y su mismo estilo, apasionado o melancólico, difundieron por toda Europa una impetuosa corriente de *sensibilidad lacrimosa.*

Por último, la curiosidad intelectual originó una serie de viajes a países lejanos, que tuvieron como consecuencia la aparición de *motivos exóticos.* Así, China, la India, Arabia y otros muchos escenarios desconocidos hasta entonces, comienzan a competir con el mundo mitológico grecolatino.

Las tendencias prerrománticas en España. – Durante la primera mitad del siglo XVIII, la literatura española se muestra pródiga en rasgos que coinciden con los que cien años más tarde habían de definir el estilo romántico. Tal el libre concepto de la creación artística defendida por Feijoo, el gusto por la escenografía efectista, e incluso algún tema poético, como el de las ruinas.

Pero prescindiendo de estas notas, que más que como anticipos del espíritu romántico, hay que interpretar como restos del sentir tradicional y barroco, España ofrece progresivamente, *en la segunda mitad del siglo,* todas las características del prerromanticismo europeo.

En el terreno de la estética, se justifica la unión de lo trágico con lo cómico, se valora el estilo gótico o se defiende la expresión literaria de lo maravilloso cristiano; en la poesía y el teatro, un sentimentalismo lacrimoso se alía a melancólicas meditaciones filosóficas o a graves reflexiones plenas de un humanitarismo filantrópico; el paisaje va tomando interés por sí mismo y aparece descrito con notas realistas que van desde lo lúgubre y melancólico hasta lo rústico, y en general, frente al espíritu de disciplina literaria y sentimental del neoclasicismo, comienza a imponerse un criterio más abierto que permite y hasta exalta la libre expresión social y literaria de los impulsos naturales y del mundo de las emociones íntimas.

Todo ello y una multitud de detalles muy sintomáticos —como algún intento de polimetría, la traducción de poesías orientales o el interés por ciertos aspectos de la Edad Media— demuestran que España se hallaba en vísperas de la gran revolución romántica.

La lengua española en el siglo XVIII

La lengua española evoluciona en el siglo XVIII al compás de las diversas corrientes culturales de la época.

Con el *Diccionario de Autoridades* (1726-39), publicado por la Real Academia Española, comienza una tarea de selección del lenguaje que fue completada más tarde con la Gramática (1771). La persistencia de un barroquismo degenerado provocó una reacción encaminada a eliminar de la lengua literaria una infinidad de inadmisibles *vulgarismos* y de *cultismos* completamente ajenos al espíritu español. A esta lucha por la limpieza del idioma, iniciada por la Academia, vinieron a sumarse más tarde los mejores escritores de la época, quienes, valiéndose de la ironía y de la sátira, consiguieron excelentes resultados.

Una nueva campaña en honor de nuestra lengua tuvo que llevarse a cabo cuando el prestigio de la cultura francesa motivó la introducción de *galicismos,* que, a pesar de la protesta de los que defendían la pureza del idioma, llegaron a influir sobre las primeras figuras literarias.

Esta dirección *purista* y el deseo de apartarse del barroco decadente hizo volver los ojos a la literatura del siglo XVI, que aparecía como un antídoto contra las excentricidades culteranas y conceptistas y contra la moda galicista. Así se llegó a crear un estilo *correcto y castizo,* muy `adecuado a la prosa didáctica por su claridad, pero ineficaz para los usos poéticos por su falta de vigor.

Hay que reconocer, sin embargo, que en este período, la prosa, ante la necesidad de exponer las nuevas ideas, se enriquece con abundantes giros sintácticos y formas expresivas que le confieren un tono de evidente *modernidad,* acercándola al lenguaje de nuestros días.

En el último tercio del siglo XVIII, la intensificación de las tendencias prerrománticas determina una nueva orientación estilística. Al pasar del gracioso bucolismo neoclásico a la grave poesía sentimental de fines de siglo, la dicción evoluciona hacia unas formas más solemnes y hacia un nuevo tipo de *patetismo retórico,* que heredarán íntegramente los románticos.

BIBLIOGRAFÍA

HISTORIA DE LA PRODUCCION LITERARIA DEL SIGLO XVIII

César Barja: *Libros y autores modernos,* 1933.
Historia de las literaturas hispánicas. Vol. IV, 1.ª y 2.ª parte, 1956-57.
N. Glendinning: *El Siglo XVIII.* En "Historia de la Literatura española". Barcelona, Ariel, 1973.

ESTUDIOS SOBRE TEMAS DIVERSOS

M. Menéndez y Pelayo: *Historia de los heterodoxos españoles.*
M. Menéndez y Pelayo: *Historia de las ideas estéticas en España. (Siglo XVIII.)*
M. Menéndez y Pelayo: *Estudios sobre el siglo XVIII.* En "Estudios y discursos de crítica histór. y literaria". Vol. IV.

A. Castro: *Algunos aspectos del siglo XVIII*. En "Lengua, enseñanza y literatura", 1924.

G. Marañón: *Nuestro siglo XVIII y las Academias*. En "Vida e historia", 1943.

A. Domínguez Ortiz: *La Sociedad española en el siglo XVIII*. Madrid, 1955.

E. Allison Peers: *Los antecedentes del movimiento romántico*. En "Historia del movimiento. romántico español", 1954. Vol. I.

F. Lázaro Carreter: *Las ideas lingüísticas en España durante el siglo XVIII*. Madrid, 1949.

J. Sarrailh: *La España ilustrada de la segunda mitad del siglo XVIII*, 1957.

M. Desfournaux: *L'Inquisition espagnole et les livres françaises au XVIIIe siècle*. 1963.

G. C. Rossi: *Estudios sobre las letras en el siglo XVIII*. Edit. Gredos, 1967.

Russell P. Sebold: *El rapto de la mente (Poética y poesía dieciochescas)*. Madrid, 1970.

Consúltense también en torno al panorama literario e ideológico europeo de la época:

Paul Hazard: *La crisis de la conciencia europea*, 1941, y *El pensamiento europeo en el siglo XVIII*, 1946.

la literatura posbarroca 44
en la primera mitad
del siglo XVIII

Decadencia de los géneros de creación

La producción de la primera mitad del siglo XVIII deriva de las tendencias barrocas, y las principales figuras de la época son tan sólo un pálido reflejo de los grandes escritores del siglo anterior. El arte literario cae en una postración tan absoluta que hoy podemos justificar en parte la actitud de quienes trataron de infundirle una nueva vida, incorporándolo a las tendencias neoclásicas.

La prosa narrativa

El género narrativo en prosa apenas fue cultivado en el siglo XVIII. La novela picaresca acaba de desaparecer, y su última derivación importante, la "Vida", de Torres y Villarroel, es una simple autobiografía tejida a base de recuerdos y totalmente ajena al espíritu que da coherencia y sentido a obras como el Guzmán de Alfarache o el Buscón.

Diego de Torres y Villarroel. — Es una de las figuras más notables de la época anterior a la introducción del neoclasicismo. Su vida ajetreada tiene todo el sabor de una novela picaresca. Nació en Salamanca (1694-1770) y fue en su juventud estudiante holgazán, ermitaño, curandero, profesor de danza, soldado y torero, sucesivamente. Dedicóse después a la astrología y a confeccionar "pronósticos" que alcanzaron gran éxito por sus sorprendentes aciertos, y tras algunos estudios de Medicina, ganó, en alborotada oposición, la cátedra de matemáticas de Salamanca, desierta desde hacía treinta años. Más tarde sufrió una temporada de destierro y a los cincuenta años se ordenó sacerdote.

El relato de tales andanzas constituye el fondo de su obra capital: *Vida, ascendencia, nacimiento, crianza y aventuras del doctor D. Diego de Torres y Villarroel* (1743-59). En los seis "trozos" de que consta, nos expone con desenfadado estilo los episodios más divertidos de su agitada y pintoresca existencia. He aquí su irónico autorretrato:

D. DIEGO D.TORRES

Diego de Torres y Villarroel, figura capital de la literatura posbarroca en la primera mitad del siglo XVIII.

A mi parecer soy medianamente loco, algo libre y un poco burlón, un mucho holgazán, un si es no es presumido y un perdulario incorregible... El cabello, a pesar de mis cuarenta y seis años, todavía es rubio; alguna cana suele salir a acusarme lo viejo, pero yo las procuro echar fuera. Los ojos son azules, pequeños y retraídos hacia el colodrillo..., la nariz es el solecismo más reprehensible que tengo en mi rostro, porque es muy caudalosa y abierta de faldones: remata sobre la mandíbula superior en figura de coroza, apagahumos de iglesia, rabadilla de pavo o cubilete de titiritero... Mirado a distancia parezco melancólico..., pero examinado en la conversación... soy generalmente risueño, humilde y afectuoso con los superiores y un poco libre y desvergonzado con los iguales.

El *estilo* de Torres sufrió la influencia decisiva del arte de Quevedo. La sátira caricaturesca que caracteriza al autor del Buscón, cuadraba tanto a la pintoresca personalidad de Torres que la adoptó como modelo. No obstante, su buen humor dista considerablemente del amargo pesimismo quevedesco. Es cierto también que la obra de Torres y Villarroel supone un notable descenso en intensidad expresiva y en contenido ideológico respecto del gran escritor barroco, pero su gracioso desenfado y su sinceridad le convierten en el prosista más simpático de la época.

Como documento histórico, la "Vida" de Torres tiene un valor inapreciable, al presentarnos un vivísimo cuadro de la decadencia española en la primera mitad del siglo XVIII, a la que alude constantemente con tono entre dolido y burlón:

Padeció entonces la España una obscuridad tan afrentosa que en estudio alguno, colegio ni universidad de sus ciudades, había un hombre que pudiese encender un candil para buscar los elementos de esas ciencias...

Esta *mezcla de criticismo y resto de superstición* hacen de él una de las figuras más representativas de su tiempo. Tan pronto confeccionador de oráculos, como catedrático de matemáticas, su vida es típica de aquel período de transición en el que luchaban encarnizadamente la rutina tradicional con las nuevas tendencias de la Ilustración.

No obstante, la ignorancia del ambiente que le rodeaba era tan profunda que llegó a hacer mella en sus creencias. Nos ha dejado también una extensa serie de obras en prosa, entre las que destacan los *Sueños morales* (1727-1751), donde el autor, acompañado por Quevedo, recorre el Madrid de la época, ofreciéndonos una visión satírica de sus tipos y costumbres. En *El ermitaño y Torres* (1752) se exponen curiosos juicios críticos sobre las principales figuras literarias del siglo anterior.

La poesía

La poesía de la primera mitad del siglo es también una clara derivación de la fórmula barroca, pero sin las rutilantes magnificencias de un Góngora ni las audacias de expresión ingeniosa de un Quevedo. Trátase por lo general de una lírica hecha de *imágenes gastadas,* en la que es difícil hallar verdaderos destellos poéticos.

En los poetas de principio de siglo, o sea en el reinado de Felipe V (**Villarroel, Alvarez de Toledo, Gerardo Lobo**), domina totalmente la influencia de Góngora y Quevedo. En los del segundo tercio del XVIII —reinado de Fernando VI—, publicada ya la Poética neoclásica de Luzán (**Torrepalma, Porcel**), se observa, junto al influjo barroco, un intento de acercamiento a las nuevas tendencias del neoclasicismo.

Torres y Villarroel hace gala en sus versos del mismo garbo y gracia picaresca que animan sus obras en prosa. Como en éstas, es bien visible la huella de Quevedo.

Su genio extravagante le llevó a publicar, con el seudónimo de "El gran Piscator de Salamanca", una serie de *Almanaques* donde anunciaba, en pronósticos rimados, los próximos acontecimientos. Aunque él mismo no tomaba muy en serio tales vaticinios, en varias ocasiones acertó por casualidad, lo que le procuró una gran popularidad y no pocos disgustos. Es curioso, en este sentido, que profetizase, sin equivocarse, la muerte de Luis I, el motín de Esquilache y la Revolución francesa, esta última a más de treinta años de distancia. El hecho de que los Almanaques y Pronósticos le reportasen 60 000 reales en diez años, da idea del éxito que alcanzaron, y al propio tiempo, del lamentable nivel cultural del país.

Muy de acuerdo con la tradición popular están sus *pasmarotas*, composiciones satíricas dotadas de una ironía socarrona. También le atrajeron los temas de brujería, como lo demuestra la que dedicó "A una bruja que reventó chupando el aceite que daba luz a un Santo Cristo".

Siguiendo la vena tradicional, utilizó los metros cortos en una serie de letrillas, romances y seguidillas, aunque también manifestó su humor picaresco en diversos sonetos:

> En una cuerna un celemín de sal,
> un San Onofre al óleo en un papel,
> un tintero, dos libros, un rabel
> y un cántaro con agua elemental.
>
> Estas alhajas tengo en un portal,
> que es mi casa, mi alcoba y mi dosel,
> donde sirve de cama mi buriel,
> y de sillón un duro pedernal.

Sobre un poyo de piedra está un candil,
que me da luz hasta que sale el sol;
ceno una sopa a veces de pernil,

leo a Quevedo, célebre español,
y alegre en mi tiniebla y su pensil,
no se me da del mundo un caracol.

Gabriel Alvarez de Toledo (1662-1714). – Si del Quevedo satírico deriva Villarroel, lo mejor de la producción de Alvarez de Toledo entronca con el Quevedo ascético-moral. Trátase de unos sonetos de sobria emoción filosófica y religiosa, en torno al tema barroco del desengaño, escritos después de una honda crisis moral que le apartó del mundo. Así, el titulado *La muerte es vida*, cuyos últimos versos podrían ser de un poeta del XVII:

Que muere el alma cuando el hombre vive,
que vive el alma cuando el hombre muere...

Puede también citarse como obra de juventud su parodia épica la *Burromaquia* (impr. en 1774), una muestra más, por su dudosa gracia, de la degeneración de la epopeya burlesca del barroco.

Eugenio Gerardo Lobo (1679-1750), que llegó a ostentar el cargo de gobernador militar de Barcelona, representa mejor que nadie la musa festiva en la primera mitad del siglo XVIII. Aunque algunas de las expresiones de sus sonetos son de evidente raigambre barroca, lo más característico de su producción lo constituye el ingenio y la fácil dicción de sus graciosos romances.

Su posición frente al clasicismo queda de manifiesto en estos versos:

Tal o cual vez me divierto
sin que me altere y fatigue
lo que Aristóteles clama
y lo que Horacio prescribe.

Quebrantar la ley divina
del Decálogo me aflige
mas no romper los preceptos
de los antojos gentiles.

José Antonio Porcel. – Canónigo granadino (nacido en 1720), imitó a Góngora en las églogas venatorias de su poema *Adonis*, lleno de imágenes de ascendencia culterana: el río es "líquida sierpe de sonora plata"; la ninfa desdeñosa, "escollo de cristal, muro de nieve"; las guijas del fondo del arroyo, "limpios trastes del líquido instrumento"... Más tarde, derivó hacia el clasicismo importado por Luzán, a pesar de lo cual fue criticado en la segunda mitad del siglo por considerársele poco clásico.

El Conde de Torrepalma (Antonio Verdugo y Castilla, 1706-1767), asistente, como Porcel, a la Academia del Buen Gusto, en la que coincidían poetas de tendencia posbarroca con los iniciadores del gusto neoclásico, escribió un poema de tema ovidiano, *El Deucalión*, de relativo mérito, a pesar de lo vigoroso de algunas descripciones, por ejemplo, las estrofas dedicadas al Diluvio. Más que el gongorismo que le reprochaban los poetas posteriores del siglo XVIII, interesa destacar en su obra la presencia de temas y expresiones que pudieran relacionarse con el estilo prerromántico. Tal sucede con su poema *Las ruinas*, o su elegía *A la temprana muerte de una hermosura*, en los que se observa una emoción lacrimosa; algunos versos tienen en este sentido un aire inconfundible: "sólo el sollozo es ritmo del quebranto"...

El teatro

Durante los primeros cincuenta años de la centuria, el teatro perpetúa la fórmula calderoniana, pero el lenguaje repite sin cesar los tópicos barrocos, pierde intensidad el elemento dramático e intelectual, y toda la atención se concentra en una *escenografía efectista*, que utiliza los más truculentos recursos. En la mayoría de los casos, las comedias de la época parecen toscos remedos de la parte más externa del gran teatro barroco del XVII, o se trata de simples refundiciones. Esta técnica se prolongó —cada vez más degenerada— hasta principios del siglo XIX. Así lo atestiguan los lamentables engendros de L. F. Comella (muerto en 1812) y sus seguidores, en cuyas comedias heroicas se observa, al lado del influjo neoclásico —aceptación de las tres unidades, por ejemplo— y europeo —asuntos tomados del teatro francés o inglés del momento—, el gusto tradicional por un ajetreo escénico, a base de apariciones de monstruos, vistosos desfiles o disparos de artillería. Solamente la obra de dos figuras de la primera mitad del siglo XVIII —**Zamora** y **Cañizares**— ofrece una cierta dignidad literaria.

Antonio de Zamora (muerto en 1728) merece recordarse por una nueva versión del "don Juan" de Tirso, titulada *No hay plazo que no se cumpla ni deuda que no se pague y convidado de piedra* (1722). El rasgo característico del protagonista es, como dice Valbuena, "la del valor personal llevado al orden vulgar del matonismo, de la chulería". El final de la comedia, dejando indecisa la salvación de don Juan, es un curioso precedente de la obra de Zorrilla. Como más tarde ocurrió con ésta, la de Zamora fue la pieza de teatro obligada para el día de Difuntos.

José Cañizares (1676-1750) refundió un buen número de comedias del siglo XVII. Su obra original más notable es *El picarillo en España, Señor de la Gran Canaria,* en la que el protagonista, un noble de elevada condición, se hace pasar por pícaro. El asunto da pie a diversas escenas y expresiones de tipo popular no exentas de gracia y de pintoresquismo.

La vena tradicional en la segunda mitad del siglo XVIII

Como ya indicamos en otro lugar, la segunda mitad del siglo ofrece esporádicamente algunas figuras en quienes aflora la tendencia tradicional. Los temas y orientaciones estéticas nacionales estaban tan arraigados en el pueblo español, que las novedades extranjeras no consiguieron hacerlos desaparecer del todo. Y, así, los veremos convivir con las corrientes neoclásicas en autores de inspiración castiza, como don Ramón de la Cruz, e incluso en los más apegados a la influencia francesa, como Nicolás Fernández de Moratín o García de la Huerta.

Recuérdese una vez más que la tendencia tradicional no siempre quiere decir barroquismo: *muy a menudo el elemento nacional se manifestó en formas desligadas del gran estilo del XVII e incluso en pugna con él,* y entroncando en cambio con la literatura del XVI o con los autores del XVII menos afectados de barroquismo. El barroco fue considerado como un arte degradado contra el que se había de reaccionar, bien volviendo la vista al siglo XVI español, bien incorporándose a la moda neoclásica europea.

BIBLIOGRAFIA

EDICIONES

Torres y Villarroel. "Vida", F. de Onís. Clás. Cast., 1912.
Alvarez de Toledo, Lobo, Porcel, Torrepalma. B. A. E.
Zamora, Cañizares. B. A. E.

ESTUDIOS

A.García Boiza: Don Diego de Torres y Villarroel. Ensayo biográfico, 1911.
Leopoldo A. de Cueto: Bosquejo histórico-crítico de la poesía castellana del siglo XVIII. B. A. E. Vol. XLI.
M. Menéndez y Pelayo: Historia de las ideas estéticas en España. Siglo XVIII. (Sobre los poetas de este período.)
G. Díaz-Plaja: Historia de la poesía lírica española. 1948.
A. Valbuena: Historia del teatro español. Caps. XX, XXI, 1956.

los comienzos del 45
criticismo y de la tendencia
neoclásica. feijoo y luzán

La mayor parte de la producción de la primera mitad del siglo viene a ser una derivación de las formas barrocas. Pero al lado de ella se encuentra la de dos importantes figuras, Feijoo y Luzán, que inauguran lo que había de constituir el núcleo del pensamiento y de la creación estética en la segunda mitad de la centuria: la actitud crítica y la tendencia neoclásica.

Fray Benito Jerónimo Feijoo

Nacido en Galicia (Casdemiro: Orense, 1676-1764), pasó la mayor parte de su vida en Oviedo. Después de ingresar en la Orden benedictina, dedicóse al estudio y a la enseñanza, profesando diversas cátedras de teología en la Universidad ovetense. Sus publicaciones fueron motivo de agrias polémicas, pero al mismo tiempo le proporcionaron un gran prestigio y la protección real: Felipe V le ofreció un obispado en

América —que Feijoo no aceptó— y Fernando VI le nombró Consejero, prohibiendo más tarde que se impugnasen sus doctrinas. A pesar de la agotadora actividad intelectual que desplegó, su vida se prolongó hasta cerca de los noventa años.

Sus obras. — Su vasta producción se halla contenida en los ocho volúmenes del *Teatro crítico universal* (1727-1739) y en los cinco de las *Cartas eruditas y cu-*

Fray Benito Jerónimo Feijoo, debelador de errores y supersticiones.

riosas (1742-1760). Ambas obras están formadas por una larga serie de ensayos o disertaciones sobre las más diversas materias: Medicina, Ciencias físico-naturales y exactas, Geografía e Historia, Literatura y Filología, Teología y Moral...

Su espíritu crítico y su sentido práctico. – "Mi intento sólo es proponer la verdad", declara Feijoo al frente de su "Teatro crítico". Para lograr tal propósito, se rebela contra el criterio de autoridad aplicado a temas científicos e inicia su tarea intelectual *guiado exclusivamente por la razón y la experiencia.* Dotado de un agudo sentido crítico, somete a una rigurosa comprobación cuantas ideas llegan hasta él, para admitir solamente aquellas que no estén en desacuerdo con el buen sentido ni con la observación personal.

Sus enemigos principales fueron la credulidad del vulgo y la rutina de los hombres de ciencia. Firmemente convencido de que su sano criterio tenía más valor que la opinión de todo un pueblo dominado por la superstición, dedicóse a destruir aquellos errores basados únicamente en el asenso general, porque "siempre alcanzará más un discreto que una turba de necios". La creencia en los duendes, en la astrología y en otras mil supercherías populares fue repetidamente atacada por él, con sencillos argumentos basados en el sentido común, y en ocasiones, con reflexiones no exentas de humor; así cuando afirma que contra determinados espíritus maléficos, lo mejor es "el conjuro de una buena tranca".

En el terreno científico *combatió el desdén de la España de su tiempo hacia todo lo que no fueran discusiones abstractas y verbalismos ineficaces,* aconsejando insistentemente el estudio de la Física, de la Química, de las Matemáticas, de la Medicina y de todas aquellas materias en las que mediante una experimentación desprovista de prejuicios, podía llegarse a un resultado *práctico y seguro.*

Racionalismo católico. – Como dice Marañón, Feijoo consiguió "hacer compatible el ansia de saber, de explorar la realidad de la vida con los ojos y no con las doctrinas, y el ansia de razonar... con una fe intangible"; de esa forma supo conciliar el espíritu de la "Ilustración" y su afán de cultura y progreso con el dogma católico.

Ideas estéticas. – En dos de sus ensayos, titulados *El no sé qué* y *La razón del gusto,* Feijoo expone ideas de una gran trascendencia, dada la época en que fueron formuladas. La más interesante es la *que defiende la libertad del genio frente a los preceptos.* Estos, dice, sólo sirven "para evitar algunos groseros defectos", pues "el que no tiene genio, nunca es elocuente, por más que haya estudiado las reglas de la Retórica". Y en otro lugar: "Los que se atan servilmente a las reglas... tienen justo motivo para hacerlo. La falta de talento les obliga a esa servidumbre."

No menos importancia tiene el haber admitido en la belleza un *elemento subjetivo,* siguiendo las tendencias cartesianas y apartándose de las doctrinas platónicas tradicionales, según las cuales aquélla era algo absoluto, objetivo e independiente de la apreciación humana. Este elemento era para él "la razón de la variedad de gustos".

Todo ello y el haber señalado en la obra de arte un "no sé qué" que "no puede descifrar la razón", le sitúa frente a la preceptiva neoclásica.

Las ideas estéticas de Feijoo carecen de hondura, pero revelan un sano criterio y un indudable buen sentido. Menéndez y Pelayo consideró a Feijoo como una clara manifestación del "romanticismo latente que empalma dos épocas de la literatura española, el siglo XVII y el XIX",[1] entre los cuales nunca se dio una verdadera solución de continuidad.

Actitud frente a Europa. — "Hacia el comienzo del siglo —ha dicho Marañón—, la Península era todavía un inmenso país de mendigos, de nobles fanfarrones y de seudosabios discutidores y dogmáticos." Frente a este estado de cosas, *Feijoo representa la introducción en España de las novedades de la cultura europea;* con él comienza el abandono de los procedimientos rutinarios y la incorporación de los nuevos métodos experimentales que venían del extranjero. Bacon, por ejemplo, influirá decisivamente en su obra.

Sin embargo, esta tendencia europeísta que le llevaba a recomendar el envío de los jóvenes a las escuelas de Francia e Inglaterra, *no supone en él una actitud antiespañola.* Feijoo supo ver con tanta claridad el peligro de una incomunicación con la cultura extranjera como el de la devoción excesiva a todo lo de fuera por el mero hecho de serlo. "Es bien risible, exclama, la candidez de los españoles que en viendo acá un médico francés de los que allá tienen mediana reputación, piensan que han logrado un hombre capaz de revocar las almas del otro mundo."

Su principal intento fue introducir en nuestra patria las novedades europeas que la evolución de la cultura hacía imprescindibles, sin romper con los auténticos valores de la tradición española. Posición que había de ser compartida más tarde por las figuras supremas de nuestro siglo XVIII.

Trascendencia de su obra. — Aunque Feijoo manifestó repetidamente su desprecio hacia el vulgo, su mayor empeño consistió en popularizar los adelantos culturales de última hora y en destruir los errores y supercherías que la ignorancia general mantenía todavía vigentes.

En cierta ocasión se pasea libremente durante un eclipse para demostrar cuán infundado era el temor a este fenómeno natural. Como en este caso, comprueba siempre por sí mismo y "mirando las cosas a la luz de la razón", afirma valientemente el resultado de la propia experiencia.

No fue un pensador profundo, ni un investigador en el sentido riguroso de la palabra, pero su tarea divulgadora *tuvo una considerable eficacia, ya que contribuyó no poco a elevar el nivel cultural de la época.*

---

1. "Historia de las ideas estéticas en España".

El estilo del P. Feijoo tiene como cualidades primordiales la *sencillez y naturalidad,* puesto que su propósito no es de orden estético sino científico y docente; claro, preciso y sin artificios retóricos de ningún género, responde admirablemente a la exposición didáctica, y su notable espontaneidad —Feijoo no corregía nunca lo escrito— le presta una indudable elegancia. Por todo ello, y por su amenidad, el "Teatro Crítico", a pesar de referirse generalmente a temas que han perdido actualidad, puede leerse todavía con gusto.

El buen juicio de Feijoo le hizo oponerse al exagerado criterio purista de sus contemporáneos en materia de lengua: "Pureza es pobreza", decía. Por lo que, aunque combatió el empleo sistemático de galicismos, defendió la introducción de aquellos que las innovaciones científicas hacían necesarios.

Ignacio de Luzán

Nació en Zaragoza (1702-1754) y pasó gran parte de su juventud en Italia. Años más tarde desempeñó el cargo de Secretario de Embajada en París, y acabó su vida en Madrid. Poseyó una considerable cultura y perteneció a las Reales Academias de la Lengua y de la Historia, y a la de Buenas Letras de Barcelona.

Su "Poética". — Compuesta en italiano en 1728 y publicada en español en 1737, marca un jalón importantísimo en la evolución de la literatura española, ya que con ella se introduce en España la tendencia neoclásica.

Más que una obra de contenido original es una verdadera compilación de las doctrinas clasicistas de la época. Su principal inspirador fue el italiano Muratori. Es cierto que la huella de Boileau se hace también patente en la Poética, pero su alcance es menor que la de los preceptistas italianos, menos rigurosos que los franceses.

El rasgo más notable de la obra de Luzán es *su sentido independiente y su tolerancia.* Tal vez sea exagerado considerarle, al modo de Menéndez y Pelayo, como "mucho más amigo del mundo encantado de los sueños, que del mundo árido y seco de los preceptos", pero aun cuando se hallan encuadrados en la teoría neoclásica, sus juicios sobre la literatura barroca demuestran en efecto una notable comprensión de ciertos valores del siglo XVII y una elasticidad de criterio muy superior a la de sus contemporáneos.

Las ideas estéticas de la "Poética" de Luzán derivan, en general, de las doctrinas de Aristóteles y sus comentaristas. Así, afirma que la poesía ha de basarse en la imitación de lo universal y verosímil, y que su finalidad es la misma que la de la filosofía moral. Sin embargo, admite lo particular, y en cierto modo hasta lo fantástico, como tema poético, y señala la existencia de una importante producción literaria en la que lo esencial no es la utilidad sino el deleite.

Su concepto del arte como algo sujeto a normas y regido por principios racionales, se advierte también en sus opiniones sobre la poesía dramática. La obra de teatro ha de someterse a las "tres unidades" de lugar, tiempo y acción. Según ellas

—y de acuerdo con una errónea interpretación de la Poética de Aristóteles—, ha de reflejar lo ocurrido en un solo lugar y un solo día, sin admitir más tema que el que sirva de núcleo a la acción. Sin embargo, oponiéndose a Boileau, no rechaza el tema religioso cristiano como susceptible de elaboración literaria.

Los *juicios críticos* formulados en la "Poética" muestran también sensatez y buen sentido. Así, pues, aunque ataca al siglo XVII, calificándolo como un período de corrupción literaria, sabe apreciar ciertas bellezas que otros críticos de la época no alcanzaron a ver. Consecuente con sus principios teóricos, afirma que en nuestro teatro nacional no hay ni razón ni arte, lo que no le impide calificarlo en otro momento como "un inmenso depósito de preciosidades poéticas, naturalidad y buen estilo". Calderón le parece monótono y a menudo inmoral, pero reconoce la elegancia y la habilidad técnica de sus obras; olvida a Tirso y elogia a Rojas; censura el empleo del elemento maravilloso, pero admite que los autos sacramentales no tienen por qué someterse a las tres unidades...

A pesar de sus convencionalismos e incomprensiones, la "Poética" de Luzán supera a todos los tratados de teoría literaria escritos en su siglo, por su independencia de criterio; y aunque fomentó un estado de opinión contrario a nuestra literatura barroca, no hay que achacarle todos los errores de quienes al seguirle mostraron una intransigencia que él supo soslayar con un notable sentido de ponderación y buen gusto.

La "Poética" se halla dividida en cuatro partes, en las que habla del origen, progresos y esencia de la poesía, de su utilidad y deleite, del género dramático y del épico.

Luzán y las corrientes literarias de su siglo. — Que Luzán no era un hombre de juicio rígido lo demuestran sus obras posteriores a la primera edición de la *Poética*. En la segunda edición, póstuma (1789), de la *Poética,* si bien se suprimen algunos de los elogios tributados al teatro nacional, se da cabida a ciertas consideraciones sobre la primitiva poesía española, que los investigadores acababan de dar a conocer, a pesar del abismo que la separa de la estética neoclásica.

Los principios de la estética neoclásica italiana y francesa adquirieron difusión en España gracias a Luzán. "El triunfo de Boileau". Grabado francés del siglo XVIII.

Pero donde mejor puede observarse cómo reaccionaba ante las novedades de la época, es en unas "Memorias literarias" —publicadas en 1751—, en las que tras ciertos elogios a Voltaire y Diderot, se entusiasma con el nuevo género prerromántico de la "comédie larmoyante", tan distinto por su agudo sentimentalismo, del racionalismo neoclásico.

Su producción poética. — Luzán formó parte de la Academia del Buen Gusto. Sus composiciones ofrecen escaso interés. Casi todas pueden encuadrarse dentro de los géneros preferidos por la época neoclásica: el mitológico ("El juicio de Paris"), el épico ("La conquista de Orán"), el anacreóntico... Conservamos también una traducción del *Pange Lingua*.

El Diario de los Literatos de España

Apareció en el mismo año que la "Poética" de Luzán y siguió editándose trimestralmente durante un lustro. A imitación del "Journal des Savants" *dio a conocer, mediante resúmenes y ensayos críticos, las publicaciones científicas y literarias más importantes del momento.* Menéndez y Pelayo consideró a sus colaboradores como herederos de las orientaciones de Feijoo, al ver en ellos "más concesiones al siglo XVII, que instintos de reforma a la francesa".

En el "Diario de los Literatos" se publicó la *Sátira contra los malos escritores* (1742), de **José Gerardo Hervás**, cuyos versos son un brioso ataque contra los causantes de la decadencia. Es visible la influencia de Boileau, aunque por otro lado se critique la moda galicista.

El siglo XVIII fue muy abundante en sátiras de tema literario, escritas tanto en verso como en prosa. Más adelante veremos las de Moratín, Forner, el P. Isla, Iriarte, Cadalso, etc.

BIBLIOGRAFIA

EDICIONES

Feijoo. "Teatro crítico" y "Cartas eruditas". A. Millares Carlo. Clás. Cast., 1923-26 y 1928.
Luzán. "Poética". L. de Filippo. Madrid, 1956.

ESTUDIOS

M. Menéndez y Pelayo: *Historia de las ideas estéticas. Siglo XVIII.* (Sobre Feijoo y Luzán.)
G. Marañón: *Las ideas biológicas del P. Feijoo,* 1934.
Sara Leirós Fernández: *El P. Feijoo. Sus ideas crítico-filosóficas,* 1935.
G. Delpy: *L'Espagne et l'esprit européen: l'oeuvre de Feijoo.* París, 1936.
G. Marañón: *Nuestro siglo XVIII y las Academias* y *Los amigos del P. Feijoo.* En "Vida e Historia", 1943.
J. Marichal: *Feijoo y su papel de desengañador de las Españas.* En "La voluntad de estilo", 1957.
P. Salinas: *Feijoo en varios tiempos.* En "Ensayos de literatura hispánica", 1958.
R. Lapesa: *Sobre el estilo de Feijoo.* En "De la Edad Media a nuestros días". Madrid, 1967.

el teatro en la segunda mitad del siglo XVIII

46

Los ataques al teatro nacional

En la segunda mitad del XVIII, la posición crítica frente a nuestro teatro nacional, iniciada por Luzán con notable ponderación, adquiere una virulencia extraordinaria en nombre de la Razón y de las tres unidades. Un pequeño grupo de preceptistas, en quienes lo francés triunfa sobre lo español, lleva a cabo esta ofensiva antitradicional demostrando una lamentable incomprensión de los valores dramáticos del XVII y una absoluta ausencia de espíritu crítico.

No obstante, la censura de las formas lopescas y calderonianas no llegó a ser unánime, entablándose vivas *polémicas* entre atacantes (Nasarre, Moratín padre...) y defensores (Romea y Tapia, García de la Huerta, etc.). Los argumentos utilizados por los primeros solían ser de orden estético y moral, ya que reprochaban a nuestros grandes dramaturgos no haberse ajustado a los preceptos clásicos, creando al propio tiempo una escuela de corrupción moral.

Durante el reinado de Carlos III, semejantes opiniones llegaron a tener validez oficial y provocaron la *prohibición* —en 1765— *de uno de los géneros más característicos de la literatura barroca:* los *Autos Sacramentales,* considerados por uno de aquellos críticos (Clavijo y Fajardo) como irreverentes y de mal gusto.

El Teatro neoclásico

Hasta mediados de siglo, la producción escénica sigue la técnica barroca, pero a partir de aquella época, las nuevas teorías dan lugar a la aparición de un teatro basado en el francés, aunque de tema frecuentemente español. *Corneille* y *Racine* serán los modelos preferidos para la tragedia, *Molière* para la comedia. Se tendrán en cuenta *las tres unidades* y se procurará someter la inspiración a los diques que imponen la *Razón* y el *Buen Gusto.*

El resultado no fue muy brillante: si exceptuamos la "Raquel", de García de la Huerta, y las comedias de Moratín hijo, el teatro clásico de nuestro siglo XVIII no consiguió rebasar, en el mejor de los casos, los límites de una absoluta *mediocridad.* De las varias docenas de tragedias que conservamos, faltas, por lo general, de contenido humano y escritas en un estilo retórico y sin nervio, apenas hay alguna que deba ser tenida en cuenta.

En algún tiempo se dijo que el público de la época había rechazado el teatro de orientación neoclásica y aplaudido el de tipo posbarroco —considerando como tal el de Comella y sus seguidores—, debido al carácter tradicional del último. Hoy parece demostrado no sólo que éste acogió muchas sugestiones del momento, tanto de tipo formal —respeto a las tres unidades— como temático —asuntos del teatro francés o inglés contemporáneo—, del mismo modo que el neoclásico desarrollaba temas tomados de la tradición nacional, sino que ambos alcanzaron un notable éxito. Paradójicamente, dejaron de interesar las comedias del Siglo de Oro, todo lo cual supondría que el gusto español había evolucionado de acuerdo con los nuevos criterios, aceptando un enfoque neoclásico de lo tradicional.

La Tragedia

Nicolás Fernández de Moratín (1731-1780). — Fue uno de los más acérrimos partidarios de la dramaturgia francesa, cuyas orientaciones siguió en sus tragedias de corte clásico *Lucrecia* (1763), *Hormesinda* (1771) y *Guzmán el Bueno* (1777) y en su comedia *La Petimetra* (1762). Las dos primeras obtuvieron escaso éxito, las últimas no llegaron a representarse. En unos opúsculos, titulados *Desengaños al teatro español* (1763), atacó violentamente el del siglo XVII, llegando a calificarlo de "escuela de la maldad" y "espejo de lascivia".

La obra teatral y las opiniones de Nicolás F. de Moratín revelan la enorme presión que las doctrinas francesas ejercían aun sobre hombres que como él sentían el valor de lo castizo español, ya que su producción poética se halla dentro de la línea tradicional. Considerable contraste frente a sus frías tragedias presentan sus romances, llenos de garbo, de colorido y de sabor español, así como las conocidísimas quintillas de la *Fiesta de toros en Madrid,* de cuya fuerza plástica pueden servir de ejemplo estas estrofas alusivas a la muerte del toro:

La arena escarba ofendido,
sobre la espalda la arroja
con el hueso retorcido,
el suelo huele y le moja
en ardiente resoplido.

La cola inquieta menea,
la diestra oreja mosquea,
vase retirando atrás,
para que la fuerza sea
mayor y el ímpetu más.

... Jamás peñasco tremendo
del Cáucaso cavernoso
se desgaja estrago haciendo,

ni llama así fulminante
cruza en negra oscuridad
con relámpagos delante,
al estrépito tronante
de sonora tempestad,

como el bruto se abalanza
con terrible ligereza;
mas rota con gran pujanza
la alta nuca, la fiereza
y el último aliento lanza...

El tema taurino le interesaba vivamente y volvió a tratarlo, esta vez con formas clásicas en su *Oda a Pedro Romero.* Es también digno de mención su poema *Las naves de Cortés destruidas,* lleno de una vibrante retórica patriótica.

Vicente García de la Huerta (Zafra, 1734-Madrid, 1787) fue el único dramaturgo que consiguió crear una tragedia de positivo mérito dentro de los moldes neoclásicos. Su *Raquel* (1778) está concebida, en efecto, siguiendo las reglas de la época: falta la figura del gracioso, el metro ya no es el octosílabo tradicional, sino el solemne endecasílabo del romance heroico, y la acción se ajusta al marco de las tres unidades.

Pero el valor de la obra se debe precisamente a aquello que no responde a la orientación neoclásica. Porque, aunque en su estructura externa, la "Raquel" se ajusta a los cánones marcados por el teatro francés, *por su espíritu es una obra de inspiración nacional.* El mismo tema que le sirve de base había sido ya tratado por Lope, Amescua y otros autores españoles del siglo anterior.

El pueblo castellano se amotina por la actitud de Raquel —judía toledana amante de Alfonso VIII—, que favorece a los judíos y oprime a los cristianos, valiéndose del favor real. El monarca la destierra, pero al llamarla de nuevo a su lado, los castellanos vuelven a sublevarse y la matan.

Por otra parte, el lenguaje, lleno de resonancias calderonianas, el elemento humano, presentado con notable fuerza dramática, e incluso algún detalle —como la muerte de Raquel en escena, inadmisible para la preceptiva neoclásica, o la reducción a tres, de los cinco actos de las tragedias francesas— acercan bastante esta producción al teatro español del siglo XVII.

Ilustración de una tragedia de Racine.

Leandro Fernández de Moratín.

Algún momento de la obra ha hecho pensar también, por su emoción, en el cercano prerromanticismo.

García de la Huerta no hizo, pues, más que encajar su inspiración dentro de las líneas marcadas por el gusto de la época, sin abandonar el brioso dramatismo que era privativo de nuestro teatro nacional. Por eso *su obra se halla dotada de una vida y un apasionado ímpetu* que en vano buscaríamos en el resto de las tragedias contemporáneas.

La "Raquel" nos muestra lo que hubiera podido ser la tragedia neoclásica española, de no hallarse agotado el genio creador y de no haberse confundido las exigencias que lleva consigo todo cambio de estilo con el abandono del espíritu y de las modalidades nacionales.

García de la Huerta intervino también, con el mismo tono agresivo que sus contrincantes, en las polémicas literarias de la época y publicó una colección de autores calderonianos con el título de *Teatro español* (1785-1786), poniendo de relieve su conocimiento de la dramaturgia barroca.

La comedia neoclásica: Leandro Fernández de Moratín

Vida. – Hijo de Nicolás F. de Moratín, nació en Madrid (1760). Protegido por Godoy, visitó Francia, Inglaterra e Italia y a su vuelta desempeñó algún cargo en relación con el teatro. Su falta de energía, su temperamento tímido y la admiración que sentía por la cultura francesa, le hicieron adoptar el partido del rey José al producirse la invasión napoleónica. Ello le valió ser nombrado Bibliotecario Mayor, lo que le acarreó serios disgustos al ser expulsados los franceses, viéndose obligado a trasladarse a Barcelona. Los últimos años de su vida los pasó en Burdeos y en París, donde murió (1828).

Fue un hombre inteligente y culto y dotado de agudas facultades para la crítica. El orden y la sensatez presiden toda su producción, pero el apocamiento de su carácter privó a su obra de intensidad y de brío. Por ello, casi todo lo que salió de su pluma ofrece una *absoluta corrección* y al propio tiempo una considerable *falta de nervio*.

Su producción teatral. – Escrita a fines del siglo XVIII y principios del XIX, hállase totalmente encuadrada en el terreno de la comedia neoclásica. La ley de las tres unidades se observa con todo rigor —sin que ello suponga ninguna violencia por parte de Moratín— y una finalidad moral sirve de fundamento a la obra. La comedia será tal, decía, que "resulten puestos en ridículo los vicios y errores comunes en la sociedad y recomendadas por consiguiente la verdad y la virtud". Al mismo tiempo habrá de presentar tipos que respondan a una previa abstracción de varios individuos.

Aunque ofrezca una cierta semejanza con algunos autores del siglo XVII —v.gr., Alarcón—, su modelo constante fue Molière, de quien tradujo con notable gracia y agilidad "Le médecin malgré lui" y "L'école des maris", dándoles los títulos de *El médico a palos* y *La escuela de los maridos*. Sus comedias originales, aunque muy inferiores, destacan por encima de la producción teatral del siglo, por su sencillez y atildamiento, por su fina observación psicológica y por los rasgos de ingenio e ironía que las animan. Por otra parte, la elegancia y el indudable buen gusto de su autor les prestan un inconfundible sello dieciochesco.

Los asuntos de las comedias de Moratín —si exceptuamos "El Café"— pueden reducirse a dos temas de orden moral: *la libertad de elección en el matrimonio y la necesaria igualdad de los cónyuges,* en edad y situación social. Tal es la idea básica de *El viejo y la niña* y *El barón* —escritas en verso— y de *La mojigata* y *El sí de las niñas,* compuestas, al decir de Menéndez Pidal, en la mejor prosa dramática desde la "Dorotea" de Lope.

En *El viejo y la niña* (1790), un hombre de edad avanzada se casa con una joven, y los celos que tal situación provocan la obligan a ella a refugiarse en un convento.

En *El Barón* (1803), una joven se une en matrimonio con un antiguo novio de su pueblo, al enterarse su madre de que el Barón, con quien pensaba casarla, es un farsante que se hacía pasar por noble.

La mojigata (1804) presenta un tipo de mujer semejante a Marta la piadosa, de Tirso de Molina. Una muchacha, para eludir un matrimonio que no le interesa, finge sentir una gran devoción, hasta que, pasado el peligro, consigue casarse con el que ella quiere.

El sí de las niñas. — Es la más interesante de sus obras. En ella, Don Diego, tío de Carlos, cede a éste la mano de su prometida, Doña Paquita, al saber que ambos ya estaban enamorados. Es el mismo argumento de "Entre bobos anda el juego", de Rojas, pero así como ésta está concebida con intención cómica y su protagonista —el viejo Don Lucas— es un personaje grotesco, "El sí de las niñas" ofrece un tono dulzón y emotivo que se adapta perfectamente a su propósito moralizador.

Obra muy típica del momento en que fue escrita (1801), vemos confluir en ella las corrientes culturales más importantes de la época: su estructura formal se ajusta a las normas del neoclasicismo; pero su contenido participa por igual del racionalismo del XVIII y del prerromanticismo, ya que los derechos sentimentales de los dos personajes jóvenes se definen con argumentos de índole intelectual. El viejo razona su decisión de ceder la mano de Doña Paquita, pero su generosa renuncia se halla envuelta en un tono de melancolía que refleja la nueva sensibilidad de comienzos del XIX.

He aquí las reconvenciones que Don Diego dirige a la madre de su prometida:

> El y su hija de usted, estaban locos de amor, mientras usted y las tías fundaban castillos en el aire y me llenaban la cabeza de ilusiones que han desaparecido como un sueño... Esto resulta del abuso de la autoridad, de la opresión que la juventud padece; éstas son las seguridades que dan los padres y los tutores y esto es lo que se debe fiar en el sí de las niñas...

A pesar de su escasa trascendencia, "El sí de las niñas" es, por su pulcra corrección y su elaboración perfecta, una pequeña obra maestra y, desde luego, la mejor comedia del neoclasicismo.

La Comedia nueva o El Café (1792). — Responde a un deseo de censurar las comedias que a fines del XVIII representaban la última degeneración del teatro barroco. Don Eleuterio, mal aconsejado por Don Hermógenes, estrena una comedia llena de disparates y fracasa. El prudente don Pedro es quien se encarga de censurar la obra, con criterio neoclásico.

> Don PEDRO. — Ahí no hay más que una acción informe, lances inverosímiles, episodios inconexos, caracteres mal expresados o mal escogidos; en vez de artificio, embrollo; en vez de situaciones cómicas, mamarrachadas de linterna mágica. No hay conocimiento de historia ni de costumbres; no hay objeto moral, no hay lenguaje ni estilo ni versificación ni gusto ni sentido común. En resumen, es tan mala y peor que las otras con que nos regalan todos los días.
>
> Don ANTONIO. — Mientras el teatro siga en el abandono en que hoy está, en vez de ser el espejo de la virtud y el templo del buen gusto, será la escuela del error y el almacén de las extravagancias.

En otro lugar, don Pedro reprende a don Eleuterio:

> ¿Qué ha estudiado usted? ... ¿No ve que en todas las facultades hay un método de enseñanza y unas reglas que seguir y observar; que a ellas debe seguir una aplicación constante y laboriosa y que sin estas circunstancias unidas al talento, nunca se formarán grandes profesores porque nadie sabe sin aprender? ...

El tono de la obra es eminentemente pedagógico, pero el autor desarrolla su acción con tanta habilidad que aun hoy puede resultar amena.

Aunque a las comedias de Moratín les falta viveza e intensidad y les sobran elementos moralizadores, la perfección de su estilo, la maestría con que su autor mantiene el interés, y su fina elegancia, las hacen dignas de estima.

No deja de ser curioso que un hombre tan comedido como Moratín se dejase atraer por el vigoroso teatro de Shakespeare, traduciendo el "Hamlet", por más que en sus anotaciones le oponga ciertos reparos.

Su obra en prosa. — *La derrota de los pedantes* (1789) es una fantasía satírica en prosa en la que se ataca a los malos poetas que todavía perpetuaban los procedimientos culteranos. Moratín imagina que éstos intentan asaltar el palacio de Apolo, siendo vencidos por Mercurio, a quien ayudan Garcilaso, Ercilla, Lope y otros. Algunos de los derrotados son encerrados en jaulas como locos. La gracia de la exposición presta amenidad a un tema tan limitado como éste.

Sus *Orígenes del teatro español* son una prueba más de su buen sentido crítico, pues a pesar de hallarse influido por la preceptiva neoclásica, consideraba, por ejemplo, disparatado, ver en Lope de Vega un corruptor del teatro español.

Su obra poética. – El valor de las poesías líricas de Moratín es escaso. Muy pulidas y correctas, hoy resultan frías, aunque en algún momento lleguen a expresar suavemente una auténtica emoción. Horacio es su principal inspirador; de ahí el corte clásico y la forma cuidada de sus versos.

Entre sus poemas se hallan el romance titulado *La toma de Granada,* la *Oda a la Virgen de Lendinara,* algunos sonetos de tipo histórico. *–La noche de Montiel, A Rodrigo–,* algunas composiciones satíricas y morales, y dos en las que pueden observarse algunos destellos de sensibilidad prerromántica: *La elegía a las Musas* y la dedicada *A la muerte de J. A. Conde.*

Resumiendo, podemos caracterizar la producción de Moratín como *una obra de intención preferentemente didáctica, perfecta y elegante en la forma, pero falta de energía y de vida.* Con todas sus virtudes y limitaciones, es un típico resultado del temperamento de su autor y al propio tiempo de las circunstancias de su siglo.

Una forma de teatro tradicional:
Los Sainetes de don Ramón de la Cruz

El madrileño **don Ramón de la Cruz** (1731-1794) representa, en la segunda mitad del siglo XVIII, la línea tradicional, que nunca desapareció del todo. Aunque comenzó su carrera teatral adaptando al gusto musical de la época algunas comedias de Calderón y traduciendo a diversos autores –Racine, Molière, Goldoni, Shakespeare [1] –, su gusto por lo castizo y popular español le llevó a cultivar el *sainete*, con precedentes en los Pasos de Lope de Rueda o en los Entremeses de Cervantes y Q. de Benavente.

Trátase de unas 400 piezas breves, en las que con notable gracia y color se nos ofrecen las costumbres populares del Madrid castizo de la época. Manolas, majos, petimetres, abates y un sinfín de variados tipos desfilan por estos animados y vivaces cuadros costumbristas, en los que por primera vez se utiliza conscientemente y a fondo el valor pintoresco de lo local madrileño.

Su interés reside no sólo en la *gracia irónica* de las escenas, sino en lo que tienen de *documento de época.* Bailes populares, jiras campestres, incidentes callejeros y domésticos, y cualquier momento de la vida cotidiana son evocados con extraordinaria fidelidad y realismo, en rápidas escenas que permiten el paralelo con los cuadros

---

1. Su arreglo del *Hamlet* (1772) fue la primera obra de Shakespeare traducida al castellano.

El teatro de don Ramón de la Cruz nos ofrece un amplio repertorio de tipos populares madrileños. Grabado del siglo XVIII.

costumbristas de Goya, y en los que se reflejan diversos fenómenos sociales del momento: el plebeyo "majismo" de un buen sector de la aristocracia —que Cadalso habrá de condenar— o la desmedida afición a las modas extranjeras —ridiculizada por el autor—.

Los temas de los sainetes son variadísimos. Los más se refieren a tipos y escenas populares madrileños —*Las castañeras picadas, La pradera de San Isidro, El fandango de candil*—; otros son parodias de tragedias, como *Manolo, El Muñuelo, Inesilla la de Pinto* (sobre el tema de Inés de Castro), etc.

Por lo general, el metro utilizado es el romance, aunque frecuentemente aparecen seguidillas, letrillas u otras formas populares.

Véanse los siguientes versos, intercalados en el sainete titulado "La Petra y la Juana":

De San Juan en las noches
y de San Pedro,
no hace mal a las damas
nunca el sereno.[1]

Ni a los galanes
que andan como unos tontos
por esas calles,
sudando con pretexto
de refrescarse.

Y allá en el río
alternan las puñadas
y los respingos
entre las manolillas
y manolillos.

Una vieja una noche
de las presentes
se enamoró en la plaza
de un petimetre.

Llegó y le dijo
por entre las varillas
del abanico,
¿dónde va usté a paseo,
caballerito?

Y él, que era chusco,
haciéndola el reclamo
con disimulo,
la llevó hasta Vallecas
y escurrió el bulto.

1. Fresco de la noche.

Los sainetes de don Ramón de la Cruz (1786-1791) fueron atacados por los neoclásicos; no obstante, alcanzaron un gran éxito. Hoy se considera a su autor, a pesar de la escasa trascendencia del género que cultiva, como el más sugestivo representante del teatro de tradición popular en el siglo XVIII.

El teatro prerromántico

Aparte del teatro neoclásico y del sainete de orientación popular de don Ramón de la Cruz, la segunda mitad del siglo XVIII ofrece una curiosa muestra de teatro prerromántico con *El delincuente honrado* (1774) de **Jovellanos**.

BIBLIOGRAFIA

EDICIONES

García de la Huerta. "Raquel". R. Audioc. Madrid, Castalia, 1971.

L. F. de Moratín. B. A. E. — "Sí de las niñas", "Comedia nueva". F. Ruiz Morcuende. Clás. Cast., 1924. — "El viejo y la niña", "El sí de las niñas". F. Lázaro Carreter. Labor, 1971. — "Diario (1780-1808)" R. y M. Audioc. Madrid, 1968.

Ramón de la Cruz. Cotarelo. N. B. A. E. "Doce sainetes". J. F. Gatti. Labor, 1972.

ESTUDIOS

L. A. de Cueto: *Bosquejo histórico-crítico de la poesía castellana en el siglo XVIII.* B. A. E., LXI.

M. Menéndez y Pelayo: *Historia de las ideas estéticas en España (siglo XVIII).*

E. Cotarelo: *Don Ramón de la Cruz y sus obras,* 1899.

F. Ruiz Morcuende: Prólogo a su edición de *Moratín.* En Clás. Cast., 1924.

J. Vega: *Don Ramón de la Cruz,* 1945.

A. Valbuena: *Historia del teatro español,* 1956. Caps. XXII y XXIII.

J. A. Cook: *Neoclasic drama in Spain.* Dallas, 1959.

Número 161 de la revista "Insula", 1960. Sobre *Moratín.*

R. Benítez Claros: *La tragedia neoclásica española.* En "Visión de la literatura española". Madrid, 1963.

F. Lázaro Carreter: Prólogo a su edición de *Moratín.* 1971.

Don Carlos y doña Paquita ante don Diego.
Escena de "El sí de las niñas".

la poesía neoclásica. 47
los fabulistas

La poesía neoclásica

La segunda mitad del siglo XVIII señala la desaparición de las últimas derivaciones de la literatura barroca y el triunfo definitivo del arte neoclásico. Luzán ha ganado al fin la partida, y tanto en el teatro como en la poesía termina el reinado de la inspiración libre para dar comienzo al de la Razón.

Los nuevos poetas, atentos sólo a no conculcar las normas que imponen la razón y el "buen gusto", consagrarán todos sus esfuerzos a lograr *una forma correcta y equilibrada* que evite por igual los excesos de una fantasía desbordada y las estridencias de una confesión sentimental. Velada la franca exposición de lo íntimo y el libre despliegue de la imaginación, se llegará a una poesía sin misterio y sin brillo, regida solamente por un *frío cálculo* y un *seco afán didáctico*.

Sería difícil discernir si fue la fórmula neoclásica, con su riguroso afán normativo, lo que privó de toda espontaneidad a nuestros poetas, o si fue la ausencia en éstos de un sentido de intuición lírica lo que les indujo a aceptar un sistema que prescindía de la emoción poética como de algo superfluo y ponía todo su empeño en conseguir una finalidad educativa, valiéndose de una expresión sencilla, clara y atildada. Mas lo cierto es que toda la cuidadosa reflexión y paciente trabajo que requería la empresa sólo sirvieron para crear una poesía opaca y anémica cuya pureza de estilo y prudente comedimiento no la salvan de un lamentable prosaísmo o de una tediosa monotonía.

Plagada de los tópicos que imponía la imitación de unos modelos consagrados, descentrada de su propio fin por la obsesión pedagógica del siglo, y cohibida por innumerables trabas que en la mayoría de los casos no eran más que prejuicios, la producción neoclásica adolece de una falta de sinceridad, de brío, y de arranque lírico que la privan de verdadero interés estético.

Ha de advertirse que si en el teatro de la época la influencia francesa ejerce un papel decisivo, en la poesía se observa la mucho más importante de los españoles del Siglo de Oro no contaminados de barroquismo –*Garcilaso, Villegas*– o la de los clásicos grecolatinos —*Anacreonte, Horacio*, etc.—. El influjo de Francia existe también, pero más en el terreno de la teoría y de la preceptiva —*Boileau*—, que en el de la imitación directa de determinados autores.

Señalemos, por último, que aunque la moda neoclásica, en pleno auge desde el reinado de Carlos III, se prolonga a través del primer tercio del siglo XIX, las últimas décadas del XVIII —reinado de Carlos IV— presencian el advenimiento de nuevas corrientes de sabor prerromántico, que al fundirse con aquélla dan a la producción literaria del momento un matiz radicalmente distinto.

Reinado de Carlos III

El grupo madrileño de la "Fonda de San Sebastián". — Si la "Academia del Buen Gusto" marca, en el reinado de Fernando VI, los primeros avances de la reforma neoclásica, la "Tertulia de la Fonda de San Sebastián" representa su plena aceptación en tiempos de Carlos III. Reuníanse sus asistentes en la fonda madrileña de San Sebastián y tenían "como único estatuto" no hablar sino "de teatro, de toros, de amores o de versos". El tono de aquella reunión literaria era más italiano que francés, en lo cual seguía en parte el camino iniciado por Luzán".[1] Nicolás F. de Moratín, Cadalso e Iriarte figuraban entre los principales contertulios, encarnando respectivamente los tres aspectos más importantes de la poesía de la época: la imitación de los clásicos españoles, los comienzos del género anacreóntico y el cultivo de la fábula.

La imitación de la poesía del Siglo de Oro se lleva a cabo evitando los excesos culteranos y volviendo la vista al XVI. El colorido y el brío de la producción poética de Moratín, inspirada en la tradición nacional, no deja de ser una excepción entre las frías composiciones del momento. Pero la ausencia en él del influjo gongorino revela suficientemente el cambio de gusto.

La poesía anacreóntica comienza en estos años a ponerse de moda, gracias a la inspiración de Cadalso, pero no alcanza su apogeo hasta que la escuela salmantina hace de ella uno de sus géneros predilectos.

La fábula, en cambio, encuentra ahora sus máximos representantes, ya que el criterio neoclásico veía en la educación la suprema finalidad del género poético. Los versos correctos e incoloros de los fabulistas son una muestra más de la incapacidad lírica de la época, así como un claro exponente de las preocupaciones del siglo. En este sentido, es interesante señalar en los más importantes —Samaniego e Iriarte— la huella de las ideas enciclopedistas, que dieron lugar a varias intervenciones de la Inquisición.

Los dos elementos esenciales de la fábula —sátira y pedagogía— se dan también por separado en una serie de composiciones satíricas o didácticas. Las primeras se utilizan frecuentemente como armas defensivas u ofensivas en las polémicas literarias;

1. Tamayo y Rubio.

las segundas ofrecen por lo general un fondo ideológico que coincide con las tendencias de la Ilustración.

De esta forma tenemos, como tipos poéticos del reinado de Carlos III: 1.º, poemas de acuerdo con la tradición nacional; 2.º, poesías anacreónticas; 3.º, fábulas; 4.º, composiciones satíricas; 5.º, didácticas.

Las fábulas de Samaniego. – El riojano Félix María Samaniego (1745-1801) es uno de nuestros más populares fabulistas. Profundo conocedor de las tendencias de la Ilustración, sirvió a la preocupación didáctica de su época con unas *Fábulas morales* (1781-1784), escritas para los Alumnos del Real Seminario Vascongado.

En ellas recoge la tradición fabulística europea –Esopo, Fedro, La Fontaine...–, desarrollando, con suelta versificación y graciosa ironía, multitud de temas que aún hoy están en la memoria de todos los españoles. A pesar de que nunca alcanzan la vivacidad y la finura psicológicas de su precedente francés, las fábulas morales de Samaniego han quedado como modelo definitivo en España. Recuérdense "La lechera", "Las ranas pidiendo rey", "La cigarra y la hormiga", "El cuervo y el zorro" o la que, a guisa de ejemplo, reproducimos a continuación:

> ¡Qué dolor! Por un descuido,
> Micifuz y Zapirón
> se comieron un capón
> en un asador metido.
> Después de haberse lamido,
>
> trataron en conferencia
> si obrarían con prudencia
> en comer el asador.
> ¿Le comieron? No, señor.
> Era caso de conciencia.

Las fábulas literarias de Iriarte. – Tomás de Iriarte (1750-1791) nació en Tenerife, pasó su vida en Madrid y fue uno de los más asiduos concurrentes a la Tertulia de la Fonda de San Sebastián.

Su obra más importante, las *Fábulas literarias*, publicadas un año más tarde que las de Samaniego (1782), constituyen una verdadera preceptiva de orientación neoclásica, en la que se nota el influjo de Aristóteles, Horacio, Boileau, Muratori, etc. Los consejos sintetizados en la moraleja de las fábulas revelan las preocupaciones estéticas de la época: utilidad de las reglas, necesidad de un estilo sencillo y claro, conveniencia de estudiar a los clásicos y de unir lo útil con lo bello, etc. Los versos no ofrecen la soltura de los de Samaniego y a menudo resultan duros y forzados, pero presentan una mayor variedad métrica: dodecasílabos, alejandrinos, tetrasílabos, etc.

El haber adaptado a la forma fabulística los temas de la preceptiva es otro rasgo original de Iriarte. Sus fábulas han alcanzado también gran popularidad: baste citar "El burro flautista", "El caballo y la ardilla", "La mona", etc.

La que insertamos a continuación es una graciosa sátira contra la ampulosidad y énfasis del lenguaje:

El fabulista Tomás de Iriarte.

Un Gato, pedantísimo retórico,
que hablaba en un estilo tan enfático
como el más estirado catedrático
yendo a caza de plantas salutíferas,
dijo a un Lagarto: " ¡Qué ansias tan mortíferas!
Quiero por mis turgencias semi-hidrópicas
chupar el zumo de hojas heliotrópicas".
Atónito el Lagarto con lo exótico
de todo aquel preámbulo estrambótico
no entendió más la frase macarrónica
que si le hablasen lengua babilónica.
Pero notó que el charlatán ridículo
de hojas de girasol llenó el ventrículo,
y le dijo: "Ya en fin, señor hidrópico,
he entendidó lo que es zumo heliotrópico".
¡Y no es bueno que un Grillo oyendo el diálogo
aunque se fue en ayunas del catálogo
de términos tan raros y magníficos,
hizo del Gato elogios honoríficos!
Sí; que hay quien tiene la hinchazón por mérito,
y el hablar liso y llano por demérito.
Mas ya que esos amantes de hiperbólicas
cláusulas y metáforas diabólicas,
de retumbantes voces el depósito
apuran, aunque salga un despropósito,
caiga sobre su estilo problemático
este apólogo esdrújulo-enigmático.

El resto de su producción se compone de traducciones de autores franceses y
latinos (el Arte Poética de Horacio, parte de la Eneida...), de algunas piezas teatrales de

escaso mérito y de unas composiciones satíricas y didácticas, por ejemplo, el poema *La música,* que a pesar de su prosaísmo alcanzó gran éxito y fue traducido a varios idiomas.

BIBLIOGRAFIA

EDICIONES

Samaniego. B. A. E. — "Fábulas". E. Jareño. Madrid, Castalia, 1969.
Iriarte. B. A. E. — A. Navarro González. Clás. Cast., 1953.

ESTUDIOS

L. A. de Cueto: *Bosquejo histórico-crítico de la poesía cast. en el s. XVIII.* B. A. E.
M. Menéndez y Pelayo: *Historia de los heterodoxos.* (Sobre Samaniego.)
M. Menéndez y Pelayo: *Historia de las ideas estéticas (siglo XVIII).*
E. Cotarelo: *Iriarte y su época,* 1897.

la prosa didáctica en la 48 segunda mitad del siglo. la erudición, la sátira y la novela

Características generales

La mayor parte de la prosa del siglo XVIII aparece teñida de *didactismo,* ya que incluso en la novela se concede más interés al fin educativo que al libre vuelo de la imaginación o a la belleza del estilo. De ahí que lo más positivo de la producción de la época haya que buscarlo en el campo de la investigación, y no en el de la pura creación literaria.

En este sentido, España participa brillantemente en la labor científica que ocupa a la intelectualidad europea, asociándose con entusiasmo a las tendencias de la *Ilustración.* No obstante, la orientación antirreligiosa de la "Enciclopedia" apenas halla eco en nuestros eruditos, que movidos por una ávida curiosidad científica, consiguen llevar a cabo una tarea cultural de extraordinaria eficacia, *sin dar a sus métodos de investigación crítica un sentido anticatólico.* Tanto es así, que si en la primera mitad del siglo es un benedictino la figura más relevante, en la segunda parte de la centuria será otra orden religiosa —la Compañía de Jesús— la que proporcionará el grupo más nutrido de hombres de ciencia. A este respecto, es interesante señalar cómo los jesuitas continuaron sus estudios fuera de España, aun después de su expulsión en el reinado de Carlos III. Del mismo modo, aunque los ataques europeos contra la tradición española logran hacer mella en algunos escritores, la mayoría de los estudiosos ponen los nuevos criterios de investigación al servicio de un mejor conocimiento y valoración de nuestro pasado cultural.

Dejando para más adelante el análisis de los dos grandes ensayistas del XVIII —Cadalso y Jovellanos— y prescindiendo totalmente de la producción puramente científica —Física, Historia Natural, Medicina, Matemáticas...—, señalaremos los nombres más interesantes en el terreno de la erudición, de la sátira y de la novela didáctica.

La Erudición

Las doctrinas de Racon y Locke originaron en toda Europa un amplio movimiento a favor del método experimental, que después de renovar el estudio de las ciencias físico-naturales, influyó notablemente en el campo de la cultura. A consecuencia de ello, prodúcese un triple fenómeno: 1.º, el interés por el dato concreto que preste validez a cualquier afirmación, prescindiendo de la tradición y del criterio de autoridad; 2.º, la preferencia por aquellos estudios en los que pueda llegarse a un resultado seguro gracias a la comprobación de los hechos; 3.º, el abandono de las cuestiones metafísicas y teológicas, ante la imposibilidad de darles una base empírica o documental. En este sentido, la obsesión por una cultura de tipo utilitario —Física, Química, Ciencias Naturales, Economía...— y por la "filosofía práctica" frente a la "especulativa", domina gran parte del panorama intelectual de la época (Feijoo, Cadalso, Isla, Jovellanos...). No obstante, se lograron también excelentes resultados en el terreno humanístico.

1.º **La Historia.** — La tendencia crítica de los investigadores del siglo se evidencia, como en ningún otro género, en los estudios históricos, en los que siguiendo la orientación dada en el siglo XVI por Zurita, se someten los hechos a rigurosa comprobación. Tal sentido tienen las obras del jesuita **P. Masdeu.** Su *Historia crítica de España y de la cultura española* (1783), redactada primero en italiano, fue escrita para dar a conocer en el extranjero los aspectos más interesantes de nuestra patria. A pesar de ello, se negó a aceptar la historicidad de ciertos hechos y figuras ilustres, porque a su juicio no había suficientes datos en que basarla. Así ocurre con el Cid, al que llama "héroe más fabuloso que real". La obra de Masdeu, aunque sólo llega al siglo XI, tiene el mérito de haber concedido gran importancia al estudio de la cultura, al lado de la historia externa.

Todavía conserva un alto valor histórico la ingente obra del agustino **P. Florez,** titulada *España Sagrada* (1747). En sus 29 volúmenes —que otros agustinos aumentaron luego hasta 51— se transcriben infinidad de manuscritos y se da extensa cuenta de todas aquellas materias arqueológicas y paleográficas que puedan ayudar a establecer la historia eclesiástica de España.

2.º **Los Estudios filológicos y literarios.** — *La Filología* encuentra entre sus más doctos representantes al gran humanista valenciano don **Gregorio Mayáns y Siscar** (1699-1781). En su obra capital, titulada *Orígenes de la lengua española* (1737), expone sus teorías lingüísticas en torno a este tema, y entre otras cosas edita por primera vez el "Diálogo de la lengua" de Juan de Valdés, los "Refranes" de Santillana y el "Arte de Trovar" de Villena.

Mayáns conoció a fondo la producción de los humanistas, sobre todo la de su paisano Luis Vives. Lo mismo que éste, se preocupó por las cuestiones pedagógicas en relación con la enseñanza del idioma, opinando con un sensato criterio práctico. Escribió además una "Retórica" (1757) que contiene una de las más antiguas antologías de prosistas castellanos, y la primera biografía de Cervantes.

Alegoría alusiva a la actividad cultural de la época.

La lingüística se halla representada por el insigne jesuita **P. Hervás y Panduro**. Su *Catálogo de las lenguas* (1800), en las que éstas se clasifican por primera vez con visión acertada, le hace merecedor del título de "padre de la filología comparada". Hervás reunió cuantos documentos lingüísticos encontró a su alcance, estudiando los orígenes de las lenguas y las relaciones existentes entre ellas y las diversas razas. Su clasificación llega a abarcar las lenguas aborígenes de América y Oceanía.

La Historia de la Literatura fue cultivada por el jesuita **P. Andrés** en su obra titulada *Del origen, progreso y estado actual de toda literatura* (1784), en la que, a pesar de ciertos errores críticos —v.g., el negar valor a la obra de Shakespeare—, derivados de su punto de vista neoclásico, hay algunas opiniones que la posteridad ha confirmado, por ejemplo, la influencia del mundo oriental sobre la cultura europea. Digno de mención es también el benedictino **P. Sarmiento**, autor de un estudio sobre nuestra poesía medieval —*Memorias para la historia de la poesía y poetas españoles* (1775)— y gran conocedor de las cosas de Galicia: geografía, botánica, folklore, historia..., de cuyo renacimiento literario se le considera lejano precursor.

También cultivaron la historia literaria los hermanos **Mohedano**, de la orden franciscana, con una *Historia literaria de España* (1776) que no llegó más allá de Lucano, y el jesuita **P. Javier Lampillas**, que en su *Ensayo apologético de la literatura española* (1782) defendió nuestras letras contra las opiniones de los italianos.

Las ediciones de textos. Además de Mayáns, hubo una serie de eruditos dedicados a editar a nuestros clásicos y a exhumar viejos textos medievales. Entre ellos destaca **don Tomás Antonio Sánchez**, primer editor del Poema del Cid, Berceo, el Arcipreste de Hita (1779)...

Cerdá y Rico publicó obras de Jorge Manrique, Fray Luis de León, Lope de Vega, Gil Polo, etc., e importantes textos históricos, v.gr., la Crónica de Moncada, y **don Antonio de Capmany** una antología de prosistas titulada *Teatro histórico-crítico de la elocuencia castellana* (1776), además de unas *Memorias históricas sobre la marina, comercio y arte de Barcelona* (1779).

3.º **La Estética.** – En el siglo XVIII comenzó a abandonarse la idea de que la belleza es un valor objetivo y absoluto (Platón), para ver en ella un producto subjetivo de nuestra conciencia, dotado, por lo tanto, de un valor relativo. Por su parte, la célebre teoría de Locke, según la cual todos nuestros conocimientos proceden de sensaciones, dio una gran importancia al estudio de éstas —sobre todo de las agradables—, por considerarlas como base del goce estético. Por este campo se llegó a confundir lo agradable con lo bello. Esta doble dirección subjetivista y sensualista tuvo enormes consecuencias en la producción poética del siglo. Veamos ahora cómo se reflejan en la obra de **Esteban de Arteaga**, el más importante de los tratadistas españoles de estética del XVIII.

El típico eclecticismo de los pensadores de la época se manifiesta notablemente en sus *Investigaciones filosóficas sobre la belleza ideal* (1789). En efecto, cree que el arte se basa en la imitación —y no en la copia— de la Naturaleza, cuyas imperfecciones purifica mediante la "belleza ideal", a la que define como "arquetipo o modelo mental de perfección que resulta en el espíritu del hombre después de haber comparado y reunido las perfecciones de los individuos". El platonismo de esta idea sólo es aparente, ya que considera que la belleza ideal no es más que un fenómeno de conciencia sin realidad externa. Por otra parte, ataca a Locke, y no obstante cree que las abstracciones derivan de los datos que nos proporcionan los sentidos, y que el arte es pura cuestión de sentimiento.

El valor de su obra se halla, ante todo, en el sabor prerromántico de algunas de sus afirmaciones, v.gr., la justificación de lo feo en el arte, sus elogios a Shakespeare, Ossian y al teatro español del XVII, o su idea —prewagneriana— sobre la necesidad de un drama musical concebido como una síntesis de artes. También da fe de la modernidad de su criterio el haber concedido más valor a la crítica que a la mera erudición.

La Sátira

El sentido crítico suele agudizarse en épocas de escasa vitalidad artística, en las que la reflexión y el análisis ocupan el lugar de la auténtica creación estética. Por eso ahora no se produce nada nuevo u original, pero se escriben montañas de libros y folletos y se entablan polémicas interminables en las que el elogio o la censura de nuestro pasado cultural adquieren una extraordinaria violencia. De ahí también que la sátira sea uno de los aspectos más característicos de la literatura del siglo XVIII.

Juan Pablo Forner (1756-1797) es la figura más representativa en la segunda mitad de la centuria. Nació en Mérida y después de adquirir una considerable cultura humanística desempeñó el cargo de fiscal en Sevilla. El mismo se definió como hombre "adusto... de condición insufrible y de carácter sumamente mordaz", y efectivamente, sus ataques a escritores de la época demuestran en él un temperamento apasionado y violento. Los calificativos de "asno erudito", "coplista hambriento" o "plagiario",

El eminente lingüista P. Hervás y Panduro.

dedicados respectivamente a Iriarte, García de la Huerta o Vargas Ponce, son más que suficientes para ilustrar este aspecto de su personalidad.

Aparte de una serie de folletos intrascendentes en los que arremete en tono áspero y agresivo contra sus contemporáneos, Forner escribió una extensa sátira, combatiendo a los corruptores de nuestra literatura, que tituló *Exequias de la lengua castellana* (1782). Es una ficción alegórica en la que el autor ataca a los malos escritores, causantes de la muerte de la lengua castellana. Al final de la narración, la Lengua resucita gracias a Apolo, que señala el peligro en que aquéllos la ponen y manda echar sus obras a la charca donde croan convertidos en ranas. A lo largo de la obra —escrita en prosa y verso—, se censuran el prosaísmo, la frialdad y el afán galicista que domina la literatura de la época y se elogia la producción de nuestros clásicos, incluso la de algunos —Lope, Calderón...—, por los que Forner no había sentido gran simpatía en otros tiempos.

Sus extraordinarias dotes como polemista y su entusiasmo por la tradición cultural de España —en una época en que se la ponía constantemente en entredicho—, movieron al ministro Floridablanca a encargarle la redacción de una apología en la que se contestase a la pregunta de un tal Mason de Morvilliers, aparecida en la "Encyclopédie Méthodique": "¿Qué se debe a España? Desde hace dos, cuatro, diez siglos, ¿qué ha hecho por Europa?" Forner cumplió su cometido en una *Oración apologética por la España, y su mérito literario* (1786), en la que se reivindica la cultura española y su orientación cristiana, y se ataca el racionalismo materialista de los enciclopedistas europeos. En la dura lucha entablada en la España del siglo XVIII entre los partidarios a ultranza de la tradición nacional —recuérdense a guisa de ejemplo los ataques del P. Isla contra "volteristas" y "rusistas"— y los defensores de las últimas tendencias ultrapirenaicas, Forner se sitúa entre los primeros. Reconoce la importancia de los nuevos métodos científicos y el "mérito intrínseco" de Bacon, pero censura acremente la obra de "un Rousseau, que solicitó inutilizar la razón reduciendo al estado de bestia al que nació para hombre: un Helvetius, que colocó en la obscena sensualidad los incitamentos del heroísmo y extrañó la virtud entre los mortales; un Voltaire, gran maestro de sofistería y malignidad, que vivió sin patria y murió sin religión...".

La "Oración Apologética" suscitó una amplia polémica sobre nuestro pasado cultural, que demuestra las profundas diferencias que ya en aquel momento separaban a los intelectuales españoles y que no harían más que ahondarse en el transcurso del siglo XIX.

Forner cultivó también la poesía, con escasa fortuna, y puede situársele en el grupo salmantino.

Sus composiciones en verso son de tipo anacreóntico, satírico —v.gr., la *Sátira contra los abusos introducidos en la poesía castellana* (1782)— y filosófico —sobre las preocupaciones ideológicas del momento: la inmortalidad del alma, la razón, la felicidad, etc.—.

La novela didáctica

El género novelesco continúa ahora en franca decadencia. El elemento didáctico trata de suplir la ausencia de valores imaginativos, del mismo modo que se intenta llenar el vacío que origina la incapacidad creadora de los españoles con traducciones del francés.

El jesuita **P. José Francisco de Isla** (Vidanes, 1703-Bolonia, 1781) murió en Italia, después de la expulsión de los miembros de la Compañía.

Su obra capital, *Historia del famoso predicador Fray Gerundio de Campazas, alias Zotes* (1758), es una narración novelesca, cuya escasa acción sirve de pretexto a una divertida sátira contra la oratoria de la época, llena aún de degenerados usos culteranos. Fray Gerundio, hijo de unos rústicos de Campos, ingresa en cierta orden religiosa y bajo la dirección del ridículo Fray Blas, pronuncia una serie de sermones llenos de farragosa erudición, de latinismos inoportunos y de grotescos efectismos. Fray Prudencio se encarga de criticar tales extravagancias.

Perjudica a la novela su extraordinaria extensión, así como el exceso de reflexiones teóricas sobre la oratoria sagrada. No obstante, las pintorescas descripciones del ambiente campesino en que se mueven los personajes y las caricaturas de los sermones de la época están hechos con una ironía socarrona que sabe producir momentos de gran comicidad.

He aquí el disparatado comienzo del primer sermón de Fray Gerundio:

> Esta es, señores, la estrena de mis afanes oratorios; éste es el exordio de mis funciones pulpitales; más claro para el menos entendido, éste es el primero de todos mis sermones, y a mi intento el oráculo supremo: *Primum quidem sermonem feci, o Theophile.* ¿Pero dónde se hace a la vela el bajel de mi discurso? Atención, fieles; que todo ello me promete venturosas dichas; todo son proféticos vislumbres de felicidades. O se ha de negar la fé a la evangélica historia o también el hipostático Ungido predicó su primer sermón donde recibió la ablución sagrada de las lustrales aguas de bautismo. Es cierto que la evangélica narración no la propala, pero tácitamente lo supone. Recibió el Salvador la frígida mundificante: *Baptizatus est Jesus;* y al punto se rasgó el tafetán azul de la celeste

cortina: *Et ecce aperti sunt caeli;* y el Espíritu Santo descendió revoloteando a guisa de pájaro columbino: *Et vidit Spiritum Dei descendentem sicut columbam.* ¡Hola! ¿Bautizarse el Mesías, romperse el pabellón cerúleo, bajar el Espíritu sobre su cabeza? A sermón me hueles; porque esta divina paloma siempre bate las alas sobre la cabeza de los predicadores.

Pero son supervacáneas las exposiciones, cuando están claras las voces del oráculo: él mismo dice que, bautizado Jesús, se retiró al desierto... Salí de él la primera vez para predicar; pero ¿en dónde? *In loco campestri:* en este lugar campestre de Campazas, en este compendio del campo damasceno, en esta emulación de los campos de Farsalia, en este envidioso olvido de los sangrientos campos de Troya...: *In loco campestri.*

El P. Isla publicó también una traducción de *Gil Blas de Santillana* (1787), de Lesage, creyendo que éste lo había robado a un autor español. La versión de esta novela picaresca, inspirada sobre todo en Espinel, fue hecha con notable soltura y obtuvo en el siglo XVIII un éxito de lectura mucho mayor que el de los relatos de pícaros de la centuria anterior. Un ejemplo más del afrancesamiento de la época, del que no escapó el propio Isla, a pesar de sus ironías contra la moda galicista.

Pedro Montengón escribió a fines del siglo (1786) una novela didáctico-moral, el *Eusebio,* en la que se patentiza el influjo del "Emilio" de Rousseau. Obra de escaso valor intrínseco, es interesante porque señala el avance de las nuevas corrientes prerrománticas, así como el intento español de prestar una orientación católica a la filosofía moral que el escritor francés hacía derivar de las leyes de la Naturaleza. Su prerromanticismo se manifiesta también, entre otras cosas, en una traducción de "Fingal" (1804), melancólico poema del falso Ossian.

BIBLIOGRAFIA

EDICIONES

Forner. B. A. E. — "Exequias". P. Sainz Rodríguez. Clás. Cast., 1925.
Arteaga. M. Batllori, Clás. Cast., 1943.
P. Isla. B. A. E. — Rusell P. Sebold. Clás. Cast., 1960.

ESTUDIOS

M. Menéndez y Pelayo: *Historia de las ideas estéticas (siglo XVIII).*
M. Menéndez y Pelayo: *Noticias literarias de los españoles extrañados del reino en tiempos de Carlos III* (Andrés, Hervás, Lampillas...). En "Estudios y discursos de crítica histór. y literaria". Vol. IV.
A. González Palencia: *D. P. Montengón y su novela El Eusebio.* Rev. Bibl. Arch. y Museo del Ayunt. de Madrid, 1926.
A. González Blanco: *Ensayo sobre un crítico español del siglo XVIII* (Forner), 1917.
J. Zarco: *Estudio sobre Hervás y Panduro,* 1936.

L. Guarner: *Cómo vivía un erudito en el siglo XVIII* (Mayans). Rev. Bibl. Nac., 1946.

B. Sánchez Alonso: *Historia de la historiografía española*. Vol. III, 1950.

P. M. Batllori: *La literatura hispano-italiana del seiscientos.* En "Historia general de las Literaturas hispánicas". Vol. IV, 1.ª parte, 1956.

J. Sarrailh: *La España ilustrada de la segunda mitad del s. XVIII,* 1957.

P. Sainz Rodríguez: *La figura literaria de Juan Pablo Forner.* En "Evolución de las ideas sobre la decadencia española", 1962.

M. Batllori: *La cultura hispano-italiana de los jesuitas expulsos (1767-1814).* Edit. Gredos, 1966.

los grandes ensayistas del siglo XVIII. cadalso y jovellanos

Dos son las grandes figuras de la segunda mitad del siglo, en quienes —como en Feijoo— la adhesión a las corrientes europeas se alía a un gran amor a España y a su mejor tradición cultural: Cadalso y Jovellanos.

Cadalso

Vida. — Don José Cadalso Vázquez (1741-1782) nació en Cádiz y estudió en el aristocrático Seminario de Nobles de Madrid. A los veinte años había realizado diversos viajes por Inglaterra, Francia, Alemania e Italia, que dieron a su formación cultural un marcado aire europeo. Establecido definitivamente en España, ingresó en la carrera militar y tomó parte en algunas acciones bélicas contra Portugal.

Encontrándose en Madrid se enamoró de la actriz María Ignacia Ibáñez —la "Filis" de sus versos—, quien murió a poco, de rápida enfermedad. Según ciertas noticias de la época —que luego nadie ha confirmado—, al morir su amada, Cadalso, enloquecido por el dolor, quiso desenterrarla, cosa que habría evitado su amigo el

Conde Aranda, desterrándole de Madrid. Lo cierto es que, destinado a Salamanca, entabló allí relación con los poetas del grupo salmantino, sobre todo con Meléndez Valdés, en cuya vocación literaria influyó poderosamente. Por los mismos años asistió también a la tertulia de la Fonda de San Sebastián.

Visión romántica del cementerio del Paular, donde Jovellanos escribió una de sus más célebres composiciones.

Su vida terminó trágicamente. Hallándose destacado frente a Gibraltar, cuyo bloqueo realizaban las tropas españolas, fue alcanzado por una granada inglesa y murió a las pocas horas. Contaba a la sazón cuarenta años y acababa de ascender al grado de Coronel.

Cadalso debió de ser hombre de trato afable y cordial. Su vasta cultura europea, su inteligente y noble espíritu, y el atractivo de su temperamento, finamente irónico, le granjearon el aprecio de cuantos le conocieron. Todo ello, unido a las circunstancias heroicas de su muerte, hacen del gran ensayista una de las figuras más sugestivas y simpáticas de nuestro siglo XVIII.

Un intento teatral. – Cadalso comenzó su carrera literaria estrenando una tragedia neoclásica de asunto medieval: *Don Sancho García* (1771). Interpretada por su amada María Ignacia, no tuvo más éxito que las otras de su género y tuvo que ser retirada a las cinco representaciones. Falta de vigor y de vida, es lo más endeble de su producción.

Un libro de versos. – Poco después apareció el libro titulado *Ocios de mi juventud* (1773), con el que *"hizo revivir la anacreóntica,* que estaba enterrada con Villegas siglo y medio antes".[1] Las composiciones de este tipo —en las que se repiten los tópicos tradicionales: el amor, el vino, la juventud...—, aunque dotadas de cierta gracia ligera y de una encantadora sencillez, son bastante inconsistentes, pero tienen un gran interés histórico-literario por constituir el punto de partida de uno de los géneros más cultivados en el siglo XVIII, sobre todo por Meléndez Valdés y los poetas de la escuela salmantina. Por este hecho algunos sitúan a Cadalso ("Dalmiro") en el grupo de Salamanca.

Gran parte de las letrillas y anacreónticas del libro están dedicadas a su amada Filis, cuya muerte le inspiró también algunos lúgubres versos de carácter prerromántico.

El desconcertante prerromanticismo de las "Noches Lúgubres". – Esta obrita póstuma (1789-90) en prosa nos ofrece un Cadalso retórico y efectista que en nada recuerda al irónico y reflexivo autor de las "Cartas Marruecas". Se halla dividida en varias "noches", en las que se desarrolla, en forma dialogada, el episodio que luego habían de atribuir al propio autor: Tediato intenta —con ayuda del sepulturero Lorenzo— desenterrar a su amada, pero la intervención del Juez le impide conseguir su propósito.

El lúgubre y espeluznante ambiente en que se desenvuelve al acción —la cripta del templo, la noche tempestuosa, las tumbas que exhalan hedor...— y *el tono tétrico y pesimista* del diálogo de Tediato y el sepulturero, eco en cierto modo de la filosofía moral del siglo XVII español, hacen de la obra un curioso precedente del Romanti-

---

1. Quintana. Prólogo de su "Colección de poesías castellanas".

cismo. Cadalso afirma en cierta ocasión —después de confesar la influencia de las "Noches" de Young en esta obra—, que si se atreviese a publicarla lo haría "en papel negro con letras amarillas".

El espíritu crítico de las "Cartas Marruecas". — El temperamento satírico de Cadalso se manifiesta ya en su primera obra en prosa: *Los eruditos a la violeta* (1772), que fue la que le proporcionó mayor popularidad. En ella ataca con graciosas burlas la erudición superficial, tan propia de una época en la que el afán de cultura había degenerado en simple moda entre las clases elevadas. El divertido opúsculo está redactado "en obsequio de los que pretenden saber mucho estudiando poco".

Mayor trascendencia alcanzan las *Cartas Marruecas,* su obra capital. En esta producción póstuma (1789) se utilizan —como en multitud de libros europeos de la época— las opiniones de un extranjero de distinta civilización para poner de relieve —por contraste— los defectos de la sociedad occidental. Es el recurso empleado por Montesquieu en sus "Lettres persanes", consideradas injustificadamente como único precedente de las "Cartas Marruecas", en las que el africano Gazel comunica también, en forma epistolar, a Ben Beley y a Nuño Núñez, sus impresiones sobre España.

Cadalso se vale de ellas para trazar un amplio cuadro de la vida económica, social y cultural del país, subrayando *las causas de la decadencia nacional y los remedios más indicados para combatirla.*

Según él, el motivo primordial del fracaso de España reside en las *continuas guerras* que la han arruinado, dejando yermo al país y destruyendo el hábito del trabajo, a lo que han contribuido también "los muchos caudales adquiridos rápidamente en Indias". Esto a su vez ha dado lugar a un considerable *atraso científico* y a que la cultura española haya degenerado en superficialidad, pedantería y superstición.

> El atraso de las ciencias en España en este siglo, ¿quién puede dudar que proceda de la falta de protección que hallan sus profesores? Hay cochero en Madrid que gana trescientos duros y cocinero que funda mayorazgo; pero no hay quien no sepa que se ha de morir de hambre como se entregue a las ciencias.

Lejanos ya los tiempos de los "inmortales príncipes", Don Fernando y Doña Isabel, la nación, tras el lamentable gobierno de los Austrias, es ya sólo "el esqueleto de un gigante".

> ¿Hablas de población? Tienes diez millones escasos de almas, mitad del número de vasallos españoles que contaba Fernando el Católico. Esta disminución es evidente. Veo algunas pocas casas nuevas en Madrid, y tal cual ciudad grande; pero sal por esas provincias, y verás a lo menos dos terceras partes de casas caídas sin esperanza de que una sola pueda un día levantarse. Ciudad tienes en España que contó algún día quince mil familias, reducidas hoy a ochocientas. ¿Hablas de ciencias? En el siglo

antepasado tu nación era la más docta de Europa, como la francesa en el pasado y la inglesa en el actual; pero hoy, del otro lado de los Pirineos, apenas se conocen los sabios que así se llaman por acá. ¿Hablas de agricultura? Esta siempre sigue la proporción de la población. Infórmate de los ancianos del pueblo, y oirás lástimas. ¿Hablas de manufacturas? ¿Qué se han hecho las antiguas de Córdoba, Segovia y otras? ...

Sin embargo, el origen de la decadencia española hay que buscarlo también en el temperamento nacional, cuyos defectos capitales son el *orgullo,* la *poca afición al trabajo* y un *espíritu rutinario* que le lleva a oponerse a toda innovación beneficiosa.

> Uno de los defectos de la nación española, según el sentir de los demás, es el orgullo... Todo lo dicho es poco en comparación con la vanidad de un hidalgo de aldea. Este se pasea majestuosamente en la triste plaza de su pobre lugar, embozado en su mala capa, contemplando el escudo de armas que cubre la puerta de su casa medio caída y dando gracias a la providencia divina de haberle hecho don Fulano de Tal. No se quitará el sombrero (aunque lo pudiera hacer sin desembozarse); no saludará al forastero que llega al mesón aunque sea el general de la provincia o el presidente del primer tribunal de ella. Lo más que se digna hacer es preguntar si el forastero es de casa solar conocida al fuero de Castilla; qué escudo es el de sus armas y si tiene parientes conocidos en aquellas cercanías.
>
> Las provincias interiores de España... producen hoy unos hombres compuestos de los mismos vicios y virtudes que sus quintos abuelos... Por cada petimetre que se vea mudar de modas siempre que se lo manda su peluquero o sastre, habrá cien mil españoles que no han reformado un ápice su traje antiguo.
>
> [En España son] muchos millares de hombres los que se levantan muy tarde; toman chocolate muy caliente y agua fría; se visten; salen a la plaza; ajustan un par de pollos; oyen misa; vuelven a la plaza; dan cuatro paseos; se informan en qué estado se hallan los chismes y hablillas del lugar; vuelven a casa; comen muy despacio; duermen la siesta; se levantan; dan un paseo al campo; vuelven a casa; refrescan; van a la tertulia; juegan a la malilla; vuelven a su casa; rezan; cenan, y se meten en la cama.

El contenido satírico de estos y otros párrafos se halla inspirado en un *patriótico propósito de reforma.* El espectáculo que ofrece España a sus ojos le hace sonreír con frecuencia —así cuando se refiere al afán extranjerizante de los petimetres de la época—, pero también le apena, moviéndole a buscar un remedio a sus males —recuérdese su dolida descripción de las costumbres plebeyas de un joven aristócrata gaditano—.

Educado en las ideas de la Ilustración, verá en el *cultivo de la ciencia y de la virtud* el recurso más eficaz para hacerla salir del marasmo en que se encuentra. Es necesario fomentar el trabajo, la cultura y las virtudes sociales, aceptando *el ejemplo de otras naciones más progresivas.* Todo lo que no sea esto equivaldrá a "un patriotismo mal entendido que en lugar de ser virtud viene a ser un defecto ridículo y muchas veces perjudicial a la misma patria".

Gaspar Melchor de Jovellanos.

El pensamiento de Cadalso, en el que se observa un *escepticismo pesimista* heredado del siglo XVII —"todas las cosas son buenas por un lado y malas por otro", "el hombre es mísero desde la cuna al sepulcro"— junto a una gran *confianza en el hombre y en el progreso,* contrasta con el radical pesimismo de un Quevedo, en quien la amarga visión de la decadencia nacional no se halla compensada por ningún propósito práctico ni por un sentido de esperanza consoladora. Por otra parte, si Cadalso volvía los ojos con nostalgia hacia las viejas virtudes españolas, veía también en la cultura de los países europeos contemporáneos un modelo digno de ser tenido en cuenta. Este sentido europeísta, unido a la patriótica preocupación por España y a la crítica de ciertos valores históricos, hacen del autor de las "Cartas Marruecas" un notable precedente de la generación del 98.

Valor y estilo de la obra de Cadalso. — En la obra capital de Cadalso apreciamos *una honrada independencia de criterio y un noble deseo de sinceridad* que le convierten en uno de los escritores más atractivos de su época. Las "Cartas Marruecas" son el producto de un espíritu inteligente y culto que acierta a ver, como nadie en el siglo XVIII, los diversos aspectos de la sociedad de su tiempo, señalando defectos y apuntando remedios con la sana intención de un verdadero patriota.

En cuanto a la forma, Cadalso, suavemente irónico y reflexivo al mismo tiempo, supo dar a su estilo *amenidad y gracia maliciosa.*

Gaspar Melchor de Jovellanos

Vida. — Nació en Gijón (1744), estudió Leyes y desempeñó diversos cargos en las Audiencias de Sevilla y Madrid. Al caer en desgracia su amigo el economista Cabarrús, fue alejado de la corte y se vio obligado a permanecer varios años en Asturias, donde organizó el Real Instituto Asturiano (1794). Nombrado ministro de Gracia y Justicia por Godoy (1797), volvió a Madrid, pero su gestión sólo duró ocho meses, y al cabo de poco tiempo sufrió —por el carácter de las reformas que proyectaba, la de la Inquisición entre otras— un duro destierro de seis años en el Castillo de Bellver de Mallorca. De aquí salió el año de la invasión napoleónica y, tras renunciar al cargo de ministro del Interior que le ofrecía el rey José, entró a formar parte de la Junta Central. Los acontecimientos le obligaron a huir de Cádiz a Asturias, donde murió en 1811.

El estadista "ilustrado". – Jovellanos fue, como Cadalso, un atento observador de la España de su tiempo, pero en vez de limitarse como éste a comentar irónica o gravemente los motivos de la decadencia y a apuntar remedios en forma teórica e imprecisa, *dedicó toda su vida a estudiar y resolver en la práctica los problemas del momento.* A este fin escribió multitud de informes sobre cuestiones económicas, pedagógicas, políticas, etc., que le convierten en el mayor polígrafo del siglo XVIII.

Un sentido de prudencia y de hallar el justo medio opuesto a todo impulso revolucionario —"Dios le libre a usted de los extremos en materias de reforma", dirá en cierta ocasión [1] – caracteriza sus *proyectos sobre la regeneración del país.* Todos ellos *se inspiran,* como los del autor de las "Cartas Marruecas", *en las ideas fundamentales de la Ilustración:* el progreso material y espiritual del pueblo, el humanitarismo filantrópico...; pero, lo mismo que en éste, su admiración por la cultura europea no está reñida con un gran *amor a España. Europeísmo,* sí, pero *respeto a las tradiciones españolas* cuando, para él, éstas encarnan algún alto valor del espíritu: de ahí su ruptura con los afrancesados al comenzar la Guerra de la Independencia.

La filosofía filantrópica de la época daba lugar a un clima sentimental en el que los conceptos derivados de la razón se resolvían en emoción lacrimosa. Comenzaban "demostrando" la necesidad de una mayor justicia social y acababan "conmoviéndose" ante el dolor de los desvalidos. Pues bien, la obra de Jovellanos es un típico ejemplo de este proceso; por eso hemos de distinguir en ella, aparte de lo que responde a la moda neoclásica: 1.º, lo que es producto de la filosofía ilustrada del momento y se orienta hacia una *reforma práctica de la sociedad española;* y 2.º, lo que por hallarse impregnado de *un nuevo tipo de sensibilidad emotiva* podemos incluir en las tendencias prerrománticas del momento.

El poeta filosófico y sentimental. – En Jovellanos predominó siempre la reflexión grave y la preocupación por los problemas de orden práctico, sobre la intuición de la belleza. De ahí que sus poesías ofrezcan un interés relativo en el orden estético. Escribió algunas composiciones ligeras, siguiendo los tópicos del intrascendente anacreontismo, tan de moda en la época, pero la severa austeridad de su

1. Citado por J. Sarrailh. "La España ilustrada en la segunda mitad del siglo XVIII".

Una corrida de toros a fines del siglo XVIII, por Goya. La llamada "fiesta nacional" fue duramente censurada por Jovellanos.

temperamento —que le hacía considerar a las poesías amorosas como "indignas de una memoria perdurable"— y tal vez la influencia de la poesía inglesa contemporánea, pronto le llevaron por otros derroteros.

Sus "Sátiras" y "Epístolas" presentan un contenido satírico-moral —tal las dos sátiras "A Arnesto", contra la corrupción de las costumbres y el "majismo"— filosó-fico o patriótico, y son el punto de partida de una nueva corriente poética caracteri-zada por el cultivo de temas de mayor trascendencia en un vehemente estilo cargado de expresión sentimental. En este sentido influyó en sus amigos de la escuela de Salaman-ca, a quienes aconsejó en una Epístola (1776) que abandonasen el tono superficial de sus versos amorosos en pro de una poesía de mayor alcance ideológico y de superior contenido moral.

Típicas de esta nueva manera filosófico-sentimental, inciada por Jovellanos, son las composiciones dedicadas *A la luna, A la noche* —llenas de emoción prerromántica—, y sobre todo la *Epístola de Fabio a Anfriso* desde el Paular. En esta última, el poeta nos habla de su huida al campo en busca de sosiego espiritual; pero al no hallar en la soledad el reposo apetecido, su inquietud se manifiesta en expresiones que denotan una nueva actitud espiritual:

> Con paso vacilante voy cruzando
> los pavorosos tránsitos y llego
> por fin a mi morada, donde ni hallo
> el ansiado reposo ni recobran
> la suspirada calma mis sentidos...

Las múltiples alusiones al "susto y los fantasmas de la noche", al "distante y pálido reflejo" "de una escasa luz", al "horror" y "el silencio" o a "la triste soledad", anuncian bien a las claras el cercano Romanticismo.

Una comedia prerromántica. – Jovellanos cultivó también la tragedia clásica; su *Pelayo,* escrito en endecasílabos, apenas merece un simple recuerdo.

Mayor interés presenta, por su significación histórico-literaria, la obra dramática en prosa *El delincuente honrado* (1774). En ella Torcuato, para evitar que castiguen equivocadamente a un amigo suyo, confiesa a la Justicia haber muerto en duelo a un hombre. Condenado a muerte por su propio padre —que ignora que Torcuato sea hijo suyo–, se salva gracias a un indulto del rey.

La obra, imitada de una comedia lacrimosa de Diderot, "Le Fils naturel", aúna las ideas filosóficas del siglo con un espíritu filantrópico de tipo sentimental; así lo reflejan, por ejemplo, las palabras de un personaje refiriéndose al protagonista: "El es allá medio filósofo y tal vez querrá librar a su amigo con una acción generosa", o la condena de la tortura como recurso de investigación judicial, siguiendo las orientaciones de Beccaria. Parece ser que la obra tuvo como raíz la protesta contra ciertos aspectos injustos de una rigurosa ley sobre los duelos.

El efectismo emotivo que supone el indulto a última hora, así como la dulzona sensibilidad burguesa que rezuma toda la obra —tan distinta de las frías tragedias clásicas–, hacen de "El delincuente honrado" el primer intento de prerromanticismo teatral en España.

Jovellanos y España. – La preocupación por España constituye el núcleo central de su producción. Se halla ésta integrada por discursos, informes o proyectos en los que se revela un fervoroso anhelo de renovación nacional y de progreso, *económico* y *pedagógico*, al paso que una sólida y vastísima cultura. Los más importantes se refieren a cuatro temas fundamentales:

1.º El progreso material del país. Entre los escritos dedicados a este asunto destaca el famoso *Informe en el expediente de la Ley Agraria* (1795), en el que se estudian los principales estorbos que se oponen al resurgimiento de la agricultura en España —la enorme extensión de la propiedad territorial amortizada (mayorazgos de la nobleza, bienes de la Iglesia...), la abundancia de leyes inútiles, el desprecio hacia las labores agrícolas, la ignorancia de los campesinos, los privilegios de la Mesta, la falta de riegos,[1] etc.– y se apuntan los remedios oportunos.

> Es necesario, por ejemplo, instruir a los agricultores. En este sentido, "bastará que los sabios, abandonando las vanas investigaciones, que sólo pueden producir una sabiduría presuntuosa y estéril, se conviertan del todo a descubrir verdades útiles y a simplificarlas y acomodarlas a la

---

1. La creencia en los efectos nocivos del riego se hallaba bastante extendida en el siglo XVIII

comprehensión de los hombres iliteratos y desterrar en todas partes aquellas absurdas opiniones que tanto retardan la perfección de las artes accesorias y señaladamente la del cultivo...''

2.º   La instrucción pública. La educación cultural y moral del pueblo, y los temas pedagógicos atrajeron la atención de Jovellanos; consecuencia de ello es, por ejemplo, su *Plan general de Instrucción Pública (1809)*, en el que considera a la cultura como base del progreso de los pueblos y señala la necesidad de insistir en los estudios de tipo práctico junto a los de carácter humanístico. Según él, la enseñanza debería ser general y gratuita.

> Las fuentes de la prosperidad social son muchas; pero todas nacen de un mismo origen: la instrucción pública... ¿Se podrá dudar que a ella sola está reservado llevar a su última perfección estas fuentes fecundísimas de la riqueza de los individuos y del poder del Estado? Se cree de ordinario que esta opulencia y este poder pueden derivarse de la prudencia y de la vigilancia de los Gobiernos; pero ¿acaso pueden buscarlo por otro medio que el de promover y fomentar esta instrucción? ...

Fue este interés por la educación del pueblo lo que le había movido también a fundar y dirigir el Real Instituto Asturiano, obra orientada a la formación de "hábiles pilotos" y "buenos mineros", a la que dedicó gran parte de su vida.

3.º   La historia cultural. La *Memoria para el arreglo de la policía de los espectáculos* (1796) diseña una rápida historia de las diversiones públicas en España, analizándolas a la luz de las ideas de la época. Son característicos sus ataques al teatro español, al que acusa de "corromper la inocencia del pueblo", o la crítica de la fiesta taurina, cuya supresión elogia.

> Creer que el arrojo y destreza de una docena de hombres, criados desde su niñez en este oficio, familiarizados con sus riesgos y que al cabo perecen o salen estropeados de él, se puede presentar a Europa como un argumento de valor y bizarría española, es un absurdo... Es pues claro que el Gobierno ha prohibido justamente este espectáculo.

Jovellanos aconseja se fomenten las diversiones públicas, volviendo al campo y a las costumbres tradicionales, para contrarrestar la tediosa monotonía de la vida provinciana española, pues

> En los días más solemnes del año... si algunas personas salen de sus casas, no parece sino que el tedio y la ociosidad les echan de ellas y las arrastran al ejido, al humilladero, a la plaza o al pórtico de la iglesia, donde embozados en sus capas o al arrimo de alguna esquina o sentados, o vagando acá y acullá, sin objeto ni propósito determinado, pasan tristemente las horas y las tardes enteras sin espaciarse ni divertirse...

Su *Elogio de las Bellas Artes* (1781), de orientación neoclásica, es una breve reseña histórico-crítica del arte español, en la que abundan atinados juicios, algunos de los cuales representaban una novedad en su época. Así sus acertadísimas observaciones sobre Velázquez y otros pintores españoles —salvo las referentes al Greco—, y su entusiasmo por el estilo gótico, que no había de ser valorado hasta el Romanticismo. Tras referirse a la "suntuosidad", la "delicadeza" y la "seriedad augusta" de las catedrales góticas, exclama:

> Al entrar en estos templos, el hombre se siente penetrado por una profunda y silenciosa reverencia que, apoderándose de su espíritu, le dispone suavemente a la contemplación de las verdades eternas.

4.º La política. La *Memoria en defensa de la Junta Central* (1810) es un brioso alegato contra los que acusaban a sus componentes de haber malversado los fondos del Estado, usurpando, al propio tiempo, la autoridad soberana. En ella resalta el ardiente patriotismo de Jovellanos y la entereza de su carácter. He aquí uno de sus más vibrantes párrafos:

> Sentimientos de odio, de amor, de temor o de interés pueden mover poderosamente las acciones humanas. Y bien, ¿cuál de éstos pudo movernos a ser traidores a nuestro rey y a nuestra patria? ¿Sería el odio a un rey tan virtuoso y tan desgraciado o a una patria tan generosa y afligida? ... ¿Sería el temor? Pero, ¿qué podían temer los que estaban cubiertos con el escudo de la suprema autoridad y defendidos por todo el poder de una nación tan heroica y valiente? ¿Sería el interés? Pero, ¿cuál pudo tentar a los que habían abandonado sus empleos, su casa, su fortuna y sus esperanzas para servir y ser fieles a la patria? ...

Las ideas políticas de Jovellanos son de carácter liberal, pero no democrático. Como otros estadistas "ilustrados" creía, según la fórmula de su tiempo, que hay que gobernar "para el pueblo, pero sin el pueblo".

El estilo. — La prosa de Jovellanos tiene una finalidad didáctica, lo que no impide que su estilo esté dotado de cualidades literarias. Según Menéndez Pidal, "puede pasar por el mejor tipo de prosa que nos ofrece el siglo XVIII; en él aparecen reunidos con feliz tino los elementos de la lengua clásica, con los elementos nuevos que era necesario acoger para reflejar el pensamiento moderno". *Sobrio y elegante*, sabe mantenerse tan alejado de los vicios lingüísticos de la época —galicismo y cultismo— como del rígido purismo de algunos de sus contemporáneos.

BIBLIOGRAFIA

EDICIONES

Cadalso. "Cartas Marruecas". J. Tamayo Rubio. Clás. Cast., 1935. — "Noches lúgubres".
E. F. Helman, 1951 y N. Glendinning, en Clás. Cast.
Jovellanos. B. A. E. — Obras escogidas, A. del Río. Clás. Cast., 1935. Tres vols.

ESTUDIOS SOBRE CADALSO

J. A. Tamayo: *Las Cartas marruecas. Estudio crítico*, 1927.

J. F. Montesinos: *Cadalso o la noche cerrada*. Rev. Cruz y Raya, 1934.

G. di Carlo: *José de Cadalso*, 1938.

J. A. Tamayo: *El problema de las Noches lúgubres*. Rev. de Bibl. Nacional, 1943.

J. B. Hugues: *Dimensiones estéticas de las Cartas Marruecas*. N. Rev. de Fil. Hisp., 1956.

J. Marichal: *Cadalso: el estilo de un "hombre de bien"*. En "La voluntad de estilo", 1957.

N. Glendinning: *Vida y obra de Cadalso*. Ed. Gredos, 1962.

ESTUDIOS SOBRE JOVELLANOS

M. Menéndez y Pelayo: *Historia de los heterodoxos españoles*.

M. Menéndez y Pelayo: *Historia de las ideas estéticas en España (siglo XVIII)*.

E. González Blanco: *Jovellanos, su vida y su obra*, 1911.

J. Juderías: *Don G. M. de Jovellanos. Su vida, su tiempo, su influencia social*, 1913.

L. Santullano: *Jovellanos*. (Antología y estudio.) Ed. Aguilar, S. A.

G. Diego: *La poesía de Jovellanos*. Bol. Bibl. M. Pelayo, 1946.

P. Peñalver: *Modernidad en el pensamiento de Jovellanos*, 1953.

A. Castro: *Jovellanos*. En "Semblanzas y estudios españoles", 1956.

J. Marichal: *La originalidad histórica de Jovellanos*. En "La voluntad de estilo", 1957.

J. Sarrailh: *La España ilustrada de la segunda mitad del s. XVIII*, 1957.

C. Sánchez Albornoz: *Jovellanos y la Historia*. En "Españoles ante la historia", 1958.

F. Ayala: *Jovellanos en su centenario*. En "Experiencia e invención". Ed. Taurus, 1960.

J. Marías: *Jovellanos. Concordia y discordia de España*. En "Los españoles". Madrid, 1963.

La obra de Jovellanos refleja ampliamente el interés de su siglo por las aplicaciones prácticas de la ciencia. Taller del siglo XVIII.

Molino de Abrillantar Diamantes

la escuela salmantina. 50
la poesía anacreóntica y
prerromántica de
meléndez valdés

La escuela poética de Salamanca

Tras los infructuosos esfuerzos de la "Academia del Buen Gusto" y de "La tertulia de la Fonda de San Sebastián", un nuevo núcleo de poetas, reunidos por azar en la celda salmantina de Fray Diego González, consiguió elevar el tono de la poesía española, que hacia esta época aún vivía "de unos pobres rescoldos de la soberbia hoguera gongorina..., de las gracias chocarreras y vulgares de unos copleros, remedo desmedrado de la poesía burlesca de Quevedo..., y de ciertos fríos intentos de orden puramente intelectual".[1] La labor por ellos realizada puede situarse, aproximadamente, *en el último cuarto del siglo XVIII.*

Los temas, el estilo y los modelos. – En un principio, el género más cultivado por los poetas salmantinos fue el *anacreóntico,* con sus temas tradicionales –el amor, la amistad, el vino...–, su frívola sensualidad y su *ligero estilo.* Toda Europa, hacia esta época, mostraba su afición al anacreontismo, y España, donde no faltaban antecedentes –Cetina, Villegas...–, lo convirtió también, a partir de Cadalso, en uno de los tópicos capitales de la lírica neoclásica.

Con el tiempo, la anacreóntica fue impregnándose lentamente de sentimentalismo, siguiendo la evolución de la sensibilidad europea, tal como se advierte en el bucolismo filantrópico del suizo Gessner; pero el paso decisivo hacia un tipo de poesía prerromántica lo dio el grupo de Salamanca, a raíz de una "Epístola" de Jovellanos (1776) en la que les aconsejaba abandonar los temas eróticos y cultivar los *morales y filosóficos* que caracterizaban al movimiento ilustrado: la Humanidad, el Progreso, la Beneficencia... Sin embargo, la nueva temática y su *grave y altisonante estilo* no consiguieron arrinconar al anacreontismo neoclásico; de ahí que ambas modalidades se diesen conjuntamente en la obra de los salmantinos hasta el triunfo del Romanticismo.

1. P. Salinas. Prólogo a su edición de las "Poesías" de Meléndez Valdés.

Aunque, en general, éstos no se propusieron deliberadamente continuar la línea de la escuela salmantina del siglo XVI, pero sí huir del barroquismo sin dejar de entroncar con la más pura tradición española, el influjo de Horacio y de Fray Luis que en ellos se observa, así como su sobriedad expresiva, permiten establecer un cierto nexo entre los grupos renacentista y neoclásico de Salamanca.

En cuanto a los modelos preferidos, podrían citarse, aparte de los dos indicados, a *Anacreonte* o *Villegas*, para el género anacreóntico, y a *Young, Pope, Rousseau...*, para las composiciones de carácter filosófico.

Los poetas. – El "candoroso" agustino Fray Diego Tadeo González, el irónico P. José Iglesias de la Casa, el violento Forner, el amable Meléndez Valdés y el grave Jovellanos fueron los principales poetas. Todos ellos usaron un seudónimo literario de acuerdo con la moda bucólica (Delio, Arcadio, Aminta, Batilo y Jovino, respectivamente).

Fray Diego Tadeo González (1732-1794) cultivó el género anacreóntico y pastoril, dedicando algunas composiciones a "Mirta" y a "Melisa" en las que expresa un puro amor espiritual con suaves versos dotados de delicada ternura. A instancias de Jovellanos, comenzó un poema didáctico-filosófico *(Las Edades).* Mayor vigor ofrecen sus traducciones de los Salmos, en las que se advierte la influencia de Fray Luis. Su poesía más conocida es *El Murciélago alevoso,* desconcertante composición llena de un humor algo absurdo y de dudoso gusto.

El **Padre José Iglesias de la Casa** (1748-1791) es el poeta festivo de grupo salmantino; sus "letrillas", "epigramas" y "romances" tienen una gracia maliciosa que recuerda a Góngora y Quevedo. El tópico anacreóntico y pastoril se halla también representado en su producción por unas Eglogas e Idilios algo inconsistentes, y la preocupación didáctica, por unos pesados poemas sin valor alguno.

Ya hablamos en otro lugar de la producción poética de Forner y Jovellanos. Réstanos examinar ahora la de Meléndez Valdés.

Juan Meléndez Valdés

Su vida. – Nació en Extremadura (Ribera del Fresno, 1754) y estudió en Salamanca, donde más tarde desempeñó la cátedra de Humanidades. Allí conoció a Cadalso, quien, junto con Jovellanos, influyó notablemente en su formación, poniéndole en contacto con las ideas de la Ilustración y con la poesía europea del momento. Actuó luego como magistrado en Zaragoza y Valladolid, siendo destituido al caer su amigo Jovellanos. Más adelante se le rehabilitó. Al producirse la invasión francesa, aceptó por debilidad algunos cargos que le ofreció el rey José, por lo que más tarde se vio obligado a huir a Francia, donde murió en 1817.

La timidez y apocamiento del "dulce Batilo" se reflejan en sus poesías, faltas de vigor, aunque dotadas de notables cualidades.

Valor representativo de su obra. — Meléndez Valdés es la *figura cumbre de la lírica española del siglo XVIII,* pero además de ello interesa por su valor representativo, ya que su producción (primera edición, 1785; segunda, 1797) sintetiza las principales corrientes de la poesía del momento: *el anacreontismo* fácil y juguetón y las graves preocupaciones del *humanitarismo filosófico.*

Poco original, supo asimilar los estímulos capitales de la cultura de la época, dando con su poesía una nota nada genial, pero discreta y apreciable en un siglo falto, casi en absoluto, de valores poéticos.

La sensualidad anacreóntica. — Las primeras poesías de Meléndez Valdés —*Odas anacreónticas, Idilios, Eglogas...*— aparecen transidas de una sensualidad análoga a la del arte europeo de la época. En ellas se une la tradición del anacreontismo y de la poesía bucólica al espíritu galante, frívolo y epicúreo del siglo XVIII, tal como se manifiesta en los elegantes productos del arte rococó.

El tema fundamental lo constituye el *amor,* que, lejanas ya las concepciones neoplatónicas, aparece como un simple impulso sensual. *Una naturaleza amable* y finamente estilizada sirve de marco, con sus fuentecillas, sus flores y sus auras primaverales, a graciosas escenas pastoriles, en las que zagales y zagalas danzan alegremente sobre un florido prado. Se olvidan las notas elegíacas que prestaban gravedad a la vieja poesía bucólica, y todo queda reducido a una *jubilosa exaltación de los sentidos* en un ambiente placentero. Las *alusiones al vino y a la mitología clásica* contribuyen a dar al conjunto un carácter risueño y pagano.

La forma armoniza a la perfección con su contenido: *el ritmo es ligero y gracioso,* y el léxico, lleno de *diminutivos* —cefirillos, ricitos, cupidillos, hoyuelos...—, confiere a los versos un tono blando y amable, indicadísimo para un género en el que la expresión de lo menudo y de lo lindo constituían el objeto principal del autor.

Es una poesía sonrosada, tibia y juguetona, que a pesar de su inconsistencia y monotonía, resulta admirable si se tiene en cuenta el prosaísmo de otros aspectos de la lírica neoclásica. Meléndez Valdés consiguió asimilar su espíritu, convirtiéndose en el típico representante del anacreontismo en España. A este momento, el mejor de su producción, corresponden *La flor del Zurguén, Rosana en los fuegos, El lunarcito, La Paloma de Filis...*

Véase este ejemplo de Oda anacreóntica en el que el viejo tópico del "Carpe diem" se adapta al nuevo estilo.

La blanda primavera
derramando aparece
sus tesoros y galas
por prados y vergeles...
    De esplendores más rico
descuella por oriente
en triunfo el sol, y a darle
la vida al mundo vuelve.

Medrosos de sus rayos
los vientos enmudecen,
y el vago cefirillo
bullendo les sucede.
    El céfiro de aromas
empapado, que mueven
en la nariz y el seno
mil llamas y deleites...

Juan Meléndez Valdés, figura cumbre
de la poesía del siglo XVIII.

> Revolantes las aves
> por el aura enloquecen,
> regalando el oído
> con sus dulces motetes...
> Mientras que en la pradera
> dóciles a sus leyes,
> pastores y zagalas
> festivas danzas tejen.
> Y los tiernos cantares
> y requiebros ardientes,
> y miradas y juegos
> más y más los encienden.
> ¿Y nosotros, amigos...
> dejaremos perderse
> estos días, que el tiempo
> liberal nos concede? ...
> Ea, pues, a las copas,
> y en un grato banquete
> celebremos la vuelta
> del abril floreciente.

Las inquietudes humanitarias y la visión prerromántica de la Naturaleza. – La "Epístola de Jovino a sus amigos de Salamanca" dio lugar a que Meléndez Valdés abandonase los temas amorosos y el tono ligero de la anacreóntica, para poner su inspiración al servicio de la "moral filosofía", en una serie de *Epístolas*. La expresión del placer sensorial deja paso a más graves preocupaciones y los versos sirven ahora para exponer las *ideas filantrópicas de la Ilustración*. Hay como un brusco cambio de escenarios: desaparecen los alegres zagales y pastoras y en su lugar surge el filósofo humanitario y sensible, atento sólo a procurar el bien y a llorar el infortunio de los desvalidos. El progreso de la agricultura, la protección debida a las ciencias o la necesidad de proporcionar trabajo para evitar la mendicidad figurarán desde este momento entre los temas favoritos.

Con el cambio de asuntos, la poesía adquiere un nuevo espíritu impregnado de *sentimentalismo*, adoptando al mismo tiempo un tono dulzón y lacrimoso que anuncia el desbordamiento romántico.

El estilo, al convertirse en vehículo de agitados sentimientos, se hace *declamatorio y grandilocuente*. "Desapareció la fluidez de la anacreóntica y el discurso es entrecortado y anheloso, con frases de dudosa ilación, rotas por espacios de puntos suspensivos".[1] Hasta los versos son más largos, como para dar mayor solemnidad a la expresión.

---

1. P. Salinas. Obra cit.

Ejemplos de esta nueva manera prerromántica son diversas Epístolas sobre *La Beneficencia, La Calumnia, La Mendiguez* o aquella en que Meléndez Valdés anima a Godoy a interesarse por los agricultores:

> Sed el amigo, el protector, el padre
> del colono infeliz...
> Ved y llorad. En miserables pajas
> sumida yace la virtud: fallece
> el padre de familias que al Estado
> enriqueció con un enjambre de hijos;
> gime entre andrajos la inocente virgen
> por indigna nudez culpando al cielo;
> o el infante infeliz transido pende
> del seno exhausto de la triste madre.
> Las lágrimas, los ayes desvalidos
> calmad humano en la infeliz familia...

Paralelamente a la transformación indicada, *la visión de la Naturaleza evoluciona también.* Del artificioso y limitado paisaje de fondo de la Oda anacreóntica, en el que todo invita al goce del placer sensorial, se pasa a un tipo de poema realista y descriptivo —por ejemplo, los romances titulados *La Tarde, La Lluvia*—, donde la Naturaleza adquiere un papel primordial, ofreciéndose en "todos" sus aspectos, y por fin, a una visión sentimental y melancólica del campo, en la que éste se toma como pretexto para graves meditaciones sobre la vida y el dolor humano. Así lo vemos en la Oda titulada *El invierno es el tiempo de la meditación.*

> Salud, lúgubres días, horrorosos
> aquilones, salud...
> ... El sol radiante
> del hielo penetrante
> huye, que embarga con su punta aguda
> a mis nervios la acción, mientras la tierra
> yerta enmudece, y déjala desnuda
> del cierzo airado la implacable guerra.
> Falsos deseos, júbilos mentidos,
> lejos, lejos de mí: cansada el alma
> de ansiaros días tantos
> entre dolor perdidos,
> halló al cabo feliz su dulce calma.
> ... Y la mente que no vía
> sino sueños fantásticos, ahincada
> corre a ti, ¡oh celestial filosofía!
> y en el retiro y soledad se agrada.

No toda la producción de tipo filosófico-moral deriva de las ideas difundidas en su tiempo por el movimiento cultural de la Ilustración. Varias de sus *Odas* entroncan claramente con la tradición salmantina del siglo XVI y reflejan una cierta influencia de Fray Luis de León. Así, la dedicada *A la verdadera paz* o *Al Ser incomprensible de Dios.*

Valor estético de su poesía. La rehabilitación del romance. – Si Meléndez Valdés merece el título de primer poeta del siglo XVIII, es gracias a sus composiciones anacreónticas, ya que los poemas de carácter filosófico-sentimental, ofrecen un estilo falsamente retórico y un fondo repleto de seudo-filosofía que ahoga toda intención lírica.

En cambio, las poesías de la fase neoclásica, aun dentro de la limitación impuesta por el tópico a que responden, se hallan dotadas de *una vivacidad de ritmo y de una gracia alada* que difícilmente se encuentran en el resto de la producción de la época, y aunque *faltas de nervio y de originalidad,* merecen la atención del lector por su *fluidez de versificación y por el color y animación de su estilo.*

Meléndez Valdés interesa también como rehabilitador de un género que en el siglo XVIII había degenerado al ser utilizado solamente para bajos usos: el romance. Tras emplearlo en temas pastoriles, siguiendo la tradición de Góngora –"Rosana en los fuegos"–, lo aplicó al poema descriptivo de la Naturaleza –"La tarde", "La lluvia"–, creando por fin un tipo de romance legendario –"Doña Elvira"– que puede considerarse como el punto de partida de los de la época romántica.

BIBLIOGRAFIA

EDICIONES

D. T. González, Iglesias de la Casa, Forner, Jovellanos. B. A. E.
Meléndez Valdés. B. A. E. – P. Salinas. Clás. Cast., 1927.

ESTUDIOS

L. A. de Cueto: *Bosquejo histórico-crítico de la poesía cast. del s. XVIII. B. A. E.*
M. Menéndez y Pelayo: *Historia de las ideas estéticas en España (Siglo XVIII).*
E. Merimée: *Etudes sur la littérature espagnole au XVIIIe siècle. Rev. Hisp.,* 1894.
Azorín: *De Granada a Castelar.* (Sobre Meléndez Valdés), 1922.
C. Real: *La escuela salmantina del siglo XVIII.* Bol. Bibl. M. Pelayo, 1948.
G. Díaz Plaja: *Historia de la poesía lírica española,* 1948.
P. Salinas: *La poesía de Meléndez Valdés.* En "Ensayos de literatura hispánica", 1958.
Georges Demerson: *Don Juan Meléndez Valdés et son temps,* 1962.

los últimos neoclásicos y los prerrománticos. la escuela salmantina y la sevillana.

51

La poesía castellana inmediatamente anterior al Romanticismo

La última década del siglo XVIII y el primer tercio del XIX se hallan representados por dos escuelas: la sevillana y la que deriva de la salmantina. *Ambas mantienen la severa estructura formal del neoclasicismo, sus principios estéticos* —buen gusto, sensatez, corrección, imitación de los clásicos y de los poetas españoles del Renacimiento— *y sus temas favoritos* —el bucolismo anacreóntico, los motivos didáctico-morales y los mitológicos—.

Tras su aparente estabilidad, el siglo XVIII contenía en su seno todos los gérmenes de la revolución romántica.

Sin embargo, puede observarse en ellas *un estilo cada vez más retórico y vehemente y un progresivo aumento de elementos prerrománticos:* sentimentalismo filosófico, exaltación de la naturaleza libre, gusto por lo sepulcral y por los temas exóticos,[1] populares y cristianos, mayor colorido en la descripción, entusiasmo patriótico, etc., aspectos que más tarde abarcará el Romanticismo en una fórmula coherente. No obstante, los poetas de los dos citados grupos, irónicos o indiferentes ante las innovaciones románticas, continuaron aferrados a su sistema poético hasta bien entrado el siglo XIX.

La segunda época de la escuela salmantina

Aunque en rigor no puede hablarse de una "segunda escuela salmantina", hay varios poetas de fines del siglo XVIII y principios del XIX cuyo punto de partida cabe situar en la producción de Meléndez Valdés. El énfasis retórico de sus concepciones poéticas impiden relacionarlos con el gran lírico salmantino del siglo XVI, pero la mayor brillantez y colorido de la escuela sevillana hace que aparezcan a nuestros ojos como dotados de una sobriedad expresiva de acuerdo con la tradición de Salamanca.

Nicasio Alvarez Cienfuegos (1764-1809) nació en Madrid y estudió en Salamanca. Dedicóse al periodismo, y en 1808 se opuso a los franceses, adoptando una actitud contraria a la de Meléndez Valdés.

Comenzó imitando a éste en su doble aspecto anacreóntico y filosófico, pero poco a poco fue dando a su estilo *un tono apasionado y entusiasta* que difiere notablemente de las frías declamaciones humanitaristas de aquél. Por esto, por la *íntima melancolía* que impregna sus composiciones y hasta por los temas tratados –*El Túmulo, La escuela del sepulcro, Mi paseo solitario en primavera*–, se le considera como uno de los más claros precedentes del Romanticismo. También le relaciona con éste su atracción por los temas orientales y de la Edad Media y las libertades de expresión de su poco académico estilo. Menéndez y Pelayo decía de él que "en otros tiempos hubiera sido poeta romántico".

He aquí los primeros versos de una de sus poesías patrióticas:

> ¿Qué fogoso volcán amenazando
> hierve en mi corazón, que en paz dormía,
> bien como en el abismo hondi-tronante
> del Etna cuando brama y humeando
> va a romper? Tente, tente, fantasía...

Otras veces es el tono melancólico el que da un especial color a su poesía; así la estrofa inicial de "El Túmulo":

> ¿No ves, mi amor, entre el monte
> y aquella sonora fuente
> un solitario sepulcro
> coronado de cipreses? ...

---

1. Recuérdese las traducciones de "Poesías asiáticas", por el conde de Noroña.

Juan Nicasio Gallego (1777-1853) nació en Zamora y realizó estudios en Salamanca, donde conoció a Meléndez. Se ordenó sacerdote y al producirse la invasión francesa tuvo que huir por su actitud patriótica. Tomó parte en las Cortes de Cádiz y más tarde fue encarcelado por sus ideas patrióticas.

En su neoclásica producción abundan las composiciones anacreónticas y didácticas, pero lo más interesante de ella lo constituyen la Elegía *A la duquesa de Frías* (1830) y las Odas *Al dos de mayo* (1808) y *A la defensa de Buenos Aires* (1807). Su estilo, correcto y elegante, está lleno de *efectos retóricos plenamente logrados,* sobre todo en sus poesías patrióticas.

Manuel José Quintana

Es la figura más importante del grupo salmantino. Nació en Madrid (1772) y estudió en Salamanca. Allí conoció a Meléndez, a quien tomó como guía en sus tareas literarias. Durante la guerra de la Independencia se opuso a los franceses y más tarde fue perseguido por sus ideas liberales, pero pasado el período absolutista obtuvo diversos cargos y honores. Murió a los 85 años (1857), después de haber sido coronado como poeta por Isabel II.

Los temas. – Sus composiciones de mayor empeño pueden reunirse en dos grupos: las inspiradas por la idea de *la libertad* y las dedicadas a cantar *los progresos de la ciencia.* El fondo ideológico de unas y otras deriva indudablemente del pensamiento humanitarista de la Ilustración.

Entre las primeras se halla la titulada *A Padilla,* al que exalta como héroe de la libertad frente a Carlos V, y *El Panteón del Escorial,* fantasía sepulcral en la que, haciéndose eco de las ideas del enciclopedismo, ataca duramente a Felipe II y nuestro pasado imperial, considerándolo como una época de "dura opresión". A un propósito patriótico responden también las composiciones *Al combate de Trafalgar* (1805), *A España después de la revolución de Marzo* (1808) y *Al armamento de las provincias españolas* (1808); pero en éstas la presencia de un agresor extranjero le hace evocar con entusiasmo las glorias de nuestra historia.

Al grupo de poesías destinadas a cantar el progreso corresponden las Odas *A la invención de la imprenta* (1800) y *A la expedición española para propagar la vacuna en América* (1806); ambas revelan la huella del filantropismo en los elogios tributados a Jenner y a Gutenberg como bienhechores de la humanidad.

El resto de su producción está constituido por Epístolas (a Jovellanos, a Cienfuegos...), alguna composición didáctica ("Las reglas del drama"), un curioso romance ("La fuente de la mora encantada"), etc.

El estilo. – Quintana, *el más rígidamente neoclásico de la escuela salmantina,* comenzó imitando el estilo de Meléndez Valdés —del Valdés filósofo—, pero por razones patrióticas se apartó más tarde de él, tomando como modelo a Cienfuegos, de

El poeta neoclásico Manuel José Quintana.

quien procede sobre todo el tono vehemente y declamatorio de su poesía. El estilo de Quintana se halla dotado de un *brío extraordinario* y de una *gran sonoridad,* pero su *hueca ampulosidad* y la *falta de verdadera emoción lírica,* unida al *prosaísmo* de muchos temas —la vacuna, la imprenta...—, le restan interés. Fue solamente un poeta civil enamorado de las ideas abstractas, que supo cantar "la ciencia, la humanidad y la patria" con un énfasis heroico y una grandilocuencia que no hallan par en su siglo; no obstante, la frialdad académica de sus versos y su resistencia a la expresión de lo íntimo hicieron decaer la extraordinaria fama que alcanzó en su tiempo. Véase como ejemplo una estrofa de su oda "Al armamento de las provincias españolas":

> Alzase España, en fin; con faz airada
> hace a Marte señal, y el dios horrendo
> despeña en ella su crujiente carro;
> al espantoso estruendo,
> al revolver de su terrible espada,
> lejos de estremecerse, arde y se agita,
> y vuela en pos el español bizarro.
> "¡Fuera tiranos!", grita
> la muchedumbre inmensa. ¡Oh voz sublime,
> eco de vida, manantial de gloria!
> Esos ministros de ambición ajena
> no te escucharon, no, cuando triunfaban
> tan fácilmente en Austerlitz y en Jena.
> Aquí te oirán y alcanzarás victoria...

Los intentos dramáticos y la obra en prosa. — Quintana escribió un par de tragedias clásicas, a la manera de Alfieri: *El duque de Viseo* (1801), basada en un drama de Lewis, y *El Pelayo* (1805), cuyo interés reside en su tono patriótico.

Mayor valor alcanza su obra en prosa. Las *Vidas de españoles célebres* (1807-1833) son nueve biografías, en su mayor parte sobre guerreros ilustres (el Cid, Guzmán el Bueno, Roger de Lauria, Pizarro...), escritas con escaso rigor científico, pero en un estilo correcto y brillante.

Publicó también una notable "Colección de poesías castellanas", cuyo prólogo denota un buen sentido crítico, a pesar de algunos desaciertos debidos a las ideas literarias de la época, v.gr., el considerar el poema de Mio Cid como una obra "llena de puerilidades ridículas".

Al margen de la escuela salmantina se hallan algunos poetas de fines del XVIII y principios del XIX.

Ya hablamos en otro lugar de **Leandro Fernández de Moratín,** cuya correcta poesía neoclásica —con leves asomos de sensibilidad prerromántica— hay que situar en este período.

Juan Bautista Arriaza (1770-1837) presenta un tono predominante neoclásico —así su mejor poema, *Terpsícore o las gracias del baile,* dotado de una pulcra elegancia muy dieciochesca—, pero alguna composición —*La novia triste, El ciprés o el llanto de una madre—* le acerca al Romanticismo. He aquí los primeros versos de "El ciprés...":

> Triste ciprés, que entre las nubes meces
> tu obscura cima y tu letal verdor;
> tú, que obelisco de aflicción pareces,
> al cielo eleva mi infeliz clamor...

Manuel de Cabanyes. — Nació en Villanueva y Geltrú (1808) y murió a los veinticinco años. Su único libro, *Preludios de mi lira* (1833), responde a una influencia horaciana. Esta orientación clásica hizo que Menéndez y Pelayo le designase como el "Chénier catalán"; sin embargo, la inquietud espiritual que a veces se descubre en sus versos le sitúa entre los prerrománticos.

La escuela sevillana

A fines del siglo XVIII —1793— se constituye en Sevilla la "Academia de Letras Humanas" con el intento de restaurar, dentro de los moldes neoclásicos, la tradición de la vieja escuela sevillana.

Tomando como norma a Herrera y a Rioja, los poetas de este grupo se expresan en *un recargado y brillante estilo* que difiere notablemente de la clásica sencillez de Horacio, a quien también pretenden seguir. Su dicción ofrece por lo general un tono más que lírico, retórico.

Lo mismo que a las principales figuras de la escuela salmantina, caracterízales la unión de elementos neoclásicos —corrección formal, temas anacreónticos y didácticos— con otros de tipo prerromántico —retórica sentimental, filantropismo, etc.—. En relación con esto último, es interesante señalar en ellos la considerable *influencia de las ideas liberales y enciclopedistas,* a pesar de su condición de sacerdotes.

El P. Alberto Lista y Aragón (Sevilla, 1775-1848) es el poeta más importante de la escuela sevillana. Llegó a ser decano de la Facultad de Letras de Sevilla y murió rodeado de un gran prestigio.

Sus composiciones pueden agruparse de la siguiente forma:

1.º *Poesías sagradas* —v.gr., la Oda *A la muerte de Jesús*—, en las que se observa la influencia de la Biblia y la de los grandes líricos del XVI (Fray Luis, San Juan de la Cruz, Herrera...). Escritas en un estilo solemne, son lo más notable de su obra.

Véase una estrofa de la "Oda a la Concepción de Nuestra Señora", en cuya magnificente retórica es patente la huella herreriana.

En nombre del Cordero sin mancilla
Naciones, celebrad. Manso cordero,
Tú, de las huestes pérfidas estrago,
Eres león de Israel; tú lo acaudillas.
Fulmina el monstruo fiero
A tus plantas rendido,
La opresa grey desatarás del lago,
Y en tu sangre teñido,
Sangre que sella el testamento eterno,
Romperás los candados del Averno.

2.º *Filosóficas.* — *La Beneficencia, La Bondad es natural al hombre, El Triunfo de la Tolerancia*—, donde desarrolla los tópicos de la ideología filantrópica de la Ilustración.

3.º *Amorosas*, de estilo bucólico y anacreóntico: *El Vino y la Amistad, El beso, El vergel de amor...*

Escribió también sonetos de perfecta construcción y una serie de romances, entre los que destacan *La cabaña* y *El puente de la viuda,* de carácter prerromántico.

Su modelo preferido fue Rioja, pero en su obra se dan las más variadas influencias (desde el latino Horacio hasta el inglés Pope, desde el renacentista Garcilaso hasta el prerromántico Meléndez).

Las cualidades más relevantes de la obra de Lista son *la elocuencia de su sonoro y brillante estilo y la perfecta estructura clásica de sus versos, en los que aflora a menudo una emoción sentimental.*

El P. Alberto Lista y Aragón.

El **P. Manuel María de Arjona** (1771-1820) fue ante todo un poeta de la forma, y su expresión altisonante responde siempre a la preceptiva neoclásica. "Entre todos sus compañeros de la Academia sevillana, Arjona *fue quien más veces acertó con el clasicismo puro"* (Menéndez y Pelayo). No obstante, su mejor composición —*La Diosa del bosque*— deja entrever una cierta sensibilidad prerromántica.

El **P. Félix María Reinoso** (1772-1841) cultivó la poesía anacreóntica y didáctico-moral, pero su poema más interesante es el titulado *La inocencia perdida* (1799), en el que, imitando a Milton, se refiere a la caída de nuestros primeros padres en el Paraíso terrenal. El mérito de esta composición, que por su tema cristiano representa un paso más hacia el Romanticismo, se halla ante todo en el color y la fuerza plástica de sus descripciones. Por ello su autor ha sido definido como "el más herreriano y menos natural de los vates de Sevilla" (Menéndez y Pelayo).

El **P. José María Blanco** (1775-1841) fue canónigo en Sevilla y al producirse la invasión francesa huyó a Inglaterra, donde murió después de haberse hecho anglicano. Allí escribió en inglés poesías que firmó con su verdadero apellido *(White)*. Su producción en castellano es de tipo neoclásico y filantrópico, pero alguna composición ofrece caracteres casi plenamente románticos; así *Una tormenta nocturna en alta mar,* cuyo tema es sintomático del cambio de gustos que se avecinaba.

El Abate **José Marchena** (1768-1821) *interesa más por su vida novelesca que por su obra.* Tras ordenarse de menores, abandonó los hábitos y marchó a Francia, donde estuvo en relación con importantes figuras de la Revolución. Al producirse la invasión francesa regresó a España como secretario de Murat, por lo que tuvo que huir al terminar la guerra. Vuelto de nuevo a Madrid, acabó su vida en la mayor miseria.

En Marchena se observa la enorme influencia que alcanzaron a veces en España las ideas de la Enciclopedia. Tradujo a Molière y a Voltaire y se inventó un fragmento del Satiricón que consiguió hacer pasar por auténtico. Entre sus poesías destaca una *Oda a Cristo Crucificado.*

BIBLIOGRAFIA

EDICIONES

Cienfuegos, J. N. Gallego, Quintana, Arriaza, Lista, Arjona, Reinoso, Blanco, B. A. E.
Cabanyes, A. Peers, 1923.
Quintana. N. Alonso Cortés, Clás. Cast.

ESTUDIOS

L. A. de Cueto: *Bosquejo histórico-crítico de la poesía cast. del s. XVIII.* B. A. E.
A. Lasso de la Vega: *Historia y juicio crítico de la Escuela Poética Sevillana en los siglos XVIII y XIX, 1876.*

M. Menéndez y Pelayo: *Historia de los heterodoxos españoles.*

M. Menéndez y Pelayo: *Historia de las ideas estéticas en España (Siglo XVIII).*

M. Menéndez y Pelayo: *El Abate Marchena.* En "Estudios y disc. de crítica histór. y literaria". Vol. IV.

M. Menéndez y Pelayo: *Quintana considerado como poeta Cívico.* En "Estudios y disc. de crítica histór. y literaria". Vol. IV.

E. Piñeyro: *M. J. Quintana,* 1892.

E. Merimée: *Les poésies lyriques de Quintana.* Bull. Hisp., 1902.

E. Piñeyro: *Cienfuegos.* Bull. Hisp., 1909.

M. Méndez Bejarano: *Vida y obras de J. M. Blanco-White,* 1921.

G. Díaz Plaja: *Historia de la poesía lírica española,* 1948.

E. Allison Peers: *Los antecedentes del movimiento romántico.* En "Historia del mov. romántico español", 1954.

Hans Juretschke: *Vida, obra y pensamiento de Alberto Lista,* 1951.

SIGLO
XIX

el romanticismo

52

Circunstancias históricas

El Romanticismo, fenómeno cultural correspondiente a la primera mitad del siglo XIX, se halla vinculado con una serie de circunstancias históricas a las que es necesario aludir.

La reacción que se opera en toda Europa contra el poder napoleónico hasta cristalizar en el Congreso de Viena (1815), puede explicarnos, en parte, el matiz conservador del Romanticismo hacia estos años, ya que al declinar la estrella de Napoleón, el espíritu liberal que éste había difundido por toda Europa, sufre un rudo

Una lectura de Zorrilla en la época romántica.

golpe. Los gobiernos de la *Restauración absolutista* procuraron arrancarlo de cuajo volviendo a las ideas de tradición y religiosidad, mientras el orgullo de los pueblos sometidos al Emperador reaccionaba contra el sentido unificador del arte neoclásico francés, afirmando sus particularismos nacionales.

Junto a este Romanticismo arcaizante, tradicionalista y cristiano, tomó incremento, años más tarde, otro de tipo revolucionario y liberal, cuya bandera de combate la constituía la destrucción de todos los dogmas morales, políticos y estéticos hasta entonces vigentes. Su auge coincide con la *revolución francesa* de 1830 y el triunfo del liberalismo en la mayor parte de los países europeos. En España, por ejemplo, el comienzo del Romanticismo revolucionario se debe sobre todo a la vuelta de los emigrados liberales, con motivo de la muerte de Fernando VII.

Psicología del hombre romántico

El Romanticismo —como el Renacimiento o el Barroco— no se reduce a un fenómeno literario, sino que abarca todos los aspectos de la cultura de la época —desde la política hasta el arte, desde la literatura hasta las modas—, porque en el fondo viene a consistir en una especial actitud frente a la vida. De ahí que deba hablarse de la psicología del hombre romántico antes de entrar en el estudio de su producción estética, mera consecuencia de aquélla. Los rasgos a que vamos a aludir corresponden preferentemente al Romanticismo revolucionario, dentro del cual se halla el tipo humano más representativo de la nueva generación.

El culto al "yo". – Uno de los rasgos capitales —si no el esencial— del Romanticismo reside en su espíritu individualista. Si el siglo XVIII representa en términos generales el respeto a la norma, el Romanticismo equivale a la rebelión del individuo, a la *violenta exaltación de la propia personalidad.* El "yo", al que ahora se tributa un culto frenético, constituye el centro de toda la vida espiritual, y el mundo externo apenas conserva otro valor que el de mera proyección subjetiva. Agudo egocentrismo que tiene sus raíces en la doctrina enciclopedista (defensora de la postura crítica intelectual) y en el movimiento prerromántico (rehabilitador del mundo de las emociones personales).

El ansia de libertad. – El acentuado individualismo del hombre romántico había de producir necesariamente una protesta contra las trabas que hasta entonces tenían cohibido a su espíritu, y, en efecto un ansia de libertad se refleja en todas las manifestaciones de la época. "Libertad en literatura, como en las artes, como en la industria, como en el comercio, como en la conciencia. He aquí la divisa de la época, he aquí la nuestra", reza uno de los artículos de Larra.

a) *La política.* – El siglo neoclásico es el momento del absolutismo, en el que la voluntad del rey se ejerce sin contar para nada con la opinión de los súbditos. La época romántica proclama, en cambio —basándose en los postulados de la Revolución francesa–, la libertad del ciudadano para manifestar sus puntos de vista y para intervenir en el gobierno de la nación. Víctor Hugo llegará a identificar Romanticismo y Liberalismo con la conocida frase de que "el romanticismo no es más que el liberalismo en la literatura". En defensa de sus *creencias liberales,* el romántico conspirará, levantará barricadas o marchará al destierro, haciendo del ideal político uno de los móviles esenciales de su vida.

b) *La moral.* – También la moral romántica olvida las normas tradicionales e instaura *la pasión y el instinto* como única ley de la vida. Ya no son la Religión o la Razón las que marcan las líneas de conducta, sino la naturaleza libre y el impulso espontáneo. De ahí la simpatía que inspira la figura del salvaje, cuya bondad instintiva no se halla coartada por preceptos arbitrarios establecidos por la civilización, o el prestigio que irradian tipos como Macías –víctima de la moral tradicional– y Don Juan –símbolo de la rebeldía contra los principios divinos y humanos–.

c) *Los sentimientos.* – En la época del enciclopedismo, la razón suponía tal freno a la expansión de los sentimientos que –como dice Ortega y Gasset– solía el hombre "avergonzarse de sus emociones, demasiado orgulloso de sus ideas". Pero, a partir de Rousseau, se rompen los diques que contenían el empuje de lo afectivo y se produce un espectacular desbordamiento sentimental. A la sequedad cerebral del neoclásico sucede la libre emotividad del romántico; a la frialdad reflexiva, la exaltación cordial.

Lo típico del momento es pues la pérdida de la armoniosa serenidad de ánimo que postula todo clasicismo y *el abandono a las más violentas emociones;* en este sentido, el hombre romántico se complace igualmente en dejarse arrastrar por un vibrante entusiasmo o por un pesimismo morboso. No obstante, son los sentimientos depresivos –melancolía, nostalgia, desesperación...– los que mejor caracterizan a este período.

Grabado de la época que refleja el espíritu vago y soñador del Romanticismo.

"La literatura romántica —nos dice López Soler [1] — es el intérprete de aquellas emociones vagas e indefinibles que, dando al hombre un sombrío carácter, le impelen hacia la soledad, donde busca, en el bramido del mar y en el silbido de los vientos, las imágenes de sus recónditos pesares..."

Es cierto que la época clásica no había ignorado el mundo de los sentimientos; pero el hecho de someterlos a una rigurosa contención, y al propio tiempo a una abstracción generalizadora, la separa de la violencia emocional del Romanticismo, atento solamente a la expresión de los matices individuales. Obsérvese, por ejemplo, la enorme distancia que media entre la serena y equilibrada música del siglo XVIII —Bach, Haydn, Mozart...— y el íntimo desasosiego de la romántica —Beethoven, Chopin, Schumann...—.

La angustia metafísica. — Si en las épocas clásicas el hombre vive con jubilosa seguridad porque su pensamiento le ha descubierto las leyes que rigen una Naturaleza que él cree perfecta, el romántico, abandonado a sí mismo, y perdida la confianza en la razón, *siente la vida como un problema insoluble.* Su instinto le denuncia la existencia de fuerzas sobrenaturales que escapan a todo conocimiento racional y una invencible angustia sobrecoge su ánimo. Se sabe víctima de un ciego Destino sin justificación lógica e increpa a la Naturaleza, que contempla impasible su dolor. Perpetuamente insatisfecho ante la imposibilidad de alcanzar un más allá indefinible al que le empujan vagos anhelos, llega a veces a la desesperación. *La idea de infinito,* desconocida para el clásico —perpetuo creador de límites—, preside su vida; de ahí su inquietud febril y su terrible desequilibrio.

El espíritu idealista. — Ese vago aspirar hacia un mundo superior al de las realidades sensibles y que la razón no acierta a definir, cristaliza a menudo en unos ideales concretos, que el romántico se impone como norte de su vida, con ímpetu heroico. No cabe mayor contraste con el tono frívolo y sensual o irónico y escéptico del siglo XVIII. Ha pasado la época de las amables fiestas cortesanas y del elegante indiferentismo moral, y un arrebatado espiritualismo se infiltra en todos los ánimos. "El hombre —se dice enfáticamente en una revista española de la época [2] — no es un materialismo mecánico, sino una creación sublime, una emanación de la divinidad". De ahí el deber de atender a los impulsos idealistas que el romántico halla en lo más profundo de su "yo".

La *Humanidad,* la *Patria,* la *Mujer,* he aquí los objetivos concretos hacia los que dirige sus ardorosos afanes. Junto al sentimiento filantrópico, al ideal patriótico y al amor, manifiéstase también a menudo un *vago misticismo religioso* cuya raíz se halla, tanto como en la tradición cristiana, en el deísmo del siglo XVIII.

1. Prólogo de "Los bandos de Castilla". — 2. "El Artista".

Los románticos mostraron una gran predilección por el arte medieval.

El choque con la realidad. — Esta exaltación idealista origina consecuencias decisivas. El romántico, arrastrado por las imágenes que él mismo ha creado en su interior, se encuentra —como don Quijote— con que *la realidad no responde a las ilusiones:* no en vano es la época en que la gran novela de Cervantes encuentra hondas resonancias en los espíritus más nobles. La humanidad no le comprende, la patria le destierra, la mujer que había imaginado no existe. Y con el choque sobreviene el *desengaño*. El mundo que le rodea parece prosaico, gris; busca desesperadamente algo que satisfaga su espíritu y no lo halla. Se siente inadaptado. Y falto de serenidad para aceptar su ambiente, se rebela contra él *o huye*.

El Romanticismo, se ha dicho, es "una invitación al viaje". Este viaje se lleva a efecto en muchos casos: Chateaubriand, Byron, Espronceda y tantos otros abandonan su patria movidos por una inquietud invencible. Cuando esto no es posible, la imaginación se encarga de forjar mundos de poesía y ensueño en los que la mente del romántico se instala: la Edad Media caballeresca, los países orientales, llenos de misterio y de brillo... Pero a veces ello no basta y la única solución posible, la única huida, es el suicidio: Kleist, Larra, Nerval...

La técnica literaria

Al tipo psicológico que acabamos de esbozar había de corresponder necesariamente una visión del arte distinta de la que había originado la producción del siglo XVIII. Veamos sus puntos esenciales.

La libertad de inspiración. — El agudo individualismo del hombre romántico da lugar en el escritor a un deseo de prescindir de las férreas normas del clasicismo, para llegar a la creación de una obra absolutamente personal. *Las viejas reglas son consideradas como trabas sin sentido* que convierten al arte en un puro mecanismo, y se proclama la libertad literaria con juvenil entusiasmo. Ahora el poeta se dejará llevar confiadamente por su imaginación, por sus sentimientos, por su personal instinto. El concepto del "genio", que no admite imposiciones porque está por encima del mundo de los cánones, se halla en la mente de todos.

En el terreno de la poesía surgen, junto a la métrica tradicional, *nuevos tipos de versificación,* nuevos ritmos, nuevas estrofas. Una variada polimetría es el resultado de querer dar a cada situación su expresión musical adecuada. "El estudiante de Salamanca", de Espronceda, es un típico ejemplo de ello. Pero la búsqueda constante de originalidad y de efectismos hace que en ocasiones la poesía se diluya en una musiquilla fácil o en sonoridades aparatosas. Un aspecto importante de esta revolución en el verso es, en España, la revalorización de un metro tradicional: el romance, que, usado ya a fines del siglo XVIII por Meléndez Valdés, adquirirá ahora el máximo prestigio como la forma más indicada para la narración poética.

En el teatro *se olvidan las famosas tres unidades* de lugar, tiempo y acción, volviéndose en cierto modo a la técnica de nuestro siglo XVII: la acción puede recorrer los más apartados lugares, durar varios años y desdoblarse en dos acciones paralelas. *Desaparece la unidad de estilo* y se confunden los géneros, mezclándose —con el objeto de dar mayor vivacidad a la obra— lo trágico y lo cómico, lo sublime y lo grotesco, la prosa y el verso. Un trepidante dinamismo invade así el teatro, que alcanza el mayor éxito de público.

Todo el arte se enfoca ahora hacia *la expresión de lo particular,* del matiz individual, de lo irregular, de lo que escapa a la norma racional. Si el neoclasicismo se había propuesto expresar lo universal, la idea, lo genérico, la época romántica preferirá destacar lo específico, la nota pintoresca y única. Más que lo humano en abstracto, le interesan los hombres; más que lo común, lo excepcional. De ahí que use de "lo feo", proscrito por la estética clásica, no sólo como elemento de contraste, sino como manifestación viva de lo irracional, de lo que contradice la idea de perfección arquetípica.

Con las reglas *desaparece también la noción del arte moralizador,* y se atribuye a éste una simple finalidad estética. El tema primordial será la expresión del "yo", y el objeto de la obra excitar fuertemente la sensibilidad del lector con las más variadas emociones: la tristeza, el entusiasmo, la conmiseración, el terror, la sorpresa. "¿Va uno al teatro, por ventura —dice un crítico de la época—, a oír sermones en verso, discursos sobre la mitología o disertaciones botánicas? El drama [romántico] tiene la ventaja del interés."

Los modelos. — Los nuevos gustos hacían imposible seguir considerando a los clásicos como modelos insustituibles. Se opina que *cada época ha de tener una literatura y por consiguiente unos modelos en consonancia con su peculiar sentir:* "Cada siglo tiene su fisonomía particular, independiente en todo de las de otras épocas, la cual se impregna de sus vicios, pasiones, virtudes y creencias". De esta forma se quiebra la línea clasicista y el fervor literario se orienta hacia otras latitudes, aunque el desdén por lo clásico se dirige más contra el clasicismo francés que contra la antigüedad grecolatina: "¿Qué tienen que ver las tragedias de Sófocles y Eurípides con las narcóticas tragedias del moderno clasicismo?" Los primeros años del siglo XIX registran precisamente un entusiasmo por el mundo helénico, del que son ejemplo Goethe, Byron y tantos otros. "Al Romanticismo van enlazados —dice un autor del momento— los nombres de *Homero*, Dante, Calderón..."

De todas formas, la literatura preferida es, lógicamente, aquella que por hallarse más apartada de lo clásico responde mejor al gusto de la época: *la bíblica, la medieval, la del siglo XVII no francés, y la contemporánea extranjera.* De la Edad Media interesan el falso Ossian, Dante, la poesía popular —el romancero español, las baladas germánicas...—. Del teatro se destacan los nombres de Shakespeare, Lope y Calderón. Entre los modernos privan Goethe, Byron y Heine en la poesía, Víctor Hugo y Dumas en el teatro, Walter Scott en la novela.

En lo geográfico puede observarse, frente al secular prestigio del mediodía europeo, un nuevo centro de atracción: *los países nórdicos* —Alemania e Inglaterra—.

Los temas

La intimidad del poeta. — La literatura romántica ofrece como tema capital la propia personalidad del autor; *el poeta se ofrece a sí mismo en espectáculo,* exhibiendo sus sentimientos, sus anhelos, sus dudas, sus afanes. Su obra viene a reducirse a una confesión pública en la que se manifiesta ostentosamente todo aquello que por pertenecer a la esfera de lo íntimo había celado el hombre del siglo XVIII. Incluso cuando el romántico habla del mundo exterior, un especial lirismo tiñe sus palabras, tras las cuales se adivina fácilmente su perfil sentimental. *Toda la literatura adquiere un fuerte matiz subjetivo* y la poesía lírica se convierte así en el género más característico del momento.

El descubrimiento del paisaje. — La visión entusiasta de la Naturaleza libre y el gusto por el paisaje rústico que se manifiesta ya a mediados del siglo XVIII en los poetas prerrománticos ingleses, y de rechazo en los españoles —recuérdese el caso de Meléndez Valdés— llega a su auge con el Romanticismo. En la valoración rousseauniana de la naturaleza se halla el punto de partida para el abandono de los tópicos del bucolismo —el verde prado en el que sestean apacibles ovejas...— y para una nueva concepción del paisaje. *Los románticos, se ha dicho, "descubren" el paisaje;* pero, habría que añadir, *sobre todo el paisaje agreste;* las altas cumbres, las selvas impracticables, el mar tempestuoso. Es pues, el suyo, un paisaje que se adapta perfectamente a sus sentimientos tumultuosos, de los que suele ser una mera proyección.

La naturaleza estática y armoniosa de los clásicos o la pulcra elegancia del jardín versallesco apenas concuerdan con su dinámica inquietud espiritual; por eso prefieren —dice un autor de la época— "una selva virgen del nuevo mundo, con todo su desorden, su aspereza y su imponente majestuosidad, con sus cataratas, despeñaderos y ríos tormentosos llenos de caimanes, a un parque con las calles tiradas a cordel y tapizadas de blanca y menuda arena, con los árboles peinados y recortados según el capricho del jardinero..." De ahí también la atracción que ejercen *el paisaje nocturno, la luna, el ambiente sepulcral, las ruinas,* como marco adecuado a los sentimientos melancólicos del poeta.

Anotemos también la frecuencia de un anhelo místico ante la naturaleza, en la cual el romántico gusta de considerarse inmerso, *con actitudes vagamente panteístas;* lo que nos explica, por otra parte, sus amargas imprecaciones cuando aquélla, con cruel indiferencia, no parece compartir el dolor del poeta. Señalemos, por último, cómo *el paisaje deja de ser un mero telón de fondo* —como en el clasicismo— para cobrar interés por sí mismo.

Los motivos exóticos. – La presencia del exotismo en la temática romántica obedece también en parte al exarcebado individualismo del momento. El poeta siente tan vivamente su personalidad que acaba chocando con cuanto le rodea. De ahí su insatisfacción, su tendencia a la huida. La *evasión hacia lo lejano* se lleva a cabo en dos sentidos: en el espacio y en el tiempo.

Los países que mayor sugestión ejercen sobre la imaginación son los que constituyen una novedad después de tres siglos de clasicismo: los orientales y los nórdicos. De *Oriente* interesa el colorido brillante, la pompa fastuosa y la refinada y galante caballerosidad. Esta resurrección del tema árabe en la literatura europea tiene su raíz en la novela y los romances moriscos del siglo XVII español; por eso, junto a Arabia, se pone también de moda la España musulmana y morisca. Recuérdense tan sólo en este sentido los Cuentos de la Alhambra, de Washington Irving. Los *países nórdicos* —célticos o germánicos—, con su brumoso y nostálgico paisaje, sus misteriosas selvas y sus leyendas mitológicas, sustituyen también con ventaja al mundo de las tradiciones clásicas.

La *vuelta a la Edad Media* tiene otras causas, además de la indicada: los estudios eruditos del siglo XVIII —que exhuman monumentos literarios olvidados, el Cantar de Mio Cid, por ejemplo—, la exaltación de las tradiciones vernáculas, la valoración del cristianismo frente al paganismo clásico... La rehabilitación de lo medieval se lleva a cabo con escaso sentido crítico y en ella interviene más la imaginación que la investigación científica. La Edad Media suele verse como una época de fantasía y ensueño poblada por caballeros andantes, trovadores enamorados y monjes de virtudes heroicas.

Esta evocación novelesca de los siglos medios lleva consigo *un fervoroso entusiasmo por su arte, su literatura y hasta sus modas;* se valora la arquitectura gótica, considerada como un arte bárbaro desde el Renacimiento, las viejas catedrales suscitan encendidos elogios y se construyen edificios en un estilo neogótico; los poetas resucitan metros medievales y se inspiran en temas y leyendas de aquel período; y hasta tal punto se considera la Edad Media como elemento substancial del Romanticismo que se llega a definir el hombre romántico como aquel "cuya alma, llena de brillantes ilusiones, quisiera ver reproducidas en nuestro siglo las santas creencias, las virtudes, las poesías de los tiempos caballerescos; cuya imaginación se entusiasma, más que con las hazañas de los griegos, con las proezas de los antiguos españoles, que prefiere Jimena a Dido, el Cid a Eneas, para quien las cristianas catedrales encierran más poesía que los templos del paganismo...".[1]

En íntima relación con todo ello se halla el empleo de lo *maravilloso cristiano* como tema literario. El clasicismo francés había prohibido hacer uso de tales motivos, pero con la valoración de la cultura medieval, un sinfín de leyendas milagrosas inspiradas en viejas tradiciones cristianas invade la literatura.

La exaltación de lo nacional y popular. — La valoración de las tradiciones nacionales, uno de los aspectos capitales del Romanticismo, obedece a motivos de orden político, psicológico y estético.

La unificación espiritual de Europa, llevada a cabo por la cultura francesa del siglo XVIII y continuada más tarde en lo político por la invasión napoleónica, suscitó en todos los países del Continente una reacción orientada hacia la afirmación de los valores nacionales. Pero este fenómeno responde también al individualismo de la época: el romántico afirma su "yo" y con él cuanto constituye su ambiente, su paisaje espiritual. Por eso, *el siglo XIX es la época en que lo nacional, e incluso lo regional, adquiere una formidable importancia.* España, Inglaterra, Alemania, la misma Francia, buscan en su tradición los elementos básicos de su personalidad política y cultural, mientras surgen una serie de nuevas literaturas que en algunos casos reanudan una línea interrumpida desde la Edad Media: Provenza, Cataluña, Galicia, Irlanda, Escocia... La estética romántica favorece también estas orientaciones, dada su tendencia a subrayar el valor de la nota diferencial, de lo pintoresco, de lo típico.

Como origen o consecuencia de lo anterior hallamos otros dos fenómenos: la ya aludida vuelta a la Edad Media —en cuya tradición se busca la raíz de los factores constitutivos de la nacionalidad— y la importancia concedida al "Volkgeist", o espíritu del Pueblo, y al Pueblo mismo como sustentador y vehículo de las tradiciones nacionales. Piénsese también en el respeto que para los derechos del Pueblo suponen las ideas democráticas de la época, o en las teorías, hoy ya periclitadas, que le atribuyen un alto poder de creación artística —anterior a toda elaboración culta de tipo individual—, v.gr., las de Wolf sobre la Ilíada o el Romancero. De esta suerte, *lo popular y lo folklórico adquieren un gran prestigio,* dando lugar a un género que habrá de tener importantísimas derivaciones en épocas posteriores: el costumbrismo.

He aquí, pues, por qué en la literatura española del Romanticismo vuelven a salir a escena los héroes de la vieja poesía épica y del romancero, perpetuados por el teatro del siglo XVII —El Cid, los Infantes de Lara, el rey don Rodrigo...—, y por qué la

---

1. Eugenio de Ochoa. "Un romántico". En "El artista", 1835.

poesía, el teatro y la prosa buscan inspiración en las leyendas y tradiciones locales, animándose con escenas de costumbrismo popular.

Las grandes preocupaciones filosóficas y políticas. – La literatura romántica, sin perder su carácter de producción esencialmente artística, suele incidir en temas de una gran trascendencia filosófica, moral o política que le confieren la apariencia de arma de combate ideológico. Pero aun en los casos en que la obra parece convertirse en un medio propagandístico al servicio de cualquier idea, observamos que al autor le interesa, tanto como atraer la adhesión del lector, la expresión de su personal sentir.

La inquietud espiritual del momento hace aflorar los grandes temas metafísicos desdeñados por el racionalismo materialista del siglo XVIII: *Dios, el Alma, el sentido de la Vida y de la Muerte...;* la idea del *Destino,* ciego poder que determina la existencia humana, alcanza caracteres de verdadera obsesión y llega a constituir –como en el teatro griego– el eje de numerosos dramas.

Junto a estos grandes temas, reclaman también el interés de muchos una serie de graves preocupaciones de índole política o social heredadas de la filantropía enciclopedista: *el bienestar de la Humanidad, los derechos del Pueblo, la idea del Progreso, el porvenir de la Patria...*

El estilo

La valoración de la nota individual influye también poderosamente en el lenguaje literario, dando lugar a una expresión que intenta ser *reflejo directo de la personalidad del autor.* Ahora bien, dada la especial psicología de la época, no ha de extrañarnos la aparición de un estilo violento y dinámico que no teme caer en las mayores estridencias. La búsqueda de *lo original,* de lo nuevo, de lo sorprendente, es otro de los medios con que el autor romántico trata de afirmar su "yo" frente a la tradición literaria, frente a lo común y vulgar.

Desaparece, en cambio, el sentido de la perfección y *el buen gusto* –imprescindibles en la estética neoclásica– para dejar paso a la expresión intensa, desigual o confusa, pero fuertemente emotiva. "Los románticos –dice cierto crítico del momento– prefieren una obra llena de bellezas de primer orden, aunque a su lado se encuentren grandes defectos, monstruosidades si se quiere, a otra que no tenga la menor deformidad, pero en la cual tampoco se halle rastro alguno de genio."

Y no interesa la forma armoniosa y equilibrada ni la serena belleza a que aspira todo clasicismo, porque el objetivo primordial del artista es conmover, *excitar violentamente la sensibilidad* de su público, valiéndose de los más variados recursos. Unas veces se intenta con el colorido brillante, de modo parecido a lo que en sus lienzos llevan a cabo Goya o Delacroix, iniciadores del Romanticismo en la pintura; otras, mediante el halago musical de nuevos ritmos y sonoridades; otras, en fin, pulsando enérgicamente la cuerda sentimental. No falta la nota suavemente melancólica; pero, en general, la blanda sensibilidad lacrimosa del momento prerromántico

El ambiente popular fue uno de los temas capitales del Romanticismo.

aparece sustituida por un tono más apasionado y febril. Alcalá Galiano verá en la "exposición *vehemente* y sincera" del mundo de las emociones y recuerdos el elemento substancial de la poesía.

Es, pues, *un estilo esencialmente retórico,* efectista y a menudo gesticulante, que hace del contraste uno de sus procedimientos favoritos —ya que, como dice un autor de la época, "una conspiración urdida y llevada a cabo en un baile, en medio de las flores y de la música, nos causa más horror que si la viésemos en un lugar desierto y retirado"— y que busca en todo momento la forma más coloreada y expresiva.

No hay que olvidar que su auditorio ya no es la selecta minoría culta del siglo neoclásico. El arte del Romanticismo *aspira a interesar a un amplio público,* reclutado sobre todo entre el elemento burgués, entre la clase media. El poeta —cuya figura cobra ahora un gran prestigio frente a la del filósofo humanitarista del siglo XVIII— ya no se halla sometido a las limitaciones que en otro tiempo le imponía la protección oficial del Estado o de algún noble mecenas; vive de su público y, en íntima coincidencia con los gustos de éste, crea un tipo de arte en el que la inspiración arrebatada, los "ímpetus naturales", ocupan el lugar de las viejas reglas.

Los dos polos del Romanticismo

Ya indicamos que el Romanticismo no es un fenómeno de dirección única. Por eso hay que distinguir, por lo menos, dos tendencias fundamentales, aunque no siempre claramente delimitadas en los casos concretos: la tradicional y la revolucionaria.

Hay, en efecto, un "Romanticismo histórico", orientado hacia la *restauración de los viejos valores tradicionales,* que exalta lo nacional y dirige los ojos con nostalgia hacia la Edad Media caballeresca y cristiana. Es el que con diversos matices representan los Schlegel en Alemania, Walter Scott en Inglaterra, Chateaubriand en Francia, Manzoni en Italia, Zorrilla en España...

Frente a él existe otro Romanticismo de tipo *liberal y revolucionario,* que en lugar de mirar al pasado, con espíritu conservador y fervor arqueológico, aspira a crear una nueva cultura haciendo tabla rasa de las ideas de jerarquía, religiosidad y tradición. Esta corriente tiene su punto de arranque en la Enciclopedia; de ahí su carácter escéptico y su rabioso subjetivismo. A ella pertenecen Byron, Hugo, Leopardi, Espronceda...

Aunque ambas orientaciones se dan paralelamente desde principios de siglo —W. Scott y Byron son contemporáneos—, la segunda no llega a su momento cumbre hasta que la oleada liberal de 1830 favorece su expansión por Europa.

EL ROMANTICISMO EN ESPAÑA

Introducción y fases del movimiento romántico

El Romanticismo propiamente dicho nace en Alemania e Inglaterra hacia 1800 y pasa luego a Francia, donde no triunfa definitivamente hasta 1830, fecha en que Víctor Hugo estrena su "Hernani". En España se introduce lentamente; a partir de 1814 comienza la difusión de las teorías románticas alemanas y con ellas la defensa de la tradición literaria española; pero *la victoria de la nueva escuela no tiene lugar hasta 1835,* año del estreno del "Don Alvaro" del Duque de Rivas.

El Romanticismo penetra en España por dos caminos: Cataluña y Andalucía. Cataluña y el resto del Levante español acogen preferentemente la tendencia tradicionalista, como lo demuestra el tono de la revista "El Europeo" y la gran cantidad de traducciones que alcanzan las obras de W. Scott y Chateaubriand. Andalucía, y luego Madrid, incorpora la revolucionaria, volviendo la vista a Byron y Hugo.

Hay que notar, sin embargo, que de las dos corrientes apuntadas, fue la primera —con su fervor tradicionalista e histórico— la que arraigó antes y con más fuerza en España. La revolucionaria —orientada hacia la plena exaltación de lo íntimo como realidad esencial de la vida o a la afirmación de lo subjetivo frente a cualquier traba ideológica— dio tan sólo escasos frutos, originando, a veces, actitudes desprovistas de auténtica sinceridad y hondura.

Como puede observarse, las influencias extranjeras que se ejercen sobre el Romanticismo español son variadísimas, pero en términos generales puede afirmarse que el gran movimiento romántico de España, es decir, el que triunfa en 1835, *procede directamente del francés.*

Tres son las fases en que puede dividirse la evolución del Romanticismo en la primera mitad del siglo. La inicial, correspondiente a *las tres primeras décadas* —Fernando VII—, representa la introducción progresiva de los nuevos puntos de vista —polémicas, revistas, traducciones...—, de acuerdo con el Romanticismo conservador; la segunda, *década de 1830* —María Cristina—, la entrada de las tendencias liberales y el pleno desarrollo de una producción original, a cargo de dos promociones (la de los "maduros": M. de la Rosa, Rivas, y la de los jóvenes: Espronceda, Larra); la tercera,

Lo legendario y fantástico cautivó la imaginación de los escritores de la época.

década de 1840 —Isabel II—, la asimilación de los elementos importados, desvanecida ya la febril agitación del momento anterior (Zorrilla, Gil y Carrasco...).

Causas que contribuyen al desarrollo del Romanticismo

Los precursores del siglo XVIII. — El Romanticismo no aparece súbitamente, sino por grados y como resultado de una serie de concausas de muy diversa índole. En términos generales, su raíz se halla en las dos tendencias de fines del siglo XVIII: la *enciclopedista* y la *prerromántica*. De la primera hereda la posición individualista, el espíritu crítico, la ideología liberal; de la segunda, la exaltación de la Edad Media, del sentimiento y de la naturaleza libre, aunque por otra parte se oponga al frío racionalismo de aquélla y supere la blanda sensiblería lacrimosa de ésta.

Concretando, podemos señalar como síntomas que anuncian el advenimiento del Romanticismo, el sentimentalismo y la visión del paisaje rústico en Meléndez Valdés, las preocupaciones patrióticas y humanitarias de Jovellanos o el gusto por la escenografía sepulcral en Cadalso; aunque de menor trascendencia, resultan también muy significativas la aparición del tema cristiano en Reinoso, la atracción por los motivos orientales en Noroña, la defensa del gótico en el autor del "Elogio de las Bellas Artes", etc.

Las traducciones. — La producción romántica no adquiere un franco desarrollo en España hasta el segundo tercio del siglo XIX, pero durante las primeras décadas se llevan a cabo con enorme éxito un serie de *traducciones* que preparan el triunfo de la nueva escuela.

Las primeras versiones datan de fines del siglo XVIII: así las de Ossian, "Pablo y Virginia", las "Noches" de Young, "Pamela"... Entre 1800 y 1814 se traduce el "Werther", "Atala", "El Vicario de Wakefield"; entre 1814 y 1830, Rousseau, Mistress Radcliffe, Byron...; en la década de 1830, Manzoni, Hugo y sobre todo W. Scott; en la de 1840 se difundirán Balzac, Dumas, Sué...

Teorías y polémicas. — Una gran influencia en el desarrollo del Romanticismo español tuvieron las polémicas suscitadas durante los primeros años del siglo en torno al valor de dos aspectos esenciales de nuestra literatura nacional: *el Romancero y el Teatro.*

Ya en 1814, el alemán *Nicolás Böhl de Faber* inicia en Cádiz una campaña en favor de aquélla exponiendo los elogiosos comentarios de Schlegel sobre el teatro del siglo XVII; su gesto origina en 1818 una larga polémica en la que las teorías de los románticos alemanes son atacadas —partiendo del punto de vista neoclásico— por J. J. de Mora, así como por varios críticos españoles, Alcalá Galiano entre otros, que más tarde se habían de incorporar a las nuevas tendencias.

Böhl de Faber continuó su labor de rehabilitación de la vieja literatura española publicando una "Floresta de rimas antiguas castellanas" y el "Teatro español anterior a Lope de Vega." Su ejemplo fue seguido por *Agustín Durán,* que en 1828 comienza a editar su "Romancero" y pronuncia un "Discurso" en el que ataca el teatro clasicista y alaba el de Lope y Calderón.

En Cataluña, las primeras avanzadas del espíritu romántico se hallan representadas por la revista *El Europeo* (1823), en la que colaboran Aribau y López Soler, y cuya tendencia es también tradicionalista, aunque su entusiasmo se proyecte, tanto como sobre lo español, sobre la literatura europea contemporánea de orientación arcaizante y cristiana: Chateaubriand, Scott...

La última fecha importante en el terreno de la teoría literaria la marca la publicación de "El moro expósito", del Duque de Rivas (1834), en cuyo prólogo realiza *Alcalá Galiano* una defensa del nuevo estilo, que por su amplitud y brío puede considerarse como el gran manifiesto romántico, con valor análogo al Prefacio del "Cromwell" de Víctor Hugo, aunque demuestra tener una idea bastante vaga del Romanticismo alemán.

La vuelta de los emigrados. — La explosión de entusiasmo patriótico provocado por la Guerra de la Independencia creó desde 1808 un nuevo clima espiritual, en el que hubieran podido fructificar las nuevas tendencias románticas, de no haberlo impedido las represiones absolutistas de 1814 y 1823, dirigidas por Fernando VII contra los políticos liberales. No obstante, éstas contribuyeron también al advenimiento del Romanticismo, al obligar a huir de España a una serie de figuras de nuestras letras —Martínez de la Rosa, el Duque de Rivas, Espronceda, Alcalá Galiano...—, que en el extranjero pudieron ponerse en contacto con la producción europea del momento y conocer el entusiasmo que los autores de nuestro Siglo de Oro suscitaban en todo el Continente. Por eso el comienzo de la fase verdaderamente romántica de la literatura española coincide con el fin de la etapa absolutista y la vuelta de los emigrados españoles entre 1832 y 1834.

Como los neoclásicos, los románticos tuvieron también sus *tertulias literarias.* Desde 1830 existía en el madrileño Café del Príncipe una de tipo semiclandestino titulada "El Parnasillo"; pero a partir de la amnistía política, se crearon en la capital de España organismos de mayor vuelo que impulsaron la difusión de las nuevas tendencias: el "Ateneo" (1835), cuyo primer presidente fue el Duque de Rivas, y el "Liceo" (1837). Una revista, *El Artista* (1835-1836), refleja la efervescencia literaria de los años que siguieron a la vuelta de los emigrados.

Caricatura del Romanticismo, por Alenza.

El influjo de la Burguesía. – El Romanticismo, cuyos primeros síntomas, a fines del siglo XVIII, se habían manifestado en el ámbito de la naciente burguesía, quedó pronto vinculado, en muchos aspectos, a los gustos e intereses de una aristocracia que veía en la exaltación imaginativa del pasado un arma de combate contra las pretensiones del liberalismo burgués. No obstante, un Romanticismo de cuño liberal, en el que al desbordamiento de la fantasía y del sentimiento heredado de la etapa anterior venía a unirse un ansia de ruptura con el pasado tradicional, alcanzó en toda Europa un éxito fulminante, al inaugurarse en la década de 1830 un nuevo orden político al servicio de la burguesía.

En España, donde el desarrollo de la clase burguesa y de la ideología liberal se había de ver frenado por la persistencia de unas estructuras de tipo arcaico, el Romanticismo se mantuvo, por lo general, dentro de la órbita de las tendencias tradicionalistas, ofreciendo tan sólo esporádicamente algún grito aislado de rebeldía y escepticismo. Ello nos explica lo poco frecuente de casos como los de Larra o Espronceda y que, transcurrido el período de la regencia de María Cristina, nuestra literatura romántica acentuase las notas de moderación y de gusto por un pasado caballeresco, más a tono con el sentir de unas clases fuertemente atadas a una ideología aristocrática, que con los intereses de quienes en Europa estaban poniendo las bases de un mundo centrado en un nuevo concepto de las relaciones económicas y sociales.

Valor y significación del Romanticismo español

El arte romántico europeo puede considerarse, sobre todo en el terreno de la música y de la lírica, como uno de los más altos productos de la cultura occidental.

Desde el punto de vista de la historia literaria, el Romanticismo tiene una enorme trascendencia ya que –aparte de restablecer el vínculo con las tradiciones nacionales y de haber intentado llegar al último secreto de la vida a través de la inspiración y del ensueño– representa la aceptación de una serie de principios básicos de la literatura posterior: la libre expresión del mundo de lo íntimo y de lo subjetivo, el valor de lo original y espontáneo y, en último término, de la intuición personal en el terreno del arte, es decir, de lo que pomposamente se designaba entonces como los derechos del "genio".

Los cafés fueron uno de los centros de la vida literaria en la época romántica. El Café de Levante, por Alenza.

El Romanticismo español participa de los defectos y de las cualidades del europeo, pero, *a pesar de que no ofrece figuras de una talla tan elevada como la de un Novalis, un Shelley o un Víctor Hugo, ni resiste la comparación con la literatura del Siglo de Oro, representa un verdadero resurgimiento en nuestra historia literaria,* después de la época de decadencia iniciada a raíz de la descomposición del barroco y continuada en el neoclásico.

La razón de dicho resurgimiento reside, tanto en la capacidad creadora de los románticos españoles —que por otra parte no produjeron apenas obras de alcance universal ni supieron asimilar plenamente el espíritu lírico e intimista de la producción romántica europea, quedándose a menudo en lo puramente narrativo y externo—, como en el hecho de que el Romanticismo llevaba consigo la rehabilitación de los temas y las orientaciones fundamentales que habían caracterizado a nuestra literatura. Siguiendo las tendencias románticas, *los españoles de comienzos del siglo XIX se hallaron de nuevo en el camino de las viejas tradiciones nacionales,* con las que tantas coincidencias ofrece —sentido de libertad en el arte, estilo dinámico y expresivo, apego a lo local...— y que en el siglo XVIII se habían debilitado notablemente. Ello nos explica, no sólo el motivo capital de su éxito, sino el de la enorme popularidad que obtuvo en toda Europa la literatura española anterior al neoclasicismo. Los extranjeros vieron a España como un país esencialmente romántico— es decir, dotado de una fuerte tradición medieval y nacional— y consideraron a su literatura como la más digna de ser imitada. De ahí que se haya dicho con razón que el Romanticismo al venir a España no hizo sino entrar en su propia casa.

El fin de la época romántica

La *época romántica puede darse por terminada hacia 1850,* momento que el gusto se orienta hacia el Realismo. El Romanticismo fue una simple moda que duró unos quince años; su aparición y desarrollo produce el efecto de una llamarada que pronto se extingue,[1] pero muchas de las notas que le caracterizan las veremos perdurar a través del siglo XIX para penetrar incluso en el XX. Al fin y al cabo, la literatura romántica, tanto como una novedad auténtica, podría interpretarse como una nueva modalidad del espíritu anticlásico que —siempre latente en la cultura europea— había conseguido ya imponerse en la Edad Media y el siglo barroco.

El primer tercio del siglo XIX

El Romanticismo no triunfa en España hasta el segundo tercio de la centuria. Los treinta primeros años del siglo no representan, pues, en el terreno de la creación literaria, sino *una mera continuación de las directrices de la época anterior:* la neoclásica y la prerromántica. Por lo demás, la abundancia, cada vez mayor, de traducciones de obras románticas extranjeras y el entusiasmo de críticos y teorizadores por las nuevas orientaciones denotan la proximidad de un cambio de rumbo.

El *teatro* continúa la tradición neoclásica, como lo atestiguan las comedias de Moratín y de su imitador Bretón de los Herreros, y alguna fría tragedia de Quintana. Fuera de ello, la escena española —falta totalmente de producción original— se abastece con traducciones de autores extranjeros y refundiciones de comedias del siglo XVII. La decadencia del género es casi absoluta y el mayor éxito de público lo alcanza la ópera italiana.

En la *poesía* persiste también el neoclasicismo, teñido de notas prerrománticas; ya indicamos que los últimos representantes de la escuela salmantina y los de la sevillana corresponden a los primeros años del siglo XIX. Lista, Quintana y J. N. Gallego —cuyas vidas se prolongan hasta mediados del siglo— son figuras capitales de este período en el que los futuros poetas románticos (Rivas, Espronceda...) inician su producción con versos todavía de factura neoclásica.

En el campo de la *teoría literaria* siguen publicándose Preceptivas y Poéticas ajustadas a los cánones del clasicismo (Lista, Hermosilla, Martínez de la Rosa...), pero la literatura romántica europea halla ya brillantes defensores (Böhl de Faber, Durán, Aribau...) que minan el terreno a los últimos baluartes neoclásicos.

La *novela* sigue todavía sin cultivo y su ausencia se suple con traducciones románticas que obtienen enorme popularidad. Así ocurre con el Werther, la Nueva Eloísa, Pablo y Virginia, Atala...

1. Allison Peers ha defendido la tesis del "fracaso" de la "rebelión romántica" en España a partir de 1837.

En conjunto, esta agitada época de la historia española —Guerra de la Independencia, avances liberales, reacciones absolutistas...— *no produjo nada esencial en el aspecto literario*. Habrá que esperar el fin del reinado de Fernando VII y la vuelta de los emigrados políticos para que con el estallido romántico comience un período de florecimiento tras la larga decadencia iniciada a fines del siglo XVII.

BIBLIOGRAFIA

HISTORIA DE LA PRODUCCION LITERARIA EN EL SIGLO XIX

P. Blanco García: *La literatura española en el siglo XIX*, 1891.

C. Barja: *Libros y autores modernos*, 1933.

Historia de las literaturas hispánicas. Vols. IV y V, 1957 y 1958.

E. González López: *Historia de la literatura española. La Edad Moderna. Siglos XVIII y XIX.* Nueva York, 1964.

ESTUDIOS SOBRE EL ROMANTICISMO Y LA LITERATURA ROMANTICA ESPAÑOLA

M. Menéndez y Pelayo: *Historia de las ideas estéticas (siglo XIX)*

M. Menéndez y Pelayo: *La historia externa e interna de España en la primera mitad del siglo XIX.* En "Estudios y disc. de crít. histór. y liter.". Vol. VII.

E. Piñeyro: *El Romanticismo en España.* París, Garnier, 1904.

Américo Castro: *Les grands romantiques espagnoles.* París, 1923.

A. Farinelli: *Il romanticismo nel mondo latino*, 1927.

G. Díaz Plaja: *Introducción al estudio del Romanticismo español*, 1942.

J. García Mercadal: *Historia del romanticismo español*, 1943.

R. Menéndez Pidal: *La epopeya cast. a través de la literatura española* (sobre el influjo de los temas épicos en la liter. romántica), 1945.

Hans Juretscke: *Origen doctrinal y génesis del Romanticismo español*, 1954.

R. Menéndez Pidal: *Romancero hispánico.* Vol. II, 1953.

E. Allison Peers: *Historia del movimiento romántico español*, 1954. Dos vols.

J. L. L. Aranguren: *Moral y sociedad*, 1965.

Vicente Lloréns: *Liberales y románticos. Una emigración española en Inglaterra. 1823-1834.* Madrid, Castalia, 1968.

Ricardo Navas Ruiz: *El Romanticismo español.* Anaya, 1970.

Iris M. Zavalle: *Románticos y socialistas.* Madrid, Siglo veintiuno, 1972.

La evocación histórica del pasado nacional constituyó uno de los temas predilectos del Romanticismo. El Castillo de Belmonte, grabado de Parcerisa.

larra y los prosistas de su tiempo 53

La prosa en el período romántico

La producción en prosa del Romanticismo español ofrece tres direcciones fundamentales: la observación de la realidad social, la pura creación imaginativa y el esfuerzo didáctico; o sea, *el costumbrismo, la novela histórica y la prosa doctrinal,* aspectos que vienen a manifestarse en el prosista más importante de la época: Mariano José de Larra.

En cuanto al estilo, *la prosa es tal vez el sector en el que menos influyen las nuevas orientaciones estéticas.* No obstante, puede observarse en ella, junto a ciertas preocupaciones puristas heredadas del siglo anterior, una tendencia al arcaísmo —sobre todo en la novela histórica—, un lenguaje más vivo y flexible —apto para la polémica ideológica— y en ocasiones una aguda propensión hacia la expresión retórica —por ejemplo en la oratoria—.

Los costumbristas

El gusto romántico por el color local, y quizás aún más, la toma de posición frente a los cambios que comienzan a operarse en la sociedad española, dan lugar a la aparición del costumbrismo, que en cierta forma viene a continuar la línea del tradicional realismo castellano en una época en que la fantasía desempeña un

Mariano José de Larra.

papel de primer orden. Lope de Rueda, Cervantes, Zabaleta, Ramón de la Cruz, son jalones de una trayectoria que va a desembocar en los costumbristas del siglo XIX. Sin embargo, parece ser que su modelo inmediato fue Jouy, escritor francés de principios de siglo.

El nuevo género comenzó a adquirir una relativa categoría estética a partir de la década de 1830. Sin embargo, las escenas de costumbres —que fueron publicándose en periódicos y revistas— *casi nunca lograron rebasar los límites de lo insignificante,* y su mérito capital está en haber servido de vehículo a las ideas de Larra y en haber preparado el camino a la novela realista de la Restauración —de la que, por otra parte, tan lejos se halla, debido a su técnica esquematizadora de la realidad—.

Ramón de Mesonero Romanos (1803-1882) nació en Madrid, de donde fue Cronista, dedicóse algún tiempo a la Banca y llegó a ocupar un sillón en la Real Academia. De temperamento burgués y equilibrado, nos ha dejado una colección de cuadros de costumbres en los que se advierte su gran amor a Madrid y sus dotes de observador. Si en los de Estébanez Calderón lo esencial será el humor vivo y chispeante, la nota de color y la visión estética del mundo popular andaluz, en los de Mesonero observamos una leve intención moralizadora y *una maliciosa aunque benévola socarronería* aplicada a la descripción de los ambientes madrileños, tras la que se oculta *una actitud nostálgica ante las formas de vida tradicional* que el autor veía en trance de desaparecer. El mismo nos confiesa que su propósito era "pintar las más veces, razonar pocas; hacer llorar nunca, reír casi siempre" y "criticar sin encono". Dentro de estos límites consigue lo que se propone, pero, como dice Salinas, su gran limitación está en no haber sido más que "el maestro de un género pobre y sin vuelo".

Para Azorín, "si Larra simboliza la sociedad literaria de su tiempo, exaltada, impulsiva, generosa, romántica, Mesonero representa la sociedad burguesa, práctica, metódica, escrupulosa, bien hallada". Buen ejemplo de ello es la caricatura que del Romanticismo hizo el segundo en una de sus *Escenas matritenses.* He aquí la referencia que ofrece de un drama escrito por un sobrino suyo dado a las novedades románticas:

¡ELLA! ... y ¡EL! ...

Drama romántico natural

emblemático, sublime, anónimo, sinónimo,
tétrico y espasmódico

Original
en seis actos y catorce cuadros

Siglos IV y V. La escena pasa en Europa y dura cien años.

Interlocutores

La mujer (todas las mujeres, toda la mujer).
El marido (todos los maridos).
Un hombre salvaje (el amante).
El Dux de Venecia.
El tirano de Siracusa.

El doncel.
La Archiduquesa de Austria.
Un espía.
Un favorito.
Un boticario.
La cuádruple alianza.
El sereno del barrio.
Coro de monjas carmelitas.
Coro de padres agonizantes.
Un hombre del pueblo.
Un pueblo de hombres.
Un espectro que habla.
Otro ídem que agarra.
Un judío.
Cuatro enterradores.
Músicos y danzantes.
Comparsa de tropa, brujas, gitanos, frailes y gente ordinaria.

Los títulos de las jornadas (porque cada una llevaba el suyo a manera de código) eran, si mal no me acuerdo, los siguientes: 1.ª *Un crimen.* 2.ª *El veneno.* 3.ª *Ya es tarde.* 4.ª *El Panteón.* 5.ª *¡Ella!* 6.ª *¡El!* , y las decoraciones eran las seis obligadas en todos los dramas románticos, a saber: *Salón de baile, Bosque, La capilla, Un subterráneo, La alcoba y El cementerio.*

Con tan buenos adminículos confeccionó mi sobrino su admirable composición en términos que si yo recordara una sola escena para estamparla aquí peligraba el sistema nervioso de mis lectores...

Mesonero, que firmaba con el seudónimo de "El curioso parlante", escribió dos series de cuadros de costumbres, titulándolas *Escenas matritenses* (1832-1842). Posteriormente publicó *Tipos y caracteres* (1843-1862) y unas interesantes *Memorias de un setentón* (1880). Su estilo, más sobrio que el de Estébanez Calderón, pero también más pobre y menos pintoresco, coincide con el de la mayor parte de los costumbristas, al ofrecernos una visión "tipificadora" en la que la realidad individual queda reducida a puros esquemas.

Serafín Estébanez Calderón (1799-1867), de origen malagueño, escribió, con el seudónimo de "El Solitario", unas *Escenas andaluzas* (1847) en las que nos ofrece una visión, llena de color y de gracia, del mundo popular andaluz. Ajeno a toda preocupación moralizadora —frecuente, en cambio, en otros escritores del género—, "observador siempre alegre, siempre benévolo, siempre dispuesto a la admiración y pronto al entusiasmo" (Lomba y Pedraja), se limita a presentarnos, *con finalidad puramente estética,* las fiestas, los tipos y hasta el lenguaje expresivo y pintoresco de su tierra.

El estilo de Estébanez Calderón se caracteriza por su abundancia en voces y giros castizos —que llegaron a él por vía oral o a través de la lectura de nuestros clásicos— y por su excesiva verbosidad, que es en parte producto de una observación detallista y prolija de la realidad. Pero, a pesar de la lentitud que esto último confiere al ritmo de la prosa, las "escenas" del "Solitario" se leen aún con gusto por la riqueza folklórica que contienen, por su animado pintoresquismo y *por su gracia típicamente andaluza,* derivada a menudo de chistosas exageraciones.

Pueden citarse, entre otras, *Un baile en Triana, La Feria de Mairena, Las gracias y donaires de Manolito Gázques, Pulpete y Balbeja,* etc. Escribió también una novela histórica, *Cristianos y moriscos* (1838), de escaso interés.

Larra

Vida y carácter. − La vida de Larra, contrariamente a su obra, en la que abundan elementos neoclásicos, lleva el sello de la época romántica. Mariano José de Larra nace en Madrid (1809). Hijo de un médico que, por haber ejercido su profesión en el ejército del rey José, tuvo que huir a Francia, hace sus primeros estudios en el país vecino.

Ya en España, unos amores desgraciados amargan su juventud: a los diecinueve años comienza su carrera periodística y a los pocos meses se casa con una mujer de la que acabará separándose. Asiste al Parnasillo y se dedica cada vez más intensamente al periodismo, lo que le proporciona grandes éxitos, aunque la censura coarta a menudo su labor. Ciertos disgustos le impulsan a viajar por el extranjero. Visita Portugal, Inglaterra, Bélgica y Francia, donde conoce a Víctor Hugo y a Dumas. Vuelve a Madrid y consigue un acta de diputado, aunque no llega a actuar porque se disuelven las Cortes.

Sus artículos alcanzan ahora una gran popularidad, pero enamorado de una mujer casada, y no hallando solución a su drama sentimental, se dispara un tiro en la sien. Tenía entonces veintisiete años (1837).

Por educación y por temperamento, *fue Larra hombre de refinada elegancia,* lo que nos explica en parte su actitud crítica frente a la sociedad de la época. El choque con el ambiente que le rodeaba y las circunstancias desgraciadas de su vida −el desengaño juvenil, el fracaso matrimonial y político, los amores adúlteros de los últimos años− *contribuyeron a agriar su carácter,* inclinándole a la misantropía. Mesonero Romanos alude en este sentido a su "innata mordacidad". No obstante, la dureza de sus juicios hay que atribuirla también al contraste entre sus firmes convicciones liberales y las realidades políticas del momento, y a la extraordinaria lucidez con que supo ver los obstáculos que se oponían a una auténtica renovación del país.

El tema del amor trágico. − Larra nos ha dejado una doble versión −novelesca y teatral− de la historia del trovador Macías. Quizás fue la relación existente entre la vida del poeta medieval y la suya propia lo que le llevó a adoptarle como protagonista de dos de sus obras, considerándole como un símbolo del amor contrariado por las normas morales.

La primera de ellas, titulada *El doncel de don Enrique el Doliente* (1834), es una novela histórica al estilo de las que por aquella época se escribían a imitación de las de W. Scott. Su acción es lenta, los personajes borrosos y la visión de la Edad Media plenamente novelesca, aunque nada encomiástica, ya que la presenta como un "caos confuso" que provoca el horror de su espíritu ilustrado. Para Menéndez Pelayo, la obra "interesa aunque no entusiasme", por "la llama de la pasión culpable y misteriosa que por todo el libro serpea".

La segunda, el drama *Macías,* fue estrenada el mismo año en que se publicó la anterior. A pesar de que en ella se respetan las tres unidades, puede considerarse como una avanzada hacia el teatro romántico, por su tono apasionado y vehemente: "el drama entero es un grito de rebeldía contra la ley moral" (Lomba y Pedraja). Desde el punto de vista literario, ni "El doncel" ni "Macías" pasan de una muy discreta medianía.

Los artículos de costumbres y la visión pesimista de la España de la época. – Larra fue, ante todo, *el mejor periodista español de su tiempo.* Lo más interesante de su producción lo constituyen, pues, sus artículos —publicados en su mayor parte entre 1832 y 1837–, en los que ocultando su nombre tras de varios seudónimos –"Andrés Niporesas", "El pobrecito hablador", "Fígaro"...–, expone su punto de vista sobre los distintos aspectos de la sociedad española de la época. Los más sugestivos y los que mejor reflejan su personalidad son aquellos en los que la descripción de una escena de costumbres contemporáneas sirve de pretexto para más amplias consideraciones.

En ellos, el color y la visión plástica del ambiente —esenciales en Estébanez Calderón y Mesonero— son lo de menos. Lo que importa ante todo es el juicio certero, *el análisis doloroso e implacable de la realidad española del momento.* Por su

Ilustración de una de las "Escenas matritenses", de Mesonero Romanos.

temperamento y formación, Larra tenía que chocar violentamente con ésta, y en efecto, sus artículos son una diatriba constante. Educado en un refinado ambiente extranjero, dotado de un sagaz espíritu crítico y de un carácter aristocrático, nuestro autor dirige la vista en torno sin hallar apenas nada que merezca su aprobación. En ningún caso vemos, como en los otros costumbristas de su tiempo, amor alguno a lo descrito. Las costumbres le parecen groseras *(El castellano viejo);* los funcionarios, perezosos *(Vuelva usted mañana);* las casas, inhabitables *(Las casas nuevas);* las diversiones, bárbaras *(Los toros)...* A menudo, ciertos rasgos de humor confieren a sus palabras un sabor cómico, pero en el fondo hay *siempre en ellos un dejo amargo que revela el desesperanzado pesimismo* del autor.

Su actitud viene a continuar la de nuestros escritores "ilustrados" del siglo XVIII: ataque a la tradición en lo que ésta pueda tener de caduco, y reforma de la Patria en un sentido europeísta. Como Cadalso, como Jovellanos, *Larra intenta mejorar lo español mirando hacia fuera,* hacia Francia. Pero lo que en el primero era ironía y en el segundo entusiasmo reformador y reflexión serena, en Larra lo vemos convertido en violenta censura con ribetes de humor amargo y en desolada y acre visión del panorama español.

El siguiente fragmento, sobre la llamada fiesta nacional —tan ensalzada por Estébanez Calderón—, puede demostrar el entronque de las ideas de "Fígaro" con las de Jovellanos, precedente suyo en el ataque contra la diversión taurina.

> Si bien los toros han perdido su primitiva nobleza; si bien antes eran una prueba del valor español, y ahora sólo son de la barbarie y ferocidad, también han enriquecido considerablemente estas fiestas una porción de medios que han añadido para hacer sufrir más al animal y a los espectadores racionales: el uso de perros que no tienen más crimen para morir que el ser más débiles que el toro y que su bárbaro dueño; el de los caballos, que no tienen más culpa que el ser fieles hasta expirar, guardando al jinete aunque lleven las entrañas entre las herraduras; el uso de banderillas sencillas y de fuego y aun la saludable costumbre de arrojar el bien intencionado pueblo a la arena los desechos de sus meriendas, acaban de hacer de los toros la diversión más inocente y más amena que puede haber tenido jamás pueblo alguno civilizado...
>
> Hasta la sencilla virgen, que se asusta si ve la sangre que hizo brotar ayer la aguja de su dedo delicado..., que empalidece al ver correr un ratón, tan tímido como ella..., la tierna casada, que en todo ve sensibilidad, se esmeran en buscar los medios de asistir al circo, donde no sólo no... se desmayan al ver vaciarse las tripas de un cuadrúpedo noble que se las pisa y desgarra, sino que salen disgustadas si diez o doce caballos no han hecho patente a sus ojos la maravillosa estructura interior del animal, y si algún temerario no ha vengado con su sangre, derramada por la arena, la razón y la humanidad ofendidas.

Un patriótico impulso de regeneración anima siempre las palabras de Larra. Dice que hay que "preparar un porvenir mejor que el presente", pero a menudo una terrible desconfianza embarga su espíritu; "escribir en Madrid es llorar", exclama desalentado.

Con los años, el pesimismo se acentúa: dos artículos escritos pocos meses antes de su muerte —"Día de difuntos" y "La Noche Buena de 1836"— representan el grado extremo de su progresivo abatimiento. He aquí las últimas palabras del primero:

> El cementerio está dentro de Madrid..., donde cada casa es el nicho de una familia, cada calle el sepulcro de un acontecimiento, cada corazón la urna cineraria de una esperanza o de un deseo... Tendí una última ojeada sobre el vasto cementerio. Olía a muerte próxima... Una noche sombría lo envolvió todo. Era la noche. El frío de la noche helaba mis venas. Quise salir violentamente del horrible cementerio. Quise refugiarme en mi propio corazón, lleno no ha mucho de vida, de ilusiones, de deseos.
> ¡Santo cielo! También otro cementerio. Mi corazón no es más que otro sepulcro. ¿Qué dice? Leamos. ¿Quién ha muerto en él? ¡Espantoso letrero! ¡Aquí yace la esperanza!
> ¡Silencio, silencio!

Los artículos de tema político. – Los escritos de asunto político —en los que intervino frecuentemente la censura— se hallan también empapados de *ideología liberal*. Su raíz enciclopedista se advierte en la crítica de la tradición y del absolutismo, en el elogio del "progreso" y de la "tolerancia", o en la exaltación de la libertad. Recuérdese su divisa: "Libertad en literatura, como en las artes, como en la industria, como en el comercio, como en la conciencia". Libertad y democracia, como cuando defiende "la igualdad absoluta ante la ley", aunque en otro momento el malhumor le haga exclamar: "En materia de sociedad somos enteramente aristocráticos. Dejamos la igualdad de los hombres para la otra vida, porque en ésta no la vemos tan clara como la quieren suponer".

En estos artículos —que tuvieron un éxito superior al de los costumbristas— puede observarse también una desilusión progresiva; pero en todos la nota esencial la da la crítica acerba del ambiente político de España, en la que sólo ve "un campo de batalla". Pueden citarse, *Nadie pase sin hablar al portero* y *La planta nueva o el faccioso,* en los que, de acuerdo con sus ideas, ataca al pretendiente Don Carlos, y el violento *Dios nos asista.*

Los artículos de crítica literaria. – Aunque en la estética de Larra se observa un progresivo acercamiento al Romanticismo —como lo demuestra su defensa de la libertad en el arte, el elogio de Shakespeare y del teatro nacional español, y la idea, tomada de Víctor Hugo, sobre la necesidad de una literatura que sea "expresión de la época" y se oriente hacia el mejoramiento social—, sus artículos de crítica literaria demuestran una postura *ecléctica* con predominio de los puntos de vista neoclásicos y enciclopedistas. Por esto recomienda "Ariosto al lado de Virgilio, Racine al lado de Calderón, Molière al lado de Lope" y cree que el escritor debe reflejar "la verdad" y contribuir al "progreso", con una obra "útil".

Más interés que sus opiniones en torno a la literatura —en verdad poco originales— ofrecen sus juicios sobre el teatro del momento. Sus artículos comentando el estreno de "Aben Humeya", "La conjuración de Venecia", "El Trovador" y "Los amantes de Teruel" demuestran un agudo sentido crítico que sabe discernir los auténticos valores, separándolos de las exageraciones que la moda romántica llevaba frecuentemente consigo.

El estilo. – *Larra no es un estilista.* Su sentido crítico y de observación psicológica es muy agudo, pero le falta imaginación y, además, no acierta siempre a dar con la forma expresiva adecuada a su pensamiento. "De ahí el contraste entre la idea penetrante, intencionada, y la expresión árida unas veces, ampulosas otras" (Lapesa).

Como ya indicamos, abundan los momentos de *humor,* pero es un humor frecuentemente sarcástico que se hallan muy lejos de la benévola ironía de un Mesonero Romanos y que encierra siempre un fondo amargo porque tiene su raíz en el temperamento descontentadizo del autor y en su desolada visón de la realidad española.

Valor y significación de la obra de Larra. – *El valor fundamental de la obra de Larra estriba, más que en la forma, en el contenido, producto, en parte, de una despierta facultad razonadora.* No es un creador de belleza, pero en una época en que la vida se contempla con los ojos de la fantasía, *sabe percibir con agudo espíritu crítico los más diversos matices de la realidad nacional del momento.* En este sentido podríamos decir que es el menos romántico de su generación; no obstante, su propia vida, agitada por violentas pasiones, la profunda sinceridad de sus acres y desoladas reflexiones y su dramática insatisfacción, permiten considerarle como el más auténtico representante del Romanticismo en España, a pesar de la factura clásica de su obra.

El ideario de Larra —derivado en lo esencial del pensamiento enciclopedista— puede haber envejecido, pero su reacción dolorosa frente a lo español, llena de grave sinceridad, hacen de él uno de los valores máximos de la época. Hondamente preocupado por lo que más adelante se llamará "el problema nacional", viene a situarse en una línea que, partiendo de los grandes ensayistas del siglo XVIII, se prolongará hasta la generación del 98, momento en que su nombre será objeto de fervoroso entusiasmo. Como más tarde a Unamuno, a Larra "le dolía España"; en este sentido, su profunda e íntima inquietud por la vida española y *su angustiosa obsesión por el porvenir de la Patria,* le confieren un aire de modernidad que no hallamos en otros escritores de su tiempo.

La novela histórica

La narración imaginativa se orientó a principios de siglo hacia la evocación de épocas pretéritas —la Edad Media sobre todo—. En España se empezó con ínfimos relatos de tipo sentimental o terrorífico y abundantes traducciones, pero desde la década de 1830 hubo una amplia producción original de novelas históricas, inspiradas en las de Walter Scott. Ello hubiera podido representar una resurrección del género novelesco, pero la escasa —a veces nula— calidad de casi todo lo que se escribió, ha hecho que la novela histórica del Romanticismo haya caído totalmente en el olvido. La imitación de Walter Scott y de Víctor Hugo o de Dumas, se llevó a cabo aprovechando los elementos externos —lances caballerescos, ambientes legendarios, truculentas historias de odios y amores...— sin atender a la realidad psicológica ni a la verdad histórica, y el género quedó reducido a una falsa visión de la Edad Media, *sin interés literario alguno en la mayoría de los casos.* Sólo la obra de Gil y Carrasco merece hoy la atención del lector.

Ramón López Soler inició en 1830 la producción original con una imitación del "Ivanhoe" de W. Scott, titulada *Los bandos de Castilla,* en cuyo prólogo realizó una apasionada defensa del movimiento romántico.

Pocos años más tarde aparecieron *El doncel de don Enrique el Doliente* (1834), de **Larra**; *Sancho Saldaña* (1834), de **Espronceda**; *Cristianos y moriscos,* (1838), de **Estébanez Calderón**, y *Doña Isabel de Solís* (1837), de **Martínez de la Rosa**, todas ellas de muy poco valor.

Enrique Gil y Carrasco. — Nació en Villafranca del Bierzo (León) y murió en Berlín (1846) a los treinta y un años, cuando realizaba una misión diplomática. Nos ha dejado varios opúsculos y alguna delicada poesía —"La violeta", por ejemplo—, pero lo más importante de su producción lo constituye la novela titulada *El señor de Bembibre* (1844).

La acción, situada en el siglo XIV, es como sigue. Durante la ausencia de don Alvaro, su prometida, doña Beatriz, se ve obligada a casarse con el Conde de Lemus. Aquél ingresa en la Orden del Temple y en una batalla mata a su rival. Disuelta más tarde la Orden y libre don Alvaro de sus votos, logra unirse en matrimonio con doña Beatriz, que afectada por grave enfermedad muere al poco tiempo.

El mérito de la obra no reside en la evocación histórica —de dudosa exactitud— ni en la acción —excesivamente lenta— ni en el trazado de los personajes —caracterizados con demasiada ingenuidad—, sino *en el ambiente que enmarca los sucesos.* Un dulce lirismo inunda sobre todo el paisaje, que aparece, quizás por primera vez en nuestra literatura, con un valor substantivo. El autor nos ofrece un ciclo completo del paisaje del brumoso Bierzo, haciéndolo coincidir —según un típico procedimiento de la época— con los estados de ánimo de los personajes:

> A la manera que el agua de los ríos se tiñe de los diversos colores del cielo, así el espectáculo del mundo exterior recibe las tintas que el alma le comunica en su alegría o dolor... El mundo, mirado desde las playas de la soledad, y al través del prisma de las lágrimas, sólo tiene resplandores empañados y frondosidades marchitas...

En estas líneas, el autor nos da la clave de párrafos como el que sigue:

> Las tórtolas arrullaban entre los castaños y el murmullo del Cúa tenía un no sé qué de vago y adormecido que inclinaba el alma a la

meditación. Difícil era mirar sin enternecimiento aquella escena sosegada y melancólica y el alma de doña Beatriz, tan predispuesta a esta clase de emociones, se entregaba a ellas con toda el ansia que sienten los corazones llagados...

Es esta nota de *suave tristeza* y de melancólica ternura la que da el tono de la obra y lo que mejor revela la fina y emocionada sensibilidad del más interesante de nuestros novelistas románticos.

La novela histórica siguió cultivándose hasta la época de la Restauración, como lo acreditan, por ejemplo, la producción de Fernández y González y la de Navarro Villoslada, de quienes volveremos a ocuparnos.

La prosa doctrinal

La erudición y la crítica: Gallardo. — Tras los nombres de Böhl de Faber, Durán, Alcalá Galiano y otros, merece recòrdarse el de Bartolomé José Gallardo (1776-1852); hombre de ideas enciclopedistas —por las que fue perseguido—, publicó una serie de folletos satíricos de tipo político y literario, pero lo que hoy importa de su producción es el *Ensayo de una Biblioteca de libros raros y curiosos,* valiosísima colección de datos histórico-literarios que denotan una portentosa erudición bibliográfica.

La Historia: el Conde de Toreno. — José María Queipo de Llano, Conde de Toreno (1786-1843), es quizás el mejor historiador de su tiempo. Escribió una *Historia del levantamiento, guerra y revolución de España* (1838) en la que narra con gran amenidad la guerra de la Independencia. La obra se adapta todavía al concepto clásico de la historia como arte, y su estilo, sencillo y elegante, se halla inspirado en los autores del Siglo de Oro, sobre todo en Mariana, a quien imita en el uso moderado del arcaísmo.

La oratoria y el ensayo: Donoso Cortés. — La efervescencia ideológica de la época dio lugar, por un lado, al desarrollo de la oratoria política, por otro, a la aparición del ensayo polémico. En uno y otro aspecto, sobresale la figura de Juan Donoso Cortés, Marqués de Valdegamas (1809-1853). Procedente del campo liberal, acabó adoptando *una posición ultraconservadora,* lo que le llevó a defender con dureza las concepciones católicas y la política autoritaria en un *Ensayo sobre el catolicismo, el liberalismo y el socialismo* (1851), que trasluce el comienzo de las inquietudes sociales promovidas por la revolución de 1848. Desde el punto de vista literario, su producción más conseguida es, tal vez, el *Discurso sobre la Biblia,* en la que hace un ardiente elogio de los Libros Sagrados.

El temperamento de Donoso Cortés se refleja en su *estilo apasionado y grandilocuente;* su obra, llena de imágenes brillantes y de locuciones de un gran vigor expresivo, es un ejemplo de prosa retórica. No en vano decía de él Menéndez y Pelayo que más que filósofo era discutidor y polemista, y más aun que polemista, orador.

El filósofo Jaime Balmes.

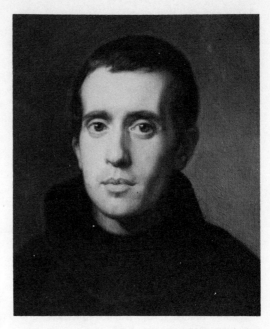

Como Donoso, los oradores políticos de la época, prefirieron utilizar en sus discursos un tono solemne y aparatoso y adornar sus amplios párrafos con todo género de recursos efectistas.

La filosofía: Jaime Balmes. — Frente a la ideología liberal, defendieron el punto de vista conservador y católico una serie de escritores entre los que destaca Jaime Balmes. Nacido en Vich (1810), se ordenó sacerdote e intervino en las campañas políticas de su tiempo, aconsejando el matrimonio de Isabel II con el hijo de D. Carlos, con el fin de solucionar el problema dinástico. Murió a los treinta y ocho años. Su obra fundamental es *El protestantismo comparado con el catolicismo,* en la que, frente a Larra, que en algún momento había declarado su simpatía por la cultura protestante, pone de relieve el papel civilizador de la Iglesia Católica. De índole propiamente filosófica son la *Filosofía fundamental* (1846) y *El Criterio* (1845), que viene a ser en el fondo un elemental tratado de lógica.

El estilo es claro y preciso, pero de escaso interés artístico. "Balmes —dice Menéndez y Pelayo— parece un pobre escritor comparado con el recio estilo de Donoso." Su filosofía, en la que se advierten influencias de Santo Tomás, Descartes, Leibniz y la escuela escocesa, es —como afirma el gran polígrafo montañés—, no la de "un puro metafísico", pues Balmes fue ante todo *"un admirable polemista"* que *"hizo cuanto pudo para divulgar la ciencia filosófica y hacerla llegar a las inteligencias más humildes."* Su pensamiento, guiado siempre por un admirable buen sentido, ejerció un bienhechor influjo sobre la cultura española del momento.

BIBLIOGRAFIA

Ediciones

Mesonero. Ed. Aguilar.
Estébanez Calderón. Col. Austral. — B. A. E. 1955.
Larra. J. R. Lomba. Clás. Cast., 1923, 27, 29. — B. A. E. 4 vols., 1960.
Gil y Carrasco. B. A. E. 1954.
Donoso Cortés. B. A. C.
Balmes. B. A. C.

Estudios Generales

D. Franco: *España en carne viva*. (Sobre *Larra*, *Donoso*, *Balmes*.) En "La preocupación de España en su literatura" (Antología), 1944.
E. Allison Peers: *La rebelión romántica* (1800-1837). En "Historia del movimiento romántico español". Vol. I. *Aparición y triunfo del eclecticismo* y *La pervivencia del romanticismo* (1837-1860). Id., vol. II, 1954.
Max Aub: *La prosa española del siglo XIX*. (Prólogo, selección y notas de M. A.) Vol. II, 1953.

Costumbrismo

A. Cánovas del Castillo: *El Solitario y su tiempo*, 1883.
C. de Burgos: *Larra, Fígaro*, 1909.
Azorín: *Larra y Larra y Mesonero*. En "Lecturas españolas", 1912.
Azorín: *Rivas y Larra*, 1916.
J. Lomba y Pedraja: *Cuatro estudios en torno a Larra*, 1936.
R. Bautista Moreno: *Larra*, 1951.
Número extraordinario de la revista "Insula", 188-189, dedicado a *Larra*. Julio-Agosto, 1962.
M. Baquero Goyanes: *Perspectivismo y crítica en Cadalso, Larra y Mesonero Romanos*. En "Perspectivismo y contraste", 1963.
Número extraordinario en homenaje a Larra. Revista de Occidente. Mayo, 1967.
C. Alonso: *Larra y Espronceda*. En "Literatura y poder". Madrid, 1971.
C. Seco Serrano: *Sociedad, literatura y política en la España del siglo XIX*. Madrid, Guadiana, 1973. (Estudios sobre *Larra* y *Mesonero Romanos*.)

Novela

A. González-Blanco: *Historia de la novela en España desde el Romanticismo*, 1909.
G. Zeller: *La novela histórica en España*, 1938.
F. Hernández Girbal: *M. Fernández y González*, 1931.
R. Gullón: *Cisnes sin lago*. (Vida y obra de E. Gil y Carrasco.) 1952.
J. F. Montesinos: *Introducción a una historia de la novela en España en el siglo XIX*. Castalia, 1955.
J. F. Montesinos: *Costumbrismo y novela*, 1960.
J. I. Ferreras: *Orígenes de la novela decimonónica*. Taurus, 1973.

Prosa doctrinal

P. Saínz Rodríguez: *Introducción a la obra de B. J. Gallardo*. En "Evolución de las ideas sobre la decadencia española", 1962.
M. Menéndez y Pelayo: *Historia de los heterodoxos españoles*. (Sobre *Balmes* y *Donoso Cortés*.)
E. Schramm: *Donoso Cortés*, 1936.
I. Casanovas: *Balmes. Su vida, sus obras y su tiempo*. Barcelona, 1942.
F. Suarez: *Introducción a Donoso Cortés*. Madrid, 1964.
F. Saínz de Robles: *Balmes*. Madrid, 1964.
J. Larraz: *Balmes y Donoso Cortés*. Madrid, 1965.

espronceda y los poetas románticos

54

La poesía del Romanticismo

Si los poetas de fines del siglo XVIII y principios del XIX habían dado entrada a elementos de tipo prerromántico —color, exotismo, vibración sentimental—, sin abandonar los principios estéticos del neoclasicismo —corrección, sensatez, buen gusto—, los románticos, aun manteniendo ciertos resabios estilísticos de la centuria anterior, representan una ruptura total con la tradición clasicista.

En el terreno de la métrica, proceden con libertad absoluta *inventando ritmos y rehabilitando estrofas;* en el de los temas, arrinconan los motivos bucólicos y mitológicos para dedicar su atención a la *historia y leyenda nacional o a la expresión de lo íntimo;* en el del estilo, olvidan las nociones neoclásicas de armonía y atildamiento, para instaurar en su lugar las de vehemencia, expresividad y energía. Rotos todos los frenos, la poesía consigue efectos insospechados de *color, sonoridad* o *emoción,* para caer a veces en abismos de vulgaridad y palabrería.

En términos generales, *lo mejor de la producción en verso del Romanticismo español se halla en el campo de la poesía narrativa y en el de la expresión, coloreada y musical, de lo plástico.* Es en el relato animado y dramático o en la viva pintura de la realidad donde se alcanzan los más altos logros; los romances del Duque de Rivas, "El estudiante de Salamanca" de Espronceda y las leyendas de Zorrilla son los ejemplos más significativos. Tan sólo ciertos poetas menores se orientarán por los caminos de lo íntimo. Bécquer y Rosalía de Castro conseguirán a su vez crear un mundo esencialmente lírico y ofrecernos su sentir con formas depuradas e intensas; pero estas dos grandes figuras pertenecen ya a otra generación.

De los tres grandes poetas de la época romántica —Rivas, Espronceda, Zorrilla—, estudiaremos a continuación la obra del segundo, dejando para otros capítulos la de los restantes.

Espronceda

Vida y carácter. — José de Espronceda nace accidentalmente en Almendralejo (Badajoz) el año crucial de 1808. Se educa en Madrid en el colegio de don Alberto Lista y pronto su temperamento impulsivo le lleva a presidir —siendo todavía muchacho— la sociedad secreta "Los numantinos". Ello le vale una temporada de encierro en un convento de Guadalajara, pasada la cual se dirige a Portugal en busca de aventuras. Allí se enamora de Teresa Mancha, hija de un liberal emigrado, y la sigue a Londres. La política le atrae de nuevo: toma parte activa en la revolución francesa de 1830 y en un complot —que fracasa— contra el régimen absolutista de Fernando VII. Al volver a París encuentra a Teresa ya casada y la rapta.

La amnistía de 1832 le permite volver a España, aunque se ve perseguido por su tendencia liberal progresista. Luego es sucesivamente Guardia de Corps, orador republicano, Secretario de la Legación en La Haya —donde reside poco tiempo— y diputado. Mientras tanto, Teresa le abandona; el poeta consigue atraerla de nuevo, pero ella huye definitivamente hasta que años más tarde (1839) la encuentra por azar de cuerpo presente. En 1842 Espronceda muere también de una afección en la laringe, a los treinta y cuatro años de edad, cuando estaba a punto de contraer matrimonio.

Larra y Espronceda son por su vida las dos figuras más representativas del momento romántico español: en ambos vemos idéntica turbulencia sentimental, el mismo gesto de desengaño ante el fracaso de las ilusiones. Pero si aquél, por un aristocrático sentido de contención, sabe poner sordina a la expresión de su íntimo desasosiego, en éste *todo adquiere un tono estridente y frenético. Espronceda es el poeta de la desesperación y del entusiasmo.* Y ello nos señala otra diferencia. En "Fígaro" hay siempre un fondo de auténtica amargura, de negro e invencible pesimismo; por el contrario, la obra del cantor de Teresa trasluce un *temperamento vital,* pronto a reaccionar ante cualquier estímulo doloroso o placentero, pues aunque su concepto del mundo sea esencialmente negativo —"sólo en la paz de los sepulcros creo..."—, le veremos frecuentemente vibrar ante todo cuanto signifique exaltación impetuosa de la vida.

La breve existencia de Espronceda nos ofrece, con su arrebatado dinamismo y su gesticulante agitación, el más fiel reflejo de la fiebre romántica en su aspecto más externo.

El estilo. — Espronceda es tal vez *el poeta más variado y completo de la generación romántica.* Decía Lista que su talento era "como una plaza de toros muy grande, pero con mucha canalla dentro", dando a entender su gran capacidad creadora y al propio tiempo el confuso revoltijo que se observa en sus versos, en los que alternan verdaderos aciertos con vulgaridades y momentos de prosaísmo y mal gusto.

Su obra, *poco depurada* y a menudo *excesivamente efectista,* se halla vinculada con los procedimientos más triviales de la retórica romántica: recuérdense los veinte "ayes" del Canto a Teresa y la frecuencia con que se reiteran expresiones como "punzante alarido", "sordo acento lúgubre", "funeral guarida", "rostro cadavérico", "tiniebla de horror"...

No obstante, si prescindimos de estos defectos, de los que —como acabamos de ver— en gran parte sólo es responsable el gusto de la época, podremos afirmar que Espronceda poseía dotes de gran poeta. Así lo acreditan su *potente imaginación,* el *vigor plástico* de sus imágenes y la *rotunda musicalidad* de sus estrofas.

Las composiciones poéticas de los comienzos. — Espronceda inicia su carrera literaria con versos de factura neoclásica. Algunas composiciones de esta época —*Serenata, El pescador*— ofrecen un estilo atildado y una graciosa forma; otras —el *Himno al sol*— pueden enlazarse por su rotunda retórica con la tradición herreriana mantenida por Lista. A este momento inicial corresponde también el poema incompleto titulado *Pelayo,* en el que a pesar de la corrección clásica de sus octavas reales, se advierten ya elementos románticos, tanto en el léxico como en el brío de las descripciones.

Las composiciones breves de tipo romántico. — Tras los primeros tanteos neoclásicos, Espronceda encuentra en el Romanticismo el estilo y los temas más adecuados a sus sentimientos e ideas. Corresponden a esta segunda época dos extensos poemas y una serie de breves composiciones que en conjunto representan *una violenta protesta contra la sociedad y su conservadurismo, y hasta contra la vida misma.* Una variada galería de tipos excepcionales —el pirata, el cosaco, el mendigo, el verdugo, el condenado a muerte— sirven de pretexto para poner de relieve la corrupción de la sociedad.

La célebre *Canción del pirata* es un brioso canto a la libertad en el que se evidencia el individualismo anarquizante y byroniano del poeta:

> Que es mi barco mi tesoro,
> que es mi Dios la libertad
> mi ley la fuerza y el viento,
> mi única patria la mar...

El impetuoso *Canto del cosaco* presenta la imagen de una Europa decadente frente al salvaje ímpetu vital de los cosacos del desierto. La desgarrada poesía *El mendigo* nos muestra el cínico desprecio del pordiosero por una sociedad cobarde que le complace a pesar de resultarle repulsivo, y el elogio de su vida, miserable, pero "como el aire, libre..." *El verdugo* manifiesta por su parte el resentimiento de éste contra los hombres de cuyo odio se considera víctima. *El reo de muerte,* en fin, ofrece en estridente contraste, el placer y el dolor, el rumor de una bacanal y los "sueños de angustia" del condenado.

Todas ellas equivalen a un gesto de repulsa contra una sociedad cohibida por convencionalismos, degenerada hasta el afeminamiento, cobarde y timorata, cruel e indiferente al dolor. Pero el poeta va más allá y en la popularísima composición *A Jarifa en una orgía* nos expresa su profundo hastío y su amargo desengaño de la vida misma:

> Mujeres vi de virginal limpieza
> entre albas nubes de celeste lumbre;
> yo las toqué, y en humo su pureza
> trocarse vi y en lodo y podredumbre.
>   Y encontré mi ilusión desvanecida
> y eterno e insaciable mi deseo:
> palpé la realidad y odié la vida;
> sólo en la paz de los sepulcros creo...
>   Muere infeliz; la vida es un tormento,
> un engaño el placer; no hay en la tierra
> paz para ti, ni dicha ni contento,
> sino eterna ambición y eterna guerra.

Varias de estas poesías —publicadas en 1840— abundan en estridencias pueriles y en gestos desorbitados, pero en casi todas la dicción es enérgica y la versificación suelta y variada.

Un gran poema narrativo: "El estudiante de Salamanca". — En este extenso poema, Espronceda abandona las preocupaciones sociales para ofrecernos en brillante relato la leyenda de don Félix de Montemar, que tras abandonar a su amada doña Elvira y matar en duelo al hermano de ésta, contempla su propio entierro y celebra sus desposorios en la cripta de una iglesia con el fantasma de aquélla.

El estudiante de Salamanca (1840) es sin disputa su obra cumbre. Las figuras de los protagonistas en dramático contraste —arrogante y donjuanesco él; suave y delicadamente femenina ella—, están trazadas con firmes rasgos; la narración se desenvuelve con admirable soltura; el ambiente y las escenas se hallan descritos con imágenes de sorprendente plasticidad —el duelo del comienzo, la persecución nocturna de "la blanca dama", la danza de los espectros en la cripta...—, y, en fin, la versificación ofrece una riquísima variedad de ritmos que el poeta adapta hábilmente a las situaciones. En ningún caso como aquí Espronceda despliega tan brillantemente sus dotes características: imaginación, fuerza plástica, dominio de lo musical.

Véanse estas estrofas en las que el ritmo intenta dar la sensación de un estrépito cada vez mayor:

> Y en rápido crescendo,
> los lúgubres sonidos
> más cerca vanse oyendo
> y en ronco rebramar...
>   Y algazara y gritería,
> crujir de afilados huesos,
> rechinamiento de dientes
> y retemblar los cimientos
> y en pavoroso estallido
> las losas del pavimento
> separando sus junturas
> irse poco a poco abriendo,
> siente Montemar...

> Todo en furiosa armonía,
> todo en frenético estruendo,
> todo en confuso trastorno,
> todo mezclado y diverso.
>   Y luego el estrépito crece
> confuso y mezclado en un son,
> que ronco en las bóvedas hondas
> tronando furioso zumbó...
>   Y de pronto en horrendo estampido
> desquiciarse la estancia sintió
> y al tremendo tartáreo ruido
> cien espectros alzarse miró...

Y entonces la visión del blanco velo
al fiero Montemar tendió una mano,
y era su tacto de crispante hielo
y resistirlo audaz intentó en vano:

galvánica, cruel, nerviosa y fría,
histérica y horrible sensación
toda la sangre coagulada envía
agolpada y helada al corazón...

Un intento ambicioso: "El diablo mundo". – Según dice el mismo Espronceda, *El diablo mundo* (1840), donde se observan influencias del "Fausto", y de "L'ingénue" de Voltaire, quiere ser un "cierto trasunto del hombre y su quimera, tras de que va la humanidad entera". Trátase, pues, de un poema de fondo simbólico, en el que el autor intenta con dudoso resultado dar forma poética a una serie de problemas metafísicos –Dios, el Hombre, el sentido de la Vida y de la Muerte...–, valiéndose de elementos líricos y narrativos. Su eje es la vida de un personaje fantástico, Adán, que, rejuvenecido por arte de magia, sufre en su segunda existencia una serie de desengaños.

La obra, que el autor dejó inacabada, se halla dividida en seis cantos, el segundo de los cuales lo constituye el célebre *Canto a Teresa*. En su conjunto, es la más desigual de toda la producción de Espronceda; sin un plan definido, produce el efecto de una serie de improvisaciones en las que al lado de verdaderos aciertos –el canto a Teresa, el canto de la Muerte– encontramos fragmentos de valor poético nulo. El fondo ideológico refleja el escepticismo pesimista del autor –que aquí, como en ninguna otra obra, se nos muestra incurso en la línea del romanticismo revolucionario–, y la expresión cambia constantemente, alternando la mayor intensidad lírica con el más prosaico realismo, y lo dramático con los más agrios sarcasmos.

En el *Canto a Teresa*, ajeno al resto del poema, Espronceda recuerda emocionadamente la historia de su amor, siguiendo la típica trayectoria romántica: la ilusión inicial, el choque con la cruda realidad, el desengaño doloroso.

...Tú fuiste un tiempo cristalino río,
manantial de purísima limpieza;
después torrente de color sombrío,
rompiendo entre peñascos y maleza,
y estanque en fin de aguas corrompidas,
entre fétido fango detenidas...

Hasta el desgarrado final del canto –tras la ternura de los primeros versos– refleja la personalidad del autor y el estilo de la época:

José de Espronceda, símbolo de toda una generación.

El ambiente oriental constituye el eje de muchas composiciones románticas.

Brilla radiante el sol, la primavera
los campos pinta en la estación florida:
truéquese en risa mi dolor profundo...
Que haya un cadáver más, ¿qué importa
al mundo?

El "Canto a Teresa", escrito en rotundas octavas reales, es uno de los más altos ejemplos de la poesía romántica española, por su sincera emoción y su belleza formal.

Otras obras de escasísimo interés son la novela histórica *Sancho Saldaña* (1834) y el drama titulado *Blanca de Borbón*.

Valor y significación de la poesía de Espronceda. – Espronceda es el primer poeta de su generación. Comparándole con otras figuras europeas, echamos de menos en él la pura intensidad lírica, la sinceridad y la hondura de Keats, de Shelley, de Leopardi. Si contrastamos sus versos con los de Rivas o Zorrilla, vemos que el primero le aventaja en pulcritud de forma y el segundo en fluidez musical. No obstante, su obra tiene un gran interés, no sólo como *síntesis variada de procedimientos y actitudes románticas*, sino por el *nervio y vigor de su dicción poética*.

Los poetas menores

Como ya indicamos, junto a las figuras más destacadas de la primera generación romántica —Rivas, Espronceda, Zorrilla— se sitúan una serie de poetas menores que, no obstante su papel secundario, ofrecen a veces en su producción —sin dejar de participar de las notas comunes a la poesía del momento— ciertas muestras de un tipo de lirismo que contrasta, por su ligereza expresiva y su adentramiento en el terreno de lo íntimo, con el "tono mayor", la brillantez narrativa y el gusto por los efectos sonoros, propios de aquéllos. Así se observa, en una forma u otra, en Pastor Díaz, Gil y Carrasco, Carolina Coronado...

Arolas. – El escolapio barcelonés Juan Arolas (1805-1849), que murió en Valencia con la mente perturbada, nos ha dejado unas "Poesías" (1840-1843) *orientales y caballerescas* en las que la nota esencial la da el colorido brillante y una lánguida sensualidad. En las primeras, donde es patente la influencia de Víctor Hugo, un exotismo fácil de odaliscas, harenes y sultanas, se alía al tema erótico, expresado en un tono voluptuoso. Se han hecho célebres "La odalisca" y "A una bella" (Sé más feliz que yo). Las segundas, influidas por Rivas y Zorrilla, nos ofrecen la visión novelesca de la Edad Media, típica del momento. En general, la poesía de Arolas, poco consistente, interesa más que nada por su *riqueza cromática*.

Nicomedes Pastor Díaz, político de origen gallego (1811-1863), representa en nuestra poesía romántica *la melancolía amorosa, el pesimismo lúgubre, el patetismo macabro,* en una forma frecuentemente retórica. Unas cuantas expresiones escogidas al azar nos señalan la diferencia entre Arolas y Pastor Díaz; si en el primero encontramos "festín de amores", "mar azul", "hurí de aroma", "purpúreos labios"..., en el segundo hallamos, en cambio, "negro ataúd", "pálida luna", "espíritu vago", "sombra aérea", "lámpara sepulcral"... Sobresalen entre sus composiciones la dedicada *A la luna* y la que lleva por título *La mariposa negra*, impregnada de un misterioso simbolismo muy de época y muy a tono con el espíritu lírico de Galicia. Sus *Poesías* fueron publicadas en 1840. Pastor Díaz figura también entre los iniciadores del renacimiento de la poesía gallega, gracias a varias composiciones juveniles: *A Alborada* y la égloga *Belmiro e Benigno*.

García Tassara. — Como las dos poetisas de quienes vamos a hablar, Gabriel García Tassara prolonga su producción hasta bien entrada la segunda mitad del siglo. Nació en Sevilla (1817-1875) y fue embajador de España en Washington. Su poesía no incide apenas en la intimidad sentimental y refleja, en cambio, *las preocupaciones políticas y sociales de la época* desde un punto de vista conservador; sus versos —se ha dicho— parecen un eco de las arengas de Donoso Cortés. El estilo, eminentemente retórico y grandilocuente, recuerda en algo el de las composiciones patrióticas de Quintana. Merecen citarse el *Himno al Mesías,* de tono profético, y la poesía amorosa dedicada *A Laura,* editadas en 1872.

Gertrudis Gómez de Avellaneda. — Nació en Cuba, pero pasó la mayor parte de su vida en España (1814-1873). Su obra poética se caracteriza *por la energía y el brío* con que expresa sus sentimientos, llenos de pasión y nostalgia, y por una *riqueza de versificación* que hace pensar en Zorrilla, de quien se notan influencias. El amor, tema capital de sus poesías, aparece primero con un sentido humano —en las composiciones dirigidas a Tassara— para tomar más tarde una orientación religiosa, siguiendo

Gertrudis Gómez de Avellaneda

las huellas de la Biblia. Pueden citarse entre otras las tituladas *Al mar, Amor y orgullo,* etc. Escribió también algún drama histórico y varias novelas en las que observamos un sentimentalismo a lo Jorge Sand, por ejemplo, en *Sab.* Su primera colección de *Poesías* data de 1841.

Carolina Coronado. — Nació en Almendralejo (1823), vivió en Madrid y, casada con un diplomático norteamericano, sus salones fueron uno de los ejes del ambiente literario de la época. Murió en Portugal a los ochenta y ocho años. La obra de Carolina Coronado —de la que ha dicho donosamente Gómez de la Serna que quería ser "poetisa" frente a la Avellaneda, que quería ser "poeta"— se distingue por su *femenina delicadeza,* por la *ternura apasionada* de sus versos y por su sencilla forma, que adopta a menudo un tono de vaga y aérea musicalidad. Su composición más lograda es *El amor de los amores,* en la que es patente la influencia del Cantar de los Cantares y donde los límites entre el amor humano y divino no quedan suficientemente definidos. Sus *Poesías* se publicaron en 1852.

Otras figuras. — Dignos de mención son también **Pablo Piferrer** (1818-1848), autor de unos pocos pero muy melodiosos versos, y el novelista **Enrique Gil y Carrasco,** delicado cantor de "La violeta".

BIBLIOGRAFIA

EDICIONES
Antología de la poesía romántica. M. Altolaguirre. Col. Austral.
Espronceda. J. Moreno Villa. Clás. Cast. — Obras completas, Aguilar, 1951. — B. A. E.
Arolas. J. R. Lomba. Clás. Cast.
Gómez de Avellaneda. Col. Austral.

ESTUDIOS
E. Allison Peers: *La rebelión en la poesía lírica y narrativa (1834-1837)* y *La pervivencia del romanticismo (1837-1860).* En "Historia del movimiento romántico español". Vols. I y II.
V. Gaos: *La poesía española en el siglo XIX.* En "Temas y problemas de la literatura española", 1959.
J. Valera: *Del Romanticismo en España y de Espronceda* (1854). En "Ensayos", I.
J. Cascales Muñoz: *D. José de Espronceda: su época, su vida y sus obras,* 1914.
J. Casalduero: *Forma y visión de El Diablo Mundo de Espronceda,* 1951.
D. Indurain: *Análisis formal de la poesía de Espronceda.* Madrid, 1971.
G. Carnero: *Espronceda.* (Introducción y analogía.) Madrid, Júcar, 1974.
P. Salinas: *Espronceda (La rebelión contra la realidad.)* En "Ensayos de literatura hispánica", 1958.
J. Casalduero: *Espronceda.* Ed. Gredos, 1961.
J. R. Lomba y Pedraja: *Arolas. Su vida y sus obras,* 1898.
E. Chao Espina: *Pastor Díaz dentro del Romanticismo.* Anejos Rev. Fil. Esp.
M. Méndez Bejarano: *Tassara. Nueva biografía crítica,* 1928.
E. Cotarelo: *La Avellaneda y sus obras.* Bol. R. Acad. Esp., 1928-1930.
M. Ballesteros: *Vida de Avellaneda,* 1949.
C. Bravo Villasante: *Una vida romántica: La Avellaneda.* Madrid, 1967.
R. Gómez de la Serna: *Mi tía Carolina Coronado,* 1942.
R. Carnicer: *Vida y obras de Pablo Piferrer.* Madrid, 1963.

el drama romántico 55

El género dramático en la época romántica

Cuando los dramas románticos comienzan a invadir los escenarios madrileños, el teatro español se halla en franca decadencia. Insulsas comedias moralizadoras de imitación moratiniana y frías tragedias clásicas a lo Quintana, constituyen la única producción original. Fuera de ellas, sólo encontramos traducciones de obras extranjeras o representaciones de ópera. De ahí que la nueva escuela dramática, llena de ímpetu juvenil, alcance un rotundo éxito ante un público que en el fondo no había aceptado nunca el teatro clasicista.

En cuanto al estilo, el teatro romántico *representa una absoluta ruptura con la preceptiva del siglo anterior:* se une audazmente la prosa con el verso y lo trágico con

"Tuya fuí, tuya soy; en pos del tuyo mi enamorado espíritu se lanza". Escena final de "Los Amantes de Teruel", de Hartzenbusch. Grabado de la época.

lo cómico, se hace caso omiso de las tres unidades y se dota a las obras de una mayor variedad y dinamismo.

Por lo que se refiere a los temas, predomina el drama histórico; *la atención se centra en la tradición nacional,* y los motivos épicos medievales, que habían ya pasado al teatro del siglo XVII, vuelven a aflorar de nuevo para sumarse a otros de la época de los Austrias.

En cuanto a su espíritu, el drama del Romanticismo, atento sólo a la sacudida emocional, recurre a toda clase de *efectismos, contrastes y sorpresas.* Todo adquiere en él un carácter estridente: las pasiones de los personajes, arrastrados frecuentemente por un destino aciago; las situaciones, llenas de un terrible patetismo; los gestos, desorbitados y enfáticos...; hasta la escenografía, casi inexistente en el teatro clásico, utiliza los más aparatosos recursos para lograr una impresión intensa.

En conjunto, el teatro romántico, que debe mucho al del siglo XVII —no sólo en cuanto a los temas, sino en su dinamismo escénico y en su olvido de las reglas—, está lleno de defectos: la evocación del pasado abunda en anacronismos, la verdad psicológica se halla a veces substituida por una simple exacerbación de los sentimientos, y el plan de las obras resulta confuso, porque a menudo no se trata sino de *brillantes improvisaciones a base de escenografía y lirismo.* No obstante, gracias a unas cuantas obras se logró desentumecer el teatro español, que desde hacía más de un siglo venía arrastrando una vida lánguida.

Además, *con los años fueron moderándose los primeros ímpetus* y al momento de exaltación frenética representado por el "Don Alvaro" del Duque de Rivas, sucedió otro en el que, plenamente asimilados los elementos de importación, fueron desapareciendo las truculencias del comienzo, para dejar paso a una mayor reflexión constructiva. Así lo vemos, a mediados de siglo, en las últimas obras de Zorrilla y García Gutiérrez.

Francisco Martínez de la Rosa

Nacido en Granada (1787-1862), asistió a las Cortes de Cádiz y fue encarcelado al abolirse la Constitución. Ministro durante la etapa de Riego, la represión absolutista de 1823 le obligó a huir a Francia, donde durante ocho años tuvo ocasión de conocer las novedades románticas. Vuelto a España a raíz de la amnistía, presidió el Consejo de Ministros y proclamó el Estatuto Real. Años más tarde defendió la Constitución "moderada" de 1845, y al morir desempeñaba la Presidencia del Congreso de los Diputados.

De temperamento poco exaltado, su labor como literato y como gobernante se caracterizó por su *discreta moderación.* "Todo partido extremo me ha parecido siempre intolerante", decía. Menéndez y Pelayo veía en él "timidez, buen sentido y mesura". Típico autor de transición, evolucionó desde una posición neoclásica hacia el Romanticismo, pero conservando siempre un tono ponderado y ecléctico.

La obra poética de Martínez de la Rosa se inicia con una serie de finas composiciones en las que se advierte la huella del Meléndez Valdés anacreóntico ("Los juegos del amor", por ejemplo), pero abarca también varios poemas de sabor romántico ("Elegía a la muerte de la Duquesa de Frías" [1830]). Más interés que todo ello y que la colección de epigramas titulada "El cementerio de Momo", tiene una "Poética", escrita en verso e inspirada en la doctrina de Boileau, en la que, aunque ataca la literatura española del siglo XVII, demuestra un fino sentido crítico.

El teatro clasicista comprende una anodina comedia moratiniana titulada "La niña en casa y la madre en la máscara", "La viuda de Padilla" (1814), tragedia al estilo de las de Alfieri o Quintana, y el "Edipo" (1829), inspirada en la obra de Sófocles, que puede considerarse como una de las mejores tragedias de estilo clásico del teatro español.

Los comienzos del teatro romántico. – A pesar de las ideas clasicistas expuestas en su "Poética", inició el teatro romántico en España con dos dramas: "Aben Humeya" y "La Conjuración de Venecia".

Aben Humeya, escrito primeramente en francés, fue estrenado en París (1830) y más tarde en España (1836). Su asunto se refiere a la sublevación de los moriscos en la Alpujarra y su estilo representa una tímida avanzada hacia el Romanticismo, pues, aunque insiste en las notas de color local y abunda en dramáticos contrastes, mantiene aún las unidades de acción y de tiempo.

La Conjuración de Venecia se estrenó en 1834. Como "Aben Humeya", se halla totalmente escrito en prosa y no presenta lo cómico junto a lo trágico, pero en él predominan ya los elementos románticos: se infringen las unidades de lugar y de tiempo, la escenografía realza algunas escenas de ambiente sepulcral, y un melancólico sentimentalismo impregna toda la obra dándole un tono quejumbroso. La misma acción, que termina con la trágica muerte del protagonista, víctima de un destino adverso, y en la que se combina hábilmente el tema de una tenebrosa conspiración política con una desgraciada historia de amor, resulta también muy de época. No obstante, un cierto sentido de contención señala una diferencia respecto de la apasionada violencia de los dramas románticos posteriores.

Los sucesos se desarrollan en la Venecia del siglo XIV. Rugiero, casado secretamente con Laura, conspira contra el Consejo de los Diez, pero le detienen y un tribunal presidido por Morosini le condena a muerte. Dictada ya la sentencia, Morosini descubre que Rugiero es hijo suyo.

"La Conjuración de Venecia" y el "Macías" de Larra, estrenados el mismo año, son los más inmediatos precedentes del "Don Alvaro".

El Duque de Rivas

La vida. – Don Angel de Saavedra (1791-1865) nació en Córdoba. Fue herido en la guerra de la Independencia, militó en el partido liberal, y, condenado a muerte por sus actividades políticas durante la revolución de Riego, huyó a Inglaterra en 1823. De allí pasó a Malta, y más tarde a Francia, de donde regresó a España al cabo de diez años de destierro, que le sirvieron para conocer el movimiento romántico europeo. El resto de su vida, desaparecidos ya los ímpetus revolucionarios juveniles, será de signo conservador. Adscrito al partido liberal moderado, hereda el título de Duque, desempeña los cargos de ministro, senador y embajador en Nápoles y dirige la Real Academia.

Los comienzos neoclásicos en España. – El Duque de Rivas inició su carrera literaria dentro de los cauces señalados por el neoclasicismo.

Así lo acreditan una serie de poesías en las que se advierte la huella del anacreontismo de Meléndez Valdés y de la inflamada retórica patriótica de Quintana, y varias piezas teatrales –"El Duque de Aquitania", "Malek-Adel", "Lanuza"...– en las que se respetan todavía las normas del siglo XVIII.

El destierro y la transición al Romanticismo. "El moro expósito". – La huida de España determinó un progresivo cambio de rumbo en la obra del Duque de Rivas. La nostalgia del destierro y los consejos del diplomático inglés Sir John Hookham Frere –traductor del Poema del Cid–, con quien trabó estrecha amistad en Malta, dieron lugar a que su atención se dirigiese hacia nuestro pasado nacional. La estructura formal y el estilo de las composiciones en este período continúan siendo clásicos, pero los asuntos y el tono representan un paso hacia el pleno Romanticismo. Así lo vemos en la tragedia "Arias Gonzalo" y el poema "Florinda" (1826) –ambos de tema relacionado con leyendas épicas de la Edad Media– y en la célebre poesía "El faro de Malta" (1828), cuya ambientación –la tempestad, la noche, la luz salvadora del faro– responde a un nuevo sentido del paisaje, aunque la forma no ofrezca novedad alguna.

La obra cumbre de estos años había de ser *El moro expósito* (1834), que comenzó en Malta a instancias de Sir Jonh Hookham Frere y terminó en Francia. Trátase de un extenso poema narrativo en romances endecasílabos, basado en la leyenda de los Infantes de Lara, y en el que la acción gira en torno a Mudarra, hermanastro de aquéllos. En el fondo viene a ser una brillante evocación de Córdoba y Burgos en el siglo X, que, aunque llena de anacronismos –la época descrita se parece más al siglo XV que al X–, interesa por su animado pintoresquismo. El contraste entre la fastuosa corte cordobesa y la rudeza primitiva de la capital cristiana se halla perfectamente conseguido. Como elementos románticos hay que considerar, no sólo el tema, el metro o el color de las descripciones, sino la mezcla de realismo y fantasía, de escenas cómicas de la vida cotidiana con momentos de gran intensidad lírica o dramática, "de páginas de estilo elevado con otras en estilo llano".[1] Ya aludimos en otro lugar al prólogo de la obra, que, escrito por Alcalá Galiano en 1833, constituyó una viva defensa de las nuevas concepciones poéticas.

1. Alcalá Galiano.

Don Ángel de Saavedra, el gran aristócrata de la generación romántica.

La vuelta a España y la plenitud romántica: el "Don Alvaro". — Cuando el Duque de Rivas regresa a España ha roto ya las amarras del clasicismo y se halla en plena fiebre romántica. El ejemplo de Víctor Hugo y de nuestros dramaturgos del Siglo de Oro influyen sobre él y, libre de todo prejuicio clasicista, da a la escena un drama, *Don Alvaro o la fuerza del sino,* cuyo estreno en 1835 constituirá el triunfo definitivo del Romanticismo en el teatro. Su asunto presenta todos los rasgos de la temática romántica. Don Alvaro, personaje de origen misterioso, mata sin querer al Marqués de Calatrava, padre de doña Leonor, su amada, cuando estaba a punto de raptar a ésta, y se ve obligado a huir a Italia, donde causa también la muerte de un hijo del Marqués, que había ido en su busca y que al hallarle le obliga a batirse en duelo. Don Alvaro vuelve a España e ingresa en un convento, cerca del cual vive, sin que nadie lo sepa, doña Leonor. Allí le encuentra Alfonso, el segundo hermano de ésta, y le desafía; luchan ambos y al caer herido el hijo del Marqués, acude doña Leonor, pero su hermano, al verla, la cree cómplice de su antiguo amante y la mata. Don Alvaro, desesperado, se arroja desde un precipicio.

He aquí la última escena del drama.

> *Doña Leonor, vestida con un saco y esparcidos los cabellos, pálida y desfigurada, aparece a la puerta de la gruta y se oye repicar a lo lejos las campanas del convento.*
>
> LEON. – Huid, temerario; temed la ira del cielo.
>
> ALVA. – *(Retrocediendo horrorizado por la montaña abajo.)* ¡Una mujer! ... ¡Cielos! ¡Qué acento! ... ¡Es un espectro! ... ¡Imagen adorada! ... ¡Leonor! ¡Leonor!
>
> ALF. – *(Como queriéndose incorporar.)* ¡Leonor! ... ¿Qué escucho? ¡Mi hermana!
>
> LEON. – *(Corriendo detrás de don Alvaro.)* ¡Dios mío! ¿Es don Alvaro? Conozco su voz... El es... ¡Don Alvaro!
>
> ALF. – ¡Oh furia! Ella es... ¡Estaba aquí con su seductor! ... ¡Hipócritas! ... ¡Leonor!

LEON. – ¡Cielos! ... ¡Otra voz conocida! ... Mas, ¿qué veo? *(Se precipita hacia donde ve a don Alfonso.)*

ALF. – ¡Ves al último de tu familia!

LEON. – *(Precipitándose en brazos de su hermano.)* ¡Hermano mío! ... ¡Alfonso!

ALF. – *(Hace un esfuerzo, saca un puñal y hiere de muerte a Leonor.)* Toma, causa de tantos desastres, recibe el premio de tu deshonra... Muero vengado. *(Muere.)*

ALVA. – ¡Desdichado! ... ¿Qué hiciste? ... ¡Leonor! ¿Eras tú? ... ¿Tan cerca de mí estabas? ... ¡Ay! *(Se inclina hacia el cadáver de ella.)* Aún respira... aún palpita aquel corazón mío... Angel de mi vida... vive, vive, yo te adoro... ¡Te hallé, por fin... sí, te hallé... muerta! *(Queda inmóvil.)*

(Hay un rato de silencio; los truenos resuenan más fuertes que nunca, crecen los relámpagos y se oye cantar a lo lejos el "Miserere" a la comunidad, que se acerca lentamente.)

VOZ DENTRO. – Aquí, aquí. ¡Qué horror! *(Don Alvaro vuelve en sí y luego corre hacia la montaña. Sale el Padre Guardián con la comunidad, que se acerca lentamente.)*

GUAR. – ¡Dios mío! ... ¡Sangre derramada! ¡Cadáveres! ... ¡La mujer penitente!

TODOS LOS FRAILES. – ¡Una mujer! ... ¡Cielos!

GUAR. – ¡Padre Rafael!

ALVA. – *(Desde lejos, con sonrisa diabólica, todo convulso, dice:)* Busca, imbécil, al Padre Rafael... Yo soy un enviado del infierno, soy el demonio exterminador... Huid, miserables.

TODOS. – ¡Jesús! ¡Jesús!

ALVA. – Infierno, abre tu boca y trágame. Húndase el cielo, perezca la raza humana; exterminio, destrucción... *(Sube a lo alto del monte y se precipita.)*

GUARDIAN Y LOS FRAILES. – *(Aterrados y en actitudes diversas.)* ¡Misericordia, Señor! ¡Misericordia!

Como el asunto, la técnica de la obra ofrece todos los caracteres del teatro romántico: se une por primera vez la prosa con versos polimétricos, se alterna lo patético con rasgos de sabor cómico, y la idealización más desaforada con cuadros realistas de costumbres; se infringen las tres unidades y en lugar de una equilibrada estructura encontramos una vertiginosa y desordenada sucesión de escenas que terminan con un desenlace precipitado. La escenografía contribuye con abundantes notas de color a subrayar el carácter efectista de la obra, creándole un ambiente lleno de contrastes. Como en el teatro barroco, lo plástico se funde con lo dramático en un conjunto plenamente teatral. Los personajes están enérgicamente caracterizados, pero en el fondo vienen a ser una mera encarnación de tópicos del momento: don Alvaro, generoso e impulsivo, es un símbolo del hombre víctima de la fatalidad; doña Leonor, de la lealtad femenina y del amor purificado por el sufrimiento.

En conjunto, el "Don Alvaro" *tiene todos los defectos de una improvisación romántica* –desorden, exceso de efectismo, inverosimilitud, caracterización primaria de los personajes–, pero el acentuado *dinamismo de la acción,* sus auténticas *cualidades "teatrales",* su *fuerza trágica* y su *intenso lirismo* hacen de él el drama más sugestivo de la época.

Con posterioridad al "Don Alvaro", el Duque de Rivas escribió una serie de obras teatrales en las que es también patente la influencia de los dramaturgos del siglo XVII. Entre otras de menor importancia –"La morisca de Alajuar", "Solaces de un prisionero", "El crisol de la lealtad"– destaca *El desengaño en un sueño* (1842), que puede considerarse como el drama simbólico del Romanticismo español. Su protagonista, el ambicioso Lisardo, renuncia al mundo al despertar de un sueño mágico en el que acaba viéndose condenado a muerte. Aunque el desenlace es opuesto al de "La vida es sueño", la obra refleja el influjo de Calderón, así como el de "La tempestad", de Shakespeare.

Los romances históricos. – Seis años después del estreno del "Don Alvaro", aparecen los "Romances históricos" (1841), con los que su autor revaloriza definitivamente el género. En conjunto, vienen a representar *lo más atildado* de la producción del Duque de Rivas; no tienen la encantadora sobriedad del romancero viejo, pero su *brillantez descriptiva* y sus *cualidades pictóricas* acreditan a un profundo conocedor de los recursos de las artes plásticas. El Duque, que se había ganado la vida como pintor durante los años del destierro, traza en sus romances abundantes cuadros del género histórico, impecables de color y de línea.

Véanse, por ejemplo, los siguientes versos de "Un castellano leal", inspirados en un conocido cuadro de Ticiano:

> En una anchurosa cuadra
> del Alcázar de Toledo,
> cuyas paredes adornan
> ricos tapices flamencos,
>   al lado de una gran mesa,
> que cubre de terciopelo
> napolitano tapete
> con borlones de oro y flecos;
>   ante un sillón de respaldo
> que entre bordado arabesco
> los timbres de España ostenta
> y el águila del imperio,
>
> de pie estaba Carlos Quinto,
> que en España era primero,
> con gallardo y noble talle,
> con noble y tranquilo aspecto...
>   Apoyada en la cadera
> la potente diestra ha puesto,
> que aprieta dos guantes de ámbar
> y un primoroso mosquero,
>   y con la siniestra halaga
> de un mastín muy corpulento,
> blanco y las orejas rubias,
> el ancho y carnoso cuello.

Entre los mejores romances –basados en historias o leyendas medievales y de la época de los Austrias– se encuentran *Una antigualla de Sevilla,* sobre don Pedro el Cruel; *Don Alvaro de Luna; Un castellano leal,* en torno a una proeza del Conde de Benavente; *El solemne desengaño,* donde se relata la conversión de San Francisco de Borja; *El Conde de Villamediana,* alusivo a los supuestos amores "reales" del célebre poeta barroco, etc.

El Duque de Rivas escribió también varias "leyendas" al modo de las de Zorrilla: *La azucena milagrosa, Maldonado, El aniversario,* etc.

Significación de su obra. — El Duque de Rivas representa dentro del Romanticismo español, del que algunos le consideran como la figura central, *la vuelta a la tradición,* el enlace con la literatura de la Edad Media y de los Siglos de Oro.

Si exceptuamos la vehemencia del "Don Alvaro", su obra es la de *un fino poeta descriptivo de dicción ponderada, atento sobre todo a la belleza plástica.* Su condición aristocrática le impide caer en las estridencias de Espronceda o en el tono popular de Zorrilla, pero coincide con éste en que su producción viene a ser una pura creación literaria orientada hacia la rehabilitación poética del pasado nacional.

A pesar de los sucesos de su juventud, el Duque de Rivas no sentía en el fondo inquietud revolucionaria alguna: *los motivos ideológicos del Romanticismo liberal apenas tienen cabida en su obra;* por eso, su vida política evolucionó hacia una posición conservadora, y en lo literario fue adquiriendo, tras el estrépito de su drama capital, un sentimiento de mesura, de la que es ejemplo la pulcritud de sus Romances.

García Gutiérrez

Antonio García Gutiérrez (1813-1884) nació en Chiclana (Cádiz). Tras abandonar los estudios de Medicina, se dirige a Madrid y el éxito que le proporciona, a los veintidós años, el estreno del "Trovador", le decide a dedicarse al teatro. Viaja luego por América y Europa y ocupa al fin la dirección del Museo Arqueológico Nacional.

Si el Duque de Rivas representa el paso del Neoclasicismo a la plenitud romántica, en García Gutiérrez, perteneciente ya a otra generación, vemos *el tránsito del primer Romanticismo —exaltado y violento— a una posición más moderada y serena.*

"El Trovador". — Representado por primera vez en 1836, se halla dentro de la línea iniciada por el "Don Alvaro" un año antes.

He aquí su asunto. El trovador Manrique, hijo de la gitana Azucena, ama a Leonor, a quien también pretende el Conde de Artal. Ella cree que aquél ha muerto e ingresa en un convento, pero el trovador se presenta y deciden huir. El Conde los apresa, pero Leonor se suicida al ver a Manrique condenado a muerte; Azucena intenta detener el suplicio, pero no lo consigue y confiesa al de Artal que el trovador era hermano suyo.

Típica obra de juventud, "El Trovador", en el que se conculcan todas las normas del clasicismo, triunfó en su tiempo *por su espectacular dinamismo y por la apasionada violencia con que actúan los personajes.* El misterio que envuelve al protagonista, la emoción lírica de muchas escenas y el impetuoso brío del estilo fueron otras tantas razones para que, a pesar de su trama confusa y de su exagerado efectismo, el público acogiera la obra con aplausos, iniciando la costumbre de hacer salir a escena al autor.

Después de esta atropellada improvisación inicial, cuya asunto había de servir de base a "Il trovatore" de Verdi, García Gutiérrez siguió produciendo dramas de *tipo histórico,* en los que se observa la influencia del teatro de Dumas y de los dramaturgos del siglo XVII español.

Pueden citarse, entre otros, *El rey monje* (1837) —sobre Ramiro II de Aragón y la Campana de Huesca—, *El encubierto de Valencia* —sobre la guerra de las Germanías— y *Simón Bocanegra* (1843), en torno a una conspiración genovesa.

Pero sus mejores aciertos los consiguió veinte años más tarde al estrenar en plena época de madurez "Venganza catalana" y "Juan Lorenzo" (1864 y 1865).

"Venganza catalana". — Es tal vez su producción capital y en ella advertimos una ponderación que contrasta con las audacias del "Trovador". Estrenada cuando el Romanticismo había perdido su primitiva turbulencia, ofrece una cierta sobriedad de estilo y una cuidada y sonora versificación. El asunto gira en torno a la venganza de los almogávares contra los griegos, a consecuencia del asesinato de su jefe Roger de Flor, y toda la obra, llena de aliento épico, tiene una emoción patriótica que, aunque basada en una falsedad histórica —el sentimiento español de los mercenarios catalanes y aragoneses— debió de impresionar al público.

"Juan Lorenzo". — A pesar de que resultó un fracaso, era la obra que más apreciaba el autor. Escrita en un estilo sencillo, combina una trampa amorosa con el tema histórico de la sublevación de las Germanías. Contrariamente a los demás dramas románticos, hay aquí un intento de caracterización psicológica, como lo demuestra la figura del protagonista, que muere de desaliento al ver las consecuencias de la sublevación que había dirigido.

García Gutiérrez escribió también comedias, zarzuelas y algún libro de versos. En conjunto, su producción teatral se caracteriza por la frecuencia de los *asuntos históricos* —sobre todo de tema mediterráneo—, por el enérgico *apasionamiento de los personajes* y por su *sonora versificación*. Consignemos de nuevo la *influencia del teatro clásico español y del romántico francés y la evolución hacia un tipo de teatro más mesurado y sereno.*

Hartzenbusch

Juan Eugenio Hartzenbusch (1806-1880), hijo de un alemán, nació en Madrid. De origen humilde —su padre era ebanista—, fue taquígrafo del Congreso, bibliotecario de la Nacional, Director de la Escuela Normal y Académico de la Lengua. Hombre de temperamento meticu-

Antonio García Gutiérrez

loso, fue un notable erudito y consiguió dar a sus obras una *corrección formal* de que carecen otras producciones del momento.

En 1837, estrenó *Los amantes de Teruel,* su drama más importante. Su asunto, desarrollado ya por varios dramaturgos del siglo XVII, es el siguiente. Diego Marsilla pide a su amada, Isabel de Segura, un plazo para enriquecerse. Durante su ausencia, Isabel se ve obligada a casarse y cuando Diego, a quien la reina mora de Valencia ha impedido regresar a tiempo, se entera de lo ocurrido, muere de dolor, ocasionando la muerte de ella.

La obra se halla dotada de una enorme potencia dramática; también aquí un destino adverso arrastra a los personajes, poniendo un trágico colofón a su apasionada existencia. No obstante, su meditada estructura teatral y la pulcritud de su estilo le confieren un sello personal. Varias veces retocada y pulida —Hartzenbusch llegó a dar tres versiones distintas—, "Los Amantes de Teruel" viene a ser, por su perfección formal, una excepción en el teatro de la época.

Hartzenbusch escribió, además, varios dramas de tema histórico-legendario —*Doña Mencía o La boda en la Inquisición* (1838) en el que las actividades del Santo Oficio provocan el suicidio de la protagonista, *Alfonso el Casto* (1841), *La jura en Santa Gadea* (1845)—, unas divertidas comedias "de magia" —*La redoma encantada* (1839), *Los polvos de la madre Celestina...*— y alguna que otra comedia moratiniana. Sus ediciones de Lope, Tirso, Alarcón y Calderón —que en algún caso refundió— denotan su profundo conocimiento del teatro español. Nos ha dejado también fábulas, cuentos y artículos de crítica literaria.

BIBLIOGRAFIA

EDICIONES

El teatro romántico. Selección y notas. C. Pleyán, 1946.
Martínez de la Rosa J. Sarrailh. Clás. Cast., 1933.
Rivas. "Romances". Rivas Cherif. Clás. Cast., 1912. — Obras completas Aguilar, 1956. — B. A. E. 3 vols. 1957.
García Gutiérrez. J. R. Lomba. Clás. Cast.
Hartzenbusch. A. Gil Albacete. Clás. Cast.

ESTUDIOS

J. Ixart: *El arte escénico en España.* Vol. I, 1894.
J. R. Lomba: *El teatro romántico español.* En "Cuatro estudios en torno a Larra", 1936.
A. Valbuena: *El teatro moderno español,* 1944.
R. Menéndez Pidal: *La epopeya castellana a través de la literatura española,* 1945. (Sobre el influjo de los temas épicos en la poesía y el teatro romántico.)
E. Allison Peers: *La rebelión en el teatro (1834-1837)* y *La pervivencia del Romanticismo (1837-1860).* En "Historia del movimiento romántico español". Vols. I y II, 1954.

M. Menéndez y Pelayo: *Don F. Martínez de la Rosa*. En "Estudios y discursos de crítica histórica y literaria". Vol. IV.

J. Sarrailh: *Un homme d'état espagnol: M. de la Rosa*, 1930.

Azorín: *Rivas y Larra*, 1916.

E. Allison Peers: *Angel de Saavedra, Duque de Rivas*. Rev. Hisp., 1923.

G. Boussagol: *A. de Saavedra, duc de Rivas, sa vie, son oeuvre poétique*, 1926.

N. González Ruiz: *El duque de Rivas*. Madrid, 1944.

N. B. Adams: *The romantic dramas of García Gutiérrez*, 1922.

A. S. Corbière: *J. E. Hartzenbusch and the French Theatre*, 1927.

Véanse, además, los prólogos a las ediciones citadas de Clásicos Castellanos.

Un teatro en la época romántica.

Vida

José Zorrilla (1817-1893) nació en Valladolid. Abandonó sus estudios y marchó a Madrid, donde se dio a conocer como poeta leyendo unos versos en el entierro de Larra. Allí estrenó con gran éxito varios dramas, pero su carácter inquieto le llevó a Francia y más tarde a Méjico, donde fue protegido por el emperador Maximiliano. Vuelto a España, se le envió a Roma, y al regresar ingresó en la Real Academia y fue coronado poeta.

Ajeno por temperamento a la exaltación política e ideológica de la década de 1830 —que ya en su juventud comenzaba a dejar paso a una actitud "moderada"—, Zorrilla adoptó una postura radicalmente opuesta a la de un Espronceda, por ejemplo,

"Yace Toledo en el sueño — entre las sombras confusa, — y el Tajo a sus pies pasando — con pardas ondas lo arrulla..." Versos de "A buen juez, mejor testigo". Grabado de la época.

manteniéndose siempre al margen de los problemas que presentaba la realidad del momento. No obstante, su obra y su propia vida llevan el sello del Romanticismo; él mismo nos ha dejado en sus *Recuerdos del tiempo viejo* (1880-1883) el relato de pintorescas anécdotas que nos revelan su espíritu desordenado y bohemio.

La obra poética: las Leyendas

Por su temática y espíritu, la obra de Zorrilla se halla *dentro de la línea del Romanticismo conservador.* La leyenda y la historia española constituyeron para él la principal cantera de asuntos. "Español —decía—, he buscado en nuestro suelo mis inspiraciones. Cristiano, he creído que mi religión encierra más poesía que el paganismo." Por eso *lo mejor de su producción pertenece al campo de la poesía narrativa,* más que al de la lírica propiamente dicha. Sus composiciones rara vez aluden al mundo de lo subjetivo y giran por lo general en torno a algún tema de la tradición nacional.

Desde el punto de vista formal, la nota más característica la constituye *la musicalidad del verso.* Dotado de una prodigiosa facilidad de versificación, Zorrilla consigue insospechados efectos de sonoridad y de ritmo. Pero su misma facilidad le perjudica, porque a menudo todo se reduce a un mero arabesco verbal, desprovisto de verdadero contenido poético. El mismo decía, con la simpática sinceridad que le caracterizaba, que había aprendido "el arte de hablar mucho sin decir nada". Y en efecto, sus poesías líricas son frecuentemente *un simple fluir de palabras sonoras.*

Véase, por ejemplo, el siguiente fragmento del poema *Granada,* en el que el autor acentúa la nota rítmica para dar una sensación de velocidad progresiva:

> Lanzóse el fiero bruto con ímpetu salvaje
> ganando a saltos locos la tierra desigual,
> salvando de los brezos el áspero ramaje
> a riesgo de la vida de su jinete real.
> El, con entrambas manos, le recogió el rendaje
> hasta que el rudo belfo tocó con el pretal:
> mas todo en vano: ciego, gimiendo de coraje,
> indómito al escape tendióse el animal.
>
> Las matas, los vallados, las peñas, los arroyos,
> las zarzas y los troncos que el viento descuajó,
> los calvos pedregales, los cenagosos hoyos
> que el paso de las aguas del temporal formó,
> sin aflojar un punto ni tropezar incierto,
> cual si escapara en circo a la carrera abierto,
> cual hoja que arrebatan los vientos del desierto,
> el desbocado potro veloz atravesó.
>
> Y matas y peñas, vallados y troncos
> en rápida, loca, confusa ilusión,
> del viento a los silbos, ya agudos, ya roncos,
> pasaban al lado del suelto bridón.

Pasaban huyendo cual vagas quimeras
que forja el delirio, febriles, ligeras,
risueñas o torvas, mohínas o fieras,
girando, bullendo, rodando en montón...

Claro está que este defecto se halla compensado en las composiciones legendarias con otras cualidades, pues si Zorrilla careció de verdaderas dotes líricas, fue, en cambio, un gran poeta narrativo. Sus musicales versos saben evocar hábilmente un ambiente sugestivo y darnos un vivo y animado relato de una escena dramática. Es precisamente el *valor dramático* lo que diferencia a sus leyendas de los romances del Duque de Rivas, en los que el rasgo capital lo constituye la riqueza cromática, aparte la pulcritud del estilo, que contrasta también con los frecuentes descuidos de la poesía de aquél.

Entre las poesías líricas de la primera época destacan las conocidas *Orientales,* en las que es fácil ver la influencia de las de Víctor Hugo; en ellas lo esencial es el colorido brillante y la musicalidad del verso.

Mucho mejores son las *leyendas,* cumbre de su producción poética. Zorrilla se nos ofrece aquí como un maestro del relato, combinando sabiamente la intriga, la sorpresa y el misterio. No faltan las digresiones líricas —que son a menudo pura hojarasca retórica—, pero la sobriedad de la narración, la fuerza del elemento descriptivo y la soltura y agilidad de la versificación acreditan a su autor como el mejor cultivador del género. Se han hecho célebres "Margarita la tornera" (1840) —sobre el tema de la monja pecadora que vuelve al convento—, "A buen juez, mejor testigo" —en torno al milagro del Cristo de la Vega, que baja su brazo para dar fe de un juramento amoroso pronunciado ante él—, y "El capitán Montoya" —donde un intento de rapto sacrílego y la visión del propio entierro desembocan en la conversión del protagonista—. Como observa Menéndez Pidal, Zorrilla, aunque aprovechó a veces las leyendas épicas medievales, prefirió siempre lo novelesco privado a lo heroico, y la época de los Austrias a la Edad Media.

A los treinta y cinco años publica *Granada* (1852), tras la cual parece agotarse su inspiración. Es un extensísimo poema inacabado en el que nos ofrece una visión coloreada y pintoresca del mundo musulmán español. *La leyenda del Cid* (1882), escrita años más tarde, resulta muy inferior.

En conjunto, la poesía de Zorrilla, ajena a las preocupaciones ideológicas del Romanticismo liberal, carece también de auténticos valores líricos. Su verbosidad irrestañable, su vacuidad sonora son grandes defectos que, como vimos, él mismo reconocía. Sin embargo, no se le puede negar una fantasía desbordada, un formidable dominio de los recursos plásticos y musicales del verso y un profundo conocimiento de la técnica de la narración legendaria, cualidades todas que hicieron de él el poeta más popular de su tiempo.

La producción teatral: los dramas

El teatro de Zorrilla, superior a su poesía, descansa, como ésta, sobre *la tradición española,* de la que viene a ser una interpretación romántica y novelesca. La mayor parte de los temas proceden del pasado nacional, pero como en las composiciones narrativas, se prescinde de la exactitud histórica para dar una versión poética del asunto.

El *instinto dramático* de Zorrilla, visible ya en las leyendas —donde la ambientación escenográfica y el diálogo desempeñan un importante papel—, halla su más cumplida manifestación en las obras teatrales. En éstas, *la intriga se desarrolla con habilidad, la acción es siempre viva, y los personajes,* aunque de escasa complejidad psicológica, *están trazados con pocos pero enérgicos rasgos.* No faltan momentos de lirismo poco afortunado o de efectos melodramáticos, pero en general, la producción escénica del autor del "Tenorio" tiene siempre un auténtico *valor teatral.*

Escrita toda ella en la última década de la primera mitad del siglo, nos ofrece tres obras fundamentales: "El zapatero y el rey", "Don Juan Tenorio" y "Traidor, inconfeso y mártir".

El zapatero y el rey tiene dos partes (1840-1841). La primera coincide por su asunto con "Una antigualla de Sevilla", del Duque de Rivas; la segunda, muy superior a la primera, enlaza una intriga amorosa con el episodio de la muerte del rey don Pedro. En ambas, la figura del monarca aparece, de acuerdo con la tradición popular, como un personaje simpático y justiciero a quien la fatalidad conduce inexorablemente al desastre.

Con *Don Juan Tenorio* (1844) vuelve a surgir en escena el personaje creado por Tirso, por más que Zorrilla se basase preferentemente en el de Zamora. Las novedades más importantes introducidas por el poeta son la figura de doña Inés, de la que tan satisfecho se sentía; la de don Luis Mejía, antagonista de don Juan, y la salvación, por amor, de éste, con lo que se evidencia la simpatía que hacia el protagonista sentía la generación romántica y al propio tiempo la peculiar posición del autor. Pues si Zorrilla se veía atraído, como todos, por el tipo humano del legendario "rebelde" y su obra refleja una entusiasta admiración hacia él, el desenlace que imagina, lejos de presentar su rebeldía como motivo de glorificación, la convierte en actitud reprobable y de la que el mismo don Juan reniega en el momento decisivo.

El "Tenorio" presenta todos los descuidos propios de una improvisación y abunda en efectismos algo pueriles y en ráfagas de un lirismo vulgar. No obstante, los defectos no son tantos como imaginaba el autor —que no quería oír hablar de él— y además se hallan compensados con indudables aciertos que justifican su popularidad: el brillante dinamismo de la acción, el color y dramatismo de muchas escenas y la firmeza con que están trazados los rasgos psicológicos —despreocupación, gallardía, audacia...— del impetuoso protagonista, y de la idealizada doña Inés.

Traidor, inconfeso y mártir (1849) representa, dentro de su producción, la ponderación expresiva, el equilibrio constructivo, la madurez en suma. El autor modificó también aquí la verdad histórica haciendo que "el pastelero de Madrigal" —que fue ahorcado por haber intentado suplantar la personalidad del rey don Sebastián de Portugal, desaparecido en la batalla de Alcazarquivir— sea, en efecto, el mismo monarca. Como en "El zapatero y el rey", se une una historia amorosa al tema central. La figura misteriosa del desgraciado "pastelero" Gabriel Espinosa —llena de dignidad y grandeza— es uno de los mayores logros de Zorrilla.

He aquí una viva escena —que hace pensar en otra de "El Alcalde de Zalamea"—, en la que dialogan Gabriel Espinosa y el juez don Rodrigo, encargado de averiguar su verdadera personalidad:

ROD. — La duda primera
que al escucharos me asalta
es la de que nombre os falta
digno de vuestra alta esfera.

GAB. — Lo tengo.

ROD. —   Pues no lo sé.

GAB. — Gabriel Espinosa.

ROD. —   ¿Un tal
pastelero en Madrigal?

GAB. — Sí.

ROD. —   Pues poneos en pie,
señor pastelero. (GABRIEL se
levanta.)
                Así:
ante el juez sólo se sienta
quien altos títulos cuenta.

GAB. — Como me suceda a mí. (Se vuelve a sentar.)

ROD. — (Aparte.) Ir le tengo de dejar
por donde quiera, y a ver...
Pues oid. Buen capitán,
más que rey, de fe tesoro,
allá en las playas del moro
murió el rey don Sebastián.
¿Supongo que de una historia
tan pública oísteis algo?

GAB. — Sé que a su muerte de un salto
pasó Portugal a España.

ROD. — Justo: mas hoy los noveles
vasallos, por sacudir
sus leyes, dan en decir
a los pueblos a ellas fieles,
que ha sido una usurpación
y pregonan de concierto
del rey en Africa muerto
la fausta resurrección.

GAB. — ¡Oiga! No está mal pensado.

ROD. — No, mas la dificultad
era el dar en realidad
con el rey resucitado.
Buscósele con esmero
y hallóse por toda cosa,
un tan Gabriel Espinosa
en Madrigal pastelero.

GAB. — Vamos, ya caigo; el error
de esta semejanza mía,
hizo a vuestra señoría
creer que soy...

ROD. — (Interrumpiéndole.) Un impostor...

GAB. —| ¡Vaya en gracia! ...
Mas permitid que os arguya...
Si yo me parezco a un rey
y el vulgo por rey me tiene,
citar al vulgo os conviene,
pero no a mí ante la ley.

ROD. — ¡Espinosa!

GAB. —   Don Rodrigo,
aunque en leyes sois muy ducho,
os falta que aprender mucho
para habéroslas conmigo.
¿Cree, buen juez, vuestra altiveza,
que a ser yo el que habéis pensado
estaríais vos sentado
(DON RODRIGO se levanta y se
descubre conforme va hablando
GABRIEL.)
y cubierta la cabeza?
Rodrigo de Santillana,
a ser yo el que habéis creído,
hubierais vos ya salido
¡vive Dios! por la ventana...

ROD. — (Tanta majestad me asombra.)
Gabriel, quien quier que seáis,
manda en mí el rey que digáis
quién sois en fin.

GAB. —   Una sombra.

Entre el resto de su producción encontramos varias obras sobre temas de la tradición medieval: *El puñal del Godo* (1842), que fue escrita en dos días, y su

José Zorrilla, poeta y dramaturgo.

continuación *La calentura* (en torno al rey don Rodrigo); *Sancho García* (1846), y hasta una tragedia clásica: *Sofronia*.

Valor y significación de su obra

Zorrilla significa dentro del Romanticismo español *el momento de nacionalización* de los elementos importados. Su obra, *inspirada en nuestra tradición*, apenas ofrece temas ajenos a la historia y leyenda española, por más que la versión que de éstas nos da, adolezca de todos los tópicos de un enfoque idealizador atento a los rasgos más brillantes y externos de nuestro pasado.

Desde el punto de vista formal, *se halla llena de defectos, que en parte son consecuencia de su misma facilidad de versificación:* descuidos, verbosidad, falta de concreción...; pero hay también en él auténticas cualidades, entre las que figuran *una extraordinaria capacidad de dar forma plástica y dramática a las más brillantes fantasías* y sobre todo *su profundo dominio de los recursos musicales del verso.* Zorrilla es el poeta de los grandes efectos sonoros.

Sin embargo, donde logra sus mejores aciertos es en *la narración legendaria* —siempre animada y viva— y en la *dramatización enérgica de algún tema de la tradición española.* Son estos dos aspectos los que salvan la obra del que fue en su tiempo el poeta más popular.

La comedia costumbrista de Bretón de los Herreros

Bretón de los Herreros (Logroño, 1796-1873) fue director de la Biblioteca Nacional y secretario de la Real Academia española. Su producción, en la que fue decisiva la influencia de Moratín, representa, en el teatro de la época, algo semejante a lo que en la prosa significan las escenas costumbristas de Mesonero Romanos. Casi totalmente *al margen del drama romántico* y de sus procedimientos— de los que en alguna ocasión se burla con divertidas parodias—, Bretón nos ofrece en sus comedias *una visión satírica de las costumbres de la época.* El ambiente social suele ser la clase media madrileña, y el tono de las obras ligeramente festivo. A pesar de su intrascendencia, interesa en ellas la gracia irónica —a veces caricaturesca— con que el autor traza escenas y tipos, y la soltura de la versificación.

Escribió más de ciento cincuenta obras, entre las que destacan *Marcela o ¿a cuál de los tres?* (1831) —en la que una viuda va rechazando a sus pretendientes—, *El pelo de la dehesa* (1837), donde nos ofrece las reacciones del pueblerino don Frutos en Madrid, y *Muérete y verás* (1840), cuyo protagonista acaba aceptando el amor de la hermana de su novia porque ésta, creyéndole muerto, se dispone a casarse con otro.

BIBLIOGRAFIA

EDICIONES

Zorrilla. "Poesía". N. A. Cortés. Clás. Cast. — Leyendas y Teatro. Ed. Aguilar.
Bretón de los Herreros. N. Alonso Cortés, Clás. Cast.

ESTUDIOS

R. Menéndez Pidal: *La epopeya castellana a través de la literatura española*, 1945. (Sobre el influjo de los temas épicos en Zorrilla.)

E. Allison Peers: *La pervivencia del romanticismo (1837-1860)*. En "Historia del movimiento romántico español", 1954. Vol. II.

N. Alonso Cortés: *Zorrilla*. Su vida y sus obras, 2.ª edic., 1942.

G. Le Gentil: *Le poète Manuel Bretón de los Herreros et la société espagnole de 1830 á 1860*, 1909.

el realismo 57

Ambiente político-social de España en la segunda mitad del siglo

Al promediar la centuria —o sea al avanzar el *reinado de Isabel II* (1843-1868)—, obsérvase en la vida española una orientación distinta de la que había dado el tono esencial a su primera mitad. Este cambio de rumbo puede cifrarse en lo siguiente: represión, por parte de la mayoría de los gobiernos, de los ímpetus revolucionarios, y desarrollo de una burguesía más dada a considerar las realidades prácticas que a exaltarse con ideales de tipo romántico.

La alta burguesía madrileña a fines del reinado de Isabel II, momento en que comienzan a tomar impulso las tendencias realistas.

Terminada la primera guerra carlista, que mantenía tenso el entusiasmo de los liberales, el ambiente político va adquiriendo un matiz cada vez más conservador. A muchos de aquéllos ya no les interesa la lucha heroica, sino el afianzamiento de las conquistas realizadas en lo político —sufragio censitario...— o en lo económico —efectos de la desamortización...— y el goce tranquilo de un bienestar burgués. Verdad es que la causa que origina el afianzamiento de la nueva clase adinerada da lugar a conflictos de orden social, pero en España Narváez reprime duramente la oleada revolucionaria de 1848, mientras una serie de gobiernos "moderados" rige el país sin excesivos contratiempos.

Mesonero Romanos, que en algún tiempo había adoptado una actitud burlona frente a las turbulencias del Romanticismo, alude al escaso idealismo de la nueva generación con las siguientes palabras: "Pasados ya aquellos momentos ardientes de fe y de sed entusiasta de gloria, la tendencia del siglo es a materializar los goces y a utilizar prosaicamente las inteligencias"; al poeta, añade, le interesan "no aquellos modestos y gloriosos laureles que en otro tiempo bastaban a su ambición, sino los atributos del poder y los dones de la fortuna".

Reaccionando contra el desorden romántico, la época isabelina acentúa la nota moralizadora; pero la moral de esta sociedad burguesa será a menudo una moral casera, llena de prejuicios e interesados convencionalismos.

La *Revolución* de 1869 arroja del trono a Isabel II, pero tras el breve paréntesis de unos años de terrible agitación —reinado de Amadeo I, primera República—, la *Restauración* de 1875 inicia un período de absoluta calma política, gracias a la gestión del conservador Cánovas y a la alianza de la burguesía con la vieja aristocracia. No obstante, adviértese en el terreno de las ideas una mayor efervescencia, consecuencia de los años revolucionarios y del influjo, cada vez mayor, del positivismo filosófico europeo; la lucha entre los partidarios de la tradición católica y los defensores de una nueva moral se exacerba e incluso la producción literaria refleja la violencia de la polémica entablada.

En general, la segunda mitad del siglo XIX se caracteriza, pues —de acuerdo con la orientación moderada o conservadora de la política—, por la *pérdida progresiva del idealismo romántico* en pro de un concepto práctico de las cosas, y por el *predominio de un espíritu burgués,* a pesar de la agitada lucha ideológica de las últimas décadas de la centuria.

Tendencias generales de la literatura

La segunda mitad del siglo presenta multitud de tendencias, a veces contradictorias. No obstante, el auge de ciertas corrientes, sobre todo en el campo de la novela, nos permite calificarla como la *época del realismo.*

La realidad como tema esencial. — El tono confidencial e intimista de la literatura romántica, en la que el "yo" desempeña el más importante papel, va apagándose para dejar paso a un deseo de mayor objetividad. Por eso, el tema capital ya no será la propia personalidad del autor, sino *la realidad externa,* descrita de un modo impersonal. De la misma forma, cede el gusto por lo exótico y pretérito y la

Como las artes plásticas, la literatura realista de la segunda mitad de siglo XIX muestra abundantes resabios de la sensibilidad romántica. *Pastores*, por Dionisio Baixeras.

atención se concentra sobre lo actual y circundante. La levita sucede a la cota de malla, el salón urbano al torreón feudal, el ambiente regional al lejano y fastuoso Oriente. Y el lugar que deja lo pintoresco, lo fantástico, lo irreal, es ocupado ahora por lo común, por *lo cotidiano*, por la anécdota anodina que facilita la vida vulgar.

Consecuencia de este viraje hacia lo cercano es la resonancia que alcanzan *las preocupaciones —económicas, sociales, ideológicas— del momento*. La literatura se llena de inquietudes morales, que tanto como reflejo de la posición del autor, son trasunto del ambiente espiritual de la época y de los afanes de la sociedad burguesa.

También *la naturaleza* deja de ser una mera proyección sentimental del paisaje: ya no se habla de ruinas, cementerios, selvas y torrentes, sino de huertos provincianos, playas pueblerinas o montañas familiares al autor.

En cuanto al *tema psicológico*, se rehúye la idealizadora estilización del período romántico para analizar el carácter de los personajes con la mayor precisión posible.

La técnica de la observación y el estilo. — El escritor realista ya no concibe el arte como expresión "libre" de una inspiración personal. El novelista, el dramaturgo y hasta el poeta tendrán que amoldarse a la realidad, eludiendo toda posición subjetiva, y reflejarla con *precisión y exactitud* implacables. La obra artística dejará de ser intérprete de aquellas "pasiones vagas e indefinibles" que tanto seducían a los románticos, para alcanzar una concreción minuciosa y una *objetividad absoluta*. El punto de partida ya no lo constituirá el "yo" del artista sino el dato sensible, y el lirismo y la imaginación habrán de sustituirse por una *observación* tan concienzuda y meticulosa como la de un investigador científico. Por eso, si la figura más prestigiosa del siglo de la Ilustración era el "filósofo humanitarista" y la del Romanticismo el "poeta", la de la época del Realismo será el "hombre de ciencia".

Se observa, pues, infatigablemente, pero no para dar con la nota pintoresca y única, grata al espíritu romántico, sino para conseguir *un fiel reflejo de la realidad vulgar,* tal como ésta aparece a la visión cotidiana.

Señalemos, por último, una tendencia a sustituir el tono altisonante del Romanticismo, por *un estilo más sobrio* y menos efectista. En este sentido, se observa un intento de dar al lenguaje llaneza, naturalidad y precisión como reacción obligada contra la retórica romántica.

El propósito docente. — En la literatura de la segunda mitad del siglo, la intención estética se halla a menudo vinculada con un propósito docente y la observación de la realidad sirve frecuentemente de pretexto para la defensa de una *"tesis"* cualquiera. El autor se arroga atribuciones de moralista, convirtiendo su obra en un arma polémica. Ya no interesa hacer vibrar al lector con violentos estímulos de índole emocional o exaltar su imaginación con fantasías brillantes, sino convencerle de una idea moral y atraerle al campo de una determinada ideología con argumentos tomados de una supuesta realidad.

El espíritu burgués. — Lejanos ya los tiempos de exaltación febril, se impone un espíritu de *equilibrio sensato* y de "buen sentido" burgués reacio a toda estridencia, y la angustia metafísica del período anterior cede ante un *concepto práctico de la vida opuesto* a los viejos anhelos espiritualistas. Una moral de bajos vuelos, llena de escrúpulos timoratos, viene a veces a sustituir el furor iconoclasta del momento precedente; disminuye la tensión en pro de una mayor *moderación* y cuando un desencanto hiere la sensibilidad del artista, ya no observamos gestos desesperados o sarcásticos sino leves rasgos de ironía o de *humor.*

La temática de la literatura realista supone un viraje hacia lo próximo y circundante, en menoscabo de la evocación de épocas lejanas. El ambiente ciudadano cobra así importancia capital. Madrid a fines del siglo XIX.

La influencia del Romanticismo

La época del realismo representa, pues, una reacción contra el Romanticismo. No obstante, la influencia de éste fue tan intensa que muchas producciones —sobre todo de la época de Isabel II— calificadas como "realistas", podrían también llevar el título de "posrománticas". El espíritu del Romanticismo, visible en una u otra forma en la música y en la pintura, perdura también en amplios sectores del arte literario. Así lo vemos, por ejemplo, en el campo de la expresión sentimental, donde a veces todo queda reducido a un "sentimentalismo pegajoso" de flores marchitas y a una *ñoña sensiblería.*

Las huellas del Romanticismo se observan también en el *tono grandilocuente* de la oratoria, de la prosa didáctica y de algunos poetas y dramaturgos. Téngase, asimismo, en cuenta, que a veces la novedad es sólo aparente, ya que a menudo varían tan sólo el ambiente y los trajes, conservándose en cambio el *gusto por lo efectista y patético.*

Quizás una de las causas de que persistan en España el tono y la temática del Romanticismo haya que hallarla en la escasa fuerza de la burguesía industrial y, cuando ésta vaya cobrando vigor, en su alianza con las clases que aún defendían un orden tradicional. La estructura socioeconómica española seguía presentando en la segunda mitad del siglo XIX muchos rasgos de tipo arcaico y nada tiene de extraño que la literatura de la época ofrezca, junto a tímidos intentos de realismo burgués, todo un amplio repertorio de temas y actitudes muy acordes con la mentalidad de una aristocracia de base agraria, anclada en la tradición y refractaria al mundo moderno.

Causas que contribuyen al desarrollo del realismo en la literatura

Una multitud de circunstancias influyen, sin embargo, sobre la literatura, apartándola paulatinamente de los cauces románticos.

Tenemos, en primer lugar, el *cambio de ambiente espiritual,* como resultado del progreso material, del desarrollo de la clase burguesa y de la aparición de nuevas corrientes ideológicas; el problema económico se convierte en una de las máximas preocupaciones y la producción literaria se hace eco de las nuevas inquietudes para examinar a menudo las consecuencias morales de dicho fenómeno. Ciertos títulos, como "El tanto por ciento" o "Lo positivo", resultan muy significativos a este respecto. Todo ello lleva a desviar la atención hacia los temas de actualidad y hacia la realidad circundante en menoscabo de la evocación poética de épocas pretéritas.

Muy importante es también la influencia de *la literatura europea del momento.* En la época del realista Flaubert y más aún en la del naturalista Zola, la literatura francesa presenta una extensa serie de novelas en las que el hombre y su ambiente son descritos con un criterio que pretende ser científico. Son los años en que se pone de moda la ciencia experimental de tipo positivista y en los que hasta los literatos intentan, a base de una meticulosa observación, proporcionarnos una visión rigurosamente exacta de la vida humana y de las cosas.

No hay que olvidar tampoco que muchos rasgos de la literatura de la época derivan de ciertos *elementos que se hallan ya en germen en el Romanticismo,* por ejemplo, el género costumbrista, cuyo eje lo constituye precisamente la observación del ambiente contemporáneo. Claro está que los escritores de costumbres buscan, ante todo, la nota de color y el detalle pintoresco y excepcional, pero su actitud viene a ser el punto de partida de la novela realista posterior. La misma raíz tiene ese blando sentimentalismo casero, tan adecuado al espíritu burgués de la época y del que participan no pocos autores del momento.

A todo ello podría añadirse *la tradicional inclinación española hacia el realismo.* A pesar de las enormes diferencias existentes entre las novelas cervantinas o picarescas y las del siglo XIX, aquéllas pueden considerarse como un lejano antecedente de éstas, y como tal fueron invocadas por algún autor de la época —la Pardo Bazán o Galdós, por ejemplo—.

Los dos períodos de la segunda mitad del siglo

Aunque la época ofrece indudable uniformidad, cabe distinguir en ella dos períodos, separados por el paréntesis revolucionario a que aludimos:

1.º, época de Isabel II, de 1843 a 1868, y
2.º, época de la Restauración, de 1875 a 1898.

Las dos últimas décadas del reinado de Isabel II representan el comienzo del realismo, fuertemente matizado todavía de elementos románticos. Así lo vemos en la novela de Fernán Caballero o en la Alta comedia de Ayala y Tamayo. En conjunto, es un momento mediocre, en el que sólo la gran figura del posromántico Bécquer ofrece un interés de primer orden.

La *época de la Restauración* significa el pleno desarrollo del realismo, sobre todo en el campo de la novela. Una amplia producción novelística, en la que destaca la obra ingente de Galdós, permite considerar a este período como de verdadero florecimiento de nuestra literatura narrativa. Los demás géneros de creación —a excepción del atormentado lirismo de Rosalía de Castro— no consiguen dejarnos nada definitivo: los convulsivos dramas de Echegaray o la retórica de Núñez de Arce son, en rigor, puros valores de época. La prosa didáctica, en cambio, llega a gran altura gracias a Menéndez y Pelayo. En el terreno de las ideas, una violenta polémica entre los partidarios de la tradición católica y los defensores de nuevos puntos de vista, diferencia notablemente esta época de la anterior.

Hay que advertir que durante los años de la *Regencia* —1885 hasta fin de siglo— y especialmente en la última década de la centuria, comienzan a manifestarse indicios de un nuevo cambio de orientación, coincidiendo con la evolución general de la cultura europea. Domina aún el realismo, pero se observan síntomas de que es inminente un viraje hacia una concepción idealista del arte y de la vida que supere el materialismo positivista de los años precedentes. Ejemplo de ello sería el cambio de rumbo espiritual de la novela de Galdós, Pardo Bazán o Palacio Valdés, el influjo de Ibsen en el teatro de Echegaray, y, en otro sentido, la poesía premodernista de Reina, Ricardo Gil, Salvador Rueda...

El *siglo XX* supone una renovación total de la literatura española; no obstante —y de forma análoga a lo sucedido en otras épocas—, el realismo costumbrista y los procedimientos literarios de la segunda mitad del XIX no desaparecen por completo: así lo acredita, por ejemplo, la novela de Blasco Ibáñez, la poesía de Gabriel y Galán o, en cierto modo, el teatro costumbrista de los Quintero.

BIBLIOGRAFIA

HISTORIAS DE LA PRODUCCION LITERARIA DE LA SEGUNDA MITAD DEL SIGLO XIX

P. Blanco García: *La literatura española en el siglo XIX*, 1891. Dos vols.

C. Barja: *Libros y autores modernos*, 1933.

Historia de las literaturas hispánicas. Vol. IV, segunda parte, y vol. V, 1957 y 1958.

E. González López: *Historia de la literatura española. La Edad Media. Siglos XVIII y XIX.* Nueva York, 1965.

OTROS ESTUDIOS SOBRE LA EPOCA

M. Azaña: *Tres generaciones del Ateneo.* En "La invención del Quijote...", 1934.

E. Allison Peers: *La pervivencia del romanticismo (1837-1860)* y *El romanticismo después de 1860.* En "Historia del movimiento romántico español". Vol. II, 1954.

G. Torrente Ballester: *Realismo positivista y naturalismo* y *Los escritores de la Restauración.* En "Panorama de la literatura española contemporánea", 1956.

J. L. L. Aranguren: *Moral y sociedad*, 1965.

M. Tuñón de Lara: *La España del siglo XIX.* París, 1968.

la alta comedia. 58
ayala, tamayo, echegaray

El realismo en el teatro: la Alta comedia

Los últimos dramas románticos acusan un sentido de contención y sobriedad que contrasta con las atropelladas improvisaciones de los años del "Don Alvaro". Esta evolución hacia un arte más equilibrado y reflexivo llega a su punto culminante con la *"alta comedia"* fórmula teatral de la segunda mitad del siglo, coincidente, en cierto modo, con la de la comedia burguesa del Segundo Imperio francés (Augier, Dumas hijo...).

En ella, casi todo difiere del drama del período anterior: *el ambiente es el de la época, los temas los proporciona la realidad del momento* y la intención del autor rebasa los límites de lo literario para lograr una *finalidad educativa* mediante el desarrollo de una "tesis" moral, opuesta, bien al desorden pasional del Romanticismo, bien al espíritu materialista de la sociedad contemporánea. En cuanto al contenido dramático, se evitan las desorbitadas idealizaciones y las truculencias románticas y *se intenta estudiar la naturaleza humana* para ofrecer una imagen auténtica de la realidad psicológica. Por otra parte, el verso acabará cediendo el paso a la prosa.

No obstante, el teatro de la segunda mitad del siglo, a pesar de su intención realista, *mantiene no pocos elementos del Romanticismo;* así lo observamos en la presencia del verso, en el violento efectismo de muchas escenas e incluso en cierto sentimentalismo de tono burgués.

La alta comedia, caracterizada por los rasgos apuntados —época actual, propósito educativo, técnica meditada y verdad dramática—, representa un cambio de rumbo en la escena española, pero no un progreso absoluto respecto del teatro anterior, pues aunque en algunos aspectos supere a éste, *no consigue apenas crear obras definitivas.* El hecho de que el deseo de sensatez degenere en aburguesamiento, la intromisión inoportuna de elementos moralizadores y la escasa elevación con que se plantean determinados problemas —tal el del adulterio, verdadera obsesión de una sociedad preocupada sobre todo por "el escandalo"— han contribuido no poco a que la producción del momento haya sido casi totalmente olvidada en nuestros días.

Este tipo de teatro equilibrado —cuyas máximas figuras son Ayala y Tamayo y Baus— se interrumpe en la época de la Restauración para dar paso al convulsivo neorromanticismo de Echegaray. Después de éste, sólo las obras dramáticas de Galdós ofrecen verdadero interés en medio de una serie de productos de ínfima calidad.

Ventura de la Vega

Nacido en Buenos Aires, Ventura de la Vega (1807-1865), *inicia la alta comedia* con *El hombre de mundo* (1845). La cuidada versificación de la obra, su ambiente burgués y su mismo asunto —el fracaso de un don Juan que con insidias pretende destruir la felicidad de un matrimonio— anuncian lo que será el teatro de la segunda mitad del siglo.

Nos ha dejado también un drama histórico, *Don Fernando de Antequera* (1847), de escaso valor, y una tragedia clásica, *La muerte de César* (1865), con la que intentó rehabilitar un género repudiado por el Romanticismo "dándole —como él mismo dice— un poco más de realismo" y de vigor dramático.

López de Ayala

De origen andaluz, Adelardo López de Ayala (1829-1879) intervino en política como liberal moderado y llegó a ser ministro y presidente del Congreso. Fue hombre de extensa cultura y un gran conocedor de nuestro teatro del siglo XVII. Escribió finas poesías, pero lo mejor de su obra es una serie de obras dramáticas que pueden agruparse en dos períodos.

Los dramas históricos de la primera época. — Las primeras obras teatrales de Ayala revelan un fuerte influjo de Calderón, de quien se consideraba discípulo, y *se hallan dentro de la órbita del drama histórico del Romanticismo*. No obstante, la casi total *ausencia de color de época,* la *sobriedad* de la expresión y la importancia del *valor moral,* establecen visibles diferencias respecto del teatro de la generación romántica.

La obra más notable de este momento es *Un hombre de Estado* (1851), en torno a la vida y al final trágico de don Rodrigo Calderón. En ella —como en *Rioja,* supuesta biografía del poeta sevillano— se exalta la fortaleza moral del protagonista de acuerdo con nuestra tradición senequista y cristiana y con la filosofía barroca del desengaño. Como en ambas "la acción no está en las condiciones de la época, sino en el drama interno, pueden considerarse como un paso, una transición hacia la alta comedia".[1]

La alta comedia de la segunda época. — Después de sus dramas históricos, Ayala escribió cuatro comedias de época actual, ambiente urbano y tendencia moralizadora, que representan lo más característico de su producción. En *El tejado de vidrio* (1856)

---

1. Ixart. "El arte escénico en España".

se muestra cómo las consecuencias del libertinaje pueden recaer sobre quien lo fomenta, en *El tanto por ciento* (1861) se ataca el materialismo, en *El nuevo don Juan* (1863) se hace quedar en ridículo al protagonista, y en *Consuelo* —bastante posterior (1878)— se intenta demostrar que el posponer el amor al interés conduce a la infelicidad. En conjunto vienen a ser *una censura contra el espíritu positivista de la época* y una defensa del matrimonio y del amor, de signo totalmente opuesto a la exaltación pasional del Romanticismo. El ataque contra la figura de don Juan, tan grata a los escritores del período precedente, resulta muy significativo.

En cuanto a la técnica, *se mantiene todavía el verso*, que aparece dotado de notable corrección y elegancia, pero en lugar de la desaforada idealización y el desorden constructivo de los dramas románticos hallamos una *fina observación psicológica, un plan cuidadosamente meditado y un deseo de alcanzar la verdad dramática*, que coincide con la tendencia realista de la época. Ayala substituye la desbordada fantasía del teatro de la primera mitad del siglo por una *meticulosa descripción de la sociedad contemporánea;* algunos de sus borradores y apuntes, que han llegado hasta nosotros, son testigos de su afán de exactitud y de la lentitud con que elaboraba sus obras.

Todo ello queda de manifiesto en *Consuelo,* la mejor de sus comedias dramáticas. La figura de la protagonista, que desprecia el amor de Lorenzo y se casa con Ricardo, atraída por la riqueza de éste, siendo al fin abandonada por ambos, está finamente trazada; la versificación es atildada y la crítica de la preocupación materialista se lleva a cabo sin merma de las exigencias estéticas.

Valor y significación del teatro de Ayala. — A pesar de las cualidades apuntadas —*versificación correcta, aguda observación psicológica, meditada estructura*—, que hacen de él, al decir de varios críticos, el Ruiz de Alarcón del siglo XIX, la producción de López de Ayala *no ofrece ni con mucho un interés de primer orden.* Sus obras contienen escasos momentos de verdadera intensidad dramática, y a pesar de encerrar una censura contra el espíritu de la época, llevan el sello del ambiente burgués. No faltan detalles reveladores de una fina sensibilidad, pero la ausencia de tensión y de ímpetu, que afecta a casi toda la literatura del momento, hace que todo quede en una discreta medianía.

Tamayo y Baus

La producción de Manuel Tamayo y Baus (1829-1898), madrileño de padres actores, enlaza también en sus comienzos con el drama romántico, para orientarse más tarde hacia el teatro realista y de tesis.

El teatro posromántico. — Las primeras obras de Tamayo vienen a ser *una derivación de la fórmula dramática del Romanticismo,* si bien la influencia de nuestro teatro del siglo XVII es menos visible que en Ayala y se halla substituida por la de

Schiller. Así se advierte en *Juana de Arco* (1847), por ejemplo, imitación de "La doncella de Orleáns". Un espíritu romántico impregna su tragedia clásica *Virginia* (1853).

Dentro de esta primera época, la obra más conseguida es *Locura de amor* (1855), en torno a la figura de doña Juana la Loca; escrita en prosa, a diferencia de los otros dramas históricos del período anterior, mantiene, no obstante, el ímpetu sentimental del Romanticismo y se halla dotada de auténtica emoción y vigor trágico.

El teatro realista y de tesis. — Con posterioridad, Tamayo escribió *dramas y comedias de ambiente contemporáneo y tendencia moralizadora* en los que queda de manifiesto su ideología tradicionalista: *La bola de nieve* —contra los celos–, *Lo positivo* (1863) —donde se ataca el materialismo–, *Lances de honor* (1863) —contra los duelos– y *Los hombres de bien* (1870) —en la que se censura la tolerancia ante ciertos vicios y errores de la sociedad de la época–. Su escaso interés literario deriva de que el autor *sacrificó en ellas la verdad dramática en pro de una idea moral*, falseando los caracteres y las situaciones, movido por la convicción de que "en el estado en que la sociedad se encuentra, es preciso llamarla al camino de su regeneración". La primera de la obras citadas se halla escrita en verso; las restantes, en prosa.

El gran acierto de "Un drama nuevo". — Donde las grandes dotes de hombre de teatro que Tamayo y Baus poseía quedan plenamente de manifiesto es en *Un drama nuevo* (1867), la mejor de sus obras y una de las más destacadas de toda la producción dramática de la segunda mitad del XIX. Su asunto es el siguiente: La compañía de cómicos de Shakespeare tiene que representar una obra en la que el protagonista descubre, por la intervención de un delator, que su esposa le es infiel. Yorick, que hace el papel de marido ultrajado, se entera por el envidioso Walton de que su mujer, Alicia, ama a su ahijado Edmundo, y al tener lugar la representación convierte la ficción teatral en realidad, matando a éste en escena.

Con la "Alta Comedia" comienzan a introducirse en el teatro español las preocupaciones de la sociedad del momento. Tal, la de "los duelos", objeto de una de las obras de Tamayo y Baus. Grabado de la época.

Los valores esenciales de este drama en prosa, en el que es fácil advertir la influencia de Shakespeare, radican en la perfección técnica con que se resuelve la dificultad de unir las dos acciones teatrales, en la verdad humana de los personajes, en su patetismo de buena ley y en el sentido de sobriedad con que todo él está concebido.

Significación del teatro de Tamayo y Baus. — Aunque buena parte de la producción de Tamayo ha perdido interés porque la preocupación docente conduce a un falseamiento de la realidad, es indudable que *conocía a fondo los recursos técnicos del teatro* y que *era capaz de verdadera hondura dramática,* como lo demuestran "Locura de amor" y "Un drama nuevo". Sus obras no se hallan totalmente exentas de efectismo —herencia inevitable de la época anterior—, pero hay siempre en él un deseo de exactitud realista y de contención, que se advierte, por ejemplo, en el hecho de haber utilizado la prosa en algunas de sus mejores producciones, con el objeto de centrar la atención en el puro conflicto humano, huyendo de los efectos externos. *Su teatro se halla muy lejos del gusto actual;* no obstante, hay que reconocer que *supo dar variedad y dignidad a la escena española* en una época de lamentable mediocridad, en la que "las pasiones violentas del Romanticismo se sustituyeron por un sentimentalismo empalagoso y lánguido" y en la que "de las fiebres abrasadoras del otro período" tan sólo quedó "como una calentura pegajosa de enfermo, de convaleciente; un lirismo casi prosaico en boca de personajes de levita".[1]

Echegaray

Su vuelta a los recursos del Romanticismo. — Don José Echegaray (Madrid, 1832-1916) —matemático, ingeniero, ministro y premio Nobel de Literatura 1904— es un caso curioso en la evolución de nuestro teatro. Con él se interrumpe la línea de realismo, de moderación, de estudio de la naturaleza humana iniciada por Ayala y Tamayo, para volver al más desaforado romanticismo. Cuando, con la Restauración, la técnica realista domina totalmente el campo de la novela, *su teatro representa una vuelta súbita a los procedimientos más ruidosos y espeluznantes de la generación de 1835.* En él no hay que buscar exactitud psicológica ni verosimilitud, pues todo lo que en este sentido había conseguido la época anterior aparece sustituido por efectismos truculentos y gestos de epilepsia.

Aspectos de su teatro. — En la producción de Echegaray cabe distinguir tres tipos de dramas:

1.º, los de tema histórico —*En el puño de la espada* (1875), *En el seno de la muerte* (1879)—, semejantes, hasta por el tema, a los del Romanticismo;

2.º, los de asunto contemporáneo —*O locura o santidad* (1877), *El Gran*

---

1. Ixart. Obra cit.

El teatro de Echegaray con su melodramática truculencia equivale a una resurrección de los efectismos de la época romántica. Escena de una de sus obras de tema histórico.

Galeoto (1881)–, en los que los más violentos recursos románticos se unen a las preocupaciones del momento; y

3.º los que ya a última hora –*El hijo de don Juan* (1891), *El loco Dios* (1900)– vienen a ser una resonancia del teatro "de ideas" de Ibsen.

De todas estas obras, la que con más ahínco se ha mantenido en nuestros escenarios es sin duda *El Gran Galeoto,* en la que la protagonista acaba enamorándose sin querer de un protegido de su marido, precisamente a causa de las murmuraciones de la gente. Su tema central –el honor y los celos– fue uno de los preferidos del autor.

Valor del conjunto. – A pesar del enorme éxito que obtuvo el teatro de Echegaray, es en conjunto un verdadero fracaso. *No le faltan nervio ni potencia dramática,* pero *lo falso de los caracteres, lo inverosímil de las situaciones* y el *desenfrenado efectismo del estilo* casi justifican el calificativo de "estupendos mamarrachos" con que Ganivet designó a estas obras, inexorablemente envejecidas, que hoy incitan a la parodia. Llenas de amores adúlteros que llevan al deshonor y a la muerte, y de escenas escalofriantes, en versos declamatorios no exentos de ripios, son una demostración palpable de cómo el gusto por lo truculento y espectacular no había desaparecido del todo en la época de auge de las tendencias realistas.

El género chico

Junto a la Alta Comedia, la Restauración ofrece un tipo de teatro menor, de escasa trascendencia literaria, en el que cabe agrupar una serie de *sainetes, entremeses y zarzuelas,* cuyo interés radica en su *valor documental de época* y en la *música* –de Bretón, Barbieri, Chueca, Chapí, Caballero...– que les acompaña. Son, por lo general, piezas cortas, donde el *factor cómico* y el *elemento costumbrista* –referente a tipos y clases populares– desempeña un importante papel.

Como dice el poeta y crítico Pedro Salinas,[1] "el género chico representaría con respecto a la tradición literaria española una última forma de ese teatro popular y realista que ha acompañado siempre a nuestras máximas obras dramáticas, y en relación con la tendencia dominante en la época —el realismo—, una forma degenerada y empobrecida que se aloja, por mala fortuna suya, en este cuerpo raquítico..."

Tal vez la más interesante de todas sea *La verbena de la Paloma* (1894), de **Ricardo de la Vega**, cuya agradable música, escrita por el maestro Bretón, se halla en la memoria de todos, y en la que el ambiente castizo madrileño es evocado con singular acierto.

Entre las más significativas cabe citar también *La Revoltosa* (1897), de **López Silva** (y **Chapí**); *El baile de Luis Alonso* (1881), de **Javier de Burgos** (y **Giménez**); *Pan y toros*, de **Picón** (y **Barbieri**)... Gran popularidad alcanzaron, asimismo, las zarzuelas de **Ramos Carrión**, por ejemplo, *La bruja* (1887), con **Chapí**, los divertidos sainetes de **Vital Aza**, *Aprobados y suspensos* (1876), *Zaragüeta*, etc.

BIBLIOGRAFIA

EL TEATRO EN LA SEGUNDA MITAD DEL SIGLO XIX

J. Ixart: *El arte escénico en España*. Dos vols., 1894 y 1896.
G Torrente Ballester: *Cien años de teatro español*. Rev. "Escorial", núm. 10.
A. Valbuena: *El teatro moderno español*, 1954.

V. DE LA VEGA, LOPEZ DE AYALA, TAMAYO, GASPAR

J. K. Leslie: *V. de la Vega and the Spanish Theatre (1820-1865)*, 1940.
J. Montero Alonso: *V. de la Vega, su vida y su tiempo*, 1951.
L. de Oteyza: *López de Ayala o el figurón político-literario*, 1932.
N. Sicars y Salvadó: *Don M. Tamayo y Baus*, 1906.
D. Poyán Díaz: *Enrique Gaspar. (Medio siglo de teatro español.)* Dos vols., 1957.

ECHEGARAY

M. Bueno: *Teatro español contemporáneo*, 1909.
L. A. del Olmet y A. García Carraffa: *Los grandes españoles: Echegaray*, 1912.
H. de Curzon: *Le théatre de J. de Echegaray*, 1912.
E. Merimée: *Echegaray et son oeuvre dramatique*. Bull. Hisp., 1916.
A. Gallego Burín: *Echegaray: su obra dramática*, 1917.

LA ZARZUELA Y EL GENERO CHICO

E. Cotarelo Mori: *Historia de la zarzuela, o sea el drama lírico en España, desde su origen a fines del siglo XIX*, 1934.
M. Muñoz: *Historia de la zarzuela y el género chico*, 1946.
J. Deleito y Piñuela: *Origen y apogeo del género chico*, 1949.

1. "Literatura española. Siglo XX".

la poesía posromántica. bécquer

59

La huella del Romanticismo en la poesía de la época realista

A mediados de siglo, la poesía experimenta un nuevo cambio de rumbo: decae el gusto por la narración histórica-legendaria ante el interés que suscita la anécdota sentimental extraída de la vida cotidiana, y el brillante colorido y los efectos de musicalidad y de ritmo que habían perseguido los poetas románticos se debilitan al centrarse la atención en el contenido —emotivo o ideológico— del verso. No obstante, en lo esencial, *la lírica de la segunda mitad de la centuria continúa siendo romántica.* Por eso, si puede hablarse de un teatro y sobre todo de una novela realista, no cabe aplicar el mismo calificativo a la poesía del momento.

De todas formas, el nexo con el Romanticismo no adquiere los mismos caracteres de evidencia en todos los poetas; de ahí que haya que agruparlos en *dos sectores:* el de aquellos que en todo vienen a ser una derivación del período precedente y el de quienes, sin romper totalmente con el Romanticismo, se dejan influir por el ambiente de su tiempo.

En los primeros observamos un proceso de *depuración de los procedimientos románticos.* Desaparecen los gestos estridentes, la musiquilla fácil, el colorido chillón y la hojarasca retórica, y la poesía —cada vez más alada e ingrávida—, adquiere mayor hondura e intensidad lírica. Tal es el caso de Bécquer y Rosalía de Castro.

En los segundos, perdura la nota sentimental, pero lo que en la generación anterior era apasionada exaltación, queda reducido a una *blanda sensiblería burguesa* desprovista de nervio, que en los peores casos llega a extremos inconcebibles de prosaísmo ramplón. Al lado de esta evolución —o descomposición— de la sensibilidad romántica, se advierten matices nuevos: unas veces se trata de *escepticismo irónico* —Campoamor—, que contrasta con el entusiasmo romántico; otras, de una *grave preocupación por los problemas morales* contemporáneos —Núñez de Arce—; otras, en fin —aunque con notable retraso cronológico—, de la *atracción del paisaje natal* —Gabriel y Galán—, fenómeno semejante al costumbrismo regional típico de la novela de la época.

En general, la poesía de la segunda mitad del siglo, salvo Bécquer y Rosalía, es de una lamentable mediocridad. Ahogada por una retórica vacua y descolorida, y centrando su eje en la anécdota sentimental y anodina, es fiel reflejo de una época desprovista de sentido lírico.

El paso hacia Bécquer. — Según vimos en otro capítulo, aunque las principales figuras del primer Romanticismo prefirieron cultivar un tipo de poesía vertida hacia lo externo y atenta a los estímulos visuales y sonoros, no faltaron voces de menor volumen, en las que la expresión del mundo interior alcanzó un lugar más destacado. Esta derivación hacia un "tono menor" en el estilo, y hacia la intimidad en cuanto al contenido temático, persistió en la década de 1850, preparando el camino a la poesía de Bécquer. Dos factores, sobre todo, contribuyeron en esta época al cambio de clima poético: el interés por las formas más ligeras y espontáneas de la canción popular y el influjo de la lírica romántica alemana, en la que se veía "alguna semejanza con los cantares españoles" (A. Ferrán). Ejemplo de todo ello sería el *Libro de los cantares* (1851), de **Antonio de Trueba**, y las coplas de *La soledad* (1861), de **Augusto Ferrán**, gran admirador de Heine, traducido en 1857 por **Eulogio Florentino Sanz**, amigo, como Ferrán, del autor de las "Rimas".

El acendrado lirismo de Bécquer

Gustavo Adolfo Bécquer [1] nace en Sevilla (1836), queda huérfano en su niñez y a los dieciocho años marcha a Madrid impulsado por su vocación. Poco después, se traslada con su hermano, el pintor Valeriano, al monasterio de Veruela y se casa con una joven de la que acabará separándose. Vuelto a Madrid, colabora en varias revistas, viaja y pinta ayudando a su hermano y cuando logra un cierto bienestar económico muere a la edad de treinta y cuatro años (1870).

De carácter *tímido, retraído y soñador,* Bécquer se nos ofrece como un tipo de lírico romántico poco frecuente en nuestro país. Frente a los otros poetas del Romanticismo, sugestionados por el colorido brillante y la belleza plástica del mundo físico, destaca por una *"exasperada sensibilidad"* (Azorín) —relacionable tal vez con su temperamento enfermizo— que le hace percibir con intensidad febril la existencia de un mundo de misterio y de poesía más allá de las realidades tangibles.

Las Rimas. — Toda la producción poética de Bécquer se halla comprendida en un centenar de *Rimas,* que, publicadas en diversas revistas, fueron en parte recogidas en volumen a su muerte (1871). La ordenación tradicional establece aproximadamente la siguiente sucesión de temas:

1. Descenciente de un Bécquer de origen flamenco, Gustavo Adolfo adoptó este apellido sustituyéndolo a los suyos, que eran Domínguez Bastida.

Gustavo Adolfo Décquer

1.º Varias Rimas donde se alude a la poesía, a la inspiración, al genio —"Del salón en el ángulo oscuro..."—.

2.º Surge el tema amoroso —que habrá de ser el *leit-motiv* capital del conjunto—. De momento es el amor inconcreto —"es el amor que pasa"—; más tarde el gozo del enamorado —"Hoy la tierra y los cielos me sonríen..."—. Pero el júbilo dura poco. Bécquer no es el cantor de la alegría, sino el poeta "del amor desesperado". Por eso tenemos:

3.º Rimas en las que se expresa el dolor de los celos, de la desilusión del rompimiento, de la soledad:

> Olas gigantes, que os rompéis bramando
> en las playas desiertas y remotas,
> envuelto entre la sábana de espumas,
> ¡llevadme con vosotras!
>
> Ráfagas de huracán, que arrebatáis
> del alto bosque las marchitas hojas,
> arrastrado en el ciego torbellino,
> ¡llevadme con vosotras!
>
> Nubes de tempestad, que rompe el rayo
> y en fuego ornáis las desprendidas orlas,
> arrebatado entre la niebla oscura,
> ¡llevadme con vosotras!
>
> Llevadme, por piedad, adonde el vértigo
> con la razón me arranque la memoria...
> ¡Por piedad! ... ¡Tengo miedo de quedarme
> con mi dolor a solas!

4.º Las composiciones posteriores aluden a la última fase del proceso sentimental: la melancolía del vacío espiritual, la monotonía de la vida sin amor:

Hoy como ayer, mañana como hoy,
    ¡y siempre igual!
Un cielo gris, un horizonte eterno,
    ¡y andar..., andar!

. . . .

Voz que incesante con el mismo tono
    canta el mismo cantar;
gota de agua monótona que cae,
    y cae sin cesar.

Así van deslizándose los días
    unos de otros en pos,
hoy lo mismo que ayer... y todos ellos
    sin goce ni dolor.

¡Ay! a veces me acuerdo suspirando
    del antiguo sufrir...
Amargo es el dolor; pero siquiera
    ¡padecer es vivir!

Sólo queda ya el olvido y con él la idea del reposo eterno. En los dos últimos versos de sus Rimas nos dirá el poeta:

¡Oh, qué amor tan callado el de la muerte!
¡Qué sueño el del sepulcro tan tranquilo!

El estilo. — Los versos de Bécquer, *desprovistos totalmente de la altisonante retórica, del lujoso colorido* y del estruendo sonoro de la época romántica, *responden a un nuevo concepto de la poesía* en el que muchos ven el punto de arranque de la de nuestros días.

El mismo nos ha dado una definición de su lírica al oponer a "una poesía magnífica y sonora... hija de la meditación y del arte, que se engalana con todas las pompas de la lengua" y "que habla a la imaginación", otra "natural, breve, seca, que brota del alma como una chispa eléctrica, que hiere el sentimiento con una palabra y huye", y "desnuda de artificio", "es un acorde que se arranca de un arpa y se quedan las cuerdas vibrando con un zumbido armonioso".

Es la suya una poesía "frágil, alada y fugitiva" (Azorín), cuya *sencillez y levedad* contrastan con el efectismo de un Espronceda, por ejemplo. No falta la alusión a los valores plásticos —al fin y al cabo, Bécquer era un meridional—, pero lo que en otros es abigarrado color queda substituido por *vagos y esfumados contornos* o por *trémulas irisaciones luminosas*.

Así lo vemos en los siguientes versos escogidos al azar:

"las alas de tul del sueño"...
"flotar con la niebla dorada"...
"cendal flotante de leve bruma"...
"el trémulo fulgor de la mañana"...
"como rayo de luz tenue y difuso"...

Si atendemos al factor musical, observamos la misma tendencia a huir de la rotundidad sonora. Sus versos sencillos y espontáneos —en los que predomina la rima asonante—, carecen de resonancias orquestales, pero tienen una *tenue musicalidad temblorosa* que hace pensar en ese "zumbido armonioso" de que hablaba el poeta.

Idéntico sentido de *contención* se advierte en la expresión de lo íntimo. El desencanto amoroso, los celos, la soledad no provocan nunca "ni gritos ni imprecaciones: sólo algún mudo sollozo" (B. Jarnés). En algún momento, el dolor o el orgullo herido le hace prorrumpir en acres exclamaciones —no siempre de buen gusto—, pero la nota predominante la da un sentimiento de *intensa melancolía,* pues, como dice Dámaso Alonso, "aunque a veces haya sarcasmo, éste flota sobre un fondo de honda tristeza de niño".

Hay, por último, en Bécquer algo que, característico del mejor romanticismo alemán, y ausente de casi toda la poesía española del siglo, da a sus versos un inconfundible tono personal, y es *su aguda intuición de una misteriosa realidad oculta a los sentidos.* En gran parte de las Rimas se advierte *una actitud anhelante e inquieta frente a un mundo invisible,* tan sólo percibido confusamente, y cuya expresión poética es esa serie de vagas alusiones o angustiosos interrogantes con las que el poeta manifiesta su oscuro presentimiento, su dolorosa incertidumbre o una turbadora sensación de vértigo.

"Yo no sé si ese mundo de visiones — vive fuera o va dentro de nosotros", nos dice una vez; y en otra ocasión: "No sé, pero hay algo — que explicar no puedo". "Como atrae un abismo, aquel misterio — hacia sí me arrastraba! ", exclama en una rima, para aludir en otra a los "misteriosos espacios que separan — la vigilia del sueño". Todo le sugiere la existencia de un mundo indefinible al que se siente atraído: ve en el amor una fuerza que le impulsa a lo desconocido: "yo me siento arrastrado por tus ojos — pero a dónde me arrastran no lo sé"; su ideal femenino no es más que "un sueño, un imposible — vano fantasma de niebla y luz", y hasta la inspiración poética se le muestra como un conjunto de "memorias y deseos — de cosas que no existen".

Tal vez sea en estas Rimas, en las que Bécquer —eterno "huésped de las nieblas"— contempla con ojos alucinados un ámbito de realidades inefables que se le revelan a través de la "visión" y del "sueño", donde se encuentra lo más original de su poesía.

El poeta Gustavo Adolfo Bécquer. Apunte de su hermano, el pintor Valeriano D. Bécquer.

Las leyendas y las Cartas. – El elemento legendario y exótico, tan importante en la poesía de la generación anterior, aparece relegado en Bécquer a una serie de *Leyendas* en prosa (1871), cuyo perfumado encanto aún no se ha desvanecido en nuestros días, y en las que el interés por la tradición nacional queda sustituido por una simple atracción hacia lo misterioso, afín –en cierto modo– a la que observábamos en las Rimas.

El caudillo de las manos rojas, El monte de las ánimas, El miserere, Los ojos verdes, Maese Pérez el organista, El rayo de luna, cuentan entre las más bellas de estas Leyendas, escritas en un lenguaje musical y llenas de matices poéticos, que acreditan a su autor como uno de los mejores prosistas de estilo romántico. Quizás lo más importante de ellas sea *el arte con que Bécquer sabe crear un ambiente fantástico de poesía y ensueño* –donde lo maravilloso alterna con lo lírico, y lo terrorífico con la evocación brillante de un pasado legendario– en torno a dos temas fundamentales: el amor, sentido como pasión fatal que conduce a la muerte, y el más allá, de cuya existencia da fe un pavoroso cortejo de aparecidos y visiones espectrales.

Véase el final de *Maese Pérez el organista,* en el que la hija del músico declara a la superiora de su convento haber visto sentado al órgano a su padre, muerto un año antes:

"–Tengo... miedo– exclamó la joven con un acento profundamente conmovido.
    – ¡Miedo! ¿De qué?
    –No sé... de una cosa sobrenatural... Anoche, mirad... vine al coro... sola..., abrí la puerta que conduce a la tribuna... En el reloj de la catedral sonaba en aquel momento una hora... no sé cuál... Pero las campanadas eran tristísimas y muchas... muchas... estuvieron sonando todo el tiempo que yo permanecí clavada en el dintel, y aquel tiempo me pareció un siglo. La iglesia estaba desierta y oscura... Allá lejos, en el fondo, brillaba, como una estrella perdida en el cielo de la noche, una luz moribunda..., la luz de la lámpara que arde en el altar mayor... A sus reflejos debilísimos, que sólo contribuían a hacer más visibles todo el profundo horror de las sombras, vi... le vi, madre, no lo dudéis, vi un hombre que en silencio y vuelto de espaldas hacia el sitio en que yo estaba, recorría con una mano las teclas del órgano, mientras tocaba con la otra sus registros... y el órgano sonaba: pero sonaba de una manera indescriptible. Cada una de sus notas parecía un sollozo ahogado dentro del tubo de metal, que vibraba con el aire comprimido en su hueco, y reproducía el tono sordo, casi imperceptible, pero justo. Y el reloj de la catedral continuaba dando la hora, y el hombre aquél proseguía recorriendo las teclas. Yo oía hasta su respiración. El horror había helado la sangre de mis venas; sentía en mi cuerpo como un frío glacial, y en mis sienes fuego... Entonces quise gritar, pero no pude. El hombre aquél había vuelto la cara y me había mirado... digo mal, no me había mirado, porque era ciego... ¡Era mi padre!
    Comenzó la Misa y prosiguió sin que ocurriese nada notable hasta que llegó la consagración. En aquel momento sonó el órgano, y al mismo tiempo que el órgano un grito de la hija de Maese Pérez... La superiora, las monjas y algunos de los fieles corrieron a la tribuna..."

Dibujo a pluma, original de Gustavo Adolfo
Bécquer.

— ¡Miradle, miradle! — decía
la joven fijando sus desencajados ojos
en el banquillo, de donde se había
levantado asombrada para agarrarse
con sus manos convulsas al barandal
de la tribuna. Todo el mundo fijó sus
miradas en aquel punto. El órgano estaba solo, y, no obstante el órgano
seguía sonando... sonando como sólo
los arcángeles podrían imitarlo en sus
raptos de místico alborozo.

Las cartas *Desde mi celda*, escritas en el monasterio de Veruela y
llenas de bellas descripciones y re-
latos recogidos de la tradición oral, son con las Leyendas todo lo que nos queda de su
producción en prosa.

Valor y trascendencia de la poesía de Bécquer. — Las "Rimas", aunque llegaron
a originar la formación de un pequeño núcleo de poetas becquerianos, no alcanzaron
en su tiempo la resonancia que merecían —recuérdese, por ejemplo, cómo Núñez de
Arce aludía a ellas calificándolas de "suspirillos germánicos"—. Hubo que esperar
mucho tiempo para que la crítica más exigente advirtiese no sólo su extraordinaria
originalidad —a despecho de las influencias de Byron, Musset y, sobre todo, de Heine
que se han rastreado en ellas—, sino la aguda intuición de lo esencialmente poético que
revelan.

La poesía de Bécquer, una de cuyas más hondas raíces habría que verla —para
decirlo con palabras de A. Machado— en "el don preclaro de evocar los sueños",
aparece hoy como trasunto de una excepcional "experiencia poética", y como una
valiosa muestra de esa gran tradición lírica que comienza con el Romanticismo alemán
y continúa con el Simbolismo francés. Y ello es así no sólo por la calidad de la forma
—pues los versos, a pesar de su exquisita levedad, aparecen a veces lastrados por las
fórmulas literarias del pasado siglo—, sino por el hecho de *haber iluminado zonas hasta
entonces inexploradas por la poesía española, valiéndose de la capacidad expresiva de
la visión, de la imagen simbólica y del sueño.* Figura cumbre de la lírica del siglo XIX
español, Bécquer puede ser considerado, gracias al hondo subjetivismo y a la forma
desnuda y alada de sus versos, como *el punto de arranque de una línea que habrá de
conducir a la obra de los grandes poetas de las primeras décadas de nuestro siglo.*

BIBLIOGRAFIA

ESTUDIOS SOBRE BECQUER

Schneider: *Tablas cronológicas de las obras de G. A. Bécquer.* Rev. Fil. Esp., 1929.

W. S. Hendrix: *Las rimas de Bécquer y la influencia de Byron.* Bol. Acad. Hist., 1931.

B. Jarnés: *Doble agonía de Bécquer,* 1936.

Dámaso Alonso: *Originalidad de Bécquer.* En "Poesía española", 1944.

J. Tamayo: *Teatro de G. A. Bécquer,* 1949.

C. Bousoño: *Las pluralidades paralelísticas de Bécquer.* En "Seis calas en la expresión literaria española", 1951.

E. Allison Peers: *El romanticismo en la poesía lírica y narrativa después de 1860.* En "Historia del movimiento romántico español", 1954. Vol. II.

L. Cernuda: *Gustavo Adolfo Bécquer.* En "Estudios sobre poesía española contemporánea", 1957.

J. Pedro Díaz: *Gustavo Adolfo Bécquer,* 1958.

Concha Zardoya: *Las "Rimas" de Gustavo Adolfo Bécquer, a una nueva luz.* En "Poesía española contemporánea". Ed. Guadarrama, 1961.

Jorge Guillén: *Bécquer o lo inefable soñado.* En "Lenguaje y poesía", 1962.

Rica Brown: *Bécquer.* Ed. Aedos, 1963.

G. Celaya: *La metapoesía en G. A. Bécquer.* En "Exploración de la poesía", 1964.

C. Alonso: *Bécquer: el drama de un integrado.* En "Literatura y poder". Madrid. Comunicación, 1971.

los poetas de la restauración y la poesía regional. campoamor, arce, rosalía de castro, gabriel y galán

60

La expresión "Poetas de la Restauración" con que agrupamos las figuras estudiadas en el presente capítulo no ha de entenderse en un sentido riguroso, ya que algunos de ellos comenzaron su obra mucho antes de 1875; así Campoamor, cuyas "Doloras" datan de 1846.

No obstante, todos escribieron o alcanzaron sus mayores éxitos en la época indicada y salvo rara excepción —Rosalía de Castro, por ejemplo— reflejan en una u otra forma el espíritu de dichos años.

El prosaísmo burgués de Campoamor

Las obras. — Don Ramón de Campoamor, cuya plácida vida se extiende a lo largo del siglo XIX (1817-1901), nació en Navia (Asturias). Dedicado a la literatura, alternó ésta con la política, siendo orador parlamentario moderado, gobernador, etc.

Después de haber publicado en su juventud algunos libros de versos típicamente románticos —*Ternezas y flores* (1840), *Ayes del alma* (1842), *Fábulas* (1842), alcanzó su primer éxito con las *Doloras* (1846), entre las que figuran "El gaitero de Gijón", " ¡Quién supiera escribir! ", etc. Unos veinticinco años más tarde, aparecieron los *Pequeños Poemas* (desde 1872), más extensos, algunos de los cuales —"El tren expreso", por ejemplo—, se han hecho célebres. Las *Humoradas* (1886-88), algo posteriores, son poesías breves de carácter "cómico-sentimental". El mismo autor intentó una definición de estos tres géneros: "¿Qué es humorada? Un rasgo intencionado. ¿Y dolora? Una humorada convertida en drama. ¿Y pequeño poema? Una dolora amplificada".

Carácter diverso tienen tres largos poemas narrativos: *Colón,* de tema histórico, y otros dos de asunto fantástico e intención simbólica: *El licenciado Torralba* y *El drama universal,* este último de gran ambición, ya que con él declaraba haber querido "abarcar en una síntesis general las pasiones humanas y las realidades de la vida".

"¡Quién supiera escribir!" Ilustración de uno de los más conocidos poemas de Campoamor.

Nos ha dejado también varias obras en prosa de carácter más o menos filosófico *(El Personalismo, Lo absoluto),* una *Poética* y alguna pieza teatral.

El prosaísmo de la forma. – Uno de los más graves errores de Campoamor fue su desdén por la forma poética. "Siéndome antipático el arte —decía—, ha sido mi constante empeño el de llegar al arte por la idea y el de expresar ésta en el lenguaje común". En el fondo de todo ello había una sana aversión a la retórica y el deseo de inaugurar una poesía desprovista de la pompa verbal del estilo romántico; pero Campoamor, con un desconocimiento absoluto de los valores estéticos del verso, se contentó con dar a la expresión un tono de *llaneza prosaica.* Por eso sus composiciones carecen de color y de música y son, desde el punto de vista formal, un prodigio de ramplonería.

La trivialidad filosófica del fondo. – El propósito de "llegar al arte por la idea" y la creencia de que "la poesía no consiste sólo en los buenos versos sino en los buenos asuntos," llevó a Campoamor a centrar su atención en el "rasgo intencionado", es decir, en lo que él consideraba como contenido "filosófico".

Esta supuesta filosofía, que aparece a menudo como comentario a una anécdota vulgar de la vida cotidiana, tiene un fondo de *irónico escepticismo* que refleja, por su trivialidad, el ambiente de una época sin grandes inquietudes espirituales; *filosofía casera,* muy adecuada a la clase media burguesa a quien iba dirigida.

Obsérvese la forma pedestre y el tono de incredulidad superficial de estos ejemplos:

> En guerra y en amor es lo primero
> el dinero, el dinero y el dinero.

> ¡Qué hermoso es lo creado!
> ¡La tierra, el mar, la bóveda estrellada!
> Mas, después de bien visto y bien pensado,
> ¿para qué sirve todo? Para nada.

La obra de Campoamor, aunque deba algunos elementos al Romanticismo —como derivada de éste hay que considerar la sensiblería de algunas composiciones—, responde a un espíritu distinto. Al igual que los románticos, el autor de las "Humoradas" es un desengañado, pero la desilusión no engendra en él gestos desesperados, sino una leve actitud de burla no exenta, a veces, de rasgos de verdadero ingenio. El amor y la mujer, por ejemplo, temas fundamentales de la apasionada lírica del período anterior, dan sólo lugar a una malintencionada sonrisa:

> Pasan veinte años; vuelve él
> y, al verse, exclaman él y ella:
> — ¡Santo Dios! ¿Y éste es aquél? ...
> — ¡Santo Dios! ¿Y ésta es aquélla? ...

> Serás una bendita,
> pero dice la gente maliciosa
> que alguna que otra vez por ser curiosa,
> has ido a los infiernos de visita.

Campoamor y la crítica. — Los versos de Campoamor, que en su tiempo alcanzaron un éxito rotundo —fenómeno comprensible dada la absoluta compenetración del autor con el ambiente espiritual de la época de la Restauración—, *han sufrido en nuestros días una desvalorización total, a pesar de ciertos intentos de rehabilitación.* No se le pueden negar originalidad e ingenio —las dos cualidades máximas de su producción—, pero la *vulgaridad de la forma,* la *superficialidad del fondo seudo-filosófico* y la *radical ausencia de lirismo* impiden concederle el calificativo de auténtico poeta. Su opinión de que "es imposible que haya mala poesía cuando en ella hay ritmo, rima, conceptos e imágenes" basta para que nos expliquemos todos sus errores.

Campoamor —ha dicho "Azorín"— "es con su vulgarismo, con su total ausencia de arranques generosos y de espasmos de idealidad, un símbolo perdurable de toda una época de chabacanería en la historia de España".

Los problemas ideológicos y la rotunda retórica de Núñez de Arce

Los poemas. — Gaspar Núñez de Arce (1834-1903), vallisoletano, fue gobernador de Barcelona, diputado y ministro, aunque sus ideas liberales progresistas le valieron también la cárcel y el destierro en tiempos de Narváez. Sus obras poéticas, de una gran dignidad formal, pueden agruparse de la siguiente manera:

1.º *Gritos del combate* (1875), colección de poesías, sobre los conflictos morales, políticos y religiosos de la época, entre las que destaca la oda "Tristezas".

2.º Varios extensos poemas en los que combina lo narrativo con lo filosófico-moral y lo simbólico: *Raimundo Lulio* (1875) —sobre el gran escritor medieval—, *El vértigo* (1879) —leyenda en torno al tema del remordimiento—, *La selva oscura* (1879) —composición alegórica inspirada en Dante—, *La última lamentación de Lord Byron* (1879) —desengañada meditación del poeta inglés—, *La visión de Fray Martín* (1880) —en la que se describen las luchas íntimas de Lutero—, etc.

3.º Poemas narrativos de carácter sentimental, en los que el autor declara intentar "esa poesía íntima, familiar, patética, que se desarrolla al calor del hogar": *Un idilio, La pesca* (1884), *Maruja* (1886), etc.

Nuñez de Arce nos ha dejado también un drama —*El haz de leña*— en torno a las relaciones entre Felipe II y su hijo Carlos, algo melodramático, pero más cercano a la realidad histórica que la obra de Schiller.

La preocupación moral. — Núñez de Arce entronca con la poesía romántica por su grandilocuencia y por el blando sentimentalismo de los poemas de última hora. Sin embargo, el hecho de que los problemas íntimos aparezcan en su obra, no como algo personal, sino como resonancia de los que inquietaban a la sociedad de su época, indican en él un *deseo de huir de lo meramente subjetivo* y un *propósito docente* que coincide con las tendencias literarias del momento. "Los silenciosos combates de la fe y de la duda en lo más hondo de la conciencia humana —dice— han ejercido sobre mí atracción irresistible, tal vez porque reflejan uno de los conflictos morales más frecuentes de la sociedad del siglo XIX". Y no le interesa hacer de los versos un vehículo de su intimidad porque "la poesía, para ser grande y apreciada, debe pensar y sentir, reflejar las ideas y pasiones, dolores y alegrías de la sociedad en que vive". Nada, pues, de "suspirillos germánicos" ni de pomposas evocaciones de épocas pretéritas, sino *viriles increpaciones que puedan servir de guía a la colectividad* en medio del caos moral en que el poeta la ve sumida.

Así se advierte, no sólo en aquellos poemas en los que —como en "La última lamentación de Lord Byron" o "La visión de Fray Martín"— se alude directamente a algún problema ideológico —*la necesidad y los peligros de la libertad, los conflictos entre la fe y la duda*—, sino en aquellos otros de carácter sentimental —"Un idilio", "La pesca"—, en los que se defiende el amor familiar contra la nueva moral naturalista.

La sonoridad del verso. — Más que los temas filosófico-morales y que el sentimentalismo, un poco vulgar, de algunas composiciones, lo que todavía puede interesarnos de la poesía de Núñez de Arce —que en más de un aspecto nos recuerda la de Quintana, como él "poeta civil"— es *la dicción sonora, la rotundidad de la estrofa, la magnífica retórica del verso.*

Véanse estas representativas estrofas de *Gritos del combate:*

¡Libertad, libertad! No eres aquella
virgen, de blanca túnica ceñida,
que vi en mis sueños pudibunda y bella.
No eres, no, la deidad esclarecida
que alumbra con su luz, como una estrella,
los oscuros abismos de la vida...

Si en esta confusión honda y sombría
es, Señor, todavía
raudal de vida tu palabra santa,
di a nuestra fe desalentada y yerta:
— ¡Anímate y despierta!
Como dijiste a Lázaro: — ¡Levanta!

No es Núñez de Arce un poeta que satisfaga los gustos actuales. *Su estilo nos resulta a veces hueco y declamatorio,* pero hay que reconocer que en su siglo, en el que la expresión poética no era objeto de un especial cuidado, supo dar a su obra una gran *dignidad formal,* dentro de la manera retórica que escogió como más adecuada a su inspiración.

La tristeza nostálgica de Rosalía de Castro

Tres libros de versos. – Rosalía de Castro (Santiago de Compostela, 1837-El Padrón, 1885) nos recuerda en más de un aspecto la vida y la obra de Bécquer. Dotada como éste de una naturaleza enfermiza y de una aguda sensibilidad para el dolor, vio sus últimos años amargados por la muerte de un hijo y por una terrible dolencia; por otra parte, sus tres libros de versos, de los que trasciende el vaho de tristeza que impregnó su existencia, cuentan —como las Rimas— entre lo más puro de la lírica del siglo XIX.

En su primera obra, *Cantares gallegos* (1863), se refiere al paisaje y a los motivos capitales de la vida rural de su tierra —los amores de la aldea, las romerías, la melancólica "saudade" del campesino, obligado por la miseria a emigrar a Castilla...—, adaptando los ritmos de la poesía popular de Galicia.

En *Follas novas* (1880), escrita en gallego como la anterior y de superior densidad lírica, la alusión a lo externo es ya sólo un recurso para la expresión elegíaca de lo íntimo; en este sentido, la naturaleza aparece ahora como puro símbolo de su desengañada nostalgia.

Más importancia tiene para nosotros *En las orillas del Sar* (1884), su única obra en castellano. En ésta el rasgo pesimista se acentúa y la realidad ineludible del dolor, el paso inexorable de las cosas y el sentimiento obsesionante de la muerte se convierten en los temas capitales.

El estremecido lirismo de "En las orillas del Sar". – Si en Bécquer hallamos momentos de jubiloso entusiasmo, en los versos castellanos de Rosalía todo refleja un *pesimismo amargo.* Es cierto que en ocasiones la tristeza va aliada a un sentimiento de resignación cristiana, mas a veces el sufrimiento le arranca expresiones en las que se trasluce una desesperación profunda que no engendra gestos estridentes ni sacudidas patéticas porque, producto de una sincera emoción dolorosa ante las cosas, se halla dotada de "esa quietud sombría que infunde la tristeza".

Como la de Bécquer —pero de una forma más intensa—, la poesía de Rosalía de Castro denota una ansiedad febril, *una inquietud angustiosa por algo vagamente presentido,* por algo indefinible que su alma adivina oculto en lo que le rodea.

> Yo no sé lo que busco eternamente
> en la tierra, en el aire y en el cielo;
> yo no sé lo que busco, pero es algo
> que perdí no sé cuándo y que no encuentro
> aun cuando sueñe que invisible habita
> en todo cuanto toco y cuanto veo...

>Una sombra tristísima, indefinible y vaga
>como lo incierto, siempre ante mis ojos va
>tras de otra sombra vaga que sin cesar la huye,
>corriendo sin cesar...

A menudo su sensibilidad dolorida se proyecta sobre el terruño natal, dando lugar a *magníficas visiones del paisaje gallego,* en las que el predominio de los tonos grises confiere al conjunto una nota de tristeza indecible; y es esa aguda sensibilidad la que le hace también ver la naturaleza como un mundo animado cuyos rumores se le antojan voces quejumbrosas y misteriosos lamentos que le hablan de una realidad invisible y doliente:

>Cenicientas las aguas; los desnudos
>árboles y los montes, cenicientos;
>parda la bruma que los vela y pardas
>las nubes que atraviesan por el cielo;
>triste, en la tierra, el color gris domina,
>¡el color de los viejos!
>
>De cuando en cuando, de la lluvia el sordo
>rumor suena, y el viento
>al pasar por el bosque
>silba o finge lamentos
>tan extraños, tan hondos y dolientes,
>que parece que llaman por los muertos.

>Seguido del mastín que helado tiembla,
>el labrador, cubierto
>con su capa de juncos, cruza el monte;
>el campo está desierto,
>y tan sólo en los charcos que negrean
>del ancho prado entre el verdor intenso
>posa el vuelo la blanca gaviota,
>mientras graznan los cuervos.

"En las orillas del Sar" —libro en el que cada verso se halla transido de una honda y desolada emoción y en el que la *nota elegíaca* adquiere una intensidad no igualada por ningún poeta romántico— representa una de las cumbres del lirismo español del siglo XIX.

Rosalía de Castro, cuya lírica cuenta entre lo más puro de la poesía del siglo XIX.

La originalidad del estilo. – Desde el punto de vista formal, la poesía de Rosalía de Castro se halla tan lejos del desaliño prosaico de Campoamor como de la altisonante retórica de Núñez de Arce. Si la comparamos con la de Bécquer, hallamos la misma *sencillez de expresión;* pero la trémula luminosidad y el suave encanto de muchas Rimas están sustituidos por unos *trazos enérgicos de terrible y siniestro dramatismo* y por una *atmósfera sombría,* patentes en las imágenes y en el mismo léxico ("la soledad inmensa del vacío", "nuestras horas soñolientas y tardas", "el fruto podrido de la vida", "las negras corrientes del hondo Leteo", "la amarga realidad desnuda y triste", "los negros terrores", "el áspero desierto"...). No obstante la mayor originalidad estilística se halla tal vez en el terreno de lo musical; huyendo de las formas estróficas tradicionales y del sonsonete de la poesía romántica, Rosalía utiliza *toda una serie de nuevos ritmos,* más flexibles y armoniosos que los habituales en su tiempo. Estas innovaciones causaron gran extrañeza al ser conocidas, pero son en cierta manera un precedente de la poesía posterior.

Rosalía y la crítica. – Hoy ya no nos asombra que los versos de Rosalía de Castro pasasen casi inadvertidos en el momento de su aparición; el atormentado y desnudo lirismo de "En las orillas del Sar" estaba necesariamente condenado al fracaso en una época en que los poetas "oficiales" eran Campoamor y Núñez de Arce. Por eso, fue necesario que pasasen muchos años para que los críticos –"Azorín" en primer lugar– fijasen su atención en la mejor poetisa de la literatura española.

Los poetas menores

La segunda mitad del siglo nos ofrece una serie de poetas de segundo orden que sólo en contados casos consiguen dejarnos algo interesante. Todos reflejan en mayor o menor grado la influencia del Romanticismo, bien en lo sentimental, bien en la expresión retórica.

Ventura Ruiz Aguilera (1820-1881), salmantino, es autor de unos *Ecos nacionales* (1849) de asunto social y patriótico un poco a la manera de Núñez de Arce, y de unas emocionadas *Elegías* (1862) a la muerte de una hija. Escribió también un libro de *Cantares* en los que se advierte la huella de la poesía popular.

Vicente Wenceslao Querol (1836-1889), valenciano, cultivó en verso la lengua vernácula y fue uno de los iniciadores de los Juegos Florales en Valencia. En sus poesías castellanas sigue a veces la tendencia retórica de Núñez de Arce aplicándola a la religión, la patria, los afectos familiares, pero su rasgo capital está en la delicada ternura de algunas composiciones –*En la noche buena,* por ejemplo–. Su libro de *Rimas* (1887) le proporcionó una gran popularidad.

Joaquín María Bartrina (1850-1880), catalán, da a sus poesías, –*Algo* (1874)– un fondo seudo-filosófico, caracterizado por una ironía escéptica rayana en el más absoluto nihilismo.

Federico Balart (1831-1905), murciano, consiguió en su vejez, finalizando ya el siglo, un ruidoso éxito con *Dolores* (1889), poemas elegíacos a la muerte de su esposa.

La sencillez de la forma —pareados— y su sincera emoción explican su popularidad —hoy desvanecida— en una época en que predominaba la retórica grandilocuente.

Una simple mención merecen las composiciones humorístico-filosóficas de **Manuel del Palacio,** y los versos coloreados y sonoros de **Manuel Reina,** en cuyos *Cromos y acuarelas* (1878) ven algunos un precedente del modernismo.

La poesía regional de principios del siglo XX:

Gabriel y Galán

Aunque en la segunda mitad del siglo XIX no faltan en la poesía rasgos de costumbrismo regional paralelos a los de la novela realista —así lo vemos en T. Llorente, V. W. Querol, Rosalía de Castro, S. Rueda...—, los más típicos representantes de esta modalidad se dan *a principios del siglo XX,* coincidiendo cronológicamente con las nuevas tendencias modernistas. Sin embargo, los estudiamos aquí, dada su vinculación con el sentir estético de la época del realismo.

José María Gabriel y Galán. — Nació en Frades de la Sierra, Salamanca (1870-1905), y después de ejercer la profesión de maestro, dedicóse a cultivar las tierras de su mujer en Extremadura. Casi toda su producción poética es *de ambiente campesino* y hasta en algunos casos se llega a utilizar en ella el dialecto local (salmantino). El espíritu de las composiciones revela un *concepto cristiano y optimista de las cosas, respetuoso con las tradiciones y con las austeras formas de la vida patriarcal y hogareña.*

Las poesías de Gabriel y Galán, después de una época de fugaz éxito, han sido muy discutidas y se les ha reprochado sentimentalismo y *visión demasiado rural o casera del arte y de las cosas,* defectos en cierto modo innegables. No obstante, hay en ellas cualidades que harían injusta una desvalorización total; en primer lugar, *la visión emocionada del campo castellano y extremeño,* del cual nos habla el autor en robustas descripciones dotadas de verdadero lirismo; y en segundo término, *el fondo honrado y sincero de sus sentimientos,* que no por expresarse a veces en forma superficial o con resabios retóricos de la época romántica, deja de ser auténtico.

Entre sus libros de versos figuran: *Extremeñas* (1902), al que pertenece la conocida composición "El Cristu benditu", y *Castellanas* (1902), que contiene "El Ama", poesía que le dio a conocer y que es quizás la más lograda:

¡Y yo también cantaba,
que ella y el campo hiciéronme poeta!
  Cantaba el equilibrio
de aquella alma serena
como los anchos cielos,
como los campos de mi amada tierra;
y cantaban también aquellos campos,
los de las pardas, ondulantes cuestas,

los de los mares de enceradas mieses,
los de las mudas perspectivas serias,
los de las castas soledades hondas,
los de las grises lontananzas muertas...
  La vida era solemne;
puro y sereno el pensamiento era;
sosegado el sentir, como las brisas;
mudo y fuerte el amor, mansas las penas...

Vicente Medina representa a Murcia en la poesía regional, como Querol a Valencia, Gabriel y Galán a Castilla y Rueda a Andalucía. Sus libros −*Aires murcianos* (1898), *Alma del Pueblo* (1900), *La Canción de la Huerta* (1905)...− recogen motivos y sentimientos del alma popular −el amor, el dolor− y utilizan a menudo el dialecto murciano.

BIBLIOGRAFIA

LA POESIA EN LA SEGUNDA MITAD DEL SIGLO XIX

J. M. de Cossío: *Cincuenta años de poesía española (1850-1900).* Dos vols., 1960.

CAMPOAMOR

A. González Blanco: *Campoamor,* 1912.
C. Rivas Cherif y Félix Ros: Prólogos a sus ediciones de Campoamor. En "Clásicos Castellanos".
V. Gaos: *La poética de Campoamor,* 1955.
L. Cernuda: *Estudios sobre poesía española contemporánea,* 1957.
V. Gaos: *Campoamor, precursor de T. S. Eliot.* En "Temas y problemas de literatura española", 1959.

NUÑEZ DE ARCE

M. Menéndez y Pelayo: *D. Gaspar Núñez de Arce.* En "Estudios y discursos de crítica histórica y literaria". Vol. IV.
E. Gómez de Baquero: *Letras e ideas,* 1905.
J. Romo Arregui: *Vida, poesía y estilo de D. Gaspar Núñez de Arce,* 1946.

ROSALIA DE CASTRO

Azorín: *Clásicos y Modernos,* 1919.
Azorín: *Andando y pensando,* 1929.
E. Santaella Murias: *Rosalía de Castro. Vida, poética y ambiente,* 1942.
B. Varela Jácome: *Historia de la literatura gallega,* 1951.
F. Fernández del Riego: *Historia de la literatura gallega,* 1951.
R. Carballo Calero: *Aportaciones a la literatura gallega contemporánea,* 1955.
L. Cernuda: *Estudios sobre poesía contemporánea,* 1957.
J. R. Carballo: *Rosalía ánima galáica.* En "Entre el silencio y la palabra". Madrid, 1960.
Alonso Montero: *Rosalía de Castro.* Madrid, 1972.

OTROS POETAS

L. Guarner: Introducción y notas a la edición de las *Poesías* de *Vicente W. Querol.* Clás. Cast., 1964.
Andrenio: *La poesía de Balart y la nueva sensibilidad poética.* En "Pen Club. Los poetas", 1929.
A. Revilla Marcos: *J. M. Gabriel y Galán. Su vida y sus obras,* 1923.

los comienzos de la novela realista. fernán caballero y alarcón

La novela realista

El género novelesco, en franca decadencia desde el siglo XVII, alcanza un nuevo período de esplendor *en el último de la centuria*. Tras el fracasado propósito de los románticos de crear una novela histórica, Fernán Caballero intenta a mediados de siglo un nuevo tipo de narración realista que habrá de tener su máximo desarrollo en la época de la Restauración.

Las *causas* que motivan la aparición del realismo en la novela son las que indicamos en otro capítulo: había el precedente lejano de la novela realista del siglo XVII y el inmediato de los escritores de costumbres —Mesonero, Estébanez Calderón—, a lo que vino a sumarse la influencia del ambiente de la época y la del realismo francés contemporáneo.

También nos referimos a las dos *características* esenciales del nuevo género: la sustitución de la fantasía imaginativa por una *meticulosa observación de la realidad,* y el abandono de los temas históricos y legendarios ante el interés suscitado por *lo cotidiano, lo circundante, la actualidad viva.* Vimos asimismo que la atracción que ejerce lo próximo da lugar a veces a que la novela se haga eco de las polémicas morales y religiosas que ahora se encienden y a que, con *propósito didáctico,* defienda acaloradamente "tesis" que comprometen a menudo la objetividad que el autor pretende. A todo ello habría que añadir el intento de reproducir el ambiente de la región —paisaje, tipos, costumbres— en que el autor sitúa los hechos. La ambientación *regional* y el *costumbrismo* serán así rasgos capitales de la novela de la época.

En relación con esto último, cabe señalar que del mismo modo que los costumbristas de la etapa anterior manifiestan a menudo cierta nostalgia por unas formas de vida en trance de desaparición, también toda una línea de novelistas de la segunda mitad del siglo —de Fernán Caballero a Pereda— harán de la descripción del ambiente regional y campesino un pretexto para la defensa de un orden tradicional vigente todavía en los medios rurales. Escapismo hacia el pasado que otro sector, más inclinado al análisis de la circunstancia ciudadana —Galdós, Clarín...— atacará desde supuestos ideológicos de signo contrario.

Cecilia Böhl de Faber

En cuanto al *desarrollo de la técnica* se comienza por *enlazar los cuadros de costumbres* mediante una trama novelesca —Fernán Caballero—; más tarde, el elemento *narrativo* asume una importancia decisiva —Alarcón—; hasta que, por último, se centra el interés en la *descripción* de la realidad física, en el *análisis psicológico* y en el *diálogo* —Galdós—. Todo ello obliga a buscar un tipo de prosa que responda a las nuevas exigencias de la novela, lográndose forjar un *estilo sobrio* y preciso, aunque falto, por lo común, de altas cualidades estéticas.

Tres son las *fases* que marcan la evolución del género:

1.ª Comienzos del realismo, impregnado aún de esencias románticas (Fernán Caballero y Alarcón).

2.ª Apogeo del realismo (Pereda, Galdós y, aunque con un matiz especial, Valera).

3.ª Influencia del naturalismo y síntomas de reacción idealista (Galdós, la Pardo Bazán, Clarín, el P. Coloma, Palacio Valdés).

Como ocurre con la poesía y el teatro, la novela realista penetra también en el siglo XX. El naturalista Blasco Ibáñez es el ejemplo más significativo.

Consignemos por último *el carácter netamente español* de la novela realista —género el más característico e importante de la época—, a pesar del influjo europeo. En esto venía a continuar el interés por lo nacional iniciado por el Romanticismo; pero así como en la primera mitad del siglo la mirada se fija en lo más brillante de nuestra tradición, los novelistas del realismo dirigen su atención hacia el presente para darnos —de acuerdo con una visión por lo común típicamente mesocrática— una imagen, animada a menudo por rasgos de *humor,* de la vida española del momento.

Fernán Caballero

La técnica y el espíritu. — Cecilia Böhl de Faber (1796-1877), hija del hispanista romántico, nació en Suiza, pero pasó la mayor parte de su larga vida en Andalucía, por cuyo ambiente, tipos y paisaje sintió un gran amor. Fue precisamente este entusiasmo lo que decidió su vocación de escritora costumbrista; no obstante, su importancia histórica se debe al hecho de *haber engarzado por primera vez las escenas de costumbres en una sencilla trama novelesca,* atrayendo de paso la atención hacia el ambiente regional y campesino, y dando origen al género que había de alcanzar sus más altos logros en la época de la Restauración.

En sus obras —que firmó con el seudónimo de "Fernán Caballero"— el elemento narrativo sólo sirve de marco a *un amplio cuadro "sobre la vida íntima del pueblo español,* su lenguaje, creencias, cuentos y tradiciones", pues, como ella misma dice al frente de "La Gaviota", no se propuso componer novelas "sino dar una idea exacta, verdadera y genuina de España y especialmente del estado actual de su sociedad, del modo de pensar de sus habitantes, de su índole, aficiones y costumbres", tomando siempre partido por lo tradicional y castizo —que ella veía encarnado en la vida del campo andaluz—, frente a las innovaciones corruptoras de la ciudad.

En cuanto a la técnica, se declara opuesta a la mera imaginación, y partidaria de la *observación de la realidad* —a la manera de su admirado Balzac—, porque "el objeto de una novela de costumbres debe ser ilustrar la opinión, por medio de la verdad sobre lo que se trata de pintar, no de extraviarla por medio de la exageración". No obstante, la visión ingenua e idealizada que nos ofrece del mundo popular andaluz, la psicología de los personajes —tipos representativos, más que individuos con vida propia—, y el tono melodramático que a veces toma la acción *revelan el lastre de los procedimientos románticos* y nos demuestran *cuán lejos se hallaba de un auténtico realismo.*

Otro elemento —la reflexión moral— viene a dar un especial sabor a su producción. Por lo general, las obras se hallan presididas por *una intención docente de signo católico* que trata de exaltar los valores de la tradición cristiana contra la ideología enciclopedista, de acuerdo con las tendencias del romanticismo nacionalista y conservador. Pero compensando la limitada visión a que le conducía este móvil extraliterario, hay en sus novelas un *espíritu de bondad,* de amor hacia los humildes y de comprensión del dolor, en el que se transparenta la delicadeza de su alma femenina.

"Lo esencial de este novelista —ha dicho Azorín— está en esa su consoladora filosofía. Y ella le lleva a amar la sencillez, la ingenuidad, lo candoroso y primario... Calladamente, con profundo amor, con dulzura, esta señora curiosa y limpia va observando los tipos del pueblo...; recoge los cuentecillos, las consejas y cantares populares. Y luego va escribiendo en un estilo claro, sencillo, directo."

"La Gaviota". — Fue su primera narración extensa y la que más fama le dio. Publicada en 1849, según la traducción de J. J. de Mora —pues la autora la redactó en francés—, es el punto de partida de la novela costumbrista española. Su asunto es muy sencillo. Stein, médico alemán, es recogido en un pueblecito andaluz por unos pescadores. Allí se enamora de Marisalada —"La Gaviota"— hija de éstos, y se casa con ella. Van a Sevilla, alcanzando Marisalada un gran éxito por su magnífica voz, y más tarde a Madrid. Convertida ya en una gran cantante, se enamora de un torero, lo que decide a Stein a marchar a América, donde muere. Pero el torero sucumbe en una corrida y "la Gaviota", después de perder la voz, vuelve al pueblo y acaba casándose con el barbero del lugar.

Como en otras obras, el interés de la autora se centra, más que en el desarrollo de la acción novelesca, en la descripción del ambiente andaluz. El paisaje, el folklore, los tipos populares, aparecen evocados con un cariño y un entusiasmo que no retrocede ni aun en aquellos casos en que su sensibilidad femenina le inspira un comentario adverso. Así, por ejemplo, al hablarnos de las corridas de toros, a las que llama "fiestas crueles, inhumanas, inmorales, que son un anacronismo en el siglo que se precia de ilustrado".

Por lo general, sus cuadros se hallan dotados de color y animación, pero carecen de vigor. Véase, por ejemplo, la siguiente nota de paisaje, en la que los tonos sonrosados y hasta las imágenes muestran el nexo con el tipo de descripción idealizada propia del Romanticismo:

> La mar, que no agitaba el soplo más ligero, se mecía blandamente, levantando sin esfuerzo sus oleadas, que los reflejos del sol doraban como una reina que deja ondear su manto... El día estaba tan hermoso, que sólo podía compararse a un diamante de aguas exquisitas, de brillante esplendor, y cuyo valor no aminora el más pequeño defecto. El alma y el oído reposaban suavemente en medio del silencio profundo de la naturaleza. En el azul turquí del cielo no se divisaba más que una nubecilla blanca, cuya perezosa inmovilidad la hacía semejante a una odalisca ceñida de velos de gasa y muellemente recostada en su otomana azul...

Entre las restantes novelas de Fernán Caballero figuran *La familia de Alvareda* (1849), *Clemencia* (1852), *Un servilón y un liberalito* (1855), etc.

Valor de su producción. – Las novelas de Cecilia Böhl de Faber, a pesar de constituir la más alta manifestación del género en la época de Isabel II y de marcar un hito en su evolución hacia el realismo costumbrista, no alcanzan nunca un alto valor estético *y se les pueden reprochar abundantes defectos:* la presencia, a veces inoportuna, de digresiones moralizadoras, su tono excesivamente candoroso, su falta de nervio, la escasa hondura del análisis psicológico...; no obstante, resultan agradables y simpáticas por su *sencillez y naturalidad* y por su *ingenuo optimismo, producto de una bondadosa y delicada sensibilidad femenina.*

Antonio de Trueba

De origen vasco, Antonio de Trueba (1819-1889) produjo sus obras esenciales entre 1850 y 1860 aproximadamente, es decir, por los mismos años que Fernán Caballero, a quien recuerda por su *tono dulzón* y *sentimental.* Escribió en verso el "Libro de los cantares" (1852) y varias colecciones de cuentos: *Cuentos populares, de color de rosa* (1859), *campesinos* (1860), etc., en los que queda de manifiesto su moral tradicional y su espíritu un tanto infantil y sensiblero. Sus idealizadas descripciones del paisaje vascongado vienen a coincidir en cierto modo —aunque resulten inferiores— con las que Fernán Caballero hizo del de Andalucía.

La novela posromántica de tipo social e histórico

Si prescindimos de la producción de Fernán Caballero, la novedad más destacada del reinado de Isabel II fue la aparición y desarrollo de una amplísima serie de narraciones que, vendidas en folletos sueltos o incluidas en los diarios, recibieron el nombre de "novelas por entregas". Dirigidas a la clase media u obrera, constituyeron a menudo un poderoso vehículo de propaganda de las ideas republicanas y democráticas e incluso de las doctrinas del "socialismo utópico" de la época. Los ataques de que fueron objeto por parte de la prensa "moderada" no impidieron su extraordinario éxito, lo que nos explica su influjo sobre algunos realistas de épocas posteriores, a pesar de su ínfima calidad literaria.

La figura más representativa en este terreno fue **Wenceslao Ayguals de Izco** (1801-1875), quien, siguiendo las orientaciones ideológicas de Eugenio Sué —del que tradujo "El judío errante"—, publicó a partir de *María, la hija del jornalero* (1845-46) una serie de novelas donde defiende a la clase obrera y ataca a los poderosos, con una técnica que alterna los más truculentos efectismos con un sentimentalismo lacrimoso de clara estirpe romántica.

Entre los escritores que cultivaron este tipo de literatura "comprometida, anticlerical, democrática y progresista" (I. M. Zavala) —que enlaza por un lado con ciertas actitudes de un Espronceda, por ejemplo, y por otro con algunos aspectos de la novela naturalista— figura **M. Fernández y González** (1821-1888), autor de obras de orientación social —*La honra y el trabajo* (1867), *La gente de buena fe* (1869)— y representante, además, del género histórico. Sus novelas, que pasan de trescientas, en las que el factor idealizante y sentimental del período romántico aparece sustituido por un predominio de la aventura y la acción, al estilo de Dumas, se hallan por lo general ambientadas en la Edad Media y la época de los Austrias —*Los hermanos Plantagenet* (1847), *Men Rodríguez de Sarabria* (1853), *El pastelero de Madrigal* (1862)...

La novela social de tipo sentimental y la histórica fue también cultivada por autores de tendencia conservadora: la primera, por **E. Pérez Escrich** (1829-1897), que en abundantes novelas por entregas —tal *El cura de aldea* (1861)— defiende con tono candoroso y moralizador una postura cristiana; la segunda, por **F. Navarro Villoslada** (1815-1895), cuya última y más importante obra —la entretenida narración *Amaya o los vascos en el siglo VIII*— fue publicada en plena época de la Restauración (1877).

Pedro Antonio de Alarcón

Las novelas de Alarcón corresponden a la época de la Restauración, pero por su técnica y espíritu pueden considerarse como una transición entre la producción de Fernán Caballero —llena aún de elementos románticos— y la de los más típicos representantes del realismo: Pereda, Galdós... Las descripciones, por ejemplo, se hallan más cerca del entusiasmo romántico que de la precisión y objetividad de los otros novelistas del momento.

La vida. — Pedro Antonio de Alarcón (1833-1891) nació en Guadix (Granada) y durante su juventud tomó parte, con un sentido revolucionario, en las controversias políticas; pero un duelo con otro escritor dio lugar en él a una crisis de conciencia que acabó llevándole al bando conservador y católico. Poco después, se alistó para la guerra de Africa, y a su regreso viajó por Europa. Vuelto a España intervino de nuevo en

Un episodio de la Guerra de África, según un dibujante de la época.

política, siendo nombrado diputado y miembro de la Real Academia. En su obra se halla reflejada su trayectoria ideológica y algunos episodios de su vida.

La primera época: las crónicas de viajes y los cuentos. — Dejando aparte *El final de Norma* (1855), novela de tono romántico escrita a los dieciocho años y que su autor calificó más tarde de "inocentísima muchachada", la carrera literaria de Alarcón se inició con tres crónicas de viaje que le hicieron famoso, adiestrándole al mismo tiempo en la técnica de la observación y del relato. En el *Diario de un testigo de la guerra de Africa* (1860) nos cuenta con vigoroso estilo sus impresiones de campaña: en *De Madrid a Nápoles* (1861) alude a su viaje a Italia, deteniéndose en la descripción de paisajes y obras de arte; en *La Alpujarra* (1873) refiere la rebelión de los moriscos, añadiendo detalles sobre la región.

Aunque publicados años más tarde, debieron de ser obra de juventud una serie de cuentos en los que quedan ya patentes sus dotes de narrador vivo y ameno. Alarcón los agrupó en tres colecciones: *Historietas nacionales* (1881) —en las que abundan episodios de la guerra de la Independencia—, *Cuentos amatorios* (1881) —donde predomina un tono de gracia maliciosa— y *Narraciones inverosímiles* (1882) —de tipo fantástico—.

A la primera serie corresponde el impresionante relato titulado "El carbonero alcalde"; a la segunda, "El clavo", de patético desenlace; la tercera, "El amigo de la muerte", historia "a lo Edgardo Poe".

"El sombrero de tres picos". — Publicada en 1874, se halla cronológicamente a la cabeza de una serie de novelas que escribió en su edad madura. Pero tanto como el comienzo de una nueva época, representa la culminación de la anterior, no sólo por su forma —pues en definitiva viene a ser un cuento largo—, sino por su espíritu jovial y desenfadado, análogo al que anima sus narraciones juveniles. Su asunto, basado en una tradición popular, es como sigue. Un viejo Corregidor pretende a una bella molinera, la "señá Frasquita"; ésta defiende su honor y salva la situación; pero su marido, el tío

Lucas, creyendo que aquél ha conseguido su propósito, se dirige a casa de la Corregidora para devolverle la afrenta, aunque sin conseguir tampoco nada. Al fin todo se aclara, quedando el viejo en ridículo. La ironía maliciosa del relato, la vivacidad del diálogo, la gracia con que se describen tipos y situaciones y el color y pintoresquismo del ambiente en que discurre la acción —situada en la guerra de la Independencia—, hacen de esta novelita —la mejor de Alarcón— una verdadera obra maestra.

Véase, por ejemplo, el garbo de la siguiente descripción:

> La señá Frasquita frisaría en los treinta. Tenía más de dos varas de estatura y era recia a proporción... Pero lo más notable en ella era la movilidad, la ligereza, la animación, la gracia de su respetable mole... Se cimbreaba como un junco, giraba como una veleta, bailaba como una peonza. Su rostro era más movible todavía... Avivábanlo hasta cuatro hoyuelos... Añadid a esto los picarescos mohínes, los graciosos guiños y las variadas posturas de cabeza que amenizaban su conversación y formaréis idea de aquella cara llena de sal y de hermosura y radiante siempre de salud y alegría... Vestía con sencillez, desenfado y elegancia... y permitía al sol y al aire acariciar sus arremangados brazos y su descubierta garganta... Usaba... el traje de las mujeres de Goya..., falda de un solo paso, sumamente corta, que dejaba ver sus menudos pies y el arranque de su soberana pierna... Por último... su carcajada era tan alegre y argentina que parecía un repique de Sábado de Gloria.

La segunda época: las novelas de fondo moral. — Un año después de "El sombrero de tres picos", Alarcón publicó una serie de novelas de mayor extensión, en las que advertimos una preocupación moralizadora que las acerca a la literatura de tesis. Lejanas ya las inquietudes revolucionarias de su juventud, el autor aparece aquí como un espíritu "sensato" y partidario de los puntos de vista conservadores. En general, las novelas de este segundo período *tienen poco más que un puro valor de época:* el estudio psicológico resulta un tanto primario y el propósito docente hace que en ocasiones se desvirtúe la realidad.

El eje de *El escándalo* (1875), que es la que alcanzó mayor fama, lo constituye un caso de conciencia: las dudas morales del libertino Fabián Conde, que, a consecuencia de antiguas faltas, se ve en una situación comprometida; el protagonista acaba por superarlas gracias a los consejos del jesuita P. Manrique —que le recomienda afrontar los hechos sin disculparse con falsedades— y al amor de Gabriela, con la que al fin se casa. Aunque las situaciones, a veces melodramáticas, recuerdan los recursos románticos, el intento de análisis del proceso psicológico de Fabián Conde señala un nuevo paso hacia los procedimientos realistas.

El niño de la bola (1880) es una historia de ambiente popular, en la que el autor quiso demostrar la "necesidad de los sentimientos y respetos religiosos"; por no tenerlos en cuenta, el protagonista, Manuel Venegas —"el niño de la bola"— mata a su antigua novia, Soledad, a quien a la vuelta de un largo viaje encuentra casada con otro, y muere a manos del marido de ella. La obra no deja de tener fuerza trágica.

Menos interés ofrecen *El Capitán Veneno* y *La Pródiga.*

El capitán veneno (1881) es una amable historia de amor, en la que el protagonista termina por casarse, después de haberse hecho el desdeñoso, con la hija de la señora que le acogió al ser herido en una escaramuza.

La pródiga (1882), donde se exponen las terribles consecuencias de unos amores ilícitos, señala ya la decadencia del arte de Alarcón. Considerada por éste como "un alegato en favor de las leyes que rigen nuestra sociedad", apenas interesó a los críticos, lo que dio lugar a que su autor, amargado por lo que él llamaba "la conspiración del silencio", renunciase a seguir escribiendo.

La habilidad narrativa de Alarcón. – El valor supremo de la obra de Alarcón se halla en la *amenidad y la gracia del relato.* El estilo es espontáneo y lleno de vida, pero algo desaliñado; los análisis psicológicos revelan una visión poco profunda del alma humana y las descripciones son simples bocetos: Alarcón siempre desdeñó la técnica de la observación y de la "experimentación", tan en boga en su tiempo. También se le puede reprochar falta de fantasía, ya que sus obras se basan siempre en hechos históricos o en tradiciones más o menos conocidas. En cambio, es un narrador magnífico, que sabe construir y desarrollar hábilmente un asunto cualquiera; por eso sus mejores novelas son aquellas en las que prescindiendo de todo propósito trascendental y docente se limita a contarnos *con ingenio vivaz y malicioso desenfado* alguna anécdota o suceso interesante.

El Alarcón moralizador y polemista apenas atrae ya nuestra atención: pero obras como "El sombrero de tres picos" resultan para el lector actual tan sugestivas como en la época en que fueron escritas.

BIBLIOGRAFIA

LA NOVELA EN LA SEGUNDA MITAD DEL SIGLO XIX

A. González Blanco: *Historia de la novela en España desde el Romanticismo,* 1909.

Andrenio: *El renacimiento de la novela en el siglo XIX,* 1924.

J. A. Balseiro: *Novelistas españoles modernos,* 1933. (Estudios sobre Alarcón, Valera, Pereda, Galdós, Pardo Bazán, P. Coloma, Palacio Valdés.)

B. Romeu: *Les divers aspects de l'humour dans les romans en espagnol moderne.* Bull. Hisp., 1946.

E. Allison Peers: *El romanticismo en la novela desde 1860.* En "Historia del movimiento romántico español", 1954.

Sherman H. Eoff: *El pensamiento moderno y la novela española.* (Sobre Pereda, P. Bazán, Alas, B. Ibáñez, Galdós y otros.) Barcelona, 1965.

Guillermo de Torre: *Galdós. Pardo Bazán. Clarín. Valera.* En "Del 98 al Barroco". Ed. Gredos, 1969.

Iris M. Zavala: *Socialismo y literatura: Ayguals de Izco y la novela española.* En Revista de Occidente, n. 80, 1969.

Iris M. Zavala: *Ideología y política en la novela española del siglo XIX.* Anaya, 1971.

J. I. Ferreras: *La novela por entregas. 1840-1900.* Taurus, 1972.

J. I. Ferreras: *Introducción a una Sociología de la novela española del siglo XIX.* Cuadernos para el diálogo, 1973.

FERNAN CABALLERO

L. Coloma: *Recuerdos de Fernán Caballero*, 1910.
Azorín: *Andando y pensando*, 1929.
Angélica Palma: *Fernán Caballero*, 1931.
A. González Blanco: *Antonio de Trueba*, 1914.
J. F. Montesinos: *Fernán Caballero. Ensayo de justificación*. México, 1961.

ALARCON

Azorín: *Andando y pensando*, 1929.
J. Romano: *P. Antonio de Alarcón, el novelista romántico*, 1933.
J. F. Montesinos: *Pedro Antonio de Alarcón*. Zaragoza, 1955.
V. Gaos: *Técnica y estilo de El sombrero de tres picos*. En "Temas y problemas de literatura española", 1959.
J. A. Montesinos: *Sobre "El escándalo", de Alarcón*. En "Estudios y Ensayos de Literatura española". México, 1959.

el estilo de valera y los paisajes de pereda 62

Las tres figuras cumbre de la novela del XIX

Valera, Pereda y Galdós son los máximos representantes de la novela del siglo XIX. Todos comienzan su producción hacia los años que van de 1870 a 1880 y reflejan el ambiente de la Restauración. Valera es el gran estilista del grupo; Pereda, el paisajista de trazos vigorosos; Galdós, el creador de ambientes y caracteres.

Valera

La vida, el temperamento y las ideas. – Don Juan Valera (1824-1905) nació en Cabra, de familia noble. Un íntimo afán de refinamiento y una gran ambición personal le llevaron a frecuentar la alta sociedad madrileña y a ingresar en el cuerpo diplomático, a consecuencia de lo cual realizó una larga serie de viajes: todavía muy joven acompañó al Duque de Rivas en su embajada a Nápoles y residió temporadas en Lisboa, Río de Janeiro, Dresde, San Petersburgo y, tras unos años de vida literaria y política en Madrid, en Washington, Bruselas y Viena, a donde fue como embajador.

Su elegancia, los ambientes selectos en que vivió y su amplia cultura humanística y europea hicieron de él *un hombre de esmerado buen gusto.* Muy inteligente, pero incapaz de apasionarse por ninguna idea, tuvo para todas una sonrisa irónica, centrando sus aspiraciones en la consecución de un *alto ideal estético* y el goce amable de la vida.

La frase "yo me siento incapaz de ser dogmático en mis juicios filosóficos", viene a sintetizar su actitud intelectual. *Escéptico* –aunque lleno de curiosidad– ante las más importantes cuestiones, se mantuvo por lo común apartado de las polémicas políticas y religiosas de la época y se mostró tolerante con todos los puntos de vista, guardando para los más extremos una burlona *ironía,* en la que no faltaba a veces un dejo volteriano.

Si el espíritu equilibrado de Valera y su concepto hedonista de la vida nos hacen pensar en ciertos aspectos del siglo XVIII, su sentido crítico nos recuerda también a los

Juan Valera, el más pulcro escritor de su época.

hombres de la Enciclopedia. Mundano, refinado, enemigo acérrimo de estridencias y vulgaridades, *Valera es el aristócrata de la literatura del momento.*

La técnica novelística y el estilo. — Valera constituye un caso aparte en la producción novelística del siglo. Su carrera literaria se inició dentro de la órbita del Romanticismo, pero pronto su temperamento reflexivo y sereno, *le hizo repudiar los excesos imaginativos y el desbordamiento sentimental de aquella generación.* Al mismo tiempo, una aguda intuición de los valores estéticos le inclinó a considerar equivocadas las tendencias de la época. Partidario del arte por el arte, *le molestaba la literatura de "tesis" y veía un puro error en el afán de exactitud realista.* "Una novela bonita —decía— debe ser poesía y no historia; esto es, debe pintar las cosas, no como son sino más bellas de lo que son". Atacaba así las novelas que eran "copia exacta de la realidad y no creación del espíritu poético". Por ello no deja volar la imaginación ni se empeña en reproducir la realidad con precisión fotográfica; ni inventa ni observa: se limita a recordar experiencias propias o ajenas, haciéndolas pasar por el tamiz de una *leve idealización embellecedora.* La descripción del paisaje —tan importante en la novelística de su tiempo— apenas le atrae, y si éste aparece en algún caso, es con un mero valor adjetivo, como un recurso más para hacer agradable el relato. Sólo le interesa crear una obra de arte, dándole como soporte el *análisis minucioso de una serie de estados de ánimo.* Valera siempre fue un fino captador del detalle. En este sentido —y aunque le falte poder creador para forjar vigorosos caracteres humanos— se le puede considerar como el iniciador de la novela psicológica.

En cuanto a los temas, mostró siempre una decidida inclinación hacia *el estudio de la experiencia amorosa,* si bien eludiendo cuanto pudiera ser interpretado como una confesión personal. Discreción y mesura son dos factores que imprimen carácter a todas sus novelas en las que el conflicto amoroso aparece tratado con una cierta frialdad reflexiva que elimina los tonos patéticos como estridencias de mal gusto. "Valera —ha dicho Azorín— no llegó nunca en sus obras a hacer sentir la emoción del dolor y de lo trágico."

En ellas hay una *falta evidente de calor humano,* de ímpetu pasional, pero la ausencia de intensidad en el terreno del sentimiento se halla compensada con la gracia amable del relato, con la finura intelectual de las digresiones que lo adornan y sobre todo con la pulcritud del estilo, pues *Valera es el primer estilista de su generación,* el primero y el único. Cuidado y elegante, el estilo de Valera es un modelo de armonía, de naturalidad y de pureza expresiva, como corresponde a quien, poseedor de una refinada cultura clásica, opinaba que "la belleza está en la forma".

Las obras menores. – Valera nos ha dejado también una serie de poesías, cartas, ensayos de crítica literaria, traducciones y cuentos que revelan una curiosidad inteligente por todos los aspectos del arte y de la cultura.

Sus primeros intentos fueron de tipo lírico, pero las *poesías* que escribió, aunque correctas y armoniosas, ofrecen escaso interés.

Más sugestivas resultan sus *cartas.* Las largas estancias en el extranjero dieron lugar a una nutrida correspondencia epistolar que le sirvió para adiestrarle en el manejo de la prosa y en la cual se advierte ya su despreocupado epicureísmo y su fino sentido irónico.

La labor de Valera como *crítico* fue también muy copiosa. Agil y amena, aunque no siempre acertada –la Antología de poetas del siglo XIX llega a omitir a Rosalía de Castro–, revela una gran inteligencia y una exquisita sensibilidad para los valores estéticos. Sobresalen, entre otros estudios, el discurso sobre el "Quijote", el ensayo sobre la poesía romántica y los contenidos en las "Cartas americanas".

Profundo conocedor de las lenguas clásicas y modernas, llevó a cabo algunas *traducciones;* es, por ejemplo, admirable la versión del "Dafnis y Cloe" (1880), de Longo, cuyo erotismo debió de atraer el espíritu de Valera.

Consignemos, por último, varios libros de *cuentos,* fantásticos en su mayor parte, entre los que figuran deliciosas narraciones de tipo infantil, como "El pescadorcito Urashima", "El espejo de Matsuyama" o "El Pájaro verde".

"Pepita Jiménez". – Valera comenzó muy tarde su producción novelística. "Pepita Jiménez", la primera de sus novelas y las que ha tenido más éxito, fue publicada (en 1874) cuando su autor contaba cerca de cincuenta años. Escrita en parte en forma epistolar, nos refiere el progresivo enamoramiento del seminarista Luis de Vargas, quien, después de grandes luchas espirituales, acaba casándose con Pepita, viuda de veinte años, prometida de su padre. El tema central –o sea, el conflicto entre la vocación religiosa del protagonista y el amor humano, que Valera, de acuerdo con su temperamento, resuelve a favor del último– da pie a una serie de sutiles disquisiciones de tipo místico y teológico en las que queda patente la inclinación del autor hacia lo intelectual, hacia el razonamiento erudito. No faltan finas notas de costumbrismo andaluz, pero el interés de la novela reside ante todo en su terso y esmerado estilo y en la habilidad con que se describe el proceso psicológico de Luis de Vargas, que influido por el encanto de Pepita y por la alegre sensualidad del ambiente andaluz, termina renunciando a sus propósitos de ascetismo.

He aquí un fragmento de las cartas en las que el seminarista refiere a su tío su angustiosa situación:

> Me recomienda V. que piense en la muerte; no en la de esta mujer, sino en la mía. Me recomienda V. que piense en lo instable, en lo inseguro de nuestra existencia y en lo que hay más allá. Pero esta consideración y esta meditación ni me atemorizan ni me arredran... Lo que es aún eficaz en mí contra el amor, no es el temor, sino el amor mismo. Sobre este amor determinado, que ya veo con evidencia que Pepita me inspira, se levanta en mí el espíritu del amor divino en consurrección poderosa. Entonces todo se cambia en mí, y aún me prometo la victoria. El objeto de mi amor superior se ofrece a los ojos de mi mente como el sol que todo lo enciende y alumbra, llenando de luz los espacios; y el objeto de mi amor más bajo, como átomo de polvo que vaga en el ambiente y que el sol dora...
>
> Mi vida, desde hace algunos días es una lucha constante. No sé cómo el mal que padezco no me sale a la cara. Apenas me alimento; apenas duermo. Si el sueño cierra mis párpados, suelo despertar azorado, como si me hallase peleando en una batalla de ángeles rebeldes y de ángeles buenos...
>
> No me queda más recurso que huir. Si en lo que falta para terminar el mes, mi padre no me da su venia y no viene conmigo, me escapo como un ladrón: me fugo sin decir nada.

Acertadamente afirma Manuel Azaña que en esta agradable y acicalada novela "visiblemente despojada de toda ingenuidad", es "la prosa superior al invento; el deleite, más vivo que la emoción; más elegante la línea que violento el color; menos calurosa la expresión que el sentimiento".

Otras novelas. — *El Comendador Mendoza* (1877) tiene como nudo un caso de conciencia parecido al del "Escándalo", pero aquí se mantiene una falsedad para evitar mayores males. Al revés también que en la obra de Alarcón, el interés se centra, más que en el conflicto moral, en la gracia de la narración y en la simpática figura del protagonista —tipo de enciclopedista liberal algo parecido al propio Valera—, que acaba casándose en su edad madura con una sobrina suya.

En *Doña Luz* (1879) vuelve a plantearse entre el amor divino y el humano un conflicto que ahora termina trágicamente: el anciano fraile P. Enrique muere al casarse la protagonista, de quien se había enamorado.

Juanita la Larga (1896) insiste, a su vez, en el tema de los amores de un hombre entrado en años con una moza. Es la única novela en la que Valera dio extensa cabida a la descripción costumbrista, si bien el paisaje y ambiente andaluces, los tipos y hasta el lenguaje, se hallan sometidos a una ligera estilización idealista. En este sentido, vemos a los lugareños expresarse en el mismo lenguaje académico del autor.

Valera y la crítica. — Si a comienzos de nuestro siglo Valera consiguió mantener su prestigio, la novela del período realista perdió en gran parte el favor de la crítica desde que la generación del 98 o el modernismo se orientaron hacia nuevos derroteros ideológicos, exigiendo al mismo tiempo un mayor rigor en el terreno de la expresión formal. Los años de la posguerra, en cambio, han sido testigos de un nuevo fervor hacia ciertas figuras del realismo —Galdós, "Clarín"...—, entre las que ciertamente no figura Valera, debido al alejamiento de éste de los aspectos más hirientes de la problemática social de su tiempo. No obstante, siempre habrá que reconocer que la elegancia de su elaborada prosa o la fina e inteligente matización de sus análisis fueron algo realmente excepcional entre los novelistas de la Restauración.

Pereda

Vida y carácter. — José María de Pereda (1833-1906) nació en Polanco (Santander), de familia hidalga, y salvo alguna breve estancia en Madrid, residió toda su vida en la Montaña. Si le comparamos con Valera, advertimos radicales contrastes. Aquél es el hombre refinado y mundano que viaja por todo el mundo y adquiere una amplia cultura europea; *Pereda es el escritor de vida sencilla, arraigado en su rincón natal del que nunca se aparta.* En el autor de "Pepita Jiménez" hemos señalado una ideología liberal y un cierto escepticismo irónico; en el novelista montañés, la nota esencial la da su *inquebrantable adhesión a los principios y las formas de vida tradicionales,* tanto en política (fue por poco tiempo diputado carlista) como en religión: así se observa en sus obras, donde lo español "castizo" y lo católico son objeto de una fervorosa defensa.

Los cuadros de costumbres. — Las primeras obras de Pereda son meras colecciones de escenas de costumbres regionales. Corresponden a este momento las *Escenas montañesas* (1864), donde, en contraste con su producción novelística posterior, el ambiente campesino está visto con ojos satíricos; lo popular ahora no le inspira la menor simpatía, apartándose con ello del enfoque habitual en los costumbristas de la primera mitad del siglo. Sin embargo, lo mismo que en éstos, el propósito realista se malogra a menudo al atenderse más a lo "típico" que al rasgo individualizador. Pereda siguió cultivando el género en *Tipos y paisajes* (1871), *Tipos trashumantes* (1877) y *Esbozos y rasguños* (1881).

Las novelas de tesis. — Posteriores, en su mayor parte, a los cuadros de costumbres, representan lo más endeble de su obra porque la realidad aparece deformada al obligarla a coincidir con una idea obsesiva: la de que toda novedad conduce a la corrupción y al caos moral.

Tal se advierte en *El buey suelto* (1877), donde para demostrar los inconvenientes del celibato se nos cuenta la vida de un solterón estúpido; en *Don Gonzalo González de la Gonzalera* (1878), tipo de revolucionario desaprensivo sobre el que se recargan las tintas negras en contraste con la honradez de los tradicionalistas; en *De tal palo tal astilla* (1880), donde la incredulidad religiosa es causa del fracaso sentimental y del suicidio del protagonista; o en su obra tardía *La Montálvez* (1888), visión exagerada de la corrompida aristocracia madrileña.

Las novelas del mar y la montaña. — Dueño ya de su estilo y sin otro propósito que la exaltación del paisaje y las costumbres de su tierra santanderina, Pereda escribió una serie de novelas que constituyen lo mejor de toda su producción. En ellas, el enfoque irónico y despectivo del mundo campesino, típico de sus primeros libros, deja paso, de modo radical, a una nueva visión idealizadora, en cuya base se halla lo que constituirá el núcleo de su obra ulterior: la idea de que *la vida rústica, sencilla y natural, es el supremo modelo, ético y estético, de existencia,* porque sólo en ella se perpetúa en sus formas más puras la tradición española y cristiana, único antídoto contra el fermento destructor del mundo moderno. A este tipo de novela, definida por él mismo como "égloga realista" —ya que funde los tonos idílicos con la observación directa—, pertenecen *El sabor de la tierruca* (1882), en la que el autor intentó describir la Montaña, dando "siquiera una idea, pero exacta de las gentes, de las costumbres y de las cosas, del país y sus celajes". *La Puchera* (1889), visión de la vida en una aldea, y sus obras maestras: *Sotileza* y *Peñas arriba.*

Tras la novela *Pedro Sánchez* (1883), escrita como respuesta a los que le reprochaban una excesiva vinculación a los temas campesinos, y cuyo eje es el fracaso vital de un montañés en el ambiente madrileño, Pereda publicó *Sotileza* (1884), calificada por alguien como la epopeya del mar Cantábrico. Pereda trazó en ella un magnífico cuadro de la vida de los pescadores de Santander en la primera mitad del siglo, en el que los tipos humanos y las escenas marítimas aparecen descritos con fuerza insuperable. Entre los primeros destaca la figura de la protagonista, muchacha de compleja psicología que, pretendida por el monstruoso Muergo, el señorito Andrés y el tímido Cleto, acaba decidiéndose por el último, como ella hijo de pescadores. Entre las segundas sobresale la impresionante descripción de una galerna, en la que sucumbe Muergo; el espectáculo del mar embravecido y la lucha de los marineros contra la tempestad da lugar aquí a unas páginas de enorme tensión dramática.

Peñas arriba (1895), en cambio, tiene como escenario el paisaje agreste de la Montaña. Su asunto es como sigue. El viejo hidalgo don Celso, que vive en un pueblecito de la región santanderina, llama a un sobrino suyo, Marcelo, que, encariñado con el ambiente de Madrid, se aburre terriblemente en el campo. Pero, poco a poco, la grandiosidad del paisaje montañés, la sencillez de las costumbres patriarcales de la aldea y la salud moral que denotan, le deciden a quedarse en ella al morir su tío. La acción es casi un pretexto para la descripción del paisaje y ambiente de la Montaña, cuya belleza física y moral exalta Pereda, con el entusiasmo propio de quien nunca quiso alejarse de ella.

Valor de la obra de Pereda. — La novela de tesis y de ambiente urbano de Pereda apenas puede ya interesarnos: su prevención contra la ciudad y contra todo lo que no estuviera de acuerdo con su manera de pensar le llevó a abultar exageradamente los aspectos que creía reprobables. Por eso *el mejor Pereda hay que buscarlo en aquellas obras en las que olvidando prejuicios se limita a reflejar el ambiente, los tipos y el paisaje de su tierra natal.*

José María de Pereda

El autor de "Peñas arriba" es, en efecto, *el mejor paisajista de su generación*. No obstante, su ingenuo propósito de *pintar las cosas "como son"* –sin advertir, como dice Montesinos, que el principio de "que *las cosas son como son* y que la misión del artista es reproducir ese ser estático suyo" era algo "cuya falsedad comenzaba a demostrar el impresionismo"– limitó las posibilidades de su arte. Su técnica se balanceará por ello, sigue comentando el citado crítico, entre "dos extremos: el estatismo casi 'cartográfico', por decirlo así, de las descripciones de pueblos y valles, contemplados a vista de pájaro, con mención de lo que se ve y de lo que no se ve, y la dramatización de los accidentes cuando ese estatismo no es posible".

En cuanto al tipo de paisaje preferido, no faltan los tonos idílicos, pero las preferencias del autor van hacia un tipo de *naturaleza épica* cuyo aspecto grandioso y agreste describe con enérgicos rasgos. Por ello la escena de la galerna en "Sotileza" o la de la tempestad de nieve en "Peñas arriba" figuran entre sus mejores páginas. En Pereda, el paisaje, los tipos y hasta el estilo tienen una reciedumbre que elimina toda complacencia sensual. En este sentido, resulta muy significativa la ausencia de la nota cromática, pues como observa "Azorín", "Pereda es un maravilloso dibujante que no emplea los colores".

Véanse como ejemplo unos fragmentos de "Peñas arriba", en los que, por cierto, el entusiasmo por lo descrito le lleva como en otros momentos a una cierta retórica "amplificadora" que contrasta con su deseo de sobria precisión objetiva:

Pasó la gresca, como pasaban a cada instante las ráfagas de cierzo que flagelaba las caras con manojos (tales parecían) de la nieve seca que llevaba consigo. Lo que no pasaba era aquella negrura que se veía sobre el horizonte frontero: lejos de pasar iba avanzando y extendiéndose en todas direcciones... Hasta los perros encogían el rabo y se ponían a la vera y al andar de la gente, sobre todo cuando se oyó bramar el cierzo entre los pelados robledales y en las gargantas de la cordillera y se enturbió de repente la luz, como si fuera a anochecer en seguida, y se vio desprenderse de lo más negro y más lejano de las nubes aquel pingajo siniestro que había visto yo desde mi casa, y unirse luego con el otro pingajo que ascendía de la tierra, y comenzar, fundidos ya en una pieza los dos, a dar vueltas como un huso entre los dedos de una *jiladora* y andar, andar, andar hacia ellos, los peregrinos del monte, como si lo empujara el bramar que se oía detrás de ello, si no era ello mismo lo que bramaba, repleto de iras y de ansias de exterminio, muertes y desolaciones...

Estaban a la sazón en el centro de una altura, casi una meseta, desamparada por todas partes y dominada hacia la izquierda por un picacho, entre el cual y la sierra se abría la boca de una barranca profundísima. Cerca de la barranca y en el lado de la sierra había un robledal bastante espeso y de recios troncos. Escaso refugio era aquél y peligroso en sumo grado para defenderse de un enemigo tan formidable como el que se les iba encima a paso de gigante; pero como no tenían otro mejor a sus alcances, a él acudieron sin tardanza. Eligió cada cual su tronco, en la seguridad de que lo mismo podía servirle de amparo que de verdugo, y allí se estuvieron, encomendándose a Dios y respondiendo a las preces que con voz resonante le dirigía don Sabas, pidiéndole por la vida de todos, aunque fuera al precio de la suya propia.

Lo tan temido y esperado no tardó en llegar, negro, espeso, rugiente, furibundo, como si toda la mar con sus olas embravecidas y sus huracanes y sus bramidos y su empuje irresistible, hubiera salido de su álveo inconmensurable para pasar por allí. Temblaron hasta los más valientes (y lo eran mucho todos los de aquella denodada legión) y ninguno de ellos supo darse cuenta cabal del principio ni del fin del paso de aquel tan rápido como espantoso huracán. ¡Y eso que sólo les había alcanzado uno de los jirones de la tromba; desgarrada en su primer choque contra las moles de la cordillera.

El lenguaje, lleno de *giros dialectales* en los casos en que el autor quiere intensificar el sabor local, tiene a menudo una *compostura académica* que contrasta con la viveza que supo dar —en los diálogos— a la *lengua coloquial,* como ya subrayó el propio Galdós.

"Estrecho de criterio y de estética, pero siempre sólido y sincero", como decía 'Andrenio'', Pereda se nos ofrece en conjunto como el máximo representante del costumbrismo regional en la novela realista. Mas si puede reprochársele falta de profundidad en su visión del mundo psicológico y de la vida y un enfoque excesivamente anacrónico o ingenuo al cantar las supuestas excelencias de un tipo de vida patriarcal, y si sus novelas —demasiado macizas— se hallan excesivamente vinculadas con la fórmula realista del pasado siglo, siempre quedará como el más robusto paisajista de su tiempo. Su amor a la Montaña viene a ser así la clave y la razón de todos sus aciertos y limitaciones.

BIBLIOGRAFIA

VALERA

Azorín: *Los valores literarios*, 1913.
B. Ruiz Cano: *Don Juan Valera en su vida y en su obra*, 1935.
J. F. Montesinos: *Valera o la ficción libre*, 1957.
C. Bravo Villasante: *Don Juan Valera*, 1959.
M. Azaña: *Ensayos sobre Valera*. Alianza Editorial, 1971.

PEREDA

M. Menéndez y Pelayo: Cinco ensayos sobre *Pereda*. En "Estudios y discursos de crítica histórica y literaria". Vol. VI.
Azorín: *Andando y pensando*, 1929.
J. M. de Cossío: *La obra literaria de Pereda*, 1934.
J. Camp: *Pereda. Sa vie, son oeuvre et son temps*, 1938.
R. Gullón: *Vida de Pereda*, 1944.
J. F. Montesinos: *Pereda o la novela idilio*. México, 1961.

el mundo novelesco de 63
galdós

Vida y temperamento

Benito Pérez Galdós (1843-1920), figura cumbre del realismo español del siglo XIX, nació en Canarias, pero fue a estudiar Leyes a Madrid y allí residió el resto de su vida, dedicado al quehacer literario. Viajó por el extranjero y sobre todo por España e intervino en sus últimos años en política con un matiz republicano. Ingresó en la Real Academia y murió, ciego y de edad avanzada, en Madrid.

Su ideología liberal ofrece un gran contraste con el tradicionalismo católico de Pereda —a quien por otra parte le unía una entrañable amistad—, y su vida, humilde y sin pretensiones, es lo más opuesto que quepa imaginar a la de Valera, siempre deseoso de refinamiento. El autor de "Pepita Jiménez" es el humanista de temperamento aristocrático; Galdós, el hombre modesto y sencillo que pone todo su afán en la comprensión generosa de la vida española mediante el análisis de su historia, del ambiente popular y de la clase media madrileña.

Los "Episodios nacionales"

Poco después de escribir su primera obra, "La Fontana de oro" (1868) —novela histórica publicada antes de que Alarcón, Valera y Pereda iniciasen su producción novelística—, Galdós comienza, inspirándose en Erckmann y Chatrian, sus *Episodios nacionales*. Agrupados en cinco series de diez volúmenes (a excepción de la última, que no pasa de seis), ofrecen en su totalidad un propósito didáctico de tipo ético-político.

La primera serie [1873-75] (*Trafalgar, La Corte de Carlos V, Bailén, Zaragoza, Gerona*, etc.) gira en torno a la guerra de la Independencia y tiene como protagonista a Gabriel Araceli. La segunda [1875-79] (*El equipaje del rey José, El terror de 1824...*) se refiere a las luchas políticas entre absolutistas y liberales, hasta la muerte de Fernando VII; su figura central es el liberal Salvador Monsalud.

Las series restantes fueron continuadas veinte años más tarde. La tercera [1898-1900] (*Zumalacárregui, La estafeta romántica...*) alude a la primera guerra carlista. La cuarta [1902-07] (*Aita Tettauen, Prim...*), a la época situada entre la revolución del 48 y el destronamiento de Isabel II en 1868; la quinta [1907-12] (*España sin rey, Cánovas...*) termina con la Restauración.

Entre unas y otras se aprecian notables diferencias. La primera —tal vez la mejor de todas— tiene un tono épico, heroico, mientras que la segunda insiste en la descripción del agitado ambiente político posterior a la guerra de la Independencia. Sin embargo, coinciden en ofrecer un estilo algo desaliñado y una gran viveza narrativa, al revés que las tres últimas series, de dicción mucho más cuidada, pero menos animadas; en éstas, el elemento novelesco va dejando en un segundo plano a lo histórico, mientras el pensamiento liberal del autor —manifiesto en su simpatía por la "clase media"— comienza a adquirir ciertos matices socialistas, e incluso de origen anarquista, como lo demuestra su confianza en el papel regenerador del "pueblo".

En su conjunto, vienen a ser *una historia novelada de la vida española del siglo XIX,* en la que Galdós, con propósito y procedimientos muy distintos a los utilizados en la novela histórica del Romanticismo, intentó darnos una imagen realista de dicho período, a través de la cual pudiéramos percibir no sólo la magnitud de los grandes acontecimientos políticos y militares, sino "el vivir, el sentir y hasta el respirar de las gentes". Por eso procuró evocar el ambiente en que se desarrollaron los hechos, sirviéndose para ello, más que de datos de archivo, de la tradición oral y de recuerdos propios o ajenos.

Las Novelas de la primera época

Por los mismos años en que escribía las dos primeras series de los "Episodios", Galdós produjo varias novelas en torno al *problema religioso,* considerado desde un punto de vista social —y no psicológico, como en Valera—, y en las que se advierte a menudo el influjo de las ideas krausistas.

El autor plantea aquí un conflicto y lo resuelve trágicamente echando la culpa al fanatismo religioso de quienes representan el sector católico. Dos mundos se oponen en estas obras: el tradicional y religioso (que para Galdós equivale a fanatismo, intransigencia y opresión intelectual y social de la Iglesia) y el moderno y liberal

Benito Pérez Galdós

(cuyo norte es el trabajo, la ciencia y el progreso y cuya norma reside en el amor y el respeto mutuo por encima de todo antagonismo religioso o político). Así se observa en *Doña Perfecta* (1876), donde la intransigencia de este odioso personaje causa la muerte de un joven ingeniero de ideas liberales; en *Gloria* (1877), donde la diferencia de religión impide la boda de los protagonistas (Gloria, católica, y Daniel Morton, judío) y en *La familia de León Roch* (1878), en la que la intolerancia de una mujer católica acaba separándola de su marido, tipo de librepensador, que como en otros casos aparece descrito con colores simpáticos.

Casi todo ello se resiente del apasionamiento ideológico de su autor; la realidad se abulta para hacerla coincidir con una idea previa, los personajes —demasiado rígidos y abstractos—, aparecen agrupados en "buenos" y "malos", según su adhesión a las ideas liberales o a la Iglesia, y la acción desemboca frecuentemente en escenas de violento efectismo; no obstante, hay que reconocer que la caracterización psicológica resulta a menudo extraordinariamente vigorosa y que el choque moral entre las dos figuras que centran la acción —símbolos respectivos de progresismo burgués y tradicionalismo católico— posee por lo general una auténtica fuerza dramática.

También corresponde a esta época *Marianela* (1878), dramático relato en el que se nos cuenta el golpe moral sufrido por la protagonista cuando el joven a quien servía de lazarillo recobra la vista y advierte la fealdad de la muchacha, enamorándose de otra. La delicada emoción que impregna toda la novela contrasta con la dureza de las anteriores; no obstante, pueden rastrearse en ella idénticas convicciones ideológicas.

Las "Novelas españolas contemporáneas"

Llámanse así las que escribió a continuación de las que acabamos de reseñar. En ellas abandona la defensa de una tesis para atender únicamente a *la descripción de la sociedad madrileña de la segunda mitad del siglo,* con una técnica realista cercana a la naturalista; los personajes ya no son tipos esquemáticos creados en apoyo de una ideología, sino figuras llenas de verdad y de vida, y el ambiente de la capital aparece reflejado con admirable exactitud. Su autor se acredita aquí de agudo observador de la realidad física y de gran creador de caracteres.

La obra máxima de la serie es *Fortunata y Jacinta* (1886-87), en la que la dramática historia de los amores de aquélla con Juanito Santa Cruz, esposo de ésta, da pie a una poderosa visión de la vida cotidiana madrileña en lo popular —caso de Fortunata— y en la clase media —familia Santa Cruz.

Entre las restantes novelas de esta época (1880-1890) destacan: *El amigo Manso* (1882), en la que el protagonista renuncia generosamente al amor de una joven al saberla enamorada de un discípulo suyo; *La de Bringas* (1884), certero análisis de la estéril vanidad y el tragicómico "quiero y no puedo", típico de todo un sector de la clase media; *Lo prohibido* (1884), donde se nos cuenta la vida licenciosa de un solterón; *Miau* (1888); *Realidad* (1889), en la que un personaje que ha mantenido relaciones con la esposa de un amigo se suicida al no poder soportar lo deshonroso de la situación; y *Angel Guerra* (1890-91), historia de un revolucionario que, enamorado de la institutriz de su hija, se inclina hacia el misticismo por influencia de su amada.

La victoria de Bailén fue descrita por Galdós en uno de sus "Episodios Nacionales" de la primera serie. Lienzo de José Casado del Alisal.

Las novelas de contenido idealista. El último grupo de las "novelas españolas contemporáneas" (las de la década de 1890) revelan un cambio en la posición espiritual de Galdós. Hasta ahora su concepto del mundo era estrictamente materialista: el medio social y la fisiología le bastaban para explicar las reacciones psicológicas de sus personajes. Desde ahora, *un nuevo factor, el espíritu, entra en acción,* aunque el procedimiento literario continúe siendo el mismo: observación detallista de la realidad, descripción minuciosa y con valor de copia exacta de lo observado, etc.

Este es el sentido de varias obras en las que —de acuerdo con la oleada de espiritualidad que hacia estos años se difunde por Europa— se hace la apología de la justicia y el amor por encima de mezquindades y convencionalismos: *Nazarín* (1895), donde exalta el idealismo cristiano del protagonista, clérigo que movido por un encendido espíritu de caridad sale a los caminos a predicar la moral evangélica; *Misericordia* (1897) —otra de las obras cumbres de Galdós—, cuya figura central, la Señá Benigna, a la que se presenta rodeada de un pintoresco mundo de mendigos, pasa mil privaciones por socorrer a sus amos siendo luego abandonada por éstos y en la que quedan en contraste la bondad de aquélla y el egoísmo de la sociedad; y *El abuelo* (1897), donde se niega la ley positivista de la herencia, ya que el protagonista advierte la superioridad moral de la hija ilegítima sobre la legítima.

De esta segunda época son también *Halma* (1895), continuación de "Nazarín", y la serie sobre *Torquemada* (1889-95), magnífica personificación de la avaricia.

El teatro. — Galdós poseía un gran instinto dramático, pero le faltaba el dominio de los recursos de la escena. Por eso sus obras, aunque dotadas de verdadero interés humano, resultan lentas, poco ágiles.

En ellas continúa el proceso iniciado en las novelas idealistas de la última época; una defensa de la justicia, de la libertad y del amor constituye a menudo el fondo de estas obras, cuya intención ética, expresada frecuentemente en forma simbólica, hace pensar en Ibsen.

Algunas de ellas, quizás las mejores, son meras adaptaciones de novelas anteriores ("Realidad", "Doña Perfecta", "El abuelo", 1897); entre las restantes —escritas la mayor parte durante las primeras décadas del siglo XX— destacan: *La de San Quintín* (1894), donde el tema de la regeneración por el trabajo está simbolizada por el enlace de una duquesa con un obrero socialista; *Electra* (1901), en la que vuelve a plantearse el tema religioso; *Santa Juana de Castilla* (1918), sobre Juana la Loca, etc.

El mérito de la producción dramática de Galdós está más que en lo teatral, en lo psicológico; en este sentido, viene a ser una reacción contra el furibundo neorromanticismo de Echegaray. Es el suyo un teatro a base, no de gestos estridentes, sino de pasiones y caracteres auténticos; un teatro realista, aunque matizado de elementos simbólicos, y en el que lo sobrenatural tiene también su papel.

El estilo y la técnica novelística. — El estilo de Galdós no responde a un estricto propósito artístico. *Su prosa, aunque suelta y espontánea, resulta algo pobre* y revela escasa preocupación por la belleza y cuidado de la forma. Extraordinariamente fecundo —Galdós escribió un centenar de obras—, apenas dedicó tiempo al pulimento del lenguaje. Sus últimas obras reflejan, no obstante, un deseo de superar el tipo de dicción familiar que hasta entonces había utilizado, para alcanzar nuevas bellezas de expresión a tono con las exigencias estéticas de principios del siglo XX.

Descartado el estilo, el interés de la producción de Galdós reside ante todo *en la descripción certera y animada de la sociedad de su tiempo y en el vigor dramático de las situaciones.* En lo primero desempeña un papel capital *el retrato* de los más variados tipos humanos; en lo segundo, *el diálogo,* gracias al cual adquiere relieve el perfil psicológico de los personajes y el conflicto planteado entre ellos. Aquél suele ser de una meticulosa precisión; éste, ágil y expresivo. Valiéndose de ambos, Galdós coloca ante nuestros ojos una imagen vivísima de las costumbres y el tono espiritual de la España mesocrática del siglo XIX.

Véase, como ejemplo de todo ello, dos fragmentos de *Misericordia.* El primero es una descripción de una mendiga madrileña; el segundo, una conversación entre la bondadosa Señá Benigna y su ama.

Flora era una viejecilla pequeña y vivaracha, irascible, parlanchina, que revolvía y alborotaba el miserable cotarro, indisponiendo a unos con otros, pues siempre tenía que decir algo picante y malévolo... Sus ojuelos sagaces, lacrimosos, gatunos, irradiaban la desconfianza y la malicia. Su nariz estaba reducida a una bolita roja, que subía y bajaba al mover los labios y lengua en su charla vertiginosa. Los dos dientes que en sus encías quedaban parecían correr de un lado a otro de la boca, asomándose tan pronto por aquí, tan pronto por allá, y cuando terminaba su perorata con un gesto de desdén supremo o de terrible sarcasmo, cerrábase de golpe la boca, los labios se metían uno dentro de otro, y la barbilla roja, mientras callaba la lengua, seguía expresando las ideas con un temblor insultante.

—¿Querrá Dios traernos mañana un buen día? —dijo con honda tristeza la señora, sentándose en la cocina, mientras la criada, con nerviosa prontitud, reunía astillas y carbones.

—¡Ay! sí, señora: téngalo por cierto.

—¿Por qué me lo aseguras, Nina?

—Porque lo sé... Dios es bueno.

—Conmigo no lo parece. No se cansa de darme golpes: me apalea, no me deja respirar. Tras un día malo, viene otro peor. Pasan años aguardando el remedio, y no hay ilusión que no se convierta en desengaño.

—Pues yo que la señora —dijo Benina dándole al fuelle—, tendría confianza en Dios, y estaría contenta... Ya ve que yo lo estoy... ¿No me ve? ... Yo me encuentro muy a gusto en este mundo fandanguero, y hasta le tengo ley a los trabajillos que paso. Morirse, no...

—Es que tú no tienes vergüenza, Nina; quiero decir, decoro; quiero decir, dignidad.

—Yo no sé si tengo eso; pero tengo boca y estómago natural, y sé también que Dios me ha puesto en el mundo para que viva, y no para que me deje morir de hambre. Los gorriones, un suponer, ¿tienen vergüenza? ¡Quiá! ... lo que tienen es pico... Y mirando las cosas como deben mirarse, yo digo que Dios, no tan sólo ha criado la tierra y el mar, sino que son obra suya mismamente las tiendas de ultramarinos, el Banco de España, las casas donde vivimos, los puestos de verdura... Todo es de Dios...

—Lo que yo digo, Nina, es que las cosas son del que las tiene... y las tiene todo el mundo menos nosotras... ¡Ea! date prisa, que siento debilidad... ¡Ay, qué trabajo me dan estas piernas! ... ¿Pero has visto lo que hace Dios conmigo? ¡Si esto parece burla! Me ha enfermado de la vista, de las piernas, de la cabeza, de los riñones, de todo menos del estómago. Privándome de recursos, dispone que yo digiera como un buitre.

—Lo mismo hace conmigo. Pero yo no lo llevo a mal. ¡Bendito sea el Señor, que nos da el bien más grande de nuestros cuerpos: el hambre santísima!

Contrariamente a los novelistas del momento, Galdós apenas incide en la descripción del paisaje regional. *Más que la naturaleza le interesa la ciudad* —concretamente el Madrid de la clase media y de los barrios populares—, más que el campo, el hombre. Por eso su paisaje es un paisaje social en el que se agitan grandes muchedumbres humanas.

Aunque la base de toda su obra la constituye la fórmula realista, puede señalarse en ella *una cierta evolución:* al principio, la realidad se abulta y esquematiza para ponerla al servicio de una idea ("Doña Perfecta"); más tarde se impone un sentido de observación objetiva —dirigida hacia lo individual— que hace pensar en el naturalismo ("Fortunata y Jacinta"); por último, se admiten elementos de tipo idealista en un intento de superar el realismo naturalista ("Misericordia").

Lo español y lo humano en la obra de Galdós. — "Alumbrar la conciencia histórica del pueblo español contemporáneo, servirle de guía, darle una pauta, he aquí el propósito que incita a Galdós a crear su obra, la cual responde a una pregunta: "¿Cómo es España? " (Casalduero).

En efecto, una de las cosas que le separan de los novelistas de su tiempo es el haber superado el costumbrismo regional —en el que a menudo se soslayaba la auténtica realidad mediante un enfoque idealizador— en un deseo de *captar la esencia del alma de España* a través de su historia ("Episodios Nacionales"), de su ambiente social ("Fortunata y Jacinta") y de sus tipos humanos ("Misericordia"). Pero en el fondo de dicho deseo hay *un móvil de índole ética;* Galdós contempla a España escindida en dos mitades: la que representa la tradición y la que según él encarna los nuevos ideales de libertad y progreso. Pues bien, frente a este hecho, su mayor empeño será lograr la armonía entre los dos bandos en lucha, mediante un *espíritu de tolerancia* que borre los mutuos rencores. Es cierto que sus simpatías por el sector liberal le llevan —sobre todo en sus primeros años— a actitudes que contrastan con su crítica de la intransigencia; pero aun en los momentos en que se muestra más exaltado, su sinceridad y la honradez de su propósito disculpan su esquemática visión de la sociedad española.

El amor a España se completa en Galdós con *un gran interés por la condición humana.* Al principio, sus personajes son meras encarnaciones de ideas —así en "Doña Perfecta"—; más tarde, cuando su sentido de observación se afina, los personajes comienzan a cobrar valor por sí mismos: Galdós ha descubierto al hombre y *su visión será desde ahora generosa, comprensiva;* justificará todas sus debilidades —todas menos una: la intolerancia [1] — y sentirá desarrollarse en él un movimiento de simpatía por el dolor y la miseria humanas; así le vemos en sus últimas novelas ("Misericordia"), donde su mirada se derrama sobre las clases inferiores y donde se exaltan el amor y la bondad como supremos valores del espíritu. El temperamento poco efusivo de Galdós hace que su emoción se manifieste en una forma velada, pero tras la aparente frialdad de la expresión se advierte siempre un sentimiento cordial y un hondo sentido de la dignidad del hombre. Ello y la presencia de un humor bondadoso nos hace pensar, salvadas todas las distancias, en el autor del "Quijote".

Profundamente español y profundamente humano, Galdós se nos ofrece por la amplitud y densidad de su obra como una de las figuras supremas de nuestra literatura.

1. Onís.

Otros le aventajan en pulcritud de estilo, en finura psicológica e incluso en seguridad de orientación estética y espiritual —cosa que se revela en su producción, a menudo desigual, poco depurada—; pero nadie como él ha sabido crear un mundo tan variado y tan rico y a la vez tan representativo de la España de su tiempo.

BIBLIOGRAFIA

GALDOS Y SUS NOVELAS

M. Menéndez y Pelayo: *D. B. Pérez Galdós considerado como novelista.* En "Estudios y discursos de crítica histór. y liter." Vol. V.

L. A. del Olmet y A. García Carraffa: *Galdós,* 1911.

Azorín: *Galdós.* En "Lecturas Españolas", 1912.

Andrenio: *Novelas y novelistas,* 1918.

G. Cirot: *Un grand romancier espagnol: B. P. Galdós,* 1920.

J. M. Salaverría: *Nuevos retratos,* 1930.

E. Gutiérrez Gamero: *Galdós y su obra.* Tres vols., 1933-1935.

J. Casalduero: *Vida y obra de Galdós,* 1943.

Número 82 de la revista *"Insula",* 1952.

A. del Río: *Estudios galdosianos,* 1953.

A. Alonso: *Lo español y lo universal en la obra de Galdós.* En "Materia y forma en poesía", 1955.

D. Pérez Minik: *Libre plática con Galdós.* En "Novelistas españoles de los siglos XIX y XX", 1957.

J. Bergamín: *Tolstoi y Galdós y Galdós y Goya.* En "La corteza de la letra", 1957.

V. Gaos: *La técnica novelística de Galdós.* En "Temas y problemas de literatura española", 1959.

M. Zambrano: *La España de Galdós.* Taurus, 1959.

R. Gullón: *Galdós, novelista moderno,* 1960.

F. Ayala: *Sobre el realismo en literatura, con referencia a Galdós.* En "Experiencia e invención", 1960.

G. Correa: *El simbolismo religioso en las novelas de P. Galdós.* Gredos, 1962.

M. Baquero Goyanes: *Las caricaturas literarias de Galdós.* En "Perspectivismo y contraste", 1963.

Hans Hinterhäuser: *Los "Episodios Nacionales" de Galdós.* Ed. Gredos, 1963.

José F. Montesinos: *Galdós.* 2 vols. Ed. Castalia, 1968, 1969.

R. Gullón: *Técnicas de Galdós.* Taurus, 1970.

C. Bravo-Villasante: *Galdós visto por sí mismo.* Madrid, 1970.

Estudios sobre *Benito Pérez Galdós.* Edición de D. M. Rogers. Taurus, 1973.

EL TEATRO DE GALDOS

E. Gómez de Baquero: *El teatro de Galdós.* En "Letras e ideas", 1905.

M. Bueno: *Teatro español contemporáneo,* 1909.

E. Martinenche: *Le théâtre de Pérez Galdós.* Rev. de Deux Mondes, 1906.

R. Pérez de Ayala: *Las Máscaras,* 1948. Col. Austral.

D. Pérez Minik: *Debates sobre el teatro español contemporáneo,* 1953.

de la pardo bazán a 64
blasco ibáñez

El naturalismo

Hacia 1870 surge en Francia una escuela literaria que habrá de tener amplias repercusiones: el *Naturalismo.* En cierta manera viene a ser éste una derivación de las tendencias realistas, "su nota más aguda", al decir de la Pardo Bazán, pero la presencia de elementos nuevos obliga a distinguirlo de aquéllas.

La filosofía positivista de Comte, las doctrinas de Taine —que, afirmando que "la virtud y el vicio son productos como el vitriolo y el azúcar", había intentado explicar la obra literaria a base de la raza, el ambiente y la época del escritor— y las de Darwin y Haeckel —en torno a las leyes de la herencia, de la adaptación al medio y de la lucha por la existencia— llevaron a Zola, figura capital del naturalismo, a una *concepción determinista de la existencia humana,* en la que, descartando el influjo del espíritu, se reducía la vida del hombre a una consecuencia *fatal* de factores materiales.

De acuerdo con este punto de vista, Zola creyó que el *novelista no debía limitarse a "observar"* —como hacían los representantes del realismo—, sino que, tras un minucioso acopio de datos —o de lo que él llama "documentos humanos"—, había de descubrir "el mecanismo del corazón y de la inteligencia" y hacer ver, con el rigor propio de la ciencia y *con criterio "experimental", que los hechos psíquicos están sujetos a leyes tan inexorables como los fenómenos físicos;* gracias a lo cual la novela, en cuya base se halla también un propósito de *denuncia social,* adquiriría un auténtico *valor científico.*

Ahora bien, para demostrar la influencia del medio, de la fisiología y de la herencia sobre la "bestia humana", Zola escogió *ambientes de degeneración y miseria* y tipos humanos —alcoholizados, locos, enfermos— en los que quedasen de relieve los instintos más primarios y brutales, así como las lacras morales de la sociedad de su tiempo. De ahí el efecto repulsivo de muchas de sus páginas y las crudezas de que se hallan plagadas. El propósito científico que le movía —al querer aplicar a la literatura el método experimental que Claude Bernard exigía para la medicina— y su despreocupación por las convenciones estéticas de la burguesía de la época provocaron en ésta un gran desconcierto y una sorda irritación.

La condesa de Pardo Bazán, cuyas novelas revelan un fuerte influjo del naturalismo.

El naturalismo de Zola —busca metódica del dato sin excluir lo más repugnante, concepto determinista de la vida, móviles sociales y científicos... —influyó grandemente en toda Europa. *En España* —donde siempre se prefirió la fórmula del realismo— *su acción no llegó a ser muy considerable,* pero es necesario tenerla en cuenta para el estudio de la década de los 1880. No se asimiló de una manera rotunda el determinismo materialista ni se buscó sistemáticamente una finalidad científica o social, *pero en cambio, abundaron las descripciones prolijas y detalladas en las que no se retrocedía ante los aspectos más crudos de la realidad.*

Hacia 1890, se observa en todas partes —como ya vimos al examinar la obra de Galdós— *una reacción contra el naturalismo:* se vuelve a señalar la primacía del espíritu frente a lo material y una concepción optimista de la vida sucede al anterior pesimismo, mientras cobran nueva vigencia los valores estéticos, y la novela, hasta ahora ceñida a la observación del detalle concreto, se enriquece con símbolos plenos de intención idealista.

La Pardo Bazán

La condesa doña Emilia Pardo Bazán (1851-1921) nació en La Coruña. Poseyó una extensa cultura europea y desempeñó varios cargos, siendo consejero de Instrucción Pública y catedrático de literaturas neolatinas en la Universidad central. Su producción abarca la novela y la crítica.

"La cuestión palpitante". – Su curiosidad por la literatura europea del momento la llevó a fijar su atención en el naturalismo, que a la sazón era objeto de enconadas polémicas, y a escribir sobre él una colección de artículos que tituló *La cuestión palpitante* (1883).

En ellos trata de justificar a la escuela francesa contra la acusación de inmoralidad, alegando que "descartada la perniciosa herejía de negar la libertad humana, no puede imputársele otro género de delito"; pero en otros momentos alude a los "defectos de gusto", a la "falta de selección artística" y al "negro y mefítico olor que se desprende de las novelas de Zola". Por ello, aunque elogia la exactitud y la fuerza descriptiva de éste, *opone a la fórmula naturalista la del realismo español,* que ofrecía "una teoría más ancha, perfecta y completa". Ya en el prólogo de "Un viaje de novios" había atacado "la perenne solemnidad y tristeza" del naturalismo, exaltando, en cambio, "nuestro realismo, el que ríe y llora en la Celestina y el Quijote" y que "como el hombre, reúne en sí materia y espíritu, tierra y cielo".

Pues bien, a pesar de todas estas protestas, *buena parte de su producción novelística ofrece,* aunque con notable moderación —motivada por sus creencias católicas y su condición aristocrática—, *los rasgos característicos del naturalismo;* no faltan, pues, en ésta, descripciones excesivamente detallistas, situaciones algo crudas, propósitos de estudio social y hasta un cierto determinismo trágico.

Las novelas de orientación naturalista. – Las primeras novelas de la Pardo Bazán, escritas a lo largo de la década de 1880, son las que más cerca se hallan del naturalismo. A esta época corresponde su obra más lograda: *Los Pazos de Ulloa* (1886), cuya segunda parte lleva el título de *La Madre Naturaleza* (1887). Trátase de un vigoroso cuadro de la vida rural gallega, al que sirve de base un asunto algo escabroso, y en el que la autora nos presenta un tipo de humanidad primaria sometida a la ley del instinto. Como ella misma dice, "Los Pazos de Ulloa" giran en torno "a la montaña gallega, el caciquismo y la decadencia de un noble solar", predominando en "La Madre Naturaleza" las alusiones "al campo, al terruño y al paisaje".

Por los mismos años escribió *Pascual López* (1879) —su primera novela—, de ambiente escolar gallego; *Un viaje de novios* (1881); *La Tribuna* (1882), sobre "la Galicia joven, industrial y fabril"; *El cisne de Vilamorta* (1885), historia triste de amor situada en un ambiente pueblerino, y dos novelas cortas: *Insolación* (1889) y *Morriña* (1899), de asunto amoroso.

La reacción espiritualista. – En la última década del siglo, el naturalismo comienza a declinar en toda Europa. Reflejo de ello son las últimas novelas de la Pardo Bazán, en las que se supera el determinismo fisiológico más o menos acentuado de la época anterior y *se presenta como motivo central la salvación de un alma por la fe, y el triunfo de los valores espirituales.* Así lo vemos en *La Quimera* (1905), historia de un artista, que viendo el fracaso de sus ambiciones encuentra la solución de su vida en las verdades religiosas, y en *La sirena negra* (1908), donde el protagonista se convierte al fin, librándose de la atracción morbosa de la muerte.

Algo anteriores a las dos obras citadas, aunque de signo semejante, son *Una cristiana* (1890) y *La prueba* (1890).

La labor crítica. – Además de sus novelas y de varios volúmenes de *cuentos,* la Pardo Bazán nos ha dejado numerosos estudios de *crítica literaria* sobre Feijoo, la literatura francesa del siglo XIX, el naturalismo, la novela rusa, los escritores españoles contemporáneos, etc. Digna de mención es también una bella biografía de *San Francisco de Asís* (1881).

Estos trabajos de crítica revelan un conocimiento de la literatura española y extranjera contemporánea muy superior al de su tiempo y conservan en muchos casos todo el interés de cuando fueron escritos.

El estilo. – El mérito de la producción novelística de la Pardo Bazán reside sobre todo en *la expresión*. Su estilo "es la aleación más feliz del lenguaje literario y del habla común de la vida" ("Andrenio"). Podrá faltarle la fina pulcritud de Valera, pero es indudable que supera al de los otros novelistas de la época en *colorido y plasticidad*.

Si comparamos a Fernán Caballero con la Pardo Bazán, quedan de relieve enormes diferencias. Las dos eran católicas, y las dos se sintieron atraídas por el costumbrismo regional de tipo realista –Andalucía, Galicia–; pero si aquélla se inclinaba hacia la literatura moralizadora, ésta, aun afirmando que "no hay más moral que la moral católica", declarará que "no es mérito ni demérito de una obra el no ruborizar a las señoritas"; y si en aquélla se advierte un sentido de idealización posromántica, en ésta la influencia del naturalismo dará lugar a una visión de la realidad en la que no se disimulan los más crudos aspectos. Frente al delicado y blando sentimentalismo de Fernán Caballero, *el arte cálido y vital de la Pardo Bazán destaca por su audaz y viril energía.*

"Clarín"

Leopoldo Alas, "Clarín" (1852-1901), fue catedrático en la Facultad de Derecho de Oviedo y, aunque permaneció alejado de los círculos literarios de Madrid, su producción tuvo una gran resonancia en su tiempo.

Como crítico se distingue por su terrible *acritud* y su *fina intuición de los valores literarios.* Es cierto que su ideología liberal le llevó a menudo a atacar con notoria malevolencia a los escritores católicos –Pereda, Alarcón– y a prodigar elogios a los liberales –Galdós, Valera–; no obstante, las notas esenciales de su labor como crítico son la absoluta independencia de los juicios y la inteligente visión de la producción.

El gran novelista y crítico literario Leopoldo Alas, "Clarín".

contemporánea, sobre todo de la novelística. "Clarín" fue sin duda el mejor crítico literario de la época. La dureza y el tono satírico de sus comentarios, así como sus ideas liberales, han hecho que se le relacionase con Larra por un lado y con la generación del 98 por otro. Escribió numerosos artículos titulados *Solos* (1890-98) y *Paliques* y varios libros: *Galdós, Apolo en Pafos*, etc.

Como *novelista* nos ha dejado dos narraciones extensas y varios cuentos. La más importante de aquéllas es *La Regenta* (1884), considerada hoy como una de las mejores novelas del siglo XIX, debido al certero e implacable análisis que en ella lleva a cabo de la sociedad española de la Restauración y a la presencia de personajes inolvidables: tal el Canónigo Don Fermín o la "Regenta" Ana Ozores. El tema —la violenta pasión que la protagonista despierta en el Canónigo Magistral, contrariado por los amores adúlteros de aquélla con un "don Juan" de la localidad—, el ambiente —una ciudad provinciana, vetusta, llena de corrupción e hipocresía— y hasta la técnica —basada en la descripción minuciosa y descarnada de personajes y situaciones— revelan el contacto con el naturalismo francés, del que "Clarín" fue un defensor acérrimo, aunque más tarde, como Galdós o la Pardo Bazán, se apartase de él. Así ocurre en la novela *Su único hijo* (1891), donde la sátira contra la desintegración del romanticismo en un ambiente burgués se lleva a cabo con una ironía cáustica que desemboca en la caricatura. Entre sus libros destacan *Pipá* (1886) y *El gallo de Sócrates* (1901). Muy bello, por ejemplo, es el relato *¡Adiós, Cordera!* , lleno de emoción melancólica, de "El Señor y lo demás son cuentos" (1893).

El Padre Coloma

El jesuita Padre Coloma (1851-1914) alcanzó un ruidoso éxito con una novela, *Pequeñeces* (1891), en la que atacaba con gran dureza a la aristocracia madrileña de la época de la Restauración. La obra, fruto de un propósito de *sátira moral y social*, es de escaso valor desde el punto de vista literario. El estilo es bastante pobre y la visión de los personajes y del ambiente resulta exagerada. Las apasionadas discusiones que provocó la obra —en la que algunos vieron una novela de clave—, explican la resonancia que obtuvo. La técnica de la observación minuciosa practicada por el Padre Coloma revela el atadero con las corrientes literarias de la época.

El padre Coloma escribió otra narración extensa de asunto contemporáneo —*Boy* (1910)—; varias novelas históricas —*Jeromín* (1905), sobre don Juan de Austria, *La reina mártir* (1902), sobre María Estuardo, *Fray Francisco* (1914), sobre Cisneros, etc.—; algunos cuentos de tipo moralizador y unos *Recuerdos de Fernán Caballero* (1910), a la que conoció en su juventud.

Palacio Valdés

El espíritu y el estilo. — Armando Palacio Valdés (1853-1938), de origen asturiano, presenta una copiosa producción que va desde fines del siglo XIX hasta bien entrado el XX. Su obra, aunque en algunos momentos del comienzo puede recordar la técnica

La pugna ideológica de fines del siglo XIX llevó frecuentemente a la novela el tema de la crisis religiosa. El novelista Armando Palacio Valdés.

del naturalismo, es lo más opuesto a éste que quepa imaginar, ya que el autor se inclina "hacia un tipo de novela menos áspero, menos sombrío y violento, que no esquive las pasiones y sus encuentros, pero que intente resolverlos en formas conciliadoras y suaves".[1]

Si la escuela francesa había acentuado la nota de pesimismo materialista, Palacio Valdés nos ofrecerá *una visión optimista de la vida iluminada por un humor bondadoso y risueño*. La fe y el amor son para él los valores supremos; de ahí que sus páginas se hallen impregnadas de un sentimiento cordial radicalmente distinto del tono duro y amargo de las novelas naturalistas, en las que el concepto de la lucha brutal por la vida constituye uno de los temas esenciales.

A veces la ternura degenera en *sentimentalismo,* y el deseo de atender a los aspectos más nobles y amables de la realidad, da lugar a que sus obras *carezcan de verdadera tensión dramática;* no obstante, resultan siempre entretenidas y amenas y se hallan dotadas de una *gracia y simpatía* que hace agradable su lectura, siempre que no se busque en ellas valores estéticos de mayor alcance.

La novela de Palacio Valdés se halla dentro de la órbita del *realismo costumbrista y regional del siglo XIX,* aunque no ofrezca la descripción del ambiente como motivo esencial ni se limite a una región determinada: el escenario de la acción será, según los casos, Asturias, Andalucía, Valencia... El estilo, pulcro, llano y espontáneo, resulta muy adecuado al tono de la narración.

Las obras. – A partir de *El señorito Octavio* (1881), Palacio Valdés produjo una serie de novelas entre las que sobresalen *Marta y María* (1883), cuyas protagonistas

1. P. Salinas.

encarnan el temperamento contemplativo y el práctico; *José* (1885), sobre la vida de los marineros asturianos; *La hermana San Sulpicio* (1889) —la más famosa de todas—, amable narración llena de color y de un tipismo andaluz algo convencional; *La aldea perdida* (1903), defensa de la vida aldeana contra el influjo corruptor del ambiente industrial: *Tristán* (1906), crítica del pesimismo, etc.

Entre las novelas restantes figuran *Riverita* (1886) y *Maximina* (1887), quizá de tema autobiográfico; *La fe* (1892), en torno al problema de la verdadera religiosidad; *La alegría del capitán Ribot* (1899), situada en Valencia; *Los Cármenes de Granada,* de ambiente andaluz, y *Sinfonía Pastoral,* especie de "novela rosa".

El último naturalista: Blasco Ibáñez

Vicente Blasco Ibáñez (1867-1928) nació en Valencia. Intervino en política con matiz republicano, realizó largos viajes por el extranjero y murió en Francia. Su producción permite considerarle como *el último seguidor importante de la escuela naturalista.*

Sus primeras novelas, sin duda alguna las mejores de su producción —*Arroz y tartana* (1894), *Flor de Mayo* (1895), *La barraca* (1898), *Cañas y Barro* (1902)—, escritas casi todas en la última década del siglo XIX, siguen la fórmula del costumbrismo regional y tienen como escenario el mar y la huerta valenciana. Su naturalismo reside más en el tono general de las obras que en el estilo. Este, *lleno de color y de fuerza plástica,* responde a una técnica de pincelada amplia, distinta del minucioso detallismo de un Zola. En cambio, el ambiente y las pasiones de los personajes —en el fondo *mera lucha brutal de instintos primarios*— recuerdan el determinismo fisiológico de la escuela francesa. En las novelas de Blasco Ibáñez todo se reduce a una pugna feroz en la que se pone de manifiesto la pura animalidad de huertanos o pescadores.

El interés capital de estas obras se halla, sobre todo, en su vigor expresivo. A menudo se echa de menos un riguroso criterio de selección artística pero compensando su innegable tosquedad vemos en ellas *magníficas descripciones* en las que la luz y el color se hallan captados con gran exactitud.

Ya en pleno siglo XX, Blasco Ibáñez continuó su producción, ampliando el escenario valenciano, con varias series de novelas: 1.º, de intención social y revolucionaria —localizadas en diversas ciudades e influidas aún por el naturalismo— ("La Catedral" [1903]: Toledo; "La horda": Madrid); 2.º, sobre profesiones artísticas ("La Maja desnuda" [1906]: los pintores); 3.º, de ambiente cosmopolita ("Los cuatro jinetes del Apocalipsis" [1916], sobre la guerra europea); 4.º, históricas ("El Papa del mar" [1925], sobre Pedro de Luna). A ellas podrían añadirse varios libros de viajes ("La vuelta al mundo de un novelista" [1927]) que —como las novelas que acabamos de citar— presentan un interés muy inferior al de los relatos iniciales.

La obra de Blasco Ibáñez alcanzó un gran éxito en el extranjero, no siempre por razones estéticas. En España sufrió posteriormente una notable desvalorización, en la que influyó no poco el cambio de orientación espiritual y artística que supuso la generación del 98.

BIBLIOGRAFIA

PARDO BAZAN

M. Menéndez y Pelayo: *Estudios y disc. de crít. hist. y lit.*, vol. V.
Andrenio: *Novelas y novelistas*, 1918.
A. Andrade Coello: *La condesa E. Pardo Bazán*, 1922.
Ramón Gómez de la Serna: *Nuevos retratos contemporáneos*, 1945.
D. Pérez Minik: *Las novelas cortas de la c. P. B.* En "Novelistas españoles de los siglos XIX y XX", 1957.
C. Bravo Villasante: *Vida y obra de E. P. B.* 1962.
Walter T. Pattison: *El naturalismo español.* Gredos, 1965.

"CLARIN"

Azorín: *Clarín y la inteligencia* y *La vida de Clarín.* En "Andando y pensando", 1929.
J. Cabezas: *Clarín, el provinciano universal*, 1935.
C. Clavería: *Flaubert y "La Regenta".* Rev. Hisp., 1942.
A. Posada: *Leopoldo Alas, "Clarín"*, 1946.
G. Marañón: *Dos vidas en el tiempo de la concordia.* En "Ensayos liberales", 1947.
D. Pérez Minik: *Revisión de L. Alas, Clarín.* En "Novelistas españoles...", 1957.
E. J. Grandberg: *Fondo y forma del humorismo de L. Alas, "Clarín"*, 1957.
M. Baquero Goyanes: *Prosistas españoles contemporáneos* (Dos ensayos sobre *Clarín*), 1962
Laura de los Ríos: *Los cuentos de "Clarín".* Ed. Rev. de Occidente, 1965.
S. Beser: *Leopoldo Alas, crítico literario.* Madrid, 1968.

P. COLOMA

A. Alcalá Galiano: *Figuras excepcionales: el P. Coloma*, 1922.

PALACIO VALDES

R. Cansinos Asséns: *La nueva literatura.* Vol. IV.
L. Antón del Olmet y Torres Bernal: *Palacio Valdés*, 1922.
A. Cruz Rueda: *A. Palacio Valdés*, 1938.

BLASCO IBAÑEZ

E. Gómez de Baquero: *Letra e ideas*, 1905.
M. Martínez de la Riva: *V. Blasco Ibáñez*, 1929.
J. A. Balseiro: *V. Blasco Ibáñez*, 1935.
M. Fernández Almagro: *En torno al 98*, 1948.
R. Gómez de la Serna: *Nuevos retratos contemporáneos*, 1945.
C. Blanco Aguinaga: *Blasco Ibáñez...* En "Juventud del 98". Madrid, 1970.

el pensamiento, la oratoria y la erudición. menéndez y pelayo

**La lucha ideológica en la segunda mitad del siglo.
Tradición e innovación**

El reinado de Isabel II. – El abrazo de Vergara (1840) terminó la atroz guerra civil entre liberales y carlistas. Durante el reinado de Isabel II (1843-1868), la pugna política continuó entre los partidos del sector liberal, pero –salvo un breve paréntesis: 1854 a 1856– el conservadurismo de los "moderados" (dirigidos por Narváez) consiguió imponerse al afán revolucionario de los "progresistas" (acaudillados por Espartero). En el terreno de las ideas, *el catolicismo, apoyado por los órganos estatales, aseguró su influjo sobre el ambiente cultural, sin hallar apenas otra oposición que la del grupo "krausista".*

El krausismo fue introducido en España por Julián Sanz del Río, quien, pensionado por el Gobierno, estuvo algún tiempo en Alemania. Allí estudió las doctrinas de Krause –filósofo de escasa trascendencia– y vuelto a la patria, dedicóse a difundirlas desde su cátedra de Madrid (1854). El carácter racionalista de sus enseñanzas –en las que junto a lo filosófico aparecía un programa de idealismo ético– atrajo a un pequeño grupo de intelectuales que por unos años encarnaron la idea de innovación y laicismo frente al catolicismo conservador.

La Restauración. – En 1868, fecha del destronamiento de Isabel II, las tendencias revolucionarias, que por espacio de unas décadas habían sido duramente reprimidas, consiguen imponerse creándose una situación altamente conflictiva; hasta que –pasado el reinado de Amadeo y la primera República– la Restauración de la monarquía en Alfonso XII instaura un largo período de calma, y de atonía política, gracias a la habilidad de Cánovas y a la actitud decididamente conservadora que adopta la burguesía de la época –aliada ahora con la aristocracia– frente a las reivindicaciones de un proletariado cada vez con más conciencia de clase. El último cuarto de la centuria es, pues, una verdadera tregua en la lucha de partidos que caracteriza a todo el siglo XIX.

Por el contrario, opérase en las ideas una evolución distinta, ya que el franco predominio del pensamiento católico en el reinado de Isabel II, sucede una época de violentas polémicas en las que *el ideario tradicional sufre la acometida de las tendencias innovadoras* de un sector de la burguesía liberal, fomentadas por la revolución del 68, y sobre las que ahora se ejerce la *influencia del positivismo.*

El tema de la "regeneración de España"

Consecuencia del agitado ambiente ideológico de la Restauración son los apóstrofes poéticos de Núñez de Arce, las novelas de tesis de Galdós y Pereda, los primeros libros de Menéndez y Pelayo y —a fines del siglo— el incremento de una idea que apunta en el siglo XVIII —Cadalso— y atraviesa el XIX —Larra— para llegar hasta la generación del 98: la del *problema español* y la *regeneración de España.*

El elemento conservador verá la clave del resurgimiento patrio en la vuelta al Siglo de Oro; el sector liberal, en el contacto con Europa, en el desarrollo de aquellas facultades españolas que la historia acaecida habría impedido fructificar y en el rompimiento con las tradiciones de la época del Imperio. Como dice Marañón, adviértese "de un lado, el intento de edificar la grandeza intelectual de España, con el material genuino, intensificado y depurado, pero sin mezcla, en lo sustancial, de nada exótico. De otro, el deseo de fundir la vena tradicional en la ancha corriente universal del saber, pero también a la mayor gloria de la patria".

Representantes de la tendencia "regeneracionista" europeizante serán Giner de los Ríos, y, más tarde, Costa y Picavea, que llegarán a vivir el desastre de 1898. En todos ellos se observa una inclinación a considerar como ineficaces las discusiones ideológicas y a fijar la atención sobre las realidades concretas —económicas, agrícolas, sociales...— de la vida nacional ("menos política y más administración"). Menéndez y Pelayo será, por otra parte, el gran defensor de la España del siglo XVI.

Francisco Giner de los Ríos (1839-1915). — Perteneció al grupo krausista de Sanz del Río, y al ser destituido de su cátedra (1875) fundó la *Institución Libre de Enseñanza,* donde puso en práctica las ideas que había adquirido en sus viajes por Europa sobre la necesidad de una *renovación del sistema pedagógico español* —método activo, contacto con la Naturaleza y con la tradición popular, educación de la mujer, extensión cultural, coeducación, libertad religiosa...—. En la "Institución Libre" se formaron gran parte de los intelectuales liberales que habían de influir en las generaciones siguientes.

Joaquín Costa. — De origen aragonés (1846-1911), buscó la solución de los problemas económicos y sociales de España. En este sentido, recomendó *modernizar la cultura española apartándola de las tradiciones de la época imperial* ("doble llave al sepulcro del Cid") y atender a la *reconstrucción "interior" del país* ("despensa y escuela"). Su te en las posibilidades del pueblo español —desviadas según él por una secular política equivocada— le llevaron a estudiar sus orígenes en obras como "La

Emilio Castelar, típico representante de la pomposa oratoria del siglo XIX.

poesía popular española y mitología y literatura celto-hispana" (1884) o sus posibilidades de reforma —*La tierra y la cuestión social*—. Su intervención política —acabada en el fracaso— se inició después de 1898.

R. Macías Picavea. — Se expresó en términos parecidos en *El problema nacional* (1899), donde *ataca la política de los Austrias,* considerándola como la causa de la decadencia de España, y establece un plan de reforma que abarca todos los aspectos de la vida española. Sus ideas, lo mismo que las de Giner y Costa, pueden considerarse como el precedente inmediato de la generación del 98, por más que en éstas las preocupaciones máximas serán de índole estética y filosófica y no sociológicas o políticas como en los "regeneracionistas".

La oratoria: Castelar

Las luchas políticas e ideológicas del siglo XIX favorecieron en nuestro país el desarrollo de la oratoria, sobre todo la de carácter parlamentario. Donoso Cortés había sido el gran orador de la época romántica; Emilio Castelar (Cádiz, 1832-1899) será en este sentido la figura capital de la segunda mitad del siglo.

Hombre de ideas liberales, desempeñó una cátedra de Historia de España e intervino en política, llegando a presidir la primera República. Su producción se orientó hacia la historia y la novela, pero la enorme fama que adquirió se debió sobre todo a su potencia oratoria. La brillantez de *su grandilocuente retórica,* a veces algo vacía de ideas, le granjearon ruidosos triunfos; como dice Benjamín Jarnés, "millares y millares de personas le oyeron en sus relampagueantes apariciones, se estremecieron con sus truenos, lloraron con sus ternuras". A ello debió de contribuir la magnífica voz que poseía: "una voz que saltaba desde una nota grave, profunda como el rodar de un trueno, a otra aguda, incisiva, taladrante, como el rechinar de una sierra. Una voz que subía y bajaba súbitamente, que recorría con deleitosa agilidad toda la escala sonora".[1]

El florido estilo de Castelar no es privativo de sus discursos y puede advertirse también en su producción erudita.

1. B. Jarnés. "Castelar".

EL PENSAMIENTO, LA ORATORIA Y LA ERUDICIÓN 583

Entre sus obras destacan, aparte de los "Discursos parlamentarios y políticos" (1871), varios estudios históricos —"La civilización en los cinco primeros siglos del cristianismo", "Historia del descubrimiento de América"—, tres novelas de estilo posromántico —"La hermana de la Caridad", "El suspiro del moro" (1885) y "Fra Filippo Lippi" (1877), visión del Renacimiento italiano del siglo XV— y unos "Recuerdos de Italia" (1877).

La erudición literaria

Los trabajos de investigación y de crítica en torno a nuestro pasado literario experimentaron un notable avance en la segunda mitad del siglo XIX, al adquirir un nuevo rigor científico. Tres nombre destacan: Amador de los Ríos, Milá y Fontanals y Menéndez y Pelayo.

José Amador de los Ríos escribió una *Historia de la literatura española* (1861-1865), en siete volúmenes, que abarca toda la época medieval. Gracias a esta obra, que constituyó, por su abundancia en datos eruditos, el punto de partida para ulteriores investigadores, Amador puede ser considerado como el primer historiador sistemático de nuestras letras.

Manuel Milá y Fontanals (1818-1884) es la figura capital de un importante grupo de eruditos catalanes. Fue catedrático en la Universidad de Barcelona y maestro de Menéndez y Pelayo. Sus mejores estudios se orientaron hacia la literatura medieval castellana, catalana y provenzal. Entre ellos sobresalen *De la poesía heroico-popular castellana* (1874), donde demuestra la existencia de una poesía épica medieval en Castilla; *De los trovadores en España* (1861) y el *Romancerillo catalán* (1882). En toda su labor se observa, junto a un sentido de exactitud científica, una gran capacidad para percibir los valores estéticos.

Merecen también una cita **B. C. Aribau**, fundador con **Rivadeneyra** de la *Biblioteca de Autores Españoles* (desde 1846); **Pedro José Pidal**, editor del *Cancionero de Baena* (1851); **Leopoldo Augusto de Cueto, Marqués de Valmar**, autor de una excelente *Historia de la poesía del siglo XVIII* (1890); **A. Fernández Guerra**, que estudió a fondo la vida y la obra de Quevedo, y **Antonio Rubió y Lluch**, condiscípulo de Menéndez y Pelayo, que nos ha dejado interesantes trabajos sobre el honor en el teatro de Calderón y sobre la literatura catalana medieval.

En otros lugares hemos aludido ya a Valera, "Clarín" y la Pardo Bazán como *críticos de literatura contemporánea*.

Menéndez y Pelayo

Vida y personalidad. — Don Marcelino Menéndez y Pelayo (1856-1912) nació en Santander. Estudió en la Facultad de Filosofía y Letras de Barcelona bajo la dirección de Milá y Fontanals, y más tarde en Madrid y Valladolid. Recorrió, como pensionado, los países pertenecientes al antiguo Imperio español (Portugal, Italia, Bélgica, Holanda...) y a los veintidós años obtuvo la cátedra de Literatura de la Universidad de

Madrid. Al terminar, veinte años más tarde, su misión docente, fue nombrado director de la Biblioteca Nacional, cargo que desempeñó hasta su muerte.

Menéndez y Pelayo fue sin duda alguna el hombre más culto de su siglo. Poseía una *gran inteligencia* y una *memoria magnífica,* lo cual, unido a su *enorme capacidad de trabajo,* le permitió alcanzar una *erudición prodigiosa.* Además, su *intuición de los valores estéticos y sus facultades críticas* eran tan grandes como el caudal de sus conocimientos, y gracias a todo ello pudo construir la imagen que del pasado cultural hispánico había de mantener durante largos años el pensamiento conservador.

El pensador católico. — Un fervoroso amor a España y un catolicismo militante son los dos elementos capitales que determinan su pensamiento. Ambos le llevaron a *buscar la grandeza de la patria en las tradiciones del Siglo de Oro.* Frente al sector liberal de su tiempo, que veía en los ideales de la época del Imperio la razón de la ulterior decadencia, señaló como origen de ésta la introducción del pensamiento europeo enciclopedista a fines del siglo XVIII, y el abandono de la tradición católica nacional. Dos años antes de morir, aludía todavía a "el lento suicidio de un pueblo que, engañado por gárrulos sofistas, hace espantosa liquidación de su pasado, escarnece a cada momento la sombra de sus progenitores y reniega de cuanto en la historia los hizo grandes".

Toda su vida permaneció fiel a esta actitud. No obstante, obsérvase al correr de los años *un ligero cambio de matiz* que coincide con el paso de la juventud apasionada a la serenidad y ponderación de la madurez. Como dice Marañón, "el ímpetu agresivo de sus años jóvenes se fue templando con la edad. Y sin ceder un ápice de su posición españolista, tradicionalista y católica, se fue transiendo de un noble espíritu de bondadosa comprensión para todo aquello que no compartía". El pensamiento moderno, que en un principio le producía "asco", le fue interesando cada vez más, y su amor exclusivista a "lo castizo" se amplió con una progresiva atención a los valores universales, mientras rectificaba la dureza de sus primitivos juicios contra los "heterodoxos" españoles, y prodigaba los elogios a su amigo Galdós, a pesar de las diferencias ideológicas que los separaban.

Por eso, si prescindimos de sus primeros libros —"La ciencia española", "Historia de los Heterodoxos"—, puede afirmarse que *el principal intento de Menéndez y Pelayo fue armonizar —dentro de la línea del pensamiento conservador— lo europeo y lo nacional castizo, la cultura humanística y la católica, lo tradicional y lo moderno.*

De ahí que sintiese tanta aversión a la negación de los valores tradicionales como a la retórica vacua y seudo-patriótica. "La historia de España que nuestro vulgo aprende —decía—, o es una diatriba sacrílega contra la fe y la grandeza de nuestros mayores o es un empalagoso ditirambo en que los eternos lugares comunes de Pavía, Lepanto, etc., sirven sólo para adormecernos e infundirnos locas vanidades".

En el terreno filosófico, Menéndez y Pelayo prefirió las doctrinas de Luis Vives a la escolástica, por creer que aquéllas equivalían a un programa de libertad intelectual compatible con el dogma católico.

Don Marcelino Menéndez y Pelayo.

El historiador de la literatura. — Menéndez y Pelayo fue un verdadero polígrafo, pero *su vocación se orientó preferentemente hacia la historia literaria y la crítica*. El resultado fue magnífico, porque en su labor *alcanzó a fundir la exactitud del dato erudito con la visión certera del tema y la belleza del estilo*. "La Historia —decía él mismo— será tanto más perfecta y más artística cuanto más se acerque con sus propios medios a producir los mismos efectos que produce el drama y la novela". Fuertemente pertrechado de una extensísima erudición —pues conocía a fondo las lenguas y literaturas clásicas y modernas— se impuso la tarea de reconstruir la historia de la literatura española, y gracias a aquélla, a su intuición crítica y a su brillantez de exposición, consiguió dejarnos un panorama completo, vivo y animado de nuestras letras.

También como crítico puede señalarse en él una evolución: impetuosidad algo irreflexiva en su juventud y seguridad de juicio en su edad madura. Ejemplo de lo primero sería "Calderón y su teatro", donde se mostraba injusto con el dramaturgo barroco, declarándole inferior a Lope, Tirso y Alarcón —juicio que había de rectificar más tarde—; de lo segundo, la "Antología de poetas líricos", llena de apreciaciones definitivas y sugestivas visiones de nuestra literatura medieval. Es cierto que en algunos casos se mostró incomprensivo —nadie comparte hoy su desdén hacia Góngora o sus encendidos elogios a Quintana—: pero la enorme cantidad de sus aciertos compensa con creces algunas páginas poco afortunadas, que más que a él habría que achacar al gusto de la época.

El artista. — Los valores estéticos ocuparon un lugar preferente en el espíritu de Menéndez y Pelayo. De ahí que *la belleza del estilo le interesase no sólo como objeto de estudio sino como elemento integrante de su obra*. A un propósito de creación artística responden sus poesías —inspiradas en Horacio y dotadas de una algo fría, pero elegante corrección clasicista—, sus traducciones en verso e incluso la prosa de sus libros eruditos, en la que los conceptos se hallan siempre expuestos en una forma coloreada y viva. Sus frases abundan en bellas y afortunadas expresiones que denotan, junto al crítico, el artista preocupado por el valor literario de su obra. En este aspecto, *la armoniosa serenidad del arte clásico fue su modelo constante,* lo que nos explica la predilección que sentía por Horacio y Fray Luis.

En su estilo se advierte también una clara evolución, como él mismo señaló: "Para mí —decía—, el mejor estilo es el que menos lo parece, y cada día pienso escribir con más sencillez; pero en mi juventud no pude menos de pagar algún tributo a la prosa oratoria y enfática que entonces predominaba".

La obra. — Su producción puede dividirse en dos épocas: en la primera —período de juventud—, que abarca las obras escritas antes de los treinta años, predomina la historia del pensamiento español —científico, religioso, estético...—; en la segunda —período de madurez—, la historia de la literatura.

La primera época. Menéndez y Pelayo se dio a conocer con un libro polémico, *La ciencia española,* en el que, atacando a los que menospreciaban el papel cultural de España, presentó una extensa lista de científicos españoles; en nuestros días, Marañón, Rey Pastor y otros han puesto en tela de juicio las entusiastas afirmaciones de este libro, escrito a los veinte años. Por el mismo tiempo publicó *Horacio en España* (1877), donde da cuenta de la influencia del gran poeta latino en nuestra literatura.

Poco después comenzó la *Historia de los heterodoxos españoles* (1880-1882) —escrita con notable erudición y gran apasionamiento—, en la que identifica los conceptos de ortodoxia y espíritu nacional y considera como menos españoles a los que en diversas épocas se apartaron del dogma católico. El mismo autor se refirió más tarde a los "muchos defectos" de la obra, nacidos "de la ligereza juvenil". También hubo de rectificar en su madurez los puntos esenciales de *Calderón y su teatro,* escrito asimismo por estos años.

La *Historia de las ideas estéticas en España* (1882) es la obra capital de la primera época. En ella estudia las doctrinas españolas en torno al arte y la literatura, relacionándolas con las del resto de Europa. Un concepto sobresale entre otros: el de la firmeza con que nuestro país ha defendido siempre la noción de la libertad en el arte. La obra comienza en la antigüedad clásica y termina en el siglo XIX.

Cabe citar también algunas *traducciones* (de Esquilo, Cicerón, Shakespeare...) y varias *poesías originales* ("Epístola a Horacio", "A mis amigos de Santander", etc.).

La segunda época. Es el momento en que Menéndez y Pelayo, superando el espíritu exaltado de su juventud, compone sus obras definitivas. No faltan las de tema clásico —"Bibliografía hispano-latina clásica" (1902)— o filosófico —"Ensayos de crítica filosófica"—, pero el centro de su actividad será ahora la Historia de la literatura española.

Sucesivamente van apareciendo los *Estudios de crítica literaria* (1884-1908) —en torno a diversos temas de literatura española antigua y moderna—, la *Antología de poetas líricos* (1890-1908) —amplia y sugestiva exposición de nuestra poesía medieval, a la que añadió un volumen sobre Boscán y en la que hay acertados juicios sobre Berceo, Hita, el Romancero y brillantes cuadros de épocas–, los documentados prólogos a las *Obras de Lope de Vega*, la *Historia de la poesía hispano-americana* y los *Orígenes de la novela* (1905-1910) –magnífica historia del género hasta el siglo XVI–.

Tan fecunda actividad dio lugar a la formación de toda una escuela de investigadores de los que hablaremos más adelante.

BIBLIOGRAFIA

LA LUCHA IDEOLOGICA EN LA SEGUNDA MITAD DEL SIGLO XIX

M. Menéndez y Pelayo: *Historia de los heterodoxos españoles*. Vol. III (Sobre el krausismo.)
J. B. Trend: *The Origins of the Modern Spain*, 1934.
P. Jobit: *Les éducateurs de l'Espagne contemporaine*, 1936.
D. Franco: *El realismo: En busca del tiempo perdido*. En "La preocupación de España en su literatura", 1944.
J. López Morillas: *El Krausismo español*. México – Buenos Aires, 1956.
Y. Turin: *L'éducation et l'école en Espagne de 1874 à 1902. Liberalisme et tradition*, 1959.
V. Cacho Viu: *La Institución Libre de Enseñanza*. Vol. I, 1962.
M. D. Gómez Molleda: *Los reformadores de la España contemporánea*. Madrid, 1965.
Antoni Jutglar: *Ideologías y clases en la España contemporánea. I (1868-1874). II (1874-1931)*. Madrid, 1968-1969.
M. Tuñón de Lara: *Medio siglo de cultura española (1885-1936)*. Tecnos, 1970.
Krausismo: Estética y literatura. Antología. Selección de J. López-Morillas. Labor, 1973.

GINER, COSTA, CASTELAR

A. Castro: *Francisco Giner*. En "Semblanzas y estudios españoles", 1956.
Azorín: *Elegía a Costa*. En "Lecturas españolas", 1912.
Azorín: *Precursores de Costa* y J. *Costa*. En "Clásicos y modernos", 1919.
J. García Mercadal: *Ideario español: Costa*, 1919.
C. Ciges Aparicio: *J. Costa*. Madrid, 1932.
M. Fernández Almagro: *El caso J. Costa*. En "En torno al 98", 1948.
R. Pérez de la Dehesa: *El pensamiento de Costa y su influencia en el 98*. Madrid, 1968.
B. Jarnés: *Castelar, hombre del Sinaí*, 1934.

MILA Y FONTANALS

J. Rubio y Ors: *Noticia de la vida y escritos de don M. Menéndez y Pelayo*. Barcelona, 1887.
M. Menéndez y Pelayo: *El Dr. D. M. Milá y Fontanals*. En "Estudios y discursos de crítica histór. y literaria". Vol. V.

MENENDEZ Y PELAYO

Juan Valera: *La historia de los heterodoxos*, por D. M. Menéndez y Pelayo. En "Ensayos", Vol. III.
A. Farinelli: *Divagaciones hispánicas*. Vol. I, 1914.
A. Bonilla y San Martín: *Biografía y bibliografía de Menéndez y Pelayo*. Prólogo al volumen IV de los "Orígenes de la novela".
Azorín: *Clásicos y modernos*, 1919.
M. Artigas: *La vida y la obra de Menéndez y Pelayo*, 1939.

G. Marañón: *Tiempo nuevo y tiempo viejo*, 1940.

G. de Torre: *Menéndez Pelayo y las dos Españas*, 1943.

P. Laín Entralgo: *Menéndez Pelayo*, 1944.

Dámaso Alonso: *Menéndez Pelayo crítico literario. (Las palinodias de D. Marcelino)*, 1956.

P. Sainz Rodríguez: *Menéndez Pelayo, historiador y crítico literario, y Los conceptos de "Patria" y "región" en Menéndez Pelayo*. En "Evolución de las ideas sobre la decadencia española", 1962.

SIGLO
XX

la generación del 98. 66
un precedente : ganivet

La literatura española, que tras el bache del siglo XVIII había alcanzado un alto nivel
en el último cuarto de la pasada centuria, experimenta, al llegar el siglo XX, un
extraordinario florecimiento, que autoriza casi a hablar de un "segundo siglo de oro",
gracias a la acción de tres generaciones sucesivas separadas por intervalos de diez a
quince años: la 1.ª, que agrupa a los poetas modernistas y a los prosistas del 98 —cuya
figura capital es Unamuno—; 2.ª, la de Ortega —que da sus frutos iniciales hacia el

El paisaje y las ciudades de España asumen un nuevo valor en la literatura de comienzos del siglo
XX. Visión de Toledo por Ignacio Zuloaga.

comienzo de la primera guerra europea– y 3.ª, la que –con García Lorca– comienza su obra en la tercera década del siglo.[1]

Prescindiremos también de una caracterización global de estas tres etapas, indicando únicamente que, en términos generales, *el siglo XX reaccionó, en su primer tercio, contra el arte realista, el racionalismo y la moral positivista burguesa de la segunda mitad del XIX,* para mantener, con exaltada tensión, *una visión subjetiva de las cosas, cierto vitalismo irracionalista, y una postura ética de tipo minoritario que se resuelve a menudo en mero apoliticismo o en altivo desdén por la concreta circunstancia histórica.* Ya observamos el comienzo de dicha reacción hacia 1890; réstanos estudiar la evolución de las nuevas tendencias a través de nuestra época.

La generación del 98

El desastre militar. La generación del 98 y los regeneracionistas. – En 1898 tiene lugar el desastre militar de Cavite y de Santiago de Cuba, por el que España pierde sus últimas colonias ultramarinas. Los luctuosos sucesos de este año han sido considerados por algunos como la causa que habría dado lugar al grito de protesta de los escritores definidos más tarde como "los hombres del 98". La protesta contra la política responsable de lo ocurrido y el deseo de una reforma radical en España existió, en efecto, pero su motivo fundamental no fue la derrota sino el descontento –anterior a ella– frente al ambiente político, social y cultural del país. Como dice "Azorín", "no podía el grupo permanecer inerte ante la dolorosa realidad española. Había que intervenir"; pero "la corriente de doctrinas regeneradoras no la motivó la catástrofe nacional. No hizo más que avivarla".

Antes de analizar los rasgos característicos de la generación del 98, a la que algunos críticos han considerado como un aspecto del Modernismo, conviene distinguirla también del grupo de los llamados "regeneracionistas" –Costa, Picavea...–, a quienes ya aludimos. El desastre agudiza en unos y otros la repulsa hacia el estado de cosas que lo ha hecho posible y el anhelo de un cambio rotundo en la vida española. Pero así como estos últimos se limitan a apuntar remedios de tipo social, jurídico y económico –tal el general Polavieja, que pedía que "a la política de abstracciones sustituya en el Gobierno la política agraria, la política industrial, la política mercante"– aquélla dará lugar con el tiempo a un amplio movimiento ideológico y estético que habrá de alcanzar hondas resonancias en la cultura nacional.

Rasgos psicológicos de la generación. – La actitud espiritual de los escritores del 98 –Unamuno, "Azorín", Baroja, Maeztu, Antonio Machado– contrasta vivamente con la de la época de la Restauración y ofrece notables coincidencias con la que adopta Europa hacia estos años. "Azorín" ha aludido a su *idealismo exaltado*; idealismo, frente al materialismo positivista del período precedente; exaltación, frente a su

---

1. El hecho de no existir un criterio unánime sobre las generaciones del siglo XX demuestra la dificultad de una división objetiva de nuestra época. Para las anteriores a la guerra civil suelen aceptarse, sin embargo, las fechas de 1898, 1914 y 1927.

concepto burgués del arte y de las cosas. Pasada la época de la obsesión por la ciencia y por las realidades concretas, "se creó una inquietud por el misterio" y se soñó con altos ideales de tipo religioso, moral, patriótico...

Todos contemplan la vida con gravedad —esa *"gravedad castellana"* de que también habla "Azorín"—, y ven en la frivolidad el peor defecto de los años de la Restauración. "Les duele" la triste realidad española, y, como nuevos románticos, reaccionan con amargo pesimismo ante el lamentable espectáculo que la patria les ofrece. Sin embargo, no se dejan dominar por la melancolía: miran confiadamente el futuro y se esfuerzan en crear con sus libros un nuevo espíritu y una España mejor.

Idealismo, gravedad y, al mismo tiempo, un *agudo espíritu individualista* que les hace adoptar una postura lírica y subjetiva ante las cosas. Prescinden del ambiente y de las ideas tradicionales y forjan —de acuerdo con sus circunstancias y su intimidad, punto ahora de partida de toda su actividad espiritual— un estilo, un ideal de vida y una imagen de España puramente personales. De ahí el choque con la sociedad de la época y la crítica acerba de la realidad circundante.

El alma de España y el sentido de la vida. — He aquí las dos preocupaciones máximas de la generación del 98. Todos muestran un entrañable amor a España, pero, por lo menos al principio, nadie acepta su tradición, lo que les lleva a buscar *una imagen de España distinta de la consagrada por los tópicos*. La auténtica alma española no es, afirman, la que se manifestó en las grandes gestas o en los ideales de la época de los Austrias. ¿Dónde hallarla, pues? La producción del 98 viene a ser la respuesta a esta pregunta.

Tres son los caminos que escogen para llegar a la verdadera esencia de España: el paisaje, la historia y la literatura. Antes de pasar adelante, conviene añadir que si bien todos sienten una íntima vinculación a su terruño respectivo —el país vasco, Alicante, Andalucía...—, ven también en Castilla el núcleo de la nación española y su más alta expresión.

Así se observa en su emocionada adhesión al *paisaje castellano*. Los novelistas del XIX habían descrito el suelo español en su amplia variedad regional: Andalucía, Galicia, Asturias, Valencia...; los escritores del 98 siguen esa trayectoria descubriendo y valorando el sobrio y austero paisaje de Castilla. Sin embargo, la novedad reside, tanto como en el tipo de paisaje escogido, en la manera de verlo. No es la suya una visión realista —en el sentido que se da a esta palabra en la época anterior—, sino subjetiva —ya que consiste en una proyección del espíritu del autor sobre la realidad física— e idealista —porque de lo que se trata es de captar el alma del paisaje castellano y a través de él el alma de Castilla—.

Es, por ejemplo, frecuente en "Azorín" hallar relacionado el paisaje castellano con el pasado o el presente de España:

> El campo se extiende ante mi vista; se halla en la primavera cubierto con el tapiz verde de los sembrados, roto acá y allá por las hazas hoscas, negras, de los barbechos y eriazos; aparece en otoño desnudo,

pelado, de un uniforme color grisáceo. No se yerguen árboles en la llanura;
no corren arroyos ni manan hontanares. El pueblo reposa en un profundo
sueño...

La falta de curiosidad intelectual es la nota dominante en la España
presente... Reposa el cerebro español como este campo seco y este pueblo
grisáceo.

Reflejo del alma española es, además del paisaje, *la historia,* pero no la de las
grandes batallas y de los sucesos espectaculares de la época imperial, sino la historia
íntima, la "intrahistoria", como dice Unamuno, en la que se manifiesta la verdadera
esencia del pueblo español. A la auténtica España habrá que buscarla no en el
siglo XVII —momento en que, según los escritores del 98, el alma española torció su
rumbo propio—, sino en la Edad Media, es decir, en la época en que sus genuinas
tendencias no se habían desviado todavía, o bien, como dice "Azorín", en "la sutil
trama de la vida cotidiana", en la lengua o las costumbres del pueblo... "No busquéis
—sigue afirmando éste— el espíritu de la historia y de la raza en los monumentos y en
los libros", lo que importa es sólo "un mundo desconocido de pequeños hechos".

La literatura tampoco es aceptada en su totalidad; y la atención se dirige
preferentemene hacia los primitivos medievales —Berceo, Hita, Manrique—, hacia los
clásicos olvidados —Góngora, Gracián— o hacia los que, como Larra, sintieron
hondamentè a España. Con el tiempo se acaba valorando toda la tradición literaria —al
igual que la histórica—, si bien desde un punto de vista distinto del habitual: se
atenderá sobre todo al detalle significativo que permita descubrir el contenido
humano, español y eterno de la obra, prescindiendo de tópicos. Y lo mismo en el
terreno del arte; la admiración por el Greco es buen ejemplo de ello.

El estudio del paisaje, de la literatura y de la historia española proporciona, pues,
a los hombres del 98 un nuevo concepto del alma y de la vida de España. Pero esto no
es sino un punto de partida, pues lo que en el fondo les interesa es llegar a una fórmula
que les dé el *sentido de la vida* (Azorín) en sus términos más amplios y universales.
Concretamente lo afirma Unamuno: "lo que el pueblo español necesita es... *tener un
sentimiento y un ideal propios acerca de la vida y de su valor".*

Como si resucitasen las inquietudes metafísicas de la etapa romántica —esas
inquietudes por lo trascendente que el espíritu burgués de la segunda mitad del
siglo XIX había olvidado—, la nueva generación vuelve a plantearse la existencia como
un problema. Desde un punto de vista religioso, ético, o estético, todos sienten la
necesidad de resolver cuestiones que rebasan el área de la realidad cotidiana y tangible.
Más adelante veremos la posición que, en este sentido, adopta cada uno de ellos.

La evolución del 98. — "Había que intervenir", ha dicho "Azorín", refiriéndose,
como ya vimos, a la actitud de su generación frente a un estado de cosas que
consideraba inadmisible. Esa intervención limitóse en un principio a un grito de
rebeldía y protesta contra lo que representa la tradición española. La solución que se

El paisaje desnudo y austero de Castilla fue uno de los temas preferidos por los escritores del 98, que vieron en él todo un símbolo de los valores espirituales de la raza.

les ofrecía fue la de los "ilustrados" del siglo XVIII o la de los "regeneracionistas": *reconstrucción interior del país y europeización*, es decir, reorganizar la Hacienda, la agricultura, la vida social, etc., y superar la etapa de aislacionismo cultural, iniciada por Felipe II, restableciendo el contacto con Europa.

No obstante, pronto vino un cambio de rumbo, y lo que en un comienzo había sido violenta protesta contra la tradición y adhesión incondicional a lo europeo como única esperanza para un resurgimiento español, dejó paso en casi todos ellos a *una nostálgica evocación del pasado, tras la que se adivina la renuncia a la lucha entablada a favor de una transformación radical de la inmediata circunstancia política, social, económica...*

Esta segunda etapa, en la que a los fervorosos anhelos de renovación sucede una actitud lírica y contemplativa, se inicia para la mayor parte de los representantes del grupo a lo largo de la primera década del siglo. A partir de ahora, y abandonada la tensión combativa del momento inicial, se refugiarán en una ensoñación del pretérito que, si bien encierra un deseo de comprensión de lo que en un comienzo se quiso destruir, manifiesta al mismo tiempo una huida de la problemática española del momento. Salvo casos aislados —tal el de Antonio Machado—, toda su obra de madurez se situará en la línea indicada, al renunciar a la crítica de la realidad inmediata, centrándose en *la visión subjetiva de un pasado entrañable, en la afanosa búsqueda y exaltación de la "esencia" de España o en la consideración intemporal del destino del hombre*. Fruto de este proceso de serena o angustiada interiorización y de este repliegue hacia el mundo de lo íntimo habrá de ser lo más logrado de la producción del 98.

El estilo y la técnica. — El disgusto por la cultura y el ambiente de la Restauración alcanzó también a la literatura y el estilo. Así se advierte en la repulsa de su retórica grandilocuente. Contra el párrafo declamatorio, *la generación del 98 proclama la necesidad de una vuelta a la sencillez, a la sinceridad, a la frase viva y expresiva.*

Consecuencia del fuerte subjetivismo de estos escritores es el hecho de que cada uno de ellos presente un *estilo personal* claramente diferenciado del de los demás, en contraste con el tono más o menos uniforme de la prosa del período anterior.

Pero hay que tener en cuenta que todas estas exigencias en el terreno del estilo sólo son un aspecto parcial de un fenómeno más amplio: la *actitud estética* que adoptan ante la vida y los problemas que plantea. Por eso ha podido decir "Azorín" que su generación dio una "entonación lírica y sentimental a cosas y hombres de España", abriendo así un abismo entre ella y la que le precedió.

No estará de más repetir que en cuanto a la técnica literaria, lo general fue la tendencia a alejarse de los procedimientos típicos del realismo del siglo XIX —observación minuciosa de la realidad externa, reflejo objetivo e impersonal de lo observado...—, para cargar el acento en *la expresión de las resonancias intelectuales o emotivas que las cosas provocan en la intimidad del autor.*

El influjo extranjero. — El cambio de rumbo que supuso para nuestra literatura la generación del 98 se debió, como vimos, a una serie de circunstancias de la vida nacional. No obstante, cabría interpretarlo también como la resonancia española de la profunda renovación que experimentó la cultura europea en los últimos quince años de la centuria, al iniciarse la protesta contra la mentalidad positivista y el realismo burgués, en defensa de unas concepciones de tipo espiritualista o estetizante. Prueba de ello es el influjo que, por lo menos en un principio, ejerció sobre sus representantes la literatura que en aquel momento impregnaba el ambiente europeo: Schopenhauer, Nietzsche, Ibsen, los rusos...

Podrían darse, además, los nombres siguientes: Pascal y Kierkegaard (para Unamuno), Montaigne y Flaubert (para "Azorín"), Dickens y Nietzsche (para Baroja)... La idea de considerar a Nietzsche como el influjo capital es a todas luces exagerada.

No hay que olvidar, sin embargo, que junto a los extranjeros, influyeron también los españoles. Ya aludimos a la atracción que ejercen los primitivos. Añadamos el fervor con que se interpreta el Quijote (Unamuno, "Azorín, Maeztu).

Un precedente del 98: Ganivet

Vida, temperamento y estilo. — Nace Angel Ganivet en Granada (1865). Allí estudia Leyes y Filosofía y Letras y después de perder unas oposiciones, que gana Unamuno, desempeña el cargo de cónsul en Amberes, Helsinki y Riga. En esta última ciudad se arroja a las aguas del Dwina y muere —en 1898— a los treinta y tres años de edad.

En su obra se advierte esa inquietud angustiosa por lo trascendente que caracteriza la producción de Unamuno, si bien Ganivet no consiguió superar su *amargo y desilusionado escepticismo.* Su pensamiento vacilante y contradictorio, refleja la lucha espiritual en que se debatió, hasta que, como Larra —a quien tanto se parece—, puso fin a su vida. Pero si sus ideas sobre España anuncian actitudes de la generación del 98, como prosista se encuentra más cerca de la época de la Restauración. Su *estilo, familiar, desaliñado y lleno de expresiones irónicas,* recuerda más la llaneza y descuido galdosianos que la elaborada prosa de un "Azorín", por ejemplo.

El "Idearium español". — Es, a pesar de sus reducidas dimensiones, la obra capital de Ganivet. Trátase de un ensayo —escrito en 1897— lleno de apreciaciones personales muy discutibles, pero también muy agudas y sugestivas, sobre la psicología del pueblo español y la conducta adecuada para lograr el resurgimiento de la patria.

Consta de tres partes. En la primera *señala como principal elemento constitutivo del temperamento español el estoicismo senequista.*

Para Ganivet, el estoicismo practicado por los españoles podría reducirse a las siguientes normas: "No te dejes vencer por nada extraño a tu espíritu; piensa que tienes dentro de ti... como un eje diamantino alrededor del cual giran los hechos mezquinos que forman la trama del diario vivir, y sean cuales fueren los sucesos que sobre ti caigan... mantente de tal modo firme y erguido que al menos se pueda decir siempre de ti que eres un hombre".

A este elemento senequista —*base del espíritu individualista e independiente de los españoles*— habría venido a sumarse la influencia del cristianismo y más tarde la del apasionado temperamento árabe.

En la segunda parte se analiza la política de España y se considera como razón de su fracaso el haber gastado sus energías en empresas exteriores. *Es necesaria,* pues, *una reconstrucción interior de España* y "una concentración de todas nuestras energías dentro de nuestro territorio". Ahora bien, "cuanto en España se construya con carácter nacional *debe de estar sustentado sobre los pilares de la tradición";* "podemos recibir influencias extrañas...; pero mientras lo extraño no esté sometido a lo español... no levantaremos cabeza".

En la tercera parte se señala, como la peor enfermedad de España, la debilitación de la voluntad ("abulia" que pronto hará que los hombres del 98 vuelvan la vista hacia Nietzsche, maestro de energía). Sin embargo, Ganivet cree que *el país podrá salir de su postración siempre que no trate de ser infiel a sus tradiciones* y a ese espíritu individualista que le impide ser otra cosa que él mismo. "Yo tengo fe en el porvenir de España —decía—. En esto soy acaso exageradamente optimista." Fe que procedía de su creencia, de raíz senequista, en la capacidad del hombre para forjar su propio destino.

Como se ve, la actitud de Ganivet —partidario de restaurar el núcleo primitivo y "auténtico" del espíritu español frente al concepto de "progreso" de la Europa moderna— coincide con la que habría de adoptar la generación del 98, tras la etapa inicial de protesta contra todo "casticismo". Su optimismo respecto del futuro de España y su tendencia tradicionalista constituyeron, pues, una excepción en medio de la literatura pesimista y europeizante que predominó por los años del desastre militar.

Otras producciones. — Destacan entre ellas dos novelas de intención satírico-social: *La conquista del reino de Maya* (1897) y *Los trabajos del infatigable creador Pío Cid* (1898), continuación de la anterior. La primera, llena de rasgos de humor amargo, tras los cuales se advierte un radical escepticismo, y en las que se relata la conquista de un reino africano por Pío Cid, viene a ser una diatriba contra la civilización europea y el desarrollo industrial —fuente, para él, de toda alienación— así como contra las costumbres y la moral de la moderna sociedad española. La segunda encarna en el protagonista el problema de la abulia española y el de la vitalidad necesaria al país.

Merecen también citarse las *Cartas finlandesas* (1898), donde se refiere en forma sugestiva y amena a las costumbres de aquel país, y en las que realiza agudas comparaciones con la sociedad española. El ingenio vivo y chispeante de Ganivet consigue crear aquí una verdadera obra maestra de literatura periodística.

El resto de su producción abarca *Granada la bella* (1896), donde forja una imagen ideal de su ciudad —civilizada y pintoresca al mismo tiempo—, *Hombres del Norte* —estudios sobre J. Lie, B. Björnson y E. Ibsen—, *El escultor de su alma,* drama lleno de confuso simbolismo, y un interesante *Epistolario,* publicado seis años después de su muerte.

BIBLIOGRAFIA GENERAL SOBRE LA LITERATURA DEL SIGLO XX

HISTORIA DE LA LITERATURA CONTEMPORANEA

J. Cassou: *Panorama de la littérature espagnole contemporaine,* 1931.
N. González Ruiz: *La literatura española,* 1944.
J. Chabás: *Literatura española contemporánea (1898-1950),* 1952.
G. Torrente Ballester: *Panorama de la literatura española contemporánea,* 1960.
A. Valbuena: *Historia de la literatura española,* 1960. Vol. III.

OBRAS DONDE SE ESTUDIA A AUTORES CORRESPONDIENTES A GENEROS DIVERSOS

R. Cansinos Asséns: *La nueva literatura.* Varios volúmenes, 1917-1927.
C. Barja: *Libros y autores contemporáneos,* 1935. (Estudios sobre Ganivet, Unamuno, Ortega, Azorín, Baroja, V. Inclán, A. Machado y P. de Ayala.)
R. Gómez de la Serna: *Retratos,* 1941, y *Nuevos retratos,* 1945.
M. De Maeztu: *Antología. Siglo XX,* 1943. (Estudio y selección de prosistas).

P. Salinas: *Literatura española. Siglo XX*, 1949.
E. Allison Peers: *El Romanticismo después de 1860*. En "Historia del movimiento romántico español", 1954. Vol. II.
P. Salinas: *La literatura moderna*. En "Ensayos de literatura hispánica", 1958.

ESTUDIOS SOBRE LA POESIA CONTEMPORANEA

F. de Onís: *Antología de la poesía hispano-americana (1862-1932)*, 1934. (Contiene, además de los poemas seleccionados, abundantes estudios y bibliografía.)
J. Moreno Villa: *Leyendo a...*, 1944. (Contiene ensayos sobre Rubén, García Lorca y A. Machado.)
J. Becco y Osvaldo Svanascini: *Poetas libres de la España peregrina*. B. A. 1947.
C. Bousoño: *La correlación en la poesía moderna*. En "Seis calas...", 1951.
L. F. Vivanco: *Introducción a la poesía española contemporánea*, 1957.
L. Cernuda: *Estudios sobre poesía española contemporánea*, 1957.
P. Salinas: *El romancismo y el siglo XX*, 1958.
J. L. Cano: *Poesía española del siglo XX. De Unamuno a Blas de Otero*, 1960.
Concha Zardoya: *Poesía española contemporánea*, 1961.
Max Aub: *Poesía española contemporánea*. México, 1969.

ESTUDIOS SOBRE EL TEATRO CONTEMPORANEO

M. Bueno: *Teatro español contemporáneo*, 1909. (Sobre Echegaray, Galdós, Benavente, Linares Rivas, los Quintero y otros.)
A. González Blanco: *Dramaturgos españoles contemporáneos*, 1917.
R. Pérez de Ayala: *Las máscaras (1917-1919)*. Col. Austral, 1948. (Sobre Galdós, Benavente, los Quintero, Arniches, Villaespesa, L. Rivas. M. Sierra y otros.)
E. Díez Canedo: *Panorama del teatro español (1914-1936)*. En la rev. "Hora de España", 1938.
J. González Ruiz: *La cultura española en los últimos veinte años. El teatro*, 1949.
D. Pérez Minik: *Debates sobre el teatro español contemporáneo*, 1953.
A. Valbuena: *Teatro moderno español*, 1954.
A. Valbuena: *Historia del teatro español*, 1956. Capítulos XXX-XXXVIII.
G. Torrente Ballester: *Teatro español contemporáneo*, 1957.
A. Marquerie: *Veinte años de teatro en España*, 1959.
F. García Pavón: *Teatro social en España (1895-1962)*, 1962.
J. P. Borel: *El teatro de lo imposible* (Benavente, Unamuno, Valle Inclán, Lorca, B. Vallejo). Ed. Guadarrama, 1966.
E. Díez Canedo: *El teatro español de 1914 a 1936*. Cuatro vols. México, 1968.
Francisco Ruiz Ramón: *Historia del teatro español, 2. Siglo XX*. Alianza Editorial, 1971.

ESTUDIOS SOBRE LA NOVELA CONTEMPORANEA

A. González Blanco: *Historia de la novela en España desde el Romanticismo*, 1909.
"Andrenio": *Novelas y novelistas*, 1918.
D. Pérez Minik: *Novelistas españoles de los siglos XIX y XX*, 1957.
F. C. Sainz de Robles: *La novela española en el siglo XX*, 1957.
E. G. de Nora: *La novela española contemporánea (1898-1927)*, 1958; *(1927-1960)*, 1962.
J. R. Marra-López: *Narrativa fuera de España (1939-1961)*. Madrid, 1963.
Sherman H. Eoff: *El pensamiento moderno y la novela española*. (Estudios sobre novelistas del XIX y sobre Unamuno, Baroja y R. Sender), 1965.

ESTUDIOS SOBRE EL ENSAYO Y LOS ENSAYISTAS CONTEMPORANEOS

"Andrenio": *El ensayo y los ensayistas españoles contemporáneos.* En "El renacimiento de la novela en el siglo XIX", 1924.

D. Franco: *La preocupación de España en su literatura,* 1944. Capítulos IV y V.

A. del Río y J. M. Bernardete: *El concepto contemporáneo de España. Antología de ensayos (1895-1931),* 1946. (Contiene abundantes estudios y bibliografía.)

P. Laín Entralgo: Ensayos sobre *Ortega, D'Ors, Marañón, A. Castro, Zubiri y D. Alonso.* En "La empresa de ser hombre", 1958.

Donald W. Bleznick: *El ensayo español del siglo XVI al XX.* México, 1964.

E. de Zuleta: *Historia de la crítica española contemporánea.* Ed. Gredos, 1966.

M. Tuñón de Lara: *Medio siglo de cultura española (1885-1936).* Tecnos, 1970.

BIBLIOGRAFIA SOBRE LA GENERACION DEL 98 Y SOBRE GANIVET

ESTUDIOS DE CONJUNTO SOBRE LA GENERACION DEL 98

"Azorín" *La generación del 98.* En "Clásicos y modernos", 1919.

J. M. Salaverría: *La generación del 98.* En "Nuevos retratos", 1930.

"Azorín": *Madrid,* 1942.

D. Franco: *La generación del 98: "El dolorido sentir".* En "La preocupación de España en su literatura", 1944.

P. Laín Entralgo: *La generación del 98,* 1945.

M. Fernández Almagro: *En torno al 98,* 1948.

Rev. *Arbor,* 36. *Número extraordinario conmemorativo de 1898.* Dic., 1948.

P. Salinas: *El concepto de la Generación Literaria aplicada a la del 98.* En "Literatura española. Siglo XX", 1949.

G. Díaz-Plaja: *Modernismo frente a 98,* 1951.

Hans Jeschke: *La generación del 98,* 1954.

L. Granjel: *Panorama de la generación del 98,* 1959.

Guillermo de Torre: *Cuatro ensayos sobre el 98* en "Del 98 al Barroco". Ed. Gredos, 1969.

C. Blanco Aguinaga: *Juventud del 98.* Ed. Siglo XXI de España Editores, 1970.

R. Pérez de la Dehesa: *El grupo Germinal. Una clave para el 98.* Madrid, 1971.

Luis Granjel: *La generación literaria del 98.* Anaya, 1971.

Juan López-Morillas: *Hacia el 98.* Barcelona, Ariel, 1972.

José L. Abellán: *Sociología del 98.* Barcelona, Península, 1973.

ESTUDIOS SOBRE GANIVET

Gallego Burín: *Ganivet,* 1921.

M. Fernández Almagro: *Vida y obras de Ganivet,* 1925.

Q. Saldaña: *A. Ganivet,* 1930.

M. Azaña: *El Idearium de Ganivet.* En "Plumas y palabras", 1930.

C. Barja: *Ganivet.* En "Libros y autores contemporáneos", 1935.

P. Laín Entralgo: *Visión y revisión del "Idearium" de Ganivet.* 1940.

A. Espina: *Ganivet. El hombre y la obra,* 1942.

M. Olmedo Moreno: *El pensamiento de G.* Ed. Rev. de Occidente, 1965.

Revista de Occidente: *Número dedicado a Ganivet.* Dic. de 1965.

A. Gallego Morell: *A. Ganivet: El excéntrico del 98.* 1965.

figuras del 98. la inquietud espiritual de unamuno

67

Vida y temperamento

Don Miguel de Unamuno —figura cumbre de las letras españolas en el siglo XX— nació en Bilbao (1864). Estudió Filosofía y Letras y obtuvo la cátedra de griego de la Universidad de Salamanca, ciudad a la que había de considerar como su segunda patria. Nombrado Rector, fue destituido por motivos políticos y más tarde —durante la Dictadura— se le desterró a la isla de Fuerteventura, de donde huyó para irse a refugiar en Francia, residiendo allí hasta 1930. Vuelto a España, ocupó de nuevo el Rectorado de la Universidad, hasta que le sobrevino la muerte, el 31 de diciembre de 1936.

Miguel de Unamuno, la más vigorosa personalidad de la generación del 98.

Unamuno —vasco aclimatado en Castilla— fue hombre de *temperamento batallador*. Sentía los problemas esenciales de la vida con terrible intensidad y dedicó todo su esfuerzo a comunicar a los demás la angustiosa inquietud que agitaba su alma para despertarles de lo que él llamaba "la modorra espiritual". Quería que todos viviesen "inquietos y anhelantes" ante los problemas fundamentales. No concebía la auténtica vida del espíritu sino como *un perpetuo estado de zozobra;* de ahí su afán de "desencadenar un delirio, un vértigo, una locura cualquiera" sobre las "pobres muchedumbres ordenadas y tranquilas".

Véanse, por ejemplo, estos significativos párrafos:

...Ya lo sé, soy antipático a muchos de mis lectores y una de las cosas que más antipático me hacen para con ellos es mi agresividad... Pero es, amigo, que esa agresividad va contra mí mismo, es que vivo en lucha íntima... Las ideas que de todas partes me vienen están siempre riñendo batalla en mi mente y no logro ponerlas en paz. Y no logro porque no lo intento siquiera. Necesito de esas batallas...

Hay que sembrar en los hombres gérmenes de duda, de desconfianza, de inquietud... Y sobre todo y ante todo, nada de vivir en paz con todo el mundo... No, no, no; nada de vivir en paz... No quiero vivir en paz ni con los demás ni conmigo mismo. Necesito guerra, guerra en mi interior: necesitamos guerra.

Ideas

Toda la producción de Unamuno se halla saturada de una honda preocupación filosófica. Pero la filosofía no es en él una actividad puramente intelectual ni un mero conjunto sistemático de verdades racionales, sino algo *intensamente vivido*. Por eso, todas sus ideas y afirmaciones llevan el sello de su atormentada personalidad.

La personalidad humana y el ansia de inmortalidad. — He aquí el eje en torno al cual gira todo cuanto escribió. Afirma Unamuno que el "hombre concreto de carne y hueso es el sujeto y supremo objeto a la vez de toda filosofía", y que "la cuestión humana es la cuestión de saber qué habrá de ser de mi conciencia, de la tuya, de la del otro y de la de todos, después de que cada uno de nosotros se muera". Consecuente con esta idea, Unamuno intentará descubrir el íntimo secreto de la personalidad humana —cuyo reducto más valioso no es lo que los demás creen que somos ni lo que creemos ser, sino lo que queremos ser— buceando, como él dice, en "el hondón del alma", para lanzarse luego a inquirir cuál habrá de ser el futuro de esa conciencia, una vez terminada la existencia terrena. Su problema será, pues, para utilizar sus mismas palabras, "si uno es lo que es y si seguirá siendo lo que es".

Para Unamuno, esto es lo fundamental, porque según él, *"el resorte de vivir es el ansia de sobrevivirse en tiempo y en espacio"*. Y es un problema porque *a esta ansia vital de inmortalidad que la fe sostiene se opone constantemente la razón*. Fe y razón se hallan pues en lucha continua; pero el hombre no puede prescindir ni de una ni de otra. ¿Qué partido adoptar? Simplemente el de *mantener su pugna.* "En mantener esa lucha entre el corazón y la cabeza, entre el sentimiento y la inteligencia, y en que aquél diga ¡sí! mientras ésta dice ¡no! , y ¡no! cuando la otra ¡sí! , en esto y no en ponerles de acuerdo consiste la fe fecunda y salvadora", porque —asegura en otro lugar— "la paz espiritual suele ser la mentira y suele ser la modorra", afirmación en la que se refleja plenamente su temperamento inquieto y combativo y su peculiar manera de enfocar los problemas religiosos.

España y Europa. — Unamuno comienza situándose frente a la realidad española del momento, así como frente a la exaltación del pasado hispánico, propia del tradicionalismo. Su pensamiento inicial en lo que a ello respecta queda expuesto en los ensayos "En torno al casticismo", publicados, en 1895, durante su breve etapa marxista; en ellos aboga por *una regeneración del país basada en la apertura a Europa y en el abandono de toda adhesión a las realidades concretas de la "casta histórica".* La salvación de España se hallará no en su "historia", definitivamente muerta, sino en la "intra-historia", concebida como "la vida silenciosa de millones de hombres sin historia" que en todas partes prosiguen "la oscura y silenciosa labor cotidiana y eterna", ya que es en ésta y no en aquélla "donde vive la verdadera tradición". Por eso afirmará que "la tradición eterna española, que al ser eterna es más bien humana que española, es la que hemos de buscar los españoles en el presente vivo y no en el pasado muerto"; en una palabra: "tenemos que europeizarnos y chapuzarnos en pueblo", acogiéndonos a la "tradición universal, cosmopolita", puesto que la ruina del alma castellana "empezó el día en que gritando: 'Mi yo, que me arrancan mi yo', se quiso encerrar en sí".

Dos años más tarde, una aguda crisis religiosa determinará el comienzo de una evolución que habrá de llevarle a *afirmar la primacía del espíritu español frente al europeo,* al identificar a Europa con el progreso científico moderno, el racionalismo y el goce de la vida, y a España con la "postura religiosa", el apasionamiento y la consideración de la muerte. Tras su primer entusiasmo por la cultura europea, exclamará ahora: "¿Es que no se puede vivir y morir, sobre todo morir, morir bien, fuera de esa dichosa cultura? "; "nosotros, los españoles, somos en general más apasionados que sensuales y más arbitrarios que lógicos. Lo somos y debemos seguir siéndolo". De ahí su nuevo enfoque de la relación España-Europa, paralela a la ya aludida de "razón" y "fe":

> Tengo la profunda convicción de que la verdadera y honda europeización de España, es decir, nuestra digestión de aquella parte de espíritu europeo que pueda hacerse espíritu nuestro, no empezará hasta que no tratemos de imponernos en el orden espiritual a Europa, de hacerle tragar lo nuestro, a cambio de lo suyo, hasta que no tratemos de españolizar a Europa.

El estilo

El estilo de Unamuno, *vivo y expresivo,* responde a *un deseo de huir del tópico retórico* y a la creencia de que "el respeto a la lengua literaria constituida" no debe ser "ilimitado". Frente al anquilosamiento y a las vaguedades grandilocuentes del estilo oratorio del siglo XIX, nuestro autor exige *"más ligereza y más precisión".* Por eso recomienda, entre otras cosas, estudiar a fondo el lenguaje del pueblo, y "sacar de las entrañas del idioma mismo, del habla popular, voces y giros que en ella existen".

De acuerdo con esta actitud de independencia respecto de la tradición literaria, *Unamuno juega constantemente con el idioma:* retuerce los vocablos, inventa términos nuevos, despoja a las palabras de su significación actual atribuyéndoles su primitivo sentido etimológico, y desarticula el lenguaje convirtiéndolo en un instrumento apto para la expresión de su pensamiento atormentado y contradictorio. De ahí la abundancia de *paradojas y antítesis,* que, unidas a frecuentes *exclamaciones,* dan a su prosa, siempre *brusca y llena de aceradas aristas,* un tono personalísimo.

Ensayos y comentarios filosófico-religiosos

Aunque en toda la producción de Unamuno late una preocupación filosófica, buena parte de ésta es expresión directa de su pensamiento. Así lo vemos en las obras que enumeramos a continuación.

Los "Ensayos". — La mayor parte de ellos se hallan recogidos en siete volúmenes que llevan este título. Su autor se refiere a los más diversos temas: filológicos, literarios, filosóficos, religiosos, patrióticos, etc. Destacan los cinco *En torno al casticismo* (1895) —sobre la tradición y el alma de España—, en los que se advierte su inicial entusiasmo por la cultura europea: " ¡Fe, fe en la espontaneidad propia y venga la inundación de fuera, la ducha! ".

Merecen también citarse: *La vida es sueño, Adentro, La crisis del patriotismo, El secreto de la vida,* etc. Unamuno escribió asimismo infinidad de artículos en diarios españoles e hispanoamericanos.

Aparte de los ensayos incluidos en los siete volúmenes, pueden consignarse los contenidos en *Mi religión y otros ensayos breves, Soliloquios y conversaciones, Contra esto y aquello,* etc.

La "Vida de Don Quijote y Sancho". — Es ya un apasionado comentario del Quijote en el que se exalta la figura del protagonista, tomándole somo símbolo del espíritu español y del anhelo de inmortalidad frente al racionalismo europeo. El autor rehace aquí (1905) la historia del ingenioso hidalgo glosando sus más importantes capítulos, de acuerdo con su particular punto de vista:

> ... Señor. Fundaste este tu pueblo, el pueblo de tus siervos Don Quijote y Sancho sobre la fe en la inmortalidad personal; mira, Señor, que es esa nuestra razón de vida y es nuestro destino entre los pueblos el de

"Del color de la espiga triguera — ya madura — son las piedras que tu alma revisten, — Salamanca, — y en las tardes doradas de junio — semejan tus torres —del sol a la puesta— gigantescas columnas de mieses — orgullo del campo — que ciñe tu solio...". Así cantaba Unamuno a su ciudad predilecta.

hacer que esa nuestra verdad del corazón alumbre las mentes contra las tinieblas de la lógica y del raciocinio y consuele los corazones de los condenados al sueño de la vida.

Sumamente significativo es el vibrante prólogo de la obra; en él Unamuno afirma la necesidad de "vivir en continuo vértigo pasional", porque "sólo los apasionados llevan a cabo obras verdaderamente duraderas y fecundas", y propone "la santa cruzada de ir a rescatar el sepulcro del Caballero de la Locura del poder de los hidalgos de la Razón".

"Del sentimiento trágico de la vida". — Es, desde el punto de vista ideológico, su obra fundamental (1913). *Plantéase aquí en toda su amplitud el tema de la inmortalidad y el del conflicto entre la razón y la fe,* entre la lógica y la vida, entre la inteligencia y el sentimiento. En la imposibilidad de conciliarlas radica, para Unamuno, "el sentimiento trágico de la vida" que distingue a los españoles de los demás pueblos europeos. Ya observamos que, según él, la fe sólo será "fecunda y salvadora" cuando tenga como base la lucha constante entre el escepticismo racional y el ansia vital de inmortalidad. Véanse sus propias palabras;

Ni... el anhelo vital de inmortalidad humana halla confirmación racional ni tampoco la razón nos da aliciente y consuelo de vida y verdadera finalidad a ésta. Mas he aquí que en el fondo del abismo se encuentran la desesperación sentimental y volitiva y el escepticismo racional frente a frente y se abrazan como hermanos... El escepticismo, la incertidumbre, última posición a que llega la razón ejerciendo su análisis sobre sí misma, sobre su propia validez, es el fundamento sobre el que la desesperación del sentimiento vital ha de fundar su esperanza...

Razón y fe son dos enemigos que no pueden sostenerse el uno sin el otro...Tienen que apoyarse uno en otro y asociarse. Pero asociarse en lucha, ya que la lucha es un modo de asociación...

La preocupación religiosa que revela esa obra —y que por otra parte sustenta toda la producción de Unamuno— sirve también de eje a un largo ensayo: *La agonía del cristianismo* (1925). El título —en el que la palabra "agonía" está tomada en su sentido etimológico de "lucha"— responde a la posición espiritual del autor, para quien el desasosiego y la inquietud constituían el factor capital de una auténtica vida religiosa. Reflejo de esta actitud son también sus lecturas preferidas: San Pablo, San Agustín, los místicos, Pascal y, sobre todo, Kierkegaard, cuyo pensamiento influyó notablemente sobre él, convirtiéndole en uno de·los más inmediatos precursores de la filosofía existencialista. Puntos de coincidencia con el escritor danés serían, esencialmente, su postura religiosa antirracionalista —de evidente filiación luterana— y su sentimiento trágico de la humana existencia.

José Luis L. Aranguren ha puesto de relieve el "origen protestante del modo unamuniano de sentir y pensar" y "la entraña luterana de la obra de don Miguel". Unamuno, "exasperadamente luterano, protestante por naturaleza", "salta de la desesperación a su contrario, la fe", "exactamente igual que Lutero y Kierkegaard". Además, "su experiencia central fue, como en Kierkegaard, como en Lutero —recuérdese la terrible frase de éste: *nostrae vitae tragoedia*—, la contradicción existencial, el desgarramiento interior, el sentimiento trágico de la vida".

Las novelas y la visión del paisaje

Las novelas de Unamuno vienen a ser *una proyección literaria de sus problemas personales;* por eso los personajes son a menudo mera encarnación de sus ideas y sentimientos. Si se prescinde de "Paz en la guerra" y de "San Manuel Bueno", todas son "novelas fuera de lugar y tiempo determinados, en esqueleto, a modo de dramas íntimos", ya que en ellas *se elimina toda alusión al paisaje* y a las circunstancias que rodean a los "agonistas", como dice el autor.

Obsérvese en este sentido, cuán lejanos se hallan estos relatos de las novelas costumbristas del siglo XIX, donde el ambiente desempeña un papel tan importante. Pero la diferencia no sólo estriba en esto; *para Unamuno, la personalidad humana no es algo estático, fijo, sino en constante devenir;* por eso no nos presenta, como los novelistas del siglo XIX, un conflicto psicológico —que en el fondo puede ser ajeno a la verdadera esencia de los personajes—, sino cómo se van haciendo éstos, su historia, única cosa que nos puede dar la clave de su íntima naturaleza.

Una idea que Unamuno suele repetir a menudo es la de que el personaje novelesco tiene tanta realidad como el hombre de carne y hueso que lo crea, pues si aquél es un ente de ficción soñado por el autor, éste —y todos los hombres— no son sino sueños de Dios. De ahí que en una de sus novelas —"Niebla"— el protagonista se rebele contra el propio Unamuno, resistiéndose a morir, como éste le ordena.

Entre las principales novelas de Unamuno figuran *Paz en la guerra* (1897), en torno a la vida de Bilbao en la época de la segunda guerra carlista; la ya citada *Niebla* (1914): *Abel Sánchez* (1917), estudio de la envidia; *La tía Tula* (1921), sobre la sublimación de un sentimiento de maternidad frustrado; y *San Manuel Bueno* (1933), quizá la mejor de todas, en la que un sacerdote encarna el problema de la fe en la inmortalidad.

Otros libros narrativos son: *Amor y pedagogía* (1902), acerba crítica de la pedagogía positivista, *El espejo de la muerte,* colección de cuentos, *Tres novelas ejemplares y un prólogo* (1920), etc.

Los libros de paisajes. — Aparecen aquí reunidas todas aquellas descripciones del campo y de las ciudades españolas que Unamuno eliminó de sus relatos novelescos. Los más importantes son: *Por tierras de Portugal y de España* (1911) y *Andanzas y visiones españolas* (1922). Su técnica no es la de la descripción minuciosa y fría, propia de los escritores realistas, ya que lo que el autor hace es *interpretar el paisaje* —rural y urbano— dejándose llevar por un sentimiento cordial y estético que le hace descubrir sutiles relaciones entre la realidad física y el alma de España; "el campo es una metáfora", afirma en este sentido. Como otros artistas de su generación, Unamuno demostró *una gran sensibilidad para el paisaje castellano.*

> Yo no he encontrado todavía paisaje feo ni comprendo como hay quien lo encuentre. Como no comprendo que se confunda lo triste con lo feo. Hay tierras tristes, tristísimas, desoladas, saháricas, esteparias, pero muy hermosas, solemnemente hermosas. Y esas tierras trágicas de hacia Sigüenza, esas tierras que parecen leprosas, son bellas también.

El teatro

Las piezas dramáticas de Unamuno apenas tienen nada que ver con el teatro de su época, ya que sus personajes, como los de las novelas, son, como dice cierto crítico, *"figuras vistas por dentro,* en la viva realidad de su íntimo ser, con un naturalismo verdadero y hondo que no se pierde en la fácil copia de lo externo, sino que revuelve la entraña", personajes que "podrían hablar en la obscuridad", dada la despreocupación del autor por los recursos plásticos. Aunque seguramente no hubo influencia directa, el teatro de Unamuno recuerda a veces los procedimientos de Pirandello.

Entre las obras mas importantes —casi todas de contenido trágico y en torno al problema de la personalidad— figuran: *Fedra* (1910) —"modernización de la de Eurípides"—; *Sombras de sueño* (1926), donde se presenta el conflicto, dentro del alma de la protagonista, entre el hombre de carne y hueso y el personaje literario; *El otro,* sobre el drama de la identidad —y contradicción— entre los diversos "yo" que integran nuestra personalidad, siempre en lucha que es "odio fraternal", como el de Caín y Abel; *El hermano Juan* (1934), en el que el personaje de Tirso se pregunta por la realidad del papel que representa —que no es el tradicional de amador, sino el de "padre de generaciones de hijos ajenos"—; *Medea,* traducción de la de Séneca, etc. El teatro de Unamuno tiene en conjunto un gran interés espiritual y humano, a pesar de lo rudimentario de los recursos escénicos. Casi todo él corresponde a los últimos años de la vida de su autor.

La poesía

A pesar de las deficiencias técnicas de su verso, Unamuno es uno de los grandes líricos de nuestro siglo. Su obra poética, comenzada a publicar a los 43 años, *se halla prácticamente al margen del movimiento modernista.* La forma suele ser dura, casi siempre de escasa musicalidad; pero la riqueza de ideas y más aún la intensa vibración emocional de los poemas —pues en éstos, *pensamiento y emoción se hallan íntimamente unidos*— compensan con creces la ausencia de halagos formales. Afirmaba Unamuno que la poesía es "algo que no es música" y que "el arte no se propone sino la eternización de la momentaneidad"; por eso, no persigue aquí efectos de color o de sonoridad, sino *eternizar en forma rimada una experiencia lírica* suscitada por un paisaje, por un sentimiento, por una idea.

Véanse como ejemplo de la extraordinaria densidad poética y de la profunda emoción de sus versos, las siguientes estrofas:

> Vendrá de noche cuando todo duerma,
> vendrá de noche cuando el alma enferma
> se emboce en vida,
> vendrá de noche con su paso quedo,
> vendrá de noche y posará su dedo
> sobre la herida.
> ¿Vendrá una noche recogida y vasta?
> ¿Vendrá una noche maternal y casta
> de luna llena?
> Vendrá viniendo con venir eterno;
> vendrá una noche del postrer invierno...
> noche serena...
> Vendrá de noche, sí, vendrá de noche,
> su negro sello servirá de broche
> que cierra el alma;
> vendrá de noche sin hacer ruido,
> se apagará a lo lejos el ladrido,
> vendrá la calma...
> vendrá la noche...

Los temas capitales de la poesía de Unamuno son los mismos que los de su obra en prosa: *el sentimiento religioso,* la realidad española en sus diversos aspectos: *el paisaje, los hombres, la política...,* y junto a ellos el amor y *los afectos familiares* (la novia, la esposa, los hijos, los nietos...).

La obra cumbre es, sin duda, el extenso poema en endecasílabos blancos, titulado *El Cristo de Velázquez* (1920), donde reúne una serie de comentarios líricos suscitados por la contemplación del cuadro del gran pintor español. Una serena y honda emoción religiosa sustituye aquí el desasosiego y la violencia de otros momentos.

Componen el resto de su producción poética: *Poesías* (1907), donde abundan las visiones del paisaje, *Rosario de sonetos líricos* (1911), sobre temas religiosos y familiares, los poemas reunidos al final de "Andanzas y visiones españolas", *Rimas de dentro* (1923), *Teresa* (1923), relato amoroso, y *De Fuerteventura a París* (1925) y *Romancero del destierro* (1928), donde alternan magníficas descripciones del paisaje isleño con violentas diatribas políticas.

BIBLIOGRAFIA

"Andrenio": *De Gallardo a Unamuno*, 1926.

M. Romera Navarro: *Unamuno, novelista, poeta y ensayista*, 1928.

"Andrenio": *Unamuno poeta*. En "Pen Club. Los poetas", 1929.

César Barja: *Libros y autores contemporáneos*, 1935.

R. Romero Flores: *Unamuno: nota sobre la vida y la obra de un máximo español*, 1941.

M. Oromí: *El pensamiento filosófico de Unamuno*, 1943.

J. Ferrater Mora: *Unamuno. Bosquejo de una filosofía*, 1944.

J. Marías: *La filosofía española actual*, 1948.

A. Esclasans: *Miguel de Unamuno*, 1948.

P. Salinas: *Tres aspectos de Unamuno*. En "Literatura española. Siglo XX", 1949.

J. Marías: *Miguel de Unamuno*, 1950.

José L. L. Aranguren: *Sobre el talante religioso de M. de Unamuno*. En "Catolicismo y protestantismo como formas de existencia", 1952.

C. Clavería: *Temas de Unamuno*, 1953.

M. García Blanco: *Prólogo al "Teatro" de Unamuno*, 1954.

R. J. Sender: *Unamuno, sombra fingida*. En "Unamuno, Valle Inclán, Baroja y Santayana", 1955.

F. Meyer: *L'Ontologie de Miguel de Unamuno*. París, 1955.

L. Cernuda: *M. de Unamuno*. En "Ensayos sobre poesía española contemporánea", 1957.

J. Marichal: *La voluntad de estilo de U. y La originalidad de U*. En "La voluntad de estilo", 1957.

P. Salinas: *El "palimsesto" poético de Unamuno*. En "Ensayos de literatura hispánica", 1958.

E. G. de Nora: *La novela española contemporánea*. 1958.

E. R. Curtius: *Ensayos críticos acerca de literatura europea*. Vol. I, 1959.

C. Blanco Aguinaga: *El Unamuno contemplativo*. México, 1959.

A. Sánchez Barbudo: *Estudios sobre Unamuno y Machado*, 1959.

A. F. Zubizarreta: *Tras las huellas de Unamuno*, 1960.

A. F. Zubizarreta: *Unamuno en su "Nivola"*, 1960.

C. Zardoya: *La "Humanización" en la poesía de U*. En "Poesía contemporánea", 1961.

Número extraordinario de Homenaje a Unamuno. Revista de Occidente. Oct., 1964.

R. Pérez de la Dehesa: *Política y sociedad en el primer Unamuno (1894-1904)*. Madrid. Ed. Ciencia Nueva, 1966.

C. Blanco Aguinaga: *El socialismo de Unamuno* En "Juventud del 98". Madrid, 1970.

Consúltese, además, la bibliografía general sobre el siglo XX.

figuras del 98.
la delicada sensibilidad de "azorín"

68

"Azorín"

Vida, temperamento. – José Martínez Ruiz, "Azorín", (Monóvar [Alicante], 1873-Madrid, 1967), estudia leyes en Valencia y marcha luego a Madrid, donde se dedica al periodismo. Sus primeros escritos vienen a ser una violenta protesta contra la tradición y el presente de España. Pero pronto abandona esta actitud crítica; persistirá el deseo de reforma, pero el núcleo de su obra lo constituirá desde ahora una nueva valoración —llena de sentido lírico— de nuestro pasado histórico, de nuestras letras y de nuestro paisaje. Intervino algo en política con matiz conservador —fue varias veces diputado y en una ocasión subsecretario—, pero durante medio siglo su labor ha sido puramente literaria.

A pesar de sus pasajeras veleidades políticas, "Azorín" es ante todo *un temperamento lírico, un contemplativo;* por eso, su facultad esencial reside en *la sensibilidad,* en la capacidad de percibir el valor emotivo y poético de las cosas. No siente a la manera apasionada y tormentosa de Unamuno, pero su espíritu *fino y delicado* le permite ver los más sutiles matices y destacar con arte inimitable el profundo sentido humano y estético de un gesto, de un paisaje, de un libro...

La técnica. – Afirmaba "Azorín" que el objetivo primordial del artista es "percibir lo substantivo de la vida", pues bien, lo típico de nuestro autor será intentar llegar a esa percepción *a través del detalle.* No está, parece decirnos, el secreto de la vida en los grandes hechos espectaculares, sino en lo nimio, en lo cotidiano, en lo que por sernos habitual pudo pasar inadvertido. Como ha dicho Ortega, no le interesan "los grandes hombres, los magnos acontecimientos, las ruidosas pasiones. Todo esto resbala sobre su sensibilidad"; su atención se dirige hacia "lo minúsculo, lo atómico".

Ahora bien, "Azorín" no va a esa realidad, a primera vista anodina, con ánimo de fotógrafo naturalista atento únicamente a reunir la mayor cantidad de datos; guiado por una finísima intuición, escogerá unos pocos y nos hará ver su profunda significación. "Queremos —dice— que un solo detalle dé la sensación de la cosa". Es pues la suya una técnica impresionista que busca la "sensación" —muy a menudo la

"Azorín", gracias a cuya fina sensibilidad adquirieron una nueva dimensión los clásicos y el paisaje castellanos.

sensación "plástica"—, pero que no se contenta con ella, puesto que aspira, mediante ella, a darnos la *íntima realidad espiritual de las cosas.* Por eso sus primorosas descripciones se hallan siempre animadas por *un suave temblor lírico y por una delicada emoción.*

El estilo. — Las notas esenciales del estilo de "Azorín" son *la sencillez, la claridad y la precisión.* Su intento fue crear un lenguaje llano, en el que las vaguedades sonoras de los escritores del siglo XIX dejasen paso a una mayor intimidad y exactitud. Por este camino ha llegado a la posesión de un estilo bellísimo, dotado de una máxima *fluidez* y de una límpida *transparencia,* tras la que, no obstante, se advierte a menudo un sabio artificio no exento de amaneramiento.

He aquí sus propias palabras:

> "La elegancia... es la sencillez". "Escribamos sencillamente. No seamos afectados... Llegan más adentro en el espíritu, en la sensibilidad, los hechos narrados limpiamente que los enojosos e inexpresivos superlativos". "La sencillez, la dificilísima sencillez, es una cuestión de método. Haced lo siguiente y habréis alcanzado de golpe el gran estilo: colocad una cosa después de la otra. Nada más; esto es todo".

La sintaxis de "Azorín" no puede ser más simple; predominan en su prosa las oraciones coordinadas y yuxtapuestas y se evita la subordinación. *Las frases muy breves, van sucediéndose sin complicados enlaces* y el conjunto produce la sensación de algo elaborado con pulcritud y elegancia. El léxico, riquísimo, abunda en acertados *neologismos* y en *términos arcaicos,* que el autor sabe escoger con notable tacto.

Las ideas

Aunque "Azorín" es ante todo un artista, sus obras revelan preocupaciones de índole intelectual y moral. Veamos cómo se sitúa ante ciertos temas.

España. Las ideas de "Azorín" a este respecto son las de su generación. *Hay primero un violento ataque a la tradición; luego, iniciado ya el proceso hacia actitudes más conservadoras, un denonado esfuerzo por comprender y valorar el pasado nacional* y por incorporar a nuestra sensibilidad cuanto no sea irremediablemente caduco. Pronto abandona la idea de la europeización total, pero junto a la adhesión a lo genuino exigirá "un lazo sutil que nos una a Europa".

La moral. La actitud moral de "Azorín" parece derivar de *un amable escepticismo* a lo Montaigne que le hace ver como valores supremos la bondad, la comprensión, la tolerancia, prescindiendo de radicales afirmaciones de orden metafísico o religioso. Frente a Unamuno, *cree en el progreso, pero no en el material sino en el de la sensibilidad* —"el ideal humano no es sino cuestión de sensibilidad"— y acaba afirmando, con frase que le sitúa muy lejos de todo positivismo, que "la ilusión es la verdad más alta porque nos sostiene y nos consuela".

El tiempo. "A saber lo que es el tiempo he dedicado largas meditaciones", ha dicho "Azorín". La razón de este porfiado inquirir se halla en la aguda sensibilidad del autor para percibir el tránsito de las cosas hacia la nada, su irremediable fugacidad. Toda su obra se halla impregnada, en este sentido, de una punzante nostalgia; *el recuerdo melancólico de lo que desapareció para siempre —hombres, ciudades, hechos— ocupa en ella infinidad de páginas.* "Del pasado dichoso —exclama una vez— sólo podemos conservar el recuerdo; es decir, la fragancia del vaso".

Sin embargo, *junto a la idea de la inevitable caducidad de lo terreno, hallamos expresada con la misma insistencia, la de su absoluta inmutabilidad.* Desaparecen los hombres, pero permanece lo humano. Lo individual es perecedero, pero hay también una realidad universal que al ser eterna enlaza el pasado con el presente y el presente con el futuro. Pues bien, lo que hace "Azorín" es *buscar esa realidad inalterable, no en lo grandioso, sino en los menudos hechos de la vida cotidiana,* que al repetirse incesantemente a través de los días, de los años y de los siglos, aseguran la continuidad de lo humano. Y he aquí cómo el detalle significativo —en el que, según vimos, creía descubrir la íntima esencia de las cosas— le sirve también de asidero en medio de la marcha inexorable del tiempo.

"Azorín" ha expresado bellamente estas ideas en varios relatos de "Castilla" —"Una ciudad y un balcón", "Una flauta en la noche", "Las nubes"—. Al leit-motiv del tiempo corresponden también las siguientes líneas:

> Hay en España una tradición de humanidad que mantienen en cuanto a la doctrina, principalmente, Santa Teresa de Jesús, fray Luis de Granada y Cervantes... A esta tradición gloriosa procuran atenerse los moradores de la noble ciudad de Montejo... A la madrugada la campana del convento... llama a maitines... Estas campanaditas cristalinas que resuenan en la soledad de la alta noche... han venido sonando desde el siglo XIII al XIX. Todo es fugaz y todo perece. Perece lo que semejaba más duradero. Y sin embargo, estos sones dulces, sones fugaces, permanecen y son como un nexo que une lo caduco, a lo largo del tiempo, con lo inconmovible. La continuidad histórica en esta amada España no puede

tener signo más expresivo. Se desvanecen las campanadas en el aire y se suceden otras campanadas a lo largo de las generaciones...".

España y su paisaje

Desde el comienzo de su carrera literaria, "Azorín" ha dedicado multitud de libros a analizar el alma de España, y dentro de ésta la tradición y el alma de Castilla, vistas a través de sus tipos humanos, de sus clásicos, de su historia...

Frente a todos ellos adopta esa *actitud lírica* que ha hecho que Ortega le definiese como "un sensitivo de la historia". "Azorín" se acerca al pasado con amor y partiendo de esa contemplación emotiva intenta descubrir la verdad íntima de España en mil detalles minúsculos que pasaron inadvertidos a la mirada del arqueólogo.

Así se sitúa frente al paisaje. *Pocos como él han sabido ver la profunda belleza de la inmensa llanura castellana* ni describir con tanta emoción esos pueblecitos de Castilla en los que el tiempo parece haberse detenido desde hace siglos. Su técnica es la de un pintor impresionista, hábil captador de la luz y el color, que supiera hallar también sutiles relaciones entre la realidad física y la espiritual.

¿Qué nos dice Castilla? Castilla... Los sembrados se extienden verdes hacia lo lejos y se pierden en el horizonte azul. Canta una alondra... ¡Minutos de serenidad inefable en los que la Historia se conjunta con la radiante Naturaleza! A lo lejos se destacan las torres de la catedral; una campana suena, torna el silencio... El camino se extiende, inacabable, ante la mirada. Todo es llano, uniforme... ¡Castilla, Castilla! Sentados en la piedra en el camino orlado de álamos —cuyas hojas temblotean— hemos sentido cómo este paisaje limpio y diáfano es reflejado de un modo profundo en los maravillosamente diáfanos y limpios romances que han creado, hace siglos, el pueblo y los poetas. Romances que son la más inspirada obra literaria de Castilla...

"Azorín" ha descrito también, junto al paisaje castellano, la gracia amable, la suave luminosidad y la fragancia de su tierra alicantina. La tradición y el paisaje español son el tema fundamental de obras bellísimas tituladas *Los pueblos* (1905), *La ruta de Don Quijote* (1905), *Castilla* (1912), tal vez su obra cumbre, *El paisaje de España visto por los españoles* (1917), *Valencia* (1941), etc.

En la actualidad, y sin negar el valor literario de sus evocaciones del pasado, no falta quien le acuse de haber escamoteado la auténtica realidad de nuestra historia, dándonos de ella una visión excesivamente personal y estetizante, en la que no hallan cabida las dramáticas tensiones de la vida española. Y habrá que confesar que el reproche no es del todo infundado.

Los clásicos

Quizá sean sus páginas más logradas aquellas en las que lleva a cabo *una personalísima interpretación de nuestros clásicos*. Interpretación más que crítica. "¿He hecho yo crítica? No sé, he intentado expresar la impresión que en mí producía una obra de arte". Dada esta posición, no han de extrañarnos las contradicciones en que incurre al valorar los textos literarios: el Duque de Rivas, la picaresca, el teatro del siglo XVII, son analizados primero desde un punto de vista negativo; más tarde, fervorosamente elogiados.

Sin embargo, su labor ha sido de una eficacia decisiva: 1.º porque ha demostrado que vale más acercarse a los clásicos "por deleite" que "con propósitos de erudición"; 2.º porque ha puesto de relieve lo falaz de una crítica basada en supuestos valores estáticos, y 3.º porque gracias a ella miles de lectores volvieron a interesarse por nuestra literatura.

El comentario de "Azorín" tiende sobre todo a destacar *"el espíritu, el ambiente de la obra",* la "atmósfera sutil en que ha expresado su íntima personalidad" el autor. Para ello evoca la época en que éste vivió, interpreta su intención y estudia sus ideas. Y por encima de todo, aspira a *actualizarle,* a subrayar lo que aún pueda herir nuestra sensibilidad haciéndonos vivir de nuevo la emoción que le impulsó a escribir.

> Jorge Manrique. ¿Cómo era Jorge Manrique? Jorge Manrique es una cosa etérea, sutil, frágil, quebradiza. Jorge Manrique es un escalofrío ligero que nos sobrecoge un momento y nos hace pensar. Jorge Manrique es una ráfaga que lleva nuestro espíritu allá, hacia una lontananza ideal. La crítica no puede apoyar mucho sobre estas figuras; se nos antoja que examinarlas... es hacerlas perder su encanto. ¿Cómo podremos expresar la impresión que nos produce el son remoto de un piano en que se toca un nocturno de Chopin..., las finas ropas de una mujer a quien hemos amado y que ha desaparecido para siempre? La mujer que vestía estas ropas que acabamos de sacar de un armario, ha iluminado antaño nuestra vida. Con ella se fue nuestra juventud. Ni esa mujer ni nuestra juventud volverán más. Todos aquellos momentos tan deliciosos de nuestra vida, ¿qué fueron sino rocíos de los prados?

Finísimas glosas interpretativas, dotadas de poética sugerencia, contiene el libro *Al margen de los clásicos* (1915). Más cerca de la crítica propiamente dicha se hallan *Lecturas españolas* (1912), *Clásicos y modernos* (1913), *Rivas y Larra* (1916), *Los dos Luises* (1921), *De Granada a Castelar,* (1922), etc.

Las novelas y el teatro

"Azorín" ha escrito varias novelas en las que *la intriga, la acción, casi no cuentan.* Son más bien relatos, a menudo autobiográficos, donde lo esencial es el ambiente, los tipos, el paisaje, descritos con esa técnica del detalle tan grata al autor. Los novelistas del realismo habían incorporado a la literatura la vida cotidiana; "Azorín" parte de ellos, pero el detalle vulgar cobra en sus manos un matiz eminentemente lírico. *Lirismo descriptivo, impresiones personales, recuerdos,* he aquí el núcleo de esas novelas sin grandes conflictos dramáticos, en las que apenas pasa nada.

Así lo vemos en *La voluntad* (1902), *Antonio Azorín* (1903), *Las confesiones de un pequeño filósofo* (1904), *Don Juan* (1922), *Doña Inés* (1925), etc. Posteriormente, "Azorín" intentó renovar su técnica, acercándose a la llamada literatura de vanguardia, en novelas como *Félix Vargas* (1928) y *Superrealismo* (1929), que, por cierto, nada tiene que ver con tal tendencia. Ha escrito tambien sugestivos libros de cuentos —*Blanco en azul* (1929), *Cavilar y contar* (1942)— en los que late una honda inquietud por el misterio y por el tiempo.

El teatro de "Azorín", iniciado tardíamente, constituyó sólo un intento pasajero. Salvo algunas obras, es lo menos interesante de su producción. Totalmente al margen de la técnica habitual en nuestra escena —se suprime la escenografía, se utiliza lo maravilloso...— intenta a veces hacernos sentir la presencia de personajes abstractos, creando un vago ambiente de misterio: la Muerte (en la Trilogía *"Lo invisible"*, 1927), el Tiempo (en *"Angelita"*) etc. El éxito del teatro de "Azorín" ha sido muy escaso.

BIBLIOGRAFIA

A. González Blanco: *Los contemporáneos*, 1907.

J. Ortega y Gasset: *Azorín: primores de lo vulgar.* En "El Espectador", 1916.

G. Díaz Plaja: *Prólogo al "Teatro"* de Azorín, 1929.

G. Díez Canedo: *Azorín*, 1930.

R. Gómez de la Serna: *Azorín*, 1930.

Werner Mulert: *Azorín*, 1930.

Luis Villaronga: *Azorín*, 1931.

César Barja: *Libros y autores contemporáneos*, 1935.

F. Mateu: *Azorín y Baroja*, 1945.

C. Clavería: *Cinco estudios de literatura hispánica*, 1948.

M. Fernández Almagro: *J. Martínez Ruiz.* En "En torno al 98", 1948.

M. Granell: *Estética de Azorín.* 1949.

D. Pérez Minik: *Azorín o la evasión pura.* En "Debates sobre el teatro español contemporáneo", 1953.

A. Krause: *Azorín*, 1955.

José Alfonso: *Azorín*, 1958.

E. G. de Nora: *La novela española contemporánea*, 1958. Vol. I

J. M. Martínez Cachero: *Las novelas de Azorín.* Madrid, 1960.

M. Baquero Goyanes: *Azorín y Miró.* En "Perspectivismo y contraste", 1963.

Cuadernos hispanoamericanos. Número 226-227, dedicado a *Azorín.* Oct.-nov., 1968.

C. Blanco Aguinaga: *Los primeros libros de Azorín.* En "Juventud del 98". Madrid, 1970.

J. M.ª Valverde: *Azorín.* Barcelona, 1972.

Véase, además, la bibliografía general del siglo XX.

figuras del 98. la novela de baroja y el pensamiento de maeztu

Baroja. Vida y temperamento

Pío Baroja (1873-1956), vasco, como Unamuno, nació en San Sebastián. Ejerció la carrera de médico una temporada, pero pronto marchó a Madrid para dedicarse a la literatura. Más tarde realizó viajes por España y Europa.

Si hubiera que destacar un rasgo en la personalidad de Baroja habría que hablar de *la brusca sinceridad de su espíritu independiente y descontentadizo.* En efecto, su temperamento rebelde le lleva a protestar de lo que considera falso y convencional —que es para él casi todo lo que le rodea— y sus juicios tienen a menudo una tremenda acritud. Sin embargo, no todo es agresividad y dureza en este "pajarraco del

Pío Baroja, máximo representante de la novelística española del siglo XX, según dibujo de Ramón Casas.

individualismo", como se define a sí mismo, ya que *tras sus exabruptos e improperios se esconde un alma sentimental,* llena de bondad y hasta de ternura. No en vano ha dicho que si Mefistófeles tuviera que comprar su alma "se la llevaría muy fácilmente, si tuviera una promesa de simpatía, de efusión, de algo sentimental".

Las ideas

Aunque Baroja negase la existencia de una generación del 98, sus ideas son típicas del grupo de escritores así designados. Sólo que si éstos fueron evolucionando hacia una posición conservadora, *Baroja permaneció fiel al inconformismo del momento inicial.* En el fondo, Baroja es un anarquista que, viendo la sociedad actual regida por leyes inmorales y por convencionalismos hipócritas quisiera destruirla desde sus cimientos. No sabe a ciencia cierta cómo habría que reconstruirla ni le interesa: sus burlas contra el socialismo o contra el liberalismo resultan muy significativas... *Sólo le atrae la actitud crítica.* Y en este sentido practica la más radical sinceridad.

Nuestro autor *no se cansa de protestar contra los defectos de la sociedad contemporánea:* los prejuicios de su moral, su espíritu gregario, su falta de vitalidad, su mezquino aburguesamiento, su crueldad e injusticia...; protesta, no siempre coherente, que dirige también, con típica actitud noventayochista, contra el pasado y la tradición. Todo ello le lleva a buscar aquellos aspectos de la sociedad en los que dichos defectos queden bien de manifiesto, como son los ambientes de miseria moral y física.

A menudo, *esta visión pesimista y amarga de la sociedad* deriva tan sólo de un malhumorado y escéptico individualismo. Y es que Baroja *carece de una firme orientación* que le permita establecer los principios sobre los cuales basar la adecuada reforma de aquélla. Le falta, por ejemplo, una clara visión política o esa inquietud religiosa que con tanta intensidad se manifiesta en Unamuno. Por eso *ve la vida como un caos absurdo en el que la única posibilidad de salvación está en la lucha,* a la que acabará considerando como el objetivo primordial de la existencia humana. "La acción por la acción —dirá— es el ideal del hombre sano y fuerte"; afirmación que, dado su temperamento soñador, cabría interpretar como resultado de una mera compensación psicológica.

Demasiado simples e ingenuas, las ideas de Baroja carecen de base sólida, pero su honrada e insobornable sinceridad nos le hacen doblemente simpático. Réstanos señalar dos influencias esenciales sobre su pensamiento: la de Schopenhauer —de quien derivaría en parte su visión pesimista— y la de Nietzsche —de quien habría tomado su culto a la energía y su concepto de la vida como lucha—.

La técnica novelística y el estilo

Baroja ha dicho que la novela "es un saco donde cabe todo". En las suyas podríamos señalar tres elementos esenciales: la acción, la reflexión intelectual y la descripción. A base de ellos, *Baroja compone sus novelas sin plan alguno,* improvisando a cada instante. Son, por lo general, relatos desarticulados, pero cuya factura espontánea les presta una vivacidad extraordinaria. Gracias a ellos Baroja puede ser considerado como el novelista más completo y típico de su generación y al mismo tiempo como una de las cumbres de toda la novelística española.

La acción. – La importancia concedida a ésta es una de las notas que mejor definen su producción. La mayor parte de sus novelas no son más que una atropellada –y a veces inconexa– sucesión de escenas, cuyo *ritmo dinámico* es la antítesis de la morosidad contemplativa de "Azorín", en cuyos relatos, como decíamos, apenas pasa nada. En los de aquél, por el contrario, *la intriga y la aventura ocupan un lugar central.* El autor, al revés que Unamuno, no se limita a ahondar en el alma de unos pocos personajes prescindiendo de su circunstancia, sino que crea alrededor de éstos un hormiguero humano constituido por individuos cuyo rápido tránsito a través de la obra produce una sensación vertiginosa. Baroja, para quien lo esencial en la vida es la lucha y la acción, se complace en presentarnos las peripecias del protagonista y de esa infinidad de personajes que pululan a su alrededor y a los que frecuentemente sólo dedica unas líneas. Muchas novelas quedan así reducidas a un desordenado montón de anécdotas dotado de escasa unidad. "Una novela larga –ha dicho él mismo– siempre será una sucesión de novelas cortas."

La reflexión. – Aunque su papel no sea tan importante como el concedido a la acción, es el elemento esencial de muchas de sus obras. Hay algunas en las que el interés se centra en las opiniones que por boca de sus personajes expone el autor. Surge entonces el Baroja escéptico, el eterno descontento que va acumulando *tétricas consideraciones sobre la vida y la sociedad con implacable acritud y a menudo con un humor amargo;* el Baroja pesimista que, al afirmar que "todo es violencia" y que "todo es crueldad en la vida" viene a continuar una línea muy típica de la literatura española: el Libro de miseria de omne, la Danza de la Muerte, la novela picaresca, Gracián, Larra...

La descripción: el paisaje, los personajes, los remansos líricos. – Aunque Baroja utiliza a menudo las descripciones "para alejar una parte de otra..." o como "marco de un incidente", es indudable que *tienen un gran valor por sí mismas* y una extraordinaria sugestión. En ellas, *el trazo es siempre rápido, enérgico;* a veces nos produce la sensación de vigorosos aguafuertes, otras la de magníficos cuadros llenos de color y de fuerza plástica.

Así lo advertimos en sus *visiones del paisaje;* generalmente tétricas, hoscas, cuando se trata del paisaje castellano; más líricamente emotivas cuando se refieren a su terruño vasco. He aquí un ejemplo de lo primero.

> Eran los alrededores de Marisparza de una desolación absoluta y completa. Desde el monte avanzaban primero las lomas yermas, calvas, luego tierras arenosas, blanquecinas... Sin una mata, sin una hierbecilla,

plagadas de grandes hormigueros rojos. Nada tan seco, tan ardiente, tan huraño como aquella tierra; los montes, los cerros, las largas paredes de adobes de los corrales, las tapias de los cortijos... parecían ruinas abandonadas en un desierto, calcinadas por un sol implacable, cubiertas de polvo, olvidadas por los hombres... Los grandes lagartos grises y amarillo-verdosos, se achicharraban inmóviles al sol... En las alturas, la tierra era árida; sólo crecían algunos matorros de berceo y de retama.

En cuanto a *las figuras humanas,* la técnica es la misma: pocas pero acertadas pinceladas le sirven para trazar su perfil físico o psicológico. Su arte es también aquí sobrio, pero de una gran precisión.

Sin embargo, a veces, la aventura, la reflexión amarga o la descripción de un ambiente hosco dejan paso a *breves remansos líricos en los que la emoción del autor halla acentos de melancólica ternura, de suave nostalgia.* Cuando esto ocurre —dando lugar a páginas que cuentan entre las mejores de Baroja—, parece que descubrimos la verdadera personalidad del autor, oculta por lo general tras una máscara de malhumorada agresividad. Ejemplo de ello sería su célebre "Elogio del acordeón":

> ¿No habéis visto, algún domingo al caer de la tarde, en cualquier pueblecillo abandonado del Cantábrico, sobre la cubierta de un negro quechemarín, o en la borda de un patache, tres o cuatro hombres de boina que escuchan inmóviles las notas que un grumete arranca de un viejo acordeón? Yo no sé por qué, pero esas melodías sentimentales, repetidas hasta lo infinito, al anochecer, en el mar, ante el horizonte sin límites, producen una tristeza solemne.
>
> ¡Oh, la enorme tristeza de la voz cascada, de la voz mortecina que sale del pulmón de ese plebeyo, de ese poco romántico instrumento! Es una voz que dice algo monótono, como la vida misma; algo que no es aristocrático ni antiguo; algo que no es extraordinario ni grande, sino pequeño y vulgar, como los trabajos y dolores cotidianos de la existencia. ¡Oh, la extraña poesía de las cosas vulgares! ...

El elemento "visionario". — En la técnica de Baroja han influido, según él mismo asegura, las figuras capitales de la novelística francesa —Stendhal, Balzac—, inglesa —Poe, Dickens— y rusa —Turgueniev, Dostoyevski, etc.—. Junto a todas ellas cabría también señalar la herencia de los realistas españoles del siglo XIX. No obstante, Baroja revela en sus mejores novelas una cualidad que la aparta de la mayoría de éstos y es una *aguda capacidad visionaria —unida a una gustosa entrega a la fabulación desbordada—,* gracias a la cual hasta los aspectos más opacos del vivir cotidiano se iluminan con el brillo de lo insólito. Un soplo romántico anima en este sentido toda su obra, en la que la imaginación hace proliferar un cúmulo de tipos, situaciones y ambientes, cuya raíz se halla, más que en un escueto propósito de realismo, en un abandono a la ensoñación y la fantasía. Bien significativa a este respecto resulta la preferencia del propio Baroja por un tipo de novela "sin poros, sin agujeros por donde entre el aire de la vida real".

El estilo. – El estilo de Baroja *es el más desaliñado y antirretórico de su generación, pero también el más dinámico y expresivo.* A él podría aplicársele la frase de uno de sus personajes que declaraba haber sido siempre "como buen vasco..., un poco irrespetuoso con esa respetable y honesta señora que se llama la Gramática". Su prosa abunda en errores sintácticos, pero la misma descuidada espontaneidad de que éstos son fruto, le presta un especial encanto. Es el suyo un estilo rápido, nervioso, que no busca la frase atildada y primorosa sino la claridad y la sencillez.

Hay a menudo en sus páginas momentos de emocionado lirismo, en los que la expresión alcanza matices de exquisita delicadeza y donde las cosas aparecen transfiguradas gracias al uso certero de la imagen y la metáfora. No obstante, Baroja utiliza por lo general *un lenguaje brusco, cortado, seco –pronto al exabrupto o al rasgo de humor acre– y al mismo tiempo dotado de extraordinaria soltura y vivacidad.* Los libros de Azorín –comenta Ortega y Gasset–, "tan delicados, tan trémulos, huelen siempre a cuarto cerrado donde alguien, es cierto, dejó olvidadas unas violetas... En la obra de Baroja, por el contrario, circula el aire de punta a punta", por más que, como veíamos, no sea éste "el aire de la vida real".

Las novelas de las Trilogías

La producción de Baroja aparece dividida en dos sectores: las novelas de las "Trilogías" y las "Memorias de un hombre de acción". Las primeras son una larga serie de relatos que el autor ha reunido de tres en tres un poco arbitrariamente. En algunos predomina la acción –*Zalacaín el aventurero, Las inquietudes de Shanti Andía–*, en otros las reflexiones pesimistas –*Camino de perfección, El árbol de la ciencia–* o bien la descripción descarnada del ambiente y los tipos humanos de los suburbios madrileños –*La busca, Mala hierba, Aurora Roja–.*

Zalacaín el aventurero (1909), que con *La casa de Aizgorri* (1909) y el *Mayorazgo de Labraz* (1903) forma la trilogía *Tierra vasca,* es una animada narración de las aventuras del protagonista, tipo juvenil y simpático de la guerra carlista.

En *Camino de perfección* (1902) –de *La vida fantástica–,* donde aparecen agrias visiones del paisaje castellano, nos describe la inquietudes dolorosas del personaje central. La obra, abundante en tintas negras, es típica del 98, lo mismo que *Aventuras, inventos y mixtificaciones de Silvestre Paradox* (1901), correspondiente a la misma trilogía, y en la que la nota amarga se da a menudo en forma humorística.

También *El árbol de la Ciencia* (1911) –de *La raza–,* se halla llena de disquisiciones pesimistas. Por boca del héroe –que acaba suicidándose–, Baroja expone su amarga filosofía y realiza una crítica atroz de la sociedad española.

La busca (1904) –que con *Mala hierba* (1904) y *Aurora roja* (1904) forma *La lucha por la vida–* es una cruda y desgarrada visión del hampa madrileña. La turbia y miserable vida de los barrios bajos de la capital aparece descrita con trazos sombríos en estas novelas donde la preocupación social sustituye a los análisis psicológicos de las citadas anteriormente.

César o nada (1910) —como *La ciudad de la niebla* (1909) o *El mundo es ansí* (1912)— puede servir de ejemplo de relato situado en el extranjero. Pero aun en casos como éste, los personajes siguen siendo españoles y el contenido ideológico —siempre negativo y mordaz— el mismo que el de las otras narraciones.

En *Las inquietudes de Shanti Andía* (1911), donde predomina la acción, Baroja nos cuenta las aventuras de un marino vasco que después de largos viajes vuelve a su pueblo. Las descripciones del mar y la nostalgia del protagonista recordando su juventud dan lugar a páginas de intenso lirismo.

Muy bella es también *El laberinto de las sirenas* (1923) —situada en Italia— donde fantasía y emoción se unen maravillosamente.

Baroja ha escrito narraciones breves, como *Vidas sombrías* (1900) —su obra inicial— y libros autobiográficos en los que expone recuerdos e ideas —*Juventud, egolatría* (1917), *La caverna del humorismo* (1919), las memorias *Desde la última vuelta del camino*, a partir de 1944, etc.—. Sus ensayos dramáticos y sus versos —*Canciones del suburbio* (1944)— son inferiores al resto de su producción.

Las "Memorias de un hombre de acción"

Son una extensa colección de novelas escritas a base de las supuestas memorias de un lejano pariente de Baroja, Eugenio Aviraneta, aventurero que tomó parte en la guerra de la Independencia y en la carlista. Su conjunto recuerda algo los "Episodios Nacionales", de Galdós, pero así como en éstos los sentimientos y efectos épicos desempeñan un importante papel, lo que a Baroja parece interesar más es "la parte de intriga y aventura..., las conspiraciones, manejos y estratagemas de la guerra vista por dentro" (C. Barja).

Algunos títulos de estas novelas, en las que la acción dinámica lo es todo, serían: *El aprendiz de conspirador* (1913) —la primera de la serie—, *El escuadrón del Brigante* (1913), *Los recursos de la astucia* (1915), etc.

"Mendigos calentándose", aguafuerte de Solana, amigo del gran novelista, cuya trilogía "La lucha por la vida" ofrece una temática y una técnica algo afines a las del grabado.

Ramiro de Maeztu

La vida. – Nace en Vitoria (1874), de madre inglesa, y en 1898 presencia en Cuba la derrota de nuestra escuadra. Vuelto inmediatamente a España se incorpora al grupo de escritores que claman por una regeneración de la patria y traba amistad con Azorín y Baroja. *Sus ideas son antitradicionalistas* ("arrastra España su existencia deleznable, cerrando los ojos al caminar del tiempo, evocando en obsesión perenne glorias añejas"); se muestra partidario de la europeización de España y sus opiniones revelan la influencia de Ibsen, Dostoyevski, Nietzsche... Más tarde reside unos años en Londres como corresponsal de varios diarios españoles y en el extranjero comienza a operarse en él una evolución espiritual. Durante la Dictadura es nombrado embajador en la Argentina y al regresar a España su pensamiento ha experimentado ya un cambio rotundo. "No puede hablarse de conversión –dice su hermana María– porque nunca había dejado de ser católico, pero sí de una radical transformación espiritual que cambiará la orientación y rumbo de su vida." *Ahora ya no exige la europeización del país: por el contrario, cifra la grandeza de la patria en la fidelidad a sus tradiciones.* Por estos años, preside "Acción española" e ingresa en la Real Academia de Ciencias Morales. Hasta que en octubre de 1936 muere víctima de la revolución.

La labor periodística y los libros. – Maeztu hizo del periodismo el centro de su actividad. Un extraordinario brío combativo caracteriza toda su obra, en la que se advierte su temperamento apasionado y su ímpetu oratorio.

Algunos de sus artículos fueron luego recogidos en libros. Así ocurre con los que forman el volumen titulado *Don Quijote, don Juan y la Celestina* (1926), tres ensayos críticos llenos de inteligentes atisbos. Aparte de esta obra de crítica literaria, tenemos otras tres que pueden considerarse como otros tantos jalones de su evolución ideológica: *Hacia otra España* (1899), típica del 98; *La crisis del humanismo* (1919), donde se observa ya un cambio de orientación; y *Defensa de la hispanidad* (1934), su obra capital.

En esta última establece las siguientes ideas: *España perdió su valor en el siglo XVIII al aceptar el materialismo enciclopedista* en perjuicio de lo que constituye la verdadera entraña del Siglo de Oro, es decir, "nuestra creencia en la posibilidad de salvación de todos los hombres de la tierra, creencia que traducida en hechos en el intento de hacer partícipes de ella al mundo entero, constituye la parte más gloriosa de nuestra historia"; *es necesario, pues, que España y América vuelvan por el camino de la fe tradicional* y abandonando el lema revolucionario de "libertad, igualdad y fraternidad", adopten el de *"servicio, jerarquía y humanidad".*

En uno de los capítulos de la obra, Maeztu lleva a cabo una brillante defensa de la colonización española del continente americano, con la que rebate los argumentos de la "Leyenda Negra".

BIBLIOGRAFIA

BAROJA

"Azorín": *Lecturas españolas*, 1912.

"Azorín": *Los valores literarios*, 1913.

"Andrenio": *Baroja y su galería novelesca*. En "De Gallardo a Unamuno", 1916.

J. Ortega y Gasset: *Ideas sobre Baroja*. En "El Espectador", I, 1916.

J. B. Trend: *Pío Baroja and his novels*, 1920.

S. de Madariaga: *Semblanzas españolas contemporáneas*, 1924.

F. Pina: *Pío Baroja*, 1928.

César Barja: *Libros y autores contemporáneos*, 1935.

F. Mateu: *Azorín y Baroja*, 1945.

"Azorín": *Ante Baroja*, 1946.

M. Fernández Almagro: *Barojismo*. En "En Torno al 98", 1948.

P. Salinas: *La juventud perdida de P. Baroja*. En "Literatura española. Siglo XX", 1949.

Luis S. Granjel: *Retrato de Pío Baroja*, 1953.

R. J. Sender: *Baroja y las contradicciones latentes*. En "Unamuno, V. Inclán, Baroja y Santayana". 1955.

E. G. de Nora: *La novela española contemporánea*, 1958.

V. Gaos: *Pío Baroja ensayista*. En "Temas y problemas de literatura española", 1959.

M. Pérez Ferrero: *Vida de Pío Baroja*. Barcelona, 1960.

L. S. Granjel: *Baroja y otras figuras del 98*, 1960.

Baroja y su mundo. Tres vols. de estudios sobre Baroja. Obra dirigida por Fernando Baeza. Madrid, Avrión, 1962.

Número extraordinario en Homenaje a Baroja. Revista de Occidente, núm. 62. Mayo 1968.

C. Blanco Aguinaga: *Realismo y deformación escéptica: la lucha por la vida, según don Pío Baroja*. En "Juventud del 98". Madrid, 1970.

S. Puértolas: *El Madrid de la "lucha por la orda"*. Madrid, Helios, 1971.

MAEZTU

Indice literario : *España y la Hispanidad*, marzo, 1934.

A. Naranjo Villegas: *Semblanza mística de Ramiro de Maeztu*, 1938.

Cuadernos hispanoamericanos. *Números 33-34, dedicados a Maeztu* (17 estudios), 1952.

V. Marrero: *Maeztu*. Madrid, 1955.

L. S. Granjel: *El Maeztu de "Hacia otra España"*. En "Baroja y otras figuras del 98", 1960.

C. Blanco Aguinaga: *La otra España de Maeztu*. En "Juventud del 98". Madrid, 1970.

Véase, además, bibliografia general sobre el siglo XX.

figuras del 98. 70
el sobrio lirismo de antonio machado y el saber erudito de menéndez pidal

Los poetas del 98

Si a principios del siglo los mejores prosistas —Unamuno, "Azorín", Baroja y Maeztu— siguen las tendencias que caracterizan a la generación del 98, la mayor parte de los poetas se incorporan al movimiento modernista; no obstante, algunos se mantienen en lo esencial al margen del modernismo, para coincidir, en cambio, con la ideología y el sentir estético de la indicada generación. Los dos máximos ejemplos de esta postura excepcional son Unamuno y Antonio Machado.

Antonio Machado

Vida y personalidad. — Antonio Machado nace en Sevilla (1875); pasa su juventud en Madrid y reside unos meses en París. Algún tiempo después gana la cátedra de Lengua francesa del Instituto de Soria y permanece allí cinco años que habrán de ser decisivos en su vida; "allí me casé, allí murió mi esposa, cuyo recuerdo me acompaña siempre".

Al abandonar Soria, tráslada al Instituto de Baeza y de éste a los de Segovia y Madrid. Por estos años, un nuevo amor —el inspirado por la misteriosa dama que aparece en sus versos con el nombre de "Guiomar"— ilumina su vida. Al estallar la guerra civil, Machado, consecuente con su ideología, puso su pluma al servicio de la República. La muerte le sorprendió en el exilio (Colliure, 1939), a los pocos días de cruzar la frontera con Francia.

Fue un hombre de *vida sencilla y solitaria* —" ¡Oh, soledad, mi sola compañera..." dirá en una ocasión—. La meditación y la lectura habían de constituir el eje de su existencia tranquila, sólo turbada por intensas emociones íntimas y, ya en los últimos momentos, por los dramáticos acontecimientos de la guerra. "Mis aficiones —decía— son pasear y leer". Su obra, profundamente seria, refleja esa gravedad que "Azorín" señalaba en todos los miembros de su generación. Como éstos, Machado sintióse muy pronto atraído por el alma y el sobrio paisaje de Castilla. A ella —aunque sin olvidar a Andalucía— había de consagrar algunos de sus mejores versos.

Antonio Machado, cuyos versos dan la nota más grave y emocionada de la lírica española del siglo XX.

La poética

Aunque las modas que fueron sucediéndose a través de la vida de Machado no dejaron de influirle ligeramente, sus principios estéticos le sitúan lejos de todas ellas. El desdén que sentía por los procedimientos de los modernistas —sugestionados por la belleza sensorial y los efectos musicales— lo expresó claramente con estas palabras: "Pensaba yo que el elemento poético *no era la palabra por su valor fónico ni el color ni la línea ni un complejo de sensaciones, sino una honda palpitación del espíritu"*. También repudiaba el afán de exquisiteces típico de dicha escuela: "la obsesión de lo distinguido y aristocrático no ha producido en arte más que ñoñeces"; por ello prefirió acercarse al espíritu y a las formas métricas —más frescas y espontáneas— de la tradición popular.

El buscaba ante todo *una poesía que no fuera mero ornato decorativo sino producto de una auténtica emoción humana;* una poesía que estuviera sumergida "en las mesmas aguas de la vida", como decía recordando a Santa Teresa. De ahí que no aceptase tampoco, años más tarde, las nuevas orientaciones de las escuelas "de vanguardia", en las que censuraba "el empleo de las imágenes en función más conceptual que emotiva". La poesía no debía ser adorno, *pero tampoco pensamiento lógico.* Machado huye siempre de lo abstracto y cree —como Unamuno— que la misión del poeta es *eternizar lo momentáneo:* "el tiempo con su propia vibración es lo que el poeta pretende intemporalizar..., eternizar". Tres versos suyos vienen a resumir bellamente toda su poética:

> Ni mármol duro y eterno
> ni música ni pintura
> sino palabra en el tiempo.

Los temas y el estilo

La poesía de Antonio Machado es —a pesar de su absoluta unidad de tono— muy variada en cuanto a contenido temático. Abundan en primer lugar las *alusiones a su vida íntima;* los lejanos recuerdos —la "tarde parda y fría" de la infancia, el "primer hastío en el salón familiar" de la adolescencia, "la noche de luna" de la juventud...— y sobre todo el amor y la muerte de su esposa dan lugar a emocionados versos:

> Señor, ya me arrancaste lo que yo más quería.
> oye otra vez, Dios mío, mi corazón clamar.
> Tu voluntad se hizo, Señor, contra la mía.
> Señor, ya estamos solos mi corazón y el mar.

A su lado vemos *las preocupaciones y motivos típicos del 98:* el concepto pesimista de la realidad nacional:

> Castilla miserable, ayer dominadora,
> envuelta en sus andrajos, desprecia cuanto ignora...

la esperanza de una España mejor,

> Una España implacable y redentora,
> España que alborea...

la visión del paisaje castellano,

> Castilla de los páramos sombríos,
> Castilla de los negros encinares...

y hasta las inquietudes religiosas o filosóficas propias del momento —la vida, el tiempo, la muerte, la divinidad...—, como en aquellos versos en que el poeta se nos presenta "siempre buscando a Dios entre la niebla", o en estos otros donde parece advertirse un eco de las ideas de Unamuno:

> ... La razón: ¡Ay, quién alcanza
> la verdad!
> El corazón: Vanidad.
> La verdad es la esperanza...
> La razón: Jamás podremos
> entendernos, corazón,
> El corazón: Lo veremos.

En general, puede afirmarse que uno de los ejes fundamentales de su poesía lo constituye una sensación de profundo desaliento, al que acompaña a menudo un intenso anhelo de luz y de pureza. Otra constante de su obra sería también la afirmación de las vivencias interiores como suprema realidad poética, pues, según él mismo dirá,

> De toda la memoria sólo vale
> el don preclaro de evocar los sueños.

La métrica, en la que abunda la rima asonante, *revela una preferencia por las formas más simples* de la tradición popular —romance, cantar— o de la culta —soneto, silva—. La expresión, como el fondo —siempre dolorido y empañado por un vaho de nostálgica tristeza—, se ajusta también al sentir estético del 98: *sobriedad, sencillez,* y al mismo tiempo *emoción sincera y humana.* Es una poesía densa y profunda que al eliminar toda retórica innecesaria —metáforas brillantes, virtuosismos técnicos, elementos decorativos...—, queda reducida al más puro y auténtico lirismo.

Las obras

El primer libro de Machado apareció en 1903, con el título de *Soledades*. Al cabo de unos años lo reeditó, añadiéndole otros versos, en *Soledades, galerías y otros poemas* (1907). En estas obras primerizas vemos ya la sencillez formal y la nota de dolorido cansancio que habrán de perdurar en su producción posterior, y al mismo tiempo expresiones que revelan una leve influencia del modernismo —la "fronda marchita", "los húmedos cristales", "el parque mustio y dorado"...—. No obstante, la densidad lírica de su lenguaje, muy a menudo simbólico —recuérdese tan sólo el tema de las "galerías" del alma, el del "espejo" o el del "sueño"...—, y la dirección intimista de los versos le separan del decorativismo modernista de un Rubén Darío.

Campos de Castilla (1912), su obra cumbre, ofrece una emoción austera y grave que llega incluso a adquirir un sentido trágico. Así se advierte en su visión —"A orillas del Duero"— de la España negra del 98, en la vigorosa composición "El dios ibero", o en el impresionante romance titulado "La tierra de Alvargonzález", drámatica narración en la que unos labriegos matan a su padre impulsados por la codicia. Una extraordinaria belleza tienen también los poemas que cantan el paisaje de las tierras altas de Castilla y en los que los recursos personales, impregnados de nostalgia, se entrelazan con la alusión a los desnudos campos de Soria:

> ¡Colinas plateadas,
> grises alcores, cárdenas roquedas
> por donde traza el Duero
> su curva de ballesta
> en torno a Soria, oscuros encinares,
> ariscos pedregales, calvas sierras,
> caminos blancos y álamos del río,
> tardes de Soria, mística y guerrera,
> hoy siento por vosotros, en el fondo
> del corazón, tristeza,
> ¡tristeza que es amor! ¡Campos de Soria
> donde parece que las rocas sueñan,
> conmigo vais! ¡Colinas plateadas,
> grises alcores, cárdenas roquedas! ...
>
> He vuelto a ver los álamos dorados,
> álamos del camino en la ribera...
> ¡Alamos del amor que ayer tuvisteis
> de ruiseñores vuestras ramas llenas;
> álamos que seréis mañana liras
> del viento perfumado en primavera;
> álamos del amor cerca del agua
> que corre y pasa y sueña,
> álamos de las márgenes del Duero,
> conmigo vais, mi corazón os lleva!

En su tercer libro –*Nuevas canciones* (1924)–, Machado utiliza por lo general los metros cortos y sencillos de la poesía popular para expresar en forma sentenciosa y epigramática sus reflexiones íntimas. El fondo lo constituye a menudo una idea, pero los poemas tienen aquí la misma vibración lírica que cuando se trataba de un recuerdo o un paisaje:

> ¿Cuál es la verdad? ¿El río
> que fluye y pasa,
> donde el barco y el barquero
> son también ondas del agua?
> ¿O este soñar del marino
> siempre con ribera y ancla?

Posteriormente escribió algunas composiciones más, entre las que se hallan las que atribuyó a dos supuestos poetas: "Abel Martín" y "Juan de Mairena" (1937). Como de ellos figuran también unas meditaciones en prosa de carácter filosófico y estético. Fruto de la colaboración con su hermano Manuel son varias piezas teatrales de tipo modernista, de las que hablaremos en otro lugar.

En conjunto, los versos de Machado, desnudos, sobrios e impregnados de una emoción grave, revelan esa "honda palpitación del espíritu" de que él hablaba y llegan a nosotros como "la ola humilde... de unas pocas palabras verdaderas" –para decirlo con una expresión suya–; como tal habrán de permanecer en la historia de nuestra poesía a despecho de las modas y de los cambios de gusto. En este sentido podemos observar cómo, pasada la época del esteticismo "deshumanizado", su noble influjo pesó decisivamente sobre la poesía española de los últimos años, al brotar un anhelo general de entrar en contacto con las más auténticas realidades humanas.

La erudición y la crítica

A principios de siglo, la erudición ofrece tres nombres de prestigio europeo: Menéndez Pidal –en el terreno de la filología española–, Asín Palacios –en el de los estudios arábigos– y M. B. Cossío –en el de la reflexión sobre la historia del arte–. A su lado vemos una serie de figuras de segundo orden que en cierto modo vienen a continuar la tradición de Menéndez y Pelayo –en cuanto al estudio de nuestra literatura–, sin aportar nada esencial en los métodos de investigación.

Don Ramón Menéndez Pidal. — Su punto de partida se halla en el ejemplo de Menéndez y Pelayo; pero su obra significa una superación de las orientaciones del gran polígrafo al sustituir la amplitud del campo de estudio por la *especialización* y al incorporar a nuestra técnica de investigación *el rigor de los más modernos métodos de la ciencia europea*. Claro está que en él no todo es precisión erudita, ya que sus trabajos revelan también una profunda *intuición crítico-literaria e histórica* que los acerca a la pura labor de creación.

Historiador y filólogo, centró su atención en tres aspectos de la Castilla medieval: la historia —en *La España del Cid* (1929)—, la lengua —en *Orígenes del Español* (1926)— y la literatura —en *La epopeya castellana a través de la literatura española*—. Publicó también una *Gramática histórica* (1904) —fundamental en nuestra ciencia filológica— y escrupulosas *ediciones y estudios* de textos épicos —los cantares de Mio Cid (1908-11), de los Infantes de Lara y de Roncesvalles, el Romancero, etc.—. Gracias a estos trabajos se le puede considerar como nuestro primer medievalista y como el verdadero creador de la moderna filología española.

Entre las más brillantes teorías de Menéndez Pidal cabe citar la de la historicidad y tradicionalidad de la épica medieval, "en la que el gusto literario es profundamente colectivo" y donde "el autor de cada obra es anónimo por esencia, porque él, individuo, se sumerge en la colectividad". Teoría que ha opuesto a la que con referencia a la epopeya, "considera siempre predominante la individualidad del artista, del poeta, que si es anónimo lo es por pura casualidad", y según la cual, "el influjo de la colectividad sobre el artista es meramente accidental, sin trascendencia".

Aparte de sus tareas de investigación personal, merece consignarse su labor como creador de toda una escuela de críticos y eruditos. Fue durante muchos años catedrático de la Universidad de Madrid, fundó el Centro de Estudios Históricos y la Revista de Filología española y dirigió la Real Academia de la Lengua, gozando, como romanista, del máximo prestigio en todo el mundo.

Su estilo sobrio y su amor a España y a la tradición medieval castellana permiten relacionarle —en cierto modo— con los escritores del 98, por lo demás contemporáneos suyos. Nació en 1869 y ha muerto en 1968.

Miguel Asín Palacios (Zaragoza, 1871-1944). — Fue sacerdote, académico de la Española y catedrático de árabe en la Universidad Central. Dedicó toda su vida a investigar las relaciones existentes entre la cultura hispano-musulmana y la cristiana

medieval, llegando a sorprendentes conclusiones. El ha demostrado, por ejemplo, la influencia que sobre la escolástica del siglo XIII —y en particular sobre R. Llull y Dante— ejercieron la filosofía y teología árabes, y al mismo tiempo el origen cristiano de la mística islámica. Una resonancia enorme han tenido sus libros *La escatología musulmana en la Divina Comedia* (1919) y *El Islam cristianizado* (1931). Asín Palacios ha dejado discípulos de gran relieve.

Ramón Menéndez Pidal, gran renovador de la ciencia filológica española.

M. Bartolomé Cossío (1858-1935). – Es, de las tres figuras estudiadas, la que más cerca se halla de las tendencias del 98, no sólo por su ideología liberal –fue discípulo de Giner de los Ríos–, sino por sus aficiones estéticas. La obra capital de Cossío ha sido *El Greco* (1908), que ha contribuido a la rehabilitación del gran pintor cretense de Toledo.

En un segundo plano se encuentran los siguientes investigadores, todos ellos discípulos, en un sentido u otro, de Menéndez y Pelayo: **Bonilla y San Martín** (1875-1926), catedrático de Historia de la Filosofía –algo semejante al maestro por la extensión de las materias abarcadas: Filosofía, Derecho, Literatura...–, editor de Cervantes y de los libros de caballerías y autor de estudios sobre Luis Vives, los orígenes del teatro, etc.,; **Rodríguez Marín** (1855-1943), cuya portentosa y pintoresca erudición queda de manifiesto en sus ediciones y notas a Cervantes y en sus copiosos refraneros; **Cejador** (1864-1927), autor de una *Literatura española* (1915-1920) en 14 volúmenes, en la que se traslucen su cerrado criterio –incapaz de comprender la línea aristocrática de nuestras letras –y su falta de rigor; **Emilio Cotarelo** (1858-1936), cuyo saber erudito, más serio y seguro que el del anterior, se ha aplicado, por ejemplo, al teatro del siglo XVIII ("Iriarte y su época" [1897]); **Doña Blanca de los Ríos** (1862-1956), entusiasta rehabilitadora de Tirso, a quien considera como la máxima figura de nuestro teatro nacional, etc.

BIBLIOGRAFIA

ANTONIO MACHADO

E. Levi: *Motivos españoles*, 1933.
César Barja; *Libros y autores contemporáneos*, 1935.
E. Allison Peers: *A. Machado*, 1940.
G. Marañón: *Dos poetas de la España Liberal*. En "Ensayos liberales", 1946.
C. Clavería: *Cinco estudios de literatura española moderna*, 1948.
P. Salinas: *Literatura española. Siglo XX*, 1948.
Cuadernos hispanoamericanos. Núm. 11-12, dedicado a *Machado* (24 estudios), 1949.
S. Serrano Poncela: *A. Machado, su mundo y su obra*, 1954.
R. Zubiría: *La poesía de Antonio Machado*, 1955.
L. Cernuda: *Antonio Machado*. En "Estudios sobre poesía española contemporánea", 1957.
R. Gullón: *Las secretas galerías de A. Machado*, 1958.
V. Gaos: *En torno a A. Machado*. En "Temas y problemas de literatura española", 1959.
A. Sánchez Barbudo: *Estudios sobre Unamuno y Machado*. Ed. Guadarrama, 1959.
Número 158 de la revista *Insula*. Enero 1960.
J. Luis Cano: *La poesía española del siglo XX*, 1960.
C. Zardoya: *El cristal y el espejo en la poesía de A. Machado*. En "Poesía española contemporánea", 1961.
Dámaso Alonso: *Fanales de A. Machado*. En "Cuatro poetas", 1962.
R. Gullón: *Direcciones del modernismo*. Madrid, 1963.
A. Gil Novales: *Antonio Machado*, Ed. Fontanella. Barcelona, 1967.
M. Tuñón de Lara: *A. Machado, poeta del pueblo*. Edit. Nova Terra, 1967.
A. Sánchez Barbudo: *Los poemas de A. M.* Ed. Lumen, 1967.
J. M. Aguirre: *A. Machado, poeta simbolista*. Taurus, 1973.
Antonio Machado. Edición de R. Gullón y A. W. Phillips. Taurus, 1973.
J. M. Valverde: *Antonio Machado. Siglo Veintiuno*, 1975.

LA ERUDICION

A. del Río y J. M. Bernardete: *El concepto contemporáneo de España*, 1946. (Sobre R. Menéndez
    Pidal, M. B. Cossío, Asín Palacios y otros.)
A. Castro: *M. B. Cossío. El y su ambiente.* En "Semblanzas y estudios españoles", 1956.
Número 157 de la revista *Insula.* Varios artículos sobre R. Menéndez Pidal, Dic., 1959.
J. A. Maravall: *Menéndez Pidal y la historia del pensamiento,* 1960.
D. Alonso: *Menéndez Pidal y su obra.* En "Del siglo de oro a este siglo de siglas", 1962.
J. Marías: *El "claro varón" Don Ramón Menéndez Pidal.* En "Los españoles", 1963.
E. de Zuleta: *Historia de la crítica española contemporánea.* Ed. Gredos, 1966.
Cuadernos hispanoamericanos. Número 238-240, dedicado a *Menéndez Pidal.* Oct.-dic., 1970.

rubén darío y el movimiento modernista 71

El modernismo

Llámase "modernismo" al movimiento poético hispano-americano que, introducido en nuestro país por Rubén Darío, se desarrolló aquí coincidiendo cronológicamente con la prosa del 98. Su importancia fue enorme, pues *si bien no pasó de ser una moda que duró unos quince años, tuvo la virtud de renovar totalmente la poesía española,* constituyendo al propio tiempo la base para una evolución posterior. En este sentido, si Rubén significa el punto de partida, Juan Ramón Jiménez representa la última fase de la escuela y el paso hacia las nuevas tendencias. Téngase también en cuenta que aunque el modernismo fue, como decíamos, un movimiento esencialmente poético, su influjo alcanzó a otros géneros; por eso hablaremos más adelante de una prosa y un teatro modernista.

Ha de advertirse asimismo que *entre la generación del 98 y el modernismo no hubo —a pesar de su distinto carácter— una absoluta separación.* Pues si bien es cierto que la primera tenía una vigorosa raíz española y el segundo un tono más cosmopolita —americano y francés, sobre todo—, su influencia recíproca fue considerable. Algunos escritores de la célebre generación sufrieron en sus comienzos el influjo de la escuela de Rubén —Unamuno, Antonio Machado...—; y a la inversa, no pocos modernistas se fueron contagiando de la preocupación española de aquéllos. Así Valle Inclán, a quien Salinas ha calificado de "hijo pródigo del 98".

Significación histórico-literaria.—El modernismo —como en otros aspectos la generación del 98— *es una consecuencia de la reacción general que a fines de la pasada centuria se opera en Europa contra el espíritu de la época realista.*

En efecto: 1.º, frente al sentido burgués de la segunda mitad del siglo XIX, se pretende dar al arte *un tono aristocrático,* huyendo de lo vulgar y buscando los matices más exquisitos;

2.º, se supera el prosaísmo y el descuido de la forma, dominante en aquel

Rubén Darío, creador de la poesía modernista hispanoamericana.

período, con un *culto a la belleza sensorial:* la luz, el color y los efectos musicales tendrán ahora una importancia decisiva;

3.º, ya no interesa la observación rigurosa de la realidad sino la *expresión de lo subjetivo:* el mundo de los sentimientos íntimos o el de los ensueños de la fantasía; por eso,

4.º, se suele eludir la descripción de los aspectos grises de la vida cotidiana para evocar, con un verdadero derroche de imaginación, *los ambientes más irreales o exóticos;*

5.º, déjase de considerar a la poesía como un vehículo para la expresión de inquietudes de tipo social o ideológico y se impone de nuevo la idea del *arte por el arte.*

La nueva sensibilidad que se manifiesta en el modernismo tiene, pues, no pocos puntos de contacto con la de la época romántica. Aumenta la semejanza la presencia, en los poetas del siglo XX, de un espíritu de insatisfacción y *rebeldía* y de un ansia de *libertad,* de renovación y de *originalidad.* Es, en cierto modo, como un segundo Romanticismo, que al reaccionar contra el positivismo burgués hubiera acentuado las notas de aristocrático refinamiento y de exaltación de los valores estéticos. Juan Ramón Jiménez ha definido el modernismo como "un encuentro con la belleza sepultada durante el siglo XIX", como "un gran movimiento de entusiasmo y libertad hacia la belleza".

Los temas. — Reduciendo a esquema los temas esenciales del modernismo, tendríamos: 1.º, la evocación histórico-legendaria, y 2.º, la expresión de lo íntimo.

El poeta modernista huye de lo vulgar y cotidiano y se refugia en un mundo irreal donde todo viene a complacer su deseo de belleza absoluta. La historia y la tradición legendaria le sirven de base para *fastuosas evocaciones de lejanos ambientes y épocas remotas* a los que la imaginación reviste con los más suntuosos colores. Por sus versos pasan en rutilante desfile héroes de las gestas, princesas chinas, ninfas y faunos de la Grecia clásica, sultanes orientales, guerreros y trovadores de la Edad Media, galantes cortesanos de Versalles..., a los que el poeta encuadra en escenarios adecuados —la silenciosa pagoda, la selva mitológica, el perfumado harén, el castillo encantado, el jardín dieciochesco, etc.—. Todo ello nos recuerda el Romanticismo, pero ahora se procura huir del exotismo fácil de aquella época, ampliando los temas y buscando las notas más raras y exquisitas.

Junto a la fantasía, el sentimiento predominante será *una lánguida tristeza impregnada de vagos anhelos,* a menudo más literaria que auténtica. Se pone de moda la melancolía y los poetas sienten un placer morboso en dar libre paso a su inefable y refinada nostalgia en un ambiente otoñal de jardines dolientes y flores marchitas.

El estilo. – El color y la música tienen una importancia capital en el modernismo, ya que éste se manifiesta sobre todo como un movimiento rehabilitador de la belleza formal.

En cuanto a lo pictórico, los poetas crean *un rica gama cromática* para dar relieve a sus cuadros históricos o para ambientar sus exquisitos estados de ánimo. En el primer caso —el palacio oriental, la fiesta cortesana...—, se utilizan los colores más brillantes; en el segundo —el atardecer en el parque abandonado...—, las tintas más desleídas y borrosas.

Más decisivo si cabe es el papel desempeñado por el elemento musical. A partir de Rubén, el verso español se enriquece con sonoridades y cadencias insospechadas que van, según el tema, *desde los más grandiosos efectos orquestales hasta las más tenues y evocadoras tonalidades.* La música sirve para expresarlo todo: el esplendor de una marcha militar o una indefinible y sutil emoción. Ello se consigue incorporando al léxico poético una gran cantidad de neologismos y voces exóticas de variada sonoridad, y revolucionando la métrica con nuevos ritmos.

El modernismo logró grandes aciertos en la expresión de la belleza sensorial —música, forma, color...—; en este sentido cabe citar un recurso muy utilizado y cuyo origen se halla en el simbolismo francés; nos referimos a lo que Baudelaire llamó "correspondencias", o sea a las asociaciones sinestésicas (sobre todo musicales y cromáticas): "rimas de oro", "sinfonía en gris mayor", "fragancia azul", etc.

Las influencias. – Aunque la influencia de la poesía europea de fin de siglo —inglesa, italiana, alemana— y la de los clásicos y primitivos españoles —Berceo, Manrique, los Cancioneros, Góngora...— fue muy grande sobre el modernismo, no es menos cierto que *sus principales modelos hay que hallarlos en Francia.* La escuela *romántica* y sobre todo *la parnasiana* y *la simbolista* aportan importantes elementos: de la primera —Hugo— vienen los grandes efectos sonoros; de la segunda —Leconte de Lisle—, el gusto por la estrofa pulcra y cuidada, por el color y por las brillantes evocaciones histórico-legendarias; de la tercera —Verlaine—, la música tenue y la emoción delicada. Al lado de ello habría que añadir la sugestión que ejercen multitud de varios factores: la pintura prerrafaelista, la música de Wagner, etc.

Los precedentes españoles: Salvador Rueda

El modernismo nos vino, con Rubén, de América, y es allí donde se hallan sus más importantes precursores. No obstante, hubo también en España algunas figuras —Manuel Reina, Ricardo Gil y Salvador Rueda, sobre todo— que a fines del siglo XIX anunciaron, en una u otra forma, lo que había de ser la nueva escuela poética.

Salvador Rueda (Málaga, 1857-1933) llevó a cabo en España una labor de renovación literaria semejante a la que —por los mismos años— realizaba Rubén Darío en América, pero él mismo se convirtió más tarde en discípulo del gran poeta americano. Los elementos capitales de su obra son *el esplendor colorístico y la nota de musicalidad,* conseguida a base de nuevos ritmos y audaces combinaciones estróficas; los temas son variadísimos, pero entre ellos destacan los que se refieren al mundo meridional andaluz, que el poeta canta con un verdadero derroche de luz y de sonoridad. Los versos de Rueda adolecen, no obstante, de falte de contención y criterio selectivo. Demasiado *fáciles* y *superficiales,* fueron olvidados tan pronto como Rubén introdujo un concepto más exigente de la labor poética. Entre sus obras tenemos *En tropel* (1892), *Piedras preciosas* (1900), etc.

Rubén Darío

Vida. – Rubén Darío (Félix Rubén García Sarmiento), figura cumbre de la poesía hispanoamericana, nace en Nicaragua (1867). Muy joven todavía, viaja por América del Sur y, después de alcanzar —a los 21 años— un gran éxito con "Azul", visita España, como delegado americano en las fiestas del Centenario Colombiano, y conoce a los principales escritores de la Restauración. En 1899 vuelve aquí tras varios años de periodismo y de misiones oficiales y traba amistad con los miembros de la generación del 98. El resto de su vida lo ocupan sus actividades como diplomático: reside en París y en diversos países de Europa y América y, célebre ya en el mundo de las letras, muere en Nicaragua, en 1916.

Su existencia cosmopolita, la sangre mestiza que había en sus venas, su temperamento sensual y su afán de aristocracia son notas que explican muchos aspectos de su obra: la variadas influencias extranjeras, la presencia de temas americanos y españoles, la base sensorial de su poesía, el tono voluptuoso de sus imaginaciones, la predilección por los matices más exquisitos, etc.

Los temas. – Gracias a Rubén Darío, el modernismo representó una revolución en la temática de la poesía: de lo cotidiano se pasó a lo exótico, de la realidad vulgar al ensueño, de lo prosaico a lo refinado.

Su obra presenta reunidos, en este sentido, casi todos los motivos que luego se convertirán en tópicos: "la princesa de los ojos azules", "los pensativos y viejos kalifas", el "joven fauno robusto y violento", el "divino Rolando", el "gran Caupolicán", "el vizconde rubio de los desafíos"... *Grecia, Oriente, la Edad Media, la*

América aborigen, la Francia del siglo XVIII, son evocadas en cuadros de deslumbrante colorido y de lujosa ornamentación —los pavos reales, las góndolas de oro, el ebúrneo cisne, los dulces violines...— que reflejan la sugestión que sobre el poeta ejercían todas las formas de la belleza sensorial. Recuérdese, por ejemplo, su elegante y graciosa visión del mundo rococó:

> Era un aire suave de pausados giros;
> el hada Harmonía ritmaba sus vuelos,
> e iban frases vagas y tenues suspiros,
> entre los sollozos de los violoncelos...
>
> La orquesta perlaba sus mágicas notas;
> un coro de sones alados se oía;
> galantes pavanas, fugaces gavotas
> cantaban los dulces violines de Hungría...
>
> ¿Fue acaso en el tiempo del rey Luis de Francia,
> sol con corte de astros, en campos de azur,
> cuando los alcázares llenó de fragancia
> la regia y pomposa rosa Pompadour? ...
>
> ¿O cuando pastoras de floridos valles
> ornaban con cintas sus albos corderos,
> y oían, divinas Tirsis de Versalles,
> las declaraciones de los caballeros? ...

Rubén fue siempre un enamorado de lo plástico y musical, y por ello los temas extraídos del repertorio exótico y de la tradición ocupan un lugar preferente en su obra. Sin embargo —según ha demostrado Salinas [1]—, los utilizó con tanta insistencia por considerarlos adecuadísimos para ambientar, y expresar, lo que al constituir la obsesión de su vida íntima se convirtió también en el tema central de sus versos: *el amor, en el sentido de erótica sensualidad,* al que Rubén canta como fuente de goces o —aunque con menos frecuencia— como raíz de una trágica lucha entre su pagana vitalidad y el ascetismo cristiano. De ahí que aludiese repetidas veces a su impotente deseo de espiritualidad:

> ¡Ah, fuera yo de esos que Dios quería
> y que Dios quiere cuando así le place,
> dichosos ante el temeroso día
> de losa fría y *Requiescat in pace!*

Señalemos, por último, otro tema en el que lo decorativo desempeña un papel secundario: *la exaltación de los ideales hispánicos*

> "de la América ingenua que tiene sangre indígena,
> que aún reza a Jesucristo y aún habla en español",

frente al poderío de los Estados Unidos.

1. "La poesía de Rubén Darío".

El estilo y las influencias. — Su entusiasmo por el color y el sonido y el gusto por lo refinado y suntuoso llevaron a Rubén a crear un lenguaje poético en el que los valores *cromáticos y musicales* alcanzasen la máxima eficacia. Para ello *renovó profundamente el léxico* con abundantes voces arcaicas y atrevidos neologismos, y usó con preferencia aquellas palabras que tuviesen un especial interés estético: "olímpico", "unicornio", "lilial", "bicorne", "liróforo", "ánfora", "náyade"... A idéntico propósito responde la adjetivación —"liras eolias", "rimas de cristal", "cálido coro"...— y ciertos recursos técnicos, como el de la aliteración, con el que Rubén consiguió notables aciertos —"bajo el ala aleve del leve abanico", "la libélula vaga de una vaga ilusión"...—.

No obstante, donde se hallan los mayores logros es en el terreno de la métrica. Guiado por un formidable instinto de la melodía y del ritmo y haciendo uso de una absoluta libertad, Rubén Darío *inventa, resucita o incorpora al castellano las más diversas combinaciones estróficas o rítmicas:* el verso de nueve sílabas ("Juventud, divino tesoro"), el endecasílabo de gaita gallega ("Libre la frente que el casco rehúsa"), el dodecasílabo con cesura ("El teclado armónico – de su risa fina"), el alejandrino ("el palacio soberbio que vigilan los guardas"), o magníficas adaptaciones de la versificación grecolatina, como los hexámetros de la "Salutación del optimista" ("Ínclitas razas ubérrimas, sangre de Hispania fecunda"), o los resonantes anfíbracos de la "Marcha triunfal".

> ¡Ya viene el cortejo!
> ¡Ya viene el cortejo! Ya se oyen los claros clarines.
> La espada se anuncia con vivo reflejo;
> ¡ya viene, oro y hierro, el cortejo de los paladines!
> Ya pasa debajo los arcos ornados de blancas Minervas y Martes,
> los arcos triunfales en donde las Famas erigen sus largas trompetas,
> la gloria solemne de los estandartes
> llevados por manos robustas de heroicos atletas...
> Los claros clarines de pronto levantan sus sones,
> su canto sonoro,
> su cálido coro,
> que envuelve en un trueno de oro
> la augusta soberbia de los pabellones...

Las influencias que se notan en la obra de Rubén son muy variadas. Empezó imitando a *los poetas españoles del siglo XIX:* Zorrilla, Bécquer, Campoamor, Bartrina... Más tarde, y en busca de nuevos caminos, volvió la vista a *los románticos, parnasianos y simbolistas franceses.* Pero en su obra dejan también su huella *los primitivos y los clásicos españoles, y la tradición grecolatina* (aparte de la Biblia o las literaturas inglesa, italiana, portuguesa...). He aquí sus propias palabras:

> El abuelo español de barba blanca me señala una serie de retratos ilustres: "Este, dice, es el gran don Miguel de Cervantes Saavedra, genio y manco; éste es Lope de Vega, éste Garcilaso, éste Quintana. Yo le pregunto por el noble Gracián, por Teresa la Santa, por el bravo Góngora y el más

fuerte de todos don Francisco de Quevedo y Villegas. Después exclamo: ¡Shakespeare! ¡Dante! ¡Hugo! ... (Y en mi interior ¡Verlaine!).

La producción poética. – Tres son las obras fundamentales de Rubén. *Azul* (1888) representa –después de varios libros sometidos aún a la influencia del siglo XIX español– el comienzo de un nuevo estilo en el que se advierte ya el contacto con lo francés, la afición a los temas raros y lujosos, la sugestión de la belleza sensorial y de lo decorativo, etc. Intégranlo una serie de cuentos, escritos en una prosa refinada y preciosista, al final de los cuales se encuentran varios poemas entre los que destacan cuatro sobre las Estaciones.

Prosas Profanas (1896) significa el triunfo definitivo de la nueva sensibilidad poética; predominan en él los elementos colorísticos y ornamentales, los motivos exóticos –lo helénico, lo versallesco, lo fantástico...–, la nota sensual y los ritmos de origen francés (el alejandrino sobre todo). Así lo vemos en "Era un aire suave", en la célebre "Sonatina" (La princesa está triste), en el "Coloquio de los centauros" o en el "Responso a Verlaine". A pesar de su título, el libro se halla escrito totalmente en verso.

En *Cantos de Vida y Esperanza* (1905), el espíritu francés y la riqueza decorativa de "Prosas profanas" son sustituidos por una entusiasta afirmación de lo hispánico y por un superior adentramiento en lo íntimo. Ejemplo de lo primero sería la "Salutación del optimista" –que contrasta con el pesimismo de la generación del 98–, el poema "A Roosevelt" o la "Letanía de nuestro señor Don Quijote". De lo segundo, la melancólica "Canción de otoño en primavera" o varias composiciones –"La dulzura del Angelus", "Lo fatal"– en las que el poeta, debatiéndose entre la sensualidad y el anhelo de pureza, y angustiado por un más allá desconocido, manifiesta su sentido doloroso de la vida:

Ilustración modernista de un cuento de *Azul*. Al fondo, sobre el lago, el inevitable cisne.

Dichoso el árbol que es apenas sensitivo,
y más la dura piedra porque esa ya no siente,
pues no hay mayor dolor que el dolor de ser vivo
ni mayor pesadumbre que la vida consciente...

En el terreno de la expresión, vemos en todo el libro una mayor sencillez, aunque en algunos momentos se logran los más sonoros efectos orquestales; así en la ya aludida "Marcha triunfal".

Posteriores son *El canto errante* (1907), *Poema del otoño* (1910), *Canto a la Argentina* (1910), etc., en conjunto inferiores a los otros, aunque contengan también bellísimas composiciones.

Valor y significación de su obra. — Rubén Darío —a quien hemos incluido aquí, a pesar de su origen aamericano, porque sin él quedaría inexplicada la evolución de nuestra poesía— interesa ante todo por la riqueza formal de su obra. Ya hemos visto que no faltan en ella los grandes temas humanos, pero es indudable que *sus aciertos supremos se hallan en el campo de lo musical y de lo plástico*, y en este sentido habría que retroceder al siglo XVII para hallar quien pueda comparársele. Otros le superan en densidad, en profundidad lírica, pero con todas las limitaciones que supone el predominio de lo decorativo, habrá que considerarle como una de las figuras máximas de la poesía española y como *uno de sus más eficaces renovadores*.

BIBLIOGRAFIA

J. E. Rodó: *Cinco ensayos.*
R. Cansinos Assens: *La nueva literatura,* III.
A. Marasso: *Rubén Darío y su creación poética,* 1934.
M. Fernández Almagro: *Rubén Darío.* "En torno al 98", 1948.
P. Salinas: *La poesía de Rubén Darío.* Ed. Losada, 1948.
P. Salinas: *El cisne y el búho. Apuntes para la historia de la poesía modernista.* En "Literatura española. Siglo XX", 1949.
G. Díaz-Plaja: *Modernismo frente a 98,* 1951.
A. Alonso: *Estilística de las fuentes literarias. Rubén Darío y Miguel Angel.* En "Materia y forma en poesía", 1955.
L. Cernuda: *El modernismo y la generación del 98.* En "Estudios sobre poesía española contemporánea", 1957.
J. L. Cano: Estudios sobre *S. Rueda y Rubén.* En "La poesía española del siglo XX", 1960.
R. Gullón: *Direcciones del modernismo.* Ed. Gredos, 1964.
R. Ferreres: *Los límites del Modernismo.* Madrid, 1964.
J. Agustín Balseiro: *Seis estudios sobre Rubén Darío.* Ed. Gredos, 1967.
Homenaje a Rubén. Números 212-213 de "Cuadernos hispanoamericanos", dedicado a Rubén Darío, 1967. , 1967.
Estudios críticos sobre el Modernismo. Introd., selección y bibliografía por Homero Castillo. Gredos, 1968.
F. López Estrada: *Rubén Darío y la Edad Media.* Ed. Planeta, 1971.

Véase, además, bibliografía general sobre el siglo XX.

la poesía modernista, el 72
teatro poético y el estilo
de valle-inclán

Agrupamos aquí diversas manifestaciones de la producción literaria de comienzos de siglo que guardan una relación más o menos estrecha con el modernismo: la poesía de Manuel Machado, el teatro poético de Villaespesa y Marquina y la obra de Valle-Inclán.

Los poetas modernistas

A pesar de las protestas a que dan lugar las innovaciones de Rubén Darío, una serje de poetas, deseosos de huir de la tradición inmediata —Campoamor, Núñez de Arce...—, escuchan la voz que viene de América y se acogen a la nueva sensibilidad. "Algunas veces se toma del maestro lo más blando y decadente, lo esfumante, *lo sentimental, los pálidos colores crepusculares*", o sea el matiz simbolista; otras, *"la magnífica sonoridad"* o el *"colorismo pictórico"* —es decir, lo parnasiano— (Valbuena).

Poetas propiamente modernistas son Juan Ramón Jiménez —de quien hablaremos en otro capítulo—, M. Machado, Villaespesa, Valle-Inclán, etcétera. Pero ha de tenerse en cuenta que el modernismo se infiltró tanto en el ambiente literario de la época que llegó a influir en algunas figuras ajenas en lo esencial a su técnica y espíritu: Antonio Machado o Marquina serían dos ejemplos muy significativos.

Manuel Machado

Nace en Sevilla (1874), reside unos años en París y, vuelto a España, desempeña el cargo de bibliotecario del Ayuntamiento de Madrid, donde muere en 1947.

Frente al espíritu castellano y la grave emotividad de su hermano Antonio, Manuel Machado acentúa el garbo andaluz, la nota colorista. Por eso, aunque en la poesía de este "medio gitano y medio parisién", como se definía él mismo, no falte el sentimentalismo nostálgico y decadente —"mi voluntad se ha muerto una noche de luna, en que era muy hermoso no pensar ni querer..."—, adoptará, sobre todo, del modernismo, la brillantez pictórica y la elegancia descriptiva —"un destello de sol y una risa oportuna — amo más que las languideces de la luna", dirá en cierta ocasión—, sustituyendo, no obstante, la pompa decorativa de Rubén por una técnica más ligera orientada hacia la expresión leve del matiz sugerente. En conjunto, su obra no tiene el profundo y sobrio lirismo del autor de "Campos de Castilla", pero la *riqueza cromática y la gracia airosa* de sus versos y su *aristocrática interpretación de los motivos populares andaluces* hacen de él una de las figuras cumbre del modernismo en su primera época.

Junto a los *temas andaluces,* a los que los motivos del "cante hondo" prestan un contenido dramático:

> Madre, pena, suerte, pena, madre, muerte,
> ojos negros, negros, y negra la suerte...
> Cantares...
> En ellos el alma del alma se vierte,

el poeta nos ofrece *magníficas evocaciones históricas* y sugestivos *retratos* de elegante factura, que si bien denotan al lector de Rubén y de los parnasianos, revelan al propio tiempo una intención poética que va más allá de la simple e impersonal expresión de lo plástico. Entre las primeras figuras su vigoroso poema "Castilla":

> El ciego sol, la sed y la fatiga,
> por la terrible estepa castellana,
> al destierro, con doce de los suyos,
> —polvo, sudor y hierro— el Cid cabalga...

entre los segundos, el dedicado a "Felipe IV":

> Nadie más cortesano ni pulido
> que nuestro rey Felipe, que Dios guarde,
> siempre de negro hasta los pies vestido...

Aparte de su obra poética, que se inicia con *Alma* (1900) y acusa hacia el final una honda preocupación religiosa (*Horas de oro,* 1938), ha escrito también una serie de piezas de teatro en verso, en colaboración con su hermano Antonio; algunas son de ambiente histórico —*Desdichas de la Fortuna o Julianillo Valcárcel* (1926)—, otras giran en torno a un motivo lírico —*La Lola se va a los puertos* (1930)—, etc.

El teatro poético

Junto a otras formas de poesía dramática que estudiaremos luego, surge a fines de la primera década del siglo un teatro poético en verso cuyo origen se halla en buena parte en las nuevas orientaciones modernistas; así lo acredita el *predominio del elemento decorativo* y la temática, basada por lo común *en motivos exóticos o en nuestro pasado tradicional.* La importancia dada a los efectos externos —escenografía, ambiente seudo-histórico, versificación sonora...— en menoscabo del contenido dramático, ha dado lugar a que el teatro poético nos haya dejado muy pocas obras de auténtico valor.

Portadas de obras de teatro poético: versos sonoros, actitudes arrogantes y una aparatosa evocación del pasado nacional.

Eduardo Marquina. — Nacido en Barcelona (1879-1946), *comienza su carrera teatral con Las hijas del Cid* (1908), robusta interpretación del viejo tema épico, que presenta la novedad de hallarse inspirada en el poema del siglo XII y no en las leyendas posteriores. Su vigoroso dramatismo separa este acierto inicial de otras obras posteriores del mismo tipo, más efectistas y en las que el elemento histórico no es siempre de buena ley.

Así sucede, por ejemplo en *Doña María la Brava* (1909), *En Flandes se ha puesto el sol* (1910) y en *Era una vez en Bagdad*, donde se utiliza el tópico oriental.

La producción ulterior revela un progreso en cuanto a sobriedad formal, sentido poético y emoción auténtica. Merecen citarse *Don Luis Mejía* (1924) —melancólica evocación del antagonista de Don Juan Tenorio—, *La ermita, la fuente y el río* (1927), *El monje blanco* y *Teresa de Jesús* (1933), donde parecen advertirse ecos de nuestro teatro del siglo XVII.

La producción teatral de Marquina, a pesar de no ofrecer ninguna obra de valor decisivo, tiene un indudable interés. La evocación histórica está llevada a cabo con notable decoro, la versificación, aunque un tanto efectista, se adapta hábilmente a las situaciones, y los recursos dramáticos y escénicos se hallan combinados con verdadero acierto.

Como poeta lírico, Marquina presenta notas originales —inspiración optimista, contención clásica, temas patrióticos y familiares— que le apartan del modernismo, con el que no deja de tener relación.

Francisco Villaespesa, de la provincia de Almería (1877-1936), cultivó también el teatro poético en obras de ambiente histórico –*Doña María de Padilla* (1913)– y oriental –*El alcázar de las perlas* (1911)–. Su escaso contenido dramático y el hecho de que en ellas se subordine todo al mero lirismo verbal y a una brillante y falsa evocación de un pasado remoto, justifica el olvido en que cayeron después de los primeros éxitos.

Como lírico modernista se distingue por la sonoridad de la dicción y por la blanda y nostálgica languidez de los sentimientos.

> Esta doliente música de las fuentes me inquieta
> e inconsciente me llevo al corazón la mano,
> como si ahogar quisiera una angustia secreta,
> algo que será siempre para el alma un arcano...

Villaespesa, fácil y superficial improvisador de versos extraordinariamente musicales, hace pensar en el romanticismo y concretamente en Zorrilla, a quien también le une el gusto por los motivos orientales.

Tristitia rerum (1906), *Los remansos del crepúsculo* (1911), *Los nocturnos del Generalife* (1916), figuran, con sus significativos títulos, entre sus abundantes libros de poesías.

Otros autores de teatro poético. – Además de las obras de Marquina y de Villaespesa, hay que mencionar las muy poco consistentes de **Luis Fernández Ardavín** –*La dama del armiño* (1922), sobre la vida del Greco–, las de los hermanos **Machado** y algunas de **Valle-Inclán** que examinamos más adelante.

Valle-Inclán

Vida y personalidad. – Don Ramón María del Valle-Inclán nació en Galicia (Villanueva de Arosa, 1866). Durante su juventud estuvo una temporada en Méjico y a fines del siglo compareció en Madrid, donde su pintoresco atuendo –grandes quevedos, largas melenas y prolongada barba–, sus gestos desmesurados de gran señor, su desbordada imaginación y su terrible mordacidad le procuraron fama de hombre novelesco y extravagante. La pérdida de un brazo –consecuencia de una acalorada discusión– acabó de dar a su estudiada figura un curioso aspecto. Murió en Galicia en 1936.

Los dos estilos. – Aunque ciertos críticos suelen incluir a Valle-Inclán en la generación del 98, poco tiene que ver con ella. No hay en sus primeras obras preocupaciones de índole intelectual o moral ni afán de reforma política ni fervor por la tradición o el paisaje de Castilla ni esa sobriedad de estilo tan típica de un Baroja, por ejemplo. Su producción inicial, por el contrario, *sólo revela interés por el arte y la belleza literaria*. Ello y el haber creado un estilo en el que los valores musicales y pictóricos tienen un papel decisivo le sitúan dentro del modernismo, del que viene a ser el prosista más significativo. Hay que advertir, no obstante, que si bien sus comienzos acusan la influencia de la estética modernista, las últimas obras revelan un cambio de sensibilidad.

El estilo de la primera época. Las primeras narraciones de Valle-Inclán ofrecen una prosa refinada y preciosista en la que la música alcanza matices de arte exquisito. Un *ritmo solemne y cadencioso* y unas *tintas desleídas y suaves* son típicos de este momento inicial en el que el autor trata de crear *un mundo decadente, señorial y arcaico,* donde *el recuerdo nostálgico ocupa un lugar primordial.*

Véase este ejemplo de la "Sonata de Otoño":

> Yo recordaba nebulosamente aquel antiguo jardín donde los mirtos seculares dibujaban los cuatro escudos del fundador en torno de una fuente abandonada. El jardín y el palacio tenían esa vejez señorial, melancólica, de los lugares por donde en otro tiempo pasó la vida amable de la galantería y del amor... ¡Hermosos y lejanos recuerdos! Yo también los evoqué un día lejano, cuando la mañana otoñal y dorada envolvía el jardín húmedo y reverdecido por la constante lluvia de la noche. Bajo el cielo límpido, de un azul heráldico, los cipreses venerables parecían tener el ensueño de una vida monástica. La caricia de la luz temblaba sobre las flores como un pájaro de oro y la brisa trazaba en el terciopelo de la hierba, huellas ideales y quiméricas como si danzasen invisibles hadas... Las flores empezaban a marchitarse en las versallescas canastillas recamadas de mirto, y exhalaban ese aroma indeciso que tiene la melancolía de los recuerdos. En el fondo del laberinto murmuraba la fuente rodeada de cipreses y el arrullo del agua parecía difundir por el jardín un sueño pacífico de vejez, de recogimiento y de abandono... .

El estilo de la segunda época. Progresivamente, Valle-Inclán va apartándose de las formas decorativas del primer momento para forjar una prosa en la que *el humor desgarrado* sustituye a la melancolía, *el colorido chillón* a los tonos delicados y a lo musical, *la imagen grotesca* a la emoción nostálgica, y donde la aburguesada aristocracia del siglo XIX español está vista con apicarada malicia. En las obras de este segundo estilo se refleja al propio tiempo una mayor preocupación por España. Preocupación que halla su forma expresiva en la *sátira caricaturesca de la realidad nacional.*

He aquí unas muestras de su nueva manera:

> "El Excelentísimo Señor... Barón de Togores... tenía la voz de cotorrona y el pisar de bailarín. Lucio, grandote, abobalicado... rezumaba falsas melosidades. Le hacían rollas las manos y el papo." "Don Celes soplábase los bigotes escarchados de brillantina y aspiraba, deleite de sibarita, las auras barberiles que derramaba su ámbito. Resplandecía, como búdico vientre, el cebollón de su calva..." "Tu-Lag-Thi tenía la voz flaca, de pianillos desvencijados y una inmovilidad rígida, de muñeco automático, un accionar esquinado, de resorte, una vida interior de alambre en espiral." "El Rey, menudo y rosado, tenía un lindo empaque de bailarín de porcelana." "El Pollo de los brillantes era una momia acicalada."

Ramón del Valle Inclán.

"López de Ayala, el figurón cabezudo y basto de remos... tenía el alarde barroco del gallo polainero." "La rancia estantigua, bajo las plumas del moño, acentuaba su gesto de cotorra disecada"...

A través de toda su obra, Valle-Inclán demuestra un *prodigioso dominio de los recursos del idioma*. En este sentido, su producción, dominada siempre por un impulso estilizador orientado hacia lo lírico o hacia lo grotesco, alcanza alturas inigualadas. Por eso, aun prescindiendo de otros valores, *podemos considerarle como uno de los mejores escritores españoles del siglo XX, dada la belleza de su exquisita y decorativa prosa modernista y el garbo y la gracia expresiva de sus ulteriores cuadros satíricos.*

Las novelas. — El primer grupo importante lo constituyen las cuatro *Sonatas* —de *Primavera, Estío, Otoño* e *Invierno* (1902-1905)—, supuestas Memorias del Marqués de Bradomín, un don Juan ochocentista, cínico y sensual. Escritas en el aristocrático estilo modernista del primer período, insisten en la nota sensorial y nostálgica, y aunque el ambiente, el sentimiento y las figuras son bastante convencionales, el conjunto logra dar una sensación de refinada elegancia.

Flor de santidad (1904) significa el paso de lo aristocrático y decadente a los motivos populares gallegos, que tanta importancia tienen en Valle-Inclán. El alma lírica y supersticiosa de Galicia aparece bellamente interpretada en esta deliciosa leyenda que cuenta entre las mejores producciones del autor. También son de ambiente gallego las *Comedias bárbaras*,[1] en las que se nos ofrece un mundo grandioso de pasiones primitivas. Una extraordinaria violencia dramática agita estas piezas, en contraste con el suave lirismo de "Flor de santidad". Aunque escritas en forma dialogada, son prácticamente irrepresentables.

Un tercer grupo lo forman los relatos de *La guerra carlista* —1909—.[2] Más sobrios, realistas y llenos de emoción que los anteriores, encierran una visión de la guerra como lucha de partidas rurales, prescindiendo de su significación política y de todo efectismo épico.

1. "Aguila de blasón" (1907), "Romance de lobos" (1908) y "Cara de Plata" (1922).—
2. "Los cruzados de la causa", "El resplandor de la hoguera" y "Gerifaltes de antaño".

Las últimas novelas nos presentan ya plenamente formado su segundo estilo. Los personajes son aquí simples peleles que el autor zarandea sin compasión, y el lenguaje, nervioso y chispeante, luce un notable desenfado. Trátase de grotescas deformaciones de la realidad, cuyo humor desgarrado e implacable hace pensar en Quevedo o en la pintura de un Goya o de un Solana. *El Ruedo Ibérico* [1] es una formidable caricatura de la Corte de Isabel II; *Tirano Banderas* (1926), la historia tragicómica de un dictador americano. En esta última, la imitación del castellano de América está realizada con una gracia extraordinaria.

El teatro. – Después del ciclo de "La guerra carlista", Valle-Inclán compuso una serie de piezas teatrales. Las primeras –en las que utiliza la métrica modernista– se hallan cerca del teatro poético; así lo vemos en *Voces de gesta* (1912), potente tragedia llena de resonancias épicas.

La Marquesa Rosalinda (1913) ofrece, en cambio, un tono finamente irónico. Una cierta relación con las "Comedias bárbaras" tiene la intensa tragicomedia en prosa, de ambiente rústico, titulada *Divinas palabras* (1920), llena de elementos picarescos y supersticiosos.

Completamente distinto es el grupo constituido por las *Farsas,* en verso, –*Farsa y licencia de la Reina Castiza* (1920)– y los *Esperpentos* en prosa –*Los cuernos de don Friolera* (1921)–. En ellas la técnica es la misma que la de las novelas de última hora: humor satírico, estilización grotesca de la realidad nacional, lenguaje desvergonzado y pintoresco... "Los héroes clásicos, reflejados en los espejos cóncavos, dan el esperpento", nos dirá el propio autor en *Luces de Bohemia* (1924).

En conjunto, el teatro de Valle-Inclán figura entre lo más vigoroso de la producción dramática de nuestro siglo. Totalmente al margen del inconsistente teatro burgués de su tiempo, ha alcanzado en la actualidad un renovado éxito, no sólo por su audaz enfoque crítico de la realidad española, sino por la originalidad y fuerza expresiva de sus recursos escénicos.

La poesía. – Valle-Inclán nos ha dejado tres libros de poesía que le aseguran un lugar preeminente entre los poetas modernistas. El primero –*Aromas de leyenda* (1907)– representa la fusión del modernismo con los motivos líricos de la Galicia mística, en forma análoga a "Flor de santidad". Un delicado primitivismo anima estas deliciosas y transparentes estampas bucólicas:

Tañía una campana
en el azul cristal
de la paz aldeana.

Oración campesina
que temblaba en la azul
santidad matutina.

1. "La corte de los milagros" (1927), "¡Viva mi dueño!" (1928), "Baza de espadas" (1932).

Y en el viejo camino
   cantaba un ruiseñor
y era de luz su trino...

La campana aldeana
   en la gloria del sol
era el alma cristiana.

Al tocar esparcía
   aromas del rosal
de la Virgen María.

Esta santa conseja
   la recuerda un cantar
en una fabla vieja.

Junto a *El pasajero* (1920), donde aparecen temas trascendentales tratados con una rebuscada imaginería tomada de la magia y de la astrología, *La pipa de Kif* (1919) nos presenta de nuevo el estilo colorístico, abigarrado y caricaturesco del "Ruedo Ibérico" y de los "Esperpentos".

Como ciertos sectores de su obra, su poesía carece de densidad humana, pero desde el punto de vista formal presenta elevados valores, entre los que se cuentan la extraordinaria *riqueza de ritmos y rima y el color y plasticidad de las imágenes*. Valle-Inclán permanecerá en nuestra literatura como uno de los más refinados y originales artífices del idioma.

BIBLIOGRAFIA

MANUEL MACHADO

M. Pérez Ferrero: *Vida de Antonio Machado y Manuel*, 1947.
M. Fernández Almagro: *Manuel Machado*. En "En torno al 98", 1948.
D. Alonso: *Ligereza y gravedad en la poesía de Manuel Machado*. En "Poetas españoles contemporáneos", 1952.

VILLAESPESA Y MARQUINA

M. Fernández Almagro: *Marquina, de Barcelona a Madrid*. En "En torno al 98", 1948.
R. Marquina: *Mi hermano y yo*, 1951.
J. Rogerio Sánchez: *El teatro poético. Valle Inclán, Marquina*, 1914.
R. Cansinos Asséns: *Villaespesa. La nueva literatura*, I. 1917.
F. de Onís: *Villaespesa y el modernismo*, 1937.
M. Fernández Almagro: *El pobre Villaespesa*. En "En torno al 98", 1948.

VALLE INCLAN

J. Rogerio Sánchez: *El teatro poético. Valle Inclán, Marquina*, 1914.
J. Casares: *Crítica profana*, 1916.
R. Pérez de Ayala: *Las Máscaras (1917-19)*, 1948.
César Barja: *Libros y autores contemporáneos*, 1935.
M. Fernández Almagro: *Vida y obra de Valle Inclán*, 1943.
R. Gómez de la Serna: *Don Ramón María del Valle Inclán*, 1944.
P. Salinas: *La significación del esperpento o Valle Inclán, hijo pródigo del 98*. En "Literatura española. Siglo XX", 1944.

J. Ortega y Gasset: *La Sonata de Otoño de D. R. del Valle-Inclán.* En "Obras completas", I, 1946.

D. Pérez Minik: *Valle-Inclán o la restauración del bululú.* En "Debates sobre teatro español contemporáneo", 1953.

A. Alonso: *Estructura de las Sonatas de Valle Inclán* y *La musicalidad de la prosa de Valle Inclán.* En "Materia y forma en poesía", 1955.

A. Zamora Vicente: *Las Sonatas de Valle Inclán,* 1955.

E. G. de Nora: *La novela española contemporánea,* 1958.

R. J. Sender: *Valle Inclán y la dificultad de la tragedia.* Ed. Gredos, 1965.

G. Díaz Plaja: *Las estéticas de Valle Inclán.* Ed. Gredos, 1965.

Homenaje a Valle-Inclán. Número extraordinario de la *Rev. de Occidente.* Nov-dic., 1966.

Antonio Risco: *La estética de Valle Inclán.* Gredos, 1966.

J. A. Gómez Marín: *La idea de Sociedad en V. I.* Taurus, 1967.

E. Díez Canedo: *El teatro español de 1914 a 1936.* Vol. 2.º. México, 1968.

A. Zamora Vicente: *La realidad esperpéntica.* Gredos, 1969.

Véase, además, la bibliografía general sobre el siglo XX.

el teatro en prosa.
la comedia de benavente
y el costumbrismo de los
quintero y arniches

El teatro de principios de siglo

Hacia los últimos años del siglo XIX, varios autores consiguen elevar el nivel de nuestra literatura dramática, *dando la batalla definitiva al desaforado neorromanticismo de Echegaray o dignificando literariamente el costumbrismo del género chico.* Benavente y los Quintero son, respectivamente, las figuras destacadas de este nuevo teatro en prosa, que a pesar de su indiscutible mérito no consigue dejarnos —lo mismo que el teatro poético en verso nacido unos años más tarde— obras definitivas.

La comedia de Benavente

Sin el efectismo retórico de Echegaray, pero también sin la hondura psicológica de Galdós, la comedia de Jacinto Benavente (Madrid, 1866-1954) *representa una verdadera innovación* en nuestra escena por su *comedida finura y por la extraordinaria*

Jacinto Benavente, renovador del teatro español a principios del siglo XX.

habilidad de la técnica. No hay en ella, por lo general, *grandes conflictos dramáticos ni auténtica fuerza trágica,* pero sabe mantenerse en un tono medio que por desgracia desemboca a veces en lo superficial.

Gran conocedor del teatro europeo (Wilde, Maeterlinck, D'Annunzio, Ibsen, Shaw...), Benavente crea una nueva modalidad dramática en la que lo esencial está en la *inteligente ironía* con que se fustigan diversos aspectos de la sociedad contemporánea. Es la suya una sátira malintencionada que aun cayendo en ocasiones en lo mordaz, no reviste nunca un tono violento. Muchas de sus obras quedan así reducidas a *elegantes conversaciones de salón,* donde luce el ingenio del autor, siempre dispuesto a la frase sagaz y al comentario malicioso, lejos de toda estridencia.

Aunque de típica mentalidad burguesa, *sus dardos van dirigidos contra la aristocracia y la alta burguesía,* a la que reprocha su frivolidad, sus prejuicios y su espíritu materialista e hipócrita. Sin embargo, rara vez adopta el papel de moralizador porque en el fondo *es un escéptico que desconfía* del hombre y de la sociedad. Por eso, su producción se caracteriza por una *mezcla de idealismo y de sátira aguda* que eluden todo "compromiso" radical, para mantenerse en un tono de fina y ligera elegancia mundana.

Contemporáneo de la generación del 98 y del modernismo, con los que tiene algún punto de contacto —sobre todo con el último—, Benavente no puede ser incluido en ninguno de los dos grupos; le falta para ello la gravedad de aquélla y le sobra ironía para acercarse al exquisito mundo poético de los seguidores de Rubén. En el fondo viene a ser *un continuador de la "Alta comedia"* del siglo XIX, a la que despoja de toda supervivencia romántica, enriqueciéndola con su habilidad técnica y su inteligente espíritu.

Las obras. — El teatro de Benavente ofrece gran variedad de aspectos. Las primeras obras marcan ya lo que habrá de convertirse en la nota más característica: *la sátira social* —con matices irónicos— dirigida por lo común contra las clases superiores. Entre ellas se encuentra *La noche del Sábado* (1903), donde presenta un corrompido mundo de aristócratas.

Dentro de este sector cabe agrupar también varias comedias, sin la fuerza dramática de las anteriores y en las que la sátira adquiere matices de ingenioso discreteo. Así lo vemos en *Los intereses creados* (1909), tal vez la más conseguida, y uno de los grandes éxitos del autor. Por excepción dentro de este teatro costumbrista, la acción se sitúa ahora en el siglo XVII y se hacen salir a escena los personajes de la Comedia del Arte —Polichinela, Arlequín, Pantalón...—. Su asunto es como sigue: Leandro, por consejo de su amigo Crispín, se hace pasar por un gran señor, y cuando los dos aventureros no pueden satisfacer las deudas contraídas, consiguen salvar la situación logrando que sus acreedores, para poder cobrar, exijan al rico Polichinela la boda de su hija con el enamorado Leandro. La última escena de la obra, con su alusión al "hilo del amor... que pone alas en nuestro corazón", evidencia a las claras la peculiar actitud del autor frente a la realidad social qué presenta.

TODOS. — ¡Casadlos, casadlos!
POLICHINELA. — Cásense, enhoramala...
PANTALON. — *(A Crispín.)* ¿Seremos pagados?
CRISPIN. — ¿Quién lo duda? ... *(A Leandro.)* ¿Qué os dije, señor?
Que entre todos habían de salvarnos... Creedlo. Para salir adelante con
todo, mejor que crear afecto es crear intereses...
LEANDRO. — Te engañas, que sin el amor de Silvia nunca me hubiera
salvado.
CRISPIN. — ¿Y es poco interés ese amor? Yo di siempre su parte al
ideal. Y ahora acabó la farsa.
SILVIA. — *(Al público.)* Y en ella visteis, como en las farsas de la
vida, que a estos muñecos, como a los humanos, muévenlos cordelillos
groseros que son los intereses, las pasioncillas, los engaños y todas las
miserias de su condición: tiran unos de sus pies y los llevan a tristes
andanzas; tiran otros de sus manos, que trabajan con pena, luchan con
rabia, hurtan con astucia, matan con violencia. Pero entre todos ellos,
desciende a veces del cielo al corazón un hilo sutil..., el hilo del amor... que
pone alas en nuestro corazón y nos dice... que hay algo divino en nuestra
vida y es eterno y no puede acabar cuando la farsa acaba.

Otro grupo importante lo constituyen una serie de *dramas rurales* de gran
intensidad trágica, entre los que destacan *Señora Ama* (1908) y *La Malquerida* (1913),
cuyos trazos sombríos contrastan con el tono de casi todo el teatro benaventiano. Son
dramas de grandes pasiones en un sofocante ambiente aldeano, en los que parece
advertirse un eco del naturalismo.

También podría indicarse un tercer grupo —cercano al modernismo— integrado
por obras de *teatro infantil,* donde la estilización poética va unida a notas de gracia
irónica. El mejor ejemplo sería la deliciosa pieza titulada *El príncipe que todo lo
aprendió en los libros.*

Al margen de los aspectos señalados quedan algunas comedias: *La ciudad alegre
y confiada* (1916), sátira de tipo político-social, *Pepa Doncel* (1928), donde se ataca la
hipocresía moral de un ambiente provinciano, etc.

Valor del teatro de Benavente. — Constituida por cerca de un centenar de obras,
la producción de Benavente (Premio Nobel 1922) tuvo la virtud de renovar el teatro
burgués español, dándole un tono moderno y europeo. *Cualidades suyas indiscutibles
son la variedad y perfección de los recursos escénicos, la gracia inteligente y fina de su
sátira social y la vivacidad del diálogo.* Sin embargo, *el predominio de lo teatral sobre
lo dramático y el espíritu algo frívolo del autor le restan hondura e intensidad* hasta
hacerla caer a menudo en un simple juego, agudo e ingenioso, pero superficial e
intrascendente.

La escuela de Benavente

Manuel Linares Rivas (1867-1938) puede considerarse como un seguidor de Benavente,
al que aventaja en *fuerza psicológica y energía,* aunque sea inferior a él en los demás

aspectos. Su tendencia docente y moralizadora se advierte en *La garra* (1914), sobre el tema del divorcio.

Gregorio Martínez Sierra (1881-1948) ofrece, en cambio, una nota de *ternura*, muy cercana a la sensiblería, en *Canción de cuna* (1911) y *Lirio entre espinas.*

El costumbrismo andaluz de los Quintero

Serafín y Joaquín Alvarez Quintero (Sevilla, 1871-1938 y 1873-1944) son *los mejores representantes en nuestro siglo, del costumbrismo andaluz llevado al teatro*. Si Benavente deriva de la Alta Comedia del siglo XIX, los Quintero vienen a continuar el sainete de ambiente popular.

Las principales características de su producción son *la gracia con que se evocan los tipos, el ambiente y el habla de Andalucía, la visión bondadosa y optimista de las cosas y la sana alegría que orea todas sus obras*. Teatro basado exclusivamente en el valor del color local y de la frase ingeniosa, se resiente de ciertos defectos: superficialidad, concepto demasiado "rosa" de la vida, sentimentalismo, etc. Sin embargo, su defensa de la bondad y la ternura como valores supremos, la vivacidad de lenguaje, la gracia dicharachera de que hacen gala sus divertidos personajes —entre los que habría que colocar en primera fila una variada galería de figuras femeninas—, y la poesía humilde y sencilla que se desprende de muchas escenas, hacen de él un teatro si no hondo, por lo menos simpático y decoroso.

La producción de los Quintero —más de doscientas obras— la forman sainetes y comedias. Entre los primeros figuran *El patio* (1901), *Mañana de sol* (1905), etc. Entre las segundas: *Las flores* (1901), *El genio alegre* (1906), *Amores y amoríos* (1908), *Puebla de las mujeres* (1912), *Malvaloca* (1912), etcétera. En todas, el color, la gracia del chiste y la nota sentimental se hallan hábilmente combinados. Véase un movido fragmento de "El amor que pasa", bien significativo, por lo demás, de la sociedad española que en el teatro de los Quintero se evoca:

MAMA DOLORES, CLOTILDE, SOCORRITO

MAMA.— Yo les agradezco que vengan a acompañar a esta vieja pilonga.

CLOTILDE. — Pues le advierto a Vd. que aunque tuviéramos novios vendríamos lo mismo.

MAMA. — Sí, sí, novios... Andan por las nubes... A la que hay que ver es la Chata. Está rabiosa. Dice que el Gobierno debe tomar cartas en el asunto...

CLOTILDE. — Yo le propuse el otro día que sacáramos un santo a paseo, como cuando hace falta que llueva...

MAMA. — Ella lo que quiere a todo trance es un motín; una algarada. Romper los cristales de todas las casas donde haya un soltero. Yo le he dicho que cuente conmigo... Sí, hija, sí; porque... se pasa un año y se pasa otro... y se va la juventud antes que lo penséis.

Los hermanos Quintero, creadores de un teatro rebosante de gracia andaluza.

CLOTILDE. — D í gamelo Ud. a mí que cumplo los años de cuatro en cuatro.

MAMA. — ¡Chiquilla!

CLOTILDE. — Como lo oyes. Mira: yo tengo ahora diecinueve. Pues los primeros que cumpla, ¡horrorízate!, serán veintitrés... ¿No ves tú que los años bisiestos van de cuatro en cuatro, y yo nací un veintinueve de febrero?... A mí después de todo, más que lo de los novios, me preocupa lo de los años, porque como novio siempre tengo el que me da la gana...

SOCORRITO. — De imaginación.

CLOTILDE. — A falta de los de carne y hueso, llenan su sitio los pobres. Ya sostengo correspondencia con tres y cuatro novios a la vez. Y con un inglés he estado a punto de casarme... Aquel muchacho me gustaba. Si como era de mentira llega a ser de verdad, nos casamos.

MAMA. — También fue una lástima, mujer.

CLOTILDE. — Me llevo la noche entera escribiendo cartas y tarjetas postales. Y me divierto mucho porque como escribo también las contestaciones ¡me digo unas cosas! ...

Los sainetes de ambiente madrileño de Arniches

Carlos Arniches (Alicante, 1866-1943) *tiene también su punto de partida en el género chico del siglo XIX* y, en efecto, su primera producción se reduce a libretos para zarzuelas y sainetes musicales que han alcanzado una gran popularidad: *El Santo de la Isidra* (1898), *El puñao de rosas* (1902), etc. El ambiente que encuadra la acción en estas obras suele ser el Madrid popular y castizo de fin de siglo; los personajes, "el albañil, el hortera, el guardia del Orden Público, el sereno, el chulo, el ratero, el borracho, la moza de trapío, la "señá" sentenciosa, la vecina murmuradora, la familia cursi..."; en cuanto al lenguaje, en el que abunda el chiste rápido y el retorcimiento verbal, Arniches no se ha limitado a imitar el de la realidad madrileña, sino que, estilizándolo, ha creado expresiones que luego han pasado al pueblo. Una pequeña intriga sentimental sirve de eje a estos breves cuadros de costumbres que no aspiran más que ofrecer *una imagen viva de lo pintoresco local*.

Más tarde, el autor ha cultivado la llamada *"tragedia grotesca"*, *en la que se funde lo dramático con lo caricaturesco.* El ambiente es, por lo general, el mismo que en las obras anteriores, pero ahora lo cómico sirve para encubrir una emoción grave. Estas piezas —entre las que se encuentran *La señorita de Trevélez* (1916) y *Es mi hombre* —han dado lugar a los más diversos comentarios: desde los que no ven en ellas más que efectismos burdos y moralización vulgar, hasta los que las consideran como fruto de una inspiración digna de Goya. Sin negar ninguno de los dos extremos —ya que en efecto se dan reunidas notas melodramáticas y moralizadoras y emoción tragicómica de buena ley— podemos ver en Arniches al hombre de teatro que en nuestro siglo "recibió el precioso legado del sainete madrileño a lo don Ramón de la Cruz y a lo don Ricardo de la Vega, para enriquecerlo y superarlo".[1]

La "astracanada" de Muñoz Seca

Como en el teatro de los Quintero y de Arniches, la nota cómica desempeña un papel de primer orden en el de Pedro Muñoz Seca (1881-1936). Sólo que en éste se la hace derivar de *lo disparatado,* sin aspirar a otra cosa que a provocar la hilaridad del espectador. El simple juego de palabras y lo inesperado de una situación absurda son la única base de estas obras que a pesar de su indudable gracia carecen de interés literario.

Cabe citar, como ejemplo, las divertidas parodias tituladas *La venganza de don Mendo* (1918) —caricatura del teatro poético modernista—, *Los extremeños se tocan* —zarzuela sin música—, *Usted es Ortiz,* donde se toma a guasa el desdoblamiento de la personalidad, *La Plasmatoria,* etc.

Los intentos renovadores de Jacinto Grau

A gran distancia de la producción estudiada en el presente capítulo se halla la de Jacinto Grau (Barcelona, 1877-1958), no sólo por su ambicioso propósito de arte, sino por sus grandes temas. La naturaleza de éstos hace pensar en el teatro poético en verso, pero la fuerza trágica de las obras —por otra parte, redactadas en prosa— las aleja también considerablemente de las vacuas evocaciones históricas de un Villaespesa, por ejemplo.

Jacinto Grau, huyendo del fácil decorativismo de la fórmula modernista, así como del tono y los motivos superficiales de los comediógrafos del momento, *intentó crear un teatro de altura a base de dar nueva vida a viejos símbolos de la tradición literaria.* En sus piezas hay emoción humana y vigor dramático, por más que una inclinación, tal vez excesiva, hacia lo espectacular y artificioso y una cierta falta de mesura reste a veces interés a sus realizaciones.

Entre sus mejores obras figuran interpretaciones vigorosas de temas extraídos del Romancero, de la Biblia, etc. —*El conde Alarcos* (1917), *El hijo pródigo* (1918), *El señor de Pigmalión* (1921), *El burlador que no se burla* (1930)—, en los que se observa

---

1. M. F. Almagro. "En torno al 98".

un gran conocimiento de los recursos del teatro europeo contemporáneo y una excelente construcción escénica. Su producción se ha visto aumentada después de la guerra civil con varias obras escritas en la Argentina: la farsa *Las gafas de don Telesforo* (1949), el drama *Destino* (1945), etc. Poco celebrado en España, ha obtenido brillantes éxitos en el extranjero (París, Londres, Praga, Buenos Aires...) y es, a pesar de los reparos que puedan oponérsele, uno de nuestros más apreciables autores dramáticos.

BIBLIOGRAFIA

ESTUDIOS SOBRE AUTORES DIVERSOS

M. Bueno: *Teatro español contemporáneo.* (Sobre Benavente, L. Rivas, los Quintero...), 1909.

R. Pérez de Ayala: *Las Máscaras.* (Sobre Benavente, los Quintero, Arniches, L. Rivas, M. Sierra...), 1917-1919. Col. Austral, 1948.

D. Pérez Minik: *Debates sobre el teatro español contemporáneo.* (Sobre Benavente, J. Grau y otros), 1952.

G. Torrente Ballester: *Teatro español contemporáneo.* (Sobre Benavente, L. Rivas, los Quintero, Arniches, M. Seca, J. Grau y otros), 1957.

A. Marquerie: *Veinte años de teatro en España* (Sobre Benavente, los Quintero, Arniches y otros), 1959.

E. Díez Canedo: *El teatro español de 1914 a 1936.* Vol. 1.º. México, 1968.

BENAVENTE

F. de Onís: *Benavente, estudio literario,* 1923.

Walter Starkie: *J. Benavente.* Oxford, 1924.

A. Lázaro: *Benavente. De su vida y de su obra,* 1925.

Vila Selma: *El teatro de Benavente.*

A. Guardiola: *Benavente: su vida y su teatro portentoso,* 1954.

I. Sánchez Estevan: *J. Benavente y su teatro. Estudio biográfico-crítico,* 1954.

OTRAS FIGURAS

R. Cansinos Asséns: *Martínez Sierra.* En "La nueva literatura", I. 1917.

María Martínez Sierra: *Gregorio y yo. Medio siglo de colaboración.* México, 1953.

R. Altamira: *J. y S. Alvarez Quintero,* 1916.

"Azorín": *Los Quintero y otras páginas,* 1925.

E. Merimée: *Le théâtre de A. Quintero.* Bull. Hisp., 1926.

A. Berenguer Carisomo: *El teatro de C. Arniches,* 1937.

M. Fernández Almagro: *Arniches.* En "En torno al 98", 1948.

P. Salinas: *Del género chico a la tragedia grotesca. Carlos Arniches.* En "Literatura española. Siglo XX". 1949.

Manuel Seco: *Arniches y el habla de Madrid.* Madrid, Ed. Alfaguara, 1970.

L. de Araquistain: *Muñoz Seca.* En "La batalla teatral", 1930.

E. Díez-Canedo: *P. Muñoz Seca.* En "El teatro español de 1914 a 1916". Vol. II. México. Mortiz, 1968.

G. Rodríguez Salcedo: *Introducción al teatro de J. Grau.* En "Papeles de Son Armadans". Núm. 124. 1966.

Véase, también, *Estudios sobre teatro* en Bibliografía general sobre el siglo XX.

Carlos Arniches.

la segunda generación del siglo xx. los ensayos de ortega, d'ors y marañón

74

La segunda generación

Años antes de la guerra del 14 —hacia 1910 aproximadamente— surge un nuevo grupo de escritores cuya aportación entraña un *cambio de rumbo respecto de las orientaciones del 98 y del modernismo* —en las cuales, por lo demás, tiene su punto de partida— *y un paso hacia el "arte de vanguardia"* que habrá de cristalizar después del primer conflicto mundial.

Aunque esta segunda generación, en la que la prosa ocupa un lugar preferente, no presenta unas líneas tan definidas como la anterior, pueden señalarse algunos rasgos

José Ortega y Gasset.

generales: *frente al 98 se observa una superación del pesimismo y del espíritu de protesta típico de aquél, y una cierta aversión a adoptar una postura desasosegada y dramática frente al problema nacional, prefiriendo un enfoque más sereno e intelectual y al propio tiempo europeo; frente al modernismo, un progresivo abandono de la pompa decorativa y del sentimiento vago para llegar, a través de formas estilizadas, a un tipo de poesía más depurada y más íntima, y de superior concreción intelectual y emotiva.*

En conjunto, y prescindiendo de detalles, lo escrito hacia estos años revela —en la expresión como en el contenido —*un gran rigor conceptual* y una clara resistencia a dejar fluir libremente la emoción subjetiva, para lograr, aun a costa de la espontaneidad, una mayor *precisión* en las ideas y el lenguaje. No obstante, adviértese en el estilo una doble evolución, pues *si el verso se va despojando de elementos ornamentales* en busca de una mayor sencillez, *la prosa, enriquecida* con una gran profusión de metáforas, *se hace cada vez más recargada y lujosa* hasta llegar al extremo opuesto de la sobriedad de un Baroja. Ortega en el ensayo y Juan Ramón en el poema serán en este sentido las dos figuras de mayor significación.

Antes de pasar adelante, conviene destacar otro hecho: *la aparición de un grupo de pensadores y ensayistas* —con Ortega en primer término—, cuya labor de divulgación influirá de modo decisivo en el nivel cultural del país, dando además a la producción del momento *un sello eminentemente intelectual*. El género había tenido ya cultivadores en los años precedentes —Ganivet, Unamuno...—, pero ahora adquirirá un gran incremento con la participación de escritores procedentes de los más diversos campos —Filosofía, Medicina, Filología, etc —.

Ortega y Gasset

Un lugar destacadísimo en la historia del ensayo y del pensamiento español corresponde a don José Ortega y Gasset (Madrid, 1883-1955), a quien debe considerarse como *uno de los supremos guías intelectuales durante la primera mitad del siglo*. Desde su cátedra de Metafísica, desde sus libros y desde la "Revista de Occidente", fundada y dirigida por él, llevó a cabo una labor docente de altura, entre cuyos más importantes resultados se encuentra *la difusión en España de las principales corrientes culturales —sobre todo germánicas— del siglo XX europeo*. Pero Ortega no es sólo un brillante divulgador de ideas; su obra personal, escrita en un pulcro y elegante estilo, revela una fina inteligencia y un pensamiento de gran originalidad. Durante muchos años su nombre ha gozado de un elevado prestigio en todo el mundo.

El interés por lo actual. — Aunque el núcleo de la actividad intelectual de Ortega y Gasset han sido los temas filosóficos, su curiosidad le ha hecho acercarse a los más variados aspectos de la cultura. Así lo acreditan los ensayos de los ocho volúmenes de *El Espectador* —1916-1934—, en los que encontramos agrupados agudos comentarios en torno a los motivos más heterogéneos: literatura, historia, pedagogía, pintura, filosofía... Un común denominador unifica, no obstante, este amplio panorama ideológico: *el predominio de los temas de actualidad, y más aún, el propósito de modernidad en cuanto al punto de vista adoptado*. Ortega, atento siempre a su circunstancia, incluso a la más fugitiva, se complace en situarse ante ella como un espectador del siglo XX, frente a Unamuno, obsesionado siempre por los problemas eternos.

El afán de selección. — Algunas obras de los comienzos —*Meditaciones del Quijote* (1914), *España invertebrada* (1921)— marcan su relación con la crítica negativa de lo nacional propia del 98. Pero en ciertos matices observamos un cambio de actitud. En la primera, aludiendo tal vez a Unamuno, se opone a aquellos que tratan de ver en el Quijote la invitación a una vida "de gestos contorsionados"; en la segunda, lleva a cabo un brillante, aunque discutible, análisis de la Historia de España, en el que no vemos ya el tono dolorido de la generación del desastre. La tesis de Ortega es la siguiente: no puede hablarse de decadencia española porque la nación ha sido desde sus comienzos un organismo mal constituido; no hubo aquí un feudalismo poderoso —los germanos llegaron a España muy debilitados— y desde entonces ha faltado siempre una minoría selecta. "La gran desgracia de la historia española ha sido la carencia de minorías egregias y el imperio imperturbado de las masas."

Vese ya en esta afirmación uno de los rasgos más característicos del autor: *su afán aristocrático de selección y su odio a lo vulgar y plebeyo*. En otra obra posterior —*La rebelión de las masas* (1930)— señalará como causa de la crisis de la Europa de su tiempo el mismo defecto que había advertido en España y opondrá al principio democrático de igualdad, el de jerarquía. Ortega manifestó siempre en política como en otros aspectos —arte, filosofía...— *una radical oposición a lo que consideraba productos de la cultura burguesa del siglo XIX*.

La razón vital y el perspectivismo. — Unos años de estudio en Alemania —que habían dejado en Ortega la huella de una gran simpatía por la cultura germánica— le ponen en contacto con la filosofía neokantiana; pero pronto se aleja de ella para llegar a una solución personal. La realidad radical —dice— no está en el "yo" —como quería el idealismo racionalista del siglo XIX—, sino en la relación del "yo" con su circunstancia, es decir, en la vida. "La realidad radical es nuestra vida", a la que habrá que subordinarlo todo, sustituyendo "la razón pura" por *"la razón vital"*.

El tema de nuestro tiempo (1923), donde se exponen estas ideas, contiene también la doctrina del *"perspectivismo"*, según la cual son igualmente válidas las más distintas concepciones del mundo, porque en el fondo su diversidad no depende más que del punto de vista empleado. De ahí que cada cual deba contentarse con aquél en el que le sitúan la época y las circunstancias y renunciar a una imposible visión que abarque todos los aspectos de la realidad. Consecuentemente, Ortega insistirá en considerar las cosas desde el ángulo que le proporciona la época, es decir, desde el punto de vista actual y del siglo XX.

He aquí sus propias palabras:

> Desde distintos puntos de vista dos hombres miran el mismo paisaje, sin embargo, no ven lo mismo... ¿Tendría sentido si cada cual declarase falso el paisaje ajeno? Evidentemente no; tan real es el uno como el otro... La sola perspectiva falsa es esa que pretende ser la única... Lo falso es la utopía, la verdad no localizada, vista desde "lugar ninguno". El utopista —y esto ha sido en esencia el racionalismo— es el que más yerra porque es el hombre que no se conserva fiel a su punto de vista, que deserta de su puesto... Cada vida es un punto de vista sobre el universo... Yuxtaponiendo las visiones parciales de todos se lograría tejer la verdad omnímoda y absoluta...

Aspectos esenciales de su pensamiento se exponen también en *Goethe desde dentro* (1932), *En torno a Galileo* (1933), *Historia como sistema* (1935), *Estudios sobre el amor* (1941), *La idea de principio en Leibniz* (1958), etc.

Elogio del arte "deshumanizado". — Los temas de estética y de crítica literaria ocupan un lugar importante en la obra de Ortega. Ejemplo de ello es *La deshumanización del arte* (1925), donde analiza el arte surgido a raíz de la primera guerra europea, mostrándose de acuerdo con sus rasgos característicos. Para él, las notas esenciales del arte "nuevo" —opuesto en todo al del siglo XIX— residen en lo siguiente: 1.º, *"deshumanización"*, es decir, abandono de lo humano, de lo anecdótico y sentimental; 2.º, tendencia hacia la *estilización* deformadora y a huir de la realidad y de las "formas vivas"; 3.º, ausencia de "tesis" y visión del quehacer estético como un *puro juego* sin trascendencia; 4.º, antipopularismo u orientación hacia *un arte de minorías,* "de aristocracia instintiva". Si "España invertebrada" relacionaba a Ortega con el 98, el elogio de las nuevas tendencias le pone en contacto con el arte de entre-guerras. Ha de advertirse, no obstante, que en años posteriores reaccionó contra su entusiasmo inicial por el arte "deshumanizado".

Otros ensayos de estética y crítica literaria son *Espíritu de la letra* (1927), los estudios sobre *Baroja y Azorín* en "El Espectador", *Papeles sobre Velázquez y Goya* (1950), *Idea del teatro* (1958), etc.

El estilo. — Dos cualidades esenciales avaloran la prosa de Ortega: *claridad y belleza.* A ambas cosas contribuye el uso constante y acertadísimo de la *metáfora,* utilizada no sólo como ornato literario, sino como recurso para facilitar la comprensión de una idea. Gracias a ella, su estilo —que anuncia en este sentido el de la generación poética del "27"— adquiere *una brillantez decorativa algo barroca* y hasta los más difíciles conceptos filosóficos resultan asequibles al lector no especializado. Si a esto se añade *la pulcra elegancia de la dicción* y la fina matización de cada frase, se tendrá una de las claves del gran éxito de sus libros.

Valor de la obra. — La extensa producción de Ortega y Gasset —firmemente anclada en las corrientes del pensamiento europeo de su época— ha suscitado fervorosos entusiasmos pero también los reparos de quienes han visto en ella un sutil aunque a menudo gratuito escarceo intelectual, o bien un altivo elitismo, desdeñoso hacia todo lo que no estuviera marcado por el signo de "lo selecto". No obstante, y al margen de la adhesión o rechazo que en ciertos aspectos aún puede provocar, siempre habrá que ver en Ortega al más ágil y agudo pensador español del siglo XX, a uno de nuestros más brillantes prosistas y al hombre que supo renovar más profundamente el panorama ideológico del país, haciendo llegar a él las más importantes novedades del pensamiento europeo de su tiempo.

Eugenio D'Ors

Como Ortega, Eugenio D'Ors (Barcelona, 1882-1954) dedicó gran parte de su actividad a difundir en España las corrientes esenciales del arte, de la literatura y de la filosofía europea y, como los de aquél, sus ensayos revelan también *una despierta curiosidad por los productos culturales del siglo XX*. Pero así como en Ortega predominan las cuestiones filosóficas, D'Ors dedicará preferentemente su atención a los temas de estética, sobre todo a la pintura, aunque en los últimos años su pensamiento filosófico haya dado origen a varios libros —*El secreto de la filosofía*, 1947—.

Las ideas. — El núcleo fundamental del pensamiento de Eugenio D'Ors es su *afán de clasicismo, de norma*. Enemigo acérrimo de todo cuanto sea confusión y desorden, su obra presenta *una insistente afirmación de la claridad y de la armonía*. Frente a inquietud y desbordamiento sentimental, opone constantemente razón y equilibrio, frente al caos, la estructura. De ahí su crítica del espíritu romántico del XIX y concretamente del "fin del siglo", contra los cuales exalta los nuevos valores del XX, o de lo que él llama "novecentismo".

Un ansia de universalidad le lleva también a huir de lo particular o a encuadrarlo en un vasto sistema general. Tal sentido tiene su frase de que hay que *"sacrificar la anécdota en el ara de la categoría"*. Por este camino ha llegado a ordenar la historia de la cultura según una serie de "constantes" o actitudes espirituales que nos explicarían la razón de su desenvolvimiento; así, la "constante " del barroco, que al resurgir en el siglo XIX produciría el movimiento romántico.

Las obras. – Eugenio D'Ors inició su carrera literaria en catalán, con el seudónimo de "Xènius". A esta primera etapa corresponden *La Ben Plantada* (1912), cuya protagonista puede simbolizar el espíritu equilibrado y armónico de Cataluña, y el *Glossari* (1906).

La producción posterior en castellano abarca los más variados temas. Ejemplo de su curiosidad polifacética son su *Glosario* (1906-1920) y su *Nuevo* (1921) y *Novísimo Glosario* (1947), compuestos por "glosas" o comentarios breves sobre literatura, arte, política, que, publicados primero en la prensa diaria, fueron luego recogidos en volúmenes. Como dice un crítico contemporáneo, las glosas aspiran a "descubrir en lo frívolo, en lo pasajero, en lo fugaz, la partícula de eternidad que contienen". D'Ors ha escrito también una extensa serie de libros entre los que predominan los de crítica de arte: *Tres horas en el Museo del Prado* (1923), *Cézanne* (1924), *Lo Barroco,* etc.

Todos estos trabajos revelan un espíritu atento a los más sutiles matices del arte y del pensamiento actual y un profundo conocimiento de la cultura europea. El estilo, *algo retorcido y conceptuoso,* tiene un aire barroco que contrasta paradójicamente con su afán de clasicismo.

Gregorio Marañón (1887-1960)

Fue otro de nuestros más brillantes ensayistas y una de las figuras cumbres de la medicina española. Sus primeras obras se refieren a temas científicos relacionados con su profesión –*Tres ensayos sobre la vida sexual,* 1926–. Más tarde derivó hacia la

historia, aunque sin abandonar su punto de vista médico. Muy sugestivos y originales son sus documentados y extensos estudios sobre *Enrique IV de Castilla* (1934), *El Conde-Duque de Olivares* (1936), *Tiberio, Antonio Pérez* (1947), etc. A ellos hay que añadir un ponderado libro sobre *Las ideas biológicas del P. Feijoo* (1934). Entre sus ensayos breves –*Vocación y ética* (1935), *Vida e historia* (1940). *Ensayos liberales* (1946)– destacan los dedicados a la leyenda de *Don Juan (1940);* muy curiosa es su interpretación médica de este personaje literario al que considera como un tipo de hombre poco viril, en

Eugenio D'Ors.

Gregorio Marañón.

contra de la opinión popular que ha visto siempre en él un símbolo de la masculinidad.

Las ideas de Marañón son las de un liberal que confía en el futuro y en el progreso de la Humanidad; como comenta cierto crítico, "es de los que creen que la vida es mejor cada día y que hay que decírselo a las gentes". Pero su liberalismo optimista no le impide ver la gravedad del momento actual ni señalar la urgencia de una vuelta al sentido del "deber" que compense la excesiva exaltación de los "derechos".

El estilo, claro, sencillo y elegante, contribuye de un modo notable a aumentar el atractivo de los libros del Dr. Marañón que, como Ortega y D'Ors, contó con un alto prestigio europeo.

La erudición y la crítica literaria

Figura en primer término el grupo de eruditos que, reunidos en torno a Menéndez Pidal, ha colaborado en el "Centro de Estudios Históricos" y en la "Revista de Filología Española". Caracterízales el tono europeo de sus métodos de investigación, de acuerdo con las nuevas orientaciones de nuestro gran filólogo, y el rigor crítico de sus estudios sobre la lengua y la literatura nacionales. A casi todos ellos debemos volúmenes de la colección "Clásicos castellanos", que viene a ser una superación de la Biblioteca Rivadeneyra de Autores Españoles.

Un lugar destacado dentro del grupo ocupa **Américo Castro** (1885-1972), autor de importantes trabajos filológicos y notables estudios sobre nuestro Siglo de Oro. Entre sus libros sobresalen *El pensamiento de Cervantes* (1925) y el más reciente *La realidad histórica de España* (1954), donde, mediante un penetrante y entusiasta análisis de nuestra Edad Media —como confluencia de formas de vida islámica, judía y cristiana— consigue una de las más valiosas aportaciones al conocimiento del alma y de la cultura españolas, en la que ve más voluntad que reflexión, más fe o creencia que pensamiento racional, y un manifiesto desinterés por la producción de "cosas" objetivas: técnica, ideas, instituciones... Según él, el español se cerró siempre "contra el intento de escindir el vivir integral entre un sujeto que conoce y hace y un objeto o un hecho que se objetivan y escapan al círculo del hombre totalizado en su creencia".

Américo Castro es uno de los más ágiles y documentados historiadores de la literatura española, aunque su apasionamiento intelectual le haya llevado a veces a defender arriesgadas opiniones.

A la escuela de Menéndez Pidal pertenecen también **Navarro Tomás,** el mejor especialista en fonética castellana, autor de un excelente tratado de *Métrica;* **Solalinde,** gran conocedor de la obra de Alfonso X; **Federico de Onís,** autor de una magnífica *Antología de poesía española e hispanoamericana* (1934) y de varios trabajos sobre Fray Luis y el Renacimiento; y **Gili y Gaya,** que ha dedicado su atención a la novela picaresca —Alemán, Espinel, el Buscón— y a la gramática —*Sintaxis española* (1943)—.

Otro sector de la erudición literaria lo ocupan aquellos que en una u otra forma vienen a seguir el ideario tradicional y los métodos de Menéndez y Pelayo. Entre ellos figura **A. González Palencia,** gran arabista y profundo conocedor de los clásicos españoles. Sus obras —*Literatura arábigo-española* (1928), *Historia de la literatura española* (última edición, 1949), en colaboración con **J. Hurtado,** etc.— tienen un gran valor erudito por su gran profusión de datos.

Otros nombres serían: **Armando Cotarelo,** que ha estudiado el teatro de Cervantes; **Miguel Artigas,** biógrafo de Menéndez y Pelayo y de Góngora; y **Sainz Rodríguez,** autor de trabajos sobre la mística castellana, Gallardo, la crítica.

Entre diversos eruditos de distinta filiación cabe citar a **Narciso Alonso Cortés,** de quien tenemos un amplio estudio sobre Zorrilla; **Montoliu,** excelente historiador de nuestra literatura; **Julio Casares,** autor de algunos trabajos de crítica literaria y de un *Diccionario ideológico de la lengua española,* y **Astrana Marín,** traductor de Shakespeare, editor de Quevedo y biógrafo de Lope.

La literatura contemporánea ha sido también objeto de estudio por parte de algunos críticos, cuya labor, desparramada por diarios y revistas, ha sido a veces recogida en libros. Es el caso de **Andrenio** (Eduardo Gómez de Baquero), escritor ponderado e independiente que nos ha dejado varios volúmenes de ensayos: *El Renacimiento de la novela en el siglo XIX* (1924), *De Gallardo a Unamuno* (1928), *Pen Club,* etc.

Consignemos asimismo los trabajos críticos de **Manuel Azaña** —*Plumas y palabras* (1930) y varios excelentes estudios sobre don Juan Valera—, **Díez Canedo** —*Conversaciones literarias* (1921), *Panorama del teatro español, Juan Ramón Jiménez en su obra* (1944)—, **Salaverría** —*Retratos y Nuevos retratos* (1930), sobre Galdós, el 98, Ramón, etc.— y **Salvador de Madariaga** (n. 1886), autor de unas *Semblanzas literarias contemporáneas,* de ensayos críticos —*Guía del lector del Quijote* (1926), *Shelley and Calderón* (1920)...— y obras históricas —*España* (1931), *Colón* (1940), *Hernán Cortés* (1941), *Bolívar* (1949), *El auge del Imperio español en América* (1955)...— que denotan su pensamiento humanista de tono liberal y su conocimiento de España, Inglaterra y Francia, en cuyas respectivas lenguas escribe indistintamente.

BIBLIOGRAFIA

ORTEGA Y GASSET

César Barja: *Ortega y Gasset*. En "Libros y autores contemporáneos", 1935.
J. Marías: *La filosofía española actual (Unamuno, Ortega, Morente, Zubiri)*, 1948.
M. Osorno: *La filosofía de Ortega y Gasset*, 1949.
J. Marías: *Ortega y tres antípodas*, 1949.
Núm. 85 de la revista *Indice*, 1955.
J. Marichal: *La singularidad estilística de Ortega*. En "La voluntad de estilo", 1957.
J. Ferrater Mora: *Ortega y Gasset*, 1957.
Charles Cascalès: *L'humanisme d'Ortega*, 1957.
J. L. L. Aranguren: *La ética de Ortega*, 1958.
P. Santiago Ramírez: *La filosofía de Ortega y Gasset*, 1959.
P. Laín Entralgo: *Por la integridad de España*. (Cinco ensayos en relación con *Ortega*.) En "Ejercicios de comprensión", 1959.
V. Gaos: *La filosofía de O. en sus mocedades*. En "Temas y problemas de literatura española", 1959.
E. Robert Curtius: *Ortega*. En "Ensayos críticos acerca de lit. europea", 1959.
J. Marías: *Ortega. Circunstancia y vocación*, 1960.
Guillermo de Torre: *Las ideas estéticas de Ortega*. En "El fiel de la balanza", 1961.
A. García Astrada: *El pensamiento de O. y G.* Buenos Aires, 1961.
J. H. Walgrave: *La filosofía de O. y G.* Ed. Rev. de Occidente, 1963.
J. P. Borel: *Introducción a O. y G.* Guadarrama, 1969.

OTRAS FIGURAS

J. L. L. Aranguren: *La filosofía de Eugenio D'Ors*, 1944.
Número 106 de la revista *Insula*. Varios artículos sobre *E. D'Ors*, 1954.
E. Jardí: *Eugenio D'Ors*. Barcelona, 1967.

A. Juderías: *Idearium de G. Marañón*, 1960.
Núms. 164-165 (julio-agosto) de la revista *Insula*, dedicados a Marañón, 1960.
L. Granjel: *Gregorio Marañón. Su vida y su obra*. Ed. Guadarrama. Madrid, 1960.
E. Barco Teruel: *Elogio y nostalgia de Marañón*, 1961.

J. Marichal: *La unidad vital del pensamiento de A. Castro y su significación historiográfica*. En "La voluntad de estilo", 1957.
Guillermo Anaya: *Evolución del pensamiento histórico de Américo Castro*. Cuadernos Taurus. 1969.
Estudios sobre la obra de Américo Castro. Dirección y prólogo de P. Laín Entralgo. Taurus, 1971.
A. del Río y J. M. Bernardete: *El concepto contemporáneo de España*, 1946. (Antología, con estudios y bibliografía, de *Ortega, D'Ors, A. Castro, Navarro Tomás, Onís, Azaña, Díaz Canedo, Salaverría, Madariaga* y otros.)
E. de Zuleta: *Historia de la crítica española contemporánea*. Ed. Gredos, 1966.

Véase, además, la bibliografía general sobre el siglo XX.

la novela. las ideas de ayala, el arte de miró y el ingenio de ramón

75

La novela de la segunda generación

Agrupamos en el presente capítulo varios novelistas, posteriores todos al 98, pero de varia significación. Ricardo León y Concha Espina representan aún —si bien con nuevos matices—, la continuación de la fórmula del realismo regional del siglo XIX (Valera, Pereda...); Ayala y Miró tienen su punto de partida en la generación de Baroja y Azorín; Fernández Flórez y, sobre todo, Ramón Gómez de la Serna, señalan nuevos avances en el terreno del humor. Ahora bien, en las tres grandes figuras del momento obsérvase idéntica tendencia a la estilización antirrealista: conceptual en Ayala, metafórica en Miró, humorística en Ramón.

Ricardo León

Ricardo León (1877-1943) recuerda, como acabamos de decir, a los novelistas del realismo: el ambiente andaluz de sus obras y su prosa castiza y académica hacen pensar a veces en Valera. Pero el escepticismo liberal del autor de "Pepita Jiménez" se halla sustituido aquí por *un fervor tradicionalista que exalta con empaque arcaizante y amanerada retórica el espíritu del Siglo de Oro.* Sin embargo, junto al afán romántico de reconstruir poéticamente gloriosas épocas pretéritas, se dan a veces melancolías e inquietudes de signo moderno que le relacionan con el modernismo y hasta con la generación del 98.

Los primeros relatos —por ejemplo, *Casta de Hidalgos,* 1908—, donde en ocasiones se evocan con nostalgia las viejas tradiciones de la España imperial y católica, se hallan nimbados de un halo poético; los posteriores, cada vez menos interesantes, tienen una orientación de carácter político social. En conjunto, su producción, llena de *énfasis oratorio,* se halla muy lejos de la actual sensibilidad.

Concha Espina

Aunque muy distinta de la de Ricardo León, la obra de Concha Espina (Santander, 1877-1955), algo ajena a las innovaciones estilísticas o a las preocupaciones ideológicas

Ramón Pérez de Ayala.

de nuestra época, puede considerarse también como una derivación de la novela realista del siglo XIX; no obstante, hay en ella cualidades que la separan de ésta, dándole un sello personal: *el cuidado del lenguaje,* lleno de color y de matices poéticos, *el tono apasionado de la narración o el amargo pesimismo* que se trasluce en algunos relatos. Así lo vemos en una de sus mejores novelas, *La Esfinge Maragata* (1914), vigoroso cuadro de costumbres rurales al que sirve de eje la historia de una joven que, sacrificándose, acaba por aceptar un matrimonio sin amor.

Ramón Pérez de Ayala

R. Pérez de Ayala (1881-1962) nació y estudió en Oviedo, siendo discípulo de "Clarín", para dedicarse luego a la literatura. Residió varios años en Inglaterra como Embajador de España. Lo local asturiano y los motivos españoles ocupan un lugar importante en su obra y la relacionan con el 98, pero su tendencia a lo extranjero y a lo universal representan una novedad típica de su época. Aunque ha cultivado la lírica, el ensayo y la novela, mostrando en los tres géneros una notable inclinación hacia la reflexión intelectual, su producción le acredita ante todo como el mejor novelista de la segunda generación.

La lírica. – Como lírico nos ha dejado tres libros de fondo simbólico –*La paz del sendero* (1903), *El sendero innumerable* (1916) y *El sendero andante* (1921)–, alusivos a la tierra, al mar y al río. El primero, francamente modernista, ofrece en su visión de lo rural asturiano un cierto neoprimitivismo que se complace en subrayar la emoción de las cosas humanas. Así se advierte en este tetrástrofo monorrimo donde es clara la huella de Berceo:

> Con sayal de amarguras, de la vida romero,
> topé, tras luenga andanza, con la paz del sendero.
> Fenecía de día el resplandor postrero.
> En la cima de un álamo sollozaba un jilguero...

Los otros dos libros, más ricos en contenido conceptual y simbólico, revelan "una poesía muy suya, intelectual, humorística..., llena de novedades de fondo y de forma que significan la rotura de los moldes del modernismo y el avance decidido hacia una nueva poesía post-modernista" (Onís).

La novela. – La producción novelística de Ayala presenta entre sus rasgos más característicos esa *abundancia del elemento intelectual* que señalábamos más arriba. En sus últimas novelas, los personajes, aunque dotados de auténtica humanidad, vienen a encarnar con sentido simbólico conceptos e ideas del novelista; pero además, en todos los relatos, la acción se detiene con frecuencia para dejar paso a reflexiones o diálogos a través de los cuales expone el autor su visión del arte y de las cosas.

En este sentido, vemos expresada repetidas veces una idea que sirve de base a toda su obra: la de *la justificación de cualquier actitud que esté de acuerdo con la íntima naturaleza del que la adopta,* dando así razón, para decirlo con una imagen clásica, al lobo y al cordero.

> El artista verdadero abriga en su mente y escucha en su magno corazón gérmenes y ecos de la tragedia universal. Y el espíritu trágico no es sino clara *comprensión* de todo lo creado, y la *justificación* cordial de todo lo que existe. Para el espíritu trágico no hay malo nacido del libre arbitrio, sino desgracias, acciones calamitosas... De esta suerte el conflicto de la tragedia, como el de la vida, es un conflicto de bondad con bondad y rectitud contra rectitud, conflagración de actos opuestos y justos; justos porque tienen una razón suficiente. Y de aquí viene esa gravitación cósmica, sidérea, que oprime el pecho del espectador de una buena tragedia... Contrariamente, el espíritu melodramático inventa el mal libre, urde conflictos entre buenos y malos y, por último, engendra el sentimentalismo.

Esta manera de ver las cosas concuerda con dos rasgos muy típicos de Ayala: el sentido de la tolerancia y el del humor. *Tolerancia* como resultado de su deseo de equidad ante todo lo humano; *humor* como forma personal de expresión de su sentimiento, en el fondo trágico, de la vida. En relación con todo esto hay que señalar otra facultad de primer orden: la de calar hasta el fondo del alma de los personajes, para comprender así su íntima razón de ser. Gracias a ello, las novelas de Ayala tienen también *un gran interés psicológico;* consignemos, por último, *la intención docente* que anima a muchas de sus obras, y su *alto valor estilístico.*

Las novelas de la primera época —entre las que destaca *Troteras y danzaderas* (1913), coloreada visión de la bohemia literaria madrileña de comienzos de siglo —son relatos *cercanos aún al realismo costumbrista* y cuya sátira pesimista y agria revela el entronque con la generación del 98. Adviértese ya el gusto por la reflexión ideológica que habrá de mantener en la producción posterior, pero también ciertos elementos —rasgos autobiográficos, humor amargo...— que el autor eliminará más tarde.

La segunda época marca *un avance hacia lo simbólico y abstracto.* Los personajes dejan de ser individuos concretos y adquieren una mayor trascendencia. Trátase aquí de figuras estilizadas que a pesar de su significación arquetípica encierran una honda verdad humana. Así lo vemos en sus mejores novelas: *Belarmino y Apolonio* (1921) —dos zapateros que encarnan, respectivamente, la visión filosófica y dramática del mundo—, y *Tigre Juan* (1926), con su continuación *El curandero de su honra* (1928), donde se contraponen el amor sano y digno, representado por el protagonista, y el donjuanesco y afeminado. En la segunda parte, Tigre Juan resuelve de forma humana un conflicto de honor conyugal, superando actitudes calderonianas. Tras las novelas citadas, la producción novelística de Ayala quedó interrumpida.

Otros títulos de la primera época son: *Tinieblas en las cumbres* (1907), *A.M.D.G.* (1910) y *La pata de la raposa* (1912). A la segunda época corresponden *Luna de miel, luna de hiel, Los trabajos de Urbano y Simona* (1923), etc. Ayala ha cultivado también la narración breve en sus tres espléndidas novelas poemáticas: *Prometeo, Luz de domingo* y *La caída de los Limones* (1916).

Los ensayos. – Los más importantes se hallan reunidos en los dos volúmenes de *Las Máscaras* (1917-19), donde analiza con extraordinaria agudeza y humor desenfadado y agresivo la producción teatral del siglo. El ataque a fondo dirigido contra el teatro de Benavente y Villaespesa y el elogio incondicional del de Galdós, Arniches y los Quintero, son ejemplo de su independencia de criterio así como de su clara intuición de los valores estéticos, a pesar del tono exagerado de los juicios.

El estilo. – La obra de Ayala sobresale por su gran valor estilístico. Su prosa, riquísima de léxico, ofrece un *elegante empaque académico* y un *retorcimiento conceptista* que no impide la presencia de la *frase viva y jugosa* tomada del habla popular. Es un estilo trabajado, denso y lleno de matices, que se presta maravillosamente al juego intelectual de ideas y al humor.

Pues Ayala es un gran humorista, cuya visión tragicómica del mundo se expresa en un lenguaje donde alternan la emoción lírica con la ironía mordaz, la nota amarga y malintencionada con la sonrisa inteligente y comprensiva de un gran conocedor de las debilidades humanas. Enormemente vario, pero con un predominio del *rasgo conceptual* y del *humor incisivo,* el autor de "Tigre Juan" es una de las primeras figuras de la literatura española del siglo XX.

Gabriel Miró

Nace en Alicante (1879), estudia en Orihuela y en Valencia y tras unos años de estancia en Barcelona, marcha a Madrid, donde muere en 1930. Su vida, recogida, íntima, sin pompas oficiales y no falta de estrecheces económicas, fue la de un gran escritor dedicado íntegramente y con fervoroso entusiasmo a su arte. De temperamento melancólico y aguda, casi morbosa, sensibilidad, nos ha dejado unos pocos libros de luminoso estilo y acendrada belleza sobre los que flota siempre un vaho de tristeza invencible.

La técnica descriptiva y el paisaje. — Muy lejos de los hondos análisis de Unamuno, de la acción dinámica de Baroja o de la reflexión intelectual de Ayala, las novelas de Miró tienen su eje en el elemento descriptivo, pues, como "Azorín" —del que tantas cosas le separan—, *es un contemplativo con una rara sensibilidad para los valores sensoriales.* Nadie como él en el siglo XX ha sabido percibir tan intensamente ni expresar con tanta exactitud el mundo de las sensaciones. En su obra hallamos maravillosamente captados no sólo el color y la luz, sino el olor y hasta el sabor de las cosas; en este sentido, cada párrafo nos ofrece un rico conjunto donde lo sensorial está sugerido en todos sus aspectos:

Dulcerías, jardines, incienso, campanas, órgano, silencio, trueno de molinos y de río; ... tierra húmeda y caliente...; riesgos y ruiseñores; nubes de gloria...

Por todo ello, sus novelas no son en el fondo más que una yuxtaposición de escenas donde *la descripción del paisaje constituye el elemento decisivo,* gracias a lo cual el de *Alicante,* al que "Azorín" había dedicado ya primorosas páginas, entra definitivamente en nuestra literatura con toda su luminosidad y fragancia. Tan íntimamente siente nuestro autor la belleza de su tierra, que incluso cuando nos habla de los lugares de la Pasión se limita a proyectar sobre ellos su visión del paisaje alicantino.

El elemento emotivo. — Miró tiene, como decíamos, una extraordinaria capacidad para percibir los valores sensoriales y transformarlos luego en materia estética; pero su atención no se detiene en lo externo; movido por un sentimiento de honda simpatía por las cosas, se acerca a ellas con amor y *las humaniza* transfiriéndoles su propia emoción; por eso ha dicho con acierto Pedro Salinas que su paisaje es ante todo "un paisaje profundamente humano... Los caminos andan, las aguas sueñan y un enorme soplo barroco, un soplo de voluntad y de vida estremece todas las líneas de la Naturaleza".

No obstante, la *gozosa complacencia sensual* ante el paisaje, que tan frecuentemente manifiestan sus páginas, no impide la presencia de una profunda *tristeza* que aflora a cada instante prestando a su obra un tono de dolorida y punzante melancolía. Tristeza y sensualidad, he aquí dos notas que —alternativa o íntimamente unidas— constituyen la base emotiva de los libros de Miró.

El estilo. — Desde el punto de vista estilístico, la producción de Gabriel Miró es realmente prodigiosa y no halla par —por lo menos en la expresión de la *belleza sensorial*— en toda la literatura española. Su prosa, *pulcra, nítida, cuidadosamente elaborada,* reúne tal cantidad de materia estética que *alcanza casi el valor de auténtica poesía lírica.* A ello contribuyen de un modo eficaz las abundantes *metáforas* y asociaciones sinestésicas que esmaltan cada página iluminándolas con el brillo de sus exquisitas imágenes:

Gabriel Miró.

"La mies estaba alta, apretada y comenzaba a cuajarse. Salían del verde oleaje las alondras y daban su cántiga como si soltasen del pico un grano de oro que revibraba en el cristal azul de los cielos..."

"Dulces y olorosas, como la piel regañada de los higos y ciruelas y rubias como la parva son las mañanas y las tardes... Y, por la noche, el cielo es una espada inmensa, desnuda, corva, limpia de joyas..."

"En la torres vibraron, plenas, clarísimas, las trompas de las atalayas, y el sonido, frío, luminoso, parecía abrir el azul y alejárse como una bandada de aves..."

"El Requiem vibra como un himno de consagración; y hasta el pobre órgano, de resuello cansado, se esfuerza hoy en exclamaciones tan juveniles, tan claras, que parece pasar el sol por todos los caños como a través de una vidriera de colores..."

El estilo de Miró, como el de "Azorín", es un estilo *lento, moroso,* que se detiene complacidamente en el detalle para subrayar su valor poético. Pero así como éste se reduce a apuntar finamente la línea o el color con una limitada gama de matices, Miró crea *una prosa densa, recargada de perfumes y de luces,* en la que todos los sentidos hallan un penetrante halago. El léxico, rico y jugoso, y la adjetivación, originalísima, señalan también en él a uno de los supremos artífices del idioma.

Las obras. — La producción de Miró se halla integrada por relatos en los que la acción novelesca es casi un pretexto para la descripción de diversos ambientes. Lo mismo ocurre con los personajes: o bien se trata del mismo autor o bien se reducen a un elemento más dentro del paisaje descrito.

El Libro de Sigüenza (1917) y *Años y leguas* (1928) son dos series de narraciones breves basadas en impresiones y recuerdos de tipo autobiográfico. El paisaje alicantino —con su enorme variedad de matices que van desde los tonos rojos y grises de las tierras secas del interior hasta el azul intenso de la costa mediterránea— desempeña un papel importantísimo en estos dos libros cuyo protagonista es trasunto del propio Miró.

Nuestro Padre San Daniel (1921) y su continuación *El obispo leproso* (1925) constituyen una larga novela situada en Oleza (Orihuela), cuyas descripciones alcanzan también un valor estético muy superior a la intriga. Lo mismo sucede con su obra cumbre, *Figuras de la Pasión del Señor* (1916), colección de estampas bíblicas en las que se evoca emocionadamente y con extraordinario lujo de color el paisaje de Palestina. Hay que reconocer, no obstante, el gran interés de ciertas interpretaciones psicológicas: por ejemplo, el perfil humano de Judas, Pilato, Barrabás...

Véase el siguiente párrafo como ejemplo de la brillantez de todo el libro:

> Entre las vides y sembradura, entre los terrones de las almantas, en los claros de los algarrobos y de los almendros, crecen apretadamente y reventando de sucoso color, los gamones de oro, los iris morados, las escabiosas de matiz de fresa, los ranúnculos de púrpura...
>
> Se hincha un ribazo, azulea la calina de un rastrojo; sube una senda, una palma, la bóveda de un sepulcro. Y Nazareth, blanco, vivo, luminoso, asomándose, escondiéndose en un tumulto de tierras frescas, grises, violetas, encarnadas, de árboles y mieses, de pitas, de lirios, de anemonas. A lo último, un monte dorado; y en el remanso de la cuesta, la sinagoga, con sus dos pilastras encaladas que cortan el retamar florido...”

Prescindiendo de sus obras primerizas cabe citar también *Las cerezas del cementerio* (1910), *Niño y grande, El abuelo del rey, El humo dormido* (1919) y *El ángel, el molino, el caracol del faro.*

Wenceslao Fernández Flórez

Nacido en Galicia († 1964), ha cultivado el periodismo y la novela. En sus primeros relatos —*Volvoreta*, 1917— se advierte ya una nota de lirismo gallego con un fondo amargo que anuncia el pesimismo de los libros posteriores. Pero la nota que mejor le caracteriza es el *humorismo escéptico y negativo* que impregna su obra prestándole un fondo corrosivo.

Así lo vemos en *Las siete columnas* (1926), de tesis atrevida. Otras novelas, donde no falta nunca la sátira social unida al rasgo caricaturesco y al ingenio vivaz, son: *Los que no fuimos a la guerra,* sobre el ambiente español de la guerra del 14, *El malvado Carabel* (1931), historia tragicómica de un infeliz, *Fantasmas,* etc.

Menos ambiciosos que las novelas, pero quizá más conseguidos, son los artículos periodísticos y las narraciones breves de *El espejo irónico, Las gafas del diablo* (1918), y *Visiones de neurastenia* (1924). El estilo —donde se funde la ironía mordaz con *la deformación de intención puramente cómica*— tiene una gran originalidad.

Ramón Gómez de la Serna

De entre las figuras de su generación, Gómez de la Serna, o simplemente “Ramón” (Madrid, 1891-1963), es *el que se halla más cerca del arte, llamado “de vanguardia”, posterior a la primera guerra europea.* Así lo acreditan su concepto del arte como puro juego, la audacia de sus recursos expresivos y el tono de su obra, donde lo racional queda substituido por lo intuitivo y la realidad habitual por un mundo en el que domina lo incoherente y arbitrario.

Su ingenio desbordante le ha llevado a cultivar la novela, el teatro, la crítica..., pero —desde 1910— su creación más original y que le ha dado más fama ha sido la *greguería*. He aquí cómo la define el propio autor:

> "La greguería es lo más casual del pensamiento"; "lo que gritan los seres confusamente desde su inconsciencia, lo que gritan las cosas"; "la greguería no consiste más que en un matiz entre los matices"; o en "el atrevimiento a definir lo indefinible o a capturar lo pasajero". La greguería, en fin, "es lo único que no nos pone tristes, cabezones, pesarosos y tumefactos al escribirla porque su autor juega mientras la compone y tira su cabeza a lo alto, y después la recoge..."

En el fondo, la greguería viene a ser *una asociación ingeniosa de ideas* que unas veces nos hace pensar en la metáfora y otras en el concepto; de ahí su aire barroco. En ocasiones se acerca a la imagen lírica, pero lo más frecuente es *la cabriola irónica*, la observación irracional o caprichosa, la divertida y sutil ocurrencia provocada por cualquier detalle insignificante, ya que como dice Ramón "las cosas pequeñas tienen

Ramón Gómez de la Serna, gran introductor de vanguardismos, presidiendo la tertulia en el café madrileño de Pombo. Cuadro de Solana.

valor de cosas grandes y merecen la fijeza del escritor". Una sola cosa debe evitar lá greguería —y el arte—: lo serio y trascendental; "las cosas apelmazadas y trascendentales deben desaparecer, comprendida entre ellas la Máxima... A la Máxima es a lo que menos se quiere parecer la Greguería". Todavía podrían señalarse otros rasgos: su sentido estilizador de la realidad, el aspirar a ser una explicación ingenua, infantil, de las cosas, su tono juguetón, optimista, a pesar de que, como apunta un crítico, quizá sea "tan sólo una terrible forma evasiva del dolor". He aquí unos ejemplos:

> "El acordeonista hace a veces el gesto súbito y arrebatado de aquel a quien se le cae una pila de libros." "El rayo es una especie de sacacorchos encolerizado." "El cocodrilo es un zapato desclavado." "Lo primero que brota en primavera son las cartas de declaración." "Las conchas de las playas son los restos de los arroces que se come Neptuno." "¡Qué gesto como de acordarse de alguien, de no sabe quién, pone el que saborea una copa de licor!" "Donde uno comienza a volverse loco es en casa del fotógrafo mirando fijamente y sonriendo a donde no hay por qué mirar ni sonreír."

Aparte de la greguería —*Greguerías* (1918)—, que en realidad asoma en todos sus libros, Gómez de la Serna, cuya fecundidad literaria llega a lo inverosímil, ha cultivado también la novela —*El torero Caracho* (1926), *Seis falsas novelas*, rusa, china, tártara, negra, alemana, norteamericana—, la biografía —*Azorín, Valle-Inclán, Retratos contemporáneos* (1942)—, la crítica de arte —*Ismos*, sobre las tendencias artísticas del siglo XX—, el teatro —*Los medios seres*—, la autobiografía —*Automoribundia* (1948)—, etc.

Pintoresco hasta en su actuación pública —daba conferencias subido en un trapecio, en un elefante...—, de ingenio inagotable, agudo e inteligente siempre, Ramón, cuyo influjo sobre la generación siguiente fue considerable, es uno de los escritores del siglo XX más apreciados en el extranjero.

BIBLIOGRAFIA

RICARDO LEON

J. Casares: *Crítica profana*, 1916.
M. Fernández Almagro: *La sombra de Ricardo León*. En "En torno al 98", 1948.
E. G. de Nora: *La novela española contemporánea*, 1958.

CONCHA ESPINA

R. Cansinos Asséns: *La nueva literatura*, 1924.
J. Boussagol: *Mme. Concha Espina*, 1925.
J. de la Maza: *Vida de mi madre Concha Espina*, 1957.
E. G. de Nora; *La novela española contemporánea*, 1958.

R. PEREZ DE AYALA

R. Cansinos Asséns: *La nueva literatura*, IV, 1917.
"Andrenio": *Las novelas de Pérez de Ayala*. En "Novelas y novelistas", 1918.
Francisco Agustín: *Ramón Pérez de Ayala*, 1927.
J. A. Balseiro: *Ramón Pérez de Ayala*. En "El Vigía", II, 1928.
César Barja: *R. Pérez de Ayala*. En "Libros y autores contemporáneos", 1935.
C. Clavería: *Cinco estudios de literatura española moderna*, 1948.
E. G. de Nora: *La novela española contemporánea*, 1958.
E. R. Curtius: *R. Pérez de Ayala*. En "Ensayos críticos acerca de literatura europea", II, 1959.
N. Urrutia: *De Troteras a Tigre Juan*, 1960.
M. Baquero Goyanes: *Contraste y perspectivismo en R. P. de Ayala*. En "Perspectivismo y contraste", 1963.
A. Amorós: *La novela intelectual de R. P. de A*. Madrid, Castalia, 1973.

GABRIEL MIRO

A. Lizón: *G. Miró y los de su tiempo*, 1927.
J. Ortega y Gasset: *El obispo leproso, por G. Miró*. En "El espíritu de la letra", 1927.
La Gaceta Literaria núm. 107, 1931. Homenaje a G. Miró.
J. Gil Albert: *Gabriel Miró. El escritor y el hombre*, 1931.
R. Baeza: *G. Miró prosista*. En "Comprensión de Dostoyevski...", 1935.
V. Ramos: *Vida y obra de G. Miró*, 1935.
D. Pérez Minik: *Otra vez Gabriel Miró*. En "Novelistas españoles de los siglos XIX y XX", 1953.
M. Baquero Goyanes: *La prosa neomodernista de G. M.* en "Prosistas españoles contemporáneos". Madrid, 1956.
Eugenio G. de Nora: *La novela española contemporánea*, 1958.
L. Sánchez Gimeno: *Gabriel Miró y su obra*, 1960.
Jorge Guillén: *Gabriel Miró*. En "Lenguaje y poesía", 1962.
V. Ramos: *El mundo de Gabriel Miró*. Ed. Gredos. Madrid, 1964.

FERNANDEZ FLOREZ

R. Cansinos Asséns: *La nueva literatura*, IV, 1925.
Eugenio G. de Nora: *La novela española contemporánea*, 1962.

RAMON GOMEZ DE LA SERNA

José M.ª Salaverría: *Ramón Gómez de la Serna y el vanguardismo*. En "Nuevos retratos", 1939.
M. Pérez Ferrero: *Vida de Ramón*, 1935.
Pedro Salinas: *Escorzo de Ramón*. En "Literatura española. Siglo XX", 1949.
L. Cernuda: *R. Gómez de la Serna y la generación del 25*. En "Estudios sobre poesía española contemporánea", 1957.
E. G. de Nora: *La novela española contemporánea*, 1962.
L. S. Granjel: *Retrato de Ramón*, 1963.
Revista *Insula*. Número 196. Marzo de 1963. Dedicado a *Ramón*.

Véase, además, bibliografía general sobre el siglo XX.

de la poesía moder- 76
nista a las nuevas tendencias.
juan ramón jiménez

El posmodernismo y el tránsito a la poesía actual

La segunda generación del siglo XX comprende las últimas derivaciones de la poesía modernista y el comienzo de nuevas tendencias que van a desembocar en la lírica de los años inmediatamente anteriores a la guerra civil. *1915 es la fecha que, aproximadamente,* separa las dos zonas indicadas.

Los poetas de este momento no tienen la importancia de los de la generación anterior, a la que también corresponde Juan Ramón Jiménez, estudiado en este capítulo por cumplirse en la segunda década del siglo su evolución desde el modernismo a un nuevo concepto de la poesía.

Juan Ramón Jiménez

Datos biográficos. – Juan Ramón Jiménez nace en Moguer (Huelva) en 1881. A los diecinueve años marcha a Madrid. Crisis nerviosas, que no le abandonarán ya, le obligan a permanecer en sanatorios de la capital y del sur de Francia. Entre 1905 y 1911 reside de nuevo en Moguer y más tarde se instala otra vez en Madrid, donde vivirá veinticinco años. En 1916 se casa con Zenobia Camprubí, tras un viaje a los Estados Unidos. Al estallar la guerra civil marcha a América. En 1956 se le concede el Premio Nobel y muere en Puerto Rico en 1958.

El primer estilo. – Los primeros libros de Juan Ramón Jiménez señalan ya una inspiración *modernista*. Pero en esta época —que se extiende desde el primer año del siglo hasta 1915— hay que distinguir *dos fases.*

La primera se caracteriza por el predominio de la musicalidad tenue, los colores esfumados y el sentimentalismo nostálgico. El poeta se incorpora al modernismo, pero deja de lado los aspectos más fastuosos, brillantes y sonoros para recoger tan sólo la nota crepuscular y melancólica. Su poesía es ahora delicada, íntima, los metros sencillos —octosílabo, romance...— y la emoción refinada y doliente. Un vago neorromanticismo, aliado al influjo simbolista, impregna estos versos en los que el poeta sitúa sus ensueños en un ambiente de jardines brumosos y pálidos atardeceres. Los mismos títulos de los libros —*Arias tristes* [1903], *Jardines lejanos* [1904] [1] — dan idea del contenido.

NOCTURNO

... Está desierto el jardín.
las avenidas se alargan
entre la incierta penumbra
de la arboleda lejana...

—... Y en la onda transparente
del cenit verdoso, vagan
misticismos de suspiros
y perfumes de plegarias—.

... ¡Qué triste es amarlo todo,
sin saber lo que se ama! ...
... Ha entrado la noche. El aire
trae un perfume de acacias...

Otros libros posteriores —*Pastorales* [1905], *Baladas de primavera* [1907]— revelan un acercamiento a la realidad campesina, a la manera fresca y directa de un Francis Jammes, como observa G. Díaz Plaja.

La segunda fase del primer estilo, hacia 1908 —*Elejías* [1908], La Soledad *sonora* [1908], *Laberinto* [1911]...— significa *la unión de lo lánguido a lo apasionado o juvenil, el enriquecimiento de la expresión con nuevos ritmos de arte mayor* —alejandrinos, endecasílabos— y la aparición de *una brillante gama de colores*. Así lo vemos en *La Soledad sonora:*

El viento se ha llevado las nubes de tristeza;
el verdor del jardín es un fresco tesoro;
los pájaros han vuelto detrás de la belleza
y del ocaso claro surge un verjel de oro.
¡Inflámame, poniente: hazme perfume y llama;
— ¡que mi corazón sea igual que tú, poniente! —;
descubre en mí lo eterno, lo que arde, lo que ama,
...y el viento del olvido se lleve lo doliente!

El segundo estilo. — Con la publicación del *Diario de un poeta recién casado* [1916], Juan Ramón inicia una poesía más original en la que desaparecen los elementos decorativos modernistas para dejar paso a una expresión sobria y desnuda que elude toda vaguedad y aspira a la mayor concreción —"¡Inteligencia, dame — el nombre exacto de las cosas!"—. *Una progresiva eliminación de todo lo que no sea*

---

1. Damos entre corchetes la fecha en que fueron terminados los libros, según indica el propio Juan Ramón.

El poeta Juan Ramón Jiménez.

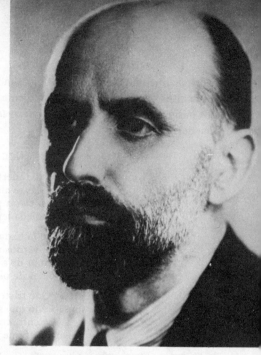

esencia poética le hace prescindir del color, de la música y de la anécdota en estos versos donde la realidad exterior, bellamente estilizada —árbol, luz, pájaro, agua...— no existe por sí misma, sino como simple imagen del mundo interior. *El color se ha hecho luz, la música melodía íntima y los vagos anhelos de otros tiempos, afán concreto de plenitud espiritual y estética.* Juan Ramón, liquidando la etapa modernista, ha hallado definitivamente su camino, y toda su producción posterior —*Eternidades* [1917], *Piedra y cielo* [1918], *Belleza* [1923]... ya no serán más que un constante perfeccionamiento de su nuevo estilo.

LAS PALOMAS

Alrededor de la copa
del árbol alto
mis sueños están volando.

Son palomas coronadas
de luces únicas,
que al volar derraman música.

¡Cómo entran, cómo salen
del árbol solo!
¡Cómo me enredan en oro!

LA NOCHE

El dormir es como un puente
que va del hoy al mañana.
Por debajo, como un sueño,
pasa el agua, pasa el alma.

EL RITMO

Tira la piedra de hoy,
olvida y duerme. Si es luz,
mañana la encontrarás
ante la aurora hecha sol.

Entre sus últimos libros, publicados en América, destacan *La estación total* [1923-1936] (1946), en el que su última manera alcanza cimas de prodigiosa belleza, y *Animal de fondo* [1949], extraordinario intento de expresión de vivencias metafísicas, donde una actitud de panteísmo lírico le lleva a cantar gozosamente la fusión del "todo eterno", como él dice, con "el todo interno".

Valor y significación de su obra. — Una *ansia total de perfección* sería tal vez el rasgo que mejor definiría la actitud lírica de Juan Ramón Jiménez. Toda su obra se halla informada por un sentido aristocrático del arte que le hace rehuir lo fácil para llegar al logro de la más exquisita belleza. No obstante, nunca se propone

Platero. Dibujo de F. Marco.

deliberadamente la solución difícil, pues, para él, "la perfección, en arte, es la espontaneidad, la sencillez del espíritu cultivado". Junto a ello, cabría citar el *absoluto subjetivismo* de su poesía, expresión constante de su vida interior. Tendencia que va acentuándose hasta llegar a los últimos libros, donde la única realidad la constituye el mundo de sus experiencias íntimas.

En conjunto, la poesía de Juan Ramón, *tanto en la fase emotiva de los comienzos, como en la más intelectual y abstracta de última hora,* se nos ofrece como el resultado de una denodada búsqueda de belleza absoluta. El poeta, perpetuamente insatisfecho, pule y retoca sus versos con admirable y ascético rigor, depurándolos de todo cuanto no sea esencialmente lírico.

Pero en este supremo afán de arte se halla también la raíz de la *escasa densidad humana* de su obra, producto de un espíritu agudamente egocentrista. Los poemas de Juan Ramón —sobre todo los últimos— son un prodigio de limpidez y transparencia y cuentan entre lo más puro y exquisito de la poesía del siglo XX; no obstante, a veces echamos de menos en ellos aquella intensa vibración cordial, aquella sensación de vida cálida, profunda y plena que nos trasmiten los versos de un Unamuno o de un Antonio Machado.

Juan Ramón Jiménez ejerció una influencia decisiva en la generación anterior a 1936, de la que puede considerarse como punto de partida. Gracias a su delicada sensibilidad y a su perpetuo anhelo de perfección y de belleza, nuestra lírica pudo salvar el momento peligroso del agotamiento del modernismo y hallar el camino que la condujese a una nueva época de esplendor.

Réstanos aludir a su bella prosa poética, entre la que destaca el delicioso libro *Platero y yo* (1914), emocionada elegía a un borriquillo, escrita en un estilo musical, durante los años de su etapa modernista. Lirismo, ternura, comunión con la naturaleza son otras tantas notas de esta obra hoy célebre en todo el mundo. Igualmente en prosa se halla la colección de certeros retratos literarios titulada *Españoles de tres mundos* (1942), y *El Modernismo* (1963).

Los poetas posmodernistas

Paralelamente a la evolución de la lírica de Juan Ramón, se desarrolla la producción de varios poetas que sin apartarse demasiado de los cauces del modernismo acentúan alguna nota especial. *Tomás Morales y Enrique de Mesa* —cantores del mar atlántico y del campo castellano, respectivamente— son las figuras más importantes de este momento.

Tomás Morales, nacido en Gran Canaria (1885-1921), es el poeta del mar. Su estilo, brillante y sonoro, viene a ser un eco de la musical retórica de Rubén, en quien también hace pensar por el empleo de motivos mitológicos. No falta en él la emoción de lo cotidiano, pero la nota que mejor le caracteriza es la visión entusiasta del océano y el tono orquestal de sus versos. Su obra capital, *Las Rosas de Hércules* (1919), contiene una majestuosa "Oda al Atlántico", de la que procede la estrofa siguiente:

> Es una inmensa concha de vívidos fulgores...
> Incrustan sus costados marinos atributos
> —nautilus y medusas de nacaradas venas—
> y uncidos a su lanza, cuatro piafantes brutos
> con alas de pegasos y colas de sirenas...
> El agua que inundara los flancos andarines
> chorrea en cataratas por el pelo luciente.
> ¡Oh, cuán abiertamente
> se encabritan y emprenden la carrera, fogosos,
> los ijares enjutos, los belfos espumosos,
> al sentir en las ancas las puntas del tridente! ...

Enrique de Mesa (Madrid, 1878-1929) —autor de un *Cancionero castellano* (1911) y de *El silencio de la cartuja* (1918)— se inspira en los motivos aldeanos y el paisaje de Castilla. Su estilo revela, junto a la influencia modernista, la huella de la poesía tradicional que va desde Hita hasta Lope de Vega, lo cual, unido al tono grave de los versos, a su sencillez formal y al gusto por los temas castellanos, hace que su poesía recuerde a veces la de Antonio Machado.

Los siguientes versos ilustran un aspecto típico de su obra:

> Sol de mediodía. Castilla se abrasa.
> Tierra monda y llana: ni agua ni verdor,
> ni sombra de chopo, ni amparo de casa.
> El camino blanco. Ciega el resplandor...
> Lejana se pierde la tierra desnuda,
> con hierro amasada, con sangre y con llanto.
> El silencio vibra, y en la tierra muda,
> ni un árbol, ni un hombre, ni un humo, ni un canto...

El paso hacia las nuevas tendencias

Márcanlo —junto a Juan Ramón— una serie de poetas en quienes, todavía más o menos visible la influencia modernista, se da el deseo de hallar nuevos rumbos, huyendo de una fórmula que consideran gastada. En general, *lo que se trata de evitar es la nota sentimental, o el predominio del color y de la música,* para lo cual *orientan la poesía hacia lo intelectual, lo humorístico o la estilización metafórica.* Desligados del modernismo, aparecen, por ejemplo, los impetuosos versos de Ramón de Basterra —cantor del Pirineo, de la tradición imperial y del mundo moderno—.

Ramón de Basterra (1888-1930), de origen vascongado, nos ha dejado varios libros de versos —*Vírulo, mocedades* (1924), y *Vírulo, mediodía* (1927)— en los que Vasconia, España y Roma son exaltadas y donde alternan robustas descripciones del Pirineo con cantos entusiastas a la tradición clásica y católica de la cultura hispánica.

> Defiendo en mi interior, contra enemigos vientos,
> la llama que en mi suelo fue prendida por Roma,
> y en ella, dando al aire de la patria su aroma,
> ovejas de holocausto, quemo mis pensamientos...

En sus últimas producciones, vemos, además, un interés por las formas más dinámicas del siglo XX —así en la fábula de "El avión y el molino"— que le acercan a la poesía "de vanguardia". El estilo, algo violento y barroco, nos da idea de su temperamento apasionado.

Un lugar destacado dentro de esta generación de poetas ocupa también **José Moreno Villa** (1887-1955), en quien —cercano ya a las formas estilizadas del arte nuevo— vemos un tipo de poesía sobria, de tono menor y finos matices, más orientada hacia la expresión mesurada e intelectual de lo íntimo que hacia el entusiasmo lírico, y en la que hasta la nota de humor tiene un acento grave. Así se observa en *Jacinta la Pelirroja* (1929) y en *Carambas* (1931), de las que entresacamos lo siguiente:

> He descubierto en la simetría
> la raíz de mucha iniquidad.
>
> Pero están sordos los serenos
> y a las dos de la noche es honda la grieta del mundo.
>
> ¿A quién acudir?
>
> En este pueblo no hay murciélagos
> ni bebedores de limonada.
>
> Por eso los palacios siguen incólumes
> y en lo alto de la columna
> se abanica la desvergënza.

Otros nombres serían los de **Juan José Domenchina** (1898-1959), cuyos libros, de dura y retorcida expresión, nos revelan un poeta de tono cerebral y agriamente satírico (*La corporeidad de lo abstracto*, 1929; *Dédalo*, 1932, y *Destierro, Perpetuo arraigo, La sombra desterrada*, 1949, etc., escritos en el exilio); **Mauricio Bacarisse** (1895-1931), cuyos versos oscilan entre lo emotivo y la sutileza intelectual y entre la angustia y el humor, manteniéndose siempre dentro de un tono de delicadeza y finura (*El Paraíso desdeñado*, 1928), y el zamorano **León Felipe** (1884-1968), autor de vigorosos poemas de sencilla forma, llenos de inquietud y de apasionado idealismo moral:
inquietud y de apasionado idealismo moral:

> ¿Qué me importa que se borren   que ha traído la tormenta?
> los caminos de la tierra   Mi pena es porque esas nubes tan negras
> con el agua   han borrado las estrellas.

Su obra poética —situada al margen de los "ismos" y dotada de una viril entonación que alcanza acentos proféticos— abarca unos *Versos y oraciones del caminante* (1920 y 1929) y una serie de libros en los que es frecuente el tema político, escritos durante la guerra y en el exilio mejicano: *Español del éxodo y del llanto* (1939), *Ganarás la luz* (1943), *Llamadme publicano* (1950)...

Téngase en cuenta que muchos de los poetas a que acabamos de aludir elaboran gran parte de su obra coincidiendo cronológicamente con los que estudiamos en el capítulo siguiente.

El teatro

Si la novela y el ensayo se renuevan en la segunda década del siglo con la aparición de nuevos valores, el teatro mantiene las directrices del momento anterior, sin que nada venga a aportar una nota original. Son, no obstante, los años en que el teatro poético de Villaespesa, Marquina y Valle Inclán cosecha los mayores triunfos, mientras el de Benavente, los Quintero y Arniches —ahora en pleno auge— inicia un proceso de anquilosamiento que no hará sino acentuarse con los años.

BIBLIOGRAFIA

JUAN RAMON JIMENEZ

Carlo Bo: *La poesía de Juan Ramón Jiménez*, 1943.
E. Díez Canedo: *Juan Ramón Jiménez en su obra*, 1944.
P. Salinas: *Sucesión, de J. R. Jiménez*. En "Literatura española. Siglo XX", 1948.
Graciela Palau de Nemes: *Vida y obra de Juan Ramón Jiménez*, 1957.
L. F. Vivanco: *La palabra en soledad de J. R. Jiménez*. en "Introducción a la poesía española contemporánea", 1957.
Número extraordinario de la revista *Insula*, 128-129. Agosto, 1957.
G. Díaz-Plaja: *J. R. Jiménez en su poesía*, 1958.
R. Lida: *Sobre el estilo de J. R. J.* En "Letras hispánicas", 1958.
R. Gullón: *Conversaciones con J. Ramón*, 1958.
J. L. Cano: *Tres ensayos sobre J. R. Jiménez*. En "Poesía española del siglo XX", 1960.
C. Zardoya: *El dios deseado y deseante de J. R. J.* En "Poesía española contemporánea", 1961.
R. Gullón: *Estudios sobre J. R. J.* Ed. Losada, 1962.
A. Sánchez Barbudo: *La segunda época de Juan Ramón Jiménez (1916-1953)*, 1962.
A. Sánchez Barbudo: *La segunda época de J. R. J. Cincuenta poemas comentados*, 1963.
R. Gullón: *El último J. R. J.* Madrid, Alfaguara, 1963.
M. P. Predmore: *La obra en prosa de J. R. J.* Gredos, 1966.
Angel González: *Juan Ramón Jiménez*. Madrid, Júcar, 1973.

OTROS POETAS

A. Valbuena Prat: *Historia de la poesía canaria*, I, 1937. (Sobre T. Morales.)
"Andrenio": *Enrique de Mesa*. En "Pen Club", 1929.
R. Cansinos Asséns: *E. de Mesa*. En "La nueva literatura", III.
J. M. Salaverría: *R. de Basterra*. En "Nuevos retratos", 1930.
G. Díaz-Plaja: *La poesía y el pensamiento de R. de Basterra*, 1941.

L. Cernuda: *J. Moreno Villa*. En "Estudios sobre poesía española contemporánea", 1957.

J. L. Cano: *José Moreno Villa*. En "Poesía española del siglo XX", 1960.

J. Francisco Cirre: *La poesía de J. Moreno Villa*, 1963.

C. Zardoya: *J. J. Domenchina, poeta de la sombra*. En "Poesía española contempoŕanea",1961.

G. de Torre: *León Felipe, poeta del tiempo agónico*. En "La aventura y el orden", 1948.

L Cernuda: *León Felipe*. En "Estudios sobre poesía española contemporánea", 1957.

L. F. Vivanco: *León Felipe y su ritmo combativo*. En "Introducción a la poesía española contemporánea", 1957.

R. Cansinos Asséns: *M. Bacarisse*. En "La nueva literatura", III.

Véase, además, bibliografía general sobre el siglo XX.

Ilustración de "Las rosas de Hércules", de T. Morales.

la tercera generación. 77
los poetas

Después de la primera guerra europea –a través de la década de 1920– surge, una nueva generación –llamada por algunos "generación de la Dictadura", de los "nietos del 98", "de 1925" o *"de 1927"...*– cuyos frutos más importantes se habrán de dar en el campo de la lírica. No faltan destacados representantes de los demás géneros literarios, pero, repetimos, *sólo los poetas consiguen formar un núcleo amplio y de valor decisivo.*

La nueva poesía

El Ultraísmo. – Desde 1915, aproximadamente, el movimiento modernista quedó prácticamente liquidado, y mientras Juan Ramón Jiménez y otros poetas menores se esforzaban en la búsqueda de nuevas fórmulas que les permitiesen llegar más lejos de la meta señalada por el modernismo, un hecho de enormes consecuencias vino, pocos años más tarde, a acelerar la evolución de la poesía: *la terminación del primer conflicto mundial.*

La enorme convulsión espiritual que significó la guerra del 14, dio lugar en Europa a un intento de ruptura con una cultura que parecía agotada y al nacimiento de una serie de grupos, a los que se denominó *"escuelas de vanguardia",* cuyo común denominador consistió en *un afán revolucionario de acabar con la tradición, creando un arte completamente inédito,* caracterizado, entre otras cosas, por su *absoluta libertad en el terreno de la forma* y –paradójicamente, dadas las circunstancias históricas del momento– por su *despreocupado optimismo.*

El primer brote en España de este movimiento subversivo fue el *Ultraísmo,* cuyo programa vino a reducirse a lo siguiente: *abandono de lo decorativo modernista y del elemento anecdótico musical y emotivo, e instauración de una poesía esencialmente metafórica e inspirada en los temas más dinámicos y deportivos del mundo moderno.* El ultraísmo duró poco –de 1919 a 1923– y no consiguió dejar nada definitivo, pero fue un revulsivo eficaz que hizo posible la poesía de los años siguientes.

La evolución posterior. — Pasado el momento iconoclasta del ultraísmo, hay una vuelta a los cauces tradicionales, pues, como dice Dámaso Alonso, a diferencia del 98 y del modernismo, "esa generación no se alza contra nada", ni en lo político ni en lo literario. Se respeta a los maestros inmediatamente anteriores —Unamuno, los Machado, Juan Ramón Jiménez— y se admira a los grandes valores de la lírica nacional, pero se evoluciona manteniendo ciertos avances ultraístas: 1.º, *libre uso de la metáfora* —que queda desde ahora como uno de los elementos capitales del poema—; 2.º, *estilización poética de la realidad;* 3.º, substitución, en algunos casos, de lo sentimental decadente *por un tono juvenil y optimista,* a veces irónico y casi siempre escasamente emotivo.

Es el momento de la estilización culta de lo popular en Lorca y Alberti y de la "poesía pura" de Salinas y Guillén, dos direcciones que podrían entroncar con varios aspectos de Juan Ramón Jiménez, a quien todos consideran como maestro indiscutible. La *vuelta a lo popular* no sólo afecta a los temas sino a la métrica: Lorca utilizará el romance o la copla de la tradición viva; Alberti, las formas graciosas de los cancioneros de tradición medieval. Por su parte, Guillén y Salinas intentan un tipo de poesía desnuda y esencial —lo que se llamó *poesía pura*— mediante la supresión de todo aquello que no tenga un auténtico valor lírico.

Hacia estos años, el anhelo general de perfección técnica, de pureza estética y de horror a lo sentimental —visible no sólo en la literatura sino en las artes plásticas— confirió a la producción poética un tono de frialdad intelectual, restándole emoción humana. Pero pronto sobrevino el cambio.

En efecto, poco después —hacia el final de la década de 1920— otro movimiento revolucionario, de origen francés, viene a dar un nuevo rumbo a la evolución de la poesía: el *superrealismo,* basado en el "automatismo psíquico puro", es decir, en la asociación libre de ideas o imágenes, prescindiendo totalmente del control de la lógica. Los poetas superrealistas —que en el terreno de la métrica actúan también con la más absoluta libertad— atienden exclusivamente a *la expresión del mundo subconsciente:* de ahí la incoherencia irracional de sus relaciones metafóricas, la importancia que adquieren los elementos oníricos y el tono turbulento y angustioso de sus alucinadas visiones.

Con el superrealismo —que en España se originó independientemente del francés, afectando sólo a algunos poetas: Lorca, Alberti, Aleixandre, Cernuda...—, la poesía ganó un nuevo contenido dramático, después de unos años en que el deseo de huir de la retórica sentimental la había, hasta cierto punto, "deshumanizado". Pero esta *vuelta a lo humano,* definida por Dámaso Alonso como un neorromanticismo orientado "hacia la ternura, hacia la pasión, hacia el grito acre, hacia el vaticinio", fue un movimiento general que se manifestó incluso en los más apartados de la influencia superrealista —Salinas, por ejemplo—. Gracias a ello, la poesía española de la década de 1930, totalmente renovada, enriquecida, con un nuevo concepto de la imagen y plena de sentido humano, pudo llegar a un grado de madurez definitivo.

Cabe insistir, también, en un hecho que contrasta con el tono europeo y antitradicional de los primeros momentos, y que contribuyó a dar solidez y valor permanente a la poesía de estos años: la unión de las novedades estéticas de última hora con la más pura tradición española, tanto en el terreno de lo popular —el romancero, los cancioneros...—, como en el de la lírica culta —Garcilaso, Fray Luis, San Juan, Góngora, Quevedo, Bécquer...—; fenómeno paralelo a la valoración crítica de muchas zonas de nuestro pasado literario, llevada a cabo —con rigurosos métodos europeos— por varios de los "poetas universitarios" de esta generación: Salinas, Guillén, Dámaso Alonso, Gerardo Diego...

Señalemos, finalmente, cómo la mayor parte de los poetas de esta época ha acusado en sus últimos libros el doloroso impacto de los terribles acontecimientos de los años recientes —guerra civil, segunda guerra mundial, con sus atroces consecuencias...—, derivando hacia una lírica donde el mero escarceo estético de otros tiempos ha sido sustituido por la expresión de una íntima congoja, en la que los motivos personales se funden con otros de índole universal. Y ello, tanto en los que permanecieron en España como en los que conocieron la amargura del exilio: Dámaso Alonso —*Hijos de la ira*—, Salinas —*Todo más claro*—, Guillén —*Maremagnum*—, Alberti —*Ora marítima...*—. Dramático destino de una generación que había comenzado cultivando las formas más "incontaminadas" de la "poesía pura".

Gerardo Diego

Nacido en Santander (1896), es entre los poetas actuales *el que ha recorrido una trayectoria más larga* al hacerse eco de las diversas tendencias que fueron sucediéndose en la poesía española anterior a la guerra. Pero dentro de la amplia variedad de su obra, se advierte una cualidad constante —*el dominio absoluto de la forma*—, y dos líneas que se mantienen paralelamente a lo largo de toda su producción: *la de lo tradicional y la de las más audaces novedades,* o en otras palabras, la de la poesía "humana" y la de la poesía "deshumanizada".

Sus primeros libros reflejan todavía la influencia de Antonio Machado, pero pronto le vemos incorporado al ultraísmo con *Manual de espumas,* (1922) lleno de imágenes que encierran una alegría juvenil:

```
DANZAR
                                      Cautivos del bar.
        La vida es una torre
    y el sol un palomar.
    Lancemos las camisas tendidas a volar.

    Por el piano arriba
    subamos con los pies frescos de cada día...
    La vida es una torre
    que crece cada día sobre el nivel del mar.
```

Gerardo Diego.

Antes, después y al mismo tiempo que las acrobacias de sus versos libres y de tema moderno, se dan también los motivos tradicionales —religiosos, taurinos...— y el cultivo de la estrofa según los moldes clásicos; ejemplo de ellos es el célebre soneto de *Versos humanos* (1925) dedicado al ciprés de Silos:

> Enhiesto surtidor de sombra y sueño
> que acongojas el cielo con tu lanza.
> Chorro que a las estrellas casi alcanza
> devanado a sí mismo en loco empeño.
> Mástil de soledad, prodigio isleño;
> flecha de fe, saeta de esperanza.
> Hoy llegó a ti, riberas del Arlanza,
> peregrina al azar, mi alma sin dueño.
> Cuando te vi, señero, dulce, firme,
> qué ansiedades sentí de diluirme
> y ascender como tú, vuelto en cristales,
> como tú, negra torre de arduos filos,
> ejemplo de delirios verticales,
> mudo ciprés en el fervor de Silos.

Gerardo Diego llega a la cumbre de su arte en su libro *Alondra de verdad* (1941), integrado por una colección de sonetos en los que la emoción poética está expresada con una técnica del verso realmente prodigiosa. Posteriores son *Poemas adrede* (1943), *Soria* (1948) y *Amazona* (1955). Académico, profesor de literatura y excelente músico, es también autor de la mejor antología de la poesía española contemporánea en el primer tercio del siglo XX —*Poesía española* (1934)—.

En conjunto, su poesía, de muy rica temática, revela una agudísima sensibilidad para la belleza. Pero al faltarle, no emoción, pero, quizás sí, contacto dramático con las más hondas realidades de la vida, queda sobre todo como una obra de arte de maravillosa transparencia en la que el mundo, transfigurado, queda reducido a sus más puros valores estéticos.

García Lorca

Federico García Lorca (1898-1936) es uno de los más altos poetas españoles del siglo XX. Nacido en Fuente Vaqueros (Granada) estudió en la Universidad de Madrid, y realizó viajes a Nueva York y la Argentina. Fue muerto en Granada a los pocos días de iniciada la guerra.

El comienzo de su obra —*Libro de Poemas* (1921), *Canciones* (1922)— denota aún la influencia de Juan Ramón Jiménez, aunque se advierte ya el uso nuevo de la metáfora— "¡caballito frío — qué perfume de flor de cuchillo! "— y la atracción de lo folklórico y tradicional.

> Amanecía
> en el naranjel.
> Abejitas de oro
> buscaban la miel...

> (Sillita de oro
> para el moro.
> Silla de oropel
> para su mujer.)

En el *Romancero Gitano* (1928) Lorca encuentra su voz propia, y lo que hasta ahora sólo había sido estilización musical y graciosa de lo popular, desaparece para dejar paso a un tono patético al que viene a sumarse una brillante y policroma imaginería que transfigura y estiliza los elementos pintorescos, dándoles una alta calidad poética. Lejos del colorismo superficial, García Lorca nos da aquí una interpretación lírica que no se detiene en lo externo, sino que llega al fondo misterioso y trágico del mundo andaluz. Véase, por ejemplo, el enorme poder de sugestión poética de los primeros versos del "Romance sonámbulo":

Federico García Lorca.

Verde que te quiero verde.
Verde viento. Verdes ramas.
El barco sobre la mar
y el caballo en la montaña.
Con la sombra en la cintura,
ella sueña en su baranda,
verde carne, pelo verde,
con ojos de fría plata.
Verde que te quiero verde.
Bajo la luna gitana
las cosas la están mirando
y ella no puede mirarlas.

Verde que te quiero verde.
Grandes estrellas de escarcha
vienen con el pez de sombra
que abre el camino del alba.
La higuera frota su viento
con la lija de sus ramas,
y el monte, gato garduño,
eriza sus pitas agrias.
Pero ¿quién vendrá? ¿Y por dónde? ...
Ella sigue en su baranda,
verde carne, pelo verde,
soñando en la mar amarga...

En el *Poema del cante jondo* (1931), el núcleo lo constituye el tremendo dramatismo de la canción andaluza:

Muerto se quedó en la calle
con un puñal en el pecho.
No lo conocía nadie.
¡Cómo temblaba el farol!

Madre.
¡Cómo temblaba el farolito
de la calle!

Era de madrugada. Nadie
pudo asomarse a sus ojos
abiertos al duro aire.

Que muerto se quedó en la calle
con un puñal en el pecho
y que no lo conocía nadie.

Intensa fuerza dramática tiene también el *Llanto por la muerte de Ignacio Sánchez Mejías* (1935), una de sus más logradas composiciones. Otros aspectos de su obra nos lo dan *Poeta en Nueva York* (1935), libro turbulento en el que el autor adopta la forma superrealista para expresar su agrio desdén por la civilización moderna de Norteamérica, o *Diván del Tamarit* (1936), escrito bajo la sugestión de la poesía oriental.

A todo ello hay que añadir varias piezas dramáticas que constituyen lo más importante del teatro poético del siglo XX.

La obra poética de García Lorca, *refinadamente aristocrática y popular al mismo tiempo,* se distingue del resto de la producción de la época por *el colorido brillante de sus metáforas,* por *el vigoroso dramatismo de su visión del mundo andaluz* ese mundo que él veía cargado "de angustia y de tragedia", y sobre todo por *la honda raíz hispánica de su lírica.* Sus versos apenas inciden en lo íntimo, pero pocos han sabido intuir tan profundamente como él la esencia del alma española, ni interpretar con tan emocionado fervor la voz y los mitos de la colectividad nacional a través de sus bellos poemas.

Alberti

Rafael Alberti, gaditano (1902), inicia su producción con *Marinero en tierra* (1924). En éste, como en otros dos libros que le siguen, vemos aparecer, de nuevo, los temas y las formas populares, tomadas no directamente del pueblo a la manera de Lorca, sino de la tradición literaria culta —Santillana, Gil Vicente...—. Notas características de esta primera serie serían la gracia ligera y la musicalidad del verso, la ágil y elegante interpretación de los motivos tradicionales o populares y la flexibilidad del ritmo.

¡Qué revuelo!

¡Aire, que al toro torillo
le pica el pájaro pillo
que no pone el pie en el suelo!

¡Qué revuelo!

Alas en las zapatillas,
céfiros en las hombreras,
canario de las barreras,
vuelas con las banderillas.
Campanillas
te nacen en las chorreras.

¡Qué salero!
¡Cógeme, torillo fiero!

Te dije y te lo repito,
para no comprometerte,

que tenga cuernos la muerte
a mí se me importa un pito.
Da, toro torillo, un grito
y ¡a la gloria en angarillas!

¡Qué salero!
¡Qué te arrastran las mulillas!
¡Cógeme, torillo fiero!

* * *

Mi corza, buen amigo,
mi corza blanca.

Los lobos la mataron
al pie del agua.

Los lobos, buen amigo,
que huyeron por el río.

Los lobos la mataron
dentro del agua.

Sigue luego la etapa de *Cal y canto* (1929), con sus dos aspectos: el neogongorino —consecuencia del tercer centenario de Góngora (1927), cuya poesía, esencialmente metafórica, engendra un gran entusiasmo en los líricos de estos años—, y el humorístico, sobre motivos de la vida moderna, con imágenes que recuerdan el momento ultraísta.

Nueva York.
Un triángulo escaleno
asesina a un cobrador.
El cobrador, de hojalata.
Y el triángulo, de prisa
otra vez a su pizarra
Nick Carter no entiende nada.
¡Oh!
Nueva York.

Y más tarde, la fase superrealista de *Sobre los ángeles* (1929), donde el poeta nos presenta un mundo turbulento y angustioso surgido del subconsciente, en el que aparecen en caótica confusión un conjunto de figuras —a las que llama "ángeles"— y que van personificando la bondad, la ira, la fealdad, el olvido, la muerte...

Rafael Alberti.

LOS ANGELES MUERTOS

Buscad, buscadlos...
en el insomnio de las cañerías olvidadas,
en los cauces interrumpidos por el silencio de las basuras...

Porque yo los he visto:

en esos escombros momentáneos que aparecen en las neblinas...
...en esas astillas vagabundas que se consumen sin fuego,
en esas ausencias hundidas que sufren los muebles desvencijados,
no a mucha distancia de los nombres y signos que se enfrían en las paredes.

Buscad, buscadlos,

debajo de la gota de cera que sepulta la palabra de un libro
o la firma de uno de esos rincones de cartas que trae rodando el polvo...

A sus últimos años de estancia en España corresponden varios libros de inspiración revolucionaria: *El poeta en la calle* (1936), *De un momento a otro* (1937-1939).

Rafael Alberti, oscilando siempre entre lo irónico y lo desgarrado, entre lo popular y lo refinadamente aristocrático, *es el virtuoso de la forma,* capaz de realizar los más difíciles juegos con la mayor espontaneidad. Pero su poesía, exquisita o violenta, se halla muy lejos de una auténtica emoción cordial; por eso, si la de García Lorca, con su profunda intuición del alma popular, nos hace pensar en Lope, salvadas todas las distancias, la suya, impecable, pero dura y altiva, nos recuerda el arte de Góngora.

No obstante, la producción posterior a la guerra señala un enriquecimiento en el terreno de la emoción humana. En el exilio americano, Alberti ha publicado varios libros extraordinarios, entre los que destacan *A la pintura* (1946), bellas glosas líricas de la obra de célebres pintores, *Retornos de lo vivo lejano* (1948-1952), *Ora marítima* (1953), espléndida evocación del Cádiz mitológico y unas prodigiosas *Baladas y Canciones del Paraná* (1954), en las que la vieja destreza verbal del poeta se halla al servicio de una desesperada melancolía que revela la nostalgia del destierro. He aquí una de ellas:

¡Bañado del Paraná!
Desde un balcón mira un hombre
el viento que viene y va.
Ve las barrancas movidas
del viento que viene y va.
Los caballos, como piedras
del viento que viene y va.
Los pastos, como mar verde
del viento que viene y va.
El río, como ancha cola
del viento que viene y va.

Los barcos, como caminos
del viento que viene y va.
El hombre, como la sombra
del viento que viene y va.
El cielo, como morada
del viento que viene y va.
Ve lo que mira y mirando
ve sólo su soledad.

A su estancia en Italia corresponden los poemas de *Roma, peligro para caminantes* (1968). Alberti, que había cultivado el teatro antes de la guerra con *El hombre deshabitado* (1931) y *Fermín Galán* (1931), ha aumentado en el exilio su producción dramática con *El Trébol florido* (1940), *El adefesio* (1944) y *La gallarda* (1945), donde se unen el verso y la prosa y lo folklórico con la visión crítica de la vida española, y con *Noche de guerra en el Museo del Prado* (1956), poderoso drama lleno de patetismo, fantasía y lirismo, en el que actúan personajes de sus cuadros.

Escritos en una bellísima prosa se hallan *Primera imagen de...* (1940-44) —retratos de literatos y artistas— y el libro de memorias *La arboleda perdida* (1959).

Salinas

Pedro Salinas (Madrid, 1891-Boston, 1951) representa en la poesía de la época el tema amoroso. Sus libros *La voz a ti debida* (1933) y *Razón de amor* (1936) nos ofrecen unos versos delicados, de escaso brillo metafórico, pero plenos de emoción sincera. "Estimo —dice— en la poesía, sobre todo, la autenticidad. Luego la belleza. Después el ingenio." Por eso, su obra, cada vez más depurada de retórica verbal, de elementos decorativos y de anécdota, se reduce en buena parte a la expresión íntima y desnuda del sentimiento amoroso. A veces su voz se encrespa con acentos patéticos, pero la línea más constante nos la da una nota de apasionada ternura —que trae a la memoria los nombres de Garcilaso, Bécquer y Juan Ramón Jiménez— y, como dice cierto crítico, "un tono de media voz, de susurro cordial, de confidencia amorosa". *Emoción leve y sutil, fina matización psicológica, forma natural y espontánea, reducción del mundo externo al papel de simple testigo de su amor:* he aquí los rasgos esenciales de su poesía anterior a la guerra.

> Si te quiero
> no es porque te lo digo:
> es porque me lo digo y me lo dicen.
> El decírtelo a ti ¡qué poco importa
> a esa pura verdad que es en su fondo
> quererte! ...
>
> El mundo
> según lo voy atravesando
> que te quiero me dice,
> a gritos o en susurros.
> Y algunas veces te lo digo a ti,
> pero nunca sabrás que ese "te quiero"
> sólo signo es, final, y prenda mínima;
> ola, mensaje —roto al cabo,
> en son, en blanca espuma—
> del gran querer callado, mar total.

Su obra posterior, escrita en América, *Todo más claro* (1949), refleja la honda inquietud de nuestros días —en los que "las angustias arremeten por todos lados" mientras "de pie, quieto, el hombre tiembla"— y señala ese paso, visible en otros poetas del momento, hacia una poesía desolada y patética donde se intenta superar la "solitaria desesperación" a que alude en el libro citado.

Pedro Salinas —catedrático de literatura, como Guillén— fue también uno de los mejores críticos de su tiempo. Sus estudios—escritos en nítida prosa—sobre Meléndez Valdés, Jorge Manrique y Rubén Darío o los trabajos reunidos en *Literatura española, siglo XX* (1949) y en *Ensayos de literatura hispánica* (1958), denotan un profundo conocimiento de nuestras letras y una fina percepción de los valores estéticos y espirituales.

En los últimos años, su producción se vio enriquecida con una serie de ensayos —*El defensor*, 1948—, narraciones —*La bomba increíble*, 1950, *El desnudo impecable*, 1951— y obras teatrales —*La cabeza de Medusa...*, 1952—.

Pedro Salinas.

Jorge Guillén

Jorge Guillén (Valladolid, 1893) reunió su producción inicial en un solo libro: *Cántico*, del que ha dado cuatro ediciones, cada vez más amplias (la primera es de 1928; la última, de 1950). Dos notas la caracterizan: entusiasmo y rigor. Como dice Dámaso Alonso, su poesía es un "grito", "una interjección, pero con contenido intelectual". *Grito entusiasta ante el maravilloso espectáculo de los seres, ante su mera presencia; rigor en la expresión intelectual, precisa y exacta, de su júbilo de existir y de contemplar la vibración luminosa de las cosas.*

Para Guillén, perfección es sinónimo de existencia; por eso, el contacto con la realidad, lejos de producir un choque doloroso, se resuelve en sensación de plenitud y exclamación gozosa. De espaldas al pasado y ajena a toda nostalgia, su poesía se halla firmemente anclada en el presente, cuya momentaneidad detiene para cantar con éxtasis admirativo el "aquí" y el "ahora":

> Dije: ¡Todo ya pleno!
> Un álamo vibró.
> Las hojas plateadas
> Sonaron con amor.
> Los verdes eran grises,
> El amor era sol.
> Entonces, mediodía,
> Un pájaro sumió
> Su cantar en el viento
> Con tal adoración

> Que se sintió cantada
> Bajo el viento la flor
> Crecida entre las mieses
> Más altas. Era yo,
> Centro en aquel instante
> De tanto alrededor,
> Quien lo veía todo
> Completo para un dios.
> Dije: Todo, completo.
> ¡Las doce en el reloj!

En la poesía de Jorge Guillén desaparecen por completo todos los elementos decorativos que había aportado el modernismo —música, color, anécdota...— para quedar tan sólo *una pura emoción lírica*. La forma, ceñida al contenido con lúcida precisión, llega a su máxima desnudez y exactitud, y la realidad, reducida a sus líneas esenciales —espacio, luz, instante...— se nos ofrece ahora limpia, transparente, perfecta.

Jorge Guillén

Luis Cernuda.

MESETA

¡Espacio! Se difunde
Sobre un nivel de cima.
Cima y planicie juntas
Se acrecen —luz— y vibran.
¡Alta luz, altitud
De claridad activa!
Muchedumbre de trigos
En un rumor terminan.
Trigo aún y ya viento.
Silban en la alegría
Del viento las distancias.
Soplo total palpita.
Horizontes en círculo
Se abren. ¡Cuántas pistas
De claridad, tan altas
Sobre el nivel del día,
Zumban! ¡Oh, vibración
Universal de cima,
Tránsito universal!
Cima y cielo desfilan.

Posteriormente han ido apareciendo las tres partes de *Clamor —Maremagnum* (1957), ... *Que van a dar en la mar* (1960) y *A la altura de las circunstancias* (1963)—, sobre las que gravita a menudo la angustiosa problemática, e incluso la historia política, de los últimos años, sin que la conciencia de unas realidades dolorosas haga abdicar al poeta de su inicial postura afirmativa. A *Cántico* y *Clamor* ha sucedido *Homenaje* (1967), con el que se agrupan bajo el título general de *Aire nuestro* (1968).

Cernuda

Luis Cernuda (Sevilla, 1904-1963) comienza, como todos los poetas de su generación, con versos de deliciosa ternura, cuya gracia esbelta y ligera —algo afín a la de Guillén— denota un aliento juvenil —*Perfil del aire* (1927)—. Pero pronto —hacia 1930 y coincidiendo con la influencia del superrealismo— la vida hace irrupción junto al arte, y lo que hasta ahora había sido mero escarceo estético, se tornará *expresión profunda, grave y sincera de su apasionada intimidad.* Así lo vemos en los últimos versos de *La realidad y el deseo* (1936), donde el ímpetu romántico de los temas —el amor y la muerte, la soledad y la melancolía— va unido a un lenguaje poético que podría llamarse clásico por su rigurosa contención.

En la poesía de Cernuda —cada vez más apreciada en los últimos años— todo da una impresión de plena *autenticidad:* la imagen —esquivada toda vaguedad e imprecisión— responde siempre a una concreta realidad poética, y el sentimiento —última razón de la existencia del poema— aparece, no como pretexto para montar sobre él una bella construcción retórica, sino como reflejo de una emoción elegíaca intensamente vivida y al propio tiempo como punto de partida para una honda reflexión meditativa. De ahí la densidad lírica de sus versos, en los que, en forma altiva, violentamente encrespada o suavemente melancólica, nos ofrece su desolado sentir. De 1958 es una edición aumentada de *La realidad y el deseo,* —que incluye *Las nubes* (1937-1940). *Como quien espera el alba* (1941-44)...— y de 1962 su última parte: *Desolación de la quimera.*

He aquí unos fragmentos de su "Soliloquio del farero":

> Cómo llenarte, soledad,
> sino contigo misma...

> ... Acodado al balcón miro insaciable el oleaje,
> Oigo sus oscuras imprecaciones,
> Contemplo sus blancas caricias;
> Y erguido desde cuna vigilante
> Soy en la noche un diamante que gira advirtiendo a los hombres,
> Por quienes vivo aun cuando no los vea;
> Y así, lejos de ellos,
> Ya olvidados sus nombres, los amo en muchedumbres,
> Roncas y violentas como el mar, mi morada,
> Puras ante la espera de una revolución ardiente
> o rendidas y dóciles, como el mar sabe serlo
> Cuando toca la hora de reposo que su fuerza conquista.

> Tú, verdad solitaria,
> Transparente pasión, mi soledad de siempre,
> Eres inmenso abrazo;
> El sol, el mar,
> La oscuridad, la estepa,
> El hombre y su deseo,
> La airada muchedumbre,
> ¿Qué son sino tú misma?

> Por ti, mi soledad, los busqué un día;
> En ti, mi soledad, los amo ahora.

Posteriores a la guerra son *Ocnos (1942), Variaciones sobre Tema Mexicano* (1952), en bellísima prosa poética, así como unos lúcidos *Estudios sobre poesía española contemporánea* (1957).

Dámaso Alonso

La poesía de Dámaso Alonso (Madrid, 1898), tal como se manifiesta en *Hijos de la ira* (1944) —escrito años después de unos delicados poemas de juventud: *Poemas*

Dámaso Alonso.

puros, *Poemillas de la ciudad* (1921)–, es un grito, mas no de júbilo, como en Guillén, sino de angustia y cólera: *un estallido de rabia impotente ante la propia miseria y ante el dolor del mundo circundante.* Dominado por un exasperado sentimiento, en el que se mezclan el asco y la ira, el poeta prorrumpe en agrias exclamaciones que traslucen una visión amarga de la vida como "horrible viaje", como "pesadilla sin retorno". Pero, a despecho de hoscos improperios y tétricas reflexiones, no es la suya una poesía desesperada, porque en su fondo late una emoción de ternura y de honda y plena conmiseración hacia sí mismo y hacia el prójimo. Por este camino, Dámaso Alonso llega a Dios, único asidero en medio del dolor y del espanto. Profundamente humana y agitada por un sentimiento trágico de la vida, su poesía es un claro exponente de la angustia de nuestro tiempo. No en vano ha dicho él mismo recientemente: "Hoy es sólo el corazón del hombre lo que me interesa: expresar con mi dolor o con mi esperanza el anhelo o la angustia del eterno corazón del hombre". En este sentido su libro ha ejercido un fuerte influjo en la poesía de posguerra.

Los siguientes versos pueden servir de ejemplo de la atormentada sensibilidad del autor y de su anhelante súplica a la Divinidad:

> Todos los días rezo esta oración
> al levantarme:
>
> Oh Dios,
> no me atormentes más.
> Dime qué significan
> estos espantos que me rodean.
> Cercado estoy de monstruos
> que mudamente me preguntan,
> igual, igual que yo les interrogo a ellos...
> Bajo la penumbra de las estrellas
> y bajo la terrible tiniebla de la luz solar,
> me acechan ojos enemigos,
> formas grotescas que me vigilan,
> colores hirientes lazos me están tendiendo:
> ¡son monstruos,

estoy cercado de monstruos! ...
No, ninguno tan horrible
como este Dámaso frenético...
como esta alimaña que brama hacia ti,
como esta desgarrada incógnita
que ahora te increpa con gemidos articulados,
que ahora te dice:

"Oh Dios,
no me atormentes más,
dime que significan
estos monstruos que me rodean
y este espanto íntimo que hacia ti gime en la noche."

Aparte de sus libros de versos, a los que hay que añadir *Oscura noticia* (1944) y *Hombre y Dios* (1955), Dámaso Alonso cuenta en su haber con una importantísima producción en la que se alían el rigor erudito con la intuición estética de los valores literarios. Sus trabajos de análisis estilístico —en torno a Góngora, a San Juan de la Cruz, a Gil Vicente, a la poesía medieval y contemporánea...— han iluminado extensas zonas de nuestra lírica, descubriendo amplios panoramas a la sensibilidad del lector actual. Fue catedrático de la Universidad de Madrid, y desde la muerte de Menéndez Pidal dirige la Real Academia de la lengua.

Entre sus libros de crítica e investigación se hallan: *La lengua poética de Góngora* (1935), *La poesía de San Juan de la Cruz* (1942), *Vida y obra de Medrano* (1948), *Poesía española* (1950), *Poetas españoles contemporáneos* (1952), *Menéndez y Pelayo, crítico literario* (1956), *De los siglos oscuros al de Oro* (1958), *Dos españoles del Siglo de Oro* (1960), *Cuatro poetas españoles* (1962), etcétera.

Aleixandre

Vicente Aleixandre (Sevilla, 1898) inicia su obra con cierto retraso respecto de los otros poetas de su generación; por eso sus primeros libros —*Espadas como labios* (1932)—, pasados los años del juego poético intrascendente, tienen un tono borrascoso o apasionado, cuya expresión coincide con los procedimientos de la técnica superrealista. Así también *La destrucción o el amor* (1935), donde, como dice Salinas, se advierte un "panteísmo pesimista" que hace del impulso amoroso una vía para la destrucción del individuo y para su fusión con la gran fuerza cósmica, meta anhelada del poeta, para quien la vida del hombre es sólo imperfección, dolor y angustia. En Aleixandre, añade Bousoño, el amor sería "prenuncio, momentáneo atisbo de lo que será la muerte, gloriosa incorporación a la profunda unidad del mundo, una vez destruidos los límites que separan e individualizan".

He aquí unos versos en los que se trasluce un pesimismo dionisíaco, antítesis de la jubilosa y afirmativa actitud poética de Guillén:

Vicente Aleixandre.

La soledad destella en el mundo sin amor.
La vida es una vívida corteza,
una rugosa piel inmóvil,
donde el hombre no puede encontrar su descanso
por más que aplique su sueño contra un astro apagado...
Ven, ven, amor mío; ven, hermética frente, redondez casi rodante
que luces como una órbita que va a morir en mis brazos;
ven como dos ojos o dos profundas soledades,
dos imperiosas llamadas de una hondura que no conozco.
 ¡Ven, ven, muerte, amor; ven pronto, te destruyo;
ven, que quiero matar o amar o darte todo;
ven, que ruedas como liviana piedra
confundida como una llama que pide mis rayos!

Pasada la guerra civil, Aleixandre publicó *Sombra del Paraíso* (1944), en el que la acritud y violencia de sus primeros versos quedan substituidas por una serena y melancólica nostalgia que evoca, en medio del dolor y de la impureza, propios de lo humano, un mundo perfecto de belleza no hollada. En este fragmento el poeta invita en vano a la contemplación de ese hermoso universo, por él solo entrevisto.

¿Qué voz entre los pájaros de esta noche de ensueño
dulcemente modula los nombre en el aire?
¡Despertad! Una luna redonda gime o canta
entre velos, sin sombra, sin destino, invocándoos.

Un cielo herido a luces, a hachazos, llueve el oro
sin estrellas, con sangre, que en un torso resbala;
revelador envío de un destino llamando
a los dormidos siempre bajo los cielos vívidos.

¡Despertad! Es el mundo, es su música. ¡Oídla! ...

¿No sentís en la noche un clamor? ¡Ah dormidos,
sordos sois a los cánticos! Dulces copas se alzan:
¡Oh estrellas mías, vino celeste, dadme toda
vuestra locura, dadme vuestros bordes lucientes!

Mis labios saben siempre sorberos, mi garganta
se enciende de sapiencia, mis ojos brillan dulces.
Toda la noche en mí destellando, ilumina
vuestro sueño, oh dormidos, oh muertos, oh acabados.

Pero no; muertamente callados como lunas
de piedra, en tierra, sordos permanecéis, sin tumba.
Una noche de velos, de plumas, de miradas,
vuela por los espacios llevándoos, insepultos.

Historia del corazón (1954) y sobre todo *En un vasto dominio* (1962) señalan una nueva etapa donde, como observa Bousoño, la contemplación de lo cósmico se enriquece con una nueva atención a las realidades humanas en su contexto histórico, mientras el lenguaje poético adquiere una mayor concentración expresiva. Su posterior *Poemas de la consumación* (1968), equivale, en cambio, a una desolada meditación desde la soledad y la desesperanza.

Aleixandre vino a desempeñar para buena parte de los poetas de la década 1940-1950, un papel semejante al que tuvo Juan Ramón Jiménez entre los de la tercera generación. Su voz fue considerada como la más cálida y humana de aquellos años y se vio en él al poeta que había sabido expresar con mayor fuerza los impulsos elementales del amor y la vida. No obstante, a pesar de sus grandes éxitos, no falta quien le reproche, en muchos de sus libros, una excesiva frondosidad retórica en la que se diluye, perdiendo fuerza e intensidad, la emoción poética. Pero, sin que pueda rechazarse del todo este punto de vista, siempre habrá que reconocer en la obra de Aleixandre una de las notas más originales de la poesía española contemporánea. Así lo justifican su romántica y dinámica visión del mundo, y la exuberante belleza de su lenguaje poético.

Emilio Prados

Como otros poetas andaluces —Lorca, Alberti...—, en cuya línea se sitúa al comienzo, Prados (Málaga, 1899-1962) nos ofrece unos primeros libros dotados de fina musicalidad y de un tono jubiloso que con el tiempo va adquiriendo matices melancólicos. *Vuelta* (1927) figura entre los mejores de su primera etapa. Exilado en 1939, su poesía ulterior —*Jardín cerrado*, 1946, *Río Natural*, 1953—, impregnada de dolorida nostalgia, se extrema hasta la expresión —en formas populares— de una angustia metafísica, en la que los más graves temas —la soledad, el amor y la muerte— desempeñan un papel decisivo —"Puente de mi soledad — con las aguas de mi muerte — tus ojos se calmarán"...—.

Manuel Altolaguirre

Altolaguirre (Málaga, 1905-1959) representa dentro de su generación la tendencia hacia un cierto neorromanticismo –"mi soledad llevo dentro – torre de ciegas ventanas"–, en el que lo emotivo se manifiesta en una forma ágil y graciosa que revela el influjo –confesado– de Góngora y J. R. Jiménez. Así en sus primeras obras: *Las islas invitadas* (1926), *Ejemplo* (1927), *Soledades juntas* (1931)... Los libros escritos en el exilio –*Nube temporal, Fin de un amor* (1949) y *Poemas en América* (1955), editado en Málaga– insisten en la misma actitud, si bien con un acrecentamiento de lo dramático.

BIBLIOGRAFIA

OBRAS CON ESTUDIOS SOBRE VARIOS POETAS

Pedro Salinas: *Literatura española. Siglo XX*, 1949. (Contiene estudios sobre Guillén, Alberti, Lorca, Cernuda y Aleixandre.)

J. F. Cirre: *Forma y espíritu de una lírica española (1920-1935)*, México, 1950.

Dámaso Alonso: *Poetas españoles contemporáneos*, 1952. (Contiene "Una generación poética" (1920-1936) y estudios sobre M. Machado, A. Machado, Guillén, G. Diego, Lorca y Aleixandre.)

L. F. Vivanco: *Introducción a la poesía española contemporánea*, 1957. (Sobre Guillén, Salinas, G. Diego, D. Alonso, Cernuda, Aleixandre y Lorca.)

L. Cernuda: *Estudios sobre poesía española contemporánea*, 1957. (Sobre los comienzos de la generación de 1925, Salinas y Lorca.)

Pedro Salinas: *Nueve o diez poetas*. En "Ensayos de literatura hispánica", 1958.

J. L. Cano: *La poesía española del siglo XX*, 1960. (Estudios sobre Guillén, G. Diego, D. Alonso, Aleixandre, Cernuda y Prados, etc., ampliados en *La poesía de la generación del 27*, Guadarrama, 1970.)

Jorge Guillén: *Una generación*. En "Lenguaje y poesía", 1962.

C. Zardoya: *Poesía española contemporánea*, 1961. (Sobre Salinas, Guillén, Diego, Lorca, D. Alonso, Prados, Aleixandre y Alberti.)

G. Videla: *El Ultraísmo*, 1963.

J. González Muela y J. M. Rozas: *La generación poética de 1927*. Madrid, 1966.

A. P. Debicki: *Estudios sobre poesía española contemporánea. La generación de 1924-1925*. Ed. Gredos, 1968.

J. L. Cano: *La poesía de la generación del 27*. Guadarrama, 1970.

V. Bodini: *Los poetas surrealistas españoles*. Barcelona, Tusquets, 1971.

E. de Zuleta: *Cinco poetas españoles (Salinas, Guillén, Lorca, Alberti, Cernuda)*. Gredos, 1971.

GARCIA LORCA

G. Díaz-Plaja: *Federico García Lorca*, 1948.

J. B. Trend: *Federico García Lorca*, 1951.

A. del Río: *Vida y obra de F. García Lorca*, 1952.

M. T. Babín de Vicente: *F. García Lorca. Vida y obra*, 1955.

Jaroslaw M. Flys: *El lenguaje poético de F. G. Lorca*, 1955.

A. Barea: *Lorca, el poeta y su pueblo*, 1956.

Pedro Salinas: *García Lorca y la cultura de la muerte*. En "Ensayos de Literatura hispánica", 1958.

A. del Río: *Poeta en Nueva York*, 1958.
Christoph Eich: *F. G. Lorca, poeta de la intensidad*, 1959.
J. Guillén: *Federico en persona*, 1959.

J. L. Schonberg: *Federico García Lorca*. México, 1959.

Para el *teatro de Lorca*, véase bibliografía en el capítulo siguiente.

JORGE GUILLEN

J. Casalduero: *J. Guillén. Cántico*, 1946.
R. Gullón y J. M. Blecua: *La poesía de J. Guillén*, 1949.
E. R. Curtius: *J. Guillén*. En "Ensayos críticos acerca de la literatura europea", II, 1959.
J. Gil de Biedma: *Cántico. El mundo y la poesía de J. Guillén*, 1960.
J. González Muela: *La realidad y Jorge Guillén*, 1964.

Estudios sobre *Jorge Guillén*. Ed. de Ciplijanskaité. Taurus, 1975.

OTROS POETAS

A. Gallego Morell: *Vida y poesía de G. Diego*, 1956.
E. Proffs: *"Popularismo" and "barroquismo" in the Poetry of R. Alberti*, 1943.
S. Salinas de Marichal: *El mundo poético de Rafael Alberti*. Gredos, 1968.
L. Spitzer: *El conceptismo interior de P. Salinas*. En "Lingüística e historia literaria", 1955.
A. del Río: *El poeta P. Salinas.*
J. Marichal: *Pedro Salinas y los valores humanos de la literatura hispánica*. En "La voluntad de estilo", 1957.
C. Feal Deibe: *La poesía de P. Salinas*, Ed. Gredos. 1965.
C. Bousoño: *La poesía de V. Aleixandre*, 1950.
V. Gaos: *Fray Luis fuente de Aleixandre*. En "Temas y problemas de literatura española", 1959.
Número 138-139 de la revista *Insula*. Mayo-junio, 1958. Homenaje a *Dámaso Alonso*.
V. Gaos: *Itinerario poético de D. Alonso*. En "Temas y problemas de literatura española", 1959.
A. P. Debicki: *Dámaso Alonso*. Nueva York, 1970.
"La caña gris" *Homenaje a Cernuda*, 1963.
Número 207 de la revista *Insula*. Febrero de 1964. *Homenaje a Cernuda.*
Luis Cernuda: *Historial de un libro (La Realidad y el deseo)*. En "Poesía y literatura". Barcelona, 1965,

Véase, además, bibliografía general del siglo XX.

el teatro, la novela y el 78
ensayo

El teatro de Lorca y de otras figuras del momento

Durante el período en que se lleva a cabo la renovación de la lírica que hemos estudiado en el capítulo anterior, el teatro sigue nutriéndose con la incesante producción de quienes ya desde mucho antes venían cosechando grandes éxitos de público: Benavente, los Quintero, Marquina, Muñoz Seca... Ciertamente, no falta ahora el deseo de remozar la escena, sentido también por representantes de las primeras generaciones del siglo —recuérdese tan sólo el teatro de Azorín o de Unamuno...—, pero, por lo general, todo se reduce a intentos aislados, a veces muy valiosos, que sólo consiguen interesar a un auditorio reducido y selecto. Habrá que esperar los últimos años de la República, para que el teatro se encamine por nuevos derroteros, gracias sobre todo al desarrollo, truncado, de la obra dramática de García Lorca y a los comienzos de Casona, cuyas obras, como las de aquél, obtienen ya en la época de su estreno una extraordinaria aceptación.

El estilizado teatro de Lorca. — A partir de 1926, en que da a conocer su primera obra —*Mariana Pineda*—, **Federico García Lorca** inicia una producción teatral, de técnica cada vez más segura, en la que irá evolucionando desde el predominio de lo lírico hacia lo estrictamente dramático. Su eje fundamental será, en la mayoría de los casos, la realidad psicológica de la mujer española, y sus más caracterizados determinantes: el sentimiento del honor —de "la honra"—, la pasión amorosa —fuertemente teñida de sexualidad—, el instinto maternal —la realidad o la esperanza del hijo—, las convenciones sociales —sentidas a menudo como ley inflexible o riguroso deber...—.

Partiendo de todo ello, Lorca ha creado obras deliciosas, como *La zapatera prodigiosa* (1930), en la que el choque entre el marido entrado en años y la esposa joven da lugar a escenas llenas de garbosa y chispeante vivacidad cercanas al mundo de la farsa —otra de las direcciones de Lorca en la que hay que situar las graciosas piezas guiñolescas del *Retablillo de don Cristóbal* (1931) o el *Amor de don Perlimplín con Belisa en su jardín* (1931)...– y *Doña Rosita la soltera o El lenguaje de las flores* (1935), donde el tema de la novia que aguarda años y años se halla tratado con ironía velada de poética emoción melancólica.

La otra vertiente de su teatro la constituyen tres poderosos dramas de localización campesina, en los que la represión o el estallido de un elemental impulso biológico de tipo sexual –el amor o el ansia de maternidad– provoca fatalmente la tragedia. En *Bodas de sangre* (1933) –cuyo eje argumental es el rapto de la novia por un antiguo galán en el día de sus bodas, y la muerte de éste por el novio, que también sucumbe en la lucha–, el elemento lírico, que hace pensar en los procedimientos de Lope, aunque se mantenga en la línea de la metáfora lorquiana, desempeña un papel decisivo. He aquí dos momentos del final de la obra:

> NOVIA. – *(A la madre del novio.)* ¡Porque yo me fui con el otro, me fui! *(Con angustia.)* Tú también te hubieras ido. Yo era una mujer quemada, llena de llagas por dentro y por fuera, y tu hijo era un poquito de agua de la que yo esperaba hijos, tierra, salud; pero el otro era un río oscuro, lleno de ramas, que acercaba a mí el rumor de sus juncos y su cantar entre dientes. Y yo corría con tu hijo que era como un niñito de agua fría y el otro me mandaba cientos de pájaros que me impedían el andar y que dejaban escarcha sobre mis heridas de pobre mujer marchita, de muchacha acariciada por el fuego. Yo no quería, ¡óyelo bien! , yo no quería. ¡Tu hijo era mi fin y yo no lo he engañado, pero el brazo del otro me arrastró como un golpe de mar, como la cabezada de un mulo, y me hubiera arrastrado siempre, siempre, siempre, aunque hubiera sido vieja y todos los hijos de tu hijo me hubiesen agarrado de los cabellos! ...

> MADRE

> Que la luz ampare a muertos y vivos.
> Vecinas, con un cuchillo,
> con un cuchillito,
> en un día señalado, entre las dos y las tres,
> se mataron los dos hombre del amor.
> Con un cuchillo,
> con un cuchillito
> que apenas cabe en la mano,
> pero que penetra fino
> por las carnes asombradas,
> y que se para en el sitio
> donde tiembla enmarañada
> la oscura raíz del grito.

En *Yerma* (1934), centrada en el tema de la fecundidad frustada, y donde la protagonista acaba matando a su marido, la presencia de los factores líricos es aún capital. No así en *La casa de Bernarda Alba* (1936), obra de sombrío y escueto dramatismo, desprovista de toda ornamentación poética, y cuya figura central –la

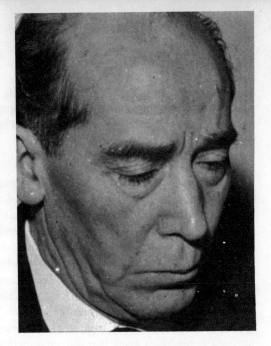

Alejandro Casona.

madre que vela ferozmente por la castidad de sus hijas en un sofocante ambiente de aldea— asegura la tensión dramática hasta el fin de la obra.

La gracia y el humor satírico de las farsas y la sugestión poética o la densidad de las tragedias, han proporcionado al teatro de Lorca en los últimos años un resonante éxito en el extranjero, al que seguramente no ha sido ajena la visión estilizada de ciertas formas extremas de la vida y la psicología española que en él se manifiestan.

Casona. – Aunque la poesía sea un elemento importante en el teatro en prosa de **Alejandro Casona** (1900-1965), su producción nada tiene que ver con el teatro poético en verso. Así se observa ya en su primer éxito, *La sirena varada* (1933), cuya acción gira en torno a uno de los temas más frecuentes en la literatura dramática del siglo XX: el choque o contraste del mundo de la fantasía con el de la realidad, resuelto aquí a favor del último. Una gran resonancia obtuvo también *Nuestra Natacha* (1935), inferior a aquélla, y en la que lo puramente dramático aparece dominado por un móvil político de reforma social. Otra etapa la marcan las obras escritas en la Argentina, después de nuestra guerra; en ellas el conflicto entre poesía y verdad o realidad e ilusión continúa manifestándose en una u otra forma aunque con un superior dominio de los recursos teatrales. Ejemplo de ello son *Prohibido suicidarse en primavera* (1943), *La barca sin pescador* (1945), *Los árboles mueren de pie* (1949), y *La dama del alba* (1944), donde el tema de la muerte se halla tratado con notable gravedad. Casona carece a menudo de hondura y de auténtica fuerza dramática, pero su calidad teatral y literaria y su valor poético y humano lo destacan dentro de la producción escénica de nuestro siglo.

Pemán. – La obra dramática del gaditano **José María Pemán** (n. 1898) se nos muestra estrechamente vinculada, por lo menos en sus comienzos, con el teatro poético de un Marquina, por ejemplo. Dentro de esta línea se hallan *El divino impaciente* (1933), *Cuando las Cortes de Cádiz* (1934), *Cisneros* (1934), *La Santa Virreina* (1939)..., escritas en un estilo fácil que le conquistó el favor de un amplio público conservador, y en las que es patente un propósito propagandístico en relación con su tradicionalismo político y religioso. Con posterioridad a las obras citadas ha cultivado un teatro en prosa de ambiente contemporáneo —*La casa, Callados como* *muertos, Paca Almuzara, Vendimia...*–, donde se trasluce a menudo una intención moral, y ha llevado a cabo adaptaciones del teatro griego –*Edipo* (1954), *Antígona*–, que para algunos representan lo más logrado de su labor teatral.

La prosa novelística

En el terreno de la novela, la que hemos llamado tercera generación del siglo XX se orienta, como en otros géneros, hacia formas de arte minoritario con un desdén absoluto hacia el lector medio. Tan sólo en las obras primerizas de algunos autores aislados –*El blocao* (1928) de J. Díaz Fernández, *Imán* (1930) de R. Sender, *Reparto de tierras* de César Arconada (1934), se inicia, a veces con gran vigor, un deseo de realismo crítico que no dará sus frutos hasta después de la guerra civil.

El lugar más destacado por la calidad y cantidad de su obra lo ocupa el aragonés **Benjamín Jarnés** (1888-1950), por más que en sus relatos, la acción novelesca quede en un segundo plano. Típico ejemplo de ese arte "deshumanizado", propio de los años veinte, la producción de Jarnés, extraordinariamente rica en valores estilísticos, representa la tendencia hacia la estilización metafórica y la nota intelectual, en menoscabo de la intriga y del factor humano. Por eso, sus obras narrativas, escritas en una prosa elaboradísima, se hallan más cerca de la lírica y el ensayo que de la novela propiamente dicha. A esta orientación responden *El profesor inútil* (1926), *Paula y Paulina* (1929), *Locura y muerte de Nadie* (1929) etc., donde la ironía y la exaltación de lo erótico encubren a menudo una dolorosa inquietud. Sobresalen asímismo su *Vida de San Alejo* (1928) y el bello relato *Viviana y Merlín* (1930), cuyo clima poético e irreal se adapta bien a las modalidades de su arte. Jarnés nos ha dejado igualmente ensayos de estética y crítica literaria, publicados algunos en la Revista de Occidente, y unas sugestivas biografías: *Sor Patrocinio, La monja de las llagas* (1929), *Zumalacárregui* (1933), *Castelar* (1935), y *Doble agonía de Bécquer* (1936).

A la misma época corresponde **Antonio Espina** (n. 1894), colaborador de la Revista de Occidente y autor de diversos ensayos de tema estético, de excelentes biografías de *Luis Candelas* (1929), *Romea* (1931) y *Ganivet* (1942), y de un par de novelas –*Pájaro Pinto* (1927) y *Luna de copas* (1929)– escritas en una prosa cuyo humor neorromántico, propenso a la caricatura y la nota amarga, ha sido calificado de "mezcla de greguería y de esperpento".

El ensayo y la crítica

Durante el período que comienza hacia 1920 y termina en 1936, obsérvase, en el terreno del ensayo y la crítica, un abundante cultivo, debido a causas de diversa índole, entre las que cabría citar el amplio contacto con las novedades del pensamiento o el arte europeos, llevados a cabo, desde los años de la Dictadura, por los colaboradores de la "Revista de Occidente" (1923-1936) y la "Gaceta literaria" (1927-1932), y la agitación ideológica de la época de la República, a la que corresponde otra revista de altura: "Cruz y Raya" (1933-1936). El género, que tenía brillantes precedentes en las décadas anteriores —Ganivet, Unamuno, Ortega...—, queda representado ahora por una serie de escritores que acentúan la nota polémica, cada cual desde sus respectivas posiciones, empleando un estilo en el que se advierte el gusto por la metáfora y el rasgo conceptual, que hemos señalado en la producción lírica, y la atención preferente a un público minoritario. Uno de los temas primordiales continuará siendo, de acuerdo con la trayectoria señalada por Ortega, el sentido de la cultura española, considerada desde un ángulo en el que el interés por los más nobles contenidos de nuestra tradición se une frecuentemente a los estímulos europeos.

Bergamín. – La obra de José Bergamín (Madrid, 1894), denota un temperamento inquieto, en quien el juego intelectual se lleva a cabo con un apasionado ímpetu que hace pensar en Unamuno, como él amante de la paradoja y desdeñoso de la lógica. "El que no tiene pasión no tiene razón, aunque pueda tener razones", dirá uno de sus aforismos.

Profundamente católico, ha sabido aunar el influjo de nuestros místicos —tal, San Juan de la Cruz— con el de las figuras más prestigiosas del pensamiento religioso europeo —Maritain, entre otros—, dando a su producción un aire combativo muy a tono con sus convicciones, en las que la adhesión total a una fe no impide la búsqueda afanosa y anhelante —"La duda no es vacilación: es oscilación y fidelidad"—. De ahí que la crítica haya aludido repetidas veces a Pascal, refiriéndose a su obra.

Bergamín ha dirigido su atención a variados aspectos de nuestra tradición cultural, sobre todo a los de tipo estético, expresando sus puntos de vista en una prosa aforística, descoyuntada y propensa a la pirueta conceptual, que podría calificarse de neobarroca, y en la que se advierte la huella de las grandes figura del siglo XVII —Quevedo, Gracián, Saavedra Fajardo...—, así como la del ya citado Unamuno.

Tras su primera obra, *El cohete y la estrella* (1922), colección de aforismos publicó *El arte de birlibirloque* (1930), sobre los toros. *Mangas y capirotes* (1933), donde figuran sugestivos ensayos en torno al teatro español, y *Disparadero español* (1936), sobre Lope de Vega y otros temas de carácter estético, escritas en su difícil condensado y original estilo. A todo ello pueden añadirse varias piezas dramáticas: *Tres escenas en ángulo recto* (1924), *Enemigo que huye* (1927) —cuyo esquematismo conceptual ha sugerido el paralelo con los autos sacramentales de Calderón— y otras obras teatrales de la época de su exilio, por ejemplo, su impresionante tragedia gitana *Medea la encantadora* (1953). Bergamín fue director de "Cruz y Raya".

He aquí uno de los párrafos de "Mangas y capirotes", reeditada recientemente con el título de "España en su laberinto teatral del siglo XVII":

El gusto de este pueblo español, de este pueblo hecho público católico; y a la inversa: público español hecho pueblo católico; este gusto, tan puramente espiritual, analfabeto, era el gusto de ese sabor que San Juan de la Cruz encontraba a la voluntad de lo eterno, al querer de lo eterno. Gustar de ese sabor de lo eterno, tan a su sabor, a su placer, hallándole hasta *placer al morir,* por ese gusto, es lo único que el pueblo quería: tan formalmente; con ese apasionado querer totalizador de su fe que santificaba su voluntad, santificándole por ella.

Así adoptaba Lope ante la crítica esa posición, esa actitud de tan hondo analfabetismo espiritual como la que Pascal tomaba ante los filósofos, hombres de letras, sus contemporáneos, cuando lanzándoles a la cara como lo más natural del mundo, lo más sobrenatural de todo, la fe de Cristo, les decía: *il faut s'abêtir. Il faut s'abêtir,* piensa Pascal: porque si decís que la fe entontece o idiotiza, la consecuencia es clara para el que la quiere: consecuencia espiritual de la más pura inteligencia, irónica en Pascal como en Lope: hay que entontecerse, hay que idiotizarse. Porque Dios es para Pascal, en este caso, lo que para Lope el *vulgo necio,* el pueblo: Dios es el que paga. Y también el que paga con su sangre, con su vida; con el espíritu y por el espíritu; con la palabra de vida y de verdad eterna.

Giménez Caballero. — Tras las *Cartas marruecas de un soldado* (1923), escritas a raíz de su participación en la guerra de Africa, y en las que se percibe aún un eco del pesimismo noventayochista, **Ernesto Giménez Caballero** (Madrid, 1899) marcha al extranjero, donde se pone en contacto con los movimientos de "vanguardia", que pronto difundirá en España con sus libros y a través de su "Gaceta literaria", en la que colaborarán las jóvenes promociones partidarias del arte nuevo. Varias notas caracterizan la producción de esta fase juvenil: la estridencia expresiva, el tono polémico desgarrado o el desenfado llevado hasta lo irreverente, en cuanto al estilo; la atención a los motivos más detonantes de la vida moderna y la técnica de la "deshumanización" en cuanto al contenido. Así lo vemos en *Los toros, las castañuelas y la Virgen* (1927), *Yo, inspector de alcantarillas* (1928), una de las primeras manifestaciones de la oleada freudiana en España, *Julepe de menta* (1929)... A partir de esta obra se advierte un creciente interés por lo castizo español —*Circuito imperial* (1930), *Trabalenguas sobre España* (1931), *El Belén de Salzillo en Murcia* (1934)...—. *Genio de España* (1932) señala un hito fundamental de esta nueva etapa y el desarrollo de un pensamiento político, basado en el abandono radical del ideario liberal y en la exaltación de nuestra tradición imperial y católica.

Otras figuras. — Durante los años que estudiamos, cultivan asimismo el ensayo en torno a temas de carácter estético y literario una serie de notables prosistas, entre los que cabe destacar a **Guillermo de Torre** († 1971), cuya brillante obra *Literaturas europeas de vanguardia* (1925), favoreció extraordinariamente la difusión en España de las tendencias subversivas del momento, y que en época reciente ha publicado importantes libros, como *La aventura y el orden* (1947), y *Problemática de la literatura* (1951); **Melchor Fernández Almagro**, crítico e historiador de los siglos XIX y XX, como lo demuestran sus biografías *Vida y obra de Angel Ganivet* (1925) y *Vida y obra de Valle-Inclán,* y una *Historia política de la España contemporánea* (1956); el elegante prosista **Antonio Maricha-lar,** colaborador de la Revista de Occidente y autor de una bella biografía titulada *Riesgo y ventura del duque de Osuna* (1930); **José María de Cossío,** atento a la literatura española del Siglo de Oro –*Poesía española: notas de asedio* (1936). *Siglo XVII* (1939). *Fábulas mitológicas en España* (1952)– y a la fiesta taurina –*Los toros* (1943-1947)–.

Un grupo aparte lo constituye el núcleo de profesores que, formados bajo el magisterio de Menéndez Pidal, y acogiéndose a los métodos europeos de investigación, así como a los nuevos enfoques del fenómeno estético, comenzaron en esta época, con rigurosa base filosófica, una labor en torno a diversos aspectos de nuestra historia literaria. Ya he-

mos aludido a los trabajos de **Dámaso Alonso** y **Pedro Salinas**. A ellos hay que añadir los llevados a cabo por **José Fernández Montesinos**, sobre los Valdés, Lope, Juan Valera, la novela del siglo XIX...; **Angel Valbuena**, que ha publicado numerosas monografías acerca del teatro del Siglo de Oro –Calderón en primer término– y una importante *Historia de la literatura española;* **Amado Alonso** (1896-1952), autor de varios estudios sobre Larreta, Valle Inclán, Neruda, y de los brillantes ensayos contenidos en *Materia y forma en poesía* (1955); **Angel del Río**, que además de sus trabajos sobre Jovellanos, Galdós y Lorca, publicó varias antologías: *El concepto contemporáneo de España* (1946) y *Antología general de la literatura española;* **Joaquín Casalduero**, a quien debemos detenidos estudios sobre Galdós, Espronceda y Guillén, y varios volúmenes sobre Cervantes, notables por la originalidad del punto de vista adoptado, etc.

Citemos, por último, en el terreno del arabismo, el más destacado discípulo de Asín Palacios: **Emilio García Gómez**, traductor, en depuradísima prosa, de una selección de *Poemas arábigo-andaluces* (1930), y de *El collar de la Paloma* de Ibn Hazm, y autor de numerosos estudios sobre la literatura de Al-Andalus.

BIBLIOGRAFIA

TEATRO

A. Berenguer Carisomo: *Las máscaras de F. García Lorca,* 1941.

J. Guerrero Zamora: *El teatro de García Lorca,* 1948.

E. García Luengo: *Revisión del teatro de F. García Lorca,* 1951.

R. G. Sánchez: *García Lorca. Estudio sobre su teatro,* 1950.

D. Pérez Minik: *García Lorca o el mito trágico.* En "Debates sobre el teatro español contemporáneo", 1953.

G. Torrente Ballester: *Bernarda Alba y sus hijas.* En "Teatro español contemp.", 1957.

Jean-Paul Borel: *Lorca y el amor imposible.* En "El teatro de lo imposible", 1966.

A. Bianchi: *El teatro de Casona,* 1936.

G. Díaz-Plaja: *A. Casona.* En "La voz iluminada", 1952.

D. Pérez Minik: *Casona o la crisis de la evasión.* En "Debates sobre el teatro español contemporáneo", 1953.

F. Sainz de Robles: *Prólogo a las "Obras completas de A. Casona",* México, 1954.

G. Torrente Ballester: *El teatro de Casona.* En "Teatro español contemporáneo", 1957.

G. Torrente Ballester: *J. M. Pemán.* En "Teatro español contemporáneo", 1957.

E. Díez Canedo: *El teatro español de 1914 a 1936.* Vol. 4.º. México, 1968.

Véase, además, Bibliografía general sobre el siglo XX, pág. 548, (*Historia de la literatura contemporánea* y, *Estudios sobre el teatro contemporáneo.)*

NOVELA. ENSAYO, ERUDICION

"Indice literario": *Castelar visto por Jarnés.* Enero, 1935.

"Indice literario": *B. Jarnés, novelista.* Febrero, 1934.

R. Gullón: *Benjamín Jarnés.* En la rev. "Insula", núm. 46, 1949.

P. Salinas: *J. Bergamín en aforismos.* En "Literatura española. Siglo XX", 1949.

E. G. de Nora: *La novela española contemporánea.* T. II, 1962.

E. de Zuleta: *Historia de la crítica española contemporánea.* Ed. Gredos, 1966.

Juan Bécarud: *Cruz y Raya (1933-1936).* Cuadernos Taurus. 1969.

Véase, además, Bibliografía general sobre el siglo XX, pág. 548. (*Historia de la literatura contemporánea, Estudios sobre la novela* y *Estudios sobre el ensayo.)*

La producción literaria posterior a la guerra civil

La aportación de las generaciones anteriores. – La dramática convulsión de la guerra civil cerró una época de la Historia de España, iniciando otra larga etapa en la que prevalecerían orientaciones políticas, ideológicas, literarias..., distintas de las que habían caracterizado el período anterior. Nuevas promociones emprendieron, enfrentándose con todo género de obstáculos, la dura y difícil tarea de reconstruir la vida cultural del país. La nueva poesía o la nueva novela fue, ciertamente, obra de otra generación; pero reducir la literatura de los primeros años de la posguerra a la producción de los que se incorporaron a ella después de 1939, sería falsear las cosas, dada la valiosísima aportación de personalidades de gran relieve, pertenecientes a las tres generaciones anteriores, que, como ya vimos en los capítulos precedentes, siguieron publicando obras de calidad excepcional. Es cierto que algunas de éstas, por el hecho de haber sido editadas en el exilio, no tuvieron una resonancia inmediata en España, pero con el tiempo fueron alcanzando aquí una progresiva difusión. Basta citar los nombres de Menéndez Pidal, Marañón, Gerardo Diego, Aleixandre o Dámaso Alonso, entre los que continuaron en España, o los de Juan Ramón Jiménez, Américo Castro, Guillén, Alberti o Casona, entre los que abandonaron el país, para que quede de relieve la importancia de la labor realizada por quienes ya la habían iniciado mucho antes de 1936. Hecha esta salvedad, nos limitaremos de ahora en adelante a reseñar la producción de las sucesivas promociones de posguerra, comenzando por la de aquellos que habiéndose dado a conocer inmediatamente antes de la guerra civil llegaron a la madurez en la década del cuarenta.

Las nuevas promociones. – Transcurridos los tres años de guerra, durante los cuales la literatura se puso al servicio de las ideologías en pugna —recuérdense los versos de Alberti o M. Hernández por un lado y los de Pemán o Agustín de Foxá por otro—, la producción reanudó su curso con un común denominador —al que habría que oponer escasas excepciones—: el del silencio respecto de la tragedia que acababa de sufrir España, así como de las duras condiciones de vida en aquellos años en los que se iniciaba penosamente la reconstrucción del país. La poesía, la novela o el teatro de los inicios de la posguerra dan hoy la sensación de haber sido escritos "como si nada hubiese ocurrido", fenómeno explicable, bien por lo que alguien ha llamado el temor a ser sinceros, bien por el deseo de aferrarse a la vida, apartando los ojos de un pasado angustioso demasiado reciente. Sólo la prosa ideológica, orientada hacia el pensamiento tradicional y castizo, y en pugna con el liberalismo europeísta de la etapa anterior, señaló la nueva situación histórica; los restantes géneros literarios parecieron hacer caso omiso de ella, así como de la cruda realidad del momento.

En un comienzo, fue la poesía —una pulcra y fría poesía neoclásica alejada de la ardua problemática humana y social planteada en aquella época— la que alcanzó un mayor cultivo. La novela y el teatro permanecieron estancados, mientras los escenarios se nutrían con una producción mediocre a base de costumbrismo, humor intrascendente o acartonadas evocaciones históricas, y el lector de novelas saciaba su curiosidad con traducciones de las novelas extranjeras, por lo general bastante inocuas, que conseguían salvar el obstáculo de la censura o con alguna escasa muestra nacional inspirada en un realismo sin consistencia.

La situación comenzó a cambiar lentamente hacia 1945, es decir, hacia la terminación de la segunda guerra mundial, gracias a algún estímulo español —"Nada" de Carmen Laforet, "Hijos de la ira" de Dámaso Alonso, para no citar más que dos ejemplos significativos—, así como al influjo de Europa, dominada hacia estos años por una atroz crisis cultural, de la que las doctrinas existencialistas serían el más alto exponente. Ello y la progresiva recuperación del espíritu español, tras el abatimiento de los primeros años de nuestra posguerra, originó paulatinamente una producción en la que se observa una actitud más tensa, un evidente deseo de entrar en contacto con las circunstancias ambientales, y una necesidad de expresar con la mayor sinceridad los conflictos interiores —en su múltiple vertiente religiosa, sentimental, ideológica...—, sin olvidar las posibles conexiones con la historia española y mundial de los últimos tiempos.

Abandono de actitudes esteticistas; afán de autenticidad en la expresión de lo íntimo y de los anhelos o necesidades de la colectividad; apasionado interés —compatible con un renovado fervor europeísta— por la verdadera esencia y el futuro de España, al margen de gastados tópicos; anticonformismo frente a una concepción burguesa de la vida; enfoque realista y lenguaje directo como medio para lograr una amplia comunicación con públicos mayoritarios: he aquí algunos de los rasgos que fueron manifestándose, tímidamente al principio, más tarde con creciente vigor, a través de la década de 1950. La de 1960 representó, a su vez, sobre todo en sus últimos años, el deseo de explorar nuevas y más profundas zonas de la realidad, superando las limitaciones de un estrecho y superficial realismo, así como el intento de rehabilitar ciertos aspectos del quehacer literario —imaginación, elaboración de un eficaz instrumento verbal, búsqueda de nuevos ángulos de visión...—, que en la etapa precedente habían quedado a menudo relegados a un segundo plano al atribuirse un primerísimo rango a las exigencias de tipo ético. Hacia 1970, el principal problema que se plantea en el campo de la literatura parece ser el de avanzar por nuevos caminos en el ámbito de los valores estéticos, sin menoscabo de una despierta atención a la circunstancia histórica y de una mayor y más lúcida conciencia del destino del hombre.

La poesía: etapas y tendencias

La poesía que se escribió durante los primeros años de la posguerra no supuso una auténtica novedad, puesto que no fue sino una mera continuación de la que había comenzado a producir poco antes del 36 un grupo de poetas que, sin romper abiertamente con los de la generación del 27, marcaron nuevas orientaciones que podrían sintetizarse así: preferencia por la estrofa clásica frente al verso libre, reincorporación del amor y de lo religioso como temas de la lírica, vuelta a Garcilaso tras el entusiasmo anterior por Góngora, apartamiento de la poesía pura y del lenguaje hermético en pro de una mayor "humanización" y sencillez expresiva, serenidad opuesta al tono encrespado del sector superrealista...

Fueron los representantes de esta generación quienes, restablecida la paz en España, marcaron el camino a una serie de poetas más jóvenes que, acentuando las notas de equilibrio y pulcritud de estilo, desembocaron a menudo en un frío clasicismo formal teñido de convencional apasionamiento, donde todo se reducía a una hábil manipulación, perfectamente aséptica, de motivos amorosos, o a bellas evocaciones de paisajes y monumentos de épocas gloriosas.

Esta situación perduró hasta 1945 aproximadamente, momento en que la poesía comenzó a despertar del ensueño "garcilasista" de la fase anterior y a intentar una aproximación a la vida real que originó diversas actitudes, entre las que podrían señalarse la reclusión nostálgica en el mundo de lo íntimo, la súplica esperanzada a la divinidad, la angustia existencial, el acercamiento cordial a las realidades más inmediatas de la existencia cotidiana y —sobre todo en la década del 50— el grito de protesta ante la injusticia y el dolor de los humildes. Todo ello se ha ido manteniendo, de una forma u otra, hasta nuestros días; no obstante, se advierte en la poesía de los últimos años un evidente deseo de renovación, dirigido en lo fundamental a evitar el exclusivismo del tema de la denuncia social y la sobrevaloración del lenguaje coloquial y directo.

La generación de 1936

Como acabamos de ver, poco antes del comienzo de la guerra civil, un grupo de poetas, M. Hernández, Rosales, L. Panero, Vivanco, Ridruejo, Bleiberg, Muñoz Rojas, I. Manuel Gil..., a los que puede denominarse con el nombre de "promoción" o "generación de 1936"—, iniciaron, aunque sin apartarse mucho de sus inmediatos predecesores, una actitud que podríamos llamar más "conservadora", no sólo en el terreno de las preferencias estróficas y de la expresión misma —más sencilla y clara—, sino en el de los temas, amorosos y religiosos —no se olvide la postura católica de la mayoría de sus miembros, vinculados en gran parte con la revista "Cruz y Raya"–. Esta línea se mantuvo en lo fundamental durante los primeros años de la posguerra, pero su producción acusó, ya a fines de la década de 1940, y coincidiendo con una "vuelta a Machado", una franca participación en el tono general de la poesía de la época, manifiesta en la alusión directa a la contingencia personal del poeta y a su más íntima problemática –amorosa, familiar, religiosa..., dentro de una actitud serena o por lo menos esperanzada–, así como en la vuelta de algunos al verso libre. Fue éste el momento de su definitiva madurez, según lo confirman *La casa encendida* de Rosales, *Escrito a cada instante* de Panero, o *Contemplación de la vida* de Vivanco, publicadas en 1949.

Aunque perteneciente al grupo de poetas que estudiamos, **Miguel Hernández** (Orihuela, 1910) fue, en cierto modo, un caso aparte, no sólo por su humilde origen campesino y –ya en Madrid– su ulterior evolución ideológica, que determinó su participación en la guerra y su trágica muerte en la prisión de Alicante en el año 1942, sino por el carácter general de su lírica, envuelta en una llama de arrebato pasional que halla adecuada expresión en una noble y fogosa retórica.

Tras un libro de versos lleno de una imaginería muy de la época –*Perito en lunas* Orihuela, 1933–, publicó en Madrid, en 1936, *El rayo que no cesa*, conjunto de

Miguel Hernández.

Luis Felipe Vivanco.

poemas, en su mayor parte sonetos amorosos, a cuyo lado figura, entre otras cosas, su emocionada elegía a la muerte de su amigo Ramón Sijé —cofundador de la revista poética "El gallo crisis"—. La obra, en la que se advierte el influjo de la lírica renacentista y barroca —Garcilaso, Góngora, Quevedo...— y de los medios expresivos de la generación de García Lorca,[1] se halla dotada de una extraordinaria fuerza verbal puesta al servicio de lo plástico y de un sentimiento tras el que adivinamos el violento latido de la sangre. He aquí uno de sus mejores sonetos, donde, como en otros momentos, una arrebatada vehemencia amorosa, que no excluye el rasgo de ternura, encuentra su cauce expresivo en brillantes imágenes de poderosa sugestión sensorial y afectiva:

> Silencio de metal triste y sonoro,
> espadas congregando con amores
> en el final de huesos destructores
> de la región volcánica del toro.
>
> Una humedad de femenino oro
> que olió puso en su sangre resplandores,
> y refugió un bramido entre las flores
> como un huracanado y vasto lloro.
>
> De amorosas y cálidas cornadas
> cubriendo está los trebolares tiernos
> con el dolor de mil enamorados.
>
> Bajo su piel las furias refugiadas
> son en el nacimiento de sus cuernos
> pensamientos de muerte edificados.

Miguel Hernández, que en 1934 había publicado en la revista "Cruz y Raya" el auto sacramental *Quien te ha visto y quien te ve y sombra de lo que eres,* en la línea de Lope y Calderón, volvió a acercarse al teatro ya en plena guerra con *El labrador de más aire,* 1937, año en que vio la luz su vibrante libro de poemas *Viento del pueblo,* donde el lujo retórico y el tema amoroso de "El rayo que no cesa" dejan paso a un estilo más sencillo y directo y a los motivos bélicos y patrióticos —"Si me muero, que me muera con la cabeza muy alta"..., " ¡Ay España de mi vida, — ay España de mi muerte! "...—.

Los versos de la última y amarga etapa de su vida corresponden al *Cancionero y romancero de ausencias* —libro póstumo, 1958—, en el que la dramática experiencia de la cárcel y la angustia por la suerte de la esposa y el hijo dan origen a sencillos poemas de desolada emoción:

> En la cuna del hambre   Tu risa me hace libre,
> mi niño estaba.   me pone alas.
> Con sangre de cebolla   Soledades me quita,
> se amamantaba...   cárcel me arranca...

La poesía de **Luis Rosales** (n. 1910) ofrece un radical contraste con la de Miguel Hernández; lo que en éste era pasión arrebatada y a menudo sombría y abarrocada

1. También Aleixandre y Neruda habrán de influirle en años sucesivos.

exuberancia verbal, será en aquél equilibrio vital y sencillez expresiva, hasta llegar al límite del lenguaje coloquial. Desde *Abril* (1935) —que aunque dentro de los cauces señalados por la generación del 27, ofrece la novedad de un elegante clasicismo, así como la de una ampliación de la temática lírica del momento, al añadir la cuerda religiosa a la amorosa—, la poesía de Rosales ha ido evolucionando en el sentido de una mayor impregnación de elementos de vida personal, sin abandonar las notas de serenidad y gracia delicada de su libro inicial. Ejemplo de ello sería sobre todo su gran libro *La casa encendida* (1949), escrito años después de un *Retablo sacro de Nuestro Señor* (1940), donde incorpora la gracia ingenua de los poetas religiosos de fines de la Edad Media. "La casa encendida", a la que siguieron en 1951 unas emocionadas *Rimas*, representa el máximo logro de una poesía "arraigada" en el mundo de las vivencias afectivas y de las circunstancias personales del poeta: el recuerdo de los padres y del amigo muerto, el amor de la esposa, la infancia... La narración, el verso libre y un lenguaje deliberadamente sencillo servirán de vehículo expresivo a esta nostálgica evocación de lo que el tiempo llevó consigo, en la que el dolor halla el contrapeso de una profunda fe religiosa. Véanse estos pocos versos:

> ...Y puede ser que habitemos aquella casa de la infancia [...]
> y puede ser que yo sea niño,
> > "Pepa, Pepona; ven",
>
> y Pepona llegaba hacia nosotros con aquel alborozo de negra en baño siempre,
> con aquella alegría de madre con ventanas
> que hablaban todas a la vez, para decirnos
> que no hay tarde sin sol, ni luz que no caliente
> las mieses y las manos,
> > "pero, Pepa; Pepona, ¿dónde estás? ". [...]
>
> hasta que al fin la casa grande
> la casa de la infancia fue cayéndose,
> la casa de hora única, con una estancia sola de juego indivisible [...]
> y quedó sólo en pie la casa chica [...]
> la casa que también comenzó con nosotros a enterrar a sus muertos,
> la adolescencia triste y sin motivo,
> la casa con cimiento,
> donde se quema aún, donde se está quemando el alma sin arder todavía.

Lo más genuino de la producción en verso de **Luis Felipe Vivanco** (n. 1907) —desde *Cantos de Primavera* (1936) hasta *El descampado* (1957), pasando por *Tiempo de dolor* (1940) y *Continuación de la vida* (1949)— responde a una actitud grave ante la vida y su misterio, expresada cada vez con mayor intensidad y, como en el caso de otros poetas de su generación, a un acercamiento progresivo al ámbito de las realidades concretas. Realismo, sí, pero, para decirlo con palabras del propio Vivanco, "realismo intimista trascendente", que brota de un deseo de tirarse "de cabeza a lo absoluto... pero a través de lo real".

Su obra, en la que los afectos familiares —la esposa, las hijas—, la naturaleza y la presencia divina figuran como estímulos capitales, sobresale por su extraordinaria densidad y por una nobilísima austeridad de dicción que culmina en el intento de una poesía sin metáforas y válida solamente por la eficacia lírica y emotiva de la pura palabra. Sirva de ejemplo el siguiente poema de "El descampado", uno de los libros de mayor hondura y belleza de toda la producción poética de posguerra:

> Tú estás en ese taxi parado, sí, eres Tú
> —un bulto en el crepúsculo— junto al bordillo blanco
> donde se acaba el campo de enfrente o descampado [...]
> [...] Llueve fuerte y estás dentro del taxi
> (tal vez junto a ese chófer fatigado del volante).
> Sé que dentro del taxi no hay nadie, pero huele
> a lluvia de muy lejos. Suena esa lluvia. Y pienso
> sin ganas: ser poeta, suspender en el aire
> laborioso de un día y otro día unas pocas
> palabras necesarias, y quitarse de en medio [...]
> Por eso, algo me quito de en medio: estoy viviendo
> como un taxi parado junto al bordillo blanco [...]
> Porque Tú, el más activo —y el más ocioso— estabas
> aquí, junto al farol de luz verde en la noche [...]
> Y los trigos en éxtasis de Castilla la Vieja,
> los ríos llameantes con sus aguas crecidas,
> seguían a lo lejos relevándote (mientras
> detrás de mis cristales aparece el retrato
> de ese barro, de esos charcos del ancho descampado,
> ¡yo también descampado, desterrado del campo!).

Leopoldo Panero (1909-1962) —autor de *La estancia vacía* (1944), *Escrito a cada instante* (1949), y *Canto personal* (1953)— está, como Rosales y Vivanco, en la línea de la interiorización y de la expresión emocionada de lo biográfico —el paisaje natal, la familia, la experiencia religiosa...—.

En la soledad de su "Estancia vacía", Panero fue convirtiendo serenamente en materia poética las incidencias de su vida, con una voz sencilla y llena de ternura y una "noble melancolía viril" —como ha dicho Laín Entralgo— en las que se observa la huella de Antonio Machado.

A la misma promoción que los poetas estudiados corresponde **Dionisio Ridruejo** (1912-1975), cuya producción —desde *Primer libro de amor,* plenamente "garcilasista" (1939) y *Sonetos a la piedra* (1943), hasta las desengañadas *Elegías* (1948)...—, reunida en el libro *En once años* (1950), revela una extraordinaria destreza de versificación, sobre todo dentro de los moldes clásicos, y un virtuosismo formal que a veces menoscaba la eficacia estética del poema, pero que en otros casos logra efectos de gran elegancia expresiva, como en estos versos de su soneto al Escorial:

> Llanura vertical y torreada,
> milicia de la piedra en el sosiego,
> orden y frente del paisaje ciego
> que en ella multiplica la mirada.
>   No mira su jardín. Disciplinada
> la pasión vegetal mutila el fuego
> en éxtasis de boj y, cuando llego,
> hasta el alma es de piedra en la explanada.
>   Oh muralla gentil, grave y entera,
> serena dimensión de la armonía,
> alta y robusta eternidad del sueño.
>   Sobre el verde sin tiempo y la somera
> calma del agua, que descansa, fría,
> la majestad del acabado empeño.

Otros nombres serían los de **Germán Bleiberg** (n. 1915), que ya en 1936 contribuyó al movimiento "garcilasista" con unos bellos *Sonetos amorosos,* que dejarán paso más tarde a los dramáticos poemas de *Más allá de las ruinas* (1947); **José Antonio Muñoz Rojas** (n. 1909), autor de armoniosos y serenos versos en los que evoca finamente el paisaje de su tierra andaluza, e **Ildefonso Manuel Gil** (n. 1912), novelista y poeta de inspiración grave y austera –*Poemas de dolor antiguo* (1945)–.

Los poetas de posguerra. La promoción de 1945

Como ya indicamos, desde el año 39 al 44 aproximadamente, la poesía castellana se orientó hacia un "garcilasismo" estetizante, interesado en los valores formales de tipo clasicista y la belleza del verso, siguiendo el camino abierto por los representantes de la promoción de 1936. Fue un momento de gran euforia lírica, en el que las revistas de poesía alcanzaron un lugar preferente en el campo de la actividad literaria. Entre ellas ocupó un destacado lugar la que bajo el título de "Garcilaso" dirigió **José García Nieto** entre 1943 y 1946, autor de libros de poemas (*Del campo y soledad,* 1945) dotados de serena belleza de estilo –"Por Soria estará ya la sierra pura — enseñando su azul entre la nieve..."–, pero en los que hoy se echa de menos, como en toda la producción de aquellos años, una auténtica vibración cordial.

Hacia la mitad de la década de 1940 diversas circunstancias provocaron un cambio de rumbo, poniendo las bases de la lírica actual; entre ellas cabría señalar la publicación, en 1944, de dos libros: "Hijos de la ira", de D. Alonso, y "Sombra del Paraíso", de V. Aleixandre, restallante el primero, lleno de cálida pasión el segundo, cuyo influjo, unido al del clima de la angustiada Europa del momento, al cansancio respecto de la bella pero exangüe poesía de la etapa precedente y a ciertos brotes interiores de anticonformismo literario, contribuyó a la aparición de una lírica de signo radicalmente opuesto al de las dos décadas anteriores. Los conceptos de pureza estética, de refinamiento minoritario y deshumanización fueron sustituidos por los de intensidad, comunicación y realismo, y lo que hasta entonces había sido exquisita elaboración al margen de toda contingencia personal o histórica se convirtió en

Blas de Otero.

expresión apasionada y directa de los más graves problemas inherentes a la condición humana.

En un comienzo, la reacción adoptó formas violentas algo ingenuas: tal el "tremendismo" de algunos colaboradores de la revista "Espadaña" (1944-1951), que, dirigida por V. Cremer y E. de Nora, presentó batalla a las huestes de "Garcilaso". Más tarde, esta "vuelta a lo real" llegó a afectar prácticamente a todos los sectores de la producción poética, incluso a los miembros de la promoción del 35, quienes, como ya vimos, evolucionaron hacia un realismo intimista, atento a la percepción de lo trascendente en el ámbito de las circunstancias personales. Fuera de los componentes de este grupo —Rosales, Panero, Vivanco...—, caracterizados por el rasgo común de una serena concepción católica de la vida, los poetas más jóvenes —interesados igualmente en lograr un amplio público mediante el uso del lenguaje directo y la inmersión en el mundo de los problemas humanos— podrían situarse, prescindiendo de casos particulares, en dos amplios sectores:

1.º, el de quienes plantean el dramático destino del hombre en relación con unas realidades de tipo metafísico o religioso, adoptando actitudes que van desde la angustia y el desgarrón afectivo hasta la aceptación resignada (Blas de Otero, Gaos, Valverde, Bousoño, Hidalgo...), y, poco más tarde,

2.º, el de aquellos que sin olvidar la conexión del hombre con lo trascendente —o, por el contrario, adoptando una actitud irónica ante los "temas eternos"— atienden preferentemente a la expresión de los aspectos más crudos e inmediatos de la circunstancia histórica, señalando, con ademán enérgico y acentos sombríos o esperanzados, el presente o el futuro de la existencia colectiva (Celaya, Cremer, Otero, Nora...).

Ni que decir tiene que este intento de clasificación, no pretende ser otra cosa que un mero punto de partida en el análisis de la poesía de nuestros días, muy compleja, entre otras razones por las interferencias que se acusan entre ambos grupos y la evolución, bastante frecuente, desde una postura que podríamos llamar de drama existencial a la de la protesta social, actitud ésta que habrá de caracterizar a gran parte de lo publicado desde 1950. A continuación aludiremos rápidamente a algunas de las figuras que empiezan a destacarse en el panorama de la producción poética entre 1945 y 1955 aproximadamente y con posterioridad al auge del neoclasicismo garcilasista. [1]

Blas de Otero (n. 1916), uno de los mejores poetas de posguerra, figura entre los ejemplos más significativos del paso a la preocupación social y política, partiendo del puro grito de angustia personal. En los libros *Angel fieramente humano* (1950) y *Redoble de conciencia* (1951), una atroz sensación de vacío metafísico provoca exasperados diálogos con Dios en los que alternan la súplica dolorida con el más sombrío nihilismo:

> Voz de lo negro en ámbito cerrado
> ahoga al hombre por dentro como un muro
> de soledad, y el sordo son oscuro
> se oye del corazón casi parado...

Pido la paz y la palabra (1955) señala ya el tránsito a una nueva fe en la solidaridad humana y a la necesidad de una esperanza salvadora, de acuerdo con lo que él llama la "tarea para hoy: demostrar hermandad con la tragedia viva".

> Para el hombre hambreante y sepultado
> en sed —salobre són de sombra fría—,
> en nombre de la fe que he conquistado:
> alegría.
> Para el mundo inundado
> de sangre, engangrenado a sangre fría,
> en nombre de la paz que he voceado:
> alegría.
> Para ti, patria, árbol arrastrado
> sobre los ríos, ardua España mía,
> en nombre de la luz que ha alboreado:
> alegría.

En la misma línea se hallan *Que trata de España* (1964) y *Mientras* (1971).

El lenguaje de Blas de Otero, áspero y crispado a veces, pero siempre de una gran fuerza expresiva, así como el contenido de sus versos, agitados en todo momento por una violencia que hace pensar en Quevedo o Unamuno, constituyen una nota originalísima en la poesía española más reciente.

José Luis Hidalgo (1919-1947), prematuramente fallecido el mismo año en que se publicaron *Los muertos,* impregnó su obra de una honda y resignada melancolía, sintiéndose próximo a entrar, de la mano de Dios —"pleno y dorado estoy para tu sueño"—, en el gran misterio presentido.

---

1. Como se comprenderá fácilmente, la nómina de los poetas que citamos es, por razones obvias, totalmente incompleta y provisional.

La grave y densa poesía de **Vicente Gaos** (n. 1919), desde *Arcangel de mi noche* (1944) hasta *Profecía del recuerdo* (1956), es el fruto de una reiterada meditación de signo metafísico y concretamente religioso, cuya última fase señala una franca aceptación de la vida, en medio de la soledad y de la búsqueda anhelante de un Dios cada vez más lejano.

La huella de Unamuno, visible en la furia de Otero, en el desamparo de Hidalgo o en el apasionado inquirir de Gaos, se hace menos patente en la obra de **Carlos Bousoño** (n. 1923), a pesar de la frecuencia con que en ella aparecen los temas religiosos. Es la suya una poesía emocionada y serena, por más que con el tiempo haya ido llenándose de graves interrogantes —"sin intención de ofenderte, Señor, sin pretender injuriarte, pregunto..."— y manifestando una conciencia cada vez más honda del mundo y la existencia; así en el libro de significativo título, *Invasión de la realidad* (1962) o en su dramática y estremecida *Oda a la ceniza* (1967).

A **José María Valverde** (n. 1926) cabe relacionarle con los poetas católicos de la promoción anterior —Rosales, Panero, Vivanco—, no sólo por su sincera actitud religiosa, manifiesta ya en *Hombre de Dios* (1945), sino por el carácter sosegado de su lírica —tan lejana del "desarraigo" de un Blas de Otero, por ejemplo—. Muy dentro de la línea de la época se halla la inclusión de elementos realistas en algunos de sus libros; tal *Versos del domingo* (1954), donde la alusión a la humilde realidad cotidiana revela una actitud de generosa simpatía y ternura hacia las cosas como criaturas de Dios. He aquí unos significativos versos del poema "La Mañana".

> En la mañana, en su fino y mojado
> aire, subes y vuelves a la casa [...]
> Te acompaña [...] la verdura
> aún viva, sorprendida mientras duerme,
> las patatas mineras y pesadas
> de querencia de suelo, los tomates
> con fresco escalofrío; los pedazos
> crueles de la carne, y un aroma
> noble de pan por todo, y su contacto
> rugoso de herramienta. Ya se inunda
> mi faro pensativo de riquezas,
> de materias preciosas; considero
> la textura del vino y de la fruta,
> estudio mi lección de olores: noto
> que todo se hace yo porque lo traes
> a entrar en mí, y estamos en la mesa
> elevados, las cosas y nosotros,
> en el nombre del mundo, como pobre
> desayuno de Dios, a que nos coma.

La poesía de Valverde, en la que el amor ocupa también un lugar capital, se enriqueció posteriormente con algunos poemas —*Voces y acompañamientos para san*

José Hierro.

Mateo (1956)– donde el tema religioso aparece con noble entonación. Más tarde, ya en América, su obra manifestará –*Años inciertos* (1970)– un agrio desengaño, visible por ejemplo en "El profesor de español", donde la consideración del pasado y el presente de España se resuelve en desolados interrogantes.

Junto a los poetas hasta ahora aludidos podrían situarse dos notables figuras –Morales y Hierro– no sólo por su alejamiento de la llamada "poesía social", sino por el núcleo temático de su obra –la condición humana–, por más que en sus versos no se halle tan patente como en las anteriores un contenido de índole estrictamente religiosa o metafísica.

La poesía de **Rafael Morales** (n. 1919) podría calificarse sin demasiada violencia como "neorromántica", atendiendo al motivo constante que la inspira: el dolor, como él mismo ha declarado. Pero lo característico de su obra es que este tema central –en sus diversas facetas de soledad, desamparo y muerte...– es algo que el poeta contempla no en sí, sino en los demás, en la realidad externa, trátese de los toros –en cuyos huesos ve crecer "el amargo sabor de la vida"–, como de los locos, los leprosos, los niños muertos, o, más tarde, en las cosas hundidas en la ruina y el olvido: la chaqueta vieja, "la muñeca sin brazos y sin ojos", "el viejo cubo sucio y resignado"... Morales, según quien "jamás se ha hecho arte para la gente de gustos no refinados", ha publicado varios libros –*Poemas del toro* (1943), *Los desterrados* (1947), *Canción del asfalto* (1954)...–, escritos con un noble y cuidado estilo, que no desdeña el valor de la palabra bella.

La emocionada lírica de **José Hierro** (n. 1922), uno de los dos o tres mejores poetas de la posguerra, ofrece escasas conexiones con la "poesía social" y gira en buena parte en torno a un motivo fundamental: el valor de la pura existencia iluminada por la alegría del canto, única cosa que da sentido a la vida y arranca al hombre de la experiencia del dolor y del ineluctable paso del tiempo:

> Sé que nada está muerto mientras viva mi canto.
> Entre las perezosas nieblas del alma, quiero
> sentirme entero palpitando.
> Vi las formas borrosas entre la niebla. Espectros [...]
> Pero yo me rebelo. Yo llevo en mí la vida.
> Yo estoy, con el olvido, cara a cara luchando.

LA LITERATURA ESPAÑOLA A PARTIR DE 1939. LOS POETAS

LA LITERATURA ESPAÑOLA A PARTIR DE 1939. LOS POETAS **723**

Inmerso en la dolorida conciencia de la transitoriedad de cuanto le circunda, el poeta halla una y otra vez en el ejercicio de la palabra poética el más alto destino del hombre y el único medio de vincular la propia vida al eterno fluir de la existencia:

> No has venido a la tierra a poner diques y orden
> en el maravilloso desorden de las cosas.
> Has venido a nombrarlas, a comulgar con ellas,
> sin alzar vallas a su gloria.
> Nada te pertenece. Todo es afluente, arroyo.
> Sus aguas en tu cauce temporal desembocan
> y, hechos un solo río, os vertéis en el mar [...]
> [Has venido
> a hacer moler la muela con tu agua transitoria.
> Tu fin no está en ti mismo —"Mi obra", dices—,
> [olvidas
> que vida y muerte son tu obra.
> Y que el cantar que hoy cantas será apagado un
> [día,
> por la música de otras olas.

Valiéndose de un lenguaje deliberadamente transparente —"es preciso hablar claro. La oscuridad es defecto de expresión"— y de un tipo de poema breve desprovisto de artificio retórico —"mi poesía es seca y desnuda, pobre de imágenes"— José Hierro ha conseguido cantar con sencillez y hondura "lo que los hombres todos cantarían si tuviesen un poeta dentro", sin olvidar que "ser de nuestra época no quiere decir que han de emplearse los vocabularios de moda" ni "tratar los asuntos del día", ya que el poeta "que está vivo", lleva dentro "todo el peso de una época". Tras su inicial *Tierra sin nosotros* (1947) ha publicado, entre otros libros, *Alegría* (1947), *Quinta del 42* (1953), *Cuanto sé de mí* (1957), *Libro de las alucinaciones* (1963)...

Dejando el campo de la poesía centrada en lo que puede llamarse problema eterno del hombre, los primeros nombres que hallamos en el de la que siente como estímulo fundamental la contingencia histórica, son los de Cremer y Celaya, correspondientes a la generación anterior, pero que incluimos aquí por ser en estos años cuando su obra alcanza pleno desarrollo.

Victoriano Cremer (n. 1910) fue uno de los que con mayor ímpetu se opusieron al preciosismo garcilasista, tanto desde la revista "Espadaña", que dirigió en León, como desde sucesivos libros de versos —*Tacto sonoro* (1944), *La espada y la pared* (1949), *Nuevos cantos de vida y esperanza* (1952), *Furia y paloma* (1956), *Tiempo de Soledad* (1962), *El amor y la sangre*...— cuyas notas más características las constituyen la agresiva vehemencia del lenguaje y el arrebatado apasionamiento de los sentimientos que expresan, reflejo de una angustia por el miserable destino del hombre, en sus términos más amplios, así como por el dolor de los humildes en la más concreta situación de espacio y tiempo.

Gabriel Celaya.

Gabriel Celaya, seudónimo, lo mismo que "Juan de Leceta", de Rafael Mújica (n. 1911), es autor de una copiosa producción que figura entre las más notables de la poesía actual. Dotado de un temperamento vital, pronto a la vibración dolorida o a la exaltación entusiasta, Celaya ha ido evolucionando desde una poesía "concebida como una exploración de lo desconocido" y anclada en lo existencial, hasta la expresión cálida del vivir cotidiano —"hablemos de lo que cada día nos ocupa"— o la defensa enérgica de la justicia social, de acuerdo con su concepto de la poesía como "instrumento para transformar el mundo". Un generoso sentido de solidaridad con el alma colectiva, una sana afirmación de los valores más inmediatos de la existencia y un lenguaje directo y abundante que no excluye el prosaísmo —"porque en el poema debe haber barro, con perdón de los poetas poetísimos"—, son rasgos que hoy distinguen su poesía, sobre todo la escrita desde la década del 50: *Las cartas boca arriba* (1951), *Paz y concierto* (1953), *Cantos iberos* (1955), *El corazón en su sitio* (1959), *Episodios Nacionales* (1961), *Los espejos transparentes* (1968), *Operaciones poéticas* (1971)...

He aquí unos versos de su poema "Momentos felices", incluido en *De claro en claro* (1956):

> Cuando voy al mercado, miro los abridores
> y, apretando los dientes, las redondas cerezas,
> los higos rezumantes, las cerezas caídas
> del árbol de la vida, con pecado sin duda
> pues que tanto me tientan. Y pregunto su precio,
> regateo, consigo por fin una rebaja,
> mas terminado el juego, pago el doble y es poco,
> y abre la vendedora sus ojos asombrados,
> ¿no es la felicidad la que allí brota?
>
> Cuando puedo decir: el día ha terminado.
> Y con el día digo su trajín, su comercio,
> la busca de dinero, la lucha de los muertos.
> Y cuando así, cansado, manchado, llego a casa,
> me siento en la penumbra y enchufo el tocadiscos,
> y acuden Kachaturian, o Mozart, o Vivaldi,

y la música reina, vuelvo a sentirme limpio,
sencillamente limpio y pese a todo, indemne,
¿no es la felicidad lo que me envuelve?

[...] Vencido y traicionado, ver casi con cinismo
que no pueden quitarme nada más y que aún vivo,
¿no es la felicidad que no se vende?

Mucho más joven, **Eugenio de Nora** (n. 1923) comienza asimismo con poemas —tal los de *Cantos al destino* (1945)— que quieren ser expresión vigorosa y patética del destino del hombre, para derivar más tarde hacia un acercamiento a las realidades concretas que a todos afectan, en un generoso intento de "tomar contacto", saliendo "de los cuartos cerrados, de los ambientes de estufa". Fruto de esta actitud es su libro *España, pasión de vida* (1954) donde el paisaje castellano es bellamente evocado, y la consideración del pasado, del presente y el futuro de la patria da lugar a vibrantes poemas en los que la indignación se conjuga con la esperanza, y el amor con la ira:

Yo no canto la historia que bosteza en los libros,
ni la gloria que arrastran esas sombras de muerte.
¡España está en nosotros! Y su estrella sonora
en la dura oleada de la vida que viene.

En la misma línea de preocupación por las ásperas realidades de nuestro tiempo cabe situar también, dentro de la promoción estudiada, a **Leopoldo de Luis** (n. 1918), que ha puesto su noble y grave inspiración al servicio de sus convicciones éticas —*Teatro real,* 1957, *Juego limpio,* 1962, *Luz a nuestro lado,* 1964, *Con los cinco sentidos,* 1970—, y a quien debemos una Antología de la *Poesía social* (1965), y a **Ramón de Garciasol** (n. 1913), en cuya obra —*Defensa del hombre,* 1950, *Tierras de España,* 1955, *Poemas de andar España,* 1962, *Herido ayer,* 1966— la vena social y el amor al país se expresan con recia y apasionada voz que no excluye la reflexión intelectual.

Al margen de los dos sectores en que hemos agrupado a los poetas de la primera promoción de posguerra atendiendo a sus predilecciones temáticas, se hallan ciertas figuras que difícilmente podríamos relacionar con aquéllos; tal es el caso de tres poetas andaluces: **José Luis Cano** (n. 1912), que en *Otoño en Málaga y otros poemas* (1955) canta su tierra con versos luminosos y emocionada ternura; **Rafael Montesinos** (n. 1920), incurso en la línea de la lírica neo-popular (*Las incredulidades,* 1948), y **Juan Ruiz Peña** (n. 1915), cuyos sencillos y limpios versos traslucen una fina sensibilidad del paisaje andaluz y castellano y una honda emoción humana en la que alternan las notas de dolor y de gozo *(La vida misma,* 1956, *Nudo,* 1966, *Maduro para el sueño...).*

Jaime Gil de Biedma

La promoción de 1955.

Al promediar la década de 1950, comienzan a surgir una serie de nuevos poetas a los que cabría agrupar con el nombre de *"segunda promoción de posguerra"*. Son los años en que la llamada "poesía social" se encuentra en pleno auge y, con ella, la adhesión casi general a un lenguaje directo escasamente elaborado y al compromiso ideológico. Los recién llegados se unirán con generosa actitud a quienes habrían iniciado la línea del incorformismo, de la denuncia y del enfoque crítico de la vida actual; no obstante, a medida que transcurran los años y se vaya avanzando a través de la década de los 60, irá afirmándose una nueva concepción del quehacer poético: *subsistirá, adquiriendo nuevos matices, la conciencia de una responsabilidad de tipo ético,* y un sentido de solidaridad con el destino colectivo, pero se procurará *enriquecer el estilo,* huyendo de la opacidad y prosaísmo de los años precedentes, y lograr *una apertura a ciertas zonas profundas de la realidad* olvidadas por la poesía "social". Poesía como "conocimiento" e incluso como "indagación en lo oscuro" y no sólo como "comunicación", he aquí quizás la máxima aspiración de los nuevos poetas. Consecuentemente, los modelos preferidos seguirán siendo Antonio Machado, Vallejo, Neruda..., nombres a los que ahora habrá que añadir el de Luis Cernuda, cuya densa y meditativa poesía ejercerá un noble y decisivo influjo.

Entre los poetas de esta promoción que, desde un ángulo personal o colectivo, han mostrado una mayor inquietud por las realidades de nuestro tiempo, cabría destacar en una rápida enumeración, de ningún modo exhaustiva, a **Jaime Gil de Biedma** (n. 1928), en quien el poder de evocación o el gesto de descontento hallan el apoyo de una inteligencia lúcida y de una exigente sensibilidad poética (*Compañeros de viaje,* 1959, *En favor de Venus,* 1965, *Moralidades,* 1966); **Carlos Barral** (n. 1928), que en *19 figuras de mi historia civil,* 1961, *Usuras,* 1965, y *Figuración y fuga,* 1966, consigue fundir armoniosamente realidad concreta, emoción desengañada y belleza lírica, mediante estudiada y precisa técnica; **Angel Crespo** (1912), autor de varios libros donde abundan las referencias a la dura vida campesina, evocada con tenso realismo (*Quedan señales,* 1952, *Todo está vivo,* 1956, *Suma y sigue,* 1962...); **J. M. Caballero Bonald** (n. 1926), cuya obra, de trabajado estilo, gira en torno a lo íntimo (*Las adivinaciones,* 1952; *Las horas muertas,* 1958), aunque no falte en ella la alusión a la circunstancia histórica, sobre todo en libros más recientes (*Pliegos de Cordel,* 1963);

José Agustín Goytisolo (n. 1928), en el que puede subrayarse una aguda capacidad para la nota sarcástica y la sátira acre y despectiva (*Salmos al viento*, 1958, *Años decisivos*, 1961, *Algo sucede*, 1968); **José Angel Valente** (n. 1929), cuyo original estilo, conciso y altamente expresivo, se halla al servicio de una desolada e incisiva visión de la realidad social (*A modo de esperanza*, 1959, *Poemas a Lázaro*, 1960, *La memoria y los signos*, 1966, *Siete representaciones*, 1967); **Angel González** (n. 1925), autor de varios libros (*Aspero mundo*, 1955, *Sin esperanza, con convencimiento*, 1961, *Grado elemental*, 1962, *Tratado de urbanismo*, 1967, *Palabra sobre palabra*, 1968), escritos en un lenguaje próximo a la expresión coloquial, y en los que la denuncia moral se lleva a cabo con enfoque satírico y tono sarcástico; **Eladio Cabañero** (1930) —*Una señal de amor*, 1958, *Recordatorio*, 1961—; **Joaquín Marco** (1935) —*Fiesta en la calle*, 1961, *Abrir una ventana a veces no es sencillo*, 1965—; **Carlos Sahagún** (1938) —*Profecías del agua*, 1958, *Como si hubiera muerto un niño*, 1961; *Estar contigo*, 1973, libros en donde el recuerdo dolorido y el sentimiento solidario se manifiestan a través de una sobria dicción—; etc.

Quizás podrían situarse en un grupo aparte varios poetas en los que la alusión a la circunstancia social inmediata adquiere menor relieve y una mayor intensidad la expresión de la pura vivencia lírica: **Jaime Ferrán** (n. 1928), en quien la nota delicada e intimista aflora en poemas suscitados por la visión del paisaje, la actitud religiosa y el amor (*Poemas del viajero*, 1954, *Canciones para Dulcinea*, 1959); **Claudio Rodríguez** (n. 1934), apasionado cantor del paisaje castellano —*Don de la ebriedad*, 1953, *Conjuros*, 1958, *Alianza y condena*, 1965— en amplios y recios versos que expresan el puro gozo del contacto con las elementales realidades de la vida campesina, y **Francisco Brines** (n. 1932), autor de unos pocos libros de gran densidad lírica —*Las brasas*, 1960, *El Santo inocente*, 1965, *Palabras a la oscuridad*, 1966, *Aún no*, 1971 — donde queda patente su dominio de la expresión poética y su estremecida sensibilidad.

Ultimas tendencias: 1965-1970.

La segunda mitad de la década de 1960 significa, en el terreno de la poesía española, otro viraje hacia nuevas metas. Continúa, ciertamente, la línea de la poesía "solidaria y humana, preocupada más por el tema poético que por el tratamiento del mismo", pero la nota más original se halla en quienes pretenden una "poesía culta, densa, intimista, a

José Angel Valente.

veces decadente, a veces deliberadamente irracional, dispuesta siempre a que la imaginación encuentre el cauce más apropiado para su completa realización" (E. Martín Pardo). Definida por alguien como una lírica "esteticista, aristocratizante, experimental, lúdica", se apartará de las formas ya agotadas de la poesía de protesta y de la actitud ética, para buscar nuevas formas de expresión, entroncando con la generación del 27 e incluso con la obra de ciertos poetas, olvidados por las anteriores promociones de posguerra: Juan Ramón, Rilke, Eliot, P. Eluard, E. Pound... Muy significativo será, en este sentido, el rechazo, por parte de algunos, de la tradición hispánica, y la conexión con otros ámbitos culturales, así como la alusión a los más variados productos de la actual cultura de masas —el cine, los "comics", la música reciente—, bien como punto de partida para una agria repulsa, bien como mera ambientación coloreada y brillante. Inquietud metafísica, atención a los mitos de la sociedad de consumo, snobismo cultural, repulsa de la cultura, audacias superrealistas y neomodernismo delicuescente, ternura y sarcasmo, estridencia temática y forma suntuosa..., he aquí algunos de los rasgos más frecuentes de esta poesía abigarrada, cuyo único denominador común sería tal vez la obsesión por hallar nuevos cauces expresivos a las contradicciones internas de un selecto grupo minoritario de la vida intelectual del país.

Ejemplos de cuanto acabamos de decir serían la cabriola sarcástica de **M. Vázquez Montalbán**, el esteticismo de **P. Gimferrer**, la voz emocionada de **L. M. Panero**, la brillantez expresiva y la imaginación de **G. Carnero**, etc.

Poesía femenina

No quedaría completa esta rápida reseña de la lírica española de las últimas décadas si no aludiésemos a la *poesía femenina*, a veces muy valiosa —y cuyo rasgo capital sería la sinceridad— producida en la época que estudiamos. Sirva de ejemplo la extensa obra, llena de cálida fuerza expresiva, de **Carmen Conde** —*Júbilos*, 1929; *Mujer sin edén*, 1947; *Vivientes los siglos*, 1954...—, en torno a los eternos motivos de vida femenina; los libros de la fina poetisa italiana **Ester de Andreis** —*Prímula*, 1943, *Pastor en Morea* (1961)— que demuestran una delicada intuición de la belleza natural y una honda comprensión estética del mundo helénico; la profunda sensibilidad de **Angela Figuera**, en cuya importante y ya copiosa obra —*Mujer de barro*, 1948; *El grito inútil*, 1952; *Belleza cruel*, 1958; *Toco la tierra*, 1962— el tema de la maternidad, en su doble vertiente psicológica y social, se halla tratado con un lenguaje directo y una energía matizada de ternura que denotan una mujer firmemente anclada en la dura vida de nuestro tiempo; la grave y delicada emoción elegíaca de **Concha Zardoya** —*Dominio del llanto*, 1948; *El desterrado ensueño*, 1955—; la dolorida tensión de **María Beneyto** por los aspectos más agrios de la existencia actual, visible en unos libros —*Eva en el tiempo*, 1952; *Poemas de la ciudad*, 1954— donde su profundo descontento se manifiesta con sincero patetismo; el espíritu cordial y la simpática y valiente dicción poética de **Gloria Fuertes** —*Poemas del suburbio*, 1954; *Todo asusta*, 1958, el volumen antológico *"...Que estás en la tierra"*, 1962, *Poeta de guardia* (1968); **Elvira María**

Lacaci *–Humana voz* (1957), *Sonido de Dios* (1962)...–, etc. A estos nombres habría que añadir los más recientes de **Ana M.ª Moix, Angélica Bécker, Concha de Marco**...

Como resumen de cuanto llevamos dicho, podríamos señalar las siguientes etapas en la poesía de posguerra:

1.ª la *década de 1940*, durante la cual, tras unos años de formalismo neoclásico, llegan a su plenitud, dentro de un intimismo realista y trascendente, los poetas de la generación de 1936 (Vivanco, Rosales, Panero), mientras la primera promoción de posguerra (Celaya, Hierro, Otero) emprende la tarea de expresar con voz apasionada el drama de la humana existencia;

2.ª la *década de 1950*, en la que logra sus obras más conseguidas la promoción anterior, dentro ya de la temática "social", del enfoque realista y del empleo de un lenguaje coloquial y directo, y surge otro grupo de poetas (Valente, A. González, Gil de Biedma...) que de momento se mantendrán en la línea indicada;

3.ª la *década de 1960*, testigo de la evolución de la segunda promoción de posguerra hacia un estilo más elaborado y una temática más amplia, y de la aparición de un grupo de poetas –los de 1965–, todavía no suficientemente definido, pero en quien se advierte un desvío respecto de la actitud ética y cierto esteticismo o por lo menos una inquieta exigencia de renovación de las formas expresivas.

BIBLIOGRAFIA

ESTUDIOS

Dámaso Alonso: *Poetas españoles contemporáneos*, 1952 (Gredos).
Luis Cernuda: *Estudios sobre poesía española contemporánea*, 1957 (Guadarrama).
L. F. Vivanco: *Introducción a la poesía española contemporánea*, 1957 (Guadarrama).
J. L. Cano: *Poesía española del siglo XX*, 1960 (Guadarrama).
C. Zardoya: *El mundo poético de Miguel Hernández*. En "Poesía española contemporánea", 1961.
J. Cano Ballesta: *La poesía de Miguel Hernández*. Ed. Gredos, 1963.
E. Alarcos Llorach: *La poesía de Blas de Otero*. Anaya, 1966.
Max Aub: *Poesía española contemporánea*. México, 1969.
Félix Grande: *Apuntes sobre poesía española de posguerra*. Cuadernos Taurus, 1970.
Víctor G. de la Concha: *La poesía española de posguerra*. Madrid, 1973.
J. Olivio Jiménez: *Diez años de poesía española. 1960-1970*. Madrid, 1972.
J. L. Cano: *Poesía española de posguerra. Las generaciones de posguerra*. Guadarrama, 1974.

ANTOLOGIAS

Alfonso Moreno: *Poesía española actual*, 1946.

Antología consultada de la joven poesía española, 1952.

E. Azcoaga: *Panorama de la poesía moderna española*, Buenos Aires, 1953.

José Luis Cano: *Antología de la nueva poesía española*, 1958 (Gredos).

Cuatro poetas de hoy (Hidalgo, Celaya, Otero, Hierro). Selección de M.ª Gracia Ifach. Taurus, 1960.

J. María Castellet: *Veinte años de poesía española (1939-1959)*, 1960.

Poesía última. Selección de F. Ribes. Taurus, 1963.

L. de Luis: *Antología de la poesía social*. Ed. Alfaguara, Madrid, 1965.

José Batlló: *Antología de la nueva poesía española*. Madrid, 1968.

J. María Castellet: *Nueve novísimos*. Barcelona, Barral, 1970.

E. Martín Pardo: *Nueva poesía española*. Madrid, 1970.

Poetas españoles postcontemporáneos. Barcelona, El Bardo, 1974.

novelas y novelistas 80

Orientaciones de la novela posterior a la guerra civil

Cuatro promociones. — Si durante los primeros años de la posguerra la poesía llegó a alcanzar cierto desarrollo, la novela, poco cultivada ya en la etapa precedente, permaneció estancada en España hasta 1945 aproximadamente, momento en el que por una serie de causas entre las que podría señalarse la instauración de varios premios literarios —el "Nadal", por ejemplo [1]—, comenzó a sustituir a la balumbra de traducciones de autores extranjeros, a menudo mediocres, que habían acaparado la atención de nuestro público, y a adquirir un volumen que con el tiempo llegaría a ser superior al logrado en las tres primeras décadas del siglo.

Antes de entrar en el estudio pormenorizado de quienes representan la novela española de posguerra, conviene aludir por separado a las cuatro promociones que han ido nutriéndola: la de 1935 [2] —Sender, Zunzunegui...—, la de 1945 [3] —C. J. Cela, C. Laforet, Delibes, A. M.ª Matute...—, la de 1955 [4] —Sánchez Ferlosio, Fernández Santos, Aldecoa, los Goytisolo...— y la que comienza a dar fe de vida hacia 1965 [5] —Juan Benet, Juan Marsé, entre otros—.

La superación del esteticismo

En primer lugar es necesario destacar, más de lo que se ha venido haciendo hasta ahora, la aportación de la primera de ellas, es decir, la de quienes nacidos hacia 1900, se dieron a conocer antes de 1939. Los nombres que citamos como más representativos bastan para que quede de relieve la importancia de este grupo, muy difícil por otra parte de caracterizar, dada la extraordinaria diversidad de sus componentes, ocasionada, entre otras cosas, por la separación geográfica que les impuso su ideario político.

---

1. Creado en 1944 como homenaje a Eugenio Nadal, fallecido a los veintisiete años, pocos meses antes. Exquisito estilista, el malogrado autor nos ha dejado finos estudios de crítica literaria y el bello libro *Ciudades en España*. — 2. 1935: Sender obtiene el Premio Nacional de Literatura. — 3. 1945: Publicación de *Nada*, de Carmen Laforet. — 4. 1955: *El Jarama*, de Sánchez Ferlosio, obtiene el Premio Nadal. — 5. 1965: Reedición de *Tiempo de silencio*.

De todas formas, cabe subrayar un rasgo hasta cierto punto general —y en algo coincidente con lo que atribuimos a la promoción poética de 1936—: su progresivo apartamiento de la fórmula estético-intelectual de la generación del 27, a favor de una mayor "humanización" y realismo. Tendencia visible ya en algunos antes de 1936 —Sender, Zunzunegui...—, pero a la que se incorporarán después de la guerra incluso gran parte de los que continuaron su labor en el exilio.

La novela existencial

La promoción que puede adscribirse al año 1945 —a pesar de que los primeros títulos de su principal representante, Camilo José Cela, aparecieron con anterioridad a esta fecha— ofrece ya una cierta homogeneidad, o por lo menos, algunas notas comunes que la diferencian de las demás. Ante todo, tendríamos un "propósito" de realismo, desvirtuado en la mayoría de los casos por la carga afectiva que lleva todo lo que se escribe. El impulso inicial de los hombres —y de las mujeres— de esta generación, que acaba de sufrir la experiencia terrible de la guerra, es el de abordar la cruda realidad sin subterfugios esteticistas ni convencionalismos sedantes. Pero el deseo de sinceridad a toda costa malogra el intento realista, confiriendo a la producción un tono subjetivo y "romántico". Se quiere prescindir del mero juego literario y ofrecer una imagen auténtica de las cosas, por el camino de la confesión individual o del enfoque implacable de las circunstancias, para acabar cayendo a menudo en la deformación —disfraz inconsciente a veces de una inconsciente necesidad de "evasión"— o, en el mejor de los casos, en la referencia puramente personal de unos hechos. Y ello es así porque lo autobiográfico, o por lo menos la alusión a lo próximo en el espacio o en el tiempo, se halla por lo general presente en las novelas y relatos de estos duros años, provocando las más variadas reacciones, de acuerdo con el temperamento del autor: la sátira despiadada, el gesto desolado, la emoción nostálgica... Por lo que se refiere a la técnica y al lenguaje, las novedades que se registran son muy escasas, y por lo común, los autores se atienen a las formas tradicionales, despreocupándose de audacias innovadoras, como corresponde a su interés —al margen de la pura elaboración artística— por la expresión personal de unas realidades intensamente vividas.

El realismo social

Hacia 1955, comienza a dar señales de vida otra promoción, entre cuyos rasgos característicos figurarán una visión deliberadamente objetiva de la vida española de nuestros días y un general deseo, más o menos manifiesto, de reforma social. Ni arte puro, como en la generación del 27, ni exteriorización de las más íntimas reacciones o vivencias, como en el grupo de 1945, la novela de esta etapa pondrá todo su empeño en quedar reducida a un simple "testimonio" de la realidad, limpio de notas afectivas. De la manifestación de lo psicológico y existencial, se pasa ahora a la escueta descrip-

A medida que fue avanzando la década del 60 —y concretamente desde 1962, año de la aparición de "Tiempo de Silencio"—, se produjo un cierto cansancio respecto de la fórmula del "realismo crítico" y un deseo de hallar formas y contenidos más amplios para el género novelístico. Los mismos críticos que habían apoyado el "relato objetivo" y la "novela social" declararon su agotamiento, propugnando un tipo de narración en el que tuvieran una mayor cabida de imaginación y la elaboración artística del lenguaje; y mientras los nuevos escritores iban respondiendo a la exigencia de aquéllos, los de los años 50 comenzaron una evolución paralela, semejantemente a lo sucedido en el terreno de la poesía. En la actualidad, aunque no se haya configurado plenamente el perfil de una nueva novela, ni por otro lado puedan darse por olvidados muchos de los temas —todavía vigentes— que inspiraron a los novelistas del "realismo crítico", éste, salvo imprevisibles sorpresas, puede considerarse ya como una etapa concluida de nuestro inmediato pasado literario.

Las nuevas exigencias artísticas

ción de las circunstancias sociales, con finalidad claramente ética, como obedeciendo a un programa de frío y, por lo mismo, eficaz realismo. El lenguaje se orienta decididamente hacia las formas de lo familiar o coloquial, y ciertos recursos técnicos —abundancia del diálogo, protagonista colectivo, inmersión de los personajes en un ambiente que los condiciona implacablemente...—, se ponen al servicio de una firme voluntad de expresión realista y al propio tiempo de una visión negativa del presente, tras la cual late la esperanza de un futuro mejor. En el polo opuesto de la angustia existencialista y de las estridencias del "tremendismo", la novela de la década 1955-1965 equivale en muchos casos a una tácita pero severa denuncia, compuesta por lo general en un estilo opaco, tan alejado de las irisaciones metafóricas como de la retórica de la indignación.

Características de la novela en las décadas de 1940 y 1950. — Si, prescindiendo de los riesgos que lleva consigo la actual falta de perspectiva, quisiéramos definir globalmente las primeras etapas de la novela de posguerra en España, tendríamos como uno de sus más genuinos rasgos *el deseo de aproximación a la problemática humana,* abandonando el afán esteticista de la generación del 27, patente en un Benjamín Jarnés, por ejemplo. Los hombres, vistos en su dimensión individual o colectiva, constituyen, en efecto, la máxima preocupación de unas promociones a quienes la situación histórico-cultural confirió una dramática gravedad por pocos desmentida. En este sentido, al propósito exclusivamente artístico del momento anterior vinieron a sumarse otros móviles, primero de tipo psicológico —el deseo de tomar conciencia de unas realidades hoscas, o de liberarse de su peso por la vía de la objetivación literaria—; más tarde, de índole ética o social, para llegar a la postura extrema del arte "comprometido", siguiendo por lo general, y con cierto retraso, la evolución ya observada en el campo de la lírica, desde la expresión del drama de la existencia, hasta el testimonio delator de un estado de cosas injusto.

En cuanto a los temas preferidos durante el período que estudiamos, lo primero que queda de relieve es su extraordinaria variedad: la visión retrospectiva alterna con la descripción del presente, el análisis de lo individual con el de las condiciones de vida colectivas, la mera transcripción de lo visto con la pura fabulación. No obstante, cabe destacar tres temas, cuya frecuencia no deja de resultar sintomática: el de la niñez, el de la guerra civil y el de la vida española en sus múltiples facetas.

El mundo de la infancia

La reiterada presencia de *niños y adolescentes* en la novela e incluso en la poesía —Delibes, Laforet, Matute, Sánchez Ferlosio, Goytisolo...— puede obedecer a distintas razones, pero su indudable conexión con el ámbito de los recuerdos personales evidencia uno de los fenómenos más típicos de la producción española de la época: la utilización constante de lo autobiográfico, bien por una cierta incapacidad para crear mundos ajenos a la concreta experiencia personal, bien por la fuerza obsesiva de esta última,[1] circunstancia que llevaría al deseo, tal vez inconsciente, a que aludíamos antes, de liberarse de un recuerdo angustioso, o en otros casos, al de refugiarse en el "paraíso perdido" de la infancia, huyendo de un desapacible presente. En ambos casos, la frecuencia del "protagonista-niño" revelaría una situación de inquietud e inseguridad concorde con el momento histórico, incluso en el caso de autores aparentemente seguros gracias a unas convicciones ideológicas.

La guerra civil

En cuanto al tema de la *guerra civil* tan frecuentado: Ramón Sender, Max Aub, Barea, Francisco Ayala, Herrera Petere, Gironella, Reguera...—, podrían señalarse distintas motivaciones que irían desde el alegato en favor de uno de los dos mundos en lucha, hasta el simple testimonio de los hechos externos, pasando por el intento de explicación de los acontecimientos —en su doble aspecto político y belicoso— desde un punto de vista objetivo o imparcial. Tampoco aquí habría que descartar la necesidad psicológica a que responde todo relato autobiográfico, ya que la inmensa mayoría de las novelas sobre la guerra han sido escritas por quienes tuvieron en ella participación activa. En este sentido los novelistas de la promoción de 1955 demostraron menos interés por el sangriento conflicto y dedicaron mayor atención al momento actual, como rehuyendo no el juicio, pero sí toda responsabilidad en su preparación e inmediatas consecuencias.

---

1. Los novelistas de estos años o tomaron parte en la guerra o la vivieron desde una perspectiva infantil.

La visión de España

Como es natural, las obras a que acabamos de aludir —salvo ciertos episodios relativos al éxodo de los vencidos— tienen por escenario *las tierras de España*. Pero aparte de ellas, son abundantísimas las que, con una temática distinta, presentan con valor sustantivo y no de mero telón de fondo, el ambiente español. Si bien algunas muestras de novela se hallan situadas en la pasada centuria, su casi totalidad aspira en mayor o menor grado a darnos un trasunto de la vida española en lo que va de siglo y sobre todo en el período posterior a la guerra. En conjunto, constituyen un amplio panorama donde figuran el campo, la ciudad provinciana y la gran urbe —en sus varios sectores sociales, desde la alta burguesía hasta las masas obreras—. La localización por regiones será también muy diversa: Cataluña, Castilla, Galicia, el Norte, Andalucía... El hecho no era nuevo: los representantes de la novela realista del siglo XIX y la generación del 98 habían acometido ya la tarea de escudriñar la geografía física y humana del país; pero frente a la leve idealización de aquéllos, los novelistas de posguerra acentuarán la nota pesimista; frente al entusiasmo lírico del 98, el juicio ético y social. Pese a algún rasgo aislado color de rosa, el tono será casi unánimemente severo, condenatorio, a veces con juvenil e ingenua exaltación, en ocasiones con fría y perspicaz exactitud. Y si la poesía no está ausente de todo ello, muy escasos serán el gesto complacido o la sonrisa —fenómeno que, salvadas todas las distancias, permite establecer el paralelo con la novela naturalista del siglo anterior—.

Puro desahogo psicológico o simple documento social, la novela de los años a que aludimos se halla estrechamente vinculada con España y sus problemas. De ahí su sincera inquietud y su sana vitalidad, cualidades que compensan en cierto modo *su carácter inmaturo* —salvo brillantes excepciones—, tanto en el terreno de la técnica, como en el de la interpretación o análisis de la problemática humana en su doble vertiente individual o colectiva.

La promoción de 1935

Los nombres que agrupamos en este apartado corresponden a una serie bastante heterogénea de figuras que, habiendo iniciado su actividad literaria antes de 1939 han realizado sus obras más logradas durante el período de la posguerra. Analizaremos, en primer lugar, la producción —poco conocida en España hasta estos últimos años— de quienes continuaron su labor en el exilio, para referirnos más tarde a la de las que permanecieron en la Península. Aunque distintas entre sí, dada la situación de uno y otro grupo, coinciden en el hecho de apartarse de las tendencias estetizantes propias de los años anteriores a la guerra, y de intentar un mayor contacto con la realidad inmediata, fenómeno ya visible —según indicamos en otro lugar— a comienzos de la década de los 30. Como podrá observarse, muchos de los novelistas que se citan en el presente apartado han proseguido su obra hasta los años más recientes.

Ramón J. Sender. — Nacido en la provincia de Huesca (1902), Sender, que desempeñó hasta hace poco una cátedra de Literatura española en los Estados Unidos, puede considerarse sin disputa como el más importante de los novelistas españoles exiliados y aun tal vez como la figura cumbre de nuestra novela actual, si se atiende a los valores estrictamente narrativos de su producción. Ha cultivado el periodismo, el ensayo y la poesía (*Las imágenes migratorias,* 1961), pero lo esencial de su obra es una abundante serie de novelas que, desde su impresionante *Imán* (1930), escrita en su juventud aprovechando la experiencia del servicio militar en Marruecos, hasta ulteriores relatos de ambiente americano —*Novelas ejemplares de Cíbola* (1961) y *Los tontos de la Concepción* (1963)...— o de tipo histórico —*Tres novelas teresianas* (1967)— revela unas extraordinarias dotes para la fabulación novelesca. Cabe destacar entre ellas *Mister Witt en el Cantón* —en torno a la rebelión de Cartagena en el año 1873—, que le valió en 1935 el Premio Nacional de Literatura, *Epitalamio del prieto Trinidad* (1942), alucinante relato de una rebelión en un presidio del Caribe, la serie autobiográfica *Crónica del alba* (iniciada en 1942), *El rey y la reina* (1947), situada en el Madrid de la guerra, *El verdugo afable,* original y abigarrada narración (1952), *Los cinco libros de Ariadna* (1957), alusiva a la época de la guerra civil, el extraordinario *Réquiem por un campesino español,* historia de un fusilamiento en la zona nacional (1960), los cuentos de *La llave* (1960), *La aventura equinoccial de Lope de Aguirre* (1967)...

El interés fundamental de la obra de Sender —por lo general íntimamente vinculada con sus convicciones ideológicas— reside ante todo en la habilidad narrativa y la desbordada imaginación del autor. Pocos como él han conseguido en los últimos años crear un mundo novelesco en el que la originalidad del tema vaya unida a una tan viva evocación de tipos y ambientes variadísimos. Hay en sus libros —algo al margen de los procedimientos novelísticos que se han sucedido en las décadas más recientes— una extraña fusión de realidad cruda y fantasía poética, de esotérica simbología y alegato político-social, de sobrio lirismo y humor desconcertante, de notas agrias y espeluznantes y honda emoción humana, que les confiere una alta calidad artística. Sus máximos logros no se hallan en el campo del virtuosismo formal ni en el del lenguaje brillante, sino en el del relato vigoroso y la evocación sugerente.

Es cierto que el carácter extremoso de la imaginación de Sender, siempre atenta a la peripecia inesperada, le lleva a veces a olvidar el sentido de la mesura para caer en notas de excesiva truculencia, pero la rica gama de matices que ofrece su obra

—puestos siempre al servicio de una intriga que halla en la frecuencia de las situaciones inusitadas uno de sus mayores atractivos— y su misma técnica, en la que dentro de una reiterada sabiduría narrativa se observa una progresiva condensación y eficacia de elementos descriptivos, explican el amplio interés que ha suscitado su producción y las numerosas traducciones de que ha sido objeto.

He aquí como ejemplo de su original estilo novelístico, un fragmento de *El verdugo afable,* donde, como en otros momentos, alternan el humor, la ternura e incluso —en líneas posteriores que no transcribimos— el detalle macabro. El protagonista —Ramiro— llega, tras una serie de peripecias, a un pueblo en el que le detiene el espectáculo de un circo ambulante. Incorporado más tarde a la compañía de éste, un incendio provoca la catástrofe.

A las cuatro estaba frente a la jaula de la sirena. Dentro de ella y en un plano más abajo que el del público, había una pila rectangular de zinc, mayor que una bañera, pero no tan profunda. Y en su interior mediado de agua yacía la sirena. La primera impresión de Ramiro fue angustiosa. En las líneas de los hombros y del busto había una fragilidad dulcísima. Decía otro cartel dentro de la jaula: *"Sirena conocida por la Nereida, pescada con grave peligro de su vida por el sabio escocés Hon. Dr. Andrónico McMahon".* Más abajo y en caracteres menores añadían: *"Edad probable, 174 años y no ha alcanzado aún la mayor edad. Se espera de la cultura de este vecindario que no arrojen objetos ni la molesten tratando de tocarla"* [...]

Ramiro preguntaba a todos los que veía:
—¿No se dan cuenta de que la jaula de la sirena ha sido una de las primeras en arder?
Bajo los celajes enrojecidos por la inmensa hoguera los pescadores iban y venían tratando de salvar algo. [...] Del domador no estaban seguros y todos sintieron un poco de alegría y de decepción al verle llegar sano y salvo, repitiendo:
—Ay, madrecita mía. Asfixiada, asfixiada y quemada.
Repetía esta expresión sin preocuparse de que el público pudiera identificar en la sirena a su hija. Bien es verdad que no decía ni el nombre de la muchacha ni el animal mítico al que representaba en la *ménagerie.* Ramiro comprobó que la pobre sirena había muerto. El mismo la vio fuera de la tina de zinc con la mitad inferior del cuerpo metida aún dentro de la cola de pez, la cara quemada y el cabello humeante. Un pescador dijo mirándola:
—Pobre animal.
Ramiro se fue a la posada en donde había dormido el primer día y en lugar de entrar en el cuarto que le indicaron siguió escaleras arriba y se asomó a una galería abierta que daba al mar. No había luna...

Max Aub

Max Aub. – Instalado en España, Max Aub [1] (París, 1903–Méjico, 1972) comenzó su actividad literaria, dentro de los cauces propios del vanguardismo de los años veinte. A esta primera fase corresponden, por ejemplo, varias obras teatrales –*Narciso* (1928), *Espejo de avaricia, El desconfiado prodigioso* (1931)–, donde el mito se actualiza con inteligente juego irónico, y algún relato –*Fábula verde* por ejemplo–, escritos en una rica y exuberante prosa atenta al brillo metafórico y al rasgo conceptual.

Su producción posterior, realizada en el exilio, ha aumentado en densidad al hacerse partícipe de los problemas humanos de nuestros días, sin perder, por otra parte, el colorido y la vehemencia de su abarrocado estilo. Durante los últimos años ha cultivado la poesía –*Diario de Djelfa* (1944)–, el ensayo –cabe citar la antología titulada *La prosa española del siglo XIX* (1953), o la biografía imaginaria de *Jusep Torres Campalans* (1958), donde alude a las cuestiones más candentes del arte contemporáneo–, el teatro –con una serie de obras de contenido trágico: *Morir por cerrar los ojos* (1944), y *El rapto de Europa,* sobre los exiliados, *No*, en torno al Berlín de la ocupación, y sobre todo *San Juan* (1942), sobre el drama judío en la época nazi– y la narración novelesca. En el terreno de esta última destaca la extraordinaria serie titulada *El laberinto mágico* (*Campo cerrado*, 1943; *Campo abierto* 1951; *Campo de sangre*, 1945; *Campo del Moro*, 1969, y *Campo de almendros*, 1968), –aumentada con *Campo francés*, 1965–, cuyo ambiente histórico lo proporcionan los acontecimientos de la guerra civil. Aquí Max Aub nos ofrece uno de los relatos más originales del conflicto, a base de unir la nota poética con la sátira y la pura narración con la reflexión apasionada en torno a España y su historia. El ambiente español –concretamente el de Madrid– aparece también en *Las buenas intenciones* (1954), donde evoca el de la capital durante el primer tercio del siglo, y en *La calle de Valverde* (1961), sobre la época de la Dictadura, ambas de corte galdosiano. Ejemplo de su peculiar estilo, en el que alternan, a la manera de Quevedo, el enfoque trágico y el humor, son asimismo las narraciones cortas de *No son cuentos* (1944) y sus *Cuentos mexicanos* (1959).

---

1. De padre alemán, Max Aub adoptó el castellano, desde su llegada a España, como único vehículo de expresión artística. Después de la guerra vivió en Méjico.

Barea. – Muy distinto carácter tiene la producción del madrileño **Arturo Barea** (1897-1958), reducida en lo esencial a la trilogía *La forja de un rebelde* (1951). Escrita en Inglaterra, durante el exilio, y publicada primeramente en inglés, más tarde en castellano y por último en otros idiomas, consta de tres partes. La primera –*La forja*– narra su infancia en Madrid, hasta 1914, cerca de su madre, una humilde lavandera; la segunda –*La ruta*– su dura experiencia como soldado en la guerra de Marruecos; la tercera –*La llama*– los sucesos de la guerra civil, especialmente en el Madrid de los años 36 y 37. La crítica ha destacado unánimemente la sinceridad moral y expresiva de este amplio relato autobiográfico como uno de sus valores más notables. Fruto de una evidentísima necesidad psicológica de dar fe de lo visto y vivido, sin retroceder ante lo más crudo o terrible, la obra patentiza, efectivamente, las cualidades y limitaciones del autor: su honradez, su deseo de autenticidad y su idealismo ético, así como su autodidactismo y el carácter algo ingenuo o primario de sus juicios sobre la naturaleza humana y el destino de España.

Desde el punto de vista literario, *La forja de un rebelde* entronca con la tradición de la novela realista y el lenguaje natural, y apenas revela preocupaciones de índole estrictamente estética. Por eso, su mérito decisivo no hay que buscarlo en el artificio técnico ni en la maestría expresiva, sino en la soltura y espontaneidad del relato-crónica, y en la descripción coloreada de los más diversos ambientes –el colegio religioso, la vida pueblerina, la campaña de Africa, los sindicatos obreros, el frente madrileño–. Vivaz e intuitivo, Barea acertó siempre que su objetivo se redujo a contar una experiencia personal y a darnos la impresión directa de unos hechos vividos.

Otras figuras. – Entre los escritores que abandonaron España después de 1939, se encuentran varias figuras que, aunque procedentes por lo general del campo de la novela minoritaria, típica de la época anterior a la guerra, han ampliado a menudo el alcance de su obra con una temática de mayor densidad humana. A este grupo corresponde **Francisco Ayala** (Granada, 1906), autor de certeros ensayos dirigidos por un pensamiento liberal –*Razón del mundo, El escritor en la sociedad de masas* (1956), *Experiencia e invención* (1960), *Realidad y ensueño* (1963), *España a la fecha* (1965)...– y relatos. Incluido en el círculo de la Revista de Occidente, cultivó un tipo de prosa culta, con finos matices intelectuales y metafóricos en varias novelas anteriores a la guerra –*Cazador en el alba,* por ejemplo (1930)–. Con posterioridad, ha publicado *La cabeza del cordero* –cuentos alusivos a la guerra civil (1949)– y *Muertes de perro* (1959), en las que late una inquietud de tipo ético. En esta última –con la que anlaza *El fondo del vaso,* 1962– nos ofrece con un escueto pero vivo estilo, la vida de un país de Centroamérica dominado por un dictador abyecto, cuya figura condena valiéndose de una dura sátira orientada hacia el sarcasmo y lo grotesco. E. **Salazar Chapela** (n. 1902), perteneciente al mismo sector literario que el anterior, ha aumentado su producción anterior a la guerra con varias novelas de gran elegancia expresiva –*Perico en Londres, Desnudo en Picadilly* (1959)– que denotan el influjo del humor inglés y el gusto por el análisis intelectual y psicológico. Un estilo trabajado y una inclinación a la nota irónica demuestra también **Serrano Poncela**, autor de los cuentos de *La venda* (1956) —situados en la España de 1936— y de *La raya oscura* (1959) y de dos novelas: *Habitación para un hombre solo* (1964) y *El hombre de la Cruz Verde* (1969), situada en la época de Felipe II. A **Rosa Chacel** (1896), relacionada asimismo, antes de la guerra, con el grupo de la Revista de Occidente, debemos varios relatos —*Memorias de Leticia Valle* (1946) y, más recientemente, *La sinrazón*— notables por su elaborada prosa y sus finos análisis psicológicos. Tendencia netamente política tienen a su vez los relatos de **J. Herrera Petere** (n. 1910), por ejemplo, su novela de la guerra *Acero de Madrid* (1938), a la que siguieron *Niebla de cuernos* (1940) y *Cumbres de Extremadura (Novela de guerrilleros)*, 1945.

Juan Antonio Zunzunegui. — (Vizcaya, 1901) Ocupa el primer lugar entre los novelistas que permanecieron en España al terminar la guerra civil. Su producción, integrada por unas veinte novelas, algunas de extensión considerable, se halla en la línea de un realismo costumbrista cercano a veces al naturalismo; ofrece sólo escasas conexiones iniciales con el preciosismo de la generación anterior y apenas participa del compromiso moral o social de las siguientes. Sin un propósito deliberado de innovación técnica, la obra de Zunzunegui presenta, entre otros rasgos característicos, el gusto por la descripción minuciosa de la vida contemporánea, la composición de vastos cuadros sociales en los que pululan una serie de tipos mezquinos —el "señorito", el nuevo rico, el arribista, el pícaro..., no siempre profundamente caracterizados— y el uso de un lenguaje cada vez más escueto.

En cuanto al ángulo de visión, lo más frecuente es un unilateral enfoque pesimista de la sociedad —apenas compensado con rasgos positivos— y una reiterada y despectiva comprobación de su ruin materialismo, actitud que en unas pocas novelas —*La úlcera*, por ejemplo— le lleva al humor negro y a la deformación grotesca de tipos a quienes la codicia o el hastío convierten en seres repulsivos. Sus obras, a las que falta a menudo el profundo sentido de comprensión humana de un Galdós por ejemplo, denotan, no obstante, unas grandes dotes de observación, una firme vocación literaria y una fecundidad que justifican su éxito entre un vasto público.

Desde 1926 hasta 1950, sus relatos ofrecen casi siempre diversos sectores de la vida de Bilbao y su región —tal *Chiripi* (1931), *El Chiplichandle* (1940), *¡Ay, estos hijos!* (1943), *El barco de la muerte* (1945), *La quiebra* (1947), *La úlcera* (1949)...—. Con posterioridad, el ambiente descrito será el de Madrid, cuyo mundo mesocrático y picaresco evocará el autor, apelando incluso al "argot" local. Ejemplos de esta segunda época son varias novelas situadas en las tres primeras décadas del siglo —*La vida como es* (1954), extenso relato considerado por algunos como el más logrado y en el que presenta el Madrid desgarrado y "castizo" de los barrios bajos durante los últimos años de la monarquía—, durante la guerra —*Las ratas del barco* (1950)—, o en el período de la posguerra —*Esta oscura desbandada* (1952), *El mundo sigue* (1960), y *El Premio* (1961), en torno a los aspectos más deleznables de los certámenes literarios—.

A continuación, aludiremos a algunas figuras pertenecientes a generaciones anteriores y de no muy destacado relieve, cuya obra se prolonga durante la década del 40. **Bartolomé Soler** (1892-1975) publicó ya en 1927 una novela, *Marcos Villarí*, que constituyó un gran éxito; pero muchas de sus obras corresponden al período de posguerra: tal, *La vida encadenada* (1945) o *Patapalo* (1949). Por su técnica y estilo, B. Soler es un típico representante del realismo, por más que presente una amplitud temática —rural y urbana, española y extranjera— poco habitual en los seguidores de esta escuela; áspero hasta la violencia y ajeno a todo refinamiento en el terreno del arte como en el de la sensibilidad, sus novelas se orientan por el camino de la situación dramática y el rasgo duro y enérgico.

Ramón Ledesma Miranda (Madrid, 1901-1963) se halla también situado en cierto modo en la línea tradicional, pero revela una evidente inclinación hacia el enfoque idealista, así como un gran cuidado del estilo y una valoración de lo lírico y emotivo. En *Almudena* (1936 y 1944), ambientada en Madrid, incide en el mito de Caín y Abel; *La casa de la Fama* (1951), su obra de más empeño, es una "novela río", rica en episodios, donde se evoca la ruina de una familia a fines del siglo XIX. **Rafael Sánchez Mazas** (Madrid, 1894) publicó en 1951 *La vida nueva de Pedrito de Andía*, novela idealista de signo católico, en la que el recuerdo autobiográfico de la adolescencia se une al análisis psicológico, en un atildado estilo que revela la cultura literaria y la aristocracia estética del autor.

La promoción de 1945

Someramente caracterizada ésta en páginas anteriores, analizaremos a continuación la obra de algunos de sus componentes más significados.

Camilo José Cela. — La opinión unánime de la crítica y del público ha proclamado a C. J. Cela (Iria Flavia, La Coruña, 1916) como el escritor más importante de su generación. El más importante y el primero en darse a conocer, ya que su obra inicial —*La familia de Pascual Duarte*— fue publicada tres años antes de la fecha que hemos escogido como símbolo de aquélla. Hemos dicho "escritor" y no

Camilo José Cela

"novelista", porque uno de los reparos que, no sin causa justificada, suelen oponérsele es precisamente el no haber prestado siempre atención suficiente al desarrollo de una misma acción o al proceso vital de unos personajes, convirtiendo sus novelas en amplios conjuntos de anécdotas y detalles, dotados, eso sí, de un gran poder de sugestión. En las obras de Cela, más que la habilidad para seguir hasta el fin el destino de unos seres de ficción dentro de un mundo coherente, hay que admirar, en efecto, su prodigioso arte de invención verbal y su intuición extraordinaria de los valores de la lengua. Gracias a ellos y a su agudísima capacidad de observación, su prosa se alza muy por encima de la de sus contemporáneos en cuanto a rapidez, fuerza plástica y originalidad expresiva.

Por lo que se refiere al enfoque de la realidad, Cela no adopta un punto de vista único, pero lo más frecuente será en él la oscilación entre la mera deformación cómica y la sátira despiadada, entre el humor negro y el ingenio burlesco, dentro de una afectada gravedad irónica, siempre dispuesta a poner de relieve el lado ridículo de las cosas. Se ha hablado de la íntima ternura que se oculta tras las burlas sangrientas de Cela, mas el hecho de que en su producción no haya por lo general sino tipos monstruosos, cómicos fantoches y pobres diablos, inclinan a tomarla como el simple resultado de un afán de creación artística por el camino de la estilización caricaturesca. Con ello no pretendemos sentar una censura, ya que Cela consigue sus más indiscutibles aciertos, precisamente cuando, al margen de toda consideración ética o emotiva, se limita a reflejar la realidad en el espejo cóncavo de su arte.

En otro lugar señalamos como típico de su promoción un frustrado afán de realismo, originado en el deseo de sinceridad. En esto Cela no se aparta de la línea general, y movido por la irritación, el desdén o simplemente por una instintiva inclinación a la nota grotesca, nos ofrece una serie de imágenes desorbitadas; pero en lo que respecta al uso artístico del lenguaje, alcanza, en cambio, todo el valor de una brillante excepción. Su estilo revela, en efecto, una honda preocupación por las posibilidades estéticas del idioma, diametralmente opuesta al interés por la dicción natural propia de los años 50, y coincidente con las preferencias de la década de 1920; pero lo que en ésta era lujo metafórico y exquisita imaginería, se verá sustituido por el rasgo incisivo, la deformación burlesca y un genial empleo de los giros más expresivos del habla popular, que hacen pensar en la audacia conceptista de un Quevedo o, ya en nuestros días, en el desenfadado ingenio del Valle-Inclán del Ruedo Ibérico y los Esperpentos.

La familia de Pascual Duarte, en la que se ha visto el punto de arranque del "tremendismo" de la posguerra, constituyó, al ser publicada en 1942, un verdadero escándalo literario, debido a la deliberada truculencia del relato. El monstruoso crimen del protagonista —siniestra caricatura de las venganzas de honor de nuestra literatura clásica— y las notas de humor negro con que el autor describía un mundo de pasiones salvajes en un escenario rural, tuvieron la virtud de poner de manifiesto el tono insípido y convencional de buena parte de lo que se escribía en el momento, a pesar del carácter de hiperbólica farsa que ofrecía la obra, en la que muchos quisieron ver una trascendencia ética y hasta metafísica.

Tras varios libros, entre los que destacan las *Nuevas andanzas y desventuras de Lazarillo de Tormes* (1944), —garbosa actualización del claroscuro y los agrios perfiles de la picaresca—, Cela cosechó otro gran éxito con *La colmena* (1951), donde nos ofrece un dilatado panorama del Madrid de los primeros años de la posguerra, en el que pululan —téngase en cuenta el título de la obra— multitud de personajes unidos por el denominador común de una angustiosa y lacerante mediocridad. Escrita "sin caridad, como la misma vida discurre" —para decirlo con palabras de su autor—, la obra, en la que nada deja lugar a la esperanza, traduce el radical nihilismo de quien en el prólogo de la segunda edición afirmaba: "Nada tiene arreglo; evidencia que hay que llevar con asco y con resignación". Léanse como muestra las siguientes líneas, correspondientes a uno de los innumerables episodios en que se desmenuza la obra, y en las que queda de relieve la despiadada ironía y el magistral estilo de Cela.

> A una señora silenciosa que suele sentarse al fondo, conforme se sube a los billares, se le murió un hijo, aún no hace un mes. El joven se llamaba Paco y estaba preparándose para Correos. Al principio dijeron que le había dado un paralís, pero después se vio que no, que lo que le dio fue la meningitis. Duró poco y además perdió el sentido en seguida. Se sabía ya todos los pueblos de León, Castilla la Vieja, Castilla la Nueva y parte de Valencia (Castellón y la mitad, sobre poco más o menos, de Alicante); fue una pena grande que se muriese. Paco había andado siempre medio malo desde una mojadura que se dio un invierno, siendo niño
>
> Hay personas a quienes les gusta estar atentas con los que van de luto. Aprovechan para dar consejos o pedir resignación o presencia de ánimo y lo pasan muy bien. Doña Rosa, para consolar a la madre de Paco, le suele decir que, para haberse quedado tonto, más valió que Dios se lo llevara. La madre la miraba con una sonrisa de conformidad y le decía que, bien mirado, tenía razón. La madre de Paco se llama Isabel, doña Isabel Montes, viuda de Sanz. Es una señora aún de cierto buen ver, que lleva una capita algo raída. Tiene aire de ser de buena familia. En el Café suelen respetar su silencio y sólo muy de tarde en tarde alguna persona conocida, generalmente una mujer, de vuelta de los lavabos, se apoya en su mesa para preguntarle: "¿Qué? ¿Ya se va levantando ese espíritu?" Doña Isabel sonríe y no contesta casi nunca: cuando está algo más animada, levanta la cabeza, mira para la amiga y dice: "¡Qué guapetona está usted, Fulanita!" Lo más frecuente, sin embargo, es que no diga nunca nada: un gesto con la mano al despedirse y en paz. Doña Isabel sabe que es de otra clase, de otra manera de ser distinta, por lo menos.

La nota bronca y la caricatura desorbitada de la obra inicial, sustituidas en *La colmena* por una amarga sonrisa, vuelven a aparecer en *La Catira* (1956), situada en tierras de Venezuela. El hilo argumental —que en algo recuerda el de "Doña Bárbara", de Rómulo Gallegos— es también aquí lo de menos, y el interés se centra en la alternancia de episodios violentos y rasgos grotescos de extraordinario desenfado y fuerza cómica, y, sobre todo, en el virtuosismo verbal de que hace gala el autor, manejando unas formas dialectales venezolanas que, aunque como algunos opinan, no correspondan al habla del país, le sirven para crear efectos de gracia e ingenio insuperables.

Además de otras novelas y colecciones de cuentos —*Historias de España, Los ciegos, Los tontos* (1958), *Tobogán de hambrientos* (1962), por ejemplo, donde insiste en lo desgarrado y repulsivo, con una técnica que aprovecha el ejemplo de Solana y Valle-Inclán—, Cela ha escrito varios admirables libros de viajes, en los que queda patente su excepcional habilidad para la descripción rápida y pintoresca. Figuran entre ellos el *Viaje a la Alcarria* (1948), verdadera obra maestra, *Del Miño al Bidasoa* (1952), *Judíos, moros y cristianos* (1956), *Primer viaje andaluz* (1959)... Entre las novelas, además de las aludidas, se hallan *Mrs. Caldwell habla con su hijo* (1953), en la que la protagonista escribe a su hijo muerto una serie de cartas que equivalen a un angustioso monólogo interior, y las más recientes *Vísperas, festividad y octava de San Camilo del año 1936 en Madrid* (1969), centrada en la vida madrileña al comienzo de la guerra civil, y donde el autor reitera su gusto por la nota sórdida o truculenta y el humor negro e incorpora —como otros novelistas del momento— diversos procedimientos narrativos de la novelística actual; y *Oficio de Tinieblas* situada en los tiempos inmediatamente posteriores a la guerra.

Carmen Laforet. – Como "La familia de Pascual Duarte", *Nada*, de Carmen Laforet (n. 1921), constituyó otro aldabonazo en la dormida conciencia de la época, al ser galardonada con el primer Premio Nadal en 1944 y publicada en 1945. Pero si el éxito de aquella se debió sobre todo a la novedad que suponía la bárbara violencia de la acción, *Nada* sorprendió la atención de un público habituado a "novelerías" sin relación con la realidad, al ofrecer de modo convincente y directo un aspecto de ésta,

desprovisto de falsas idealizaciones y de hojarasca retórica. Un simple "trozo de vida" arrancado de la gris existencia cotidiana —la experiencia estudiantil de una joven, alojada poco después de la guerra, en casa de unos tíos domiciliados en la calle de Aribau de Barcelona—, una desnuda muestra de la vida monótona y sin sentido de la protagonista, sin el inútil apoyo ideológico de tesis moralizadoras ni de condimentos

Carmen Laforet

literarios: tal fue lo que los lectores vieron en la obra. Sin embargo, *Nada,* lejos de reducirse a un fiel "documento" realista, contenía, tras su aparente objetividad una buena dosis de turbulencia y apasionamiento juvenil, absolutamente legítimos dada la radical autenticidad de su joven autora; y fue precisamente la capacidad "visionaria" de ésta —patente por ejemplo en la evocación del clima sórdido y angustioso de la casa de sus tíos— y su audaz sinceridad en la expresión de su honda insatisfacción existencial, lo que debió de provocar un fuerte choque emotivo en los lectores y lo que todavía nos mueve a considerar la novela como un indiscutible logro literario.

Las novelas posteriores, aunque mejor construidas que *Nada,* uno de cuyos atractivos radicaba precisamente en su espontánea simplicidad, no han conseguido superar el éxito inicial. Entre ellas se encuentra *La isla y los demonios* (1952), situada en Canarias y en la que lo autobiográfico desempeña también su papel, y *La mujer nueva* (1955), en cuyo clímax se halla la conversión, poco convincente, de una mujer adúltera. Mayor seguridad revela *Insolación* (1963).

Delibes. — Aunque la producción de Miguel Delibes (Valladolid, 1920) se inicia con una obra centrada en un problema de tipo existencial —la obsesión por la muerte—, su nota más característica habrá de ser una actitud ética, resuelta unas veces en evocación cordial de los valores elementales de la existencia campesina, y otras en censura de la mezquindad pequeño burguesa de la vida provincial. En ambos casos, su crítica de la incomprensión egoísta y de los convencionalismos o su defensa de todo lo sincero y auténtico —alguien ha hablado de "la busca de autenticidad" como una de las constantes de su obra— no le lleva por lo general al tono acre y exasperado de otras figuras de su promoción; no falta en sus creaciones novelísticas la nota dramática o negativa, pero las tintas negras, cuando aparecen, hallan el firme contrapeso del humor generoso y el enfoque lírico. Es cierto que sus libros más recientes revelan una inten-

sificación de la ironía amarga y el rasgo caricaturesco, pero por lo general Delibes sabe mantenerse en una postura de equilibrada objetividad, suavemente matizada de irónica ternura y emoción poética, que no excluye una apasionada adhesión a los valores exigidos por la convivencia humana. En cuanto al estilo, obsérvase en él un progresivo dominio del lenguaje —cada vez más rico y expresivo— y de la técnica narrativa; en este sentido sus últimas obras ofrecen una variada gama de recursos característicos de la narrativa actual.

Miguel Delibes

La obra que le dio a conocer y con la que alcanzó el Premio Nadal de 1947, fue *La sombra del ciprés es alargada,* donde una tesis de melancólico desengaño centra finas evocaciones de ambientes y paisajes, Avila por ejemplo, y episodios novelescos que a menudo pecan de convencionales. Tras esta primera novela, algo endeble, ha publicado varios relatos, entre los que destacan *El camino* (1950), en el que los íntimos afanes de un muchacho en un escenario rural sirven de pretexto a una bella descripción de la vida campesina, vista con humor y verdadero encanto poético, desde una perspectiva infantil; *Mi idolatrado hijo Sisí* (1953), cuya idea central —las trágicas consecuencias de una educación en exceso indulgente— constituye el eje de una narración pródiga en elementos novelescos y felizmente ambientada en los medios burgueses de una ciudad provinciana; el *Diario de un cazador* (1955), donde el relato de los episodios de caza de un bedel de Instituto va acompañado de notas costumbristas impregnadas de humor y frescas descripciones de la naturaleza; *Las ratas* (1962), nueva evocación de la vida rural y del mundo infantil, esta vez en un tono más duro y dramático, y unas *Viejas historias de Castilla La Vieja* (1964) que acreditan a su autor como uno en los mejores prosistas de la literatura española actual. Sus posteriores novelas *Cinco horas con Mario* (1966) —en la que el largo monólogo de una mujer que vela a su marido muerto da pie a una áspera sátira de la sociedad de posguerra— y *Parábola del náufrago* (1969) —historia, de tipo kafkiano, sobre el tema de la alienación en el mundo actual— revelan, a su vez, una renovación de su técnica novelística y un endurecimiento de su visión crítica de la España de nuestros días.

Gironella. — Tras *Un hombre,* novela que le valió el Premio Nadal en 1946, y *La marea* (1948), sobre la derrota de la Alemania nazi, **José María Gironella** (Prov. de Gerona, 1917), logró una fulminante celebridad gracias a *Los cipreses creen en Dios* (1953). El éxito de la obra, al que no fue ajeno el interés del público por el tema que le sirve de base —los antecedentes inmediatos de nuestra guerra civil—, provocó las más encontradas opiniones en torno a su valor y alcance, renovadas más tarde al publicarse la segunda parte, titulada *Un millón de muertos* (1961), donde se presentan los acontecimientos de los años 1936 a 1939, y la tercera, *Ha estallado la paz* (1966). Escritas en un estilo llano y con un declarado propósito de imparcialidad —que contrasta con la actitud de un Barea, por ejemplo—, eluden todo juicio decisivo respecto de la última significación de los sucesos narrados y se limitan a un simple relato de éstos, donde se entrelaza lo histórico —en su aspecto más externo— con lo novelesco —presentado según una técnica de tipo tradicional—, sin que ninguno de los dos elementos asuma un papel decisivo. Aunque pueda alegarse que la pretendida objetividad del autor se halla disminuida por una inevitable selección de los hechos, es indudable que la obra tiene ante todo un valor documental, no sólo como crónica de unos acontecimientos históricos, sino como descripción de determinados ambientes —el de la capital gerundense en *Los cipreses...*—.

Ana María Matute.

Ana María Matute. — Entre los novelistas españoles contemporáneos, Ana María Matute (Barcelona, 1926) sobresale por el tono personal e inconfundible de sus obras, en las que la realidad y la fantasía se unen íntimamente, originando un fascinante mundo de ficción iluminado por extraños fulgores poéticos. Lejos del relato documental, caro a los escritores de la promoción siguiente, su producción tiene todo el valor de una pura creación artística, lo cual no impide que más de una vez haya manifestado su disconformidad con la literatura de "evasión", asignando a la novela de nuestros días un lugar destacado en la tarea de "transformar el mundo". Para ello, Ana María Matute cuenta con una aguda sensibilidad que la lleva a subrayar con apasionada vehemencia los aspectos más dramáticos de la existencia humana o a expresar su desolado concepto de la vida a través de unos seres de ficción atenazados por el dolor o el desamparo; de ahí la frecuencia con que los niños aparecen en sus obras dando lugar a páginas impregnadas de punzante tristeza. Y es también su exacerbada sensibilidad lo que nos da la razón de la brillantez y colorido de su estilo, en el que el matiz lírico alterna con el violento rasgo expresionista, logrando efectos de tenso barroquismo.

Entre sus obras más notables figuran *Los Abel* (1948), vigoroso relato donde nos presenta la dura vida de una familia en un pueblo minero, y su ulterior éxodo a la ciudad; *Fiesta al Noroeste* (1953), en la que, valiéndose de un estilo que funde ya la nota acre con el vigor poético, nos muestra cómo un mundo adverso confina en la soledad el alma de un niño; *Pequeño teatro* (1954), historia sentimental cuya acción se desarrolla en un clima de ensueño e irrealidad; *En esta tierra* (1955), relato de una pasión amorosa durante la guerra civil; *Los niños tontos* (1956), donde el mundo infantil está visto con dolorida ternura, etc. Con posterioridad ha publicado varios libros de cuentos y novelas en los que ha vuelto a insistir en el tema de la infancia o en el de la guerra: así *Los hijos muertos* (1957), *El río* (1963) y la trilogía *Los mercaderes* —*Primera memoria,* 1960, *Los soldados lloran de noche* y *La trampa,* 1969—, ambientada en Mallorca, y a la que sirven de fondo los sucesos de la guerra civil. Al margen de esta temática se halla *La torre vigía* (1971), situada en la Edad Media.

Otras figuras

La amplitud de la producción novelística durante los años que estudiamos nos obliga a reseñar de forma rápida la de una serie de figuras cuyo interés iguala en algunos casos al de los escritores ya aludidos. No ignoramos que junto a los nombres que vamos a citar podrían figurar dignamente otros muchos.

Comenzando por los novelistas cuyas obras iniciales aparecen antes de 1950, tenemos en primer lugar a **Ignacio Agustí** (1913-1974), autor de una pentalogía, *La ceniza fue árbol,* cuya primera parte, *Mariona Rebull* —a la que siguieron *El viudo Rius* (1945), *Desiderio* (1957), *19 de Julio* (1965) y *Guerra civil* (1972)—, constituyó un gran éxito en 1943, debido a la naturaleza del tema y a la destreza narrativa de aquél. Trátase de una hábil evocación histórica, ajustada a los moldes tradicionales de la novela realista decimonónica, en la que el momento de ascenso de la gran burguesía catalana a fines del pasado siglo se presenta con una simpatía que no excluye la objetividad.

Gonzalo Torrente Ballester (n. 1910), autor dramático —*El viaje del joven Tobías* (1938)— e historiador de la literatura, publicó ya en 1943 su primera novela —*Javier Mariño*, cuyo protagonista acaba convirtiéndose al catolicismo y participando en la guerra civil—, pero lo fundamental de su producción narrativa corresponde a años más recientes. *El señor llega* (1957), *Donde da la vuelta el aire* (1960) y *La Pascua triste* (1962) constituyen una extensa trilogía escrita en una jugosa prosa y situada, hasta cierto punto, en la línea de la tradición realista— donde una tensa historia de amor y de odio, ambientada en un pueblo gallego, da pie a un amplio planteamiento de la problemática de la vida española —en su aspecto político, social, religioso...— durante los anteriores a la guerra. Tras *Don Juan* (1963) —nueva visión del personaje creado por Tirso— y de *Off-side* (1969) —enfoque crítico de ciertos sectores de la sociedad madrileña—; ha publicado *La saga/fuga de J. B.* (1972), dilatada y compleja narración en la que su capacidad fabuladora y su habilidad para la creación de personajes y ambientes se enriquece ahora con un sugestivo empleo del elemento mítico.

Fuerte contraste con los dos autores citados presenta **Alejandro Núñez Alonso** (1907), quien tras varias novelas editadas en Méjico durante la década de 1940, ha publicado en España diversos relatos donde el propósito de realismo se halla instituido por una desbordada imaginación. El rigor del análisis psicológico de *La gota de Mercurio* (1953), minucioso estudio de las razones que determinan el propósito de suicidio del protagonista, ha sugerido los nombres de Proust o de Joyce. Interés por las situaciones psicológicas excepcionales demuestra también *Segunda agonía* (1955), en la que la desilusión vital es vencida ahora por una nueva llamada a la vida. A partir de *El lazo de púrpura* (1956) —donde presenta el ambiente de Roma en los tiempos de Tiberio, centrando la acción en las actividades de un gran banquero judío— ha escrito varias obras de fondo histórico romano, a las que hay que añadir *Cuando don Alfonso era rey* (1963) y *La reina desnuda* (1974).

Hacia 1950 comienzan a sonar en el campo de la novela los nombres de una serie de autores, cuya obra presenta en algunos casos una cierta evolución hacia el relato objetivo que habrá de predominar pocos años más tarde, o en otros un simple retroceso hacia fórmulas ya gastadas. **José Suárez Carreño** (n. 1914), alcanzó en 1950 el Premio Nadal con *Las últimas horas* donde, centrando la acción en un corto espacio de tiempo, nos ofrece el fin trágico de una pobre muchacha que cede por deseo de huir de un mundo mezquino. Ambientada en los medios burgueses y picarescos del Madrid de la posguerra, la obra revela, tras un cierto propósito de denuncia social, un especial interés por el estudio psicológico. Su novela posterior, *Proceso personal* (1953), se orienta preferentemente por el camino de la acción novelesca.

Ricardo Fernández de la Reguera (1916), más próximo al relato de tipo tradicional, es ante todo un hábil narrador; así lo demuestra una serie de novelas que ponen además de manifiesto su cordial actitud ante las cosas: *Cuando voy a morir* (1950), historia de una desgraciada pasión amorosa que conduce a la degradación, *Perdimos el paraíso* (1955), donde evoca el mundo de la infancia, *Bienaventurados los que aman* (1956), en torno al problema del hombre despreciado por su mujer, y *Cuerpo a tierra* (1954), una de las que han adquirido más difusión y en la que presenta con fotográfica objetividad y crudo realismo, sin tomar partido en lo político o ideológico, la vida del soldado en los diversos frentes durante la guerra civil. Posteriormente, y en colaboración con su esposa, la poetisa **Susana March**, ha iniciado, con *Héroes de Cuba* (1963) una serie de documentadísimos Episodios nacionales.

Con un manifiesto desdén por la elaboración intelectual en la novela y por las novedades técnicas, **Tomás Salvador** (1921), de formación autodidacta, ha publicado un buen número de libros, escritos en una prosa algo ruda y violenta, cuyo interés reside en la narración animada y, sobre todo, en la vigorosa descripción realista de tipos y ambientes marginales de la sociedad. Por eso, entre las más conseguidas se hallan *Cuerda de presos* (1954), sobre el tránsito de dos guardias civiles y un criminal por las tierras de España; *Los atracadores* (1955), *Cabo de vara* (1958), en torno a la vida en el Penal de Ceuta a fines sel siglo XIX, *El atentado* etc.

Luis Romero adquirió súbita celebridad a raíz de la concesión del Nadal a su novela *La Noria*, en 1951. A este ambicioso relato, en el que el autor pretende ofrecernos un fiel "testimonio" de la vida de un numeroso grupo de personajes en la Barcelona actual, con una técnica (concentración narrativa dentro de los límites de un día, monólogo interior...) que recuerda los procedimientos de J. Joyce, han seguido otras varias novelas: *Carta de ayer* (1953), nueva experiencia literaria, donde con el ya clásico "tempo lento" presenta una historia de amor, a base de dos únicos personajes, *Los otros* (1956), cuya rica trama argumental —la realización de un atraco y la ulterior muerte del protagonista del hecho— da pie a una descripción de los barrios bajos de Barcelona, vistos con generosa comprensión, *La corriente* (1962), *El cacique* (1963), donde la muerte del protagonista da lugar a situaciones abyectas descritas con humor sarcástico, etc. Entre sus obras posteriores figura *Tres días de julio* (1967), sobre el comienzo de la guerra civil, *La nochebuena* (1971), etc.

Aunque **Darío Fernández Flórez** (n. 1909) pertenezca a una generación anterior, lo citamos en este lugar debido al éxito que alcanzó en la época que estudiamos su novela *Lola, espejo oscuro* (1950), historia de una prostituta, cuya vida degradada centra una descripción llena de desenfado del Madrid de la posguerra. Posteriormente ha escrito otras de tipo semejante.

Algunas novelistas

Como la poesía, la novela de posguerra se ha visto enriquecida con una notable aportación femenina. Junto a Carmen Laforet y Ana María Matute, ya citadas, destacan una serie de figuras entre las que se encuentran **Eulalia Galvarriato** (n. 1907), quien, además de varios cuentos ha publicado la novela *Cinco sombras* (1945), exquisito relato lleno de emoción melancólica, en el que el clima sentimental creado en torno a cinco hermanas y un hombre da lugar a finas matizaciones psicológicas, expresadas en una bella y cuidada prosa.

Elena Quiroga se reveló al gran público con *Viento del Norte* (Premio Nadal 1950), cuyo fondo narrativo, desarrollado con un aire romántico —la atracción amorosa del señor de un pazo gallego por una muchacha de origen humilde— permite una evocación del ambiente local, dentro de los cauces del realismo costumbrista. *La sangre* (1953), en la que un viejo árbol relata episodios sentimentales de cuatro generaciones sucesivas, ofrece, sin apartarse aun de la línea tradicional, una ancha vena poética y una mayor densidad dramática. El resto de su producción revela un deseo de renovación técnica: *Algo pasa en la calle* (1954) enfoca audazmente ciertos convencionalismos, valiéndose de las diversas actitudes de varios personajes —la esposa, la amada, la hija— ante el protagonista muerto. Esta y otras obras posteriores: *La careta* (1955) —análisis pesimista de la generación de posguerra—, *La última corrida* (1958) —en torno a la figura del torero viejo que se ve desplazado—, *Escribo en tu nombre* (1965)..., ofrecen el mismo vigor estilístico y reflejan un deseo de renovación técnica, sin dejar de reiterar la nota dramática.

Dolores Medio alcanzó también un considerable renombre gracias a la concesión del Premio Nadal a su novela *Nosotros, los Rivero* (1952), donde la evocación de la infancia en la ciudad natal —Oviedo— se lleva a cabo con lírica emotividad y delicado intimismo, sin descuidar el valor de lo narrativo. En las novelas publicadas más tarde —*El pez sigue flotando* (1959), por ejemplo— insistirá en el análisis de la pequeña vida cotidiana, alternando la nota emotiva con el rasgo de humor.

La promoción de 1955

Según ya dijimos, la que, sin forzar demasiado las cosas, hemos llamado Promoción de

Rafael Sánchez Ferlosio.

1955, contó entre sus rasgos más característicos el afán de objetividad, el cultivo de la "novela-testimonio", la preocupación ético-social y el estilo directo. Este nuevo rumbo pudo haberlo provocado —o por lo menos lo favoreció grandemente— cierto cambio en las circunstancias culturales del país, gracias al cual se intensificó la relación con otras manifestaciones literarias del extranjero que ya en las décadas de 1930 y 1940 habían, de una u otra forma, levantado la bandera del "realismo" y de la denuncia social. En este sentido, los dos puntos capitales de referencia fueron la literatura estadounidense y la italiana: Hemingway, Dos Passos, Faulkner...: por un lado, Vittorini, Pratolini, Pavese, Silone..., por otro, constituyeron en cierto modo un estímulo para una producción orientada hacia el "compromiso" ideológico y el "realismo crítico", que, como señalamos anteriormente, había de dar al cabo de una década visibles muestras de agotamiento.

Rafael Sánchez Ferlosio. — A pesar de lo poco que hasta ahora lleva publicado, Sánchez Ferlosio (n. 1927) ocupa un lugar de primer orden entre los novelistas de posguerra. Su primer libro, *Industrias y andanzas de Alfanhuí* (1951), es un delicado relato, lleno de encanto poético y original fantasía, en el que las sorprendentes actividades de un niño tienen como escenario un mundo mágico poblado de seres maravillosos: el gallo de una veleta, el muñeco de madera don Zana, las abejas del clavicordio... Tras las misteriosas y líricas irisaciones de este libro extraordinario, *El Jarama* (1956) representa la vuelta a la más anodina realidad. Sin la menor concesión al gusto por la intriga novelesca, Sánchez Ferlosio nos da aquí una imagen plenamente objetiva de unos hechos intrascendentes —la excursión dominguera de unos obreros madrileños al río Jarama—, el interés de la cual estriba precisamente en lo que tiene de "documento" y en su radical autenticidad. No hay en la obra —reducida a la pura presentación de unos personajes y un ambiente— ni el más mínimo comentario del autor acerca de éstos, pero la realidad habla por sí misma con tanta fuerza que al terminar la lectura percibimos, con toda su crudeza, el hecho que aquél quiso comunicarnos: la existencia de una juventud sumida en el clima monótono del trabajo, y sin otra ilusión —semanalmente desvanecida— que la de la diversión del día festivo.

Las parejas de jóvenes cuyos triviales diálogos llenan la obra no hacen otra cosa que ensanchar durante unas horas más el atroz vacío de sus vidas, y hasta el trágico acontecimiento final —la muerte de Lucía, ahogada en el río— se nos muestran como un puro accidente doloroso más, desprovisto de sentido. Sin recurrir a la deformación ni al rasgo expresionista, Sánchez Ferlosio ha sabido ofrecernos en *El Jarama* una significativa parcela de la realidad actual, con una técnica tras cuya aparente simplicidad —por ejemplo en el uso del lenguaje coloquial— se oculta la maestría de un gran escritor consciente de su arte.

El siguiente fragmento, en el que Tito y Lucía cruzan frases de irritante y conmovedora vulgaridad, es uno de tantos momentos de la obra en los que se trasluce una entrañable simpatía por los personajes al par que el deseo de proporcionar un implacable testimonio —y una tácita condena— de la sociedad de nuestro tiempo.

—Anda, cuéntame algo, Tito.

—Que te cuente, ¿el qué?

—Hombre, algo, lo que se te ocurra, mentiras, da igual. Algo que sea interesante.

—¿Interesante? Yo no sé contar nada, qué ocurrencia. ¿De qué tipo? ¿Qué es lo interesante para ti, vamos a ver?

—Tipo aventuras, por ejemplo; tipo amor.

—¡Huy, amor! —sonreía, sacudiendo los dedos—. ¡No has dicho nada! ¿Y qué amor? Hay muchos amores distintos.

—De los que tu quieras. Conque sea emocionante.

—Pero si yo no sé relatar cosas románticas, mujer, ¿de dónde quieres que lo saque? Eso, mira, te compras una novela.

—¡Bueno! Hasta aquí estoy ya de novelas, hijo mío. Ya está bien de novelas, ¡bastantes me tengo leídas! Además es ahora, ¿qué tiene que ver?, que me contaras tú algún suceso llamativo, aquí, en este rato.

Tito estaba sentado, con la espalda contra el tronco; miró al suelo, hacia el bulto de Lucita, tumbada a su izquierda; apenas le entreveía lo blanco de los hombros, sobre la lana negra del bañador, y los brazos unidos por detrás de la nuca.

—¿Y quieres que yo sepa contarte lo que no viene en las novelas? —le dijo—. ¿Qué me vas a pedir?, ¿ahora voy a tener más fantasía que los que las redactan? ¡Entonces no estaba yo despachando en un comercio, vaya chiste!

—Por hacerte hablar, ¿qué más da?, no cuentes nada. Pues todas traen lo mismo, si vas a ver; tampoco se estrujan los sesos; unas veces te la ponen a Ella rubia y a El moreno, y otras sale Ella de moreno y El de rubio; no tienen casi más variación...

Tito se reía:

—¿Y pelirrojos nada? ¿No sacan nunca a ningún pelirrojo?

—¡Qué tonto eres! Pues vaya una novedad, una en que figurase que El era el pelirrojo, qué cosa más desagradable. Todavía si lo era Ella, tenía un pasar.

—Pues un pelaje bien bonito —se volvía a reír—. ¡Pelo zanahoria!

—Bueno, ya no te rías; para ya de reírte. Déjate de eso, anda, escucha, ¿me quieres escuchar?

—Mujer, ¿También te molesta que me ría?

Lucita se incorporaba; quedó sentada junto a Tito; le dijo:

—Qué no, si no es eso, es que ya te has reído; ahora otra cosa. No quería cortarte, sólo que tenía ganas de cambiar. Vamos a hablar de otra cosa.

—¿De qué?

—No lo sé, de otra cosa, Tito, de otra cosa que se nos ocurra, de lo que quieras. Oyes, déjame un poco de árbol, que me apoye también. No, pero tú no te quites, si cabemos, cabemos los dos juntos. Sólo un huequecito quería yo.

Se respaldó contra el árbol, a la izquierda de Tito, hombro con hombro.

Dijo él:

—¿Estás ya bien así?

—Sí, Tito, muy bien estoy. Es que creo yo que tumbada me mareaba más. Así mucho mejor —le dio unos golpecitos en el brazo—. Hola.

Tito se había vuelto:

—¿Qué hay?

—Te saludaba... Estoy aquí.

—Ya te veo.

—Oye, y no me has contado nada, Tito; parece mentira, cómo eres; hay que ver.

Tras un largo silencio, Sánchez Ferlosio ha publicado varios volúmenes de ensayos —*Las semanas de jardín,* 1973, 1974— en la que la reflexión intelectual se manifiesta a través de una elaboradísima prosa.

Ignacio Aldecoa. — La producción de Ignacio Aldecoa (1925-1969) constituye otra de las más sugestivas muestras del nuevo realismo en la novela. Desde sus primeras colecciones de cuentos —*Espera de tercera clase* (1955) y *Vísperas del silencio* (1955)— hasta sus obras ulteriores —*Caballo de pica* (1963), y *Parte de una historia* (1967)—, pasando por los amplios relatos titulados *El fulgor y la sangre* (1954), *Con el viento solano* (1956) y *Gran Sol* (1957), Aldecoa fue convirtiendo en materia de arte su honda experiencia de los hombres y las tierras de España, guiado por un exigente afán de objetividad y por un deseo de comprensión de las formas de vida del país, en

Ignacio Aldecoa

especial las más duras y elementales. Un estilo rico y trabajado, un profundo sentido de la construcción y una técnica realista en que el rasgo enérgico no excluye la nota poética, figuran entre las cualidades de su obra, siempre hábilmente ambientada en diversos sectores sociales —las mujeres de los guardias civiles en *El fulgor y la sangre*, los gitanos de *Con el viento solano*, los pescadores de *Gran Sol...*—. Poseyendo ampliamente un sentido de contención expresiva y al mismo tiempo una simpatía por la vida del pueblo español que no necesita traducirse en directo alegato, Aldecoa quedará sin disputa como uno de los más altos valores de su tiempo.

Jesús Fernández Santos. — En 1954, Fernández Santos (n. 1926) consiguió un gran éxito con su novela *Los bravos,* aplicando al tema rural la técnica del neorrealismo objetivista con un evidente aunque tácito propósito de tipo social. Como en un *Peñas arriba,* mas sin la idealización de la existencia campesina típica de un Pereda, la obra nos relata la llegada de un joven médico a una aldea del norte de León, su experiencia de la áspera vida del campo, y su decisión final de participar de ésta, movido, no por la complacencia en inexistentes atractivos de tipo idílico, sino por un noble impulso cordial. Escrita en un bello y sobrio lenguaje, sin artificios de estilo ni propósitos de estudio psicológico, *Los bravos* equivale a un fiel testimonio de las duras condiciones del mundo rural, en el que se trasluce el amor a España y a sus hombres y la conciencia social del autor.

En la hoguera, publicada dos años más tarde, sitúa la acción en un pueblo segoviano sumido en el abandono y la asfixia vital, con recursos —parquedad de las descripciones, abundancia del diálogo, etc.—, que recuerdan los del guión cinematográfico, del que el autor tiene tan amplio conocimiento por razones profesionales. Dentro de la misma línea realista están los cuentos de *Cabeza rapada* (1958), en los que el recuerdo infantil y de la guerra aparece teñido de dolorosa melancolía.

Entre sus obras posteriores figuran *Laberintos* (1964), *El hombre de los santos* (1969), *Las Catedrales* (1970), *Libro de la memoria de las cosas* (1971), que representan un enriquecimiento de la expresión y de la técnica, así como una ampliación de la temática, que aun manteniéndose en la línea de la visión crítica de España, se abre a nuevas perspectivas, por ejemplo, el problema religioso de un sector protestante, eje de su última novela.

Juan Goytisolo. — La obra novelística de Juan Goytisolo (n. 1931) responde claramente a una intención de denuncia social, partiendo del "relato-testimonio", pero lo que en otros novelistas se presenta con fría objetividad, aparece teñido en la suya de un vivo apasionamiento, no exento en ocasiones de cierta ingenuidad. En este sentido, muchas de sus novelas, en especial las primeras —algo deficientes en lo que se refiere a su construcción y a su estilo— valen más por la fuerza poética o por la riqueza imaginativa de ciertos episodios aislados que por su exactitud como documento revelador de un estado de cosas. Así lo vemos en una serie de libros: *Juegos de manos* (1954), cuyos protagonistas pueden representar la desorientación y desarraigo de la

Juan Goytisolo

juventud burguesa; *Duelo en el paraíso* (1955), centrado en la muerte de un niño por sus compañeros, al término de la guerra civil; *Fiestas* (1958), pródiga, como *La resaca* (1958), en elementos novelescos y ambientada en los barrios populares de Barcelona, etc. Un verdadero acierto constituye, en cambio, *Campos de Níjar* (1960), relato de un viaje del autor a las áridas tierras de Almería, en el que, dueño ya de su estilo, nos da, con ágil y fluida prosa, un vigoroso cuadro de las trágicas condiciones de vida en este rincón de España. De tipo narrativo son también *La resaca* (1958), *La isla* (1961) y *Fin de fiesta* (1962), donde, avanzando en la técnica del relato objetivo, la crítica social, se reitera la descripción de la vida ociosa y corrompida de la alta burguesía.

Otras de sus obras —*Señas de identidad*, 1966, *La reivindicación del Conde Don Julián,* 1970— revelan un total alejamiento de la sobria técnica del relato objetivo y un verdadero desbordamiento de la imaginación al servicio de la expresión de su personal sentir; en este sentido, la visión retrospectiva de tres décadas de la vida española —a partir de la segunda República— en la primera de las obras citadas, y las amargas reflexiones que el protagonista de la segunda se hace sobre España desde un simbólico Tánger son de una terrible violencia y traslucen el crispado pesimismo o el agrio desdén del autor por la tradición secular y las formas de vida del país. En cuanto a su estructura formal, ambos relatos —sobretodo el último— se apartan de los módulos habituales y demuestran el entronque con los procedimientos más audaces de la novelística actual.

Réstanos aludir a algunos de los novelistas que a partir de 1955 han contribuido también al desarrollo del género, insistiendo, en una u otra forma, en las notas que hemos destacado como propias del "realismo social".

A **Luis Goytisolo** (n. 1935) debemos *Las afueras* (1958), conjunto de narraciones, de desigual valor y escritas con técnica realista y sencillo estilo directo, en las que evoca diversos ambientes (1963) es, a su vez, una visión crítica de la desorientada juventud burguesa de posguerra.

El poeta **Jesús López Pacheco** (1930) es autor de una gran novela, *Central eléctrica* (1958), escrita en una excelente prosa y en la que la construcción de una central da pie a una dramática descripción de las lamentables condiciones de vida de campesinos y obreros.

Plenamente encuadradas en el tipo de relato objetivo e intención social están las primeras novelas de **Alfonso Grosso** (1928), tituladas *La zanja* (1961), *Un cielo difícilmente azul* (1961), *Testa de copo* (1963) y *El capirote* (1966), donde se presenta el mundo de los trabajadores de la construcción en un pueblo andaluz, y el de los camioneros, los pescadores y los campesinos, respectivamente. Sus obras posteriores *Inés Just Coming* (1968), situada en Cuba, *Florido mayo* (1973)... ofrecen una temática distinta y una notable artificiosidad expresiva.

Un cuadro desolador de la vida proletaria nos presenta también **Armando López Salinas** (1925) en *La mina* (1960), dramática historia de un campesino que acaba muriendo en la mina donde encontró trabajo. *Caminando por Las Hurdes* (1960), sugestivo reportaje, es fruto de su colaboración con **Antonio Ferres** (1925), autor, a su vez, de *La Piqueta* (1959), donde el relato de la destrucción forzosa de una barraca le lleva a una sobria descripción del mundo de los suburbios, excesivamente simplificadora en la calificación de los grupos sociales, pero llena de humana simpatía hacia los humildes. Su obra posterior ofrece una ampliación temática —*Con las manos vacías* (1969), sobre la inmediata posguerra, *En el segundo hemisferio* (1970)...— y una superación de sus anteriores deficiencias expresivas.

J. M. Caballero Bonald (1926) publicó en 1962 una excelente novela, *Dos días de septiembre*, en torno al contraste entre el corrompido mundo de unos propietarios andaluces y la miserable situación de los campesinos ocupados en la vendimia. La calidad artística de su prosa se reitera e intensifica hasta el barroquismo en su reciente *Agata, ojo de gato* (1974)— sobrecogedora historia de putrefacción física y moral de un grupo humano en un alucinante paisaje de ciénagas y pantanos— cuya técnica revela ya las preferencias literarias de la época actual.

Representante destacado de la técnica objetivista al servicio no ya de las clases proletarias sino de la denuncia antiburguesa es **Juan García Hotelano** (1928), autor de varios libros —*Nuevas amistades* (1959), sórdida historia a cargo de unos jóvenes madrileños, *Tormenta de verano* (1961), cuadro de la disipada vida de unos veraneantes y *El gran momento de Mary Tribune* (1972)— en los que van quedando de manifiesto, por sí mismas, las lacras morales —ociosidad, egoísmo, hipocresía, vaciedad...— de diversos grupos de la burguesía.

A la misma promoción que los autores aludidos corresponden los que citamos a continuación. No falta en ellos la referencia a España y sus problemas, pero tanto su temática como su técnica expresiva los sitúa al margen del llamado "realismo social".

José Luis Castillo Puche. — En las novelas de Castillo Puche (n. 1919) obsérvase un reiterado interés por el estudio de la sociedad española, pero su preferencia por el análisis de problemas psicológicos concretos, el mayor peso del elemento novelesco y el garbo del estilo, en el que se combina el trazo violento y patético con la nota humorística, y lo macabro con la sátira, le prestan un sello personal. Brillantes ejemplos de todo ello son los relatos titulados *Con la muerte al hombro* (1954), que ilustra con rasgos tragicómicos la obsesión morbosa de la muerte, *El vengador* (1956), donde un oficial del ejército vencedor, terminada ya la guerra civil, renuncia a vengar la muerte de su familia, *Sin camino* (1956), historia del fracaso de una vocación religiosa, e *Hicieron partes* (1957), en torno a la varia suerte, cómica o dramática, de unos personajes, tras la percepción de una herencia. En *Paralelo 40* (1963) nos ofrece un agrio contraste entre la vida de los norteamericanos en las bases españolas y el mundo de los suburbios madrileños.

Antonio Prieto (n. 1930) consiguió en 1955 un importante premio literario con *Tres pisadas de hombre*, cuya violenta acción, emplazada en un ambiente tropical y relacionada con un contrabando de esmeraldas, va siendo narrada sucesivamente por sus tres protagonistas. Tras este relato, de gran interés novelesco y original técnica constructiva, publicó *Buenas noches, Argüelles* (1956), donde evoca la vida cotidiana a través de varios personajes del barrio madrileño. Su producción posterior —desde *Vuelve atrás, Lázaro* (1957) hasta *Secretum* (1972) representa un tipo de novela simbólica ajena a la problemática social

Más orientada hacia el realismo de nuevo cuño se halla la obra de **Carmen Martín Gaite** —esposa de Sánchez Ferlosio—, como corresponde a quien se interesa por el ambiente como factor decisivo en el desarrollo de unas vidas humanas. Así lo vemos en los cuentos de *El balneario* (1955), en la novela *Entre visillos* (premio Nadal, 1957), alusiva a la anodina existencia de unas adolescentes en una ciudad provinciana, o en *Las ataduras* (1961).

La novela desde 1965

Durante la primera mitad de la década de 1960, el compromiso ideológico o político y el afán de realismo y objetividad continuaron dando origen a obras todavía en la línea de la novela de los años 50. No obstante, pronto se manifestaron síntomas de que la

Luis Martín Santos

época del relato testimonial estaba a punto de terminar, dando paso a nuevas actitudes. Y fue, sobre todo, a partir de la publicación de "Tiempo de silencio", de Luis Martín Santos (1962) cuando se comenzó a reprochar a las novelas del "realismo social" sus limitaciones en el terreno del estilo y de la temática —negando, incluso, su eficacia como instrumento para transformar las estructuras de la vida española— y a exigir una mayor atención a los elementos imaginativos, al mundo de lo subjetivo e irracional y a aquellos aspectos de la realidad que no fueran los más superficiales e inmediatos de la vida cotidiana. Del mismo modo, empezó a echarse de menos en la prosa del momento una auténtica elaboración artística del lenguaje, ausente de muchas obras que no aspiraban a otra cosa que a dar una mera referencia de lo observado en un estilo impersonal.

A medida que han ido avanzando los años, una serie de relatos han dado testimonio, con varia fortuna, del cambio de clima literario, demostrando, al mismo tiempo, el influjo de estímulos muy distintos de los que habían actuado sobre los novelistas de 1950; del neorrealismo italiano y la "generación perdida" norteamericana se ha pasado a las manifestaciones más minoritarias de la literatura europea e hispanoamericana— Proust, Joyce, el "nouveau roman" francés...; de las formas coloquiales al más insólito artificio, del tono impersonal a una variadísima expresión de actitudes que van desde el gesto acre y condenatorio a la pirueta intrascendente, desde la libérrima expansión de la fantasía hasta la angustiada confesión de un problema íntimo. Rasgos todos ellos visibles no sólo en quienes comienzan ahora su labor novelística sino en las más recientes obras de muchas figuras correspondientes a anteriores promociones —Cela, "San Camilo, 36", Delibes, "Parábola del náufrago", Goytisolo, "Reivindicación del Conde Don Julián"...—.

Luis Martín Santos, médico psiquiatra de origen vasco (1924-1964), publicó dos años antes de morir una novela, *Tiempo de silencio,* que, como ya hemos dicho, constituye el primer hito importante de la última etapa de la novelística española. Su contenido argumental seguía dando pie a una acre visión de la sociedad, en sus distintos niveles: las chabolas de las afueras de Madrid, la casa de huéspedes donde vive el protagonista —jóven médico que, fracasado, acaba retirándose a un pueblo—, el salón en el que se reúnen intelectuales y aristócratas... No obstante, la técnica empleada —escasez de diálogos, tan típico, en cambio, de la novela social, uso del monólogo interior, presencia de disgresiones de tipo intelectual...— y, sobre todo, el lenguaje utilizado, representaron una nota de gran originalidad en el panorama literario de la época. Elaborada hasta el extremo, la prosa de Martín Santos ofrece una rica variedad de tonos que intentan reflejar el habla de los diversos estratos sociales en que se sitúa la acción, pero su rasgo más destacado es una personalísima mezcla de lenguaje culto o científico y dicción coloquial, dirigida a darnos una visión deformada y caricaturesca de la realidad, muy en la línea barroca de la yuxtaposición de la nota amarga y la burla sarcástica. He aquí una breve muestra de las reflexiones del protagonista, con las que termina la obra:

Y yo, sin asomo de desesperación, porque estoy como vacío, porque me han pasado una gamuza y me han limpiado las vísceras por dentro, empapando bien y me han puesto en remojo, colgando de un hilo en una especie de museo anatómico de vivos para que perciba bien las cualidades empireumáticas e higiénicas, desecadoras y esterilizantes, atrabiliagenésicas y justicieras del hombre de la meseta, del hombre de la meseta, ese tipo de hombre de la meseta que hizo historia, que fabricó un mundo, que partiendo de las planas de la Bureba comenzó a pronunciar el latín con fonética euskalduna y así, añadiendo luego las haches aspiradas convertidas en jotas de la morisma, se fabricó ese ariete con el que fue por el mundo dando tumbos y ahora, reseco y carcomido, anojamado hombre de la meseta, puesto a secar como yo mismo para que me hagan mojama en los buenos aires castellanos, donde la idea de lo que es futuro se ha perdido desde hace tres siglos y medio y el futuro ya no es sino la carcomida marronez que va tomando un cuero de buey puesto a secar y la carne vuelta mojama y gusta la mojama y hay hombres como yo, que se van acostumbrando poco a poco a tomar mojama con un vaso de vino y es mejor que el caviar y que el arenque y que el fuá ese de las landes. ¡Desdichados los que no servimos para el éxtasis! ¿Quien nos auxiliará? ¿Cómo haremos para penetrar en las más avanzadas y recónditas y profundas de las Moradas donde no es preciso habitar?

Juan Benet, autor de varios libros de prosa narrativa —*Nunca llegarás a nada*, 1961, *Volverás a Región*, 1967, y *Una meditación*, 1970— es una de las figuras más destacadas de la novela española actual. En él, el propósito de crítica social, visible aún en Martín Santos, da paso a un deseo de pura creación literaria, del mismo modo que lo que en aquél era elaboración caprichosa de un lenguaje insólito con agria intención irónica, se ve ahora sustituido por una prosa de amplio y noble ritmo en la que los matices poéticos y psicológicos cobran un relieve extraordinario. En la obra de Benet, donde la trama se diluye en una serie de meandros hasta hacerse inextricable, todo se halla al servicio de los valores estéticos de la palabra, y lo que años antes fue obsesión por la transcripción directa de una realidad objetiva se convierte en oscura insinuación, a través del recuerdo, de un mundo denso y sombrío sometido a la acción de misteriosas fuerzas irracionales.

Las siguientes líneas, de *Volverás a Región,* pueden servir de ejemplo de la intensa capacidad de sugestión del estilo de su autor:

Su formación se llevó a cabo en Región, entre sus tías (todas las noches rezaban el rosario ante una lamparilla de aceite o espíritu del vino) que en primer lugar le enseñaron a andar derecho. En la casa de Región había dos palabras que predominaban sobre cualesquiera otras: dinero y hombre, la primera dominada por el disimulo, la segunda por el furor... Sólo salían de visita y andaban por la calle —dos, tres o cuatro en fondo, con el niño a un lado— con la barbilla alzada, haciendo girar sus cabezas a pequeñas sacudidas al igual que una procesión de cabezudos carentes de visión que recibían del éter —a través de las bolas de pelo brillante y alisado— mensajes cifrados acerca del apellido, la decencia, la compostura y la dignidad. Todos los años al llegar el buen tiempo volvían a regenerarse las esperanzas matrimoniales de la menor, ligada por un compromiso secular a un joven abúlico, de una familia de comerciantes, que sólo sabía andar en bicicleta. Así que en verano también paseaban a menudo con el hombre de la bicicleta que caminaba por la calzada, discretamente separado de su prometida —que en aquel trance se encargaba de llevar al niño de la mano— por las tres hermanas mayores que siempre llegaban sudadas a casa. Entraban agotadas, embargadas sin duda por una sensación de futilidad y estancamiento provocada por las indecisiones del ciclista o por el cúmulo de inhibiciones que imponía la decencia, y, en el recibidor en sombras bañado en el aroma del pavimento y las aspidistras regadas al medio día, caían sin resuello en los viejos sillones de mimbre para concentrar sobre el niño una unánime mirada en la que se destilaba todo el encono, la esperanza diferida y el recelo de una condición que no se decidía a unirse al hombre por temor a perder su dinero; he aquí el rayo que la mente del niño fijará para siempre en el negativo horrendo —un corro de mudas y adormitorias miradas en el fondo de la penumbra veraniega, con el zumbido de los abanicos y el agitado aliento de los pechos enlutados—, el signo indeleble de su propia formación: volverá a revelarlo, años más tarde, en los momentos de combate; ante la mesa de juego, al abalanzarse sobre el montón de fichas de nácar, ajeno, siempre ajeno, al gesto de una mujer que retrocede por los salones vacíos mientras el público corre hacia la mesa donde su mano quedó atravesada por la navaja; a lomos de la mula holgazana, la mente (espoleada por el hecho vengativo y rencoroso de los abanicos) preocupada tan sólo por el peso de la moneda que nunca llegó a tener en la mano. Porque todo eso estaba previsto y decidido...

Tras *Volverás a Región* —donde las realidades españolas aparecen misteriosamente veladas y ya como puro pretexto para una rica divagación en la que coexisten la fabulación imaginativa y la reflexión intelectual— Benet ha publicado otros libros —*Una meditación* (1970), *Una tumba* (1971), *La otra casa de Mazón* (1973), los cuentos de *Sub Rosa* (1973)...— que le acreditan como uno de los más notables representantes del tipo de literatura minoritaria en que ha ido a desembocar buena parte de la novelística española actual.

Los últimos años de la década de los sesenta han presenciado también la aparición de un grupo de jóvenes novelistas: **Juan Marsé** (*Ultimas tardes con Teresa*, 1967 —visión sarcástica de diversos sectores sociales de Barcelona, en la que se ha visto la huella de Martín Santos—, *La oscura historia de la prima Montse*, 1970), **José M.ª Guelbenzu** (*El mercurio*, 1968), **G. Sánchez Espeso** (*Síntomas de Exodo* 1969), **M. Vázquez Montalbán** (*Recordando a Dardé*, 1969), etc. Como en el caso de la reciente poesía, sería difícil hallar un común denominador para la obra de todos ellos. Sin embargo, cabría señalar, como ya dijimos, una casi general repulsa del realismo, tal como se entendió en los años 50, y un deseo de explorar nuevas zonas por el camino de la ironía lúcida, de la libre fabulación imaginativa y de la reeelaboración artística de la técnica y el estilo.

BIBLIOGRAFIA

Pérez Minik: *Novelistas españoles de los siglos XIX y XX.* 1951 (Guadarrama).
F. C. Sainz de Robles: *La novela española en el siglo XX.* 1957.
J. Luis Alborg: *Hora actual de la novela española.* 1958-1962 (Taurus).
Eugenio G. de Nora: *La novela española contemporánea* (1927-1960). 1962 (Gredos).
J. R. Marra López: *Narrativa española fuera de España* (1939-1961). Guadarrama, 1963.
M. García-Viñó: *Novela española actual.* Guadarrama, 1967.
P. Gil Casado: *La novela social española.* Seix Barral, 1968.
R. Bukley: *Problemas formales de la novela española contemporánea.* Barcelona, 1968.
J. I. Ferreras: *Tendencias de la novela española actual.* París, 1970.
A. Iglesias Laguna: *Treinta años de novela española.* Madrid, 1970.
Gonzalo Sobejano: *Novela española de nuestro tiempo.* Madrid, 1970.
Guillermo J. A. Hernández: *La novelística española de los 60.* Nueva York, 1971.
S. Clotas-P. Gimferrer: *30 años de literatura en España.* Barcelona, 1971.
F. Morán: *Novela y semidesarrollo.* Taurus, 1971.
José Corrales Egea: *La novela española actual.* Cuadernos para el Diálogo, 1971.
J. Domingo: *La novela española del siglo XX. 2. De la posguerra a nuestros días.* Labor, 1973.
S. Sanz Villanueva: *Tendencias de la novela española actual.* Madrid, 1972.
J. M. Martínez Cachero: *La novela española entre 1939 y 1969.* Castalia, 1973.
Marcelino C. Peñuelas: *La obra narrativa de R. J. Sender.* Madrid, 1971.

O. Prjevalinski: *El sistema estético de C. J. Cela.* 1960.
A. Zamora Vicente: *Camilo José Cela.* 1962.
Paul Ilie: *La novelística de C. J. Cela.* Gredos, 1963.

Leo Hickey: *Cinco horas con Miguel Delibes.* Madrid, 1968.
Francisco Umbral: *M. Delibes.* Madrid, Espasa, 1971.
Darío Villanueva: *El Jarama de Sánchez Ferlosio.* Universidad de Santiago de C., 1973.

el teatro, el ensayo, 81
la crítica y la erudición

El teatro. Direcciones y etapas

Si en el campo de la poesía o de la novela los años de la posguerra han presenciado la aparición de un nutrido grupo de escritores presidido por algún valor excepcional, el teatro, fuerza es reconocerlo, se ha mantenido por lo general en un discreto segundo plano, debido a circunstancias de tipo socio-cultural, entre las que cabría citar la presencia de un vasto público conformista —en lo estético y en lo ideológico— y el freno impuesto durante muchos años por una vigilante censura.

Un teatro intrascendente

Prescindiendo de lo estrenado fuera de España por Jacinto Grau, Alejandro Casona y otros, lo que predominó hasta 1945 aproximadamente fue un tipo de teatro meramente comercial y de baja calidad, orientado hacia la pura distracción de un público sin demasiadas exigencias. Sólo algunas obras aisladas de carácter minoritario, y a menudo no representadas, revelaron por entonces un propósito de creación artística; tal, una serie de piezas de contenido religioso en las que se fundía la tradición barroca en formas o afanes ideológicos del momento: *El viaje del joven Tobías* (1938), de Torrente Ballester, la *Tragedia del rey David,* de Camón Aznar (1944) o *La mejor reina de España* (1939), de Rosales y Vivanco.

La etapa siguiente se caracterizó por el desarrollo de un teatro de mayor dignidad literaria, pero desprovisto de verdadera ambición y reducido por lo común a una hábil manipulación de ciertos elementos —sentimentalismo ligero, humor intrascendente, moralización banal, cosquilleo poético—, aceptados desde hacía decenios por un amplio público burgués. Fueron unos años durante los cuales se impuso de forma casi exclusiva un tipo de comedia amable, con frecuentes derivaciones hacia el mundo de la farsa y en algunos momentos con cautelosas inflexiones dramáticas. Teatro en tono menor en el que es fácil advertir resonancias del elegante discreteo de Benavente, del costumbrismo de Arniches o de la nota poética de Casona, y uno de cuyos pocos rasgos originales habría que buscarlo en algunas obras caracterizadas por un tipo de comicidad basada en el uso de lo paradójico y desconcertante.

Los nuevos intentos

Al llegar la década de 1950, la modalidad a que acabamos de referirnos continuó proporcionando éxitos a sus cultivadores, ante un público de mentalidad estrechamente conservadora, refractaria a cualquier innovación estética o a los planteamientos rigurosos de temas de candente actualidad. No obstante, de forma semejante a lo sucedido en el terreno de la poesía y poco más tarde en el de la novela, comenzó entonces a dar señales de vida un nuevo teatro dispuesto a hacerse eco de las inquietudes de nuestros días con todo el coraje necesario, y a prescindir de fáciles o frívolas idealizaciones, en pro de una mayor sinceridad y realismo. Su entonación fue predominantemente dramática, llegando en algunos casos a la dignidad de la tragedia. No puede afirmarse, sin embargo, que este noble propósito de llevar a la escena la áspera problemática de la hora actual se haya visto realizado siempre con la oportuna altura literaria y la suficiente hondura de concepción, pero ha de reconocerse que es ante todo este sector el que ofrece lo más notable de la producción dramática de las últimas décadas. En él habría que distinguir —tarea no siempre fácil— las obras dirigidas a poner de relieve los conflictos psicológicos o los interrogantes de índole metafísica con que se enfrenta el individuo, de las motivadas por los problemas de alcance colectivo referidos al tiempo presente —teatro estrictamente "social"—.

Las fórmulas teatrales de la década de 1940

A continuación analizaremos rápidamente la producción teatral de una serie de autores que, aunque pertenecientes a generaciones distintas, se dieron a conocer o alcanzaron renombre durante la mencionada década.

Su inclusión en un mismo apartado es posible que obedezca a una simplificación excesiva, dadas las distancias que les separan, pero ciertas coincidencias —el enfoque poco profundo de los temas, la ausencia del rasgo acre o violento...— nos inclinan a prescindir de una clasificación más matizada. En su Historia del Teatro Español, Angel Valbuena ha situado a la mayor parte de ellos "entre el juego, el ensueño y la ternura"; sólo bastaría, tal vez, aludir a ciertos propósitos de adoptar una actitud grave y aleccionadora, para que quedasen señalados los límites entre los que oscila la labor teatral a que vamos a referirnos.

Siguiendo un estricto orden cronológico en cuanto a la fecha de nacimiento, encontramos en primer lugar a **Juan Ignacio Luca de Tena** (n. 1897). Su producción, iniciada ya en 1918, se ha prolongado después de la guerra con una serie de ingeniosas comedias hábilmente construidas, en las que la nota seria, cuando aparece, suele hallarse tratada con cierta ligereza –*Don José, Pepe y Pepito* (1954), donde enfrenta a tres generaciones con una misma mujer–. *¿Dónde vas Alfonso XII?* (1957), es una simpática, aunque algo superficial, evocación del rey y su época. Gran parte de la original producción de **Enrique Jardiel Poncela** (1901-1952) –hoy muy favorablemente destacada por la crítica– corresponde a las décadas de 1920 y 1930. En la posguerra, Jardiel Poncela siguió cultivando un tipo de humor desorbitado y fantástico que buscaba su eficacia en la sorpresa y el desconcierto del público, y cuya raíz habría que hallarla en el arte de "vanguardia" de su juventud. Por el camino de la parodia o la caricatura, sus comedias, que en ciertos momentos adquieren un tono de inesperada gravedad y amargo escepticismo, han conseguido provocar la hilaridad del público y dejar rastro en otros autores de nuestro tiempo. *Angelina o el honor de un brigadier (un drama en 1880)* (1934), *Eloísa está debajo de un almendro* (1940), y *Los habitantes de la casa deshabitada* (1942), figuran entre las más celebradas. **Edgar Neville** (1899-1967) ha estrenado unas pocas comedias –la primera en 1934– impregnadas de emoción sentimental y de humor generoso, y en las que defiende una actitud de sensatez y equilibrio. Así, en *El baile* (1952) y *Adelita* (1955). **José López Rubio** (n. 1903), cuya obra inicial data de 1928, ha estrenado casi toda su producción en la década de 1950. A este mismo año corresponde su gran éxito *Celos del aire*, que, lo mismo que las que han seguido, acredita a su autor como el comediógrafo de trazo ligero y humor elegante, que elude deliberadamente todo extremo al encararse con las realidades humanas, para lograr la aquiescencia del espectador con el dominio de los recursos teatrales y una calculada dosificación de ironía y lirismo. Buen conocedor del teatro europeo y gran admirador de Moratín, López Rubio es uno de los mejores representantes del teatro que predominó en España en la época a que nos referimos.

Tampoco falta el humor ligero y el enfoque amable en la obra de **Joaquín Calvo Sotelo** (n. 1905), pero lo mejor que le distingue de los autores citados es su atención a temas de alcance político, social o ético, que trata con dignidad, mas sin excesiva hondura; así, en *Criminal de guerra* (1951), *El jefe* (1953), *La ciudad sin Dios* (1956) o en *La muralla* (1954), cuyo tema –la oposición de una familia que se llama católica a que el protagonista, ya en trance de muerte, restituya una fortuna mal adquirida al terminar la guerra civil– le procuró un gran éxito.

Entre los comediógrafos que comenzaron su labor teatral después de la guerra destaca **Miguel Mihura** (n. 1905), merced a una original fusión de ternura e ironía. Valiéndose de un humor basado en lo inesperado o absurdo, que recuerda en algo los procedimientos de Jardiel Poncela, Mihura –que ha colaborado en "La codorniz"– gusta de atacar el tópico no sólo en el lenguaje, sino en los usos sociales, en defensa de una vida libre y espontánea al margen de los convencionalismos burgueses. Humor, emoción y sátira hay por ejemplo en *Tres sombreros de copa* (1952), *Sublime decisión* (1955), *Mi adorado Juan* (1956), y *Melocotón en almíbar,* (1958). El teatro de **Víctor**

Ruiz Iriarte (n. 1912), "ligero, suave y optimista", al decir de cierto crítico, ha debido su éxito a la destreza del autor y al tono risueño y juguetón con que afronta las situaciones de la vida cotidiana —*Juegos de niños* (1952)—, después de varias obras que representan una valoración de la evasión hacia el ensueño —*El landó de seis caballos* (1950)—. **Carlos Llopis** (1913-1971) ha atraído también la atención de un público mayoritario con abundantes comedias cuyo interés reside en la viveza y la gracia del diálogo —*De acuerdo, Susana* (1955), *El amor y una señora* (1958)—. Las obras de **Alfonso Paso** (1926) equivalen a una hábil reiteración de la fórmula de la comedia amable a base de ingenio malicioso, emoción sentimental y leve sátira moralizadora de signo conservador. Acercándose a veces al mundo de la farsa por los caminos abiertos por su suegro Jardiel Poncela, y sin rebasar nunca los límites propios del género, Paso se convirtió en uno de los autores más cotizados por el público burgués de los años 60.

Los nuevos valores del teatro

Mientras las figuras que acabamos de citar siguen manteniéndose en la escena, comienza a afirmarse hacia 1950 una nueva concepción del teatro, cuyos rasgos fundamentales serán, como ya indicamos, el abandono del tono ligero, la renuncia a la evasión imaginativa y a la falsa idealización, y el afán de verdad y rigor en la apreciación de las realidades humanas, consideradas en su doble vertiente individual y social.

Buero Vallejo. — Figura señera del teatro actual, Antonio Buero Vallejo (n. 1916) nos ofrece una ambiciosa producción, en la línea de la tragedia, donde predomina un tono de inquietud insatisfecha, sólo compensada con una vaga confianza en el futuro o en la eficacia salvadora de ciertos valores del espíritu: el amor, la fe, la sinceridad... Reducida a menudo a un simple inquirir en la realidades —de índole social, psicológica o metafísica— que asedian la conciencia del hombre actual, suele evitar la afirmación dogmática o la solución fácil, limitándose a presentar con toda su

Antonio Buero Vallejo

crudeza el conflicto "entre individualidad y colectividad, entre necesidad y libertad". De ahí su realismo, entendido no como una trasposición trivial de los aspectos más externos de la vida cotidiana, sino como un significativo trasunto de su dramática complejidad. "Realismo trascendente" como él mismo ha dicho—, con el que se pretende poner de relieve todo cuanto el llamado teatro de evasión había intentado encubrir o soslayar, y que no excluye ni una digna actitud idealista —en sentido ético— ni el uso del símbolo o la transposición histórica —como recursos estéticos—.

Buero Vallejo obtuvo un éxito resonante con su primera obra, *Historia de una escalera* (1949), en la que, ciñéndose como siempre, a la técnica tradicional, sitúa la acción en el ambiente mediocre de una humilde casa de vecindad; en la última escena, dos personajes, ya fracasados en su vida, contemplan en sus hijos las mismas ilusiones que ellos mantuvieron en su juventud. Un sector social semejante y una afirmación del valor de la esperanza y de la fe se dan asimismo en *Hoy es fiesta* (1956).

Aunque los personajes asuman ya aquí un alto valor significativo, la expresión simbólica se emplea más a fondo en otras obras alejadas del tema social, por ejemplo *En la ardiente oscuridad* (1950), donde la vida en una residencia de ciegos lleva a plantear graves cuestiones, tal la de la conciencia como dolor o la de la existencia de unas realidades metafísicas. En una de sus escenas, Ignacio intenta arrancar a Carlos de su resignada aceptación de la ceguera, sin conseguir otra cosa que inquietarle, sugiriéndole la posibilidad de contemplar la luz:

> IGNACIO. — Esa es tu desgracia: no sentir la esperanza que yo os he traído.
> CARLOS. — ¿Qué esperanza?
> IGNACIO. — La esperanza de la luz.
> CARLOS. — ¿De la luz?
> IGNACIO. — ¡De la luz, sí! Porque nos dicen incurables; pero, ¿qué sabemos nosotros de eso? Nadie sabe lo que el mundo puede reservarnos, desde el descubrimiento científico..., hasta... el milagro.
> CARLOS. — *(Despectivo.)* ¡Ah, bah!
> IGNACIO. — Ya, ya sé que tú lo rechazas. ¡Rechazas la fe que te traigo!
> CARLOS. — ¡Basta! Luz, visión... Palabras vacías. ¡Nosotros estamos ciegos! ¿Entiendes?
> IGNACIO. — Menos mal que lo reconoces... Creí que sólo éramos... invidentes.
> CARLOS. — ¡Ciegos, sí! Sea.
> IGNACIO. — ¿Ciegos de qué?
> CARLOS. — *(Vacilante.)* ¿De qué? ...
> IGNACIO. — ¡De la luz! De algo que anhelas comprender..., aunque lo niegues. [...] Yo he sentido cómo los videntes se alegran cuando vuelve la luz por la mañana, [...] Pero para nosotros todo es igual. La luz puede volver; puede ir sacando de la oscuridad las formas y los colores; puede dar a las cosas su plenitud de existencia. *(La luz del escenario y de las estrellas ha vuelto del todo.)* ¡Incluso a las lejanas estrellas! ¡Es igual! Nada vemos.

CARLOS. – *(Sacudiendo con brusquedad la involuntaria influencia sufrida a causa de las palabras de Ignacio.)* ¡Cállate! Te comprendo, sí; te comprendo, pero no te puedo disculpar. *(Con el acento del que percibe una revelación súbita.)* Eres... ¡un mesiánico desequilibrado! Yo te explicaré lo que te pasa: tienes el instinto de la muerte. Dices que quieres ver... ¡Lo que quieres es morir!

IGNACIO. – Quizá... quizá. Puede que la muerte sea la única forma de conseguir la definitiva visión...

CARLOS. – O la oscuridad definitiva. Pero es igual. Morir es lo que buscas y no lo sabes. Morir y hacer morir a los demás. Por eso debes marcharte. ¡Yo defiendo la vida! ¡La vida de todos nosotros, que tú amenazas! Porque quiero vivirla a fondo, cumplirla; aunque no sea pacífica ni feliz. Aunque sea dura y amarga. ¡Pero la vida sabe a algo, nos pide algo, nos reclama! *(Pausa breve.)* Todos luchábamos por la vida aquí... hasta que tú viniste. ¡Márchate!

Tras la última obra citada y otras en las que vuelve a insistir en los dramáticos interrogantes inherentes a la condición humana –*Irene o el tesoro* (1954), *Madrugada* (1954), *Las cartas boca abajo* (1957), *La señal que se espera*–, Buero Vallejo, que ya se había acercado al mundo de la leyenda para darnos en *La tejedora de sueños* (1952) una versión escéptica del mito de la fidelidad de Ulises, ha evocado dos momentos del pasado español como símbolos aleccionadores en *Un soñador para un pueblo* (1958), de expresión algo ambigua, y cuyo núcleo lo constituye el fracaso de los propósitos de reforma del Marqués de Esquilache, y *Las Meninas* (1960), donde Velázquez encarna el drama del hombre de espíritu, sometido a la presión de una sociedad anquilosada. En ambas, la esperanza en el mañana continúa siendo el único resquicio de luz en medio de amargas consideraciones. Un contenido simbólico puede rastrearse también en *El concierto de San Ovidio* (1962)– en la que el autor vuelve a incidir en el tema de la ceguera–; en *El tragaluz* (1967) –nueva versión de la problemática de su obra inicial: el deseo de evasión de un ambiente oprimente, el choque con un mundo hostil, la muerte de las ilusiones...–, y en *El sueño de la razón* (1970), sobre Goya o *La fundación* (1974)

Una escena de la obra de Buero Vallejo "El concierto de San Ovidio".

Alfonso Sastre y otras figuras del teatro actual. – Ciertas declaraciones de Alfonso Sastre en 1959 pueden servir de orientación sobre los propósitos de buena parte del teatro del momento: "Entre las distintas provincias de la realidad hay una cuya representación o denuncia consideramos urgente: el problema social en sus distintas formas [...] Lo social es una categoría superior a lo artístico [...] La principal misión del arte en el mundo injusto en que vivimos consiste en transformarlo".

A pesar del tono tajante de estas afirmaciones, que harían esperar un teatro donde la injusticia social fuera claramente aludida y condenada de un modo explícito, el de **Alfonso Sastre** (n. 1926), en el que se ha señalado el influjo de O'Neill, Sartre, Camus, Brecht..., nos ofrece una serie de situaciones-límite, en las que la muerte –en forma de asesinato, suicidio o peligro inminente– desempeña un papel primordial, sin que se establezca siempre con la suficiente claridad un aleccionador paralelismo entre aquéllas y los problemas de tipo colectivo que a todos nos atañen. No falta la alusión al hecho revolucionario o al tema de la persecución política o ideológica, pero lo cierto es que buena parte de las obras de Sastre, en las que el hombre singular se debate angustiosamente ante un inexorable destino trágico, ha dado lugar, por lo dicho, a las más diversas interpretaciones del público y de la crítica, siempre atentos a descubrir el último sentido de lo que aspira a ser un "testimonio" delator.

Pueden citarse entre ellas *Escuadra hacia la muerte* (1953), donde nos presenta la atroz tensión psicológica de media docena de hombres en una trinchera, *La mordaza,* (1954), en la que un viejo impide que los suyos denuncien el crimen que cometió, *El cuervo* (1957), un poco al margen de las otras por su tema: la misteriosa reviviscencia de unos hechos, *El pan de todos,* (1960), sobre el comunista que se suicida tras denunciar a su madre, *La cornada* (1960), cuyo protagonista, un torero, recurre al suicidio para escapar al dominio de su apoderado, *En la red* (1961), en torno a la figura del conspirador argelino acosado por sus adversarios, etc.

Entre los llegados a la escena durante la década del 60 se hallan varios autores, de obras no siempre representadas, a quienes cabe incluir en la línea del "realismo social", pero que derivan a menudo hacia un expresionismo próximo, a veces, al rasgo esperpéntico. Figuran entre ellos **Carlos Muñiz**, que en *El grillo* (1957) y más tarde en *El tintero* (1961), de técnica neoexpresionista, presenta el destino dramático de un empleado aprisionado en una vida mezquina; **Alfredo Mañas**, a quien debemos una deliciosa versión del viejo tema del Corregidor y la Molinera, llena de frescura y gracia guiñolesca –*La feria de Cuernicabra* (1959)– y *La historia de los Tarantos* (1961); **Lauro Olmo**, autor de una obra de gran éxito, *La camisa* (1962), donde plantea en forma agria y patética el problema de la emigración en un ambiente de miseria, y de *El Cuarto Poder* (1970), sobre la prensa; **R. Rodríguez Buded**, cuya producción equivale a un análisis de aspectos dolorosos de la sociedad española –*La madriguera* (1960), *El charlatán* (1962)–; **J. M. Rodríguez Méndez**, que desde *Los inocentes de la Moncloa* (1961) sobre la vida de unos opositores en Madrid, hasta la poderosa farsa *Bodas que fueron famosas del Pingajo y la Fandanga*, ha llevado a cabo una copiosa labor teatral;

J. Martín Recuerda, autor de una célebre obra de corte valleinclanesco, *Las salvajes de Puente San Gil* (1963), etc.

En cuanto al teatro representado fuera de España, ya hemos aludido a las últimas obras de Jacinto Grau, Casona, Max Aub, Alberti... Desde la década de los 60 ha atraído poderosamente la atención de la crítica extranjera la producción de **Fernando Arrabal** (1932), a la que, en conjunto, cabe considerar como un estridente y violento alegato contra los valores y formas de vida de la sociedad burguesa de nuestros días. Valiéndose de una técnica en la que se advierte el influjo de los más extremosos recursos del superrealismo y del teatro del absurdo, y donde lo mítico y simbólico reviste una apariencia onírica, Arrabal ha creado un original y desconcertante teatro que no retrocede ante las mayores audacias y en el que se ha visto una "afirmación de valores como la libertad, la bondad y la inocencia". He aquí algunos títulos: *Los hombres del triciclo* (1958), su obra inicial, *Fando y Lis* (1961), *El cementerio de automóviles* (1966), *El arquitecto y el emperador de Asiria* (1967), *Bella Ciao* (1972)...

La investigación científica, el ensayo y la crítica

Terminada la guerra civil y exiliados gran parte de los intelectuales que habían manifestado su adhesión a la República, la prosa doctrinal se limitó en un primer momento a desarrollar las directrices ideológicas propias del nuevo régimen. Muy representativa de esta situación fue la revista *Vértice*, iniciada ya en plena guerra (1937-1940).

Durante la *década de los 40* se dibujan ya dos actitudes bien diferenciadas: la de quienes, dentro de una estricta fidelidad a los criterios del momento político, aunque superando el carácter excluyente de su falangismo inicial, intentan tímidamente reanudar el contacto con Europa y con el pensamiento liberal de la etapa ànterior —tal el grupo de Laín, Ridruejo, Tovar..., fundadores de la revista *Escorial* (1940-1950)–, y la de aquellos que proclaman como único norte la tradición nacional y las ideas católicas, desde un punto de vista estrictamente conservador —así la revista *Arbor* (desde 1943), con Calvo Serer, Pérez Embid...–.

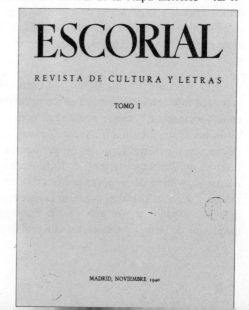

Portada de la Revista "Escorial".

Portada de la Revista "Cuadernos para el Diálogo".

En la *década de los 50*, mientras se inicia levemente la comunicación con los intelectuales exiliados y con el pensamiento europeo —en su etapa existencialista—, superando el aislamiento cultural del momento anterior, comienzan a manifestarse síntomas de renovación. Las reflexiones de Aranguren sobre el protestantismo, la labor de Vicens Vives en pro del estudio científico de las realidades concretas en los procesos históricos o la atención a las circunstancias más ásperas de la vida del país, propia de la novela del "realismo social", etc., podrían servir de ejemplo del nuevo clima cultural, favorecido por el intento liberalizador del ministro Ruiz-Giménez, la atenuación de la guerra fría, la llegada a la Universidad de nuevas promociones estudiantiles —crisis universitaria de 1956—, etc.

En la *década de los 60*, al compás del desarrollo económico y de ciertas medidas aperturistas —tal la "Ley de Prensa", que tiende a suavizar anteriores restricciones—, el panorama intelectual se diversifica y amplía gracias a la aparición de nuevas revistas —la *Revista de Occidente* (1963), los *Cuadernos para el Diálogo* (1963)...—, al conocimiento sucesivo de otras direcciones culturales —catolicismo posconciliar, neopositivismo, estructuralismo, marxismo...—, al poderoso desarrollo de una mentalidad democrática o a la presencia de un brillante grupo de jóvenes historiadores, sociólogos, economistas, etc., cuyos rigurosos análisis de la realidad nacional habrán de poner las bases de un nuevo concepto del presente y el pasado de España.

El pensamiento filosófico. — Como antes indicamos, simplificando mucho, la actividad intelectual de España en los primeros lustros de la posguerra puede agruparse en dos sectores: 1.º, el que adopta una actitud rígidamente conservadora, acogiéndose, según los casos, a las doctrinas escolásticas, al tradicionalismo de Menéndez y Pelayo o de Maeztu, o a ciertas fórmulas del pensamiento autoritario —como lo ejemplifican con diversos matices en el terreno de lo filosófico J. Zaragüeta, González Alvarez, Muñoz Alonso..., y en el de las ideas políticas Javier Conde, Calvo Serer, etc.—, y 2.º, el que integra a quienes intentan conciliar la herencia del pasado nacional con el pensamiento moderno español y europeo —Laín Entralgo, Marías, Aranguren...—, aceptando el magisterio de Ortega y Gasset, así como el de **Xavier Zubiri** (1898), cuyo pensamiento,

Pedro Laín Entralgo.

en el que confluyen la ciencia actual, la filosofía aristotélica y las concepciones cristianas, ejerció en estos años un poderoso influjo a través de diversos libros —*Naturaleza, Historia, Dios* (1944), *Sobre la esencia* (1962)...— y numerosos cursos privados.

A continuación, aludiremos brevemente a algunas de las figuras que alcanzaron, en el terreno del ensayo, una más amplia audiencia durante el período indicado.

Pedro Laín Entralgo (n. 1908) ha sido uno de los escritores de posguerra que con más ahínco han defendido, desde una postura eminentemente católica y con un apasionado fervor por los valores nacionales, la necesidad de comunicación con el mundo cultural europeo. Partidario del diálogo y de la convivencia, toda su obra se halla presidida por un noble deseo de comprensión serena. Catedrático de Historia de la Medicina, ha dedicado libros a su especialidad, y al mismo tiempo, a temas en relación con la historia cultural de España: *Medicina e Historia* (1941), *Menéndez Pelayo* (1944), *La generación del 98* (1945), *España como problema* (1949), *La espera y la esperanza* (1957), donde queda de relieve su hondo conocimiento del pensamiento religioso cristiano, *Ocio y trabajo* (1960), *Teoría y realidad del otro* (1961), *El problema de la Universidad* (1968), *A qué llamamos España* (1971), etc. El siguiente fragmento de *La generación del 98* puede servir de ejemplo de su limpio y elegante estilo, así como de su ponderada visión crítica:

> El fracaso puede conducir a dos metas distintas: el resentimiento y el ensueño. Caen en resentimiento aquellos cuyo fracaso fue total y que carecen de vida interior suficientemente rica para sobrellevar su propia soledad; porque el fracaso no consiste sino en eso, en ser condenado a soledad por el tribunal del mundo propio. Evádense desde el fracaso hacia el ensueño los que compensan sus parciales derrotas con triunfos de otro linaje, y en todo caso, aquellos que saben excavar en el suelo de su propia soledad, hasta hallar la vena preciosa que la soledad siempre contiene.[...]
> No podían caer en resentimiento los hombres del 98. Habían fracasado como españoles porque desearon "otra España", clamaron por ella y cuando llegó "aquél mañana de su ayer" —1915, 1920—, España, bajo la apariencia de cierto progreso material, seguía siendo tan insatisfactoria como en 1900. Pero junto al fracaso del fragmento español de su ambición, estaba su triunfo

literario, cada vez más indiscutible y menos discutido, y estaba, sobre todo, su ingénita capacidad de ensueño, su íntima y decisiva vocación literaria. No cayeron en el resentimiento, y se evadieron hacia el ensueño. Mejor aún: después de alquitararlos y embellecerlos, convirtieron en ensueños sus proyectos juveniles acerca de España. Muchos de ellos —Unamuno, Baroja, Valle-Inclán, Antonio Machado— seguirán haciendo crítica directa o literaria, dura y ácida siempre, de la España que ven; pero esa crítica ya no está hecha desde la situación caminante del reformador, sino desde la situación contemplativa del soñador que ha dado forma acabada a su propio ensueño. Soñadores contemplativos y locuaces son, en efecto, todos ellos, aunque se les vea entregarse a veces al tráfago de los sucesos y acaso perderse en él.

Una orientación semejante a la de Laín Entralgo en cuanto al propósito de incorporar a la cultura patria lo más valioso del pensamiento moderno caracteriza la obra de **José Luis L. Aranguren** (n. 1909), catedrático de Etica en la Universidad Central hasta el momento de su expulsión en 1965. Profundo conocedor de la teología cristiana, así como de las corrientes culturales de última hora —existencialismo, neopositivismo, marxismo, estructuralismo...—, ha publicado ensayos y tratados en los que se manifiesta el deseo de asumir, desde un punto de vista católico y con un criterio cada vez más abierto, las inquietudes del mundo actual, en los más diversos campos —religioso, estético, moral y político—. Figuran entre ellas *Catolicismo y protestantismo como formas de existencia* (1952), *Catolicismo día tras día* (1955), un tratado de *Etica* (1958), *La juventud europea y otros ensayos* (1961), *Etica y política* (1963), *Moral y sociedad* (1965), *El marxismo como moral* (1967), *La comunicación humana* (1967), *La crisis del catolicismo* (1969), *Erotismo y liberación de la mujer* (1971). En 1976 es reintegrado a su cátedra.

Actitud liberal, hondo sentido católico de la vida e inquietud intelectual son tres notas constantes en la producción de **Julián Marías** (n. 1914), autor de ensayos sobre

diversos temas, en especial de tipo literario y de numerosos libros de contenido filosófico, donde se advierte el influjo de los pensadores españoles del siglo XX, sobre todo el de Ortega y Gasset, a quien ha dedicado varias obras de fervorosa exégesis y comentario. Como ejemplo de su agilidad intelectual, amplia cultura y brillantez expositiva pueden citarse, *Historia de la Filosofía* (1941), *Miguel de Unamuno* (1942),

José Luis L. Aranguren

Ortega y la idea de la razón vital (1949), *El método histórico de las generaciones* (1949), *Ortega, circunstancia y vocación* (1960), *Los españoles* (1962), *La España posible en tiempo de Carlos III* (1963), *Meditaciones sobre la sociedad española* (1966), *Antropología metafísica* (1970), etc.

Antonio Tovar (1911), ha publicado, a su vez, numerosos trabajos de investigación en los que queda patente una vasta erudición y un profundo conocimiento del mundo clásico —*Vida de Sócrates* (1947)—, así como libros que revelan su interés por la problemática actual —*Universidad y educación de masas* (1968)—.

Durante los últimos años la reflexión filosófica ha adquirido nuevas dimensiones gracias al desarrollo de la investigación en el terreno de la filosofía de la ciencia, la teoría de la técnica, el pensamiento dialéctico... La aportación de **Carlos París**, **Miguel Sánchez Mazas**, **Gustavo Bueno** o **Manuel Sacristán** puede servir de ejemplo en este aspecto.

Paralelamente a la realizada en España se ha ido produciendo, sobre todo en América, una amplia labor filosófica, debida en buena parte a quienes se exiliaron después de la guerra. Lugares destacados ocupan, entre otros, los catalanes **José Ferrater Mora**, brillante ensayista y autor de un gran *Diccionario de la Filosofía* (1941), *Cuatro visiones de la historia universal* (1945), *El hombre en la encrucijada* (1952), *El ser y el sentido* (1967), *La filosofía actual* (1969)..., y **Eduardo Nicol** (1907), entre cuyas publicaciones figuran *Los principios de la ciencia* (1965); varios discípulos de Ortega: **José Gaos** (1900-1969), gran conocedor de la filosofía actual —*Discurso de la filosofía* (1959)— y **María Zambrano** (1907), autora de bellos y meditados estudios —*Pensamiento y poesía en la vida española* (1945), *El sueño creador* (1965)—; **Juan David García Bacca** (1901), cuyo inicial interés por la Lógica ha dejado paso a la consideración de los problemas del mundo actual —*Curso sistemático de filosofía actual* (1969)—, etc.

La Historia y otras Ciencias Humanas. — En el campo de la historia, junto a la labor realizada ahora por grandes figuras correspondientes a generaciones anteriores a la guerra —Menéndez Pidal (*Los españoles en la historia*), Américo Castro (*La realidad histórica de España*), C. Sánchez Albornoz (*España, un enigma histórico*)—, se produce una importantísima renovación, debida en gran parte al esfuerzo de **Jaime Vicens Vives** (1910-1960), quien consiguió transmitir a un brillante grupo de historiadores catalanes —Giralt, J. Nadal, J. Fontana, J. Termes...— su riguroso método científico, visible en una serie de obras —*Noticia de Cataluña* (1954), *Historia económica de España* (1959)...—, en las que se advierte su preocupación por los problemas de índole social y económica.

En relación con el estudio del pasado y el presente de España cabe citar también a **José Antonio Maravall** (1911), atento a los aspectos políticos, sociales y literarios de la historia del país —*Teoría del saber histórico* (1958), *Menéndez Pidal y la historia del pensamiento* (1960), *El mundo social de "La Celestina"* (1964), *Estado moderno y mentalidad social* (1972)...—, al antropólogo **Julio Caro Baroja** (1914), autor de una importante obra, sobre *Los judíos en la España moderna y contemporánea* (1961), **Manuel Tuñón de Lara**, dedicado al análisis de épocas recientes —*La España del siglo XIX* (1965), *La España del siglo XX* (1966), *El movimiento obrero en la Historia de España* (1972)—, **Enrique Tierno Galván** (1918), a quien debemos importantes tratados en torno a aspectos sociológicos y de teoría política, en los que se manifiesta una clara evolución hacia el pensamiento dialéctico —*Introducción a la sociología* (1969), *La humanidad reducida* (1972)...—, el sociólogo **Amando de Miguel**, autor de vivos análisis sobre etapas recientes de la historia de España, etc.

La historia del arte

La historia y la crítica de arte cuenta también con destacadas figuras. Un lugar importante ocupa **José Camón Aznar** (1898), cuya producción, escrita en una tensa y abarrocada prosa, abarca numerosos libros donde se analizan los fenómenos estéticos con agudo enfoque personal, viendo en ellos la resonancia de toda una problemática cultural y humana —*El arte desde su esencia* (1940), *El Greco* (1953), *Picasso y el cubismo* (1956)...—. A su lado hay que mencionar a **Enrique Lafuente Ferrari** (1898), autor de una admirable *Historia de la pintura española* (1946), **J. A. Gaya Nuño** (1913-1976) —*La Pintura románica en Castilla* (1954)—, **A. Cirici Pellicer** (1914), gran conocedor del arte actual —*Picasso antes de Picasso* (1945)...—.

Los problemas del Hombre

Entre quienes han abordado el estudio del hombre desde el punto de vista médico, con un criterio comprensivo y abierto y poniendo de relieve la relación entre cuerpo y psique, sobresale **Juan Rof Carballo** (1905), autor de sugestivos libros —*Entre el silencio y la palabra* (1960), *Urdimbre afectiva y enfermedad* (1960)— y de algunos ensayos en lengua gallega que denotan una fina intuición de lo literario. **Juan J. López Ibor** (1905) ha publicado *La agonía del psicoanálisis* (1951), crítica de Freud desde un punto de vista espiritualista, y *El español y su complejo de inferioridad* (1951). Una dirección totalmente distinta siguen los estudios del psiquiatra **C. Castilla del Pino** (1924) quien, intentando sentar las bases de una antropología dialéctica, ha interpretado los trastornos psíquicos como consecuencia del conflicto entre la personalidad y "un sistema social neurotizante y alienador" —*Psicoanálisis y marxismo* (1969), *Un estudio de la depresión* (1970)...—.

La literatura española: historiadores, críticos y eruditos

La literatura española, ampliamente estudiada en los decenios inmediatamente anteriores a la guerra, ha seguido siendo objeto de rigurosos análisis. Digna de mención es la atención prestada en los años más recientes al influjo de los factores socio-culturales sobre la creación literaria, así como el examen crítico, desde nuevos puntos de vista, de la producción correspondiente a los siglos XIX y XX.

Joaquín de Entrambasaguas (n. 1904) ha publicado numerosos ensayos críticos —*La determinación del Romanticismo español y otros ensayos* (1939)— y estudios de un extraordinario rigor erudito, entre los que figuran *Una guerra literaria del Siglo de Oro: Lope de Vega y los preceptistas aristotélicos* (1932), *Vivir y crear de Lope de Vega* (1946), etc.

Rafael Lapesa (n. 1908), es autor de una importante *Historia de la Lengua española* (1942) y de finos estudios, escritos en una bella y atildada prosa, sobre poetas medievales y del Siglo de Oro —*Trayectoria poética de Garcilaso* (1948), *La obra literaria del Marqués de Santillana* (1957), *De la Edad Media a nuestros días* (1967)...—.

Emilio Orozco (n. 1909), hondo conocedor del Barroco español en sus aspectos plástico y literario, como lo demuestran sus *Temas del barroco* (1947), ha publicado un sugestivo libro sobre *Poesía y Mística* (1959) y *Lope y Góngora frente a frente.*

Guillermo Díaz-Plaja (n.1909) cuenta en su haber con un elevadísimo número de publicaciones en castellano y en catalán, entre las que figuran antologías, varios libros de versos y ensayos y gran cantidad de estudios que dan fe de su aguda sensibilidad literaria, así como de su despierta curiosidad por las más diversas facetas del mundo de la cultura. Al campo de la historia literaria y de la crítica corresponden entre otros muchos la *Introducción al estudio del Romanticismo español* (1936), *la Historia de la poesía lírica española* (1937), *El espíritu del Barroco* (1941), *F. García Lorca* (1948), *Modernismo frente a 98* (1951), *Juan Ramón Jiménez en su poesía* (1958), *Las estéticas de Valle Inclán* (1965), etc., en todos los cuales la agilidad del estilo se une a una certera intuición de los valores estéticos.

Muy importante es también en la actualidad la aportación de **José Manuel Blecua** (n. 1913), uno de los mejores conocedores de nuestra lírica medieval, del Siglo de Oro y moderna y a quien debemos deliciosas antologías poéticas, estudios de historia literaria y depuradísimas ediciones críticas de don Juan Manuel, de Mena, Herrera, los Argensola, Lope de Vega, y sobre todo de la poesía de Quevedo (1969)... Alto ejemplo de buen gusto y criterio selectivo son, entre otras, su *Antología de la poesía española (poesía de tipo tradicional)* (1956) y la *Floresta lírica española* (1957).

Martín de Riquer (n. 1914) figura, a su vez, a la cabeza de los medievalistas españoles, como lo atestiguan sus investigaciones en el sector de las literaturas castellana —Cervantes—, francesa —los cantares de gesta— y provenzal, y los estudios dedicados a A. Canals, al poeta Cerverí, a Joanot Martorell y a otros muchos aspectos de las letras catalanas.

Alonso Zamora Vicente (n. 1916), autor de agudas narraciones cortas, ha iluminado amplias zonas de la literatura castellana en bellos ensayos de esmerada prosa sobre las sonatas de Valle-Inclán, Vicente Espinel, Lope de Vega, C. J. Cela, etc.

Valiosa es, asimismo, la labor llevada a cabo por los profesores **E. Alarcos Llorach** —El Libro de Alexandre, Blas de Otero—, **Alda Tesán** —Bocángel, Góngora—, **R. de Balbín** —Cervantes, Pantaleón de Ribera—, **M. Baquero Goyanes** —prosa narrativa del siglo XIX—, **C. Clavería** —Unamuno—, **E. Correa Calderón** —Gracián—, **R. Ferreres** —Gil Polo, Moratín—, **Filgueira Valverde** —importantes estudios sobre poesía galaico-portuguesa—, **V. Gaos** —Campoamor—, **M. García Blanco** —Unamuno—, **L. Guarner** —poeta, traductor y especialista en temas valencianos—, **Lázaro Carreter** —estilística, la picaresca, el siglo XVIII—, **López Estrada** —Montemayor—, **Morales Oliver** —los místicos—, **Moreno Báez** —Mateo Alemán, la "Diana", el Quijote...—, **Muñoz Cortés** —lingüística, Vélez de Guevara—, **Oliver Asín** —literatura hispano-árabe—, **Carola Reig** —el Cantar de Sancho II—, **F. Rico** —Alfonso X, la picaresca—, **Alberto Sánchez** —Timoneda, Cervantes—, **J. Simón Díaz** —autor de una monumental Bibliografía de la literatura hispánica—, **A. de Saz** —temas hispanoamericanos—; **J. Tamayo y Rubio** —Cadalso, Bécquer, Cervantes—, **A. Vilanova** —Góngora, literatura contemporánea—, **Yndurain** —novela contemporánea, Quevedo, Gracián—...

Un grupo aparte constituyen quienes desde el libro o la revista han ido estableciendo un criterio en torno a la literatura más reciente. Figuran entre ellos —además de algunos nombres ya citados: Díaz-Plaja, Blecua, Alarcos Llorach...—, **Torrente Ballester,** a quien debemos críticas teatrales, notables por su independencia de juicio, y un *Panorama de la literatura española contemporánea* (1956); **Ricardo Gullón,** autor de importantes libros sobre Gil y Carrasco, Galdós, J. Ramón Jiménez, etc.; **José Luis Cano,** quien desde la excelente revista *Insula,* dirigida por E. Canito, ha ido comentando durante años la actividad literaria, además de publicar una *Antología de la nueva poesía española* y un libro sobre la *Poesía del siglo XX* (1960); el poeta **Carlos Bousoño,** que en un libro sobre *La poesía de Vicente Aleixandre* (1950) abrió nuevos caminos a la comprensión estética de la lírica actual; **J. M. Castellet,** autor de unas *Notas sobre la literatura española contemporánea* y de discutidas antologías —*Veinte años de poesía española (1939-1959)*—, *Nueve novísimos* (1970), en las que, como en otros trabajos, se analiza el fenómeno estético en función de su alcance social; **D. Pérez Minik,** cuyos libros responden a una inteligente visión de la novela y el teatro contemporáneos; el poeta **Eugenio de Nora,** que en su importante historia de *La novela española contemporánea* (1962) nos ofrece un documentado y sagaz estudio del género a partir del 98; **J. R. Marra-López,** Narrativa española fuera de España (1939-1961), 1963, sobre la producción novelística de los exiliados, **G. Sobejano** (*Novela española de nuestro tiempo,* 1970), **Joaquín Marco** (*Nueva literatura,* 1972), **Andrés Amorós** (*Introducción a la novela contemporánea* 1971, *La novela intelectual de R. Pérez de Ayala,* 1974), **J. C. Mainer** (*Literatura y pequeña burguesía en España,* 1972), etc.

BIBLIOGRAFIA

D. Pérez Minik: *Debates sobre el teatro español contemporáneo*, 1953.

A. Valbuena: *Teatro moderno español*, 1954.

A. Valbuena: *Historia del teatro español*, 1956.

G. Torrente Ballester: *Teatro español contemporáneo*, 1957, (2.ª ed. ampliada, 1968).

A. Marquerie: *Veinte años de teatro en España*, 1959.

F. Díaz Plaja: *Teatro español de hoy. Antología (1939-1958)*, 1958.

D. Pérez Minik: *Teatro europeo contemporáneo*, 1961.

F. García Pavón: *Teatro social en España*, 1962.

J. Monleón: *Treinta años de teatro de la derecha*. Barcelona, Tusquets, 1971.

F. Ruiz Ramón: *Historia del teatro español. Siglo XX. 2*. Alianza Editorial, 1971.

Donald W. Bleznik: *El ensayo del siglo XVI al XX*. México, 1964.

E. de Zuleta: *Historia de la crítica española contemporánea*. Ed. Gredos, 1966.

H. Carpintero: *Cinco aventuras españolas (Ayala, Laín, Aranguren, Ferrater, Marías)*. Ed. Rev. de Occidente, 1967.

J. L. Abellán: *La cultura en España*. Ed. Cuadernos para el diálogo, 1971.

A. López Quintás: *Filosofía española contemporánea*. Madrid, B. A. C., 1970.

J. C. Mainer: *Falange y Literatura*. Ed. Labor, 1971.

Elías Díaz: *Notas para una historia del pensamiento español actual (1939-1973)*. Cuadernos para el diálogo, 1974.

J. L. Abellán: *La prosa científica en el siglo XX*. En "Historia de la literatura española (siglos XIX y XX)". Guadiana, 1974.

Historia de la literatura española. Dirigida por R. O. Jones. 6 vols. Barcelona. Ariel, 1974.

Textos hispánicos modernos. Edit. Labor.

bibliografía general

Manuales

J. Hurtado y González Palencia. *Historia de la Literatura española* 6.ª ed., 1949.

A. Valbuena. *Historia de la Literatura española.* 3 vols. 6.ª edición, 1960.

Historia General de las Literaturas Hispánicas. Dirigida por G. Díaz Plaja. Van publicados 6 volúmenes a partir de 1949.

R. Lapesa. *Historia de la lengua española.* 2.ª edición, 1950.

G. Díaz Plaja. *Historia de la poesía lírica española.* 2.ª edición, 1948.

A. Valbuena. *Literatura dramática española,* 1930.

A. Valbuena. *Historia del teatro español,* 1956.

J. Horace Parker. *Breve historia del teatro español.* México, 1957.

B. Sánchez Alonso. *Historia de la historiografía española.* 3 vols., 1941-44-50.

Diccionario de Literatura española. 3.ª edición, Ed. Rev de Occ., 1964.

Estudios sobre España y su literatura

R. Menéndez Pidal. *Los españoles en la historia y en la literatura,* 1951.

C. Vossler. *Algunos caracteres de la cultura española.* (Col. Austral), 1941.

A. Farinelli. *Consideraciones sobre los caracteres fundamentales de la literatura española.* En "Divagaciones hispánicas". Vol. I, 1936.

A. Castro. *La realidad histórica de España,* 1954.

C. Sánchez Albornoz. *España, un enigma histórico.* 2 vols., 1956.

A. Castro. *Origen ser y existir de los españoles,* 1959.

Colecciones de textos

Biblioteca de Autores Españoles. 71 vols., 1846-1880 (Rivadeneyra). 64 vols. más, de 1953 a 1960 (Ediciones Atlas). [B. A. E.]

Nueva Biblioteca de Autores Españoles. 26 vols. [N. B. A. E.]

Clásicos castellanos (Espasa Calpe), 1910. En curso de publicación. [Clás. Cast.]

Colección universal (Espasa Calpe).

Biblioteca Cervantes.

Colección Austral (Espasa Calpe). [Col. Austral.]
Colección Odres Nuevos (Editorial Castalia).
Colecciones *Obras eternas, Joya y Crisol.* (Ed. Aguilar).
Biblioteca Anaya. "Textos españoles".

Ediciones escolares

Biblioteca literaria del Estudiante (Madrid).
Biblioteca Clásica "Ebro" (Zaragoza).
Biblioteca Hispania (Edit. Rauter, Barcelona).

Antologías

Antología general de la Literatura española. A. del Río y Amelia A. del Río. (Rev. de Occidente), 1954.
Antología mayor de la Literatura hispánica. Dirigida por G. Díaz Plaja (Editorial Labor), 1958.
Las cien mejores poesías líricas. M. Menéndez y Pelayo.
Floresta lírica española. J. M. Blecua (Gredos), 1957.
Antología de prosistas españoles. R. Menéndez Pidal (Col. Austral), 1940.
Antología de la Literatura española de la Edad Media. E. Kohler (Klincksieck), 1957.
Antología de poetas líricos (de la Edad Media). M. Menéndez y Pelayo (1890-1908).
Poesía de la Edad Media y poesía tradicional. Dámaso Alonso (Losada), 1942.
Antología de la poesía española. I. Poesía de tipo tradicional. D. Alonso y J. M. Blecua (Gredos), 1956.
Poetas del siglo XVI. Rafael Lapesa (Blioteca Hispania), 1947.
Neoclásicos y románticos. Félix Ros, 1940.
La prosa española del siglo XIX. Max Aub. México, 1952-53.
Antología de la poesía romántica española. M. Altolaguirre (Col. Austral).
Antología de la poesía española e hispanoamericana. F. de Onís, 1934.
Antología Siglo XX. Prosistas españoles. María de Maeztu (col. Austral), 1940.
Antología de la nueva poesía española. J. L. Cano (Gredos), 1958.
Teatro español de hoy (1939-1958). F. Díaz-Plaja, 1958.
Antología de cuentistas españoles contemporáneos. F. García Pavón (Gredos), 1959.
Veinte años de poesía española (1939-1959). J. M. Castellet (Seix Barral), 1960.
Antología de la nueva poesía española. J. Batlló. Madrid, 1968.

Bibliografía

Homero Serís. *Manual de bibliografía de la literatura española.* New York, 1948.
Bibliografía de la literatura hispánica. J. Simón Díaz. Varios volúmenes en curso de publicación desde 1950.
Manual de bibliografía de la literatura española. J. Simón Díaz, 1964.

índice onomástico

Sólo indicamos los lugares en que se habla concretamente de las obras y autores incluidos en este Indice.